LA TÉLÉ

DIX ANS
D'HISTOIRES SECRÈTES

Marie-Eve Chamard
et
Philippe Kieffer

LA TÉLÉ

DIX ANS
D'HISTOIRES SECRÈTES

FLAMMARION

© Flammarion, 1992.
ISBN : 2-08-066505-7
Imprimé en France

A Thomas, ce temps volé aux jeux.

« Les amis, tout doit disparaître ! Nous soldons la totalité
de nos Ubiks électriques silencieux.
Oui, nous liquidons l'ensemble de nos articles.
Et n'oubliez pas que tous les Ubiks de notre stock ont été
utilisés conformément au mode d'emploi. »

Philip K. Dick, *Ubik.*

« I first heard Personville called Poisonville... »

Dashiell Hammett, *Red Harvest.*

Avant-propos

« Je me demande bien comment tout cela va se terminer..., dit un soir d'octobre 1987 le P-DG de la Cinq, Robert Hersant, constatant l'échec d'une chaîne qu'il venait à peine de reprendre.
 – Je crois pouvoir vous le dire, ironisa un cadre de l'équipe : il y aura du sang sur les murs ! »
Remarque innocemment prophétique.
Avril 1992, la Cinq implose en direct à la face d'un système audiovisuel vermoulu et miné. Grande première française, l'anéantissement d'une chaîne nationale privée signe la fin – provisoire et spectaculaire – d'une décennie de télévision riche en péripéties, réformes et autres avanies.
Il y a du « sang » sur les murs de cette décennie paradoxale. Mais aussi de l'or, de la poussière, des illusions perdues... Dix années contradictoires et féroces qui ont vu émerger l'extraordinaire réussite de Canal Plus et s'effriter le secteur public de la télévision. Dix ans au cours desquels sont nées, mortes, puis ressuscitées des chaînes commerciales. Années-gouffres où se sont engloutis des dizaines de millards de francs dans de trompeurs eldorados câblés, des mirages satellitaires et de futuristes normes de diffusion. Dix ans de décisions incohérentes mêlées à de bonnes idées, à de généreux gaspillages, à des politiques audacieuses, arrogantes ou tortueuses qui finissent par constituer un modèle de non-politique audiovisuelle d'un pays.
Année après année, le tableau semble plus abscons et apocalyptique, l'enchevêtrement des décisions plus inextricable, les réformes plus dangereuses, le cynisme des opérateurs plus tranchant. De gouvernement en gouvernement les instances dites de « régulation » se succèdent et s'empilent inutilement, de Haute Autorité en CNCL puis en CSA. De ministre en ministre s'accumulent des tombereaux

11

de discours lénifiants et creux sur la « grandeur » de la télévision française, ses missions culturelles, sa vocation éducative, les heurs et malheurs de la Production, de la Création...

Si tourmenté est l'audiovisuel, si kaléidoscopiques en sont les fragments qui parviennent à la surface de ce qui fait « l'actualité » des médias qu'il semble qu'il n'existe ni logique ni cohérence d'ensemble dans ce gigantesque chantier permanent. A longueur de pages et d'antenne cette actualité brasse et charrie pourtant une poignée de noms d'hommes et de groupes de communication qui paraissent être les acteurs d'une histoire invisible. Ce sont les protagonistes d'un combat souterrain dont ne surgissent, comme des faits d'armes, que les échos de défaites ou victoires remportées dans des sphères inaccessibles. Ils se nomment André Rousselet, Robert Hersant, Silvio Berlusconi, Jean-Luc Lagardère, Francis Bouygues, Robert Maxwell... Leurs groupes portent parfois leurs noms ou s'appellent Hachette, Compagnie luxembourgeoise, TF1, M6, la Cinq, Fininvest...

Ils font souvent la « une » des rubriques spécialisées; mais que sait-on d'eux, de leurs parcours, leurs ambitions, leurs conflits? Comment, dans quelles conditions s'est organisée l'incroyable partie de Monopoly qui se joue dans les coulisses de l'audiovisuel depuis 1981? Y a-t-il seulement une règle du jeu? Qui arbitre? Comment, qui et pourquoi décide-t-on de créer une chaîne cryptée, de lancer des télévisions commerciales, de privatiser TF1, de réunir des chaînes publiques...? Qui distribue ou s'approprie les cartes? Qui fait rouler les dés? Qui donne vie à la télévision? Qui la tue?

Essayer de répondre à ces questions, tenter de saisir et d'observer les relations entre politiques et entrepreneurs, de dénouer les liens d'estime ou d'intérêt entre opérateurs de chaînes, voilà ce que fut notre démarche. Il ne s'agit ni d'une thèse sur la place de la télévision dans la société française, ni d'un essai sur la qualité ou la diversité de ses programmes, pas plus que du énième « bilan et perspectives » de l'audiovisuel. Il s'agit d'un récit, d'une histoire, d'un feuilleton parfois rocambolesque. Au-delà des réformes et des lois, en amont des comptes d'exploitation, la décennie télévisuelle est celle des dirigeants, des groupes, des gouvernants. Industriels de la communication, artistes, ministres, journalistes, patrons de presse envoûtés par la télévision... Ce sont les hommes et les femmes qui en dix ans ont façonné ce désordre audiovisuel que nous avons voulu rencontrer.

C'est avec eux, avec leurs témoignages, que nous nous sommes efforcés de reconstituer ce « puzzle » en définitive bien plus compréhensible qu'il ne paraît. C'est en remontant au plus près des sources de décision, au plus près de ce que furent les états d'esprit, les réflexions et humeurs successives de ces acteurs que nous avons voulu mettre à jour, lorsqu'il y en avait une, la suite logique des faits, des raisonnements, l'enchaînement des situations qui va des prémices de la création de Canal Plus en 1982... à la disparition concertée de la Cinq en 1992.

Ce sont donc, avant tout, des histoires d'hommes. D'argent. De pouvoir. De haines et de rivalités. Parfois, rarement, d'amitié. Ce sont des récits de conquêtes, de stratégies, de roublardises, de « cordons ombilicaux » faussement coupés entre pouvoir et télévision, de promesses, de discours, d'engagements politiques et de tromperies.

Par la multiplicité des points de vue qu'il implique, par la reconstitution scénique qu'il autorise, le mode du récit s'est imposé à nous comme étant le seul à permettre une vision d'ensemble du champ de bataille audiovisuel. Dans une très large mesure, ce récit n'a été rendu possible, au terme de deux années d'enquête, que par le croisement, la combinaison, les recoupements de très nombreux témoignages. Bien des aspects jusqu'alors dissimulés ou incompris de cette histoire de la télévision n'ont pu être ici relatés que grâce à la confiance qu'ont bien voulu nous accorder nombre de ces acteurs.

Cette enquête auprès de tous les groupes de communication, gouvernants ou instances de régulation mentionnés, a donné lieu à des attitudes parfois contradictoires – mais compréhensibles – des acteurs, acceptant d'être cités comme « source » sur certains événements mais non sur d'autres. Par commodité, autant pour éviter de redondantes accumulations de « sources » dans le récit que pour préserver des anonymats que nous nous sommes engagés à respecter, nous avons pris le parti de n'en mentionner nommément aucune.

Des agendas poussiéreux se sont ouverts, des courriers ont été exhumés, des notes sorties de boîtes à archives ou de caves, des pages de journaux personnels tenus aux moments forts de certains épisodes nous ont été donnés à lire. Des mémoires, vives ou lasses de cette histoire pas toujours glorieuse, ont accepté de se prêter au jeu des questions, des relances et des vérifications parfois douloureuses devant un magnétophone.

Que tous ceux qui se sont résignés à, ou réjouis de subir notre curiosité trouvent ici l'expression de notre reconnaissance.

M.-E.C. et P.K.

PREMIÈRE PARTIE

GÉNITEURS

CHAPITRE I

Mission cryptée

Ce sont deux hommes inconscients de l'aventure qui va naître de leur voyage. Silhouettes pressées filant dans le hall de Roissy, ils se dirigent, ce mardi 21 septembre 1982, vers la porte d'embarquement, billets et passeports prestement remis en poche. Mallette légère et magazines roulés sous le bras, ils rejoignent le groupe des passagers du vol TWA 819 pour Washington. Départ 12 heures 30. La capitale américaine n'est pas la destination finale de ces deux Français un peu isolés entre les grappes de touristes et les hommes d'affaires américains engagés dans l'étroit boyau qui mène à l'appareil. Ce n'est qu'une étape. Celle du « contact » qui doit leur permettre de mener à bien leur mission.

« Tout est réglé pour les réservations d'hôtel ? Le rendez-vous est confirmé ? » demande le plus jeune des deux. De taille moyenne, le visage un peu rond, les lèvres fines, Jacques Driencourt, fraîche recrue de la direction du Développement du groupe Havas, n'a pas vingt-trois ans, mais déjà une enviable connaissance de la télévision aux USA, de l'ambition, et le souvenir d'une « girl friend » prénommée Nancy à ressusciter sur la côte Ouest.

« Tout est en ordre. Bob nous attend », le rassure Frédéric Chapus en bouclant sa ceinture. Grand et brun, la quarantaine large d'épaules, Frédéric Chapus est autant intrigué par son compagnon de voyage que ce dernier est curieux à son égard. Il y a trois semaines, les deux hommes ne se connaissaient pas. Jusqu'à ce coup de fil au milieu de l'été, dans son bureau d'Europe 1 : « Bonjour, mon nom est Jacques Driencourt, je vous appelle sur les conseils de Léo Scheer qui me dit que vous connaissez beaucoup de choses sur la télévision à péage... Est-ce que nous pourrions nous rencontrer ? » Une drôle d'équipe, ces gens du Développement d'Havas. Plutôt jeunes, un peu fous. Et assez entreprenants pour faire en sorte qu'il se retrouve ici, prêt à décoller pour une nouvelle mission d'étude aussi hasardeuse que confidentielle.

Bob sera-t-il aussi coopératif qu'il l'a promis? se demande Frédéric Chapus, satisfait à l'idée de retrouver celui qui l'a initié, voici trois ans, aux mystères des images cryptées. Il ne veut pas en douter, même si leur précédent projet, tombé à l'eau avec le changement de président en France, autoriserait l'ami américain à quelques réticences.

Quand l'avion commence à prendre de la vitesse sur la piste, Frédéric Chapus ne peut s'empêcher de penser à toutes les fois qu'il a fait ce voyage. Aux innombrables allers-retours à New York, Miami, Chicago, Los Angeles et aux entretiens qu'il avait ensuite avec le père de cette histoire inachevée. Avec celui qui était alors son patron et ami, Jean Frydman. Il est toujours son ami, en cet automne 1982, mais ce sont d'autres hommes qui écrivent la suite du projet. Jean Frydman, lui, en est sorti.

Après tout, se dit Frédéric Chapus, cette fois sera peut-être la bonne. Si toutefois le nouveau P-DG d'Havas, André Rousselet, n'écoute pas ceux qui lui conseilleront d'enterrer l'idée.

L'idée en question, ce jour-là, ne court pas de danger. Et pour cause, moins d'une dizaine de personnes sont au courant de l'expédition du tandem Chapus-Driencourt. Et moins encore de son objectif précis.

Pas même le président d'Havas.

L'un des hommes les mieux informés du pays, dépositaire de si nombreux secrets, n'a pas encore eu le temps de prendre connaissance des recoins de son nouveau domaine. Installé depuis la fin du mois d'août au siège d'Havas, avenue Charles-de-Gaulle à Neuilly, André Rousselet commence seulement à se sentir chez lui. Il vient de quitter ses fonctions de directeur de cabinet auprès de François Mitterrand, et il faut un certain temps pour explorer Havas. « Chez lui » est une façon de parler car la laideur recherchée de cet immeuble en brique rouge sale a de quoi contrarier quotidiennement son sens esthétique. Et il est si loin du centre de Paris! Neuilly a beau être un appendice chic et prospère de la capitale, ce n'en est pas moins, à ses yeux, une lointaine et triste banlieue. L'intérieur du bâtiment n'est guère plus réconfortant. Couloirs et bureaux rectilignes. Ascenseurs aux teintes et reflets d'éviers en inox. Un soupçon de confort, sinon de luxe, au huitième étage. Celui du président.

Pour tout arranger, la maison dont hérite André Rousselet est sens dessus dessous. Pas encore remise – mais l'est-il lui-même? – de la mort, le 29 août dernier, de son directeur général et président de sa filiale publicitaire géante Eurocom, Georges Roquette. Un décès qui soulève bien des interrogations et suscite les rumeurs les plus malsaines dans la profession. Après des années passées à diriger l'appareil financier du groupe Havas aux côtés de Jacques Douce, directeur général du groupe, puis en solitaire après la disparition de celui-ci au mois de mai 1982, Georges Roquette s'est suicidé d'un coup de fusil de chasse dans son appartement, avenue Mozart; sans laisser d'explication à son geste.

Un drame pour ses proches. Une catastrophe pour André Rousselet qui, à peine assis dans son fauteuil de président, peut craindre de se voir malmené dans les hypothèses qui jailliront pour tenter de comprendre ce suicide. Ne lui prêtait-on pas la volonté d'éclaircir, en arrivant, l'écheveau invraisemblable de sociétés et les circuits d'argent à l'intérieur du groupe qu'avaient tressés au fil des ans Jacques Douce et Georges Roquette?

Trois semaines plus tard, les esprits se sont calmés avenue Charles-de-Gaulle. André Rousselet, qui n'est pas de nature à laisser pourrir une situation, a pris les choses en main, s'appliquant à réorganiser en souplesse fonctionnement et organigramme. Les choses ne se présentent d'ailleurs pas trop mal. Pour la plupart, les Jacques Douce, Georges Roquette, Bernard Brochand, Pierre Dauzier, Jean-Pierre Audour, barons d'Havas, n'étaient ou ne sont pas des inconnus pour lui.

Avec certains d'entre eux, s'étaient même esquissés des liens, parfois voisins de l'amitié, dans l'une des vies antérieures du chef d'entreprise Rousselet. Notamment lorsqu'un goût – atavique – pour la presse avait poussé ce patron d'une compagnie de taxis, la G7, à lancer un magazine consacré au sport et à son environnement, *Sports Magazine*. C'était en 1976. Eurocom et Bernard Brochand avaient alors assuré la campagne publicitaire du nouveau titre en osant un slogan qui avait de quoi dérouter plus d'un amateur de sport : « Il n'y a pas que les résultats qui comptent. » C'est bien ce que s'était dit le « garagiste » Rousselet quand, au bout de quatre mois de ce que son sens de l'autodérision lui fera ensuite appeler un « triomphe », il fallut mettre un terme à la carrière olympique de *Sports Magazine*. La page était tournée. Et avec quelques millions de francs. Cela est déjà si loin...

Maintenant, il faut affirmer la position d'Havas et surtout celle de son président. Trop de centres de pouvoir se sont constitués à la périphérie de ce groupe majoritairement contrôlé par l'Etat [1] mais dont les branches les plus profitables ont peu à peu gagné en autonomie, sous l'autorité habile des directeurs, un peu au nez et à la barbe de présidents qui, dans certains cas, ne faisaient que passer à la tête de ce groupe aussi puissant qu'étrange. Mettre un terme à la dispersion du pouvoir, recentraliser les leviers de commande au niveau de la présidence, tel est l'un des objectifs d'André Rousselet.

Il faudra jouer serré, ne pas heurter de front les féodalités installées, mais les convaincre de se rallier tactiquement au nouveau monarque. Il y a beaucoup à faire, et plus encore à défaire, dans les nébuleuses d'Eurocom, Bélier, les confins des régies publicitaires, les colonies du tourisme, les donjons bâtis en province au hasard des alliances avec la presse régionale... Autant de dossiers convoqués sur le bureau d'André Rousselet, avant d'être éventuellement dirigés vers celui du jeune inspecteur des Finances qu'il vient d'appeler auprès de lui pour prendre la direction financière d'Havas, Marc Tessier.

Ces chantiers prendront des mois de patience et d'énergie, peut se dire André Rousselet. Mais il a le temps. Mieux, il a le soutien, ironique et bienveillant, de l'Etat en la personne de son Président. «... On me dit de plusieurs côtés que vous pourriez faire un bon président pour Havas, avait confié François Mitterrand, un jour de mai 1982, à André Rousselet. Et il avait ajouté : j'ai du mal à le croire... Mais vous qu'en pensez-vous? »

L'interrogation était revenue deux ou trois fois virevolter dans la conversation de François Mitterrand. Jamais par hasard. « Je ne suis pas sûr que cela corresponde à ce que j'aime faire... » répondait évasivement le directeur de cabinet élyséen à ceux qui le questionnaient sur ses intentions, autant par curiosité que pour montrer – les médiocres vaniteux! – qu'ils étaient au fait d'une parcelle des réflexions du Président.

Réponse fort politique, André Rousselet n'ignorant rien des efforts que déployaient certains, notamment des hommes du monde de la

1. Fondée par Charles-Louis Havas en 1835, l'agence Havas est devenue en 1982 le premier groupe européen dans le secteur de la publicité, le premier groupe français dans celui du tourisme. Son capital est détenu à plus de 50 % par l'Etat, auquel s'ajoutent des actionnaires publics, la Caisse des dépôts, l'UAP, les AGF, la BNP, la Société générale... Environ 6 milliards de francs de chiffre d'affaires, près de 13 000 collaborateurs, 122 filiales et participations diverses, le groupe rassemble, au travers d'Eurocom et de Bélier, de nombreuses agences publicitaires. Initialement présent dans le domaine de l'information, le groupe Havas ne l'est plus depuis la Libération. A cette date, il a été scindé en deux par le gouvernement provisoire. Sa branche Information, qui avait été utilisée par les Allemands pendant l'Occupation à des fins de propagande, a été alors transformée en Agence France Presse (AFP).

publicité, dont Jacques Douce bien avant que la maladie l'emporte, en faveur de sa nomination. Choix et raisonnement pragmatiques de la part de ces supporters officieux qui, lui reconnaissant un passé d'entrepreneur, quand bien même de « garagiste », le préféraient à un pur produit administratif du Conseil d'Etat ou de la Cour des comptes. Une autre motivation, moins avouable, les animait peut-être : celle de trouver en André Rousselet, ancien trésorier des campagnes électorales de François Mitterrand, un élément en quelque sorte de composition pour le cas où seraient un jour levés des lièvres encombrants sur l'ensemble des capitaux brassés par Havas.

« On me dit... » Deux mois plus tard, c'était l'exil. A Neuilly.

Affermir, oui, et sévir s'il le faut dans les services rebelles. Ce qui pourrait arriver sans tarder à cette « direction du Développement » que lui a léguée son prédécesseur, Pierre Nicolaÿ. Comment pourrait-il s'entendre avec son impertinent directeur; ce Léo Scheer qui, du haut de ses trente-deux ans, l'a informé qu'il ne l'estime pas? C'est ce qu'André Rousselet retient de l'entretien escarmouche qu'ils ont eu dès son arrivée. Passe d'arme éclair entre un président qui veut asseoir son autorité et un jeune sociologue, directeur du cabinet de Pierre Nicolaÿ et chargé du développement de l'empire Havas! Rien que ça! Une situation jugée immédiatement ubuesque et inacceptable par André Rousselet qui avait essayé de lui faire admettre que les temps changeaient, qu'il avait sans doute vécu un beau rêve mais qu'il était l'heure de revenir aux réalités... A quoi Léo Scheer avait répondu qu'en effet il aurait un problème, une difficulté majeure à surmonter pour travailler avec lui.

« Quelle difficulté? s'était enquis André Rousselet.

– Je ne peux travailler qu'avec des hommes que j'estime, avait rétorqué l'insolent.

– Et alors?

– Alors, j'avais de l'estime pour Pierre Nicolaÿ. »

L'espace d'un instant, André Rousselet (qui en avait entendu d'autres au cours de son existence) avait été partagé entre le désir de satisfaire sur-le-champ ce candidat au hara-kiri professionnel, et une curiosité d'entomologiste pour un individu capable d'une si froide provocation. Pour sortir de cette première impasse, il avait été convenu que Léo Scheer ferait une croix sur son poste de directeur de cabinet, mais qu'il poursuivrait, en attendant de nouvelles décisions, ses activités à la direction du Développement.

Dans l'esprit du P-DG, ces décisions ne seraient pas longues à venir. C'était aussi l'avis, avait-il compris, de la plupart des caciques du groupe pour qui ce service n'était rien d'autre qu'un repaire d'hurluberlus bien mis. Un mélange de pièces rapportées universitaires et de Rastignac socialisants, tirés de leur néant soixante-huitard et projetés sur les cimes d'Havas par le mauvais vent de la gauche triomphante en mai 81... Mais il est difficile d'évoquer cela devant l'un des plus fidèles amis de François Mitterrand.

Dès que les importants dossiers en cours lui en laisseraient l'occasion, il s'occuperait personnellement du sort du responsable du Développement. Et, dans le même mouvement, il ferait le ménage dans l'équipe d'originaux qui gravitait autour de lui. On se demandait bien, d'ailleurs, ce que pouvaient fabriquer ces « zigotos » dans une maison aussi sérieuse. A ce sujet, il n'avait pas vraiment été convaincu par ce que lui avait affirmé Pierre Nicolaÿ, avant de rejoindre la vice-présidence du Conseil d'Etat, quant au talent des responsables du Développement en général et de Léo Scheer en particulier.

Mais André Rousselet en avait déduit deux choses. La première était que ces jeunes-là avaient conquis un statut de protégés. Peut-être même avaient-ils pris l'habitude – détestable – de décider de leurs activités sans en référer à qui que ce soit... La seconde, que ce Léo Scheer avait eu bien trop d'influence. Au point qu'il était devenu, s'était dit un André Rousselet agacé, mais content de ce bon mot qu'il aurait maintes fois le loisir de tester, le Raspoutine du « tsar Nicolaÿ ».

Ce mardi 21 septembre, Léo « Raspoutine » Scheer a du vague à l'âme. Comme hier. Comme avant-hier. Comme tous les jours depuis que le cyclone Rousselet s'est abattu sur les côtes de Neuilly. Dans son petit bureau, qui fait face à celui du président, il ressasse les tuiles en cours de dégringolade sur la direction du Développement. Les cadres maison ricanent de la destitution qui guette le service. Pas compliqué de comprendre que les projets en cours, « le » projet, risquent de passer à la trappe. C'est le début de la fin; et c'est seulement sur le conseil de Pierre Nicolaÿ qu'il a renoncé à écrire les vingt lignes d'une lettre de démission. Par bravade aussi, et pour le reste de la bande, Marie, Antoine, Jacques, Albino... D'ici peu, plus de budget. Peut-être plus de bureaux.

Il y en a au moins un qui est heureux ce matin, pense Léo Scheer, c'est Jacques. Depuis le temps que Driencourt les assomme, en réunion comme en ville, de références à la télévision américaine, au câble, aux chaînes privées, aux « opérateurs » (le mot, magique, résonne étrangement et fait penser au cinéma), le voilà parti.

22

Combien de fois n'a-t-il dit : « On ferait mieux de se rendre sur place pour examiner les choses... », « Il faut aller voir sur le terrain, je vous assure » ? Son insistance irritait parfois, mais c'était pour la cause, et aussi – on le savait – sentimental. Driencourt et la nostalgie des Etats-Unis, l'équipe connaissait par cœur.

Mais ses chances de repartir là-bas étaient nulles, plus que nulles jusqu'au jour où cette histoire de quatrième chaîne était revenue frapper timidement à la porte de la direction du Développement. Compromettant un peu plus des vacances déjà rendues précaires par le fait que tout Havas ne vivait plus que dans l'attente du nouveau président.

Maintenant, se convainc Léo Scheer, c'est l'épreuve de vérité. Ou bien Jacques et Chapus rapportent de quoi soutenir un vrai projet. Ou bien le Développement peut faire ses valises. En attendant, il va falloir éviter les éclats avec Rousselet, rester dans le flou sur ce déplacement aux USA si jamais la question est soulevée. Il ne manquerait plus qu'il apprenne que c'est pour effectuer une étude refusée par Michel Dahan, chargé par Georges Fillioud d'un rapport sur la quatrième chaîne, qu'ils s'envolent pour l'Amérique.

Mais, pour le moment, pas plus Frédéric Chapus que Jacques Driencourt et Léo Scheer ne devinent l'ampleur de l'entreprise en gestation. Ils ne savent rien des forces qui, donnant des ailes à leur projet, les rejetteront dans l'oubli. Et André Rousselet n'imagine pas une seconde qu'il va bientôt, à sa manière, révolutionner la télévision hexagonale. Avec cinq lettres, une ellipse, et un signe algébrique : Canal Plus.

Rien n'était écrit. Il n'était pas venu pour ça. Et personne, ou presque, ne commencerait par y croire.

CHAPITRE II

Promontoires

Les allées détrempées du cimetière Montparnasse collent aux semelles de la petite troupe qui accompagne François Mitterrand. C'est un lundi au ciel incertain, aux fleurs brisées par les violentes averses de la veille. Un lundi matin d'humeur grave mais aussi réjouie. Lendemain de fête et hommage aux morts qui n'ont pu y assister. Un après-10 Mai comme il n'y en aura jamais d'autre. Mai 1981.

Il y a là Irène Dayan, André Rousselet, Claude Estier, Louis Mermaz, Georges Fillioud... Certains n'ont pas fermé l'œil de la nuit, à peine eu le temps de se raser, changer de chemise, et parcourir les éditoriaux de la presse quotidienne. Avec ses amis et collaborateurs les plus proches, le nouveau président de la République est venu se recueillir sur la tombe de celui qui avait été l'ami le plus précieux, Georges Dayan, décédé en 1979. L'ami et confident le plus caustique aussi, qui ne craignait pas de railler affectueusement un François Mitterrand éternel malheureux en élection. Le seul rôle qu'il lui ait connu, celui de *loser* impénitent.

Ce don et cette culture de la phrase assassine, de la remarque au miel vachard, de la drôlerie guillotine, Georges Dayan les partageait en toute complicité avec André Rousselet. Les deux amis de François Mitterrand étaient jumeaux en humour comme on est frères dans le crime. L'un n'excluant pas l'autre, verbalement bien sûr. Comme ce jour où, peu avant sa mort, Georges Dayan avait confié à André Rousselet, sur le ton de l'homme qui, au soir de sa vie, s'autorise à blasphémer contre ses propres croyances : « Tu vois, André, Mitterrand n'a connu que des échecs... Maintenant, toi et moi, on est trop avancés en âge pour changer... Mais il faut bien l'admettre, tous les deux on a bel et bien misé sur le plus tocard. » Ironie de la vie, depuis la veille au soir André Rousselet assiste, et il le sait, à la place qu'aurait occupée Georges Dayan, à la métamorphose du « tocard » en champion des urnes.

Brève méditation de militants accédant au pouvoir si longtemps convoité. Visage fermé de l'élu. Petits pas de futurs gouvernants dont les ambitions jonglent déjà, en approchant de la sortie du cimetière, avec les balles des innombrables postes à pourvoir. Les jours suivants se chargeront de faire le tri. François Mitterrand, lui, a quelques idées en tête sur ces questions. C'est pourquoi, au moment où le petit groupe se sépare, il dit à Georges Fillioud qu'il souhaite le voir rapidement, et convie André Rousselet à déjeuner.

A partir de cette matinée, André Rousselet verra fondre comme neige au printemps le « serment d'ivrogne » qu'il s'était fait pendant la campagne : rester à la tête de ses propres affaires, quoi qu'il arrive le 10 mai. Un serment d'entrepreneur qui ne se revendique pas socialiste et qui s'interrogeait même sur les risques de dérapages antipatronaux en cas d'arrivée de la gauche au pouvoir... D'un autre côté, l'itinéraire d'homme de confiance de François Mitterrand qui a été le sien depuis 1954 n'incite pas à la rupture au moment du succès. Avoir dirigé deux campagnes du candidat de la gauche en 1965 et 1974, avoir supporté les quolibets de ceux qui susurraient à l'oreille de François Mitterrand qu'il en avait dirigé « une de trop » et se retirer le soir de la victoire ? Ces dix derniers jours il a vécu au rythme des analyses, des dernières fourchettes, partageant son temps entre son bureau de la G7 et le PC de campagne de François Mitterrand. Privé du temps de s'occuper d'un de ses jardins secrets préférés, sa galerie d'art contemporain à Paris.

Que de chemin parcouru depuis ces journées de 1958 où, ne se résignant pas à voir le général de Gaulle ramasser le pouvoir au fond de la quatrième République, le sous-préfet Rousselet, directeur de cabinet du ministre Mitterrand à l'Intérieur en 1954 et à la Justice en 1955, avait déplié son long corps et quitté ses fonctions en saluant bien bas l'administration française. Mise en disponibilité et choix d'un camp. Ce qui implique, quand la cinquième sort d'un képi à deux étoiles, de faire carrière ailleurs. Les vingt-trois années en dents de scie politiques et professionnelles qui suivirent n'ont pas altéré le personnage.

Peu de rides. Un mètre quatre-vingts environ d'élégance hâlée, la démarche tendue vers le haut. L'ovale du visage percé d'yeux grisvert, tombants, sous un front haut. Un sourcil dédaigneux, l'autre sarcastique, deux versants d'un même Rousselet. Le sourire pointu, jouant sur un registre qui va du très chaleureux au signal glacial d'une disgrâce sans appel. Un port de tête légèrement raidi lorsqu'il parle, et subtilement incliné, comme sous le poids d'un scepticisme continuel et déstabilisateur quand il écoute. C'est un André Rousselet en ombre dense et longiligne que le soleil découpe sur les terrains de golf, autre jardin ou plutôt terrain secret qu'il fréquente avec assiduité. Souvent en compagnie d'une ombre plus large, compacte, et dont le propriétaire n'est autre que François Mitterrand. Tout en minceur et gravité rieuse, la silhouette d'André Rousselet semble avoir été dessinée par un Alberto Giacometti de bonne humeur. Un homme en marche, vers le pouvoir.

« Qu'est-ce qui vous intéresse, que souhaitez-vous faire ? » lui demande un soir, à son domicile parisien rue de Bièvre, François Mitterrand, qui se prépare à la passation de pouvoir élyséenne.

C'est une de ces phrases toutes simples qui font oublier en une seconde les résolutions préalables. En un instant donc, André Rousselet renie son fragile serment et formule un souhait :

« Si vous le voulez bien, Président, j'aimerais rester à vos côtés.
– Vous voulez dire comme conseiller, être une sorte de Juillet ? » interroge François Mitterrand, faisant allusion à celui que l'on considérait, dix ans plus tôt, comme l'éminence grise de Georges Pompidou.

La référence n'est pas pour déplaire à l'intéressé qui répond, prudent :

« Pourquoi pas ? »

Et c'est ainsi qu'à cinquante-huit ans, ce Nancéen licencié en droit qui fut sous-préfet, mécano-pompiste, responsable des relations publiques chez Simca, avant de reprendre et développer une société de taxis en perte de vitesse, et d'investir par passion dans la peinture contemporaine, se trouve publiquement intronisé un matin de passation de pouvoir, à la droite du vainqueur de l'Elysée. Lui qui n'a jamais adhéré au PS. Lui qui n'a jamais mené de véritable carrière politique, à l'exception d'un bref mandat de député (FGDS) en 1967, résilié par les législatives gaulliennes de 68. André Rousselet sera le premier directeur de cabinet du nouveau Président. Intronisation commune avec Pierre Bérégovoy, François Mitterrand les prenant chacun par le bras, le matin du jeudi 21 mai 1981, avant de pénétrer dans la salle des fêtes du palais de l'Elysée où attendent les invités officiels.

Ensuite, c'est le chaos propice des changements de régime. La distribution des bureaux. Les chassés-croisés de collaborateurs en quête d'un espace le plus près possible du chef de l'Etat. Ballet où se croisent Jacques Attali, nommé conseiller spécial, Pierre Bérégovoy, secrétaire général de la présidence, et Jean-Claude Colliard qu'André Rousselet a pris pour adjoint... Le Président refuse d'abord puis hésite, et décide enfin d'occuper l'ancien bureau du général de Gaulle, laissant celui de Valéry Giscard d'Estaing à son directeur de cabinet. Deux bureaux. Deux symboles de la prise du pouvoir.

Pour André Rousselet, la prise de possession ne sera effective qu'une fois décrochées les ruines sur toiles signées Hubert Robert qui attristent le sien. Libre d'aménager les lieux à sa convenance, la première chose qu'il fait est de partir en reconnaissance dans les sous-sols de l'Elysée, explorant les remises à la recherche d'œuvres plus modernes. Masson, Gromaire, Picasso ne tardent pas à orner les hauts murs de son bureau ouvert sur le parc du palais.

Une fois installé, il s'attelle à définir avec le Président ses domaines d'intervention. Ceux-ci procéderont autant du jeu des obligations d'un directeur de cabinet, de souhaits, que d'un mécanisme de « préhension résiduelle » qui consiste à prendre tout ce qui n'a pas encore été attribué. Ces judicieux « hasards » le dotent alors de responsabilités aussi diverses et sensibles que la gestion des fonds secrets, l'Intérieur et la sécurité du Président. Mais ce n'est pas tout. Ces jours-ci, un domaine continue à flotter en suspens dans les couloirs de l'Elysée. Il s'agit de ce qu'on ne nomme pas encore du terme générique « Communication », mais qui recouvre la presse, la radio, et l'ennemi de toujours, la télévision. L'Information. Proie recherchée mais également redoutée, perçue comme une source d'ennuis et de conflits futurs avec trop de dirigeants, de journalistes et d'hommes politiques.

Rien de cela n'effraie André Rousselet. Au contraire, outre sa propension naturelle à s'intéresser aux médias, il juge incongru que ce secteur puisse échapper au serviteur le plus immédiat du Président. Pour ne pas dire impossible, connaissant les rapports délicats, obsessionnels et parfois rageurs que François Mitterrand entretient depuis vingt ans avec le petit écran. Qui d'autre qu'un ami dévoué n'ayant, pendant ces longues décennies d'espoir, jamais vu ce chef de parti autrement que sous les traits d'un président en puissance, pourrait se charger de la « télé » ? Personne. La chose est entendue avant même d'être discutée.

Voilà comment, en quelques heures décisives, un homme sans la moindre compétence en la matière va disposer, de par ses nouvelles fonctions, du plus formidable promontoire sur les médias de son époque. Avec vue plongeante sur la genèse d'une nouvelle ère : celle de l'audiovisuel roi.

« Jean-Pierre, nous n'allons pas rester longtemps. Mieux vaut se préparer à partir. Ils n'écouteront que les exigences de leurs militants... » Le conseil de Maurice Ulrich, président d'Antenne 2, résonne encore aux oreilles de Jean-Pierre Elkabbach. Moins fort cependant que la houle de slogans que scandait contre lui la place de la Bastille. Que la haine clamée par cent mille bouches victorieuses. Ou que le rejet à son endroit qu'il constate chaque matin davantage dans les couloirs de la chaîne rue Cognacq-Jay. On veut la peau du directeur de la rédaction. C'est aussi abrupt que ça, constate-t-il en tournant les pages des hebdomadaires qui relatent la nuit du 10 mai. Chaque paragraphe, chaque photo, la moindre légende font surgir un flot d'images et de sons récurrents, dressent comme un mur d'écrans de contrôle abandonnés à un régisseur fou.

Une fois de plus, il revoit le kaléidoscope d'un film au montage impossible. La foule heureuse grossissant sur les trottoirs, envahissant la chaussée, glissant sur les pelouses des jardins. Gros plan sur l'allégresse, les sourires d'inconnus à d'autres inconnus, les oreilles épousant la coque des transistors, les enfants sur les épaules de pères fredonnant d'inaudibles refrains. Mouvement de caméra sur les boulevards parisiens saturés, la plainte continue des Klaxon et, plus tard, des jeux de phares. Contre-plongée sur un quai de métro inondé de jambes impatientes. Vue aérienne sur les bouches de sortie, le bourdonnement croissant, les premiers calicots. Vision panoramique de la place parisienne par excellence, la Bastille. Endroit prédestiné aux retournements de l'histoire. Et des têtes.

C'est ici que tout s'accélère, la musique, les appels au calme, les chants, les applaudissements, que tout fusionne dans le blanc électronique des projecteurs, les grondements d'une guitare basse, l'échauffement d'un batteur, qui ne parviennent pas à couvrir l'énoncé de son nom par la foule : « El-kab-bach! » Absents jusqu'alors du générique de cette superproduction, les éléments font leur entrée en d'épaisses gouttes de pluie qui s'écrasent sur les objectifs, en roulements de tonnerre et en éclairs qui défient les spotlights. « El-kab-bach. » Le vert des arbres est irisé d'or sur les moniteurs. Le jaune gagne sur l'écru fatigué des visages. Le rouge vidéo bave sur le blanc et le bleu des drapeaux mouillés.

Calme, Ulrich avait tout de suite compris, ce dimanche fatidique, alors qu'arrivaient dans la petite salle de réunion les premiers résultats pour l'opération conjointe A2-Europe 1. Dès 18 heures 45, le succès de François Mitterrand ne laissait aucun doute. Tandis que Jean-

Luc Lagardère examinait pensivement les dépêches, avant de se rendre à sa station rue François-Ier, Maurice Ulrich avait mis en garde Jean-Pierre Elkabbach, amicalement, sur l'ampleur des changements qui surviendraient. Comment ne pas croire ce diplomate rompu aux rapports de force politiques qui, après un accueil sans chaleur à la présidence de la chaîne en 1977, était parvenu à se faire accepter, puis estimer? Mais de là à imaginer qu'en prenant l'antenne, à 20 heures, ses traits tendus, son regard las et son sourire crispé lui vaudraient l'échafaud des opinions publiques... S'il avait su!

S'il avait su? Cela n'aurait rien changé. Emblème malgré lui d'une télévision honnie par le « peuple de gauche », Jean-Pierre Elkabbach est le premier buste, avant même celui du Président vaincu, que renverse et noie la marée de la Force tranquille. En une soirée il catalyse toutes les rancœurs accumulées en vingt-trois années d'opposition. Il attise et libère, par le seul jeu d'un visage un instant défait, les désirs d'une révolution dans les télévisions et radios d'Etat. Conspué, insulté dans l'ivresse excessive d'un bonheur électoral, il ne lui est d'aucune consolation de savoir qu'il n'est pas seul à vivre cette épreuve. Etienne Mougeotte, directeur de l'information à Europe 1, et l'éditorialiste Alain Duhamel sont aussi jugés coupables par les clameurs.

C'est autant le rejet de la télévision dans son ensemble que celui d'un trio de journalistes. Une télévision perçue comme servile, à la botte d'un pouvoir déchu. Peu importent les compétences passées. Ils sont coupables. De giscardisme inavoué ou entêté. D'anticommunisme, de résistance aux changements politiques, de faiblesses réactionnaires pour un régime décrété ancien...

La déferlante a sa logique. En 1981, chômage, inflation, mieux-vivre et salaires ne sont pas les seuls enjeux. Miroir contrôlé de ces questions, vecteur orienté de ces débats, radios et télévisions doivent aussi répondre de leurs compromissions. Pour le tiers état victorieux, les bastilles à conquérir ou abattre se nomment Cognacq-Jay pour TF1 et Antenne 2, Maison de la radio pour France Inter et FR3... Les privilèges à abolir sont ceux des liens tissés de clan politique à clan journalistique. Les lignes directes reliant cabinets ministériels, présidents de chaînes et directeurs de l'information. Le droit régalien d'établir la liste des indésirables dans les rédactions, des interdits de séjour aux journaux de vingt heures, des abonnés aux « placards ».

La gauche socialiste en a gros sur l'aorte cathodique. A l'exception, feutrée, d'un interlude libéral sanctionné en même temps que les projets de « Nouvelle Société » de Jacques Chaban-Delmas, la télévision française macère dans le giron de l'Etat depuis la Libération. Ce qui ne portait pas trop à conséquence tant qu'une poignée de foyers seulement était en mesure de s'offrir un « poste ».

Il y a moins de huit cent mille téléviseurs en France quand le général de Gaulle s'installe à l'Elysée. Il y en a plus de vingt millions, en 1981, pour suivre le duel de Giscard et Mitterrand! Traduction politique de ces chiffres : depuis les débuts de son irrésistible ascension comme média d'information, la télévision a été, est restée, entre les mains exclusives et jalouses de la droite régnante. Les hommes d'opposition, dont François Mitterrand, n'en furent que les invités épisodiques, souvent mal à l'aise, rendus méfiants par trop de cas de censure constatés.

TF1. A2. FR3. Des sigles taillés au bistouri d'une réforme déjà vieille d'un septennat. En 1974, Valéry Giscard d'Estaing, pratiquant une opération de chirurgie esthétique sur l'ancêtre ORTF (Office de la radiotélévision française, qui faisait trop vieux jeu pour le plus jeune président de la République), avait organisé ce qu'on appellerait son « éclatement ». C'était le mot juste pour une moitié de réforme bâclée. On s'était contenté de décapiter l'ORTF en renonçant à un organisme unique coiffant les chaînes, leur société de diffusion et leurs moyens de production. On segmentait le tout en une grosse poignée de sociétés nouvelles, publiques, qui se nommeraient TF1, A2, FR3, SFP, TDF, Radio France, INA... et se livreraient un ersatz de concurrence. Entre elles seules pour ainsi dire, s'agissant des chaînes de télévision, faute de vis-à-vis privé.

Sur le fond, rien ne changeait. La main de l'Etat troquait son gantelet de fer rouillé contre des moufles de velours. Au lieu de nommer un unique et sympathisant directeur général de l'ORTF, le Conseil des ministres entérinerait les noms de plusieurs P-DG. Triés sur le volet élyséen, guère moins sympathisants.

Les citoyens-téléspectateurs de 1981 avaient-ils été dupes du tour de passe-passe joué au son de l'accordéon présidentiel? Génétiquement programmés pour être mécontents, en toutes saisons, de « leur » télévision, ils vivaient avec cet œil magique une liaison mouvementée. Une aventure au quotidien dans la passion et le scepticisme, l'éloge avare et la critique abondante. Etreinte collective avec une machine à distribuer, contre redevance, des images « en couleurs », qui employait des « comiques », « passait » du cinéma, « jouait » des « dramatiques », « transmettait » du rugby et « donnait les nouvelles ». Les plus politiques d'entre eux la percevaient comme une excroissance de l'appareil d'Etat, dénonçaient sa goualante voix de la France, ses tares de mégaphone aux ordres.

La Une. La Deux. La Trois. Vocabulaire d'époque pour trois chaînes en laisse. Sociétés de télévision en situation de monopole derrière une porte antique, blindée, à triple verrou dont l'État détient les uniques clés. Celle du verrou budgétaire, puisqu'il détermine chaque année, au Parlement, quels seront leurs moyens d'existence. Celle de la diffusion, dont il contrôle la totalité du processus technique à travers Télédiffusion de France (TDF). Celle enfin du choix, toujours pesé à l'aune de la fraternité politique, des hommes qui les président et les dirigent.

Quand elle s'installe aux commandes, la gauche, qui a nourri sa campagne de promesses d'ouverture et de libertés inédites, se retrouve geôlière en chef de cette télévision. Mais ceux qui espèrent voir immédiatement sauter ces verrous vont peut-être déchanter. Parier sur cette révolution, c'est ne pas comprendre que ce dont les socialistes avaient souffert, ce n'est pas tant l'existence de ces verrous que de n'en avoir jamais tenu les clés. Aujourd'hui, c'est à leur ceinture que le trousseau est accroché. Et il n'est pas question de s'en départir du jour au lendemain.

CHAPITRE III

Poudrière

Genève, mission permanente de la France auprès des Nations unies. Vendredi 22 mai 1981, au soir. La sonnerie du téléphone tire Bernard Miyet de la lecture du dossier qu'il a prévu de terminer avant de partir en week-end, malgré la grisaille qui couvre la région. Val-d'Isère doit connaître le même sort, rumine le diplomate chargé des relations économiques Est-Ouest, des multinationales et des transferts de technologies, en pensant à son lieu de prédilection pour la détente. Les yeux plissés derrière de fines lunettes à monture métallique, la barbe noire et courte, l'air toujours amusé ou intrigué, même assis seul à étudier des notes, Bernard Miyet est homme de dossiers comme d'autres naissent saltimbanques. La qualité n'a rien d'étrange pour un énarque, mais il la cultive avec soin et fantaisie; et c'est ce qui fait alors son charme. Il n'ouvre jamais un dossier sans la conviction qu'une solution existe. Le jeu étant de la trouver. A Genève, c'est un jeu laborieux mais plaisant.

Bernard Miyet décroche. Au bout de la ligne, Paris. La voix de son ami Georges Fillioud, qui vient d'être nommé ministre de la Communication du gouvernement que dirige Pierre Mauroy.

« Félicitations, Georges.

– Merci. Je t'appelle pour une raison précise...

– Oui?

– Veux-tu être mon directeur de cabinet? »

Bernard Miyet ôte ses lunettes et caresse un instant sa barbe, comme chaque fois qu'il faut réfléchir rapidement, prendre une décision. Il n'est qu'à demi surpris. Peu avant les élections, Georges Fillioud lui a laissé entendre qu'il pourrait avoir un destin politique en cas de victoire de François Mitterrand. Déjà, en

32

1974, l'hypothèse d'une collaboration avec Georges avait été évoquée alors qu'il n'était qu'un simple élève de l'ENA en stage à l'ambassade de Rome... Mais cette fois, s'il a bien sûr applaudi le succès de la gauche qu'il considère comme sa famille politique, il n'a pas pour autant envisagé de quitter la Suisse. En outre, le secteur de la communication confié à Georges Fillioud est pour le haut fonctionnaire Miyet synonyme d'inconnu. Lui qui, encouragé par l'ex-journaliste d'Europe 1 Fillioud, avait adhéré en 1986 à la Convention des institutions républicaines, n'a en revanche jamais participé à la moindre commission. Ni fréquenté la rue de Solférino, siège du PS. Il ne connaît pas davantage les autres leaders socialistes.

Il n'est pas du sérail et le sait. Mais comment ne pas être tenté? Autant donc par amitié pour Georges que par provocation à l'égard des voies classiques de la « Carrière », et la curiosité piquée d'avance par de nouveaux dossiers à défricher, Bernard Miyet s'entend répondre : « banco! »

A Paris, le premier ministre de la Communication de la cinquième République (ses prédécesseurs étaient en charge de ce domaine sous des appellations diverses, Information, Culture...) est ravi de cette décision. Il en est convaincu, Bernard est le directeur qu'il lui faut. Il a toute confiance en ses qualités de haut fonctionnaire et l'apprécie depuis longtemps comme ami et compatriote de Romans dans la Drôme. En fait depuis qu'il avait été envoyé solliciter les suffrages de la circonscription de Romans pour le compte de la FGDS, en 1967. Ce même scrutin au cours duquel devait être élu à Toulouse, et sous la même bannière, face au père du journaliste Dominique Baudis, un nommé Rousselet. C'est à cette époque que l'éphémère député Fillioud avait rencontré et recruté, pour la CIR, Bernard Miyet, étudiant en sciences politiques à Grenoble, et pion au lycée de Romans.

Comme plusieurs des nouveaux ministres, Georges Fillioud vivait depuis le 11 mai dans une expectative douce-amère. Entre l'espoir de voir passer le train gouvernemental et la crainte de ne pas monter dedans. L'après-midi même de la visite au cimetière Montparnasse, il avait appelé Marie-Claire Papegay, collaboratrice du Président et organisatrice de son agenda, qui lui avait fixé un rendez-vous avec François Mitterrand pour le lendemain, rue de Bièvre. Là, à son tour, il avait reçu confirmation de l'intérêt que le Président accordait à sa présence dans le futur gouvernement. Mais à quel poste? « Ma vie, c'est la communication, c'est toute ma carrière », avait plaidé celui qui en 1966, après dix années de micro et de reportages, s'était fait écarter d'Europe 1 pour avoir ostensiblement soutenu la candidature de Mitterrand contre le général de Gaulle.

« Je comprends... Je comprends, mais je ne suis pas sûr que la meilleure chose à faire soit de mettre un journaliste à la Communication, l'avait interrompu François Mitterrand. Les relations amicales avec la profession peuvent être un handicap... Je ne dis pas non. Mais j'ai d'autres idées pour vous. Nous en reparlerons. »

Ils n'en avaient pas reparlé. Silence présidentiel jusqu'à l'annonce télévisée le 22 mai, depuis le perron de l'Elysée, de la composition du gouvernement. C'est devant un poste, dans un bureau de la rue de Solférino, que Georges Fillioud apprend que ses vœux sont exaucés. Tout comme Louis Mermaz, à côté de lui, découvre sa nomination au ministère des Transports où il ne restera qu'un mois avant de prendre la présidence de l'Assemblée nationale.

Georges Fillioud, lui, ignore qu'il vient d'en prendre pour cinq ans. Ferme.

Dès le lendemain matin, samedi, commence la chasse au territoire ministériel. Premiers arrivés, premiers servis parmi les milliers de mètres carrés administratifs et surtout les hôtels, appartements et immeubles que la République met à la disposition de ses ministres. Il faut faire vite. Le « changement » est attendu par la nation. Comme les autres, Georges Fillioud cavale en tous sens dans Paris à la recherche d'un abri pour la Communication. Il faut éviter à tout prix de se retrouver dans les locaux annexes d'un grand ministère. Etre chez soi, pour commencer. Le changement, c'est aussi se mettre à bonne distance de la rue de Valois, où se trouvaient jusque-là, rattachés à la Culture et à l'Information, les services chargés des médias sous l'autorité de Jean-Philippe Lecat. Désormais, pour ce qu'en sait Georges Fillioud, la rue de Valois sera le siège de la seule Culture, dont François Mitterrand a honoré un homme de théâtre et militant zélé, Jack Lang.

Coiffé au poteau par l'Industrie, sur un bâtiment qui lui convenait, rue de Varenne, il arrive juste à temps pour emporter le 35, rue Saint-Dominique. A l'angle de la rue de Bourgogne, à deux pas de l'Assemblée nationale et de Matignon. C'est une cour pavée, peu profonde, entourée des ailes d'un petit hôtel particulier derrière lequel se dissimule un invisible et frais jardin. Les lieux ont l'étrangeté d'une demeure bourgeoise au lendemain d'un exode préparé. Un grand escalier central, de hautes fenêtres, des couloirs par endroits exigus, un mobilier désuet échoué entre pierres et boiseries. Ce n'est pas Versailles mais ça fera l'affaire.

En attendant Bernard Miyet, qui au même moment règle à Genève les détails de son départ et doit arriver dans la soirée ou dimanche matin, Georges Fillioud, Gauloise aux lèvres, fait le tour du propriétaire et s'efforce d'établir des priorités alors que, les journaux et la base le martèlent, « tout » est prioritaire. La télévision et les radios plus que le reste, à quelques semaines des élections législatives entraînées par la dissolution de l'Assemblée. François Mitterrand et André Rousselet ont été clairs avec lui, il est urgent de ne pas laisser la situation « dégénérer » et de mettre « un peu d'ordre » avant de penser à un nouveau fonctionnement pour l'audiovisuel. Si le mot n'était aussi captif de l'ombre portée du Général, on lui demanderait d'en finir avec cette « chienlit ».

En effet, dans les rédactions, les esprits sont survoltés depuis le 10 au soir. L'humeur oscille entre le règlement de comptes et le procès expéditif pour tous ceux qui ont « collaboré ». On parle d'instaurer des « comités de vigilance ». On se déclare contre les chasses aux sorcières, hostile aux purges, mais on désigne lors d'assemblées générales ou de conférences de rédaction électriques ceux qui doivent, estime-t-on, se démettre et partir. Non sans exiger l'autocritique d'usage.

Les plus revendicatifs passent, en deux jours, du mode Juillet 1789 au ton et effets de manches tranchants de 93. Dérive incontrôlable par des présidents de chaînes qui se savent en sursis. Mais aussi expression du rejet sans appel, inscrit dans la fustigation immédiate de Jean-Pierre Elkabbach, d'un ordre révolu. C'est le renvoi d'une époque et la convocation d'une utopie. L'appel à des états généraux de l'information qui devraient déboucher sur un monde et un journal meilleurs.

Après des années de marginalisation, les antennes syndicales de gauche ne désemplissent pas. Les socialisants de la vingt-cinquième heure s'empressent de se faire baptiser. On ne sait jamais. Les anciens combattants syndicaux, les vrais, sentent le pouvoir à portée de main. On croit enfin accessible le rêve d'une information « différente », « objective », à l'abri des « pressions ». La télévision, outil choyé de la propagande gouvernementale passée, va, elle aussi, revivre. Finies l'hystérique mainmise gauliste et la vigilante attention giscardienne! On va « libérer » l'information. Adieu élites et notables invités permanents des journaux et magazines. La télévision ira désormais dans la « rue », chez les « gens », auprès des « marginaux ». Elle sera au côté des « laissés-pour-compte » du capitalisme sauvage et amnésique. L'heure des barons de l'audience franchouillarde a aussi sonné. Guy Lux et Danièle Gilbert seront remerciés avant la fin de l'année.

Le même enthousiasme rénovateur ébranle, avec des nuances de forme, petits écrans et micros. A Europe 1, par exemple, on pressent que Jean-Luc Lagardère ne restera pas longtemps à la tête de la station. Matra, qu'il préside, est en bonne place sur la liste des entreprises nationalisables. Ses activités dans l'armement, sa dépendance à l'égard des commandes de l'Etat et la conduite de caméléon politique qui en résulte, en ont fait une cible privilégiée pour ceux qui déplorent la collusion entre la grande industrie et les médias.

La prise de contrôle, récente et rocambolesque, d'Hachette par Jean-Luc Lagardère n'adoucit pas les choses. Pour qui « roule » le groupe géant ainsi en cours de constitution? Jean-Luc Lagardère et Etienne Mougeotte sont suspectés d'avoir poussé Europe 1, ces derniers mois, à un soutien complaisant au président sortant. Rue François-Ier, certains gardent un souvenir amer de l'interview de Valéry Giscard d'Estaing réalisée, pour sa campagne officielle entre les deux tours, par Etienne Mougeotte. Une centaine de journalistes et employés d'Europe 1 n'avaient pas hésité, fait rarissime dans une radio commerciale, à signer une pétition pour protester contre ce qu'il considèrent comme un manquement à l'éthique journalistique.

Une seule station de radio s'est presque ouvertement félicitée de la victoire de François Mitterrand. C'est paradoxalement celle qui a l'image la plus conservatrice, RTL. On y aimait peu Giscard. L'indépendance d'esprit de la Rue Bayard en avait fait une antenne insupportable aux oreilles giscardiennes. La campagne présidentielle a été difficile à vivre pour le président de RTL et administrateur délégué de sa maison mère, la CLT[1], Jacques Rigaud. Il est à ce poste depuis janvier 1980, après des années d'inimitié avec Giscard (qui dit ne rien aimer en lui, « pas même ses nœuds papillons »).

1. La Compagnie luxembourgeoise de télédiffusion est la plus ancienne des sociétés audiovisuelles en Europe. Elle possède RTL Radio et RTL Télévision, est présente dans les secteurs de la production d'émissions, de films, de jeux TV en France, Italie, Grande-Bretagne... La CLT détient également des participations dans quelques organes de presse (Actuel, Le Bien public) et a lancé le magazine TV Télé Star. Elle tire le plus gros de ses ressources des recettes publicitaires de RTL dont une

Enarque, conseiller d'Etat, ancien directeur de cabinet de Jacques Duhamel aux Affaires culturelles (et à l'Agriculture) sous Georges Pompidou, Jacques Rigaud avait commis le délit de soutenir Chaban contre Giscard en 1974. Proposé ensuite par Jacques Chirac, Premier ministre, pour présider TF1 après la réforme de l'ORTF, Giscard avait rayé son nom de la liste. Gourmand de livres comme de peinture, gourmet en bonne chère comme en arts, autodidacte épris de musique, praticien déconcertant d'une langue française parfaite jusques et y compris pour parler de la pluie et du beau temps, Jacques Rigaud charme autant qu'il énerve. Il s'affirme « militant culturel ». Jovial et courtois, esthète au visage rond où brille derrière des lunettes un regard qui sait être placide, sardonique ou coléreux, il avait vite compris qu'on le taxait d'un septennat d'exil. C'est à son ami l'industriel Jean Riboud, patron de Schlumberger, actionnaire de la CLT, qu'il doit d'en avoir été nommé administrateur délégué.

« Votre radio se comporte de façon inadmissible ! » avait téléphoné un matin Valéry Giscard d'Estaing au président de RTL, peu avant le scrutin. Cette antenne l'irritait tant qu'il avait boudé l'immeuble de la rue Bayard, sa façade bariolée rouge noir et chrome, et refusé de participer aux émissions politiques de la station pendant la campagne. Sa défaite, et la chaise qu'il a symboliquement laissée vide à la télévision en jouant à « ce n'est qu'un au-revoir [2] », n'attristent pas grand monde à RTL, même si Jacques Rigaud se dit que les rapports avec les socialistes ne seront pas simples.

Il n'a pas tort. Trois semaines après l'élection de François Mitterrand, l'Elysée lui fait savoir, par la voix sans ambiguïté d'André Rousselet, que les chroniques matinales de Philippe Alexandre, franchement, « c'est insupportable ! » C'est le premier appel d'une longue série... Mais à côté de ce qui se passe dans les chaînes de télévision, RTL est un havre de paix sociale.

La sérénité n'est pas de mise au sixième étage de Cognacq-Jay, à Antenne 2. Au rythme d'une assemblée générale par jour, Maurice Ulrich et Jean-Pierre Elkabbach comptent les coups de boutoir sur leurs portes. Au bouillonnement des premiers jours d'insurrection rédactionnelle succèdent les décisions prises à mains levées. Les journalistes d'A2 veulent pouvoir, à l'avenir, nommer eux-mêmes leur directeur de rédaction, par un scrutin « démocratique ». Ils

filiale du groupe Havas, Information et Publicité (IP), assure la régie. En 1981, son capital est réparti entre les groupes Bruxelles-Lambert (banque belge) et Havas, majoritaires à eux deux, ainsi que Paribas, Hachette, Schlumberger...

2. Le mardi 19 mai 1981.

demandent à être « consultés » sur le choix du président de leur chaîne. Même cheminement revendicatif un étage au-dessous, à TF1, où Jean-Marie Cavada, nommé au début de l'année directeur de l'information, fait mine de garder sa bonne humeur mais s'interroge sur son maintien. Une question que le P-DG de la Une, Jean-Louis Guillaud, ne se pose même pas, sachant que son parcours et ses anté-cédents de dirigeant de chaîne marqué à droite lui laissent le choix entre la démission et la révocation.

Partout, dans l'audiovisuel de mai 81, on vit au jour le jour. Au gré des rumeurs sur le nom du ministre que lui choisira François Mitter-rand. On parle de Claude Estier, de Jack Lang... Mais Georges Fil-lioud paraît avoir ses chances. N'est-ce pas lui le premier qui, dès le 14 mai, a pris l'initiative de confier à l'Agence France Presse (AFP) les intentions du Parti socialiste? S'il l'a fait, se dit-on, il devait être mandaté pour. N'est-il pas l'un des membres du petit cercle d'hommes en qui le Président a placé sa confiance? Ceux qui le connaissent savent l'absolue fidélité de Georges Fillioud à François Mitterrand, son âme de grognard au nœud papillon, son respect total de celui pour qui il a sacrifié sa vocation de journaliste, et son intran-sigeance face à quiconque viendrait à lui manquer. Fillioud, c'est la chaleur et les convictions.

Alors, si c'est lui qui s'est exprimé à l'AFP, on peut en déduire qu'il est bien placé pour jouer un rôle. Et ce qu'il a dit, d'ailleurs, laisse présager une véritable remise à plat du système, du moins pour les radios, car le vague continue à planer sur la télévision. N'a-t-il pas proclamé la volonté du nouveau pouvoir d'en finir avec le « mono-pole » de l'Etat « sur l'ensemble de l'audiovisuel »? Ne s'est-il pas engagé à déposer sur le bureau de la prochaine Assemblée un projet de loi, un texte où serait autorisée la création de « radios locales » protégées de la « mainmise des grandes puissances financières »?

Ces premières révélations n'ont pas contribué à calmer les esprits. Un peu partout on y a vu un feu vert pour pousser au plus vite les hié-rarchies en place vers la sortie. A Radio France, où la présidente Jac-queline Baudrier ne désespère pas de sauver son titre, Roland Faure, directeur de l'information, se prépare à tirer sa révérence, n'accep-tant pas qu'un tribunal populaire lui réclame la tête de ses collabora-teurs. Logée elle aussi dans la Maison de la radio, FR3, la chaîne régionale que préside Claude Contamine, est sous le choc d'une alter-nance vécue dans la consternation. Au siège parisien comme dans la plupart de ses bureaux de province, la nature et l'organisation de FR3 sont violemment remises en cause. Considérée comme la chaîne personnelle des préfets, docile, souvent prompte à tendre une psyché flatteuse aux notables gaullistes et giscardiens, FR3 a tout pour s'attirer les foudres socialistes. Depuis sa création en 1970, les sensibilités de gauche y ont été soigneusement éradiquées des postes de responsabilités.

C'est avec ces geysers qui fissurent le vieux moule de la radiotélévision que Georges Fillioud va devoir composer. Le moins turbulent n'étant pas celui des radios « libres » où son propre fils, Patrick, fondateur d'une station appelée Gilda, est engagé. Aux quelques pionnières des ondes apparues avant 1981, comme Radio Verte, Radio Ivre, sont venues s'ajouter des dizaines d'antennes que brouillaient les techniciens de TDF, sur ordre de ses prédécesseurs. S'il faut en croire les premières informations qu'on lui transmet, c'est bientôt par centaines que vont se compter les occupants « pirates » de la bande FM. Comment gérer cette prolifération? Quel statut accorder à ces stations aux noms volontiers saugrenus ou combatifs, ces Radio Cité Future, Tomate, Alpha, Cœur d'Acier, qui essaiment partout en France?

En prenant ses fonctions, Georges Fillioud n'a pas d'idées arrêtées sur ce qu'il convient de faire, mais deux certitudes. Il faudra tout mettre en place pour éviter à la France de connaître l'abomination d'une anarchie des ondes à l'italienne. Et faire en sorte que revienne à François Mitterrand, le premier, le mérite d'avoir ouvert, en autorisant des radios nouvelles, la voie d'une libéralisation des ondes. La chose, tous les dirigeants du PS en sont informés, tient au cœur de celui qui, premier secrétaire du parti, avait été inculpé de « violation du monopole » en juin 1979 pour s'être exprimé sur l'antenne pirate des socialistes parisiens, Radio Riposte.

Organiser une liberté. L'union de ces deux termes contradictoires est une invitation à l'équilibrisme. Entre le désir militant de soulager l'audiovisuel de ses liens avec l'Etat et les réalités de l'exercice du pouvoir, les risques de grand écart sont nombreux. La marge est celle qui sépare le Georges Fillioud de la mi-mai, qui a imprudemment promis la suppression du monopole sur « l'ensemble » de l'audiovisuel, et le ministre de la Communication qui, dix jours plus tard, doit œuvrer au maintien de l'essentiel du monopole en question.

Oui, vraiment, tout sauf la pagaille à l'italienne, ces milliers de radios insipides, et ces centaines de chaînes de télévision livrées aux programmes débilitants et à une débauche d'écrans publicitaires. Pauvre RAI! Le calvaire de la télévision publique italienne, amorcé depuis l'ouverture des fréquences TV au privé en 1976 (mais peut-on vraiment appeler « ça » une ouverture, se demande

Georges Fillioud?), va-t-il prendre fin ou s'aggraver encore? Rien d'étonnant à ce qu'une bonne partie des émetteurs FM dont s'équipent les « radios libres » de l'Hexagone proviennent directement d'Italie. Une chance que la France n'ait jamais été tentée par l'instauration d'une pareille jungle.

CHAPITRE IV

La sortie est à droite

La première note gouvernementale concernant l'audiovisuel aurait ravi Jacques Prévert. Le samedi 23 mai 1981, à l'heure où Georges Fillioud arpente le pavé parisien en quête d'un gîte ministériel, Jérôme Clément, qui vient d'être nommé conseiller technique sur ces dossiers auprès de Pierre Mauroy, prend sa plus belle plume et revendique : « *Je vous serais obligé de bien vouloir me procurer les journaux suivants...* » Suit une commande de fournitures diverses, crayons, stylos, blocs, cartons... Comme tous ceux qui arrivent avec le nouveau pouvoir dans les ministères, il a trouvé en entrant à Matignon des bureaux vides, des tiroirs nettoyés, des armoires dépeuplées. La règle non écrite de l'alternance a frappé. Il n'y a plus rien. Pas un dossier. Pas un document. Rien. Des bureaux lisses avec pour seul relief des téléphones dont le secret du maniement échappe aux arrivants. Une forme attendrie de bizutage politique.

Jérôme Clément s'en serait bien passé. Il y a tant à faire, et perdre son temps à réclamer une gomme ou une agrafeuse à la République ! Mais cela ne peut suffire à gâter la joie d'une victoire à laquelle il croyait de moins en moins. Militant socialiste de longue date, tendance CERES, énarque, Jérôme Clément avait rompu en 1980 avec les réunions de quartier et les groupes de réflexion parisiens pour aller voir, avec sa femme médecin et ses enfants, combien le tiers monde vivait mal. Conseiller culturel à l'ambassade de France au Caire, il n'avait pas oublié le pronostic de Michel Rocard qui, passant le Noël précédent en Egypte, avait estimé « très possible » la non-réélection de Giscard. Prévoyant, il s'était fait réserver un aller pour Paris en date du 13 mai, au cas où... « Abandon de poste ! » l'avait taquiné l'ambassadeur. « Je te raconterai », avait-il promis en quittant Le Caire, excité, fiévreux.

A trente-six ans, ce jeune homme mince aux yeux noirs, à la barbe et aux cheveux de jais, à la voix douce et grave, a une foi inébranlable dans un idéal culturel républicain. «Patiente un peu..., lui a dit Marie-Jo Pontillon, collaboratrice de Pierre Mauroy, dès son arrivée à Paris, Pierre sera Premier ministre... »

Jérôme Clément s'installe à Matignon comme on entre en sacerdoce. Après avoir décliné l'offre du ministre de la Culture, Jack Lang, qui cherchait un directeur de cabinet. Il était allé visiter avec lui les locaux de la rue de Valois, en compagnie de Roger Hanin et de Christine Gouze-Renal, beau-frère et belle-sœur du Président. Mais il avait préféré proposer ses services à Robert Lion, directeur de cabinet de Pierre Mauroy, qui cherchait un homme pour la culture. Il ne le regrette pas. Il a même obtenu, après argumentation sur la nécessaire coordination des deux secteurs, que son champ de responsabilités soit élargi à la communication.

Ce qui lui permet, le mardi 26 mai, d'entrer par une seconde note, à l'attention de Robert Lion et Pierre Mauroy, dans le vif de ses attributions. *« Objet : Elaboration d'un projet de loi sur l'audiovisuel. Une des tâches les plus urgentes du gouvernement,* expose Jérôme Clément, *est de proposer au Parlement un projet de loi sur l'audiovisuel portant en particulier sur la création d'un conseil national de la radiotélévision, l'aménagement du monopole et de la programmation... »*

Une loi sur la communication. Le mot est lâché dans la stratosphère d'un gouvernement qui, faute d'antécédents, ne s'y est jamais préparé. Une loi pour modifier quoi, en quel sens, dans quel délai? D'un coup on découvre qu'il ne suffit pas d'accabler la rigidité des prédécesseurs à l'égard de l'audiovisuel pour, d'un claquement de doigts, obtenir le texte d'une réforme miracle. Les premières réunions interministérielles sur le sujet, qui se tiennent à partir de mi-juin, en font la constatation. Autour d'une table se rassemblent à Matignon, une fois par semaine, Jérôme Clément, Bernard Miyet, Michel Berthod, Francis Beck qui dirige le cabinet de Jack Lang, des envoyés de Louis Mexandeau (ministre des PTT), Jean-Louis Bianco pour l'Elysée... Les hommes sont tous très jeunes. Les rapports sont rapidement amicaux. L'enthousiasme est entier. Le problème aussi.

«Où en est-on, Bernard? Est-ce qu'on peut envisager de proposer un texte à la session d'automne?» s'enquiert Georges Fillioud, début juin 1981. Le ministre de la Communication veut se garder de pécher par impatience, mais il estime que les choses ne vont pas assez vite. Les radios se multiplient comme des petits pains. L'atmosphère devient irrespirable dans les chaînes. Leurs présidents prennent comme un malin plaisir à ne pas tirer les « leçons du changement ». N'ont-ils donc pas compris qu'ils devraient démissionner tout de suite, céder la place à de nouvelles équipes? A quoi rime cette obstruction de fait à la marche du progrès? Faudra-t-il finir par le leur faire comprendre crûment? L'ancien journaliste Georges Fillioud rechigne à cette idée. Mais aujourd'hui il est ministre. Ministre d'un gouvernement de gauche comme il n'y en a pas eu depuis 1936. Depuis le Front populaire! Et chacun sait ce qu'il en coûte à un gouvernement porté par une vague d'espoir aussi puissante de ne pas agir immédiatement.

L'euphorie de ce que l'on appelle déjà l'« état de grâce » est par nature précaire. Après les congratulations, il faut s'attendre aux doléances. Déjà, tout comme Jérôme Clément, Bernard Miyet et Jean-Claude Colliard, Georges Fillioud ne sait plus que répondre à tous ceux qui, dans les radios et les télévisions, le sollicitent à longueur de journée : syndicalistes qui veulent être récompensés de leur fidélité à la « juste cause »; journalistes « placardisés » pour avoir fait état d'opinions favorables à François Mitterrand. Et ce monde le fait savoir à grand renfort de sonnettes tirées. Il y a de tout. De la demande officielle d'un poste convoité à la traditionnelle et nauséabonde délation. Il arrive parfois, dans le courrier de Matignon, de l'Elysée ou de la Rue Saint-Dominique, des listes, dressées ici ou là, de mal-pensants chiraquiens, de taupes giscardiennes, d'agents centristes à évincer promptement. L'inévitable, l'inacceptable quote-part d'excès consécutifs aux réjouissances, signe supplémentaire des aigreurs et rancunes accumulées. Il importe d'opérer avant d'être submergé.

On ne peut pas tout faire en même temps, mais il faut, d'urgence, que le changement se mesure et se commente, dans les journaux, dans la rue, dans les bulletins de vote qui empliront les urnes lors des législatives des 14 et 21 juin. François Mitterrand a aussi été élu pour qu'une certaine télévision bascule dans les oubliettes. Georges Fillioud y pense du matin au soir, avec une pointe d'angoisse au moment des journaux de vingt heures. A regarder ces reportages, ces commentaires, on ne dirait pas qu'un souffle novateur caresse le pays. André Rousselet et le Président le lui rappellent en chaque occasion, et il partage leur point de vue. Il faut, au plus vite, nommer de nouveaux présidents de chaînes et mettre en chantier la loi. Alors, « où en est-on? »

« Nous devons être réalistes, soutient Bernard Miyet. Nous ne sommes pas en mesure d'établir un texte dans les trois mois. Nous perdrons tout le bénéfice de la réforme en la bâclant. Maintenant, si tu insistes...

— Il n'est pas question de bâcler quoi que ce soit. Faisons au mieux. Mais il va falloir trancher rapidement sur les radios, et régler le problème des P-DG de chaînes. Ça ne peut plus durer.

— Ecoute, sourit Bernard Miyet, je m'occupe de l'administration, je me charge de la préparation de la loi, mais rends-moi un service : ne me demande pas qui il faut mettre à la tête d'une chaîne, je n'y connais rien ni personne. »

A vrai dire, Georges Fillioud n'y pensait pas. Lui-même est à peine consulté sur l'identité de ceux qui remplaceront bientôt ces présidents. Il vit avec regret cette éviction, mais ne s'en offusque pas. L'Elysée a ses privilèges qu'il ne lui viendrait pas à l'esprit de contester. Dont, au premier rang, celui de nommer, de promouvoir.

Ce privilège, André Rousselet le partage. Les souhaits, les suggestions, les noms griffonnés au bas d'une note, tout ce qui remonte vers le Président passe par lui. Ce qui en redescend aussi. Révocations et nominations sont le fruit d'un troc au sommet. Chaque ministre, chaque conseiller essaie d'y mettre son grain de tendance. André Rousselet est aux fourneaux.

Plus tard, le directeur de cabinet du Président se défendra d'avoir joué les Fouquier-Tinville. Mais André Rousselet, comme Pierre Bérégovoy, ne se prive pas d'intervenir et de faire connaître à qui de droit le mécontentement de l'Elysée sur tel reportage, tel éditorial, telle chronique. Il a le coup de téléphone aussi facile que d'autres la gâchette et sait rappeler un récalcitrant plus vite que son ombre. C'est chez lui un don qui, en juin 1981, rencontre la fonction. Une discipline qu'il pratique avec naturel, sans fausse pudeur. Il n'y a pas de honte, estime-t-il, à intervenir. Comment être utile et efficace sans chercher à peser sur le secteur qui vous est confié ? Tout le contraire de ce que Pierre Mauroy exige de ses collaborateurs : « Je ne veux pas de pressions sur les journalistes, répète-t-il inlassablement à Jérôme Clément et Thierry Pfister. Je ne tiens pas à lire dans *Le Figaro* ou *Le Canard* que Matignon tire les ficelles de la communication. » Il est écouté.

André Rousselet, lui, apprend qu'il n'est pas simple de peser. Mouvements préfectoraux, sécurité intérieure, télévision... Son bureau est encombré de dossiers et l'audiovisuel n'en représente qu'une fraction. Il découvre au jour le jour les problèmes et les hommes. Le plus souvent, connaissant mal ceux qui doivent partir, et plus mal encore ceux qui arrivent, il doit improviser. A son niveau, la valse des noms est un sport en chambre et un apprentissage. Il faut à la fois renvoyer ceux qui pendant vingt-trois ans ont « maltraité » François Mitterrand, et trouver, sans avoir vraiment connu l'univers des médias au cours de cette même période, des professionnels si possible compétents pour les remplacer.

Les travaux pratiques ne vont pas toujours de soi.

« Vous vous doutez de la raison pour laquelle j'ai demandé à vous voir? attaque, d'un air entendu mais cordial, André Rousselet lorsqu'il reçoit à la fin mai Xavier Gouyou-Beauchamps, P-DG de la Sofirad [1] depuis 1977.

– Je pense le savoir, en effet, mais il faudra me le dire quand même », réplique le président sur le point d'être remercié.

Proche de Valéry Giscard d'Estaing, dont il a dirigé la campagne en 1974, Xavier Gouyou-Beauchamps s'amuse de l'ironie qui veut qu'on lui donne congé dans l'ancien bureau de celui qui l'avait fait nommer à la Sofirad. Même disposition des lieux. Jacques Attali assiste au début de l'entretien. Pas de surprise quant à la teneur des propos. Il en avait été prévenu par Jean Sérisé, chargé de mission auprès de Giscard, le jour de l'installation de François Mitterrand (« Xavier, vous ne serez pas étonné... André Rousselet souhaite vous rencontrer... »).

Tout à l'honneur, considère-t-il, d'être le premier de la fournée des « vidés » par la gauche, Xavier Gouyou-Beauchamps s'abstient de commenter la décision que lui annonce André Rousselet. Cela ne servirait à rien. Les nouveaux venus, c'est évident, s'imaginent la Sofirad comme un Nautilus des médias d'où l'on peut actionner à volonté les commandes des rédactions d'Europe 1, de RMC, de Sud-Radio... Ils reviendront vite de ce demi-fantasme, pense Xavier Gouyou-Beauchamps qui se contente de demander quand il devra s'esquiver. « Au prochain Conseil des ministres », répond le directeur de cabinet, qui sait qu'à ce même conseil le poste devrait échoir à Michel Caste. François Mitterrand y tient.

Le même type de scène se reproduit, à l'Elysée ou à Matignon, dans les semaines qui suivent. André Rousselet invite ainsi égale-

1. La Sofirad, Société financière de radiodiffusion, holding créé à la Libération et qui rassemble les participations que l'Etat français détient dans l'audiovisuel privé. En 1981, elle contrôle ainsi 35,2 % d'Europe 1 (mais 47 % des voix par le jeu des actions à vote pluriel), 83,3 % de Radio Monte-Carlo (RMC), 30 % de Télé Monte-Carlo (TMC), 100 % de Sud-Radio, et de nombreuses participations dans Radio Caraïbes Internationale, la Compagnie libanaise de télévision... Son P-DG est nommé en Conseil des ministres.

ment au départ le P-DG du groupe Havas, Yves Cannac, dont le mandat doit s'achever fin juin. Ancien secrétaire général adjoint de l'Elysée auprès de Giscard, éminence discrète mais reconnue du libéralisme, Yves Cannac représente ce avec quoi il faut rompre. Mais par-delà l'idéologie, il y a un aspect plus concret à ce renvoi : il est exclu de laisser aux mains de l'ennemi le premier groupe publicitaire de France, Havas, avec ses milliards de francs de chiffre d'affaires, ses deux cents sociétés, ses holdings, ses activités dans le tourisme, les petites annonces, l'achat d'espace... Sans parler du pouvoir qu'on lui prête sur les innombrables titres de la presse régionale dont le groupe assure la régie publicitaire. Ni de la régie de la plus riche et populaire station de radio, RTL. Ni enfin de ses intérêts dans la nébuleuse CLT qui possède RTL, RTL-Télévision (dont les programmes couvrent en France la Lorraine), et plusieurs antennes radio en Europe... Le poids stratégique du groupe Havas dans le monde des médias ne saurait demeurer un instant de plus hors de la sphère élyséenne.

La valeur tactique de la place est telle qu'André Rousselet aurait ambitionné d'y perfectionner ses talents d'entrepreneur si François Mitterrand ne l'avait gardé auprès de lui. Présider le groupe Havas? L'hypothèse, qui lui a un moment traversé l'esprit, reste entrouverte puisque celui à qui est réservé le fauteuil de P-DG, Pierre Nicolaÿ, ne devrait pas y rester plus d'un an. Conseiller d'Etat, compagnon de parcours de François Mitterrand, Pierre Nicolaÿ est en effet promis à la vice-présidence du Conseil d'Etat, qui doit se libérer courant 1982. Havas ne sera donc pour lui qu'une présidence de transition. Et pour André Rousselet, un débouché assuré s'il vient à se fatiguer des délices du faubourg Saint-Honoré...

Le jeudi 18 juin 1981, à 8 heures 45, une dizaine de tasses de café, de croissants et de jus d'orange restent soudain comme suspendus au-dessus de nappes blanches un peu partout dans Paris, devant des visages bouche bée. Le son du canon vient de retentir au cœur du 8e arrondissement, rue François-Ier où Georges Fillioud, dopé par les résultats du premier tour des législatives [2], part à l'assaut des poches de résistance audiovisuelle à la marée rose. Messieurs les présidents de TF1, A2, FR3 et leurs directeurs de l'information font le dos rond depuis un mois? Ils vont comprendre!

2. Premier tour des législatives le 14 juin 1981. La gauche obtient 55 % des voix; 38 % pour le PS et le MRG, 16 % pour le PC, contre 21 % pour le RPR et 20 % pour l'UDF.

Face à un Ivan Levaï au meilleur de sa forme (on n'a pas tous les jours l'occasion d'interviewer un ancien confrère devenu ministre de la Communication), Georges Fillioud est l'invité d'« Expliquez-vous », le rendez-vous matinal d'Europe 1. Mais ce matin, l'émission pourrait tout aussi bien s'intituler « Démissionnez-vous ! » Interrogé sur ses prises de position récentes critiquant les responsables des chaînes [3], le ministre se défend d'avoir voulu « déstabiliser » qui que ce soit mais concède que si ses propos « ont dérangé, tant mieux ! » Avant d'ajouter, pesant la dynamite de ses phrases où pointe une froide colère : «... J'aurais trouvé normal que ces P-DG, ayant entendu mes propos, mes exigences, s'en aillent. Ils ne l'ont pas fait, c'est leur responsabilité... [Ces dirigeants] nommés par le pouvoir précédent... ont failli à la règle qui est celle du service public de l'information, celle du pluralisme... » Pour faire bonne mesure, Georges Fillioud conclut en conviant implicitement les journalistes des rédactions à prendre eux-mêmes en charge le destin de leurs entreprises.

Ivan Levaï jubile. Une fois de plus son émission fera l'actualité du jour, et sans doute du lendemain. Les techniciens et les journalistes présents se regardent. Ont-ils bien saisi la portée du coup que le ministre vient d'assener aux hommes de l'ancien régime ? Il faut croire. Le ministre paraît satisfait de son éclat.

Le surlendemain, à l'attention des sourds et des malentendants, Pierre Mauroy, pourtant modéré de nature, emprunte la même voie : « Nous n'avons demandé à personne de partir, mais il est vrai que nous ne demandons à personne de rester. »

C'est la pêche à la grenade.

Trois des cibles ont entendu la déflagration et démissionnent aussitôt après le second tour des législatives. Le lundi 22 juin, Maurice Ulrich met son mandat de président d'A2 à la disposition du gouvernement, après un entretien avec le Premier ministre. Avant de partir, il a réglé avec Matignon le prochain déménagement d'A2, à l'étroit rue Cognacq-Jay, pour un immeuble de l'avenue Montaigne. Sa démission est suivie de celle de Claude Contamine, qui présidait FR3 depuis six ans. Le même jour, Roland Faure, directeur de l'information à Radio France, quitte la maison du quai Kennedy avec un superbe poste radio que lui ont offert les journalistes. Le lundi suivant, Antoine de Clermont-Tonnerre est déchargé de ses fonctions de

3. Début juin 1981, Georges Fillioud a multiplié les attaques contre les responsables de l'audiovisuel, notamment dans une déclaration à Romans le 12 juin, à la veille du premier tour des législatives, où il proclamait que « la conscience des responsables de la télévision, conspués par le peuple de Paris le 10 mai, aurait dû les pousser à abandonner leurs fonctions... »

P-DG de la Société française de production. Bertrand Labrusse, de la Cour des comptes, assurera l'intérim [4].

Deux autres font toujours la sourde oreille. Pierre Mauroy attendra la fin juillet pour les convoquer et leur demander de partir : Jean-Louis Guillaud, qui renoncera à la présidence de TF1, et Jacqueline Baudrier, qui renoncera à celle de Radio France. Le Premier ministre demandera à Robert Lion et à Jérôme Clément que l'on trouve des points de chute honorables aux démissionnés.

Seul manque à l'appel du monument aux victimes de Mai 81 le symbole de la première nuit, Jean-Pierre Elkabbach.

« Salaud ! »

Le cri a jailli au rythme de la musique et des lumières, une fraction de seconde avant que la main se saisisse d'une bouteille de bière et la brise sur le comptoir :

« De quoi ! Il est encore là, ce fumier ? Je vais te tuer... »

Jean-Pierre Elkabbach, qui vient de quitter Daniel Cohn-Bendit et Serge July, a eu à peine le temps de comprendre que la menace, alcoolisée, s'adresse à lui. Charmante soirée ! C'est au moins la troisième fois qu'il se fait traiter de « salaud » par des « autonomes » ce soir au Palace où il est venu, sitôt achevée l'émission spéciale pour le second tour des législatives, se changer les idées en répondant à l'invitation de *Libération*. Un haut lieu nocturne du faubourg Montmartre choisi pour fêter le redémarrage du quotidien après trois mois d'interruption volontaire de parution. Mais c'est la première fois que l'on joint le geste à la parole.

« Et pourquoi il n'aurait pas le droit d'être là ? » lance un autre invité. Il est une heure du matin et le ton monte. Les poings de Jean-Pierre Elkabbach se ferment. Près du bar, commence une bousculade au milieu des injures et des éclats de verre. Des journalistes s'interposent et tentent d'éviter que cela dégénère en bagarre générale. Le directeur de l'information d'A2 doit quitter le Palace en passant derrière le bar.

S'il avait eu besoin de signes prémonitoires pour deviner ce qui

---

4. La **SFP,** Société française de production, est l'une des entreprises issues de l'éclatement de l'ORTF en 1974. C'est une gigantesque usine à fabriquer des programmes. Elle rassemble toutes les activités de production audiovisuelle de l'organisme disparu et travaille pour l'ensemble des chaînes de télévision qui lui passent des commandes de fictions, variétés, jeux, etc. Les chaînes sont tenues à un volume annuel de commandes obligatoires à la SFP. Depuis l'automne 1978, la SFP connaît de graves difficultés financières. De grèves en licenciements et en déficits, Jean-Charles Edeline, Bertrand Labrusse et Antoine de Clermont-Tonnerre se sont succédé à sa tête. Le P-DG est nommé en Conseil des ministres, puis, à partir de 1982, par la Haute Autorité.

allait lui arriver, Jean-Pierre Elkabbach n'aurait eu, depuis le 10 mai, que l'embarras du choix. Déjà, huit jours plus tôt, en se rendant sur le plateau de l'émission spéciale du premier tour des législatives, il avait eu un accrochage public avec le ministre de l'Intérieur et de la Décentralisation, Gaston Defferre. «Tiens, mais il est encore là celui-là. Il en a de la chance!» s'était écrié le ministre en le voyant.

Le lendemain matin, conscient de sa maladresse, Gaston Deferre l'avait appelé et prié de venir le voir.

«Le climat est épouvantable, lui avait dit alors un Gaston Defferre chaleureux, plus marseillais que jamais, regrettant l'incident du dimanche soir... Vous devriez partir et oublier Paris quelques mois. Tenez, allez en Grèce. Partez avec une femme. Baisez. Et quand vous reviendrez, les choses auront changé...» Amical et méridional conseil. Mais conseil tout de même. La sortie d'A2 est proche.

André Rousselet, qui le reçoit peu après, sera moins romantique : «Il vous faut quitter vos fonctions. Si vous le souhaitez, nous vous recaserons.»

Jean-Pierre Elkabbach ne veut rien savoir d'une décision qu'il estime injuste et prise sur de seuls critères politiques.

Le lundi 29 juin au matin, au quatrième étage du 5, rue de Montessuy, se tient le conseil d'administration extraordinaire d'A2 au cours duquel il est « démissionné ».

Le dernier ordre de mission qu'il signe en tant que directeur de l'information concerne l'envoi d'une équipe d'A2 au Japon. Avec un grand reporter nommé Patrick Clément. L'un des hommes qui guideront, quatre années plus tard, les premiers pas en France d'un certain Silvio Berlusconi.

CHAPITRE V

Embauches

« Et si on te donne la radio, bon Dieu! ça t'intéresse? »

Michèle Cotta hausse les épaules et sourit. Pas d'erreur, c'est le Premier ministre de la France qui s'exprime ainsi. Avec sa bonhomie et une rudesse feinte, Pierre Mauroy vient de lui faire comprendre qu'elle ne pourra pas refuser longtemps tous les postes que le pouvoir lui propose. Avoir été, avec Jean Boissonnat, l'arbitre du duel entre les candidats à la présidentielle de mai a fait d'elle une célébrité, bien sûr. Mais ce n'est pas cela qui fait écrire son nom sur toutes les listes de fauteuils à pourvoir.

Ce sont d'abord les liens anciens, professionnels et parfois affectifs qui unissent le chef du service politique de RTL à de nombreuses personnalités, dont François Mitterrand, Pierre Mauroy, Jacques Chirac... C'est ensuite l'une des rares femmes journalistes à s'être imposées dans cet univers où domine le sexe masculin et dans un secteur, la politique, où il domine plus encore. Niçoise aux boucles brunes, le teint mat, le regard vif, pétillant, les lèvres rouges rieuses, Michèle Cotta est aux antipodes de ce que Sciences po peut produire comme mines graves et austères. Affectionnant les couleurs vives, avec un goût certain, même s'il déconcerte parfois, elle rayonne en tailleur violet. De *L'Express* au *Point*, d'Europe 1 à France Inter, elle a acquis une connaissance encyclopédique, mais vivante, de la gent politicienne. Diplomate de charme et journaliste jusqu'à la pointe de l'escarpin, elle excelle à convaincre tous et chacun de ce que le monde ne tournerait pas aussi bien sans eux. Son intelligence, qu'elle sait rendre mutine, est à l'image de son carnet d'adresses : redoutable.

En juillet 1981, son manque d'appétit pour les postes qui lui sont offerts agace. Elle a commencé par décliner celui que lui tendait

André Rousselet près de lui à l'Elysée. Elle n'a pas voulu être le conseiller pour la communication de Pierre Mauroy. Elle s'interroge sans conviction sur la proposition que lui a faite le nouveau président de la Sofirad, Michel Caste, de prendre la direction de Radio Monte-Carlo... (elle refusera et lui conseillera de prendre un autre journaliste, Jean-Claude Héberlé). Et voici que Pierre Mauroy récidive, lui présentant un morceau de choix, la présidence de Radio France! Un moment de réflexion. C'est oui. Elle sera nommée le jeudi 30 juillet 1981.

Pierre Mauroy respire. Son estime pour Michèle Cotta aurait résisté à un nouveau refus, mais pas ses nerfs de Premier ministre ayant conclu avec le chef de l'Etat un accord sur le partage des présidences à pourvoir dans l'audiovisuel.

« Combien y a-t-il de P-DG à nommer, lui avait demandé François Mitterrand?

– Quatre.

– Alors nous choisirons chacun deux noms. »

Au Président, TF1 et FR3. Au chef du gouvernement, A2 et Radio France. En l'autorisant à proposer deux candidats, François Mitterrand fait une concession à Pierre Mauroy que ce dernier sait apprécier. Dès son arrivée à Matignon, cet homme du Nord, fin et chaleureux sous une carrure de bûcheron, avait saisi que son pouvoir sur la communication serait faible. Ce fief resterait élyséen, sous la surveillance méthodique d'un André Rousselet dont il désapprouve les interventions intempestives dans les rédactions.

Cette marginalisation ne lui pèse pas trop. Aux prises avec une inflation de 13 %, des nationalisations complexes et une tonne de textes de loi à mettre en chantier, il a d'autres chats à fouetter. Et il tient, avec Jérôme Clément et Thierry Pfister, deux conseillers en qui il a toute confiance sur ce chapitre. Soucieux des formes et des institutions, il n'a pas l'âme d'un coupeur de têtes. Son univers et son bon sens reposent sur des stéréotypes républicains que ses détracteurs jugent démagogiques. Pour Pierre Mauroy, « la République, ça se respecte! », « la loi est la loi », et « quand on va à la mairie, on met sa cravate et sa veste ». Et, par-dessus tout, « on reçoit correctement les gens ».

A peu près seul de sa catégorie au PS, Mauroy déteste tout ce qui peut ressembler à une pression sur les médias, ce qui ne lui interdit pas de faire connaître son opinion lorsqu'il en est mécontent. Il lui arrive d'exprimer un avis, jamais d'exiger quoi que ce soit d'une profession, le journalisme, qu'il respecte. Son itinéraire politique, sa filiation où se mêlent tradition républicaine, solidarité ouvrière, foi en l'éducation et rejet de « l'argent roi » éclairent ses positions tranchées sur l'audiovisuel et la publicité. On ne remet pas en cause un monopole qui protège les chaînes de l'argent facile et de la médiocrité. Les radios « libres » seront « associatives », sans publicité, ou ne seront pas. Il est en désaccord sur ce point avec Georges Fillioud qui prône leur accès aux recettes publicitaires.

Pour Antenne 2, il réussira à imposer à un François Mitterrand plus que réticent le retour d'un homme qui avait représenté pour lui une bouffée de liberté dans la télévision des années 60, Pierre Desgraupes.

Le choix du président de la République s'est arrêté en juin sur le journaliste Guy Thomas pour succéder à Claude Contamine sur FR3. Serge Moati, réalisateur et conseiller audiovisuel de François Mitterrand, pour qui il a mis en scène la cérémonie du Panthéon [1], le rejoint comme directeur de la chaîne régionale. Un autre nom, soutenu notamment par André Rousselet, avait été avancé pour ce poste, mais Guy Thomas s'y était opposé. Celui d'un homme appelé à jouer plus tard un rôle clé dans la genèse de la télévision commerciale en France, Jacques Pomonti.

En juillet, l'Elysée va désigner un conseiller d'Etat inconnu pour remplacer Jean-Louis Guillaud à TF1, Jacques Boutet. Inconnu, Jacques Boutet l'était aussi de François Mitterrand jusqu'à ce qu'il soit désigné, début 1981, rapporteur de la commission de contrôle de la campagne présidentielle. Le premier secrétaire du PS, qui gardait un souvenir éprouvant de la campagne de 1974, a beaucoup apprécié le sens de l'équité de cet arbitre du respect des temps de parole. Sa connaissance pointilleuse des règlements et son intégrité en ont fait, aux yeux de François Mitterrand, l'un des artisans involontaires de sa victoire.

Il fait joindre Jacques Boutet, en vacances, par André Rousselet, et reçoit cet Aveyronnais de cinquante-trois ans, administrateur de la Loterie nationale, à l'accent rocailleux et au regard calé derrière d'épaisses lunettes. Il ne lui propose rien mais lui demande seulement si, au cas où il se « présenterait quelque chose », il accepterait de quitter le Conseil d'Etat. Oui, répond Jacques Boutet qui sort de l'Elysée sans avoir la moindre idée de ce que le Président lui réserve.

Et lorsqu'un peu plus tard Georges Fillioud l'appelle pour lui offrir la présidence de la Une, s'il ne tombe pas des nues il est tout de même très surpris par l'entreprise qu'on lui confie. Ses aptitudes et sa

---

1. Le jeudi 21 mai 1981 un cortège d'intellectuels et de militants accompagnait le nouveau Président au Panthéon. Réglé par Serge Moati, le spectacle était retransmis à la télévision.

carrière, qui ne l'avaient pas amené à envisager l'audiovisuel, auraient tout aussi bien pu le conduire à la RATP ou à l'Imprimerie nationale... On lui donne TF1. C'est un poste comme un autre pour ce haut fonctionnaire.

Il ne connaît à peu près rien à la télévision et ne prétend pas faire semblant. En acceptant, Jacques Boutet[2], qui est au fait des réflexions du gouvernement sur la prochaine loi, sait que sa présidence ne sera que provisoire.

---

2. Pierre Desgraupes et Jacques Boutet seront nommés le jeudi 23 juillet 1981.

CHAPITRE VI

Les « zozos »

« Dites, monsieur Lefébure, vous n'auriez pas deux cents balles? lui avait demandé, le lendemain du 10 mai, un huissier goguenard du siège du groupe Havas.

– Pour quoi faire?

– Ce serait pour changer le drapeau de l'entrée. On a pensé qu'on pourrait mettre un drapeau rouge. »

Elle est bien bonne, s'était dit Antoine Lefébure en gagnant son bureau au huitième étage. Des étages aussi déserts qu'après une procédure d'évacuation immédiate. Dans l'enceinte d'Havas, l'onde de choc de la victoire de François Mitterrand laissait une ambiance de catastrophe nucléaire après le départ des cars de secours. Visages terreux. Regards inquiets. Epaules tombantes. Ils ne sont que quelques-uns, dans cette auguste maison dirigée depuis quarante ans par des hommes dont les sympathies vont à droite, à pavoiser. Jean-Hervé Lorenzi et Antoine Lefébure, qui se promènera toute cette journée avec sa veste retournée pour agacer ceux qui s'apprêtent à le faire pour de vrai, sont de ceux-là. Avec une jeune femme, Marie Castaing, ils forment le trio chargé par Yves Cannac de suivre l'évolution des nouvelles technologies. Coauteur d'un essai sur l'informatique, Jean-Hervé Lorenzi avait été recruté en 1978 par le P-DG d'Havas qui désirait sortir le groupe de ses activités publicitaires traditionnelles. N'y avait-il pas des voies à explorer du côté de la télématique naissante, des banques de données? Jean-Hervé Lorenzi était ainsi devenu, au sein d'Havas, l'un des très rares cadres socialistes.

En 1980, il avait fait venir auprès de lui un de ses amis passionné par l'information, les banques de données, les médias, Antoine Lefébure. Tous deux gravitaient autour de réseaux informels composés de chercheurs, enseignants, ou militants se connaissant depuis une dizaine

54

d'années, ayant fréquenté les mêmes universités (Dauphine, Villetaneuse, Jussieu), défilé dans les mêmes manifestations, planché bien souvent dans les mêmes groupes de réflexions. Informaticiens, sociologues, économistes, ils se nomment Yves Stourdzé, Jacques Attali, Michel Dahan, Léo Scheer...

En intégrant Havas, Antoine Lefébure s'est livré à une cure de schizophrénie obligatoire; dissimulant ses galons de capitaine des radios pirates de la bande FM. Mordu d'émetteurs, d'antennes et de l'espace hertzien comme les navigateurs le sont de la mer, il est l'un des militants les plus actifs et résolus de la libération des ondes. La divulgation de ses coupables activités aurait sans aucun doute interdit son embauche ou compromis son maintien à Havas en 1980.

Dans les semaines qui suivent le 10 mai, Jean-Hervé Lorenzi et Antoine Lefébure s'en donnent à cœur joie. Observant le désarroi endémique des cadres. Constatant la vacuité soudaine du pouvoir dans l'entreprise. Mimant avec aisance, devant ceux qui s'aventurent à les interroger, comment il convient de procéder avec le nouveau pouvoir.

« Ne vous inquiétez pas, on s'occupe de tout, répondent-ils, imperturbables, aux angoissés. Enchaînant, dès que le téléphone sonne sur leur bureau : Excusez-moi, c'est l'Elysée qui me rappelle... » Comédie perverse que certains gobent pour la seule raison que leur carnet d'adresses, muet sur les dirigeants socialistes, ne leur permet pas de vérifier l'authenticité de l'appel.

Il n'y a pas de petits plaisirs.

Nommé en juin 1981, comme prévu, P-DG d'Havas, le conseiller d'Etat Pierre Nicolaÿ fait l'effet d'un moine chartreux convié à diriger Disneyland. Son univers, sa culture sont à des années-lumière du monde de la publicité, du tourisme, des campagnes pour les couches-culottes et des contrats de confiance Darty. Il ne vénère pas le dieu montant de la « pub ». Il ne tombe pas en extase devant les courbes, les marges, les parts de marché...

Il ne dispose d'aucune équipe, d'aucun lieutenant pour l'aider à prendre en main cette maison qui est, il le sait, le royaume incontesté de Jacques Douce et Georges Roquette. Et voilà que l'un de ceux sur qui il comptait veut quitter Havas! Jean-Hervé Lorenzi a si longtemps espéré l'arrivée de la gauche qu'il ne veut pas laisser passer sa chance de participer à l'histoire en marche. « Tu seras le bras droit de Nicolaÿ... » lui a dit Jacques Attali. Mais il préfère rejoindre un cabinet ministériel.

« Enfin, vous ne pouvez pas partir du jour au lendemain, insiste Pierre Nicolaÿ. Qui vous remplacera?

— Je crois avoir l'homme qu'il vous faut, déclare Jean-Hervé

Lorenzi. Il s'appelle Léo Scheer. Il fait un excellent travail ici depuis plusieurs mois... »

Tout à son désir de régler son départ au plus vite, Lorenzi a joué, avec ce nom, son va-tout. Léo n'a en vérité encore jamais mis les pieds à Havas, mais Jean-Hervé lui a parfois commandé des études comme à d'autres consultants extérieurs. Depuis quelques semaines il est entendu entre eux que, dans la mesure où Pierre Nicolaÿ l'acceptera, Léo Scheer lui succédera. Lorenzi convainc donc le P-DG Nicolaÿ des capacités d'organisation de Léo, le brosse en proche de Jacques Attali (« Jacques y est tout à fait favorable », bluffe-t-il). Il lui conseille de le prendre comme directeur de cabinet et d'en profiter pour créer une véritable direction du Développement.

Quand le sociologue au chômage Léo Scheer entre à Havas quelques jours plus tard, l'entente avec Pierre Nicolaÿ est instantanée. Sa grande taille, sa voix douce, lente et posée, ses silences, sa façon d'écouter pensivement, la malice attentive qui se lit dans ses yeux lui donnent l'air, selon les heures, d'un homme d'église ou d'un psychanalyste. Cofondateur, avec Jacques Attali et d'autres universitaires, de l'IRIS, un institut de recherches où il avait lancé des travaux sur la communication, les réseaux, les télécommunications, Léo Scheer exulte à l'idée de pouvoir passer, après dix ans de sciences humaines, de la théorie à la pratique.

Le directeur du Développement se rend vite compte qu'il n'y aura de « développement » qu'avec l'assentiment de Jacques Douce. La réputation légèrement sulfureuse de l'homme, ses qualités de fin politique ouvert aux innovations séduisent assez Léo pour que le contact s'établisse. A la surprise de beaucoup, avenue Charles-de-Gaulle, s'instaure un *modus vivendi* entre le directeur général d'Havas, patron d'Eurocom, et le « jeune » Scheer. Ce dernier ne se mêlera pas des affaires publicitaires de Jacques Douce qui, lui, ne s'opposera pas aux projets de diversification. Il y a alors chez Jacques Douce, déjà fatigué et souffrant, davantage qu'une simple envie d'avoir la paix avec ce directeur de cabinet dont s'est « entiché » Pierre Nicolaÿ. Il ne lui déplaît pas d'assister à un petit dépoussiérage dans les stratégies du holding. On verra bien ce qu'il en restera quand Pierre Nicolaÿ rejoindra le Conseil d'Etat.

La cellule Développement prend forme au cours de l'été. Léo Scheer, Antoine Lefébure, Marie Castaing et Albino Pedroia la constituent. Ils sont rejoints en septembre par un ancien étudiant de Jean-Hervé Lorenzi auquel celui-ci avait commandé des travaux sur la télévision par câble. Jacques Driencourt, à vingt-deux ans, rentre de l'armée. Mais pas de la caserne de Blois, ni des froideurs de Berlin. Il a passé dix-huit mois à Los Angeles comme attaché culturel au consulat de France. Un an et demi de service militaire idéal à observer les chaînes américaines, à rédiger notes et monographies sur les groupes de communication, les chaînes à péage, la programmation, la télévision par satellite. A recevoir et piloter les acteurs et réalisateurs français de passage à L.A.

Avec lui, la cellule est au complet.

Leur côté « Club des cinq », Bibliothèque verte mâtinée de Maspero, leur vaut la hargne tranquille ou le mépris affiché des autres branches du groupe. Cette situation les encourage à concentrer leur réflexion sur les domaines nouveaux, sur l'avenir. Réunis la journée dans le bureau de Léo Scheer, le soir parfois dans la salle du café-restaurant Le Béarn ou du Juliénas, près d'Havas, ils confrontent leurs analyses. Les divergences ne manquent pas, mais ils s'accordent, au moment où Georges Fillioud et Pierre Mauroy mettent une loi en chantier, sur un postulat : la France, pour ce qui est de la communication, est un pays arriéré. Le monopole paralyse toute création d'un véritable marché. Sans attendre de savoir en quoi le gouvernement décidera d'innover ou non, Havas doit songer à se constituer en véritable groupe de communication. Il doit examiner les possibilités d'être présent dans les secteurs les plus dynamiques, dans l'audiovisuel, le cinéma, les satellites...

C'est un raisonnement collectif. Marie Castaing établit les comptes rendus de réunion, Léo Scheer fait la synthèse et joue le paratonnerre pour aller vendre les projets envisageables à Pierre Nicolaÿ. En l'occurrence, il n'y a ni orage ni foudre à redouter. S'il n'a que peu de goût pour la publicité, le P-DG d'Havas est par contre réceptif et volontaire pour tout ce qui touche à la communication audiovisuelle. La production est l'un de ses dadas. Lancer Havas dans l'audiovisuel, c'est bien joli, mais par où démarrer? Par le cinéma!

Spécialiste du droit, méticuleuse et vive d'esprit, c'est Marie Castaing qui, à l'automne 81, a l'idée. Au lieu de se lancer bêtement dans la production, en risquant de perdre énormément d'argent et d'être la risée de tout Paris, ce qui est arrivé à Marcel Dassault, il faut prendre le problème à l'envers. Pourquoi ne pas commencer par s'intéresser aux salles de cinéma, aux fauteuils? On vend des tickets. On passe des films. Les cinémas, c'est aussi de l'immobilier et, en cas d'échec de l'entreprise, on peut toujours revendre ou faire des garages, au prix où est le mètre carré de parking... Ce dernier argument, ajouté au fait que cinéma égale guichet, annonces, encarts publicitaires, pourrait aider à convaincre le conseil d'administration d'Havas. Les salles, c'est du patrimoine. Du solide.

Passant en revue les diverses participations détenues par le groupe Havas dans d'autres sociétés, Marie Castaing et Léo Scheer mettent le doigt sur Pathé. Avec son réseau de salles à travers toute la France, son catalogue de films prestigieux et ses stocks d'archives d'actualités remontant à la naissance du septième art, Pathé est le fleuron du cinéma français. Emblème certes un peu terni par la crise de la fréquentation des salles, le vieillissement des équipements de projection, mais qui reste digne de toutes les convoitises.

Havas en détient environ 10 %. Pourquoi ne pas tenter une opération de renforcement de la participation d'Havas dans Pathé? Pierre Nicolaÿ, qui partage et encourage ce projet, donne son accord pour les acquisitions en Bourse de titres Pathé. Son ambition n'a rien de secret ni d'hostile à l'égard de la compagnie cinématographique. Il en parle avec ses dirigeants et s'ouvre à eux de l'idée qui lui tient le plus à cœur : créer à terme une société de production audiovisuelle à parité avec Pathé. Etirée sur de longs mois, l'affaire, non souhaitée par André Rousselet, échouera. Mais elle aura permis à ses organisateurs de se faire les dents, de se familiariser avec le cinéma, la production, les réseaux.

Cet automne 1981 est consacré à la poursuite du débroussaillage des idées, à l'examen et au classement des tiroirs laissés par Jean-Hervé Lorenzi, au tri des études empilées au bas des armoires. L'inventaire fait apparaître deux monticules de documents qui vont attirer leur attention.

Deux dossiers qui seront, mais personne – pas plus au gouvernement que dans le groupe Havas – n'est alors en mesure de le supposer, les catalyseurs du bouleversement de l'audiovisuel français. De leur traitement politique, de leurs interférences et d'initiatives contradictoires en surgiront, comme de deux souches antagonistes, le pire et le meilleur. La fortune et les faillites. Une chaîne prospère et des désordres télévisuels à répétition.

Le premier, volumineux, rassemble une profusion de documents et de notes sur des projets, distincts, de satellites étudiés par les gouvernements français et luxembourgeois.

Le second, beaucoup plus succinct, concerne une petite société dans laquelle Havas et le groupe Hachette sont actionnaires aux côtés de Jean Frydman. Un homme d'affaires dont le nom est lié, pour quelques initiés, à la communication et à la publicité depuis vingt ans.

La société se nomme TVCS.

Il y est question d'une forme de télévision originale. Avec des images cryptées.

CHAPITRE VII

Le projet TVCS

C'est l'histoire d'un voyageur et d'une idée fixe. D'un touche-à-tout chanceux, Jean Frydman, et d'une contrée inaccessible, la télévision commerciale. Personne ne connaît vraiment Jean Frydman, ce petit homme souriant, trapu, au front lisse et au courage insoupçonné, mais lui connaît tout le monde. Une idée par jour dont une excellente par semaine, il a tout fait de sa vie, tout vécu, tout appris. La Résistance l'arme au poing, à quinze ans, dans Paris occupé. L'arrestation. La condamnation à mort. L'évasion d'un convoi pour Buchenwald dont l'un des autres prisonniers, dans le même wagon, se nommait Marcel Bloch avant de devenir Dassault. La clandestinité.

Puis les affaires. Des grandes et des microscopiques. Les voyages. Les rencontres, les projets, avec un goût prononcé pour la communication... Un talent sans pareil pour convaincre, essayer, ne jamais renoncer parce que cela vaut toujours la peine de recommencer, de créer une nouvelle affaire, d'organiser de nouvelles rencontres.

Jean Frydman est celui qui, au milieu des années 50, sauva une jeune radio de la disparition en organisant sa reprise partielle et son soutien financier par l'Etat. La station s'appelait Europe 1, et l'aile protectrice la Sofirad. Peu après, c'est lui encore qui favorisa la fortune financière d'Europe 1 en créant avec Marcel Bleustein-Blanchet, président de Publicis, puis en dirigeant Régie N°1, la société qui assure la régie exclusive de la publicité sur l'antenne. Ensemble, ils avaient participé auparavant à la création d'une chaîne de télévision au Maroc. C'est le même homme, par ailleurs conseiller du groupe Thomson, qui n'a jamais cessé de penser à la création en France d'une chaîne privée. Là, sans succès.

Au début des années 70, toujours avec Marcel Bleustein-Blanchet qui en rêve lui aussi, il a été sur le point de faire aboutir un projet d'extension vers le nord de la France du réseau de Télé Monte-Carlo. Le projet et la société se nommaient Canal 10. L'opération était menée avec le concours de Jacques Abergel, un cerveau de la mécanique publicitaire, en poste à Europe 1. La frilosité du pouvoir pompidolien à l'idée de perdre si peu que ce soit de son contrôle sur la télévision et la naissance de FR3 avaient compromis leur démarche. L'éclatement de l'ORTF et le verrouillage giscardien sur toute idée de création d'une chaîne privée avaient ensuite porté un coup mortel à ces tentatives.

Mais il aurait fallu bien plus qu'une fatalité noire pour décourager Jean Frydman et Jacques Abergel (qui lui avait succédé à la régie d'Europe 1 en 1974). On ne veut pas d'eux et de leurs chaînes sur le territoire? On leur interdit de créer une télévision? Qu'importe, ils investiront les lieux et le système par ses failles! On verra bien qui osera s'opposer à l'innovation, car Jean Frydman, à force d'observations et de déductions, pense maintenant tenir, en 1977, le sésame qu'il lui faut.

Le raisonnement est simple, mais il fallait y penser. Il existe trois chaînes nationales, TF1, A2, FR3 qui sont loin de diffuser des programmes vingt-quatre heures sur vingt-quatre. Sur les deux plus anciennes, les émissions commencent en fin de matinée et s'arrêtent avant minuit. Sur FR3, c'est virtuellement le désert avant la soirée. Rien la nuit, rien le matin, sinon la neige grise et mouvante de lumineuses particules sur un écran. On compte ainsi, chaque semaine, des centaines d'heures d'antenne vides, du temps laissé en jachère. Et en télévision plus qu'ailleurs, le temps, cela peut être de l'argent. Beaucoup d'argent.

Alors, puisque l'Etat ne se soucie pas de ces longues plages vides, pourquoi ne pas chercher un moyen de les rentabiliser? Non pas en offrant, du moins au début, de nouvelles émissions, des films ou des variétés au public habituel des chaînes, mais en commercialisant ces espaces vides auprès d'entreprises souhaitant communiquer. Il ne serait pas question pour ces sociétés de faire de la publicité au sens classique du terme. D'abord parce que les deux chaînes publiques, A2 et TF1, qui vivent principalement de la redevance, voient leurs recettes publicitaires sévèrement limitées par le gouvernement (il n'y a alors aucune publicité sur FR3). Elles font déjà leur « plein » de pub autorisée et ne pourraient donc en diffuser davantage. Ensuite, parce qu'aux heures disponibles le public est si restreint que cela n'aurait pas de sens d'un point de vue économique. Par contre ce qui est possible, pour des entreprises de grande taille, c'est de confectionner des programmes d'informations spécifiques destinés à leurs salariés. De communiquer, en touchant simultanément leurs points de vente et filiales dans toute la France.

Il s'agirait en quelque sorte, imagine Jean Frydman, pour une société *ad hoc,* de louer à l'Etat ces tranches horaires non cultivées et de les mettre à la disposition de telle ou telle compagnie, moyennant finances. C'est en gros le principe des panneaux d'affichage installés sur les palissades des chantiers. Une partie des ressources serait rétrocédée à la chaîne qui hébergerait le programme. La théorie est d'une redoutable simplicité. Elle tient de la régie nouveau genre et du cheval de Troie cathodique, car elle peut constituer une première brèche dans le monopole.

Jean Frydman élabore et peaufine une première stratégie en portant son choix sur A2 qui est alors la plus novatrice et la plus dynamique des chaînes. Il en parle à son P-DG, Marcel Jullian, séduit mais bientôt remplacé par le diplomate Maurice Ulrich, à son tour intéressé. Mais ce n'est pas avec les P-DG qu'il faut discuter, c'est avec l'Etat, bien sûr, et avec la société qui monopolise la diffusion d'images, TDF. Impossible de se lancer seul dans pareille croisade, il faut trouver des alliés de poids, crédibles.

Le choix d'Havas comme partenaire s'impose par déduction. Il est évident, réfléchit Jean Frydman, que les esprits ne sont pas mûrs pour la télévision commerciale en France. Et si la moindre ouverture doit un jour se produire, il est tout aussi évident que l'Etat ne renoncera pas à une présence, un minimum de contrôle. Or, l'entreprise publique la plus proche de ce secteur existe dans la communication publicitaire : c'est Havas. Un groupe que Jean Frydman connaît parfaitement. N'est-il pas dans les meilleurs termes avec nombre de ses dirigeants? N'a-t-il pas, depuis plus de quinze ans, servi de « go-between » entre les deux frères ennemis, Havas et Publicis? Il s'ouvre de ses projets à Pierre Dauzier, l'un des directeurs du groupe. Yves Cannac, dont il deviendra conseiller, est bientôt dans la confidence. Jean-Philippe Lecat, ministre de l'Information et de la Culture, aussi. Tout comme, rapidement, Valéry Giscard d'Estaing. Le pouvoir donne le feu vert à Yves Cannac et Jean Frydman pour étudier plus avant le projet. Dans la plus totale discrétion.

Fin 1978, à l'initiative de Jean Frydman, la société d'études TVCS, Télévision Communication Services, voit donc le jour sous les meilleurs auspices. Elle associe Havas, Jean Frydman et le groupe Hachette dont il est également le conseiller, et qui est présidé par Jacques Marchandise. Elle bénéficiera d'un bureau avenue George-V, et d'une antenne avenue Charles-de-Gaulle, à Neuilly. Résistant de la première heure, journaliste, ancien président de l'AFP et proche de Jean Frydman, Jean Marin préside TVCS. Pierre Sabbagh, pionnier de la RTF (Radio Télévision française, à la Libération), s'occupera des questions de production. Et c'est Jacques Abergel, à Europe 1, qui recommandera à Jean Frydman Frédéric Chapus, son adjoint, pour en prendre la direction générale.

Très vite, les premières ébauches montrent que l'idée se heurte à un obstacle : la confidentialité. Comment une entreprise, banque, compagnie d'assurances, constructeur automobile..., pourrait-elle prendre le risque de voir ses concurrents accéder, simplement en regardant la télévision, aux informations censées n'être destinées qu'à ses employés ? Comment protéger la diffusion d'une stratégie, d'une technique commerciale, etc ? C'est en se heurtant le front à ces impasses que TVCS en vient à se dire qu'il n'y a qu'une solution : rendre impossible l'accès de tous à ces images, procéder à leur codage, fournir à leurs seuls destinataires le moyen technique de les décoder. En un mot, faire de la télévision cryptée. Mais comment crypte-t-on, avec quel matériel, à quel prix... ? Mystère !

« Il n'y a qu'un seul pays où existent des télévisions cryptées, ce sont les Etats-Unis, réagit l'équipe de TVCS. Il faut aller voir et comprendre comment ça marche. »

Désigné volontaire consentant, Frédéric Chapus est envoyé en reconnaissance. Il a l'avantage de maîtriser quelques langues dont l'anglais, et d'être comme chez lui à New York où il a contribué au lancement de Téléfrance USA, un programme, une sélection d'émissions françaises destinés au rare public francophone des réseaux câblés américains. La chaîne, associant la société de production Gaumont et la Sofirad, bat de l'aile. Frédéric Chapus a pris ses distances avec le projet. Mais il a conservé de nombreux contacts avec les professionnels américains. Volubile et passionné, agile et intuitif pour tout ce qui concerne le monde de la radio, de la télévision et de la publicité, Frédéric Chapus est à l'image de ses maîtres ès communications, Frydman et Abergel.

Sitôt à New York, connaissant la propension des professions américaines à se doter de lettres d'information confidentielles, il épluche annuaires et magazines spécialisés en quête d'une « newsletter » sur la télévision cryptée à péage. Bien vu. En voici une que dirige un certain Paul Kagan à Carmel. Frédéric Chapus compose le numéro, obtient directement Paul Kagan et lui expose son souhait de le rencontrer afin de comprendre qui fait quoi et comment dans le secteur de la « pay-TV ». Aucun problème, répond l'Américain, il suffit de venir jusqu'à lui et d'acquitter les honoraires d'une consultation qui prendra un bon après-midi. Ce sera deux mille dollars. La note est un peu salée mais la pratique courante. Et si l'entretien permet d'apprendre en quatre ou cinq heures de conversation ce qui nécessiterait deux semaines de recherches et de rencontres dans plusieurs Etats, il n'y a pas à hésiter. « O.K. », dit Chapus qui appelle aussitôt TVCS à Paris pour demander un virement de la somme sur le compte de la « newsletter ». Il faut payer avant.

A Carmel, Paul Kagan donnera au directeur de TVCS un cours magistral sur l'histoire de la télévision cryptée. Une leçon de TV business qu'il n'oubliera pas. La première surprise, pour Frédéric Chapus, est de découvrir que le concept de télévision cryptée payante est antérieur à celui de la télévision commerciale financée par la publicité.

Avant guerre aux Etats-Unis, le péage a été d'emblée la forme d'exploitation imaginée pour la nouvelle invention. Crypter. Ce n'était pas par volonté de se compliquer l'existence, mais prioritairement pour ne pas tuer la poule aux œufs d'or qu'était le cinéma. Devant l'apparition de la TV, l'Amérique a immédiatement compris qu'un appareil qui offrirait gratuitement des images, et un jour ou l'autre des films, était une menace pour toute l'industrie cinématographique. Des studios de production aux salles de projection. Et puisqu'il ne pouvait évidemment y avoir de caissière à l'entrée de ce média naissant, comment seraient financés ses programmes? On s'orienta alors vers le codage des images et la fabrication de récepteurs équipés de boîtiers décodeurs. Ces boîtiers fonctionnaient avec des pièces de monnaie que la société exploitante venait collecter régulièrement. C'était le modèle du compteur appliqué aux images.

Mais les pionniers de cette « subscription-TV » (TV par abonnement) ont rapidement déchanté. Ils avaient sous-estimé la tentation individuelle du piratage. A l'époque, il n'existait aucun moyen électronique de verrouiller le système de décodage et la violation du procédé restait à la portée d'un bricoleur averti. Les boîtiers à monnaie tintaient creux. Quelques compagnies laissèrent des millions de dollars dans l'aventure. Ce fut l'échec, l'abandon. Et la télévision ne prit son essor, comme avant elle la radio et la presse, qu'en finançant ses programmes par la publicité. La télévision commerciale classique était née.

Il fallut attendre les progrès de l'industrie électronique pour voir le principe de télévision à péage refaire surface. Avec de nouveaux atouts, dont un matériel plus sûr, et des chaînes thématiques ou locales qui ensuite, là où il serait difficile de diffuser par la voie des airs, pourraient être véhiculées par un nouveau support en cours de développement : le câble. Frédéric Chapus écoute Paul Kagan avec attention, l'interrompt pour obtenir précisions et adresses, note surtout qu'il n'existe alors au monde qu'une demi-douzaine de sociétés détenant des brevets de codage pour la télévision. Et quand il quitte Carmel, en fin de journée, sa décision est prise. Il ira visiter chacune de ces sociétés. A la recherche de celle avec qui TVCS pourra mettre sur les rails son projet d'émissions cryptées sur les chaînes françaises.

Il n'y a pas deux cents manières de coder une image : il faut brouiller les ondes au départ et remettre de l'ordre à l'arrivée. Mais c'est tout un art. Débarquant à Los Angeles, Frédéric Chapus rencontre un virtuose du genre, à la tête d'une des sociétés mentionnées par Paul Kagan.

La cinquantaine, les cheveux blancs, un bureau tapissé des nombreux brevets qu'il a déposés sur cinq continents, Robert Bloch impressionne et séduit Frédéric Chapus. Avec sa société Telease il s'occupe de chaînes à péage aux quatre coins de l'Union, en Floride comme à Chicago, Milwaukee, L.A... Spécialiste du marketing, technicien envoûté par les télécommunications, ex-patron d'une agence de publicité, il a mis au point une technique de cryptage qui permet au téléspectateur de payer uniquement pour les émissions qu'il souhaite regarder. Du « pay-per-view ». Littéralement, payer pour voir. Exactement ce qui conviendrait à TVCS.

A dater de cette rencontre, Frédéric Chapus et celui qu'il appelle très vite Bob Bloch ne vont plus se quitter avant d'être parvenus à un accord. Le Français expose les ambitions de TVCS. L'Américain se dit prêt à concéder l'usage de son système pour la France. Le Français rend compte à Paris et décroche l'approbation de Jean Frydman pour négocier. L'Américain estime que le versement d'une redevance en échange du procédé technique conviendrait... L'âpreté de la négociation n'exclut pas la sympathie, bientôt l'amitié.

Un matin, sous le soleil californien, ils se retrouvent à Venice. Promenade à vélo dans les rues, côte à côte, doublant les joggers et continuant à parler affaires. Nul ne sait qui en eut l'idée le premier mais ils tombent d'accord sur la méthode : ils ne s'arrêteront de pédaler qu'une fois fixés les termes du contrat entre Robert Bloch et TVCS. Quelques bons kilomètres plus tard, le contrat était scellé. TVCS adoptera la technique proposée par Robert Bloch qui, en contrepartie, percevra 5 % de royalties sur le chiffre d'affaires des programmes cryptés que gérera la société française.

Dès le retour à Paris de Frédéric Chapus, accord en poche, s'engage le processus qui doit mener à l'ouverture des heures creuses d'A2 aux partenaires de TVCS. On est en 1979, la gauche a loupé le coche des législatives de 1978, la voie est libre, politiquement, pour tenter cette innovation. Apparemment, les retombées de cette opération seront satisfaisantes pour tous. Valéry Giscard d'Estaing ne dédaignerait pas d'être, en fin de mandat, l'auteur d'une petite révolution sur les antennes. Yves Cannac réaliserait l'un de ses objectifs de diversification pour Havas. Jean Frydman accéderait enfin, à travers ce qui peut devenir une excellente affaire, à la télévision. Mais c'était compter sans les réflexes antédiluviens du monde politique, la puissance de TDF, et l'orgueil blessé d'un grand patron.

Qu'elles soient en clair ou codées, les images de TVCS constitueraient un coup de canif dans le monopole, une sorte de semi-privatisation qu'il convient de préparer juridiquement. Toucher à la loi en ce domaine, c'est marcher sur des œufs revêtu d'un scaphandre... Ce premier écueil peut être évité à grand renfort de juristes et de persuasion auprès du Parlement. Mais il y a un cap plus périlleux à franchir. Il est indispensable que TVCS s'entende avec TDF, organisme basé à Montrouge et que préside Jean Autin; non seulement sur les tarifs de diffusion, mais aussi sur les modalités techniques du cryptage.

S'engagent alors d'interminables réunions entre les dirigeants de TVCS et ceux de TDF, notamment Maurice Rémy et un jeune responsable du commercial et de la prospective, Gérard Eymery, qui suit également les nouveaux dossiers que sont les radios locales, le câble, et un projet de satellite maison, TDF1. En quelques mois, c'est l'enlisement. Yves Cannac et Frédéric Chapus pressentent, impuissants, que TDF ne souhaite pas laisser aboutir ce projet. TDF met en doute la fiabilité du système américain et prône le recours à un décodeur français, encore expérimental, le « Discret ».

Les discussions traînent, les enthousiasmes s'étiolent, assez longtemps pour que se dessine une autre impasse. Même bien gardées, les informations commencent à filtrer dans la majorité. A quelques mois d'une élection présidentielle, certains s'inquiètent au RPR des conséquences de l'opération TVCS. Le parti de Jacques Chirac s'arc-boute en coulisses sur deux thèmes : primo, on ne touche pas au monopole; secundo, on n'offre pas à Giscard un piédestal pour qu'il s'érige en champion d'un libéralisme hertzien.

Déjà fortement compromis, le rêve de TVCS encaisse un troisième choc. En s'associant avec Havas, Jean Frydman a sous-estimé l'impact de cette entente sur l'un de ses meilleurs partenaires depuis vingt ans, Marcel Bleustein-Blanchet. Les relations avec le groupe d'Yves Cannac sont professionnellement cordiales. Mais, intimement, Marcel Bleustein-Blanchet ne chérit pas Havas. Le président de Publicis a, en entrepreneur pugnace, créé avant la guerre, perdu, puis reconstruit son agence à la Libération ; pour lui, Havas n'est que le bras de l'Etat dans la publicité. Une entreprise au passé peu glorieux pendant l'Occupation, au moment où lui s'envolait chaque nuit aux commandes d'un avion pour bombarder les positions allemandes. Havas, c'est un monde et un système que condamne Marcel Bleustein-Blanchet. Un concurrent, oui, mais par essence favori du pouvoir.

Le mariage de Jean Frydman et d'Havas au sein de TVCS est vécu par Marcel Bleustein-Blanchet comme une entorse à leur amitié. Puis, comme une trahison quand il découvre en 1980 qu'il doit faire face à un rachat souterrain, mené par Jacques Douce, d'une partie du capital de Publicis... par Havas ! Que dire de son humeur quand il comprend que Jean Frydman et Havas tiennent une chance d'investir les premiers, avant lui, les terres vierges et supposées généreuses de la télévision privée !

A elles seules ces turbulences autour de TVCS auraient suffi à enrayer le projet. Mais c'est aussi sur la découverte d'un continent hertzien oublié que l'aventure de Jean Frydman va trébucher.

Régulièrement Frédéric Chapus retourne à Los Angeles où Robert Bloch complète son éducation en télévision cryptée. Rencontrant un soir, lors d'un dîner, des spécialistes du marché de la télévision, la conversation dérive vers l'Europe, la dérégulation italienne, la prolifération de chaînes commerciales, la Grande-Bretagne et l'immuable BBC, et, bien évidemment, la France. Questionné, Frédéric Chapus confirme qu'il y a bien trois « networks » occupés par des chaînes « publiques » financées par une redevance mais recourant aussi à la publicité.

« Pardon, insiste l'un des professionnels présents, mais êtes-vous certain qu'il n'y a chez vous que trois networks ?

— Oui, tout à fait, répond Frédéric Chapus en se demandant comment on peut avoir une telle méconnaissance de la situation française...

— Excusez-moi, je reviens dans un instant, poursuit son interlocuteur qui se lève, se dirige vers une bibliothèque et revient avec un gros annuaire qu'il commence à feuilleter... Finlande... France, ah, voilà, *sorry*, mais c'est bien ce que je pensais. Vous avez quatre réseaux, trois pour la couleur, un pour le noir et blanc. »

Le lendemain matin, Frédéric Chapus achète les deux volumes de l'annuaire du *Broadcasting* et avance son retour en France. Si un quatrième réseau est effectivement disponible, ça change tout ! Et il croit deviner pourquoi les discussions s'éternisent avec TDF. Sitôt à Paris, il prévient Jean Frydman et Yves Cannac. Un éclaircissement de la situation avec Télédiffusion de France s'impose à la prochaine réunion.

Mais tout est parfaitement « clair », répondent les responsables de TDF. Et la « découverte » n'en est pas une, puisque, laissent-ils entendre, ils y « réfléchissent depuis 1977 ». Il y a effectivement un quatrième réseau de fréquences, « presque disponible » mais dont il est trop tôt pour parler sur la place publique. Il n'y a là rien de mystérieux, expliquent-ils, c'est l'aboutissement logique du développement des télévisions françaises depuis vingt ans.

Lorsque la plus ancienne des chaînes, la Une, est passée à la couleur diffusée en 625 lignes [1], le choix technique avait été de construire un nouveau réseau d'émetteurs, et de maintenir sur l'ancien réseau la diffusion du noir et blanc en 819 lignes. Ceci afin de ne pas léser les nombreux téléspectateurs dont les postes, anciens, fabriqués avant 1963, ne pouvaient recevoir que les programmes de la Une, en 819 lignes. Les années passant, ces foyers se sont progressivement équipés de téléviseurs modernes, conçus pour capter l'ensemble des chaînes en 625 lignes. D'où l'existence, vers la fin des années 70, d'un réseau complet d'émetteurs couvrant la totalité du territoire mais ne desservant, en fait, qu'une poignée d'antiques téléviseurs.

« Très intéressant, mais maintenant, que va devenir ce réseau? » demande TVCS.

Si le verre et le béton des immeubles étaient doués de parole, on aurait alors entendu à Montrouge comme un toussotement gêné, un « hum! hum! » caverneux, des fondations de TDF jusqu'aux antennes paraboliques plantées sur son toit. En effet, à propos de cette anodine question, les ingénieurs de TDF travaillaient depuis des mois à un projet personnel. Un plan d'utilisation de ce réseau qui n'est pas entièrement compatible avec les ambitions de TVCS. Et qui n'est pas moins astucieux.

En solitaire, TDF dégrossit le concept d'une chaîne de télévision elle aussi cryptée mais destinée à deux publics distincts. Les après-midi en seraient réservés à des programmes codés de communication d'entreprises (ce à quoi TVCS voulait parvenir sur A2), et les soirées à un service tous publics de « cinéma à domicile » payant! Une mini-chaîne thématique ne diffusant que des films. Mais, pour utiliser ce

1. La ligne est l'unité de l'analyse horizontale de l'image. Son nombre sur l'écran caractérise le standard : 819 lignes pour le noir et blanc français, 625 pour la couleur en Secam et en Pal. (*Dictionnaire de la communication.* Ed. Armand Colin.)

quatrième réseau, il faudrait priver de télévision quelques dizaines de milliers de foyers toujours équipés de vieux récepteurs. Personne ne sait exactement combien il en existe, mais ce sont, probablement, ceux de personnes âgées. On est alors presque à un an des présidentielles de 1981. Face à une échéance où chaque voix comptera, ce serait un facteur de mécontentement que le pouvoir ne veut surtout pas provoquer. Il est trop tard pour bousculer ces téléspectateurs.

Tels des navires trop téméraires, les ébauches de chaîne à péage, aussi bien celle de TVCS que celle de TDF, se retrouvent prisonnières des glaces préélectorales. « Il faut tout geler pour quelques mois », font comprendre le gouvernement et Havas à Jean Frydman. Même consigne en direction de TDF. Ce n'est que partie remise, leur assure-t-on, les affaires reprendront après la « réélection » de Giscard.

Mais le jour dit, la réélection de Valéry Giscard d'Estaing étant remise à un septennat ultérieur, la couche de glace se referme encore plus autour des deux dossiers. Le 10 mai 1981, à TDF comme partout ailleurs, les équipes sont figées dans l'attente. Havas, Yves Cannac et TVCS vivent en *stand-by*.

Ce n'est qu'au cours de l'été que s'amorce un dégel pour la chaîne cinéma de TDF. Maurice Rémy succède à Jean Autin comme président. Gérard Eymery, de son côté, renoue le dialogue avec le Bureau de liaison des industries cinématographiques (le BLIC) qui rassemble producteurs et distributeurs de films.

Le jeudi 3 septembre 1981, un déjeuner au Fouquet's, organisé par le producteur et réalisateur Gérald Calderon, réunit des professionnels du cinéma et TDF. Ce qui avait pour but de relancer l'affaire et de la porter, timidement, sur la place publique tourne au scandale et déclenche une polémique acide. Le vendredi matin, sur Europe 1, le journaliste Michel Pascal, qui a suivi les débats et discussions de la veille, esquisse pour la première fois sur un média national le profil d'une « quatrième chaîne » diffusant des longs métrages que l'on recevrait grâce à un décodeur, et pour laquelle il faudrait acquitter un abonnement mensuel estimé entre 110 francs et 150 francs. C'est aussitôt le tollé.

Une partie de la presse dénonce le spectre d'une « télévision des riches ». Les professionnels du cinéma sont eux-mêmes divisés, entre des producteurs qui ne verraient pas d'un mauvais œil un débouché supplémentaire pour les films, et des exploitants de salles qui redoutent la concurrence de ce cinéma « à domicile ». Maurice Rémy et Gérard Eymery ont beau soutenir qu'une telle chaîne serait un peu au cinéma ce que le livre de poche est à l'édition, rien n'y fait. L'initiative est condamnée. Pris au dépourvu, Georges Fillioud s'efforce le jour même de tempérer les ardeurs de TDF et les inquiétudes naissantes. « Il ne s'agit, assure-t-il dans un communiqué, que d'une simple hypothèse de travail parmi d'autres... » TDF se replie dans sa coquille.

Mais rue de Valois, chez le ministre de la Culture, on est autrement virulent. Susceptible et combatif dès qu'il est question du cinéma, des artistes et de la production, Jack Lang s'emporte aussitôt contre une télévision qui à ses yeux ne ferait que privilégier davantage les nantis. Le vendredi soir, il avertit les groupes qui seraient tentés d'investir dans cette entreprise : « La politique culturelle du pays sera décidée, non pas dans le secret des négociations ou de groupes financiers publics ou parapublics, mais face à l'ensemble de l'opinion publique, après un large débat. »

La proclamation est ambitieuse, un peu grandiloquente, mais en rien prémonitoire s'agissant de l'audiovisuel. Au contraire. Dans les faits, la transparence ne dépassera jamais, dans les dix années à venir, le stade déclamatoire. A quels groupes ou sociétés de communication, outre TDF, songe Jack Lang? Il ne les nomme pas, mais ils sont si peu nombreux dans la France de 1981 qu'il n'est pas difficile de suivre ses regards. Ils sont quatre : la Sofirad, Havas, la CLT et Hachette.

Deux jours plus tard, le dimanche 6 septembre, Jack Lang rompt, unilatéralement, les relations diplomatiques de la France avec le cinéma impérialiste américain. Il lui revenait d'aller inaugurer le festival de Deauville, mais il n'en est pas question. « Il serait paradoxal, déclare-t-il au *Journal du dimanche,* qui appartient au groupe Hachette, qu'un ministre français de la Culture se rende à un festival assurant la promotion des films américains... Il y aurait une anomalie de la part du gouvernement à venir apporter son soutien à une industrie déjà influente et puissante. »

Dans le même numéro du *JDD,* Jack Lang aura sans doute remarqué, en relisant ses propos, un article du nouveau conseiller de Jean-Luc Lagardère, chargé du développement audiovisuel du groupe, Etienne Mougeotte. Il est titré, avec un rien de provocation : « Vive la 4ᵉ chaîne! »

Les noces du cinéma et de TDF n'auront pas lieu. Mais plus personne n'ignore que le lit d'une nouvelle chaîne est prêt.

CHAPITRE VIII

Au nom de la loi

« Il faut faire un texte qui rompe avec le monopole public, insiste Bernard Miyet.

– Je te dis qu'en l'état actuel c'est juridiquement impossible!

– Si, c'est possible! Et c'est la loi qu'il nous faut, s'amuse le directeur de cabinet de Georges Fillioud qui connaît l'habileté juridique de son vis-à-vis, le directeur du SJTI [1], Bertrand Cousin.

– Oui, ça l'est, à condition de tout reprendre à zéro. De recréer entièrement le droit de l'audiovisuel. J'y suis prêt, si on le décide...

– Ecoute, Bertrand, débrouille-toi comme tu veux mais ça marche dans l'édition. Il y a des titres, des éditeurs, des imprimeurs, les NMPP distribuent les journaux, et des kiosques les vendent. Trouvons un système du même type pour ouvrir le monopole sur la télévision. On maintient le monopole de la diffusion par TDF, mais on peut briser celui de la programmation et... »

... Et laisser à l'avenir la possibilité de lancer de nouvelles chaînes de télévision comme on crée un journal, aimerait poursuivre Bernard Miyet. Mais il est trop tôt. Ce qui est, à la rigueur, envisagé par l'Elysée et Matignon pour les radios libres est, au début de l'été 1981, radicalement exclu pour la télévision.

Bertrand Cousin, en gaulliste atypique proche du RPR, savoure l'ironie de sa situation. A croire qu'on n'est jamais aussi bien servi que par ses opposants. Gaullien jusque dans sa haute taille et son port de tête, mais en plus mince, les yeux bleus, une pointe d'enjouement juvénile dans le regard, Bertrand Cousin est pourtant

---

1. Le SJTI, Service juridique et technique de l'information, dépend de Matignon jusqu'en 1981, il est ensuite rattaché au ministère de la Communication. Son rôle consiste à veiller au respect par les chaînes de télévision de leurs cahiers des charges. Il supervise la gestion des entreprises de l'audiovisuel public. Et il décide des aides à la presse écrite.

70

à sa façon un sosie intellectuel de Bernard Miyet. Son grand front cache l'imagination et le doigté d'un chirurgien du droit. Il sait décortiquer ou construire de toutes pièces une loi. Le voici, lui le rescapé de l'ère Giscard, qui dirige depuis 1978 le Service juridique et technique de l'information, chargé de rédiger la future loi socialiste sur la communication. De déverrouiller ce qu'il devait maintenir fermé il y a encore trois mois!

« Je connais tes idées », lui avait dit Jérôme Clément en arrivant à Matignon. Bien qu'adversaires politiques, ils se connaissent et s'estiment. Ils ont monté ensemble une « Prep ENA » à la Sorbonne. « Alors, que veux-tu faire? Tu restes, ou tu pars?

– Ça m'intéresse de rester, Giscard n'a pas été bien fameux pour la communication. »

Et c'est là une vision modérée du passé, pense Cousin qui se souvient encore de la réflexion qu'un conseiller de l'Elysée lui avait faite sous Giscard, un jour qu'il suggérait de mettre en place un groupe de réflexion sur l'audiovisuel : « Pas question. Il vous est interdit de penser sur ce sujet. Même dans votre baignoire! »

Bertrand Cousin n'a jamais été de gauche. Il lui arrive d'éprouver un sentiment d'aversion pour les nouvelles équipes ministérielles dont il trouve, à l'exception de Miyet, Clément, et Jean-Louis Bianco à l'Elysée, les compétences bien légères. Mais il a comme une revanche à prendre sur la ringardise et les interdictions de penser giscardiennes. Avec son équipe du SJTI, dont font partie Francis Brun-Buisson, Bertrand Delcros et Simone Harari, et qui est installée dans les combles de l'hôtel de Clermont près de Matignon, il commence à théoriser ce que pourrait être le nouveau cadre juridique de la communication.

Depuis le 10 mai, le futur régime de l'audiovisuel est l'enjeu d'une formidable bataille. Toute la profession attend une réforme des statuts de 1974. Des rapports nouveaux entre employeurs et salariés sont exigés avec une véritable convention collective. On attend une modernisation des cahiers des charges. On érige en modèle la Commission paritaire des publications et agences de presse pour créer un organisme qui délivrerait les autorisations de radios. On débat, on se concerte à tous les étages. Dans *Le Monde* du 20 juin, Georges Fillioud se prononce pour la réunion d'une assemblée de professionnels qui feront ensuite des suggestions au gouvernement sur la loi à bâtir.

Au même moment, à chaque déplacement de François Mitterrand, la colère monte à l'égard du traitement qui en est fait dans les rédactions. Et donne lieu à une surabondance d'interventions téléphoniques. L'Elysée est convaincu que la télévision est encore téléguidée par les hommes du pouvoir défait. Les raisonnements se poursuivent sur la lancée des convictions acquises : en télévision, tout ce qui ne relève pas de l'information n'intéresse pas le nouveau pouvoir qui n'y voit, comme le précédent, qu'un instrument de diffusion de sa propre communication. La démarche ne relève pas d'une logique totalitaire mais elle en a, les premiers mois, les mêmes effets.

« Mais vous voyez bien qu'ils nous sont hostiles! lâche de temps en temps le président de la République en visionnant, à l'Elysée, des reportages ou journaux télévisés que ses obligations l'empêchent de suivre à 20 heures. Parfois en compagnie de Georges Fillioud, du conseiller Paul Guimard... Tenez, reprend-il un jour devant un commentaire de Paul Nahon sur A2, ils sont contre nous, vous ne soutiendrez pas le contraire!

– Mais non, Président, je vous assure, argumente ce coup-ci Georges Fillioud. Vous vous trompez. »

En 1981, la susceptibilité du chef de l'Etat sur l'information est sans limites.

La gauche est arrivée au pouvoir les mains presque vides, sans idée précise de ce qu'il conviendrait de faire du secteur de la communication. A l'exception d'un rapport rédigé en 1979 par François-Régis Bastide pour la commission Information et Culture du PS, au contenu très général, il n'existe aucune réfexion sur le sujet. Dans les « 110 propositions » du candidat socialiste, quelques vœux sur les garanties de « pluralisme » venaient pratiquement en fin de liste, en 94e position. De réunion interministérielle en groupe de travail, on brasse des dizaines de schémas, on se réfère à d'autres pays, d'autres lois. On cherche, en aveugle.

Il y a cependant quelques idées maîtresses. La décentralisation en est une pour FR3. Mais sous quelle forme? Convient-il de créer des sociétés régionales de télévision comme certains le souhaitent? Peut-on envisager des sociétés d'économie mixte, dans lesquelles pourraient entrer les groupes de presse régionaux? Attirante dans l'absolue, la proposition inquiète aussi. La gauche n'a pas bonne presse dans les quotidiens de province qui, pour la plupart, appartiennent à des familles jugées peu fiables. Ou carrément hostiles, comme dans le cas du « papivore » Robert Hersant. Une fois, en fin de séance de travail, est esquissée entre Jérôme Clément et Jean-Louis Bianco l'hypothèse d'un rapprochement entre TF1 et

A2, sur le modèle, qui fait l'admiration générale, de la BBC...
Esquissée seulement.

Autre souhait, encore flou mais partagé par tous, essayer de parvenir à une rupture symbolique. Organiser la communication en secteur d'activité à part entière, protégé du pouvoir politique par un organisme indépendant. Inventer un arbitre pour supprimer le péché originel du « cordon ombilical » gaulliste et faire tampon. Généreuse, l'ambition est cependant complexe à mettre en œuvre. Il n'y a pas de précédent en France. Faudra-t-il, pour ne léser aucune tendance politique, aucune croyance religieuse, aboutir à une ingérable commission comprenant plusieurs dizaines de membres ? Quel que soit leur nombre, qui aura le pouvoir de les nommer ?

Enfin, idée force et obsession communes d'où proviendront bien des malentendus futurs : ne pas céder au « mercantilisme ». Les dirigeants socialistes de 1981 ne sont pas, sur ce point, différents de ceux qui, en 1968, protestaient contre la honte que représentait à leurs yeux l'introduction de la publicité à la télévision. Bien sûr, les références idéologiques à la lutte des classes se sont atténuées, François Mitterrand n'a pas été élu sur un programme de dictature du prolétariat... mais les convictions demeurent. Tout comme les nationalisations d'entreprises sont « nécessaires et indispensables », et la primauté de l'école laïque une évidence, l'argent ne peut qu'être corrupteur. Celui de la publicité n'est pas vraiment propre. On ne mélange pas argent et culture, images, sons, et profits. Ça ne se fait pas. Ce n'est pas bien.

« On ne sera jamais prêt pour l'automne, annonce fin juin Bernard Miyet à son ministre. Ça part dans tous les sens. Et, de toute manière, le calendrier de l'Assemblée est déjà surchargé... J'en ai parlé avec Jérôme Clément, nous ne sommes pas prioritaires dans les débats, on pourrait en profiter pour se donner du temps, y voir plus clair. »

C'est pour dégager la vue et respirer pendant six mois que le gouvernement décide de confier à une commission le soin de fournir « réflexions et orientations » sur l'avenir de la communication. L'annonce en est faite au Conseil des ministres du 1er juillet, au cours duquel Georges Fillioud décline en cinq mots les grandes lignes du projet : pluralisme, décentralisation, indépendance, culture, information. La panoplie en cinq volets des bonnes intentions de tout pouvoir.

L'accord est unanime pour nommer à la présidence de cette

commission, qui portera son nom, l'écrivain, juriste, et ancien directeur de cabinet d'André Malraux, Pierre Moinot. Ils seront quatorze en tout à y siéger [2], venus de la télévision, du cinéma, du journalisme ou du barreau. Ils s'adjoindront divers groupes de travail composés de techniciens, de spécialistes des différents domaines à ausculter. Ils auditionneront des dizaines de professionnels. Se réunissant au moins une fois par semaine, à Paris ou, à tour de rôle, dans les propriétés à la campagne des uns et des autres, procédant par séminaires, auditions d'exposés par thème (information, programmes, financement...), ils y sacrifieront leurs vacances.

L'état final des travaux de la commission Moinot, dont le gouvernement prend connaissance à la fin octobre, est une synthèse des deux principaux courants qui en ont animé la rédaction. A l'image du débat qui agitait les milieux audiovisuels et les pouvoirs publics, deux tendances s'étaient affrontées dans les groupes de travail sollicités. L'une, assez éclectique pour que se côtoient les cégétistes, le Parti communiste et les archéo-RPR, souhaitait revenir sur la tragédie que constituait, de leur point de vue, la réforme de 1974. Avec la nostalgie d'une certaine idée de la création télévisée et de son école, celle des Buttes-Chaumont [3], on y prônait un retour au cocon de l'ORTF. En face, l'autre conception était celle plus libérale, voire libertaire, d'un courant autogestionnaire en vogue à la CFDT, sensible au local, à la décentralisation. D'un côté un souhait de reconcentration de l'audiovisuel. De l'autre celui d'un émiettement rendant la parole et la création à la rue, au village.

Tenant compte de ces clivages, la commission Moinot fait une série de propositions, parmi lesquelles la création d'une Haute Autorité de la communication audiovisuelle, le rapprochement ou la fusion de TF1, A2 et la SFP. La nouvelle entité qui en naîtrait pourrait s'appeler SNT (Société nationale de télévision) et son président nommerait les directeurs des trois sociétés. Le schéma proposé ressemble fort à un modèle réduit d'ORTF... Quant à FR3, les « Moinot » suggèrent son fractionnement en sociétés régionales autonomes, et l'introduction sur cette chaîne de la publicité.

Un peu de provocation ne saurait nuire. En novembre 1981 Ber-

2. Autour de Pierre Moinot : la comédienne et productrice Danièle Delorme, l'écrivain Françoise Mallet-Joris, le journaliste Jean-Claude Héberlé, le réalisateur Stellio Lorenzi, la productrice Christine Gouze-Renal, le réalisateur Serge Moati, le journaliste André Harris, le pionnier de la TV Jean d'Arcy, le diplomate Jacques Thibau, l'avocat Jean-Denis Bredin, le conseiller à la Cour des comptes Maurice Bernard, Claude Santelli, et l'écrivain producteur François-Régis Bastide.
3. Du nom de l'implantation géographique des studios de la SFP à Paris.

trand Cousin, chargé d'entamer le travail de rédaction de la loi, saisit une grande feuille blanche, dévisse son stylo, se tourne vers ses collaborateurs et proclame, un brin solennel :

« Article 1. La communication audiovisuelle est libre... », tout en se disant qu'on allait voir si, oui ou non, un gouvernement socialiste est un gouvernement de liberté.

Celui-là l'était. La formule est restée dans la loi. Même si cent autres articles vont venir sérieusement nuancer la portée du premier.

D'arbitrages en renvois dans les ministères concernés, de conseil interministériel en tête-à-tête de Pierre Mauroy ou Georges Fillioud avec François Mitterrand, la loi prend corps au printemps 1982. La seule grande idée novatrice retenue du rapport Moinot est celle qui était en quelque sorte déjà inscrite dans les gènes de la commission, l'établissement d'une Haute Autorité, arbitre garant de la déontologie, qui devra instituer une jurisprudence de l'audiovisuel. Cette autorité nommera les présidents des sociétés publiques héritées de l'ORTF. Elle coordonnera les programmes des chaînes, accordera les fréquences aux radios locales. Elle est le fruit d'une double sollicitation.

C'est sous la pression du PS et de ses députés, qui estiment que le pouvoir joue un trop grand rôle dans la télévision, que l'on opte pour ce système qui doit mettre un terme à l'emprise directe de l'Etat sur le petit écran. Mais cette concession est assortie d'une volonté de ne pas aller trop loin dans la rupture. Pour François Mitterrand et le gouvernement, il ne faut pas que les chaînes deviennent, à l'inverse, des foyers antigouvernementaux. Ni que surviennent des radios ou télévisions privées qui seraient la proie des puissances financières tant décriées.

Vibrionnant, omniprésent, remarquable d'agilité d'esprit comme de raideur dans certains principes, Jack Lang tente à chaque instant d'accroître les contraintes imposées aux médias. Le ministre de la Culture, qui a soutenu un moment qu'il fallait nationaliser « aussi » le secteur culturel de Matra (Hachette), ne désarme pas sur les obligations que l'Etat doit exiger des diffuseurs. Véritable baladin du roi ayant toujours accès à François Mitterrand, à qui il a depuis des années su rallier de nombreux intellectuels et artistes, Jack Lang a la franchise abrupte de ses convictions; dans un entretien accordé le 6 janvier 1982 à *Télérama* il déclare : « *J'estime que le Parlement et le gouvernement doivent imposer, je dis bien imposer, aux responsables de radios et télévisions, des obligations précises et leur rappeler qu'ils ne sont pas simplement au service de leur idée personnelle, mais du développement culturel et intellectuel de l'ensemble du*

pays... Les obligations que j'aimerais imposer viseraient à mettre un
terme à la dictature de la frivolité et de la superficialité qui est sans
rapport avec la vie réelle des gens. »

Attitude à la frontière d'un sectarisme dont les effets plongent Jacques Rigaud, le président de RTL, dans des abîmes d'agacement quand Jack Lang décrète subitement qu'il faut ainsi instaurer des quotas de chansons françaises sur les radios périphériques! Le ministère de Georges Fillioud ne partage pas le radicalisme de Jack Lang sur ce point, ni sur d'autres. On sait, rue Saint-Dominique, que le ministre de la Culture se rend souvent le samedi à l'Elysée pour tenter d'infléchir le texte de la loi. Il s'agit, notamment pour Bernard Miyet, de repasser derrière lui pour obtenir un rééquilibrage de la copie... Usante gymnastique ministérielle.

Dans les semaines qui précèdent l'adoption de la loi en Conseil des ministres le 31 mars 1982, François Mitterrand doit trancher sur les questions encore en suspens. Cela se fait au cours de réunions qu'il préside et auxquelles participent André Rousselet, Pierre Mauroy, Georges Fillioud, Jack Lang et Jacques Attali. Certaines de ces rencontres laissent parfois pantois une partie de l'assistance. En particulier lorsque, au détour de l'examen d'un article, l'un ou l'autre des participants trouve avisé de faire observer : « Mais, si nous faisons cela, on nous accusera de " reconstitution " d'ORTF! » Ce à quoi il arrive à François Mitterrand de répliquer, narquois : « Et alors? Ce n'était tout de même pas si mal, l'ORTF! »

Le Président peut être déconcertant.

Et ce jusqu'au dernier moment, comme Jérôme Clément l'apprend à ses dépens. Alors que se tient le Conseil des ministres du 31 mars, qui doit adopter le projet, le conseiller de Pierre Mauroy est invité par Robert Lion, le directeur de cabinet de Matignon, à tenir un point de presse. Tout étant, en principe, réglé depuis la veille, Jérôme Clément annonce aux journalistes les grands principes et les détails de la loi. Et, bien sûr, il met l'accent sur son innovation première, cette Haute Autorité qui comptera « six membres »...

Trois heures plus tard, il s'en mord les doigts. François Mitterrand a changé d'avis à la dernière minute. Suivant son intuition politique, et aussi les conseils de Jacques Attali (« Faites plutôt comme pour le Conseil constitutionnel, ce sera inattaquable... »), il a résolu d'imposer une composition et un mode de nomination différents pour la Haute Autorité. La droite et la presse d'opposition seront contre, quoi qu'il fasse, alors autant leur donner en pâture un os qu'ils n'oseront pas trop critiquer. Prenons-les à leur propre piège, s'est dit le Président. Ils révèrent le Conseil constitutionnel, création gaulliste qui est pour eux le parangon de l'indépendance... La Haute Autorité sera donc à son image! Avec neuf membres, désignés pour neuf ans, par lui-même, et par les présidents du Sénat et de l'Assemblée nationale. Et, pour être logique jusqu'au bout, il en nommera le président.

En quelques heures, le sort de la Haute Autorité a basculé. Déjà limitée dans ses attributions elle court maintenant le risque d'apparaître comme un Parlement miniature, contrôlé par les socialistes qui s'y assurent, d'emblée, six voix sur neuf.

« Messieurs les télécrates, bonsoir! Bonjour la liberté! » Le nœud papillon en bataille, l'éloquence railleuse, Georges Fillioud vient présenter, ce lundi 26 avril 1982, son projet de loi devant l'Assemblée. Bernard Schreiner en sera le rapporteur. Le spectacle ne fait pas recette. Le pivot des conversations du jour, c'est l'enlèvement extravagant du polémiste Jean-Edern Hallier, et le début d'une guerre qui se déroulera sans images dans de lointaines îles Malouines. Une quarantaine de députés seulement se sont déplacés. L'opposition a déjà dressé un rempart de cinq cents amendements pour lutter contre cette « loi anachronique, inadaptée, frileuse, malthusienne » (Alain Madelin, UDF), qui « enferme l'avenir dans le cadre étroit et surveillé de l'étatisme » (Jacques Toubon, RPR).

Mais Georges Fillioud n'a cure de ces esprits chagrins et rétrogrades. Il marche sur la voie du progrès, de l'intelligence et de la liberté rendue aux médias. Il parle aux générations futures, aux téléspectateurs de demain. Il s'adresse, par-delà l'Assemblée, au pays, à la France qu'il protège de cette loi contre les puissances du Mal : « ... Télé-fric et satellites Coca-Cola ne sont pas au programme. Déchantez, marchands d'images et d'espaces. Ou bien, allez chanter ailleurs! »

C'est le cri de la sincérité. De la croyance en un audiovisuel meilleur. Georges Fillioud ne fait, ce jour-là, que commencer son chemin de croix dans la prière et l'incantation. Ni lui ni Jack Lang n'auraient fait carrière un quart d'heure dans la voyance.

La loi est adoptée le jeudi 8 juillet. Publiée au *Journal officiel* le jeudi 29. Dans l'indifférence estivale.

CHAPITRE IX

Vers la quatrième chaîne

C'est au souhait qu'a Pierre Nicolaÿ de réorganiser la présidence d'Havas, à la rentrée 1981, que Léo Scheer doit sa première rencontre avec le projet TVCS et son promoteur, Jean Frydman. Le P-DG d'Havas s'était interrogé sur le statut des anciens conseillers personnels d'Yves Cannac. Etait-il judicieux de les maintenir auprès de lui? Ne fallait-il pas s'en séparer? N'ayant pas tranché pour deux d'entre eux, Pierre Nicolaÿ avait pris l'avis de Léo Scheer. Il s'agissait de Jean Frydman et Frédéric Chapus. « Je vais les voir... », avait annoncé le directeur du Développement, lui-même indécis sur le sort à réserver à cette petite filiale en sommeil. On était alors à la mi-septembre. L'été s'achevait sous le signe de deux controverses – l'une grave, l'autre futile : l'abolition de la peine de mort obtenue à l'Assemblée par Robert Badinter, et le slogan affiché de la jolie Myriam qui, du jour au lendemain, promettait d'enlever le haut puis le bas.

L'homme que Léo Scheer accueille quelques jours plus tard dans son bureau défraye malgré lui la rubrique des échos politiques confidentiels. C'est chez Jean Frydman, dans son ranch canadien, que le président battu, Valéry Giscard d'Estaing, est allé prendre un peu de repos, loin des commentaires et des sarcasmes postélectoraux. Mais ce n'est pas pour parler politique que Frydman est venu ce matin à Havas. Léo Scheer veut savoir ce qu'est TVCS. C'est parfaitement compréhensible. On serait intrigué pour bien moins...

En une demi-heure, Jean Frydman brosse un historique et un état des lieux sans entrer dans les détails américains de l'histoire. Il explique à son interlocuteur captivé que le projet peut et doit survivre à l'alternance politique. Lui-même est toujours partant. Frédéric Chapus a retrouvé Europe 1 depuis juin, mais il peut reprendre de l'activité à tout moment...

78

Jean Frydman a su trouver les mots justes. Lorsqu'il sort de l'immeuble Havas, Léo Scheer enthousiaste conseille à Pierre Nicolaÿ de ne surtout pas liquider la petite coquille juridique TVCS au fond de laquelle repose une si bonne idée. Il le fait avec d'autant plus d'empressement que le récit qu'il vient d'entendre s'emboîte avec certaines conversations récentes qu'il a eues, sans y prêter trop d'attention, avec certains de ses amis. L'un d'entre eux en particulier, qui se nomme Gérard Eymery et travaille à TDF. Ils s'étaient un peu perdus de vue. Mais le hasard de la formation des groupes de travail de la commission Moinot les a fait se retrouver autour d'une table « Prospective et nouvelles technologies ». A plusieurs reprises, Léo Scheer l'a entendu évoquer la question de ce « quatrième réseau » dont le gouvernement ne paraissait pas se « préoccuper ». Gérard Eymery avait même brossé le portrait, assez utopique lui avait-il semblé, d'une nouvelle chaîne de télévision, payante, consacrée le soir au cinéma. Il y avait eu cette polémique à la suite de révélations lors d'une rencontre entre TDF et la profession du cinéma, en septembre. Et depuis, plus rien.

Après cette visite, Léo Scheer devine qu'il y a là, avec TVCS et le projet de TDF, un fantastique sujet d'études pour une direction du Développement qui se respecte et cherche ses marques dans l'audiovisuel. « Il faut continuer à creuser cette hypothèse de chaîne à péage... » affirme-t-il au P-DG d'Havas, qui ne soulève aucune objection. Même soutien implicite de la part des hommes forts du groupe, Jacques Douce et Georges Roquette. Plus que d'encouragements dans une réflexion qui leur paraît un peu excentrique, éloignée de leurs préoccupations publicitaires, il s'agit de leur part du respect d'un pacte tacite de non-agression. Pendant que les « jeunes » du Développement font joujou, le commerce continue. Léo Scheer n'en demande pas plus. Il a le champ libre pour examiner de plus près le dossier TVCS, et revoir Jean Frydman à plusieurs reprises pendant l'automne.

Assez rapidement, ce qui excite Léo Scheer trouble la petite équipe qu'il dirige. La notion de péage suscite un intérêt mitigé, et parfois, comme chez Antoine Lefébure, une réaction de rejet initiale au nom de l'égalité d'accès de tous aux images : « Les gens paient déjà une redevance, est-il vraiment moral de leur demander de payer encore pour voir des films ? » Jacques Driencourt, le plus jeune, est le seul à partager l'enthousiasme de Léo Scheer. Enfin, presque, car de son séjour américain il garde la conviction qu'il « n'est pas logique de faire une chaîne de ce genre par voie hertzienne à l'échelle d'un pays. A la rigueur, sur une grande ville ou une région, comme à New York ou Los Angeles... Mais ce type de chaîne devrait être diffusé sur les réseaux câblés... » Interne et réduit, croient-ils, aux seules dimensions de la présidence du groupe Havas et de ses têtes chercheuses, le débat va durer longtemps.

Plusieurs mois. Mais sans Jean Frydman qui, après une période de bonne entente avec les dirigeants du groupe Havas, connaît subitement la disgrâce. Celle-ci tient à une conjugaison de facteurs et d'animosités où il reste difficile de distinguer griefs réels et rancunes imaginaires. Ses rapports avec Jacques Douce ne sont plus au beau fixe, et Havas ne veut plus avoir de relations d'affaires avec lui. Sa récente amitié avec Valéry Giscard d'Estaing ne l'a pas non plus rendu très populaire dans l'appareil d'Etat socialiste. Ce reproche lui est ouvertement fait, fin septembre 1981, à Havas. Et il en est abasourdi.

Lui dont les engagements et les convictions ont souvent rejoint ceux de la gauche, lui qui connaît et apprécie François Mitterrand, se fait soudain poliment exclure de son plus grand rêve! Tout cela, il en est persuadé, parce qu'il s'est refusé à hurler avec la meute contre l'« ex », un homme qu'il n'avait pas rencontré trois fois dans sa vie avant sa défaite! Longtemps Jean Frydman se demandera qui, au sommet de l'Etat, a incité le P-DG d'Havas à lui tenir autant rigueur de sa soudaine affection pour Giscard... Il en sera d'autant plus intrigué que François Mitterrand, qu'il rencontre, lui dira que cette relation révélée par la presse lui a fait penser que Giscard devait avoir des qualités méconnues pour avoir su inspirer l'amitié d'un homme tel que lui.

Quelle qu'en soit la motivation première, un fait reste certain. A cette époque, Jean Frydman se voit clairement incité par Pierre Nicolaÿ à renoncer à son poste de conseiller du P-DG d'Havas et, dans le même mouvement, à reconsidérer son partenariat dans TVCS. Le mieux serait d'oublier toute prétention à une paternité dans cette entreprise. Et de céder sa participation au groupe Havas.

« A partir de quand? demande Jean Frydman.

– A partir de maintenant, si vous le voulez bien, répond le P-DG d'Havas. »

Jean Frydman, n'en croyant pas ses oreilles, demande une feuille de papier blanc et rédige, sur un coin du bureau de Pierre Nicolaÿ, sa lettre de démission.

La procédure de cession de ses parts est régularisée dans les semaines qui suivent. Un autre actionnaire de TVCS, le groupe Hachette, renonce lui aussi à sa participation. Alors en pleine négociation sur la nationalisation de son groupe, Jean-Luc Lagardère ne voit pas l'intérêt de conserver un morceau de cette filiale insignifiante trouvée dans la corbeille d'Hachette qu'il a racheté en 1980. C'est un automne noir pour Jean Frydman qui ne trouve pas de réconfort du côté de Jean-Luc Lagardère. Le patron de Matra-Hachette, qu'il voit peu après, ne lui cache pas qu'ils ne pourront plus travailler ou avoir des projets ensemble car, assène-t-il, il fallait « vraiment être con » pour devenir l'ami d'un président battu, « et les cons, c'est dangereux ! »

L'avenir du quatrième réseau n'est pas un point d'interrogation pour les seuls esprits du groupe Havas ou de TDF. Le gouvernement, à toute vitesse depuis les « fantaisies cinématographiques » de TDF au Fouquet's, cogite de son côté sur l'usage à faire de ces fréquences. Entre Georges Fillioud et Matignon, le sujet fait boomerang au-dessus du tapis des tables de discussion. Un tapis déjà très encombré par les pièces détachées du projet de loi sur la communication, et celles d'un autre dossier dont on ne sait pas quoi faire. Celui d'un satellite de télévision, également développé par TDF et auquel on souhaite associer le Luxembourg. Mais le grand-duché, on s'en inquiète à Paris, étudie son propre projet de satellite, concurrent de TDF1... La puissance de réflexion du gouvernement sur une quatrième chaîne s'exerce à vide.

D'octobre 1981 à mai 1982, tendus vers la réalisation de cette loi qu'ils maîtrisent à grand-peine, les dirigeants socialistes n'ont pas de solution pour ce réseau miraculeux tombé du toit de Télédiffusion de France, et dont on ne mesure pas encore la valeur. Ils ont par contre un avis très tranché sur ce qu'il faut éviter. Ce sont d'abord et avant tout les « divagations » de TDF sur le cinéma à domicile. Chez les ministres concernés, de l'impétueux Jack Lang au plus tempéré Georges Fillioud, en passant par Louis Mexandeau et Pierre Mauroy, les mines se renfrognent devant tout projet à but implicitement lucratif. Les dos se calent contre les murs de l'Elysée que l'on suppose à l'unisson sur ce thème.

S'il doit y avoir en France une quatrième chaîne de télévision, elle ne saurait procéder que d'une logique culturelle et éducative ! C'est et ce doit demeurer la vocation ultime de cet instrument de communication de masse dont l'emploi a été largement dévoyé, par profusion de programmes importés des Etats-Unis, sous le septennat précédent. Comment pourrait-on songer à faire payer ceux, et seulement ceux, qui auraient les moyens de s'offrir le cinéma dans leur salon ? Peut-on concevoir ambition plus antidémocratique, s'interroge le ministre de la Culture ? L'historique congrès de Valence est passé par là.

Six mois après la victoire de François Mitterrand, les leaders du PS y ont déploré la lenteur du changement, appelé à une véritable « rupture avec le capitalisme », et même réclamé, exigence thermidorienne d'un Paul Quilès, que les têtes « tombent » là où les forces du progrès rencontrent encore des résistances. Même avec de nouveaux P-DG, les chaînes de télévision relèvent encore de cette catégorie. Rompre avec le capitalisme, ce n'est sûrement pas infliger au pays une chaîne de télévision payante.

Le Président ne cautionne pas les excès de Valence, mais il convient, en privé, qu'il n'y a pas de quoi être satisfait des nouveaux responsables de la télévision. « Il y a encore beaucoup de gens qui ne sont pas sûrs dans les médias, déclare-t-il à Pierre Mauroy en novembre [1], mais il faut bien avouer qu'on n'a pas fait de très bons choix. A TF1 Jacques Boutet a du mal à s'imposer. A A2, Pierre Desgraupes n'est visiblement pas un ami. Quant à FR3, avec Guy Thomas, c'est vraiment n'importe quoi. Il faudrait me changer tout ça [2]. »

Ce n'est qu'à partir de mai 1982, alors que s'amorce la fin de l'état de grâce, que les pensées évoluent à défaut de s'assouplir. Une seconde dévaluation se profile, le nombre des chômeurs ne diminue pas, le coût des mesures sociales et des nationalisations s'annonce lourd, l'inflation a la vie dure... François Mitterrand se prépare à négocier le virage d'une rigueur qu'il sait impopulaire et dangereuse. Il lui faut, là où c'est possible, trouver de quoi compenser les désagréments d'une nouvelle politique.

Or, depuis sa victoire, la gauche bénéficie d'une image plutôt positive en matière de libéralisation des médias. Rien n'est encore réglé, malgré un premier cadre juridique [3], pour les centaines de radios libres écloses depuis le 10 mai. Elles n'ont pas accès à la publicité mais au moins elles existent. Il a autorisé ce que son prédécesseur s'était acharné à combattre par le brouillage, les saisies d'émetteurs, et les inculpations jusque sur sa personne de premier secrétaire du PS. Les radios, comme la cinquième semaine ou les trente-neuf heures, sont et resteront un acquis de la gauche. C'est du tangible.

---

1. Le congrès du PS à Valence s'est tenu le week-end du 24-25 octobre 1981.
2. Cf. *Le Président*. Franz-Olivier Giesbert. Ed. du Seuil.
3. En septembre 1981, sans attendre la loi sur la communication, un premier texte a réglementé la situation des radios de la bande FM. Ce texte instituait la possibilité pour ces stations d'obtenir une dérogation au monopole d'Etat sur la radiodiffusion. En dépit d'un premier mouvement favorable à la publicité, appuyé par Georges Fillioud, celles-ci n'y ont pas droit, Pierre Mauroy et François Mitterrand s'y étant opposés.

C'est ce raisonnement, tenu à l'Elysée par André Rousselet et Jacques Attali, d'abord diffus, puis plus élaboré au fur et à mesure que le gouvernement se trouve libéré de la rédaction du projet de loi sur la communication, qui mène à la décision, officielle, de créer une quatrième chaîne. Mais la rigueur à venir interdit de penser au financement de cette chaîne en termes classiques. L'Etat n'a pas les moyens de subvenir à ses besoins, sommairement évalués au milliard de francs. Il ne se trouve pas, estime-t-il, en situation de justifier une augmentation de la redevance pour une chaîne qu'il entend « offrir » aux Français. Et il n'est évidemment pas question de lancer une « télé-fric », vivant aux crochets de la publicité, et menaçant les ressources de la presse écrite. Hors le bénévolat intégral des équipes qui y travailleront, et la gratuité improbable des programmes, il ne reste pour cette chaîne que le recours au système dont on ne voulait pas, le péage. L'abonnement du téléspectateur à une chaîne, à des programmes, comme il peut s'abonner à des magazines ou à un club de livres.

Au lendemain du sommet de Versailles, le mercredi 9 juin 1982, au détour d'une conférence de presse consacrée aux relations internationales, François Mitterrand confirme l'information que *Le Monde* du 5 juin donnait pour certaine. Il y aura bien une quatrième chaîne, diffusée sur l'ancien réseau noir et blanc de TF1. Et il ajoute : « Cette chaîne se tournera davantage... vers des problèmes de culture. » Il confirme le même jour que la France lancera un satellite de télévision directe en juin 1985. Pas plus de détails. La généreuse annonce précède de quatre jours la dévaluation du franc de 10 % par rapport au mark, le recours à l'austérité, le blocage des prix pour plusieurs mois.

Début juillet, en Conseil des ministres, la décision est prise, à propos de cette chaîne... de ne rien décider. En d'autres termes, de confier à un spécialiste, comme toutes les fois qu'un gouvernement a besoin de répit, la rédaction d'un rapport sur le sujet.

L'annonce de François Mitterrand ne secoue pas grand monde dans les groupes français. Chez Hachette, le scepticisme est de mise. La moue dubitative l'emporte à la CLT où l'on pense avant tout à la télévision par satellite. Mais à Neuilly, au siège d'Havas, le propos réactive l'intérêt pour TVCS en semi-hibernation depuis le début de l'année. L'officialisation d'une nouvelle chaîne, probablement cryptée, électrise Léo Scheer et Jacques Driencourt qui n'ont pas cessé d'y songer. Antoine Lefébure commence à revoir son jugement.

La cellule Développement d'Havas se prend d'un seul coup à croire possible l'impossible : proposer un dossier pour la création de cette quatrième chaîne. Ne disposent-ils pas d'une sorte de longueur d'avance sur les réflexions du gouvernement, d'un embryon de solution aux questions qu'il se pose? Mais, s'ils ont une ou deux cases d'avance sur les pouvoirs publics, encore faut-il conserver cet avantage et progresser. La disparition de Jacques Douce, au mois de mai, les a privés d'un allié de circonstance. De plus, l'éventualité est devenue certitude, Havas est sur le point de changer de P-DG. Il est acquis, début juin 1982, que Pierre Nicolaÿ va rejoindre la vice-présidence du Conseil d'Etat. Et il est admis que c'est le directeur de cabinet de François Mitterrand, André Rousselet, qui le remplacera à la tête du groupe.

Pour Léo Scheer et la direction du Développement, ce n'est pas ce qu'on appelle un événement attendu dans la joie et la bonne humeur.

CHAPITRE X

De hautes autorités

Les odeurs de fleurs, de pin et un souffle de vent tiède en plus et ce pourraient être les rushes d'un James Bond, ou les repérages d'un Vadim époque twist, Triumph et pantalon corsaire. Routes en lacets, cigales et cailloux. Les replis de la côte des Maures abritent Saint-Tropez, Cogolin, Sainte-Maxime, et le repaire estival d'André Rousselet, Beauvallon. Une vaste maison avec piscine où, fin juillet 1982, le directeur de cabinet du Président est venu, comme chaque été, prendre un peu de repos. Il y a toujours une chambre prête pour François Mitterrand qui, avant d'acquérir sa bergerie landaise à Latche, venait régulièrement y passer quelques jours.

Golf, moto, bateau sont les détentes de l'estivant Rousselet. Cette année, dans une villa toute proche, son amie et P-DG de Radio France, Michèle Cotta, s'est installée pour quelques semaines. Voisinage qui s'accompagne de considérations de vacanciers sur la météo, le marché, la dégradation de la côte varoise... Mais aussi, un matin, de propos moins anodins.

« Dis donc, Michèle, ce serait bien si tu étais présidente de la Haute Autorité, non...?

– Dieu m'en garde !

– Réfléchis...

– C'est tout vu. »

La proposition est cocasse, rumine Michèle Cotta. Depuis qu'elle est arrivée à Beauvallon il y a quatre jours, elle est pliée en deux par un lumbago qui l'a terrassée en sortant ses bagages de la voiture. La voilà aussi pliée en deux, devant ce choix. Elle sait que cette idée de présidence à la Haute Autorité flotte dans l'air des antichambres de l'Elysée depuis un petit moment. Mitterrand, Fillioud, Rousselet... Ils cherchent tous des noms pour occuper le poste alors que la loi vient d'être adoptée. Le Président aimerait faire vite et installer la Haute Autorité avant la rentrée. Son nom, elle le sait aussi, est revenu plusieurs fois dans les conversations entre l'Elysée et le ministère de la Communication, mais on parle aussi beaucoup de Paul Guimard, ami et conseiller de François Mitterrand, dont il aurait l'appui...

« Penses-y tout de même, reprend André Rousselet. On a rendez-vous vendredi prochain à Latche avec Estier, Mermaz et Fillioud, pour voir avec le Président qui peut être nommé. En ce qui te concerne, Fillioud est plutôt réservé, mais on va sûrement en discuter...

Quelques jours plus tard, la veille de ce déplacement à Latche :
« Alors comme ça, tu es contre moi... C'est sympa, merci! »

Michèle Cotta, sourire pincé, taquine un Georges Fillioud médusé. En vacances lui aussi dans la région, il est passé par Beauvallon avant de partir à Latche avec André Rousselet.

« Et si " ta " Haute Autorité décide de nommer quelqu'un d'autre à Radio France, qu'est-ce que je deviens?

— Penses-tu! rétorque le ministre de la Communication. Il faut absolument que tu restes à Radio France, c'est une maison compliquée. Avec la Haute Autorité, on s'arrangera... »

Ça commence très fort, se dit Michèle Cotta. Ils sont tous formidables, pleins de convictions généreuses, mais ils vont vraiment avoir du mal à admettre l'indépendance qu'ils veulent pourtant accorder à cet organisme. « On s'arrangera... » C'est le cri du pouvoir.

André Rousselet et Georges Fillioud partent le 6 août au matin et reviennent de la résidence landaise de François Mitterrand au milieu de la nuit. Pendant des heures ils ont établi avec le Président des listes de noms pour les membres à nommer à la Haute Autorité.

Le lendemain, Georges Fillioud rejoint sa famille. André Rousselet appelle Michèle Cotta et ne lui dit, énigmatique, que ces mots :
« " Il " veut te voir. »

C'est un avion du GLAM que François Mitterrand envoie le samedi 14 août à Toulon pour prendre Michèle Cotta et la déposer à l'aérodrome militaire de Mont-de-Marsan. A Latche, le Président l'invite à s'installer avec lui sur la terrasse derrière la maison. Dans un angle, Danièle Mitterrand et Monique Lang sont en conversation. Dans un autre, Jack Lang prend le soleil un livre à la main. Le Président parle très bas, et Michèle Cotta chuchote sur le même ton. C'est une discussion étrange, qui n'engage à rien et laisse ouvertes toutes les possibilités, comme souvent avec François Mitterrand. A aucun moment Michèle Cotta ne se voit clairement proposer de présider la Haute Autorité. Tout est dans l'ellipse, le demi-mot, la suggestion.

La traditionnelle promenade que le Président aime à imposer à ses invités de passage, sur le petit chemin qui descend vers Latche, est l'occasion d'un échange légèrement plus précis. Mais à peine, comme l'indiquera plus tard Michèle Cotta dans son livre *Les Miroirs de Jupiter* [1] :

« Je ne veux pas d'homme ou de femme lige. Je suis le président de la République; je ne veux ni ne peux me mêler de la marche quotidienne de l'audiovisuel; je ne veux même pas avoir cette tentation... Je ne demande qu'une chose : que la fonction présidentielle ne soit pas atteinte. Votre sens de la déontologie vous empêche-t-il de jouer ce rôle? »

L'ancienne journaliste de *L'Express*, l'ex-chef du service politique de RTL, a suffisamment côtoyé les partis politiques et les gouvernants pour savoir à quoi s'en tenir sur l'authenticité de leurs discours quant à l'indépendance des médias... Mais cette fois, peut-être en raison d'une inflexion confidentielle dans la voix du Président, l'effet est plus convaincant. François Mitterrand semble vouloir rompre et innover. Douter qu'il en ait mesuré les conséquences, ce serait faire injure à son sens politique, mais autant le lui faire préciser.

« Nous aurons probablement des conflits, sonde Michèle Cotta... Il m'arrivera sans doute de m'opposer à vous. Ou à votre gouvernement... Que se passera-t-il si je vais trop loin? »

Le Président estime sans doute qu'il en a déjà trop dit sur ses intentions et ne répond pas. Ce sont deux promeneurs pensifs qui rejoignent un peu plus tard l'atmosphère familiale d'un week-end présidentiel. Chacun semble se satisfaire de ce que la conversation n'ait pas eu de conclusion. C'est le mode de base de fonctionnement et de communication de François Mitterrand. Rien n'est jamais parfaitement clos ou étanche. Il y a toujours, il doit toujours y avoir une alternative. Une issue de secours.

« Je crois qu'il a quelqu'un d'autre en tête... » confie Michèle Cotta, de retour à Beauvallon, à André Rousselet qui reste muet. Comme le Président dans les jours qui suivent, comme tout le gouvernement.

Silence radio total pour le P-DG de Radio France, jusqu'à ce dimanche 22 août où elle s'installe avec des amis en vacances et leurs enfants devant un téléviseur pour apprendre au journal de vingt heures qui sont les membres de la Haute Autorité. A peine a-t-elle le temps de découvrir, en devenant écarlate sous la surprise, qu'elle sera

1. Ed. Fayard, 1986.

la première à présider le premier organisme indépendant placé entre le pouvoir et l'audiovisuel que le téléphone sonne.

« Michèle, crie la petite fille qui vient de décrocher, il y a un farfelu qui dit qu'il est le président de la République et qui veut te parler!

– Alors, vous êtes contente? » demande François Mitterrand depuis Latche.

Michèle Cotta aura quatre ans pour trouver une réponse à cette question et mesurer combien ses interrogations à propos d'éventuels « conflits » n'étaient pas vaines.

Les huit membres qui siégeront avec elle sont désignés le même dimanche. Pour la plupart, ils se connaissent et partagent cette impression de nomination « par surprise ». Au point qu'il faut intercepter certains d'entre eux sur la route de leurs vacances pour les prévenir. C'est le cas de Stéphane Hessel, choisi par Louis Mermaz, avec le réalisateur Daniel Karlin (proposé par le Parti communiste) et le journaliste Marc Paillet. D'autres ne tombent pas des nues, comme l'écrivain Paul Guimard que François Mitterrand désigne avec le syndicaliste Marcel Huart. Le président du Sénat, Alain Poher, fait appel à trois autres professionnels de la communication avec Gabriel de Broglie, ancien P-DG de l'INA [2], Jean Autin et Bernard Gandrey-Réty.

Michèle Cotta n'a pas raccroché que l'appareil recommence à sonner. Beaucoup de félicitations, et non moins de sollicitations. Pour un poste dans une chaîne, une émission à réaliser, un collègue à écarter... C'est le début d'un transfert. La Haute Autorité et sa présidente vont devoir canaliser, sans disposer du pouvoir de les satisfaire, les revendications qui pleuvent sur l'Elysée et le gouvernement depuis un an.

Les nominations à la Haute Autorité sont l'un des derniers dossiers sur lesquels André Rousselet se penche en tant que directeur du cabinet de François Mitterrand. Depuis la mi-juin son sort est scellé. Il sera le successeur de Pierre Nicolaÿ à la tête d'Havas. Un bref instant, le jour du départ de Pierre Bérégovoy [3], il a caressé l'espoir de prendre en charge le secrétariat général de l'Elysée et d'avoir la haute main sur l'organisation du palais. Mais c'est Jean-Louis Bianco qui hérite du poste. André Rousselet quitte le faubourg Saint-Honoré

---

2. Institut national de l'audiovisuel. Autre société issue de l'ORTF, l'INA rassemble et commercialise les archives des chaînes. Il contribue à la formation des professionnels de la télévision et développe un secteur Recherches sur la vidéo et les nouvelles images.

3. Le mardi 29 juin 1982, Pierre Bérégovoy est entré au gouvernement de Pierre Mauroy comme ministre des Affaires sociales.

sans amertume. Il est satisfait et soulagé tant son passage à l'Elysée a pris les couleurs d'un purgatoire de luxe.

Une fois évanouie l'euphorie de l'accession au saint des saints, a-t-il observé, la fonction laisse quotidiennement le goût amer du travail incomplet, morcelé, des affaires sans suivi, des visages qui ne font que défiler. Toujours entre trois portes et quatre téléphones, il faut en permanence faire sortir par une porte ce qui entre par l'autre. Même circuit au téléphone. Tous les problèmes sont à traiter dans les deux heures qui suivent. Et pendant qu'un dossier est colmaté, cinq autres tombent sur le coin du bureau. C'est un aiguillage infernal, un peu comme si tous les trains de France devaient obligatoirement passer par la capitale. On se croit décisionnaire mais on n'est qu'un rouage, privé du temps de la réflexion.

André Rousselet, qui se vit comme un chef d'entreprise en détachement, en mission au côté d'un ami président de la République, veut changer d'air. Il aurait pu être ministre, mais la chose ne le tente pas. Cette distinction n'aurait en rien comblé son amour-propre. André Rousselet a la soixantaine orgueilleuse et intransigeante sur ce chapitre. On est ministre à quarante-cinq ans ou jamais. C'est comme pour la Légion d'honneur et les décorations, ceux qui les obtiennent au bénéfice de l'âge lui font pousser des soupirs de dédain qui vexeraient un menhir. L'homme est pétri de vanités mais, lui arrive-t-il de confier, ce ne sont pas des « vanités banales ». Il a toujours été beaucoup plus sensible au pouvoir qu'aux joies protocolaires. Ce qui ne l'empêche pas d'être le promoteur d'une étiquette professionnelle et personnelle sans concessions. Si le pouvoir l'attire, c'est afin d'être au cœur des décisions. Mieux vaut demeurer à l'arrière-plan, avait-il soupesé en entrant à l'Elysée, dans l'ombre du Président, mais à la source de l'autorité effective, plutôt que d'exercer en ministre et par délégation un ersatz de cette autorité première.

Mais le lieu désiré ne l'est plus. André Rousselet était venu pour dire la messe dans une grande cathédrale et il se retrouve confiné dans une chapelle. Enviable, certes, mais dont il s'est lassé. Les aléas d'affaires offertes à la curiosité des médias, parce qu'elles les concernaient, ne l'ont pas aidé non plus à jouir de son poste. D'eux d'entre elles, avec Robert Hersant pour la presse et Philippe Alexandre pour la radio, ont même écorné sa réputation d'éminence grise en révélant, dans leur exécution, les maladresses du pouvoir. Ou l'habileté de ceux qu'il traite en adversaires. C'est au choix.

A l'automne 1981, sous les plus beaux feux de l'état de grâce, la gauche cigale s'était prise à penser, comme une fourmi, aux lendemains et à l'opinion publique changeante. Ne fallait-il pas prévoir la bise d'opposition? Mettre un peu de bonne presse de côté pour les longues soirées d'hiver? Avoir un vrai ami, le matin, en kiosque?

Justement, à la même période, un patron de la presse ennemie, de celle qui ne ménage pas l'élite rose, se plaint dans tout Paris de la dureté des temps. Il se nomme Robert Hersant et a sur les bras un journal qui perd de l'argent, des lecteurs, et par voie de conséquence, du pouvoir. *France-Soir*, c'est de lui qu'il s'agit, l'un des titres les plus prestigieux depuis la Libération, tombe en coûteuse déconfiture. Robert Hersant l'avait conquis en 1976 au terme d'un jeu de cessions de parts bien orchestré et soutenu par Matignon où régnait Jacques Chirac.

A l'époque *France-Soir* appartenait au groupe de presse de l'industriel Jean Prouvost. A sa disparition, c'est Jean Frydman qui, pour le compte du groupe Hachette où il conseillait le P-DG Jacques Marchandise, avait négocié l'achat de la partie presse de l'empire Prouvost comprenant *Marie-Claire*, *Paris-Match*... Dans le lot, Hachette ne souhaitait pas conserver *France-Soir*. Jean Frydman avait alors été sollicité par un candidat acquéreur, Paul Winkler, qui affirmait agir en son nom mais qui, une fois la vente faite, céda *France-Soir* à Robert Hersant.

Médiocre affaire en fin de compte pour le « papivore ». En 1981, Robert Hersant est déjà à la tête d'une confortable collection de titres dont certains sont d'inexpugnables et rentables forteresses, d'autres des tentes sensibles à la moindre brise. On y rencontre *Le Figaro* et son *Magazine* de fin de semaine au succès foudroyant, *L'Aurore*, l'*Auto-Journal* qui fut le berceau du groupe Hersant, la Socpresse, dans les années 50, des participations émiettées dans la presse régionale mais qui ne demandent qu'à se rassembler, avec le temps, et se traduire par des prises de contrôle de quotidiens.

A soixante et un ans, Robert Hersant possède aussi la plus vaste collection de plaintes, procès, instructions en tout genre jamais rassemblée par un patron de presse. Son attitude pendant l'Occupation et son expertise manœuvrière lorsqu'il s'agit de pénétrer puis de s'assurer la majorité dans un titre lui valent la haine des syndicats de journalistes, le mépris prudent des hommes politiques, et en font une cible symbole pour la gauche au pouvoir.

En tant que directeur de cabinet, André Rousselet n'a pas perdu une once de sa vocation secrète d'homme de presse. Hersant traîne la patte avec son canard boiteux? C'est l'aubaine espérée. Il la traîne d'autant plus bas que, par un judicieux concours de circonstances, il commence à subir un contrôle fiscal tatillon. En octobre 1981, une rencontre des deux hommes est organisée par Jacques Douce, à son domicile. Le président d'Eurocom et directeur général d'Havas est à la fois proche d'André Rousselet, et l'un des plus gros acheteurs d'espaces publicitaires dans les journaux du groupe Hersant. Au cours de la conversation, Robert Hersant n'écarte pas l'idée de se séparer de *France-Soir*, et André Rousselet n'écarte pas celle de lui trouver un acheteur. Le vaudeville va durer plus de six mois avec des négociations en trompe l'œil fort bien menées par Robert Hersant. Aux dépens, peu à peu, d'André Rousselet et de l'acheteur potentiel qu'il a « déniché » grâce aux bons soins de son adjoint à la direction du cabinet de François Mitterrand, Jean-Claude Colliard.

« Ça y est, annonce triomphalement un matin André Rousselet à Jean-Claude Colliard, nous allons pouvoir racheter *France-Soir* ! Il ne reste plus qu'à trouver un financier. » Les deux affirmations ont laissé un instant sceptique le collaborateur d'André Rousselet. Jean-Claude Colliard est un homme réfléchi. Il a déjà la pipe, la mèche brune et la barbe, il ne lui manque qu'un pull marin avec une ancre brodée sur la poitrine et une casquette pour camper le personnage du capitaine Haddock. Même stature, mêmes poses. Les colères et les « mille sabords » en moins pour cet universitaire, spécialiste des sondages d'opinion, qui assiste et conseille François Mitterrand depuis 1973.

Trouver un financier..., facile à dire. Les industriels de gauche se comptent à peine sur les doigts de la main. A part un Jean Riboud, peut-être un Jérôme Seydoux... Mais, par chance, quelqu'un vient récemment de proposer ses services à Jean-Claude Colliard. Il se nomme Max Théret. Ancien trotskiste et homme d'affaires, cofondateur de la FNAC en 1954, le personnage sort du lot commun patronal. Il est décidé à investir dans la bande FM et soutient l'une des radios libres parisiennes. Infatigable militant, Max Théret a informé Jean-Claude Colliard que, s'il a passé l'âge d'aller coller des affiches la nuit, il reste prêt à rendre service, avec ses capitaux si nécessaire. Il ne peut pas mieux tomber.

André Rousselet et Max Théret vont tout essayer pour acquérir *France-Soir*. Mais l'entente avec Robert Hersant ne surviendra pas. En juin 1982, au moment du sommet de Versailles, pensant un accord proche, Max Théret s'est officiellement déclaré candidat au rachat du quotidien. C'est le moment qu'a choisi Robert Hersant, ses interlocuteurs étant sortis du bois et l'affaire étant plus que jamais sous l'œil des médias, pour placer la barre à une hauteur infranchissable. Il accepte de céder *France-Soir* mais à la condition de conserver la haute main sur la partie la plus profitable du titre : les petites annonces. Inacceptable; cela reviendrait à acheter une carrosserie sans moteur. André Rousselet doit battre en retraite.

A l'été 1982, Robert Hersant sort donc vainqueur d'une non-transaction en donnant l'impression d'avoir berné la gauche. De l'avoir bernée peut-être deux fois pour le prix d'une puisqu'il est parvenu, fin avril, au moment où il donnait l'impression d'être sur le point de céder *France-Soir*, à prendre le contrôle du quotidien régional *Le Dauphiné libéré*. A la grande colère des cadres du PS et en dépit de l'instruction déjà ouverte contre lui pour infraction aux ordonnances d'août 1944 [4]. Matignon était ulcéré du fiasco sur *France-Soir*, considérant depuis le premier jour que les agissements d'André Rousselet étaient une « ineptie ». Les plus mécontents pouvaient se demander si André Rousselet n'avait pas négocié de fermer les yeux sur ce rachat en province contre la promesse de vente du titre national. Si tel était le cas, comme dans les westerns, Hersant avait gagné au bluff sur les deux tableaux. Objectivement, il garde *France-Soir* sur les bras. Et le voilà cette fois, personnellement – la chose ne doit rien au hasard –, entre les griffes du fisc, qui épluche tous ses comptes et lui interdit de mettre les pieds sur son yacht pour le paiement duquel des irrégularités ont été constatées... Malgré cela, il est soudain celui qui, en territoire hostile, est parvenu à ridiculiser ses adversaires.

C'est un art qu'il exerce avec bonne humeur, mais qu'il n'a pas encore porté à son sommet. L'aventure dans la cinquième chaîne, quelques années plus tard, lui offrira le terrain de perfectionnement idéal, et l'occasion d'une apothéose dans le style de négociations à double fond qu'il affectionne.

André Rousselet serre les dents en silence mais n'en pense pas moins sur celui qui l'a mené en bateau. C'est peu dire qu'il lui garde un chien de sa chienne. Une meute n'y suffirait pas.

Il est dans ces dispositions d'esprit paisibles quand éclate, début juillet 1982, « l'affaire Alexandre ».

Dans une interview aux *Nouvelles littéraires* du 7 juillet 1982, le chroniqueur maudit de RTL révèle que le pouvoir, par les lèvres d'André Rousselet, a exigé de Jacques Rigaud sa tête d'éditorialiste. Le directeur de cabinet se serait bien passé de cette publicité qui met en lumière son acharnement – depuis un an! – à empêcher Philippe

---

4. Textes visant à limiter, à la Libération, la concentration de titres de presse dans les mains d'un seul groupe. Ces ordonnances ambitionnaient d'interdire à une même personne de diriger plus d'un quotidien. Les actions engagées contre Robert Hersant mettaient en cause son contrôle sur plusieurs journaux avec le recours à des prête-noms.

Alexandre de déclamer son fiel matinal. Douze mois qu'il téléphone régulièrement à RTL pour protester. Sans résultat jusqu'à présent puisque Jacques Rigaud continue à faire la sourde oreille, ou à pratiquer en société un humour façon Droopy chez Tex Avery :

« C'est extraordinaire, s'était plaint un soir, au cours d'un dîner chez Pierre Nicolaÿ, un André Rousselet dépassé par les émules de son interventionnisme. J'apprends qu'il y a des gens dans Paris qui reçoivent des coups de fil de quelqu'un qui prétend être André Rousselet.

— Mais oui ! Effectivement, avait enchaîné Jacques Rigaud, convié à la même table, moi aussi j'ai eu deux ou trois fois un type qui prétendait s'appeler André Rousselet et qui me déclarait n'être pas content de RTL. C'est inouï... »

On n'est vraiment pas aidé par le président de RTL, déplore André Rousselet. Cette fois, Jacques Rigaud n'a rien trouvé de mieux que de confirmer à Philippe Alexandre, en lui proposant un exil doré de correspondant à Washington, que l'Elysée voulait sa peau. Rigaud a tout flanqué par terre et on frôle l'incident diplomatique avec le Luxembourg depuis que le journaliste a tout bonnement saisi Pierre Werner, le chef du gouvernement luxembourgeois.

Il faudra qu'une commission soit désignée par la CLT, avec la tâche de déterminer si l'information de RTL est ou non « objective », pour que se calment les esprits. Cette commission, présidée par l'un des actionnaires, Jean Riboud, répondra par l'affirmative.

Philippe Alexandre conservera son rendez-vous sur RTL.

D'abord froidement cordiales, les relations entre Jacques Rigaud et André Rousselet virent à l'orage en cet été 1982. L'ex-directeur de cabinet, demain P-DG d'Havas, n'apprécie plus les manières de gros chat agile de l'administrateur délégué de la CLT. L'inimitable esprit d'escalier d'André Rousselet peut alors faire tinter la clochette du bonheur : n'est-ce pas le groupe Havas, actionnaire de la CLT, qui propose en principe le nom de l'administrateur délégué ? Patience...

CHAPITRE XI

Par satellite

Depuis longtemps déjà, la France et le Luxembourg se regardent en chiens de faïence et flirtent avec l'accroc diplomatique. Ce ne sont pas les billets de Philippe Alexandre qui en sont cause, mais un imbroglio politico-industriel d'une tout autre ampleur. Une boîte de Pandore spatiale, un rêve d'eldorado cosmique : la télévision par satellite.

Le ton va monter. Les conséquences de la crise qui couve en 1982 pèseront d'un poids décisif dans le façonnage de l'audiovisuel français et européen. Par des chemins différents, Havas et la CLT se trouvent en avoir été les protagonistes d'origine. Le fait que ces deux entreprises soient liées entre elles et que leurs dirigeants ne s'entendent pas va provoquer un affrontement autour de la télévision par satellite. Affrontement dont la France ne sortira pas vainqueur.

Havas et la CLT, c'est une de ces vieilles histoires de haine, d'amour et de trahisons familiales où plus personne ne sait qui a commencé ni pourquoi. Tout comme ces couples qui ne se séparent pas « à cause des enfants », Havas et la CLT restent ensemble. Mais c'est « à cause » du pouvoir et des dividendes.

Tout a débuté un septennat plus tôt. Fin 1973, le président Pompidou était souffrant et condamné. Valéry Giscard d'Estaing, n'excluant pas la victoire de François Mitterrand en cas de présidentielle anticipée, s'était ému à l'idée que la CLT (et donc RTL) puisse être, via Havas, à la merci d'un pouvoir socialiste. Giscard et ses conseillers craignaient en effet que la gauche n'y favorise une prise de contrôle par des groupes amis. Il fallait d'urgence, considéraient-ils, prendre les devants, mettre la CLT à l'abri de toute influence néfaste. Société de droit luxembourgeois, la Compagnie accueillait dans son capital une banque belge (Bruxelles Lambert),

94

l'agence Havas, le groupe Prouvost, Paribas... et la Compagnie des compteurs, une entreprise qui était tombée au début des années 70 dans l'escarcelle d'un grand patron devenu proche de François Mitterrand, l'industriel Jean Riboud, président de Schlumberger, une des multinationales les plus prospères au monde [1].

C'est là que résidait pour Valéry Giscard d'Estaing la principale menace de déstabilisation. En rachetant la Compagnie des compteurs, Jean Riboud avait trouvé dans la corbeille 10 % de la CLT. Intéressé par ses activités audiovisuelles, il souhaitait depuis accroître cette participation et jouer un rôle dans son management. Cela avait suffi à renforcer les craintes giscardiennes. D'autant qu'à la même époque un autre actionnaire, le groupe Prouvost, se préparait à céder ses parts. Les deux acquéreurs les mieux placés étaient Hachette et... Schlumberger. Il n'en fallait pas plus pour que Valéry Giscard d'Estaing déclenche un plan de verrouillage du capital de la Compagnie luxembourgeoise.

Ce plan, échafaudé par Giscard et le P-DG d'Havas à l'époque, Christian Chavanon, avait pris la forme d'une coalition des deux principaux actionnaires de la CLT, l'un français, l'autre belge : Havas et Bruxelles-Lambert. Afin de rendre ce rapprochement irréversible, leurs parts avaient été regroupées dans un holding créé à cet effet, Audiofina. En y ajoutant quelques petites parts d'amis, Audiofina réussissait le tour de force de contrôler totalement la CLT, réduisant à l'impuissance le reste des actionnaires, dont Jean Riboud, qui ne cessera de lutter contre Audiofina, cette créature juridique du pouvoir giscardien.

Vain combat, car ce qui était soudé financièrement dans Audiofina fut doublé d'un accord de gestion, d'un « pacte » pour le contrôle de la CLT. Ce « pacte Audiofina [2] » prévoyait notamment que le nom du président de la Compagnie luxembourgeoise serait proposé par Audiofina (dont Bruxelles-Lambert était le principal actionnaire), et celui de l'administrateur délégué par Havas, donc par l'Etat français. Astucieux montage et partage des rôles, mais dont les effets paralysants furent ignorés ou sous-estimés en 1974...

Entre la France et le grand-duché, tout a continué dans l'euphorie technologique et la fraternité européenne. En 1977, à Genève, les autorités internationales en matière de radiocommunications

1. Le groupe de Marcel et Conrad Schlumberger a débuté en 1927 avec l'invention par les deux frères d'un procédé révolutionnaire de recherche minière. En un demi-siècle la société est devenue leader mondial de la recherche pétrolière.
2. L'opération dans son détail est relatée dans *L'Histoire secrète des dossiers noirs de la gauche*. Jean-Michel Quatrepoint. Ed. Alain Moreau. 1986.

découpent au laser le gâteau spatial autour de la planète Terre. Il s'agit de déterminer et d'octroyer à chaque Etat reconnu une portion de cet espace. Lotissement qu'il sera autorisé à exploiter en y installant des satellites de télévision. Ce partage procède d'un double constat : d'une part, la télévision diffusée par satellite ira en se développant. D'autre part, peu de fréquences étant disponibles dans cet espace, il convient d'anticiper pour éviter embouteillages et interférences. Il faut donc décider qui pourra faire quoi du haut de ces positions orbitales. Chaque Etat est doté de cinq fréquences. Dont la France et le Luxembourg. Chacun entreprend de réfléchir à leur utilisation.

A Paris, le président Giscard d'Estaing et le gouvernement optent pour une politique novatrice, prévoyant la construction de deux satellites. Appelés TDF1-TDF2, ils doivent être construits en coopération avec l'Allemagne; TDF en sera le maître d'œuvre. La principale innovation de TDF1, dont le lancement par la fusée Ariane est prévu pour 1985, réside dans sa forte puissance de diffusion. Celle-ci doit permettre à tout possesseur d'une petite antenne parabolique, posée sur son toit ou dans son jardin, de recevoir ses programmes. D'où son nom générique de satellite de télévision *directe*. Une fois lancé, il se maintiendra sur une orbite dite « géostationnaire » à 36 000 kilomètres d'altitude. De cette position, TDF1 « arrosera » de ses images toute la France, mais aussi plusieurs pays européens.

En 1979, au vu des études fournies par les ingénieurs de TDF, il est convenu que les satellites TDF1 et TDF2 disposeront chacun de trois canaux. La France envisage d'en utiliser deux pour diffuser les programmes de TF1 et A2 qui de cette manière seront enfin accessibles, pense-t-on, aux habitants des régions montagneuses qui ne peuvent recevoir correctement ces chaînes. Quant au troisième canal, c'est un cadeau du ciel dont le pouvoir giscardien songe à se servir pour oser, depuis l'espace, ce qu'il hésite à faire sur terre : créer une chaîne de télévision commerciale privée.

A Luxembourg, le gouvernement du grand-duché se tourne d'abord vers son partenaire naturel pour l'audiovisuel, la CLT. Depuis les années 30, la Compagnie luxembourgeoise de télédiffusion jouit en effet d'une concession de service public pour exploiter commercialement les fréquences du pays. En un demi-siècle, avec ses programmes RTL radio et télévision, la CLT s'est non seulement hissée au rang d'une entreprise européenne, mais est aussi devenue l'une des premières sources de revenus du Luxembourg.

Petit Etat implanté au cœur de l'Europe, le grand-duché a pris de plein fouet la crise économique et les restructurations industrielles dans la sidérurgie. Sauf à considérer comme une industrie à part entière les avantages fiscaux que présente la domiciliation sur son territoire, le principal atout du Luxembourg dans l'Europe en formation, c'est le savoir-faire audiovisuel de la CLT.

Sollicitée, la Compagnie luxembourgeoise commence par sonder ses actionnaires, Audiofina et les autres. La plupart, en cette fin des années 70, se disent favorables au développement du secteur télévision de la CLT à travers les satellites. Mais ils restent perplexes sur la capacité du groupe à prendre en charge la construction et l'exploitation d'un tel engin. Ce n'est pas une fin de non-recevoir (à la demande du gouvernement luxembourgeois), mais une position attentiste. La CLT, qui observe de près le projet TDF1 des Français, engage cependant des études sur ce que lui coûterait la construction de son propre satellite. Nom de code : LUXSAT.

En France, justement, les idées se précisent sur la vocation de TDF1. En 1979, Valéry Giscard d'Estaing charge deux de ses anciens collaborateurs d'une mission de réflexion. Ce sont Yves Cannac, P-DG d'Havas, et Xavier Gouyou-Beauchamps, P-DG de la Sofirad. Le premier doit examiner la faisabilité du programme TDF1-TDF2 dans son ensemble. Il fera appel à plusieurs experts pour étayer son rapport, dont le consultant Jacques Pomonti, qui émettra des réserves sur ce projet de télévision directe. Le second, à la demande personnelle du président de la République, est chargé de préparer un projet de chaîne de télévision commerciale pour TDF1, en liaison avec Jean-Luc Lagardère et Europe 1.

Dans la vision de Valéry Giscard d'Estaing, la France n'était dotée que d'un seul groupe politiquement digne de se voir confier une chaîne privée par satellite, celui de Jean-Luc Lagardère, à la tête de Matra et d'Europe 1. En lui promettant cette chaîne, le Président ne prend pas grand risque. Le capital d'Europe 1 est contrôlé par la Sofirad, et Matra vit – bien – des commandes de l'Etat : tout reste en famille.

Sélectionnés par l'Elysée, la Sofirad ou Matra, un petit groupe de professionnels invente ainsi de toutes pièces une chaîne commerciale à habillage culturel, « transfrontières », selon la terminologie en vigueur, et multilingue. Autour d'Olivier Giscard d'Estaing, coordinateur, sont mis à contribution Etienne Mougeotte, Philippe Gildas, Pierre Wiehn... Le cadre de réflexion qui leur est imposé est si peu attrayant qu'ils en viennent à espérer que jamais personne ne sera obligé de regarder les programmes qu'ils concoctent. Entre deux esquisses de grilles hautement culturelles, Mougeotte et Gildas travaillent pour se détendre à une contre-proposition : une chaîne consacrée au sport et à l'érotisme.

En 1980, à quelques mois de la présidentielle, ces études n'ont encore débouché sur rien de concret. Ce ne sont que documents accumulés dans les tiroirs de l'Elysée ou les armoires du groupe Havas. Comme dans le cas de TVCS, la proximité de l'échéance électorale suspend toute prise de décision. A Luxembourg, en revanche, au siège de la CLT, Villa Louvigny, la tournure prise par les projets français inquiète. La Compagnie luxembourgeoise ne voit pas d'un très bon œil la faveur que Valéry Giscard d'Estaing entend faire à Europe 1, la radio concurrente de RTL. Pendant un moment, elle a espéré en raison de ses liens avec Havas que la France lui accorderait un canal sur TDF1. Cela n'en prend pas le chemin, et la CLT préfère tenir que courir. En décembre 1980, peu avant les présidentielles, elle annonce son intention de faire construire et lancer son satellite, LUXSAT, et réserve à son tour un vol Ariane pour 1985.

Ainsi, comme dans les meilleurs films d'aventure où deux magnats de la presse ou de l'industrie s'affrontent dans une course autour du monde, deux Etats européens, la France et le Luxembourg, se jettent un défi fabuleux : conquérir le marché de la télévision par satellite. A égalité sur la ligne de départ, ils ambitionnent chacun de donner le coup d'envoi de leurs programmes à la même date, en 1985, en recourant au même lanceur, Ariane. Point de départ romanesque digne d'un scénario hollywoodien, mais en bien plus cher.

A elle seule, cette compétition politique et technique suffirait à piquer la curiosité. Mais ce qui en fait tout le sel, ce qui lui donnera les allures d'une lutte sans merci, c'est la valeur du trophée en jeu. Le gagnant aura la primeur des recettes publicitaires de ce nouveau média. La France et le Luxembourg étant deux pays francophones et géographiquement proches, leurs satellites couvriront sensiblement les mêmes zones, les mêmes populations, avec des programmes de télévision concurrents. Il y a fort à parier que le premier arrivé, le premier à diffuser par satellite, sera le premier – et le seul – servi.

Telle est, à grands traits, la situation que trouve Jacques Rigaud sur la table du conseil d'administration de la CLT quand il est nommé administrateur délégué en 1980. Cravate en tissu écossais sous une veste sombre, n'oubliant jamais de porter un de ces nœuds papillons que Giscard abhorre, s'il pense le rencontrer dans une cérémonie officielle, il n'a pas de religion en matière de satellite. Son entrée à la CLT est, elle aussi, l'histoire ancienne d'une probabilité différée.

En 1973, après avoir racheté la Compagnie des compteurs, Jean Riboud l'avait appelé et prié de passer le voir au siège de Schlumberger, rue Saint-Dominique.

« A côté de la participation dans la CLT, lui avait-il annoncé, j'ai trouvé dans le ventre de la Compagnie des compteurs près de 40 % de la Gaumont. Je souhaite prendre la majorité de cette société, et si j'y parviens je vous propose d'en être le directeur. Cela vous initiera aux affaires... Que diriez-vous, ensuite, d'entrer à la CLT ? »

L'offre avait fait rêver un Jacques Rigaud déjà très admiratif de Jean Riboud. Mais ce dernier n'était pas parvenu à conquérir la firme cinématographique et avait vendu ses parts à Nicolas Seydoux. Quant à la CLT, Jacques Rigaud avait perdu l'espoir d'y entrer après la création d'Audiofina qui contrecarrait les ambitions de Jean Riboud. Sept ans plus tard, c'est à l'un des effets pervers du pacte Audiofina, à l'impossibilité, pendant deux ans, pour les actionnaires de la CLT de s'entendre sur le nom d'un administrateur délégué, qu'il devait, appuyé par Jean Riboud, d'avoir été choisi. Le P-DG de Schlumberger avait de la suite dans les idées. Jacques Rigaud aussi. Lorsqu'il s'était vu à la tête de la Gaumont, Jacques Rigaud en avait proposé la direction à l'un de ses anciens élèves à Sciences po, Jean Drucker. Sept ans plus tard, Jacques Rigaud fait venir Jean Drucker auprès de lui à la CLT.

Quand la gauche l'emporte en 1981, André Rousselet, Pierre Mauroy et Georges Fillioud se retrouvent en face des projets de satellites TDF1 et LUXSAT comme à l'orée d'un champ de mines.

« Soyons raisonnables, entonnent en chœur Jacques Attali et André Rousselet lorsque Jacques Rigaud les convie à déjeuner à RTL en juillet 1981. Il n'est pas dans l'intérêt de la France et du Luxembourg de lancer chacun un satellite. Avec votre LUXSAT vous allez mordre sur le marché publicitaire français... Le mieux ne serait-il pas de s'entendre, de ne faire qu'un satellite ? » Georges Fillioud lui tient le même discours. N'en faire qu'un, pour le gouvernement français, c'est choisir TDF1.

Le grand-duché ne dissimule pas ses réticences. Les socialistes français ne paraissent pas sûrs de leur dossier. Il subsiste trop d'inconnues techniques sur TDF1, et l'audiovisuel n'est pas pour eux une priorité gouvernementale alors que c'en est une désormais à Luxembourg. Réunis en séminaire, les dirigeants de la CLT développent une analyse qui fait de la télévision par satellite la seule voie d'avenir pour la Compagnie. On y croit en effet que l'âge d'or de RTL est révolu, que la radio a mangé son pain blanc. Le futur appartient aux chaînes de télévision, c'est pourquoi la CLT doit tout de même réfléchir, avec LUXSAT, au financement d'un satellite qui desservirait le nord de l'Europe avec des programmes en français, allemand ou anglais. Des contacts ont été pris avec les industriels. La

CLT écoute les propositions des constructeurs anglais de British Aerospace, de l'Aérospatiale française, et des Américains de la Hughes Aircraft.

Pendant une année encore, les deux satellites vont rester dans les limbes. La CLT se donne un temps supplémentaire de réflexion pour son projet LUXSAT; elle a calculé qu'il obérerait plusieurs années de bénéfices et nécessiterait d'importantes mises de fonds. La Compagnie luxembourgeoise ne détesterait pas qu'Havas lui vienne en aide financièrement pour cette opération. Que préconise le groupe de Neuilly? Telle est la question à laquelle doit répondre le nouveau P-DG, Pierre Nicolaÿ. Son conseiller Léo Scheer, après avoir pris connaissance de l'épais dossier, se prononce en faveur d'un soutien d'Havas au satellite luxembourgeois. Sa conviction est alors que la CLT, avec RTL-TV, a déjà une longueur d'avance dans la télévision commerciale, et que ce serait une erreur pour Havas de passer à côté de cette opportunité... Il ne sera pas suivi. Embarrassé par cette question, le conseil d'administration du groupe Havas refusera l'investissement proposé par la CLT.

Le gouvernement français, lui, ne sachant trop quels programmes diffuser sur TDF1, reprend l'antienne très goûtée dans les rangs socialistes de la chaîne culturelle à bâtir. Il n'est évidemment plus question de donner quoi que ce soit à Jean-Luc Lagardère qui a si honteusement joué Giscard gagnant sur Europe 1. Mais, pour se différencier des ébauches laissées par Giscard dans ce registre, la France parle de construire une chaîne « européenne » et culturelle. Elle a même doté d'un bâton de pèlerin un membre du Quai d'Orsay, Jacques Thibau, qui sillonne l'Europe à la recherche de partenaires.

Sa mission fera trois petits tours sur le devant de la scène et disparaîtra fin 1982. Mais son périple et ses préconisations laisseront des traces. Son approche culturelle, non « mercantile », et donc défavorable à la CLT, a engendré puis consolidé à Paris un discours farouchement hostile aux Luxembourgeois. A Matignon comme chez Georges Fillioud, les choix sont clairs. D'un côté la grandeur culturelle française; de l'autre, la compromission avec les « sous-produits » américains pour « satellites Coca-Cola »!

La formule connaîtra un succès fou. Accru par les changements survenus dans le capital de la CLT. Deux loups sont entrés dans la bergerie grand-ducale : le capitaine d'industrie ancien régime Lagardère, et un ferrailleur belge avisé, Albert Frère.

« Allô, je te réveille? » demande Daniel Filipacchi d'une voix lasse. Il est près d'une heure du matin et le Luxembourg est endormi dans sa quiétude médiévale. Tout comme les pensionnaires du Sheraton de l'aéroport le sont dans leur quiétude préfabriquée.

« Non... qu'est-ce qui t'arrive? interroge Jean Drucker depuis un autre étage du même hôtel.

– Eh bien voilà, j'étais en train de me dire que ce serait bête qu'on trouve mon cadavre dans cette chambre demain matin. Parce que je me fais tellement suer ici que j'envisage de me suicider dans la demi-heure... A part ça, tu ne veux pas prendre un verre? »

Jean Drucker compatit. Lorsque deux conseils d'administration se suivent à la CLT, il faut dormir à Luxembourg. Effort surhumain pour le nouvel administrateur qui représente le groupe Hachette, Daniel Filipacchi. Le photographe débutant à *Paris-Match*, l'animateur de « Salut les copains » sur Europe 1, le promoteur de la presse de charme avec *Lui* n'a pas exactement la fibre administrative. Siéger à la CLT, c'est un service qu'il rend à son ami « Jean-Luc ». A titre personnel, en ce qui concerne le groupe de presse qui porte son nom, Daniel Filipacchi n'a jamais été convaincu de l'intérêt des conseils d'administration. Mais on ne refuse rien à « Jean-Luc ». C'est lui le guide. C'est lui le patron.

La présence d'Hachette à la CLT ne date pas d'hier. Ce qui est récent, c'est la prise de contrôle de ce groupe par Jean-Luc Lagardère et Matra à la veille des élections de 1981. Un fromage tombé du bec d'Havas dans celui de Matra sur un claquement de doigts giscardien. En 1980, Jacques Douce et l'agence Havas avaient entrepris de grandes manœuvres pour acquérir des parts de ce fleuron de la presse et de l'édition françaises[3]. En l'absorbant, ils auraient constitué un géant européen...

Alerté, Giscard d'Estaing s'était opposé à cette opération qui, pour ce libéral, revenait d'une certaine façon à nationaliser Hachette en le faisant entrer dans le giron étatique d'Havas. En quarante-huit heures, l'intermédiaire (le banquier Jean-Luc Gendry) qui pilotait le rachat des titres Hachette avait dû proposer les parts (30 %) à un autre acquéreur : Jean-Luc Lagardère. Pendant deux jours et deux nuits, assisté d'un de ses plus anciens collaborateurs, Yves Sabouret, Jean-Luc Lagardère avait expertisé ce qu'on lui présentait, pesant le pour et le contre[4]. Conclusion : Hachette était un trésor qu'il eût été

---

3. En 1980, avant de rejoindre Matra et Europe 1, Hachette est déjà un formidable empire qui regroupe les éditions Grasset, Fayard, Stock, des titres à succès : *France-Dimanche, Elle, Télé 7 Jours, Le Point, le Journal de Mickey...* Ces titres vont venir grossir le bouquet que possède déjà Matra avec *Les Dernières Nouvelles d'Alsace, 20 Ans, Biba, France Football...*
4. Cf. *Europe 1 La grande histoire dans une grande radio* de Luc Bernard. Ed Centurion. 1990.

stupide de dédaigner. Mieux encore, en prenant Hachette, le P-DG d'Europe 1 aurait pour la première fois l'occasion qu'il attendait depuis des années de bâtir un grand groupe industriel et de communication. Si l'on y ajoutait les liens privilégiés d'Europe 1 avec le groupe de presse de son ami Daniel Filipacchi, cela pouvait représenter pour lui l'affaire du siècle.

En signant pour Hachette, Jean-Luc Lagardère s'est inoculé le virus du « multimédia », du « tout communication » qui commence à envahir l'Europe. Du jour au lendemain, cet ingénieur aux valeurs spartiates s'imagine en champion de l'électronique et de l'armement d'une part, et de l'autre en propriétaire d'une radio nationale, d'innombrables titres de presse, de maisons d'édition et d'un réseau complet de distribution. Qui résisterait dans ces conditions à une légère mégalomanie? Après une période d'incubation, Jean-Luc Lagardère présentera tous les symptômes paroxystiques de la grande fièvre médiatique.

En acquérant Hachette, il a aussi hérité d'une part de CLT, la maison mère de la rivale d'Europe 1, RTL. Cette radio, Matra la regarde en 1980 avec un peu de condescendance car, pour la première fois dans son histoire, Europe 1 l'a dépassée en audience. Dès l'annonce de l'achat d'Hachette par Matra, la CLT s'est opposée, au nom d'un conflit d'intérêts évident, à ce que le groupe de Jean-Luc Lagardère siège à son conseil d'administration. Comment inviter le patron d'Europe 1 à la table luxembourgeoise où se discute la statégie de RTL? Pendant plusieurs mois, Hachette reste donc un partenaire « dormant » de la CLT. Ce n'est qu'après le départ de Jean-Luc Lagardère d'Europe 1, fin 1981, que le représentant du groupe de presse retrouve droit de cité Villa Louvigny. Où Daniel Filipacchi, administrateur choisi par Jean-Luc Lagardère, détonne furieusement au milieu de l'aréopage de banquiers, de hauts fonctionnaires et d'hommes politiques qu'il y rencontre.

Toujours entre deux avions, passant à son bureau sur le coup de midi les jours où il est d'humeur matinale, d'une décontraction à briser les nerfs d'un yogi au sommet de son art, Daniel Filipacchi siège à Luxembourg, comme le dira un Jacques Rigaud inspiré, un peu comme un « Iroquois au conclave ». Son univers est à mille lieues de la diplomatie et de la finance franco-belgo-luxembourgeoise. La vie de « Daniel », ce sont les toiles hyperréalistes, les jolies filles, le rock, le jazz, les 45 tours des juke-box qui trônent chez lui et dans son bureau des Champs-Elysées. Aucune vie mondaine. Son programme politique personnel, c'est le Concorde, un yacht et les Caraïbes, ou les soirées entre copains avec son complice de la première heure, Frank

Ténot. Ensemble, ils ont construit l'un des plus fructueux groupes de presse [5].

A cinquante ans passés, volontiers habillé en Texan, veste de cowboy, cravate assortie à la chemise, pantalons coupés au-dessus de la cheville, et les éternelles Ray-Ban à verres miroir, Daniel Filipacchi trouve ses coadministrateurs un peu vieux et « out ». De corvée à Luxembourg, il s'installe dans la salle de conseil avec son attaché-case bourré de ses magazines qu'il feuillette en cours de séance lorsqu'il a fini de trier son courrier. La CLT ne le passionne pas, mais il prend plaisir à y croiser Jean Drucker et le patron de Schlumberger, Jean Riboud, amateur de peinture qui vit un mois sur deux aux USA.

Jean Riboud qui, précisément, en cet été 1982, observe avec grand intérêt l'arrivée en force à la CLT d'un nouveau personnage, l'un des hommes les plus redoutés de la finance européenne : Albert Frère. Self-made man légendaire de l'après-guerre, parti de trois fois rien, une entreprise paternelle fabriquant des clous à Charleroi, Albert Frère a bâti une fortune dans la récupération des métaux et la reconstruction. La ferraille, l'acier, la chaîne sidérurgique n'ont pas de secrets pour cet homme qui n'a jamais mis les pieds dans les grandes écoles et a tout juste fréquenté les moins grandes.

Progressivement, ses activités l'ont conduit à la finance et ont fait de lui un des administrateurs de Paribas et de sa branche belge. Lui qui collectionne les Renoir et les Dali avec l'assiduité d'un philatéliste, est critiqué pour son goût du luxe et de la puissance, et tenu en suspicion d'inculture par les cercles d'élite que sa réussite incommode. Albert Frère sent le soufre, les lingots et la ruse. Un an plus tôt, le « ferrailleur » a tout bonnement ridiculisé le gouvernement socialiste français en mettant au point le plan qui a permis aux branches les plus rentables de Paribas d'échapper à la nationalisation.

Le même Albert Frère vient de réussir un autre joli coup en prenant le contrôle d'un groupe belge qui battait de l'aile, Bruxelles Lambert (GBL). En principe, il ne s'agit pour lui que d'ajouter ainsi un maillon au réseau européen de banques qu'il tente de constituer.

5. Le groupe comprend les titres créés ou adaptés par Daniel Filipacchi (*Playboy*, *Lui*, *Salut les copains*, *Jazz Magazine*...) mais aussi l'hebdomadaire de ses débuts de journaliste, *Paris-Match*. En 1976, *Match* était dans le lot de titres du groupe Prouvost dont Jean Frydman négociait l'acquisition pour Hachette. Mais à l'époque, Hachette n'avait pas souhaité prendre *Paris-Match*, et Jean Frydman avait permis à Daniel Filipacchi, dont il avait suivi et encouragé les débuts d'homme de presse, de racheter ce magazine.

Mais Bruxelles Lambert c'est aussi la CLT, l'audiovisuel, la télévision. En l'empochant, Albert Frère est d'un seul coup devenu le principal actionnaire d'Audiofina et le vrai patron de la CLT. Mais en puissance seulement car, au cours des premiers mois, ne connaissant rien au monde de la communication, Albert Frère se désintéressera de cette acquisition. Ce qui incitera les autres actionnaires, dont Havas, où André Rousselet vient d'entrer, à se demander s'il n'a pas l'intention de vendre cet « appartement CLT » de l'immeuble GBL.

Jean Riboud se pose la même question. Ce pourrait être l'occasion tant attendue d'entrer dans Audiofina ou d'en casser le « pacte », de rééquilibrer le pouvoir dans la Compagnie au profit des actionnaires français.

CHAPITRE XII

Canal pirate

« Pardon?

– C'est ce que je te dis, Léo. Je suis chargé de m'occuper de la quatrième chaîne par Fillioud et Mauroy. Je dois rédiger un rapport sur ce qu'on peut faire de ce réseau et...

– Oui?

– Je sais qu'à Havas vous avez commencé à réfléchir à ce problème. J'aimerais en parler avec vous, voir ce qu'on peut faire ensemble... »

Les copains ne sont plus ce qu'ils étaient. Lorsqu'il débarque à Havas un matin d'août 1982, le polytechnicien Michel Dahan, chargé de la « mission quatrième chaîne », reçoit un accueil mitigé de la part de Léo Scheer qu'il connaît pourtant depuis une dizaine d'années. A croire qu'il dérange! Bien sûr, Léo se montre courtois et prévenant. Bien sûr, il fournira la documentation réunie par la cellule Développement sur les chaînes à péage. Bien sûr, il est à son entière disposition, mais bon, c'est un peu froid. D'ailleurs, Léo le prévient : il n'a pas beaucoup de temps et le mieux serait qu'il rencontre Jacques Driencourt; il a vécu un certain temps aux USA et pourra sans doute l'aider.

Désigné un mois plus tôt pour rédiger ce rapport, Michel Dahan, spécialiste de l'électronique, a travaillé avec Pierre Dreyfus au ministère de l'Industrie. Il se jette dans la quatrième chaîne comme on saute en parachute la première fois, grisé par la peur et l'attrait du vide. C'est en bonne partie grâce à son camarade polytechnicien, Jacques Attali, qu'il a été choisi. « Dessine-nous une quatrième chaîne dans le désert audiovisuel... » lui a-t-on demandé, avec autant d'espoir mais moins de poésie que Saint-Exupéry. Et il doit faire vite car Georges Fillioud a été clair dans son point de presse du 8 juillet dernier. La quatrième chaîne devra commencer à émettre au cours de l'année 1983, être en partie payante et ne pas être consacrée au cinéma. A l'évidence, le gouvernement a décidé de passer en force dans ce secteur puisque, le même jour, on a reconfirmé le lancement de TDF1 pour 1985, et commandé un rapport sur le câblage de la France au ministre des PTT, Louis Mexandeau.

Sans bureaux, sans moyens, Michel Dahan est hébergé par Georges Fillioud et Bernard Miyet dans les combles de la Rue Saint-Dominique. Avec une minuscule équipe qui rassemble des socio-logues, des militants, des syndicalistes et des réalisateurs, il s'est mis au travail en suivant les grandes lignes tracées par le pouvoir. Patiemment, il consulte dans tout Paris. Il se tourne vers Havas pour envisager, comme il le fait à la Sofirad et dans les chaînes existantes, la manière dont les entreprises de communication où l'Etat est présent pourraient intervenir utilement dans le projet. La nouvelle télévision qu'il entrevoit serait le rêve socialiste enfin réalisé : un petit écran intelligent et populaire, éducatif et distrayant, s'adressant aux masses et aux individus, à toutes les minorités, toutes les confessions, avec du spectacle, du civisme, du loisir et de l'école. Une télévision républicaine en couleurs. Michel Dahan a la foi et des idées pour cette chaîne qu'on lui conseille de faire « thématique ». Il lui a même trouvé un nom : « Canal Bleu. » En attendant, il peut rédiger son courrier sur un papier à l'en-tête impressionnant : « Quatrième chaîne de télévision. » Il ne lui « reste » qu'à constituer un solide dossier technique.

Il y a du malentendu dans l'air à propos de la fréquence TV4. Léo Scheer ne parvient pas à dissimuler son irritation, plus ou moins par-tagée par le reste de l'équipe. Michel Dahan est bien gentil, mais toute cette agitation autour du quatrième réseau ne va-t-elle pas leur couper l'herbe sous le pied ? Depuis l'annonce gouvernementale, la cellule Développement d'Havas a mis les bouchées doubles pour étayer un dossier. On y a ficelé tout ce qu'on sait, toutes les études faites sur le cryptage, la diffusion codée, tous les articles sur le sujet parus dans des revues essentiellement américaines... Léo Scheer et Jacques Driencourt, ensemble ou séparément, sont allés humer l'air des ondes américaines au cours de l'hiver, rencontrer quelques opéra-teurs, parler programmes au NAPTV, un marché professionnel, à Las Vegas. C'est intéressant, mais pas de quoi monter un véritable dossier pour créer une chaîne. C'est même « léger ».

L'idéal serait de pouvoir proposer un « package » complet, précis, comprenant aussi bien le concept de la chaîne, une grille de pro-grammes, mais aussi, et surtout, l'ensemble des éléments techniques et financiers, projections de coûts, hypothèses de faisabilité, bref un authentique *business plan*. On en est encore très loin, se dit Léo Scheer, et voilà que Dahan débarque et veut prendre connaissance de leurs recherches ! « Léo, il faudrait que tu reçoives Michel Dahan et que vous vous montriez coopératifs... » lui a dit au téléphone Jacques Attali. Soit, mais jusqu'où ?

Il ne manquait plus que cela pour compléter cet étrange mois d'août 1982. Pierre Nicolaÿ est parti et subitement Léo Scheer se sent un peu seul. Il a appris qu'André Rousselet est passé une ou deux fois en reconnaissance à Neuilly, mais il ne l'a pas encore rencontré. Pour quelques semaines, le nouveau P-DG travaillera entre l'Elysée et Havas. Les bruits qui parviennent aux oreilles de Léo Scheer lui font craindre le pire pour le Développement.

Rousselet veut remanier, dit-on. Rousselet veut commander. Rousselet veut prendre Havas. Depuis le temps qu'on en parle... On le dit intelligent et même doué d'humour, mais il n'y a rien à faire. Pour Léo Scheer, André Rousselet, c'est le pouvoir dans ce qu'il a de plus rigide et de plus interventionniste. La perspective de l'avoir bientôt pour patron lui gâche l'été. Si seulement Nicolaÿ était resté un an de plus...

Dans l'après-midi du lundi 23 août 1982, à 15 heures, Michel Dahan rencontre Jacques Driencourt au siège d'Havas. La veille, ont été nommés les membres d'une Haute Autorité dont on ne voit pas bien, chez Havas, à quoi elle va servir. L'homme chargé de la quatrième chaîne expose les données de son problème. Driencourt soutient à nouveau que ce type de télévision thématique aurait davantage sa place sur le câble. Michel Dahan est ouvert à toutes les propositions, mais il ne peut rien changer à cette donnée fondamentale : l'Etat français veut créer une chaîne nationale hertzienne. Avec ou sans péage ? La chose n'est pas définitivement arbitrée ; il pense que cela dépendra en grande partie des résultats de son rapport.

« Nous y avons réfléchi, se lance Jacques Driencourt. Ce que nous pouvons vous proposer, dans le cadre de cette mission quatrième chaîne, c'est une étude en deux volets sur les chances d'une télévision à péage en France. Le premier volet porterait sur les motivations et les souhaits des Français à l'égard de la télévision et d'une éventuelle nouvelle chaîne. Le second consisterait en une étude détaillée de la situation aux USA, là où il existe des chaînes à péage ; quel est leur marché, quels sont leurs programmes et leur fonctionnement. »

Michel Dahan quitte Havas avec ces deux propositions d'études. Il se donne quelques jours de réflexion et a demandé des précisions sur leur coût, la mission ne disposant pas d'un gros budget. Driencourt, lui, se frotte les mains. Ce matin, avant de voir Michel Dahan, il a téléphoné à ses collègues de l'étage au-dessous du sien, les têtes pensantes du CCA, le Centre de communication avancée. Un laboratoire qui se consacre à mettre sur ordinateur et analyser les désirs, craintes et ambitions des Français de tous âges, sexes et catégories socioprofessionnelles... Pourraient-ils effectuer une étude sur les desiderata en matière de télévision? Aucun problème. Il suffit de demander. Et de payer les frais. Quant à l'autre étude, aux Etats-Unis, il ne doute pas qu'il lui reviendra de la faire. Une semaine en Californie, ce serait Byzance!

« Pourquoi pas, dit Léo Scheer quand Driencourt lui rend compte de son entretien avec Michel Dahan. Mais un voyage aux USA ne suffira pas. Il nous faut plus que des généralités; il nous faut un plan complet de lancement d'une chaîne cryptée. On ne sera pas plus avancé, techniquement, quand tu auras visité cinq ou dix stations... Je me demande si tu ne devrais pas essayer de voir un type étonnant qui travaillait avec Frydman sur le projet TVCS...

– Qui ça?

– Frédéric Chapus. Il est à Europe 1, passe-lui un coup de fil. On ne sait jamais, il n'est peut-être pas en vacances. »

Le vendredi de la même semaine, Jacques Driencourt rencontre pour la première fois Frédéric Chapus, rue François-Ier. Puis à Havas, la semaine suivante. Pendant un mois, ils ne vont presque plus se quitter. Driencourt n'a jamais rencontré un tel bagout, une telle aisance pour balayer d'un sourire les questions les plus pointues, avoir réponse à tout. Il y a du Pierre Bellemare de la grande époque d'Europe 1 chez ce disciple de Jacques Abergel. Chapus s'amuse de l'enthousiasme sympathique de Léo Scheer et de Driencourt pour cette histoire de quatrième chaîne qui lui colle à la peau depuis trois ans. Jean Frydman est parti de TVCS, mais lui est resté en contact avec Jean Marin qui lui a conseillé de continuer à suivre le dossier avec les gens d'Havas.

« Le cœur d'une chaîne à péage, explique Frédéric Chapus, c'est le codage et la gestion des abonnés, les programmes informatiques complexes qui sont nécessaires au lancement et à l'exploitation. C'est extrêmement compliqué, et confidentiel, évidemment. Il faudrait être sur place pour analyser cela. J'ai un ami qui est consultant aux USA et qui connaît absolument tout sur les chaînes à péage. Je peux lui en parler... »

Le soir même, Jacques Driencourt appelle Michel Dahan, lui

108

donne un chiffre global pour le coût des deux études, incluant les billets d'avion pour un périple aux USA. De son côté, comme promis, Frédéric Chapus appelle Robert Bloch à Los Angeles.

« Ils sont tous nuls! » explose Jacques Driencourt trois semaines plus tard. Il est au désespoir. La mission quatrième chaîne accepte de payer l'étude du CCA sur la typologie et les motivations des téléspectateurs, mais pas celle sur les chaînes à péage américaines. Michel Dahan n'est pas preneur, dans l'immédiat. Adieu voyage et pèlerinage! « Ce sont vraiment des nuls! Non mais, réfléchis, tu as déjà vu un ministère de la Communication qui crée une chaîne de télévision à péage! C'est insensé, qu'est-ce qu'ils connaissent à la télé, franchement? »

Non, Léo Scheer n'a jamais vu ça. Et il décide que cette étude se fera quand même, aux frais d'Havas. Driencourt et Chapus peuvent retenir leurs billets. Il serait trop bête de laisser tomber sans avoir même ébauché ce *business plan* qui manque à leur projet. Impossible d'en présenter la première ligne sans chiffres et hypothèses solides. C'est le seul moyen de ne pas se faire hacher menu par les barons du groupe et le P-DG quand viendra le jour de faire une proposition concrète pour le développement d'Havas. Léo Scheer couvrira leur voyage.

Passagers du vol TWA 819, Jacques Driencourt et Frédéric Chapus ne font escale à Washington, le 21 septembre 1982, que pour une nuit. Ils y retrouvent Robert Bloch, l'ami américain de Chapus, le quinquagénaire souriant et décontracté qui est là pour un congrès. Le lendemain, ils s'envolent tous les trois pour Los Angeles, pour une semaine de huis clos ultraconfidentiel dont sortira, incognito, le tout premier profil de Canal Plus.

Jusqu'au dernier moment, Frédéric Chapus est resté extrêmement discret sur la nature exacte des informations qu'il compte rapporter de ce voyage avec Jacques Driencourt. Par prudence autant que pour ménager son ami « Bob ». A Paris, il n'a pas levé la moitié du voile sur ce qu'il peut obtenir et négocier avec le patron de Telease. Il lui faut d'abord le revoir et discuter avec lui les conditions d'un accord tout à fait particulier. C'est chose faite à Washington.

Une fois à Los Angeles, Frédéric Chapus peut annoncer à Jacques Driencourt que le résultat de l'étude qu'ils vont entreprendre dépassera leurs espérances. Non seulement ils vont voir de près comment fonctionnent ces chaînes à péage (qui, à Los Angeles, se nomment On TV, Select TV), mais en plus Robert Bloch a donné son accord à l'impensable : l'accès à l'intégralité de ses données informatiques concernant la conception et l'exploitation de ces chaînes. Tous les secrets de fabrication d'une télévision cryptée sont à leur disposition. Tous les chiffres. Tous les logiciels de gestion. Tous les fichiers de programmation. Et leurs projections économiques sur cinq ans !

Depuis que le gouvernement français a lancé la mission Dahan, Frédéric Chapus est convaincu que la quatrième chaîne sera bientôt une réalité ; il a repris avec Robert Bloch le fil de leur conversation favorite. Il n'a pas eu grand mal à le convaincre de l'intérêt qu'il y aurait, pour eux et pour Telease, à être les premiers en mesure de présenter un projet de chaîne monté sur un socle économique indiscutable. Robert Bloch ne monnaye pas la confidentialité de ses fichiers. De son point de vue, il ne fait que poursuivre une affaire engagée depuis trois ans et qui était plus ou moins en sommeil. Confiant, il leur ouvre toutes ses portes ; si l'affaire se fait, c'est sur la base du maintien des 5 % de royalties discutés un jour à vélo dans Venice.

Commence alors une incroyable semaine. Il pleut presque tous les jours sur un Los Angeles brumeux. Jacques Driencourt et Frédéric Chapus sont logés au Beverly Wilshire Hotel, mais pas au même étage. Ils se retrouvent tôt le matin pour le petit déjeuner, et filent ensuite vers une tour située au 1875 de Century Park East, dans ce quartier délimité par les boulevards Santa Monica, Pico et La Cienega. Là, du matin au soir, assistés de techniciens choisis par Robert Bloch, ils dupliquent des disquettes, étudient des listings, s'initient aux paramètres d'exploitation d'une chaîne à péage.

Mais ils ne se contentent pas de copier. A partir de ces données américaines, de l'examen des systèmes de gestion de chaînes implantées à Chicago, Dallas, Boston, Phoenix, du nombre d'abonnés, d'employés, et de leur rentabilité, les deux invités pirates commencent à faire tourner les ordinateurs mis à leur disposition sur un schéma de péage appliqué à la France. Ils se servent des logiciels pour établir un éventail complet des possibilités en faisant varier tous les facteurs : coûts des programmes, frais de diffusion, nombre d'abonnés, croissance du chiffre d'affaires, type de décodeur, etc. Toutes les hypothèses sont démontées, reconstruites, combinées, projetées sur un, deux, cinq ans. Et les résultats sont soigneusement conservés sur disquettes.

Un sandwich à midi. Le soir, souvent, ils dînent ensemble dans le même restaurant, Oscar, avant de retourner à Century Park. Frédéric Chapus y passe une partie de ses nuits. Jacques Driencourt tente de renouer avec sa girl-friend perdue de vue. Sans grand succès. Tandis qu'un certain Léo Scheer laisse des messages à la réception du Beverly Wilshire demandant qu'on le rappelle à Paris. A Neuilly les choses se passent plutôt mal avec André Rousselet qui « terrorise un maximum ». Personne n'est au courant de leur voyage, mais il ne faudrait pas qu'ils tardent à revenir, l'atmosphère se gâte.

Jacques Driencourt rentre le premier. Il est à Paris le lundi 27 septembre en fin de matinée, seul, à temps pour assister à une projection privée de *Deux Heures moins le quart avant Jésus-Christ*, le film de Jean Yanne, à Havas. Frédéric Chapus est resté une journée de plus pour finaliser le travail engagé. Il arrive le lendemain, avec les précieuses disquettes.

Précieuses et infernales, puisqu'elles s'avèrent inexploitables ! Formatées pour des appareils américains, elles sont incompatibles avec les ordinateurs d'Havas. Sans lecteur approprié, leur trésor est sans valeur, inexistant. A cette époque où la micro-informatique grand public ne fait que débuter en Europe, Driencourt et Chapus passent une journée à la recherche d'un importateur qui disposerait du matériel adéquat. Finalement, c'est installés dans la vitrine d'un revendeur du boulevard des Batignolles, sous les yeux des passants, qu'ils parviennent à transférer les documents sur des disquettes lisibles par les ordinateurs d'Havas. Aux employés coopératifs du revendeur ils annoncent le plus sérieusement du monde – et sans mentir – que « c'est pour la quatrième chaîne... » Hochement de tête entendu des vendeurs qui cherchent du coin de l'œil où est planquée l'équipe de la « Caméra invisible »...

Il leur reste moins d'une semaine pour rédiger leur rapport. André Rousselet a décidé de convoquer la cellule à une réunion de direction. Ordre du jour : à quoi sert le service du Développement ?

La réunion commence très mal. Ce lundi 4 octobre, en fin d'après-midi, une dizaine de personnes se font face de part et d'autre de la table dans la grande salle du conseil d'Havas, au huitième étage. D'un côté, André Rousselet, encadré du directeur financier, Marc Tessier, de Bernard Brochand, de Pierre Dauzier... De l'autre, la « bande » du Développement. Pour le P-DG d'Havas, ce n'est qu'une formalité préliminaire à la dissolution de cette cellule. Mais officiellement, il s'agit de faire connaissance. Et de mettre ce petit monde au pas nouveau de la maison. Un par un, il les invite à se présenter, à décliner leur curriculum vitæ... Chacun s'exécute. Le P-DG écoute d'un air tantôt distrait, tantôt recueilli. Dehors, la nuit commence à tomber.

« C'est très bien tout cela, tranche André Rousselet. Très bien.

Mais dites-moi, le rôle de cette direction du Développement est tout de même bien abstrait. C'est très théorique, non?

– Non, je ne le crois pas, monsieur le président, répond Léo Scheer. Il n'y a pas que du théorique, il y a aussi ceci, dit-il en désignant une pile de dossiers posée à côté de lui.

– De quoi s'agit-il? interroge André Rousselet, intrigué.

– C'est un projet complet pour la quatrième chaîne de télévision. Nous avons préparé un rapport. Vous allez pouvoir le lire. »

Un blanc. Les directeurs se regardent. Léo Scheer se lève et commence à distribuer le document encore chaud qu'on a fini de photocopier à peine deux heures plus tôt. Chaque dossier est numéroté. Le 001 est destiné au P-DG. 002, 003... André Rousselet hausse les sourcils et ironise : « La quatrième chaîne, c'est ce vieux projet par satellite? A moins que ce ne soit pour le câble, c'est cela? S'il faut que je déménage de mon bureau pour en faire un studio de télévision, dites-le moi tout de suite... » Interloqués, tous commencent à feuilleter ce rapport de quatre-vingts pages dont la couverture annonce fièrement : « *Quatrième chaîne. Projet* » et qui porte en bas à gauche les signatures « *Frédéric Chapus : TVCS* » et « *Jacques Driencourt : Havas* ». Etranger au groupe de Neuilly, Chapus n'assiste pas à cette réunion. C'est sa secrétaire, à Europe 1, qui a dactylographié la version définitive de ce rapport. La distribution achevée, Léo Scheer invite Jacques Driencourt à en exposer le contenu. Pendant un long quart d'heure, l'ancien coopérant va expliquer dans un scepticisme général le principe de cette télévision cryptée à laquelle ils croient si fort qu'ils l'ont baptisée « Canal 4 » et lui ont déjà trouvé un logo où la barre du 4 est érigée en signe « + ».

« *Pour le prix d'une soirée familiale au cinéma, Canal 4 offre à chaque foyer français la possibilité de voir trente spectacles par mois (films, théâtre, sport, musique...) sans aucune présence de messages publicitaires...* », annonce le descriptif. Le tarif d'un abonnement de base est estimé à 117 francs hors taxes et le marché potentiel à 12 % des foyers couverts par l'ancien réseau de diffusion de TF1. En gros, précise Jacques Driencourt, si cette chaîne était lancée en 1983, elle pourrait bénéficier « de plus d'un million et demi d'abonnés fin 1988 ». Le décodeur individuel permet d'avoir accès à ces programmes qui seront « *rediffusés plusieurs fois* » pour être vus par le plus grand nombre à différentes heures. Canal 4 aura en plus l'exclusivité de films sortis en salles « *un an seulement auparavant* », alors que les autres chaînes doivent attendre trois années pour les diffuser. Le rapport recommande que la future société prenne elle-même en charge sa structure et son organisation en « *prospectant* » les abonnés, en gérant les décodeurs, les comptes des abonnés et le système d'adressabilité.

Le rapport est complet. A un point qui, rétrospectivement, dépasse l'imagination. Grille de programmes évolutive par rapport à l'audience atteinte, acquisition de droits audiovisuels en fonction du nombre d'abonnés... Tout y est, juqu'à la perspective pour Canal 4, au bout de cinq années d'existence, de lancer une politique de production audiovisuelle originale financée par ses recettes!

Sourires navrés de la direction d'Havas lorsque Jacques Driencourt termine son exposé en les invitant à se reporter aux annexes du document, une douzaine de pages bourrées de chiffres qui récapitulent les hypothèses de coût et de rentabilité sur soixante mois – dont les royalties à verser à Telease. André Rousselet n'a pas dit un mot, se contentant de ponctuer l'exposé de « Hum! » ou de « Ah bon! » impénétrables.

Puis les directeurs attaquent en piqué. Marc Tessier s'insurge. Comment se fait-il que lui, le directeur financier, n'ait pas été prévenu de cette opération, qu'on ne lui ait pas laissé le temps d'étudier ce document qui lui inspire les plus grandes réserves?

« Je trouve cette situation intolérable, lâche-t-il en se tournant vers le P-DG. Si je comprends bien, ajoute-t-il en feuilletant rageusement le rapport, on voudrait pour commencer faire supporter à Havas plusieurs centaines de millions de francs de pertes. C'est de la folie pure! C'est ridicule! »

Bernard Brochand n'est pas davantage convaincu. Il croit peu à une télévision à péage et le dit. Non, ce qu'il faudrait à Havas, c'est investir enfin dans la vidéo. Il serait plus intelligent de produire des programmes vidéo bon marché, et de commercialiser des espaces publicitaires dans les cassettes. La France n'est pas prête pour le péage.

Toujours muet, André Rousselet continue à examiner les graphiques du rapport. Son doigt suit leur évolution de page en page puis, d'un seul coup, reste suspendu. Il relève la tête et demande :

« Si je comprends bien, ces schémas, pages 14 et 22, veulent dire que dès la troisième année d'exploitation une chaîne de ce type peut être bénéficiaire et gagner autant d'argent? »

Léo Scheer et Jacques Driencourt acquiescent, pas peu fiers de leur effet. Marc Tessier fait une grimace d'incrédulité. Ces zozos n'ont pas craint d'affirmer par écrit qu'en la cinquième année de leur utopie, sur la base d'un million et demi d'abonnés, Canal 4 pourrait faire entre 500 et 700 millions de francs de bénéfices! Avec un chiffre d'affaires dépassant les trois milliards. Et puis quoi encore!

Ce n'est pas l'avis d'André Rousselet. Se tournant vers le bouillant directeur financier, il lève la séance en lançant sur un ton courtois et amusé :

« Tenez, monsieur Tessier, je vous charge d'étudier ce projet d'un peu plus près. »

CHAPITRE XIII

Havas Plus

La réunion du 4 octobre 1982 constitue l'acte de naissance officieux de ce qui s'appellera bientôt Canal Plus. Elle marque aussi le début de la métamorphose, à l'âge de soixante ans, d'André Rousselet.

L'ancien directeur de cabinet de François Mitterrand est craint et respecté, mais jusque-là son parcours a été celui d'un patron de PME. L'homme de la G7 n'est pas envié pour sa réussite personnelle. Ses affaires sont modestes. Il n'appartient pas à l'élite industrielle que le chef de l'Etat aime à consulter sur les grands sujets économiques qui demeurent l'un de ses points faibles. Les taxis, l'art et les chaussures ne font pas le poids face aux multinationales du pétrole, du textile, de l'aviation ou des cosmétiques d'un Jean Riboud, d'un Jérôme Seydoux ou d'un François Dalle. Nommé à Havas, il se retrouve à la tête d'une constellation de sociétés et d'un chiffre d'affaires qui se mesure en milliards de francs. Il change ainsi de sphère, sans changer pour autant de dimension. Car, si Havas est un riche domaine que l'Etat lui confie, il ne lui faudra pas six mois pour comprendre qu'il n'en est que le métayer en chef. Le gigantisme d'Havas, la multiplicité de ses activités, la fragilité de sa matière première, la publicité, en font un lieu qui lui est à la fois accueillant et hostile.

Politiquement, la famille Havas est à des années-lumière du pouvoir. Parce qu'il n'a jamais eu l'âme d'un militant, André Rousselet s'en accommode. Il va tirer quelque joie des leviers que cette maison permet d'actionner aux quatre coins de la France, et jusqu'à Luxembourg à travers les intérêts que le groupe détient dans la CLT. Il va prendre connaissance de ses oubliettes au contenu pas toujours transparent. Il ne fait pas de doute, à ses yeux, que certaines unités décentralisées ont servi de source de financement politique. Mais cela ne suffit pas à émouvoir durablement même un ancien trésorier de campagne. Pas plus que l'univers peu affriolant des petites annonces, ou le tourisme. Eclaté, Havas n'en reste pas moins un monde clos, poussiéreux. Un guichet, qui encaisse mais ne crée pas.

Quand il entend le récit du projet « Canal 4 », André Rousselet retient qu'il est possible d'innover dans l'audiovisuel. Il y a quelque chose de futuriste et d'encourageant dans cette notion de péage. Il doute des perspectives financières évoquées par Scheer et Driencourt, mais cela vaut la peine d'être exploré. Un autre aspect stimule la machinerie intellectuelle du P-DG. Dans l'esprit du patron des taxis G7, le mot « péage » évoque un autre mot qu'il connaît : « compteurs »; qui dit compteur dit mesure, et qui dit mesure dit prévision des recettes. Le décodeur appartient un peu à la même espèce commerciale.

De plus, puisqu'elle ne vivrait pas de la redevance ou des recettes publicitaires, une télévision de ce type ne prendrait rien à personne. Elle ne léserait ni les chaînes publiques, ni la presse, ni la radio. Pas de conflits d'intérêts à redouter avec les titres en régie à Havas, avec la CLT pour RTL ou son projet de chaîne privée par satellite. Quoique floue, la sensation qu'il tient là quelque chose à la mesure de sa volonté d'entreprendre n'en est pas moins vive. La gestation sera longue, mais, à partir de cet automne 1982, André Rousselet se voit progressivement en patron d'une chaîne qu'il va bâtir et soutenir contre tous. Y compris contre lui-même, quand les doutes l'assailleront. Et bientôt au prix d'affrontements avec les plus hautes instances du pouvoir.

Les circonstances politiques, son réseau d'amitiés et son obstination ne seront pas ses moindres atouts. La situation qui se crée dans le secteur de la communication non plus.

« La Haute Autorité est la clé de voûte du nouvel édifice audiovisuel, le signe le plus visible de la rupture avec le passé... J'en appelle à ce qui vous sépare comme à ce qui vous unit. »

Costume gris clair, visage grave, la voix emplie de la solennité que requiert le geste symbolique qu'il accomplit, François Mitterrand veut sectionner, ce mardi 31 août 1982, le câble ombilical qui relie l'audiovisuel à l'Etat. Faute de lui avoir encore trouvé un point de chute dans Paris, la cérémonie d'installation de la HA a lieu au studio 103 d'une maison que Michèle Cotta connaît bien, Radio France. Pierre Mauroy, Georges Fillioud, Alain Poher sont au premier rang pour parrainer l'institution nouvelle, ainsi que la plupart des membres de la commission Moinot.

116

Prenant la parole après le Président, Michèle Cotta, en robe rouge, doit dissimuler son émotion et sa crainte de commettre faux pas ou lapsus. Difficile de s'exprimer après le chef de l'Etat. Elle s'en tire sans fausse note : « Indépendants, nous ne serons pas irresponsables », lui répond-elle et elle se félicite de voir « entériner une sorte de séparation par consentement mutuel, après des années de rapports agités », puis assure : « Notre autorité sera ferme, et juste. »

Trois semaines plus tard, le 17 septembre, en un lieu tenu secret (des bureaux prêtés par la Maison de la radio), la HA passe à l'acte. Pour la première fois dans l'histoire de la télévision française, les présidents de chaînes ne sont pas nommés en Conseil des ministres mais par une assemblée de « sages » dont c'est une des attributions. Pierre Desgraupes et Bertrand Labrusse sont confirmés à A2 et à la SFP. Jean-Noël Jeanneney succède à Michèle Cotta à Radio France, tandis qu'à TF1 Jacques Boutet doit céder son fauteuil de P-DG à un membre de la Cour des comptes, Michel May. A FR3, enfin, André Holleaux, qui confie n'avoir pas encore de téléviseur chez lui, remplace Guy Thomas.

Même si son humeur bougonne et ses « Y m'font chier ! » célèbres en irritent plus d'un, Desgraupes est sans conteste le meilleur des présidents nommés en juillet 81. Celui qui sait jouer, tout en s'en moquant, de son image de pionnier de la télévision, de journaliste intrépide, ou de rédacteur en chef irascible et bonhomme, s'est imposé dans la chaîne la plus turbulente. Seul authentique professionnel parmi les hommes envoyés sur le front de la télé, il est parvenu à calmer les ardeurs du 10 mai, à recadrer les programmes. En cet automne il s'apprête à confier la direction de la rédaction d'A2 à un homme de radio qui se définit comme un « enfant du rock », Pierre Lescure, patron des variétés de la chaîne. Avec Michel Thoulouze à la tête des magazines, il tient peut-être le bon ticket pour l'information dont Christine Ockrent et Philippe Labro ont renforcé la notoriété. Rugueux à souhait, irrégulier dans ses horaires, disparaissant deux jours de suite et restant au bureau jusqu'à minuit le surlendemain, une éternelle Winston au coin des lèvres, l'œil malin et la cravate débonnaire, le « père Desgraupes » est insupportable. Mais qu'on l'adore ou qu'on le haïsse, à Antenne 2, tout le monde est d'accord pour dire : « C'est quelqu'un ! »

A TF1, on est trop bien élevés pour dire que « Boutet, c'est personne ! », mais c'est tout comme. Le passage du conseiller d'Etat n'a laissé aucune trace digne d'être inscrite dans les annales de la télévision. Ses démêlés avec le directeur de la rédaction, Jean-Marie Cavada (qui a quitté la chaîne au printemps 1982, et qui a été remplacé par Jean-Pierre Guérin), l'affaire des « Trottoirs de Manille » (pressions et imbroglio autour d'un reportage sur la prostitution aux Philippines dont Georges Fillioud avait déploré la diffusion le 2 décembre 1981), les sondages indiquant que les téléspectateurs sont de moins en moins satisfaits des programmes de la Une, les éclats à scandale des premiers numéros de « Droit de réponse », l'émission de Michel Polac inaugurée en décembre 1981, ont eu raison de Jacques Boutet. Sa sortie de TF1 est programmée depuis le début de l'été. Il a même été question de le nommer à la Haute Autorité. Mais il a décliné l'offre, peut-être parce qu'il considérait qu'elle n'avait guère de sens si on ne lui proposait pas la présidence de l'organisme.

Jacques Boutet s'éclipse donc en septembre, léguant à la Haute Autorité une entreprise déchirée par les luttes syndicales et politiques. C'est Michel May qui en hérite. Son nom a été soufflé à Pierre Mauroy et Michèle Cotta par Jérôme Clément, qui croit voir en lui un « solide géomètre », le « profil idéal, équilibré, droit »... La suite, imprévisible, des mésaventures de la Une le vaccinera pour longtemps contre la tentation de suggérer des noms pour ce type de responsabilités.

La séparation entre audiovisuel et pouvoir est effective mais partielle. Nombre de postes « ultrasensibles » continuent à relever de la seule autorité de François Mitterrand qui décide en solitaire qui peut les occuper. Trois de ces fauteuils de P-DG, ceux de la Sofirad, de TDF et de l'INA, tiennent ou vont tenir une place de premier rang dans la construction audiovisuelle qui s'engage. Non par la nature de leurs activités mais par le caractère des hommes qui s'y succéderont.

Le plus observé des trois, depuis la victoire de la gauche, est celui de la Sofirad. Cette société, qui a pour charge de gérer les participations de l'Etat dans l'audiovisuel privé, est pratiquement inconnue du public. Mais c'est une source de pouvoir et de prestige, car sa zone d'influence s'étend d'Europe 1 à Radio Monte-Carlo en passant par Sud-Radio, et des antennes en Afrique... Depuis sa nomination à l'été 1981, Michel Caste s'y est trouvé aux prises avec deux dossiers encombrants.

L'un a été réglé. Il s'agissait de veiller au bon déroulement du départ de Jean-Luc Lagardère de la Rue François-Ier, après l'accord sur la nationalisation de Matra. Au terme d'inextricables négociations avec Pierre Mauroy, le président de Matra, d'Europe 1 et du groupe Hachette est parvenu à préserver d'une nationalisation la branche « culturelle » de son groupe. Seul le secteur de l'armement est concerné. Mais il a dû céder aux souhaits de l'Elysée, et renoncer à la présidence d'Europe 1. Le jeudi 10 décembre 1981, il a quitté Europe 1 de méchante humeur en jurant de ne « plus jamais » y revenir. Avec l'accord de l'Elysée et de la Sofirad, Jean-Luc Lagardère laisse place à un triumvirat. Le journaliste et écrivain Pierre Barret est nommé P-DG d'Europe 1 ; Jacques Abergel, le responsable de la régie publicitaire, est promu directeur général ; et Philippe Gildas prend la direction de l'antenne.

L'autre dossier colle aux semelles de la Sofirad et de Michel Caste comme un vieux chewing-gum. Son prédécesseur, Xavier Gouyou-Beauchamps, lui a légué un cauchemar : Téléfrance USA. Sans audience, cette petite chaîne destinée aux francophones câblés d'Amérique du Nord, et dont la Sofirad est actionnaire avec la Gaumont, n'en finit pas d'accumuler les pertes. Un peu plus de 30 millions de francs. Le directeur général de Téléfrance choisi par Xavier Gouyou-Beauchamps, Philippe Guilhaume, en est parti. Ajoutées à celles de Sud-Radio, ces pertes menacent de réduire à néant les bénéfices de la Sofirad en 1982. Michel Caste est partisan de mettre un terme à l'expérience. Mais Daniel Toscan du Plantier, directeur de Gaumont, souhaite la poursuivre. C'est une affaire qui s'enlise et coûte cher.

Michel Caste n'est pas l'homme de la situation, estime André Rousselet, à qui le fait d'avoir quitté l'Elysée pour Havas n'a pas ôté l'envie de suivre la marche des entreprises qu'il a appris à connaître. De son bureau à Neuilly, où il a fait installer le téléphone interministériel, il garde un œil jaloux sur l'ensemble des mouvements. Directeur de cabinet, il a siégé comme représentant de l'Etat dans leurs conseils d'administration. Il a découvert les hommes de la Sofirad, d'Havas, d'Europe 1 et, il n'y a rien à faire, Michel Caste l'insupporte. N'ayant pu s'opposer à sa nomination, le directeur de cabinet va reproduire l'un des schémas de gestion des hommes par le Président : jouer de deux fers au feu pour s'assurer un allié dans la place.

En décembre 1981, il a obtenu la désignation de Jacques Pomonti comme directeur général de la Sofirad. Depuis, il milite pour que Jacques Pomonti en prenne un jour la présidence. Mais deux précautions valent mieux qu'une et, à la veille de son départ de l'Elysée, il a téléphoné au jeune bras droit de Georges Fillioud, Bernard Miyet, dont il a pu apprécier les compétences lors de l'élaboration de la loi sur la communication. Bernard Miyet lui plaît tant qu'il suggère à François Mitterand sa nomination future à la présidence de la Sofirad... Jacques Pomonti et Bernard Miyet. Deux esprits vif-argent. Deux lignes au fond de la rivière. André Rousselet pêche gagnant.

C'est une question de temps.

« Ce n'est plus possible! Ça ne mène nulle part, il faut arrêter le massacre!

– Quel massacre? » demande Georges Fillioud, flegmatique, à son directeur de cabinet qui vient de pousser la porte de son bureau.

Habituellement modéré, Bernard Miyet est énervé. Il prend connaissance, en ce début du mois d'octobre 1982, des éléments du rapport de Michel Dahan sur la quatrième chaîne. Pour Miyet, c'est un fourre-tout des conceptions qui traînent sur les bureaux de la gauche depuis des années. La mission Dahan brosse le portrait d'une télévision culturo-éducative, une chaîne bancale, prenant appui sur le satellite, le péage, le sponsoring, reprenant dans un patchwork insolite les idées de Jean Frydman sur les programmes institutionnels cryptés, et celles de TDF sur le cinéma en soirée. La programmation, s'étonne Bernard Miyet, a l'air taillée pour un habit de clown, sur fond de cinémathèque, de documentaire, d'érotisme, de sport... Et il se demande s'il était nécessaire de commander une étude au CCA pour aboutir à une grille mosaïque prétendant cibler son audience sur les « décalés et les entreprenants dynamiques »!

Miyet en a par-dessus la tête; il le dit à son ministre : « Le mieux serait de remettre cette affaire entre les mains d'une société privée, de gens capables de nous faire un véritable plan d'entreprise. » Mi-fortuite, mi-propice, la concomitance est là. C'est au moment où Léo Scheer et Jacques Driencourt viennent de proposer Canal 4 à André Rousselet que Bernard Miyet suggère à Georges Fillioud de confier le dossier de la quatrième chaîne au groupe Havas. Le ministre n'est pas hostile à l'idée.

Quelques jours plus tard, Bernard Miyet téléphone au P-DG d'Havas pour lui proposer de « prendre en charge » l'ensemble de la réflexion sur la « faisabilité » de cette chaîne. Il ne se heurte à aucune réticence. Seule condition, qui va de soi, Havas a carte blanche mais dans la plus absolue discrétion.

Discrétion est un mot que le P-DG d'Havas comprendrait dans toutes les langues, y compris en vénusien. Plus qu'un mot, c'est son oxygène. D'ailleurs, depuis le 5 octobre, André Rousselet agit comme le titulaire en puissance du dossier. Du jour où il s'y intéresse, plus personne ne peut prétendre, hors les hommes qu'il choisira, intervenir dans ce projet. Le rapport que rendra Michel Dahan ira mordre la poussière des archives du ministère. Groupes de travail et ateliers d'études se disperseront dans la nature. Ministres, conseillers techniques et même Premier ministre ne seront plus que des partenaires d'occasion, au hasard des étapes. Le processus de création de la chaîne est entièrement concentré à Havas. André Rousselet n'a que deux interlocuteurs décisionnaires, François Mitterrand et Georges Fillioud. Autant dire un seul. Le Parti socialiste est toujours aussi opposé au principe « antidémocratique » du péage. Jack Lang multiplie les lettres « inquiètes » à l'adresse du président de la République au nom de la création et du cinéma français. François Mitterrand, avec qui le P-DG d'Havas s'entretient souvent, tranche en faveur du péage. André Rousselet peut commencer à négocier avec le ministère de la Communication les modalités de la mission qu'on lui assigne.

A compter de cette période, le projet prend le nom de code que lui ont donné Georges Fillioud et Bernard Miyet au ministère. Il le gardera. Les deux hommes ont eu l'initiative de le faire déposer. C'est un de leurs collaborateurs, le journaliste René Duval, qui s'est chargé de faire enregistrer ce patronyme de télévision en herbe : Canal Plus. Le 8 février 1983, Georges Fillioud adresse un courrier frappé du sceau « Strictement confidentiel » à André Rousselet. Un petit mot accompagne la lettre de mission à l'agence Havas concernant Canal Plus, qu'il a soumise à l'approbation du chef de l'Etat : « *Ce document est strictement conforme*, écrit le ministre, *aux accords auxquels nous sommes parvenus et aux arbitrages rendus. Il me paraît d'une haute importance que ce document soit tenu secret pendant quelques semaines afin de retarder les réactions qu'il pourrait susciter.* »

CHAPITRE XIV

Cherche *sleeping partner*

Avec sa pipe, sa voix de conteur et sa nature placide d'Auvergnat gourmet, Philippe Ramond tient du personnage de Simenon et de l'Oncle Paul des bandes dessinées. Il y a du Maigret chez cet inquisiteur courtois qui saurait faire avouer des aventures galantes à un listing d'abonnés au *Journal officiel*. Cofondateur du *Point*, ancien de *L'Expansion*, c'est un homme qui sait parler aux chiffres, courtiser les statistiques et partir en guerre au quart de tour pour les causes ou les patrons qu'il lui prend de défendre. Son sens de la relativité peut alors ne plus connaître de mesure. Du militantisme étudiant, aux côtés d'Etienne Mougeotte, au maniement des éprouvettes du marketing, Philippe Ramond est parvenu, au printemps 1983, à une frontière professionnelle qu'il aimerait dépasser. Y a-t-il une vie après *Le Point*? Il se dit que oui, et il cherche... C'est très exactement le vendredi 18 février que l'occasion de faire la belle se présente à lui.

Ce jour-là, « Demain la presse », une association professionnelle de directeurs de journaux, qu'il préside, reçoit André Rousselet. Le P-DG d'Havas leur présente l'ébauche d'une quatrième chaîne privée à laquelle son groupe et lui ne font « pour le moment » que « réfléchir ». Au cours du déjeuner, au Fouquet's, Philippe Ramond interprète comme autant de fusées éclairantes lancées au-dessus de son avenir personnel les mots « abonnés », « péage », « envoi de code », jaillissant de la bouche d'André Rousselet. Quand il le raccompagne sur le trottoir des Champs-Elysées, sa décision est prise. Il offre ses services et compétences à la future chaîne et à son promoteur. Le P-DG d'Havas ne s'engage pas mais affirme qu'ils en reparleront bientôt...

Pour André Rousselet, préoccupé par la tournure que prend le dossier Canal Plus, la candidature de Philippe Ramond tombe à point nommé, sans jeu de mots. A lui seul, le groupe Havas ne possède ni le savoir-faire ni les hommes que requiert l'entreprise. Il est démuni. C'est une chose de lancer des études, c'en est une autre de devenir opérationnel.

L'équipe initiale de la direction du Développement s'est disloquée. Du jour où le projet Canal a été pris en main par le directeur financier, Marc Tessier, plus rien n'a été pareil pour elle. Les querelles de voisinage et d'ambition ont commencé à poindre. Scheer, Driencourt, Lefébure et les autres n'ont pas compris que, s'ils ne faisaient pas corps, la mobilisation d'André Rousselet ne pourrait que les marginaliser. Non par mépris ou acharnement, mais par la mécanique de prise du pouvoir propre à cet homme qui concentre l'autorité au moins autant qu'il la délègue. Mais les bénéficiaires de cette délégation ne peuvent avoir été choisis et mis à l'épreuve que par lui-même. Les visiteurs de passage à Neuilly ont droit à un rituel dont Léo Scheer se passerait bien, mais c'est ainsi : chaque fois que le président d'Havas doit présenter ses collaborateurs, il précise : « Et voici monsieur Léo Scheer, qui n'a aucune estime pour moi » !

Marc Tessier reste longtemps sceptique sur Canal Plus, mais on ne discute ni ne commente les décisions du P-DG. Sa formation d'inspecteur des Finances l'a habitué à la réserve et au dévouement hiérarchique. C'est dans cet état d'esprit, plus constructif qu'il n'y paraît, qu'il va s'appliquer à préciser toutes les hypothèses. De la plus optimiste à la plus noire. Pendant des mois, les ordinateurs vont inlassablement cracher courbes, projections, esquisses de croissance qui vont nourrir un second rapport, plus détaillé. Bernard Brochand supervise la réalisation des études de marché. Marie Castaing commence à travailler sur le cadre de la concession dont jouira la chaîne. En même temps, de nouvelles têtes sont apparues dans les locaux provisoires de Canal Plus installés, toujours à Neuilly, de l'autre côté de l'avenue, en face d'Havas.

Sur les conseils de Jacques Attali, et en pensant calmer ainsi les angoisses culturelles du PS, André Rousselet a recruté l'écrivain et cinéaste Alain de Sédouy pour s'occuper des futurs programmes. Qui lui-même à fait venir le journaliste et animateur de radio Claude Villers. Pour la partie technique et juridique du dossier, une nouvelle équipe se constitue avec Gérard Eymery, détaché pour six mois de TDF, et Simone Harari. Marc Tessier réussit à débaucher un professionnel de la production cinématographique en la personne de René Bonnell, qui quitte la Gaumont pour ce projet incertain. Tous travaillent avec pour première consigne de ne pas dire un mot de ce qu'ils font à l'extérieur. Tous les mercredis matin, on se réunit à Havas pour présenter l'état des études au P-DG et aux directeurs.

A partir du printemps 1983, armés de questionnaires précis, Jacques Driencourt et Léo Scheer reprennent le chemin des USA et font la tournée des opérateurs de télévision, des producteurs, des fabricants de matériel. Alain de Sédouy, que la médiocrité de la télévision américaine déprime, s'y rend également avec Driencourt. Mais au fil du temps ce sont plus que des divergences qui apparaissent. La fracture est béante.

Les uns prônent une quatrième chaîne fidèle aux valeurs de la gauche, à fort contenu culturel. Les autres parlent marché, abonnement, indice de satisfaction et argent. «Je ne sais pas comment tout cela va se terminer, confie Alain de Sédouy à ses compagnons de voyage. Il est clair qu'André Rousselet ne soutient pas un projet culturel précis pour cette chaîne. On ne va tout de même pas faire que du cinéma!» Le coréalisateur, avec André Harris, de «Français si vous saviez», travaille à une télévision généraliste, plus ou moins sur le modèle des trois chaînes existantes. Alors que la direction du Développement et René Bonnell se projettent dans l'avenir en essayant d'inventer une antenne qui n'existe nulle part ailleurs. Le divorce est inévitable.

A ces affrontements de concepts s'ajoute une inconnue préoccupante : personne dans le groupe ne maîtrise l'échafaudage technique des deux particularités du projet : la commercialisation des abonnements et la filière technologique à retenir pour le décodeur. Personne, jusqu'à ce que, un mercredi matin où André Rousselet déplore pour la énième fois l'imprécision de ce que lui disent TDF et les industriels consultés, Antoine Lefébure désigne dans un coin de la salle de réunion un «ami» qui aurait des «choses à dire» sur ce chapitre.

Avec sa grande taille, son air nonchalant, sa veste à carreaux et ses cheveux en bataille, l'ami détonne sur la flanelle grise de l'uniforme Havas. Quand il prend la parole, c'est un autre choc. En quelques minutes, ce mince garçon qui n'a pas trente ans dissipe avec des mots presque simples le plus épais des brouillards techniques. Le P-DG ne le quitte pas des yeux et l'écoute jongler avec l'«embrouillage du son», de «l'image», les «systèmes d'accès», la «protection du signal». Cette grande perche transforme pour lui en musique de chambre le dodécaphonisme de Philips et les Percussions strasbourgeoises de Thomson lorsqu'ils parlent du même

124

sujet. Quand il l'interrompt, c'est pour lui poser une seule question :

« Pouvez-vous résoudre le problème des décodeurs pour avril 84?
– Oui. »

C'est la réponse d'un inconscient téméraire. Mais, sous la tignasse et la veste à carreaux de Sylvain Anichini, se cache un petit génie. Technicien et bricoleur hors pair, Anichini serait capable de fabriquer un émetteur radio à énergie solaire avec une boîte de conserve et du fil de fer. Depuis 1976 il est l'un des cerveaux des pirates de la bande FM qui ont gâché les nuits des brouilleurs de TDF. Lui, Lefébure et Brice Lalonde ont nargué Préfecture et Renseignements généraux avec les programmes de Radio Verte. Depuis, il a passé la vitesse de délinquance supérieure en installant de ses mains, dans son grenier, un équipement digne du professeur Nimbus pour capter, enregistrer et décoder si nécessaire les images télévision des satellites étrangers. Léo Scheer, conduit par Lefébure, a visité l'antre et n'en est pas revenu. Anichini, c'est une régie finale en solitaire, autosuffisante. Un phénomène, qui fait cependant exploser Marc Tessier au sortir de la réunion :

« Mais d'où vient ce type? demande-t-il à Antoine Lefébure. Non, mais t'as vu sa dégaine! Quelles compétences il a? Qu'est-ce qu'il a fait comme études? Tu te rends compte, Rousselet va lui faire confiance! Et si ton copain nous plante? »

Les angoisses de Marc Tessier resteront infondées. Le P-DG a tranché. L'intuition, et une indulgence paradoxale, chez cet homme issu de la préfectorale, pour des comportements non conformistes, l'ont convaincu qu'il a l'homme de la situation en Sylvain Anichini. C'est en se fiant à l'étincelle libertaire qui parfois brille en lui au contact de telles personnalités qu'André Rousselet, pourtant d'un conformisme souvent rigide, choisira les hommes de Canal Plus.

Le jeudi 17 mars 1983, André Rousselet propulse Canal Plus à la « Une » du *Monde*. « *Nous avons été mandatés par le gouvernement pour une mission de réflexion sur la quatrième chaîne...* » révèle-t-il. Le P-DG d'Havas fait état de ses principales interrogations sur la chaîne à venir. Elles concernent le futur cahier des charges [1], les rapports avec le cinéma, le financement des programmes, et la technique à utiliser pour le système codage-décodage. Aucune date de lancement n'est arrêtée, mais ce sera au

1. Ensemble des obligations de programmation ou d'investissements dans la production audiovisuelle, exigées d'une chaîne par l'Etat.

cours de l'année 1984. Ces confidences laissent un peu le lecteur sur sa faim, mais leur but n'est pas d'étaler sur la place publique l'état exact du dossier Canal Plus. En prenant la parole, en invoquant d'emblée la « mission » dont il est investi, André Rousselet assure sa prise sur la paroi du rocher Canal Plus. Il parachève un processus de contrôle du dossier en neutralisant, d'avance, les velléités que pourraient avoir d'autres hommes, ou groupes, d'en faire l'escalade sans lui.

Cette « mission de réflexion » est une litote derrière laquelle on peut déjà lire un autre objectif : recenser les partenaires potentiels de Canal Plus. Là, le P-DG anticipe et n'exclut pas la constitution d'un axe Havas-Hachette-CLT, en y ajoutant la Sofirad. La mention de cette dernière dans *Le Monde* ne relève que de la politesse. Son P-DG, Michel Caste, ne croit absolument pas à cette chaîne à péage et ne se prive pas de le dire. Ses rapports avec André Rousselet étaient déjà aigres; ils virent à l'acide.

D'ailleurs, si Michel Caste est encore en poste au printemps 1983, c'est seulement grâce à un ricochet d'une décision de la Haute Autorité. En septembre 1982, sa sortie de la Sofirad et son remplacement par Bernard Miyet étaient programmés. Michel Caste devait hériter d'un fauteuil au Conseil d'Etat. Mais patatras! C'est Guy Thomas, éjecté de FR3 par la HA, qui avait bénéficié du jeu de chaises musicales et intégré l'auguste assemblée. Privé de point de chute, Caste repartait pour un tour sur le manège de la Sofirad, au grand agacement du P-DG d'Havas. Si grand qu'il était revenu à la charge en décembre 1982. Jacques Pomonti, directeur général de la Sofirad, allait être nommé par François Mitterrand P-DG de l'INA. Le Président avait alors appelé Bernard Miyet, lui proposant de prendre cette direction vacante en cohabitation avec Michel Caste pour quelques mois, le temps de trouver à ce dernier une chaise libre. Bernard Miyet avait refusé cette situation bancale. François Mitterrand, habitué à voir les hommes se précipiter sur les fauteuils vacants, avait apprécié l'ambition sélective de cet énarque qui avait séduit Georges Fillioud et son ancien directeur de cabinet. Il s'en souviendrait.

Début 1983, Bernard Miyet est donc un homme promis à la présidence de la Sofirad, et à qui André Rousselet conseille la patience... En attendant, lassé du travail de cabinet, il quitte le ministère de la Communication et réintègre son corps d'origine. Mais il a laissé sur le bureau de Fillioud une note de synthèse sur l'équilibre de l'audiovisuel et ses priorités. La loi sur la communication étant adoptée, la Haute Autorité installée, quels sont désormais les chantiers possibles

126

et dans quel ordre les aborder? Bernard Miyet pose la création de la quatrième chaîne comme une urgence première. Si l'on veut que le système ne soit pas déséquilibré, que le satellite et le câble [2] trouvent leur place, il importe de ne lancer aucune chaîne supplémentaire au sol. Le conseiller de Georges Fillioud dessine un plan de développement à respecter. Si elle est lancée fin 1983 ou début 1984, Canal Plus aura trois ans pour atteindre son équilibre avant que n'apparaissent les chaînes de TDF1, qui sera opérationnel en 1986. Le satellite disposera à son tour d'environ sept ans (sa durée de vie estimée) pour atteindre son propre équilibre. D'ici là, en principe à l'horizon 1992-1993, la France sera presque entièrement câblée. Pour éviter une collision avec les projets de télévision commerciale francophone du Luxembourg, projets qui pourraient menacer avant ces dates l'épanouissement du système audiovisuel français, Bernard Miyet suggère que l'on ouvre au plus tôt des négociations sur le satellite avec le grand-duché. Mode d'emploi logique, assorti d'inquiétudes prémonitoires...

Faute d'allié à la présidence de la Sofirad, avec qui André Rousselet peut-il aborder la création de Canal Plus? Havas est certes une entreprise florissante qui, en 1982, aura réalisé 132 millions de francs de bénéfices; mais cela ne peut suffire à financer un projet de cette envergure. La CLT, dans l'absolu, semble être le partenaire naturel. Mais les choses ne sont pas aussi simples. André Rousselet, qui siège au conseil d'administration de la Compagnie luxembourgeoise, n'a eu que trop l'occasion de constater, depuis qu'il est P-DG d'Havas, l'ambiguïté des rapports audiovisuels entre la France et le grand-duché. «La CLT est une formidable machine à ne pas prendre de décisions, a coutume de pester Jean Riboud au sortir des conseils d'administration, elle est paralysée par le pacte Audiofina, tout le monde neutralise tout le monde, les Belges les Français, les Français les Luxembourgeois, et tous ne pensent qu'à empocher les dividendes!» La France joue les seconds rôles derrière Bruxelles-Lambert.

A plusieurs reprises déjà, Jean Riboud s'est efforcé de convaincre André Rousselet qu'une alliance entre Havas et Schlumberger per-

2. Le 3 novembre 1982, Louis Mexandeau, ministre des PTT, a présenté en Conseil des ministres un plan de câblage global du pays. Après débat, la technologie retenue est celle de distribution des images par fibre optique, au lieu du fil de cuivre classique. L'objectif est d'atteindre 1,4 million de foyers câblés pour fin 1985 et de couvrir tout le territoire d'ici à 1995. L'investissement total oscille entre 8 et 10 milliards de francs de travaux dont l'Etat doit rester maître d'œuvre mais auxquels pourront être associés des partenaires privés. Au-delà de la distribution de chaînes TV, le gouvernement prône, avec cette fibre optique, l'interactivité par les services futuristes : vidéo-surveillance, téléservices, visiophonie, jeux...

127

mettrait d'inverser le rapport de forces en faveur de Paris. Les deux hommes se connaissent, s'apprécient, mais ne sont pas intimes et se sentent rivaux dans le cœur de François Mitterrand, ami des deux. André Rousselet n'est pas convaincu qu'il faille renverser l'édifice Audiofina. Ne serait-il pas plus simple et plus économique de s'entendre sur la stratégie de la CLT avec le nouveau maître de Bruxelles-Lambert, Albert Frère? Lorsqu'il parle d'une « machine » à ne pas prendre de décisions, Jean Riboud se réfère surtout, en ce début 1983, à l'attitude de la CLT face à la télévision par satellite.

Disposant d'une priorité sur les fréquences luxembourgeoises, la Compagnie luxembourgeoise avait été invitée par le gouvernement du grand-duché, à l'automne 1982, à choisir de lancer ou non son projet LUXSAT. En l'absence d'une réponse claire, le gouvernement du Luxembourg, ne voulant pas se priver de l'usage des fréquences attribuées, se considérerait libre d'explorer par lui-même, sans la CLT, la possibilité de lancer un satellite de télévision. La mise en garde du chef du gouvernement, Pierre Werner, avait été accueillie dans le plus grand scepticisme par la CLT. On n'y avait pas prêté attention, ou on en avait souri. Soyons sérieux, se disait-on, comment le gouvernement du Luxembourg pourrait-il du jour au lendemain se passer de la CLT pour innover dans l'audiovisuel? La CLT n'avait pas donné suite, ménageant la chèvre LUXSAT et le chou TDF1.

André Rousselet et Jean Riboud ont immédiatement vu le risque d'un conflit à propos du satellite entre Luxembourg et Paris, mais n'en ont pas tiré les mêmes conclusions. Jean Riboud souhaitait que la CLT saisisse la chance qui lui était offerte et mise tout son savoir-faire sur la diffusion européenne de RTL-Télévision par LUXSAT. André Rousselet, lui, pour préserver l'équilibre d'une quatrième chaîne en France, estimait de son devoir de tout mettre en œuvre pour que la CLT renonce à LUXSAT, afin qu'aucune chaîne commerciale francophone n'arrose la France du ciel. Il fallait, en conséquence, tout en lui entrebâillant la porte de Canal Plus, convaincre la CLT de se joindre au projet TDF1, et négocier avec elle ce qu'elle pourrait diffuser sur le satellite français.

Telle est la mission confiée à Bernard Miyet par le gouvernement français début 1983 : obtenir que la CLT renonce à LUXSAT en échange d'une présence, dont les modalités seront à discuter, sur TDF1. Suite logique de la note de synthèse qu'il avait rédigée pour Fillioud. Bernard Miyet, qui a alors d'excellents rapports personnels et se sent en harmonie stratégique avec le P-DG d'Havas, au point d'assister fréquemment le mercredi matin aux réunions préparatoires de Canal Plus, devient un habitué des vols Paris-Luxembourg, où il se rend pour discuter avec le directeur général de la Compagnie luxembourgeoise, Gust Graas. La négociation ne faisant alors que commencer, il est impossible de présumer des résultats.

Parallèlement, il faut bien le dire, les actionnaires de CLT ne montrent aucun enthousiasme pour les vagues théories de chaîne cryptée qu'on développe chez Havas. Une chaîne à péage, c'est cher et compliqué à créer; pourquoi mettre en péril par cet investissement les dividendes substantiels que procure chaque année RTL? Aucun d'eux n'aurait l'outrecuidance de le dire, mais les actionnaires ne voient pas en André Rousselet un foudre de guerre audiovisuel. Comment suivre un homme qui a pour seul bagage industriel une compagnie de taxis et une brève expérience de directeur de cabinet? Rousselet ne fait pas le poids; on reconnaît son influence au sommet de l'Etat, mais on se gausse de ses ambitions télévisuelles.

L'un des mots qui, dans les dîners en ville, résument la circonspection avec laquelle est accueilli le projet Canal Plus revient au directeur de la Gaumont, Daniel Toscan du Plantier : « Si les chauffeurs de la G7 connaissent aussi bien les rues de Paris qu'André Rousselet les problèmes de communication, il y en a fort peu qui doivent savoir rentrer le soir au garage à Levallois! »

Ni Sofirad ni CLT, il ne reste que le groupe Hachette dans l'« axe » envisagé. Son président, Jean-Luc Lagardère, est un convalescent qui se remet de la double commotion de l'arrivée de la gauche au pouvoir et de la nationalisation partielle de Matra [3]. Pragmatique, il s'est fait une raison, les socialistes ne sont pas de passage au pouvoir mais s'installent pour un long moment, et les rodomontades de Jacques Chirac, qui multiplie les déclarations sur le thème « deux ans de socialisme ça suffira! », n'y changeront rien. Jean-Luc Lagardère est assez averti des mécanismes politiques pour comprendre qu'il vaut mieux composer que de se retrancher dans une opposition futile. Ses groupes, Matra et Hachette, ont tout à gagner d'un compromis avec l'Etat, tout à perdre dans l'affrontement. Le *modus vivendi* avec les régimes successifs, c'est le secret de la grande industrie depuis Louis-Philippe. L'assurance-vie de la prospérité.

Lagardère. Le patronyme est prestigieux et flamboyant, l'homme est mince et vif. Il compense une petite taille par un déploiement

---

3. Après l'accord entre Jean-Luc Lagardère et Pierre Mauroy en octobre 1981, le groupe industriel a échappé à la nationalisation totale. L'Etat a acquis 51 % de la société mère, sans être pour autant majoritaire au conseil d'administration. La branche Hachette n'a pas été concernée.

constant de dynamisme farouche, il hoche la tête, lance les bras en parlant, fait trois pas, serre les poings, s'assied, croise les jambes, bombe le torse, se catapulte plus qu'il ne se lève, tend le doigt, reprend une démonstration, vide un verre d'eau et recommence. Il ne s'arrête jamais. L'œil fixe l'interlocuteur et ordonne de le contredire. C'est sa manière de se montrer magnanime, ouvert à des conseils qu'il ne suivra pas. En 1983, le héros Jean-Luc Lagardère a sa légende derrière lui. Celle du brillant ingénieur, tennisman, coureur automobile, homme d'affaires dont l'éclectisme industriel va désormais, avec Matra et Hachette, des missiles aux poèmes pour enfants, de l'électronique à la philosophie, du radiotéléphone à la distribution de journaux.

Les vingt glorieuses de Jean-Luc Lagardère ont duré de 1960 à 1981. Parcours faste et sans faute pour ce dauphin de l'industriel Sylvain Floirat, tôt intronisé à la tête d'Europe 1, promis à la télévision par satellite par Giscard, considéré comme l'un des meilleurs managers de son époque. C'est un homme à l'esprit simple, au sommet d'un empire compliqué. Son univers, ses références, ses comparaisons dans les affaires, professionnelles ou privées, relèvent ou bien du sport, ou bien de la stratégie militaire. Le monde est un ensemble mal défini de règles, de buts, de cibles, d'avions à faire décoller, de navires à manœuvrer, d'adversaires à neutraliser. Son entourage a pris le pli et en rajoute. Depuis des années, avec ses costumes clairs, gris ou bleus, ses chemises à rayures et col blanc qui étaient en vogue à Wall Street en 1974, Jean-Luc Lagardère donne l'image d'un patronat rajeuni qui tranche sur les clichés d'un CNPF ventripotent, le cigare aux lèvres. Il sort peu, se couche tôt, ne manquerait pour rien au monde une finale de tennis ou sa semaine de ski à Courchevel avec son fils entre les fêtes de fin d'année.

Quand André Rousselet l'appelle pour lui proposer de parler de Canal Plus, Jean-Luc Lagardère est à un tournant. Après une période de réflexion et de restructuration dans le groupe Hachette, il a repris avec plus d'énergie qu'avant le discours de la présence « vitale », obligatoire dans tous les médias. Demain, Hachette doit devenir l'un des premiers groupes européens de communication. Il procédera par étapes, mais c'est la condition de la survie. Il a bien observé la situation aux USA. L'avenir c'est le « multimédia », et son maître mot est « synergie ». Jean-Luc Lagardère s'exprime peu ; c'est Yves Sabouret, son bras droit, qui martèle, depuis la fin 1982, chaque fois qu'il le peut, le credo de « Jean-Luc ». « L'audiovisuel n'est pas une mode pour Hachette, aime-t-il à répéter, mais une nécessité absolue. »

L'appétit d'Hachette est sans limites. La France n'est que le premier maillon de ses ambitions. Aussi, quand un ancien directeur de cabinet de François Mitterrand se manifeste, même si Jean-Luc Lagardère n'a pas de considération excessive pour l'homme, qu'il connaît mal, on écoute ce qu'il a à dire. Tout en déplorant, au fond de soi-même, de devoir perdre du temps avec des gens qui n'ont aucune, mais alors aucune expérience de l'audiovisuel.

La rencontre Havas-Hachette a lieu le mardi 14 juin 1983, à 17 heures, peu après la victoire de Yannick Noah à Roland-Garros. Jean-Luc Lagardère, accompagné de Daniel Filipacchi et Yves Sabouret, arrive au huitième étage d'Havas encore vibrant d'enthousiasme pour cette finale. Ce Noah, « quelle puissance! quelle tactique! » Oui, vraiment, « très beau match », approuve André Rousselet.

« Ah, vous y étiez aussi, enchaîne le P-DG de Matra. Je ne vous y ai pas vu...

— Si, pourtant, j'étais à la tribune officielle...

— C'est donc ça. Moi aussi, avant, j'étais invité à la tribune officielle. »

Avant. Tout le Lagardère du début des années 80 est là, coincé entre la nostalgie de l'âge d'or et sa fringale de bâtisseur. Jean-Luc Lagardère parle de l'avenir avec l'énergie conquérante de ceux qui craignent d'en être exclus. Energie communicative, habituellement, mais à Havas le courant ne passe pas. Pendant deux heures, André Rousselet, Marc Tessier, Alain de Sédouy s'efforcent de valoriser leur projet de chaîne à péage devant lequel le président d'Hachette reste sceptique. C'est une bonne idée, oui, pourquoi pas, mais de celles qu'il faut « savoir gérer au quart de centime près », dit-il à plusieurs reprises, approuvé par Yves Sabouret.

« Qui s'occuperait de la gestion? demande Jean-Luc Lagardère. Car il va de soi, ajoute-t-il en regardant le jeune Marc Tessier, qu'une affaire comme celle-ci ne peut être confiée à des financiers en herbe...

— Nous avons pensé à Philippe Ramond, répond André Rousselet. Il est prêt à nous rejoindre. »

Il ne manquait plus que ça! se disent les responsables d'Hachette. Depuis 1980, Philippe Ramond sent le soufre chez Hachette, à un point qu'André Rousselet ne soupçonne pas. Ce malotru avait eu l'impudence, lorsque Jean-Luc Lagardère avait racheté Hachette, de rechigner, en tant que cofondateur du *Point*, à voir l'hebdomadaire passer sous la coupe de Matra. Il avait favorisé la prise de contrôle du magazine par un autre financier, le patron de la Gaumont, Nicolas Seydoux. Retrouver Ramond dans Canal Plus, voilà qui n'est guère séduisant. Jean-Luc Lagardère s'abstient de commenter ce choix, qui n'est pas encore définitif pour André Rousselet, mais

131

Daniel Filipacchi ne peut s'empêcher de lâcher : « Après tout, tant qu'on n'est pas obligé de le voir à l'antenne... »

La rencontre s'achève par un dîner et sans résultat concret. Il y en aura d'autres, mais pour rien. En définitive, l'affaire que propose André Rousselet à Jean-Luc Lagardère ne conviendra pas à Hachette. Aiguillonné par Daniel Filipacchi, persuadé dès le premier jour que Canal Plus peut être un excellent investissement, le patron de Matra hésite. Entre Daniel Filipacchi et le P-DG d'Havas, l'entente est bonne. Leur goût commun pour la peinture les rapproche, tandis qu'André Rousselet et Jean-Luc Lagardère n'ont à peu près rien à partager pour communiquer. Le patron de Matra a demandé à l'un de ses amis en disgrâce politique, Xavier Gouyou-Beauchamps, de réaliser une étude sur la télévision payante. L'ancien P-DG de la Sofirad, qui depuis 1981 partage son temps entre une retraite dans sa région du Quercy et l'action humanitaire en faveur des boat people avec Bernard Kouchner, a donc pris à son tour le chemin des USA pour étudier le péage. Son rapport sera plutôt favorable.

Mais la pierre d'achoppement dans la discussion Havas-Hachette sera d'un autre ordre. A la différence de Daniel Filipacchi, qui sait accepter d'être le numéro deux dans une bonne affaire, Jean-Luc Lagardère ne conçoit pas d'entrer dans Canal Plus pour n'y être qu'un partenaire d'appoint. Il le dit. Son souhait, sa condition, c'est d'obtenir 25 ou 30 % du capital de la société à constituer. Car, s'il admet l'impossibilité d'obtenir la parité avec Havas, il veut au moins être le deuxième actionnaire de Canal Plus derrière André Rousselet. Il n'en est pas question pour Havas qui lui propose 10 ou 15 %, pas plus. La chose n'est pas encore publique mais André Rousselet le sait – il en a parlé avec Georges Fillioud : l'Etat insistera pour qu'Havas détienne au minimum 40 % du capital de la future chaîne. Symptôme de l'attachement indéfectible du pouvoir à la propriété des télévisions. La création d'une quatrième chaîne ne doit pas constituer une ouverture au privé. Il est exclu de laisser Hachette prendre 30 ou 35 %, et courir ensuite le risque de voir Lagardère faire basculer, d'un coup d'épaule, la majorité dans le capital de Canal Plus en 1986, après des législatives qui s'annoncent déjà difficiles pour la gauche.

Le calcul politique prend ici une place considérable. Les socialistes viennent de subir une cuisante défaite aux élections municipales du printemps 83. Le virage de la rigueur est en épingle à cheveux. La popularité de François Mitterrand en fait les frais dans les sondages. A peine deux ans après la victoire du 10 mai, le Président doit anticiper des jours moins faciles. L'audiovisuel, progressivement, va devenir un enjeu déterminant pour le pouvoir, un instrument de gestion de divers malaises politiques. La teneur des négociations avec Hachette n'en est que le signe avant-coureur. Nul ne sait ce qu'il adviendra du projet de chaîne cryptée, mais le gouvernement veille à ce qu'il n'ait aucune chance de se retrouver en des mains adverses. Primaire, le raisonnement n'est pas moins pertinent. Si la gauche perd la majorité à l'Assemblée en 1986, les trois chaînes du secteur public seront à nouveau gérées par la droite. Canal Plus, avant même sa naissance, peut seul se poser en réseau garant d'une certaine bienveillance à l'égard de la gauche et du Président.

Exit donc Hachette, la Sofirad et la CLT. Il ne reste plus au P-DG d'Havas qu'à faire le tour des industriels et des groupes de presse pour leur proposer une part dans une chaîne qui n'existe pas. Mais avant de se mettre en chasse, il doit immédiatement trouver un professionnel pour organiser l'équipe. Marc Tessier ne peut se charger de tout, et André Rousselet a besoin de lui pour continuer à mettre de l'ordre dans les activités publicitaires d'Havas. Avec Philippe Ramond, qu'il se décide alors à recruter comme chef de projet pour Canal Plus, apparaît une autre constante de la psychologie du P-DG d'Havas : le volume de sympathie, d'inimitié ou de haine qu'il voue à ceux que ses interlocuteurs côtoient.

« J'ai besoin de savoir, lui dit un matin de juillet 1983 Philippe Ramond, si votre décision est ferme car j'ai une proposition de Robert Hersant à laquelle je dois donner une réponse avant ce soir...

– ... C'est une offre ferme. Je vous engage. »

En prononçant le nom de Robert Hersant, Philippe Ramond a joué sur du velours et touché sa fibre rancunière. Comment André Rousselet laisserait-il passer à l'ennemi (c'est le seul groupe auquel il ne fera aucune avance) un professionnel dont tant de ses proches lui disent le plus grand bien? Ce n'était pas l'unique offre faite à Philippe Ramond qui, depuis un moment, était aussi en relation avec Claude Perdriel et Jean Daniel pour un poste au *Nouvel Observateur*... Le soir même de cette confirmation d'embauche il se rend, à 17 heures 30, au rendez-vous prévu avec le patron du *Figaro* et de la Socpresse, à qui il explique son choix pour Canal Plus, déclinant le titre de directeur du *Figaro* qu'on lui proposait et que prendra, en septembre, Philippe Villin.

« Vous avez raison de choisir la télévision, lui dit Robert Hersant. Si j'avais votre âge, je ferais la même chose. Que ceci ne nous empêche pas de rester en contact. Voyons-nous tous les deux mois pour bavarder... Un jour, vous verrez, vous travaillerez chez moi. »

Robert Hersant et Philippe Ramond « bavarderont ». Régulièrement. Avec la périodicité fixée par le premier.

CHAPITRE XV

African King

« Cela ne se fait pas. Vous auriez dû me consulter. Je ne le connais pas personnellement, mais c'est un catholique de gauche. Croyez-moi, vous n'aurez que des déboires... »

François Mitterrand, qui gamin voulait être roi ou pape, savait de quoi il parlait, en avril 1982, en reprochant à Michèle Cotta, alors P-DG de Radio France, son choix pour la direction générale de RFI. Non, franchement, cet Hervé Bourges ne lui inspirait rien de bon. Ce jour-là, Michèle Cotta avait pris ce qu'il fallait bien appeler un savon présidentiel. Elle n'avait pu que s'excuser platement. En désignant elle-même Hervé Bourges à un poste aussi sensible, sans prévenir l'Elysée ou le Quai d'Orsay, elle avait failli aux règles élémentaires de la diplomatie médiatique. Le Président avait pris son téléphone pour le lui signifier.

C'est le souvenir de ce reproche un peu sec et définitif qui amuse, un an plus tard, la même Michèle Cotta tandis qu'elle attend, dans son bureau, que la liaison soit établie avec la Mauritanie où elle essaie de joindre, depuis une heure, le même Hervé Bourges. Mais, en la fin de cette première semaine de juillet 1983, bien des choses ont évolué. Elle ne préside plus Radio France mais la Haute Autorité. Son bureau n'est plus quai Kennedy, mais dans un hôtel particulier cossu de l'avenue Raymond-Poincaré. François Mitterrand non seulement ne raille plus l'éducation et les croyances d'Hervé Bourges, mais il ne voyage plus au Maghreb ou en Afrique sans se faire accompagner du « roi » Bourges. Il y a de quoi rire, vraiment. Et rire plus encore si François Mitterrand savait dans quelles conditions il était venu à l'esprit de Michèle Cotta de choisir Hervé Bourges pour RFI.

En 1982, c'est à un coup de tête de la présidente de Radio France qu'Hervé Bourges avait dû sa nomination. Excédée de se voir conseiller Untel ou Untel avec insistance par des hommes politiques qui l'appelaient comme s'il allait de soi qu'elle suivrait leurs consignes, Michèle Cotta avait retourné comme un gant la dernière de ces « propositions ». Un peu à la manière d'un scénario de comédie américaine où les personnages échangent leurs rôles. Lionel Jospin, un de plus, venait de lui dire :

« Pour RFI, j'ai une idée, il faudrait que tu prennes un type très bien, il s'appelle Claude Wauthier... Est-ce que tu connais son livre, *Les 50 Afriques*? Je crois qu'il serait parfait... »

Michèle Cotta n'avait dit ni oui ni non. Elle avait simplement pris le livre sur une étagère de son bureau, constaté avec amusement qu'il avait été écrit par deux journalistes, et décidé aussitôt de rencontrer puis de proposer la direction de RFI à l'autre auteur, un homme peu connu qui avait l'air d'avoir pas mal bourlingué dans le tiers-monde, Hervé Bourges.

RFI étant la voix de la France dans le monde, l'Elysée et le Quai d'Orsay avaient déploré la légèreté de cette initiative individuelle, contraire à l'usage selon lequel le candidat devait être agréé par les services spéciaux. Michèle Cotta s'en moquait. Elle était tombée sous le charme du personnage. Hervé Bourges, c'est quatre-vingts kilos d'idées, d'anecdotes, d'humour, de souvenirs de voyages et de vanité ; le tout fumant le cigare. C'est un bloc, un massif d'ambitions montagneuses. Un croisement de Falstaff, de Tartarin et de Barbe-Noire. Quelqu'un que l'on verrait volontiers assis à l'ombre d'un baobab, racontant les ruses du désert, la pêche sur les côtes sénégalaises, les dynasties de la cinquième République ou les tribus du journalisme français. Corpulent sans être gros, rond sans paraître gras, le front bombé dégarni, la barbe plus poivre que sel, les lèvres épaisses toujours sur le point de dessiner une moue d'étonnement vrai ou de colère feinte, Hervé Bourges est en représentation de sincérité permanente. Avec ses yeux qui s'adaptent à toutes les situations, il aurait pu être comédien. On le verrait aussi bien en ministre négociant d'Etat à Etat, en révolutionnaire mexicain qu'en père missionnaire au fin fond de la brousse. Il lui suffirait de passer l'habit.

Mais Bourges, c'est d'abord un journaliste et un pédagogue itinérant de la presse. Sorti de l'Ecole supérieure de journalisme de Lille, il entre à *Témoignage chrétien* en 1956. Favorable à l'indépendance en pleine guerre d'Algérie, fiché, il garde assez le goût du spectacle, de la provocation tranquille et de la fidélité à ses convictions pour, deux ans plus tard, alors qu'il est soldat en Algérie, monter et jouer l'*Antigone* de Sophocle. Son passage par le cabinet d'Edmond Michelet [1], garde des Sceaux qu'il assiste pour les questions algériennes, puis ses quatre ans en Algérie auprès de Ben Bella, dont il est l'un des conseillers, lui vaudront à droite le surnom de « Mohamed Bourges ». En 1970, il part pour le Cameroun, en liaison avec l'Institut français de presse, pour créer et diriger, à Yaoundé, la première école internationale de journalisme. De retour en France en 1976, il dirige l'Ecole de journalisme de Lille, puis travaille à l'Unesco avant d'être appelé à RFI.

Michèle Cotta n'a pas résisté. François Mitterrand non plus. Au Président qui lui demandait peu après : « Alors, cet Hervé Bourges que vous avez engagé sans prendre mon avis, comment est-il? Il paraît qu'il est d'une fatuité extraordinaire! », elle avait répondu : « Vous devriez le rencontrer, c'est un homme étonnant. » Puis elle avait entrepris de lui mimer Bourges, ses répliques, sa façon de se comporter en monarque dès qu'il est entouré de plus de trois personnes, son intelligence, ses jeux de rôles et sa rouerie compétente. Michèle Cotta, elle aussi conteuse et comédienne, avait brossé les saynètes à succès du directeur de RFI. Bourges et le petit personnel. Bourges au spectacle. Bourges et sa gourmandise de micros, de caméras, sa boulimie médiatique. François Mitterrand avait ri aux éclats en l'écoutant.

« Franchement, si vous allez en Afrique, vous devriez l'emmener une fois avec vous... » avait conclu Michèle Cotta. Le Président avait retenu l'idée. Puis cédé à son tour au personnage qu'il avait invité à le suivre au Togo, en Côte-d'Ivoire, au Gabon...

Quand la communication est enfin établie avec la Mauritanie et qu'elle joint Hervé Bourges, la présidente de la Haute Autorité n'a qu'une question à lui poser : accepterait-il d'être candidat à la présidence de TF1 ? Même si, comme il le confie à Michèle Cotta, Hervé Bourges aurait préféré A2, la question posée laisse autant de place à l'incertitude que si l'on avait demandé au Premier consul Bonaparte : « Voulez-vous être empereur? »

Si la question se pose, c'est que la maison TF1 est au bord de l'explosion. En effet, tandis que la gestation de Canal Plus se poursuit à Havas comme dans un univers parallèle, l'audiovisuel public connaît un séisme de grande ampleur; ses structures craquent, ses équipes se fendent. La secousse, c'est Pierre Desgraupes qui l'a provoquée, assisté avec zèle par les incompétences cumulées de Jacques Boutet et Michel May sur TF1. Depuis le printemps 1983, et pour la première fois, la deuxième chaîne dépasse en audience la première.

1. Dont le directeur de cabinet n'est autre qu'André Holleaux, futur P-DG de FR3.

La cadette surpasse l'aînée. Il faut se rappeler ce que pouvaient être les mentalités dans un audiovisuel limité à deux grandes chaînes et à la jeune FR3 pour comprendre l'impact de ce renversement œdipien.

En deux ans, sous l'effet des numéros de charme des programmes mis en place par Pierre Wiehn et Pierre Desgraupes, et grâce à la qualité des journaux d'A2 dirigés par Pierre Lescure, TF1 a pris un coup de vieux dont elle ne se remet pas. A2 grignote le capital de confiance que la Une a accumulé depuis les années 50. Cette inversion de tendances n'électrise pas les foules. Le téléspectateur se soucie modérément, ou pas du tout, de cette hiérarchie des chaînes. La compétition entre les deux grandes sœurs n'a aucune incidence sur le public. Les journaux relèvent le fait, saluent la performance du « père Desgraupes ». C'est tout. Mais en profondeur, cette information cristallise les prémices d'un phénomène qui ne prendra toute son importance que dans deux ou trois ans : la course à l'audience et la valorisation publicitaire de cette audience.

Dans le système clos et monopolistique de 1983, la rivalité entre TF1 et A2 n'a aucun effet sur les recettes. Les deux chaînes vivent principalement de leur part de redevance et d'un appoint, confortable mais restreint, en recettes publicitaires. Il en est ainsi depuis des années. C'est à un organisme particulier, le CESP (Centre d'études des supports de publicité), que revient la charge, trois fois par an, de mesurer aussi bien l'audience des journaux de la presse écrite et des radios que celle des trois chaînes de télévision. C'est une mesure qui donne des ordres de grandeur et des rapports de forces plus que des détails sur l'audience et la composition du public.

Trois fois par an, quand les « vagues » d'enquêtes du CESP viennent balayer de leurs résultats les entreprises de communication, les rédactions tremblent, les directions se rongent les ongles, les propriétaires de journaux connaissent des nuits blanches. De ces résultats dépendent en effet les tarifs qu'ils pourront pratiquer sur les espaces publicitaires de leurs titres. Il est toujours plus facile, si l'audience du titre a augmenté, de vendre plus cher à un annonceur la page d'un magazine. En revanche, si l'audience a diminué, il peut être nécessaire de revoir le tarif à la baisse, donc de perdre du chiffre d'affaires. Il n'en est pas de même dans la télévision de 1983 où le coussin de la redevance est épais et où, à l'inverse des autres médias, la demande des annonceurs est considérablement supérieure à ce que les chaînes sont en droit de récolter. Quelle que soit leur audience, les trois chaînes [2] ne courent aucun risque d'être boudées par les annonceurs. C'est le paradis.

2. La publicité vient d'être introduite en janvier sur FR3.

Si elle n'altère pas les finances de TF1, la nouvelle du triomphe d'A2 nuit à son image et plonge ses équipes dans la dépression. Son P-DG, Michel May, vit sur la défensive. Critiqué par les syndicats, peu aimé des journalistes qui savent ce qu'il pense d'eux (« Ce sont des cons, des emmerdeurs... » lui arrive-t-il de lâcher, exaspéré; mais il est en état d'exaspération permanente à TF1), ignoré des animateurs et des producteurs, Michel May a perdu en quelques mois la confiance de la Haute Autorité. Le 4 juillet, il a brusquement limogé le directeur de l'information, Jean-Pierre Guérin, et l'a remplacé par Jean Lanzi. Le « géomètre » recommandé par Matignon s'est avéré un piètre P-DG. De mois en mois, la HA a dû tancer cet homme qui n'était pas fait pour la télévision, qui ne l'aimait pas, et n'en regardait pas les programmes. Provoquée, sa démission soulage Michèle Cotta. Mais il faut lui trouver un successeur, et le bon. Spontanément, Michèle Cotta a pensé à Jean-Noël Jeanneney qu'elle propose de faire remplacer à Radio France par Hervé Bourges. Mais cela aurait déstabilisé deux maisons au lieu d'une. Et pourquoi ne pas essayer Bourges sur TF1?

Le jour de la confirmation de la démission de Michel May, d'autres noms avaient été avancés dans l'enceinte de la Haute Autorité : Jean-Claude Héberlé, Jacques Pomonti... Et elle avait reçu un appel de François Mitterrand. Le Président avait appris qu'elle songeait à Hervé Bourges; cette fois-ci, cela ne lui semblait pas être une « mauvaise idée ». Michèle Cotta avait compris. Inutile de chercher des conflits quand tout le monde est d'accord. Hervé Bourges avait bien préparé le terrain. Mieux qu'elle ne l'imaginait.

Depuis le début 1983, François Mitterrand ne se contente plus d'emmener Bourges à bord de l'avion présidentiel, il lui arrive de l'inviter à venir bavarder avec lui à l'Elysée, et ils parlent beaucoup de l'audiovisuel. « Je ne peux rien vous dire encore, lui a glissé le Président au mois de juin, mystérieux. Mais il faudrait que vous vous intéressiez à la télévision... »

A peine rentré à son bureau, le directeur de RFI s'était attelé, avec le concours de son plus proche collaborateur, à la rédaction d'une note d'une quinzaine de pages. Etat des lieux et perspectives pour la télévision, mission du service public, envoyés sitôt rédigés à François Mitterrand. Ce collaborateur est un jeune homme du Nord dont il a conservé une trace d'accent. Grand et mince, les yeux verts, c'est Pascal Josèphe. Etudiant à Lille, fils du président du conseil de la région Nord, connaissant les arcanes de la vie politique et familier des leaders de la gauche socialiste, il a été l'élève d'Hervé Bourges en journalisme. En 1976, à son retour de Yaoundé après six années africaines, il l'a aidé à renouer avec le monde politique. Sorti de l'Ecole supérieure de journalisme, Pascal Josèphe a travaillé avec Pierre Mauroy et Michel Delebarre à la mairie de Lille.

L'amitié d'enseignant à étudiant est devenue une amitié tout court entre deux hommes de caractère pourtant très différents. Pascal Josèphe est alors aussi réservé, presque timide, qu'Hervé Bourges peut être expansif et envahissant. Cinq ans plus tard, quand l'envie lui prend de changer de vie et de s'installer à Paris, c'est vers Bourges, devenu directeur de RFI, qu'il se tourne. Depuis février 1983, il est son directeur de cabinet et son confident.

Le Président veut Bourges. Michèle Cotta est d'accord. Après quelques auditions rapides des pressentis, la HA passe au vote dans la journée, symbolique, du 14 juillet 1983, à l'heure de la traditionnelle garden-party de l'Elysée. D'emblée, la présidente de la HA se rend compte que « ça drame », comme elle aime à dire, avec la minorité sénatoriale du collège. Les trois membres nommés par Alain Poher tiquent sévèrement sur le nom de Bourges. Gabriel de Broglie et Jean Autin, énervés par les fuites et rumeurs qui courent les pelouses de l'Elysée et leur reviennent par téléphone alors qu'ils n'ont pas encore voté, s'emportent contre lui. Son passé d'indépendantiste et de haut fonctionnaire algérien est à leurs yeux rédhibitoire. Ils n'en démordront pas. En fin de compte Hervé Bourges est élu par sept voix contre deux. Michèle Cotta, qui voulait à tout prix éviter un six voix contre trois qui aurait signé le clivage politique de l'instance, est parvenue à faire basculer le troisième homme du Sénat, Bernard Gandrey-Réty. Mais le clivage est quand même là. Cinq jours plus tard, le 19 juillet, Gabriel de Broglie, ulcéré, rendra public son désaccord en faisant une « déclaration d'opinion dissidente ». Il s'élève contre la manière dont la HA, à ses yeux, s'est pliée au choix d'un homme fait d'avance par le pouvoir.

L'élection du P-DG de TF1 ne devait en principe être officielle que le lundi suivant. Mais les fuites s'étant multipliées, dès le vendredi 15 juillet le nouveau patron de la Une est obligé de quitter sa propriété dans les Flandres, où Michèle Cotta lui avait conseillé de se retirer en attendant l'annonce. Joint par Pascal Josèphe, qui sait qu'il faut laisser sonner longtemps le téléphone, le temps qu'il traverse le jardin, Hervé Bourges regagne Paris en fin d'après-midi. Les grandes heures de gloire ont aussi leurs petits détails. Hervé Bourges doit envoyer son chauffeur en reconnaissance pour découvrir où se trouve le 17, rue de l'Arrivée, près de la gare Montparnasse. Ni lui ni Pascal Josèphe ne savent en effet où se trouve le siège de TF1 et le bureau de son P-DG. De la Une, ils ne connaissent pas davantage les studios et la rédaction, installés, eux, rue Cognacq-Jay.

La semaine suivante, Hervé Bourges et Pascal Josèphe plongent dans une entreprise à la dérive. Ils découvrent le bureau de Michel May, dont le mobilier porte les stigmates des coups de pied qu'il y donnait dans les moments de colère. Pendant des mois, ils vont s'efforcer de surnager. Difficile de maîtriser information et programmes, de se colleter avec les animosités entre équipes accumulées au fil des gouvernements et des marées administratives. Même le langage, le jargon de la télévision, leur est étranger. Quand ils ne comprennent pas, ils font comme si. L'apprentissage s'annonce difficile. Mais le Président leur a donné carte blanche. Quelques jours après sa nomination, Hervé Bourges rend visite à François Mitterrand et en revient avec une seule mission – réussir! – et une garantie de tranquillité :

« Si j'ai quelque chose à vous demander, lui dit le Président, un reproche quelconque à vous faire... je le ferai moi-même. Sachez que personne n'est autorisé à s'exprimer en mon nom. »

De ce jour, la relation de TF1 et de son P-DG au pouvoir est fondée sur ce rapport direct au seul chef de l'Etat. Conseillers techniques et directeurs de cabinets ministériels n'ont pas leur mot à dire.

Le lien direct, le rapport d'homme à homme, le tête-à-tête, voilà le code d'accès au principe de décision chez François Mitterrand. Dans l'audiovisuel plus qu'ailleurs. En amont, ce sont des dizaines de notes exigées de nombreux collaborateurs, ou de professionnels qui ne sauront pas qu'ils sont parfois trois ou quatre à disserter, en deux feuillets, sur le même sujet. Jamais de grandes réunions de cabinet. Jamais de débats. Ni de conciliabules interminables avec des experts. François Mitterrand décide seul, mais se conduit en architecte de la consultation. Chacun travaille dans son alvéole. A lui la vue d'ensemble. A lui de choisir, de réussir, ou de commettre d'irréparables dégâts dont ses consultants seront responsables. Il élit, appelle, convoque, écoute un à un une poignée d'hommes ou de femmes choisis. Il construit entre eux d'invisibles passerelles, les réunit dans une superstructure dont il reste seul concepteur. Seul à même d'en modifier la taille, la résistance, la compétence.

Rousselet, Colliard, Pomonti, Bianco, Bourges, Miyet, Cotta, Fillioud, Attali, Debray... sont, pour l'image mentale que le Président se bâtit de la télévision, les piliers d'une arche qui s'ignore. François Mitterrand est le contraire d'un exhibitionniste de la décision. C'est un artisan qui travaille ses métaux au creuset. Il veille en alchimiste à la température, à la teneur des composants, et sait garder le secret d'un acte, d'un choix. Si besoin est, il joue de leurres et de rivalités orchestrées. Il préfère avoir auprès de lui des exécutants plutôt que des gens qui conçoivent. Les personnalités un peu fortes et trop douées d'initiative (entendez sans son acquiescement) deviennent vite des grumeaux dans la fluidité générale qu'il organise. Il considère qu'il n'a pas de collaborateurs, ne connaît que le rapport vertical. Tout remonte à lui. Tout est distribué par lui. Il n'y a jamais unicité d'instruction, mais, constamment, un système de double commande, l'organisation d'un chevauchement horizontal des responsabilités. Les titulaires d'un dossier vivent sous le régime de la segmentation.

Pour le Président, c'est le pouvoir dans le raffinement. Avec le risque d'être incompris. Cette multiplication industrieuse des sources, cet isolement décisionnaire et le silence qui suit un choix font de François Mitterrand un homme imprévisible, incompréhensible parfois pour les plus habitués à le servir. Les exégèses fameuses du « Vu » présidentiel l'attestent. Reçoit-il une note sur une question précise qui propose trois solutions et demande : « Que faut-il décider ? », elle revient parfois paraphée d'un « Vu » solitaire, majestueux, impossible à interpréter. Si par malheur l'expéditeur n'a pas compris ce qu'il convient de faire et qu'il retransmet au Président la même note, elle revient avec l'humiliante mention : « Je vous ai déjà répondu. » Ce que conseillers et ministres au langage le plus châtié se résignent à traduire par un laconique « Démerdez-vous ! »

Ce qui est vrai pour la politique étrangère et l'économie l'est plus encore pour le domaine réservé qu'est l'audiovisuel. La télévision n'appartient pas à l'univers et aux références de François Mitterrand. Il l'instrumentalise mais ne l'aime pas, ou si peu. Il n'est pas loin de partager l'avis d'un Jack Lang pour qui « la télévision vide le regard, cultive la solitude, tue le cinéma et le théâtre tout en entretenant la contemplation hébétée et placide ». François Mitterrand est un homme de l'écrit, du papier. Pas du vidéotexte ni de l'image de synthèse. Il aime l'odeur des livres, des reliures. Les écrans, comme l'argent, n'ont pas d'odeur. Les mots de la télévision n'ont pas de profondeur. Ses reflets, ses brillances n'ont pas de saveur. Ce n'est pas la vie. A peine le film d'une image de la vie qu'il récuse. Mais il prête à l'objet tant de pouvoirs occultes, de dons dans la persuasion des foules, de capacités de renversement de scrutin...

Pour cet homme de soixante-sept ans, la télévision reste un mystère. Elle le fascine et l'ennuie. Il déplore sa banalité mais est attentif au rendez-vous de vingt heures. Il déteste son clinquant, ses déhanchements publicitaires, mais il a appris à vivre avec elle, à lui plaire, et elle le lui rend peu à peu. Son entourage, Jacques Attali en tête, le pousse à s'y intéresser, à innover ou à réviser ses jugements en écoutant les professionnels qui lui parlent de ce média. Il la courtise donc sans l'avouer. Mais il ne lui accordera jamais toute sa confiance. Elle est trop volage, transparente et opaque.

Ces duos, ces face-à-face avec le Président, un autre personnage en devient l'habitué, en cette année 1983. Un homme au regard bleu intense, au visage ovale, au front interminable, aux joues étirées au-dessus d'un long cou et qui réfléchit, parle, s'emporte, s'enthousiasme en marchant à grandes enjambées qu'il soit dans la rue ou dans un bureau. Tel est Jacques Pomonti. Ambitieux. Haut. Effilé. Comme sa pensée. Austère et souriante. Chaleureuse et tranchante. Mi-sociologue, mi-économiste, sa généalogie mitterrandienne remonte au club Jean-Moulin dont il a été le secrétaire général dans les années 60. En 1971, au moment où nombre d'intellectuels de gauche hésitaient entre le PSU de Michel Rocard et le PS de François Mitterrand, Jacques Pomonti avait pesé en faveur du second. Ami de Georges Dayan, en bons termes avec d'autres proches de François Mitterrand, dont Hernu, Rousselet, Mermaz, il est passé par les groupes de réflexion du PS sur l'audiovisuel et la communication. En 1981, il a participé aux premières études sur la future loi audiovisuelle, assisté la commission Moinot sur les liens entre cinéma et télévision. Il n'a jamais cessé de rédiger notes et rapports sur le câble, la vidéo, les satellites. Nommé à la direction de la Sofirad à la fin 1981, grâce à André Rousselet, pour «marquer» Michel Caste, il a été appelé un an plus tard, en décembre 82, par Georges Fillioud. Un samedi matin :

« Est-ce que la présidence de l'INA t'intéresserait? lui a demandé le ministre de la Communication.

– Oui.

– Alors tiens-toi prêt, le Président veut te voir. »

Cela avait été le début d'une longue série d'entretiens avec François Mitterrand. Jacques Pomonti, qui s'était cru promis à la présidence de la Sofirad [3], change de cheval sans regret. L'Institut national de l'audiovisuel lui convient à merveille. On lui demande d'y développer la formation des professionnels aux nouvelles technologies, informatique, vidéo, images de synthèse... Au cours de leurs entretiens, le Président, peu familier de ces secteurs, s'instruit autant qu'il s'informe. Pomonti est intarissable et pédagogue. Il se plaît si

3. Place, on l'a vu, finalement réservée, le même mois de décembre 1982, à Bernard Miyet.

bien à l'INA qu'au début de ce mois de juillet, il a refusé de concourir sérieusement pour la présidence de TF1 laissée vacante par Michel May. Lorsque Michèle Cotta l'a appelé au Gabon, où il prenait quelques jours de repos en compagnie de son fils, pour lui apprendre qu'une majorité de membres pourrait se rallier à son nom (y compris certains des membres nommés par le Sénat, prêts à tout pour éviter Hervé Bourges ou Jean-Claude Héberlé), Jacques Pomonti s'est montré réticent.

« Ton nom est sur toutes les lèvres, a insisté Michèle Cotta.

– Peut-être, mais j'ai du boulot à l'INA. Je ne peux pas laisser tomber les gens et ce que j'ai entrepris, six mois après mon arrivée. »

Auditionné pour la forme le 13 juillet 1983 par la Haute Autorité, Jacques Pomonti assiste à l'élection d'Hervé Bourges avec amusement. Il se fait un seul reproche après être rentré plus tôt que prévu à Paris : il n'a pas tenu la promesse faite à son fils de neuf ans de partir quelques jours en brousse.

Pour l'instant, comme il le dit lui-même, Jacques Pomonti a du « boulot ». Non content de réorganiser avec l'INA l'archivage du « Trésor » audiovisuel français, il a entrepris la commercialisation de ces documents. Le marché est encore faible, mais il mise sur une demande accrue d'images du passé, de fictions déjà diffusées, de montages d'archives. Il tente aussi de mettre sur pied un centre de formation audiovisuel moderne pour les journalistes. Partant du constat qu'il n'existe pas d'école appropriée, que les journalistes de la presse écrite ne savent souvent pas passer de la plume au micro ou à la caméra, son objectif est de constituer un lieu ouvert aux plus grands professionnels. A la fois école et laboratoire, où pourraient être réalisés de vrais journaux TV, en temps réel, comme dans une chaîne... Sa première idée, au printemps, a été de faire appel au directeur de l'information de TF1 pour s'en occuper. Jean-Pierre Guérin a décliné, mais a conseillé à Jacques Pomonti de se tourner vers quelqu'un de « très bien », au caractère « peut-être difficile » mais « capable de soulever des montagnes ». Un grand reporter qui ne rayonne pas de bonheur à A2, et qui sans doute serait intéressé par ce projet. Il se nomme Patrick Clément.

Tout vient à point à qui sait attendre. En août 1983, changements de manèges dans le parc d'attraction. Michel Caste, par un jeu qui ne doit rien au hasard ni au calcul des probabilités, quitte enfin la présidence de la Sofirad pour celle du Loto et de la Loterie nationale. Cette fois, plus rien ne s'oppose à la nomination de Bernard Miyet au poste de P-DG. Rien, sauf lui-même.

« Tu seras nommé au prochain Conseil des ministres, le Président est d'accord, le prévient Georges Fillioud. Il n'y a qu'une chose, il faudrait que tu prennes avec toi Gérard Unger à la direction générale...

— Non. Je ne veux pas d'un politique sur le dos », rétorque Bernard Miyet à propos de cet énarque très proche du ministre du Budget, Laurent Fabius.

Le soir même il adresse une lettre au président de la République pour lui expliquer qu'il a son propre directeur général en tête pour la Sofirad, un polytechnicien compétent, Jean-Claude Dumoulin (un autre compatriote de Romans). Si on l'oblige à prendre quelqu'un d'autre, il préfère rester au Quai d'Orsay... Le lendemain, c'est André Rousselet, P-DG d'Havas, qui l'appelle et lui dit qu'il a tort de faire tant d'histoires. Mais Bernard Miyet ne veut rien entendre. Il aura gain de cause. Il est nommé P-DG de la Sofirad le mercredi 4 août, et prend Dumoulin avec lui.

A compter de ce jour, Georges Fillioud perd son précieux négociateur à Luxembourg. Depuis le début de l'année, Bernard Miyet était en effet parvenu à nouer les fils d'une entente entre la France et le grand-duché sur la question des satellites de télévision. Devenant, avec la Sofirad, P-DG de la société qui contrôle Europe 1, il ne peut évidemment plus tenter d'infléchir la stratégie de la CLT qui, elle, contrôle RTL. Dommage, l'enjeu le stimulait et la partie était bien engagée.

En avril, Claude Cheysson, ministre des Relations extérieures, avait pu annoncer qu'un accord était en vue. En échange d'un ou deux canaux sur le satellite TDF1, la CLT serait prête, pour éviter une compétition fratricide, à renoncer définitivement à son projet LUXSAT. De son côté, la France accepterait de voir la CLT diffuser sur l'un de ces canaux une chaîne commerciale francophone vivant de la publicité. Sur le second canal, la CLT envisageait un programme en langue allemande. Rien n'est décidé. Les négociations en sont là; et Georges Fillioud va devoir les poursuivre en personne.

Si ses nouvelles fonctions à la Sofirad lui interdisent de continuer à parler du satellite avec les Luxembourgeois, Bernard Miyet garde toutefois un œil et une oreille attentive sur l'évolution du projet Canal Plus.

CHAPITRE XVI

Débarquements

Philippe Ramond est formel :
« Telle qu'elle se présente, cette chaîne est invendable par abonnements.
– Quel est le problème ? s'inquiète André Rousselet.
– Les programmes. Les préoccupations culturelles de Sédouy sont incompatibles avec l'équilibre financier. On ne peut pas vendre au public des programmes éducatifs entrecoupés de *La Famille Duraton* pour faire peuple...
– Je sais. Je m'en occupe. »
Philippe Ramond prêche un converti au début de ce mois de novembre 1983. Le P-DG d'Havas, en phase avec les multiples études commandées par Scheer, Lefébure et Brochand, voit Canal Plus à travers le prisme du cinéma et du modèle américain de chaîne cryptée, et ne se sent aucune affinité avec la télévision généraliste sur laquelle Alain de Sédouy persiste à travailler. Canal Plus doit être, répète-t-il, la voiture balai de luxe des salles de cinéma, une chaîne donnant la possibilité aux gens de voir des films dont ils ont encore en mémoire la sortie en salle. Thématique, aux produits forts, elle doit drainer la clientèle de ceux qui, partout en France, ne peuvent fréquenter les grandes salles d'exclusivité parisiennes. C'est pourquoi le P-DG d'Havas est déjà en quête d'un homme neuf pour remplacer Sédouy et diriger les programmes de Canal Plus.
Il a deux noms en tête, Christian Dutoit et Pierre Lescure. Ce sont deux responsables d'A2 qu'il ne connaît pas. Le premier est un ancien journaliste que Pierre Desgraupes a chargé de la coordination des programmes et de la production. Le second est le directeur de la rédaction de la chaîne la plus regardée du pays, et c'est sur lui que s'arrête, dès leur première rencontre, le choix d'André Rousselet.

Lescure est celui dont le nom est revenu le plus souvent sur les lèvres de ceux à qui le P-DG d'Havas a demandé des suggestions. Il était sur les listes de tous. Sur celle de Marc Tessier qui, s'étant mis en chasse d'experts aventureux pour constituer l'ossature de Canal Plus, était allé voir, peut-être inspiré par la teneur des études sur le satellite empilées dans les tiroirs d'Havas, du côté d'Europe 1. Là, Philippe Gildas lui avait conseillé deux hommes : Philippe Ramond et Pierre Lescure. Sur celle du directeur de la communication d'Havas, Georges Leroy, ancien directeur de la rédaction d'Europe 1. Sur celle enfin de Bernard Brochand, qui parle souvent de lui à André Rousselet et l'incite à le rencontrer... Avant de convenir d'un rendez-vous avec Lescure, le P-DG d'Havas envoie Philippe Ramond en reconnaissance.

« C'est la pointure qu'il nous faut... » lui dit ce dernier le lundi 14 novembre 1983, au retour d'une discrète rencontre avec Lescure dans un bistrot de la rue des Poissonniers à Neuilly.

Le futur patron de chaîne Lescure est né au monde des médias sur ce que son complice Philippe Gildas appelle l'« axe Choisy-Saint-Maur ». La connivence remonte à 1965. A cette époque, Lescure et Gildas, journalistes, faisaient la nuit sur RTL. Des horaires d'insomniaques : de deux heures à huit heures du matin.

Pierre Lescure, la vingtaine, un grand nez, pas de permis, une superbe voix parisienne à faire du récit « off » dans un film de Truffaut, sortait du Centre de formation des journalistes et habitait Choisy, en banlieue. Gildas, qui était de Saint-Maur, lui évitait la corvée du train de nuit en faisant un crochet pour le prendre avec sa voiture. Au cours de ces allers-retours, ce n'étaient que conversations enfiévrées, rêves radiophoniques, utopies audiovisuelles... Chacun expliquait sa radio. Celle de Lescure, qui allait convaincre Gildas, passait par la suppression des barrières entre l'information et les programmes. La tête plongée dans les étoiles du journalisme d'après-guerre, les oreilles tapissées par les pionniers du rock et les jingles de Radio Caroline, la station pirate britannique, il ne comprenait déjà pas – ou trop bien – pourquoi il n'existait pas de stations musicales indépendantes.

De RTL à RMC, d'Europe 1 à la télévision, Pierre Lescure est un éclectique accroché à ses rêves d'adolescents. Un fonceur méfiant et prudent. Un mordu de nouveauté qui fait une grande place à la nostalgie, aux souvenirs, aux collections de postes de radio, de disques, d'objets estampillés années 50 et 60. Il a une constance et une pugnacité qui séduisent. Un côté sombre, aussi, comme ses yeux, mais que tempère un sourire large et moqueur qui éclaire le visage. C'est un homme d'équipe, de copains. Les siens se nomment Thoulouze, Gildas, Mathieu, de Greef. Sensuel et rugueux, la parenté de Lescure avec un Desgraupes était trop forte pour ne pas être scellée dans un rapprochement. En 1981, alors qu'il se trouvait menacé de placard sur RMC, le nouveau P-DG d'A2 lui avait offert de codiriger l'unité de programmes des variétés. Puis de prendre en charge la rédaction.

Fin 1983, il commence à s'ennuyer de son succès et se sent disponible pour d'autres aventures. Il lui arrive de se dire, lorsqu'il bavarde avec Bernard Brochand dont il partage la passion du football, que la publicité est un secteur qui manque à son expérience, et qu'on doit s'y amuser...

Mais c'est pour lui parler télévision que le président d'Havas demande à le voir. Le lundi 21 novembre en fin de matinée, Pierre Lescure pénètre donc dans le grand bureau noir et blanc d'André Rousselet. Autant le journaliste peut être disert et chaleureux lorsqu'il connaît les gens, autant il est fermé et se cantonne à un discours au strict format « sujet-verbe-complément » avec les autres. Ce jour-là, c'est la version minimaliste.

« Etes-vous intéressé? lui demande André Rousselet après lui avoir confié qu'il cherche quelqu'un pour la direction des programmes de Canal Plus.

– Ça m'intéresse... »

Pierre Lescure en dit à peine plus. Il n'a pas l'intention de raconter sa vie. Il se contente d'indiquer qu'il a touché à l'information, aux variétés, à la radio et à la télévision. Le patron d'Havas n'est pas davantage loquace. Les deux hommes s'observent et se jaugent. André Rousselet a déjà pris sa décision. C'est effectivement « la pointure ». Lescure, lui, se dit qu'il est temps de passer à un autre niveau d'activité. Il a épuisé les joies de la présentation, du micro et de la caméra. Après tout, aime-t-il à souligner, « je n'ai pas une gueule de cover-boy », il est temps de passer de l'autre côté de l'écran.

« Restons en contact, dit André Rousselet en le raccompagnant. Je dois parler avec Pierre Desgraupes aujourd'hui... Mais je voudrais quand même vous poser une question avant. Cette chaîne, comment la voyez-vous, que pensez-vous en faire?

– Je n'en sais rien, répond Pierre Lescure, toujours aussi prolixe.

– Comment ça?

– Non, je n'en sais rien. On verra, je n'ai rien à tirer de mon chapeau. Il faut commencer à y travailler.

– Bien. »

En quittant Havas au volant de sa R18 de fonction, Pierre Lescure appelle le bureau de Desgraupes. Il veut informer au plus vite le « patron ». Ce sera fait dans l'après-midi.

« Alors tu t'en vas ? l'interroge Pierre Desgraupes, quand il le retrouve dans son petit bureau d'A2. J'ai eu Rousselet. Sa chaîne est une bonne idée... Tu nous a rendu un grand service sur l'info ici, maintenant ça roule. On va te trouver un remplaçant... »

Amoureux de sa propre liberté, Pierre Desgraupes ne songe pas à s'opposer au départ de Lescure. Il croit en Canal Plus et ne doute pas qu'André Rousselet ira au bout de son projet. Le PS est contre, mais le pouvoir a besoin de se refaire une santé dans les images. Lescure n'a pas beaucoup le temps d'en discuter. Il doit boucler son sac. Il veut être à New York le lendemain pour l'anniversaire d'une amie, Catherine Deneuve.

L'analyse de Pierre Desgraupes sur le devenir de Canal Plus est frappée au coin de la pertinence. Le poids de la rigueur et des mesures d'austérité décidées en mars est si fort que la quatrième chaîne est pratiquement la seule oasis politique du pouvoir. Georges Fillioud parle désormais de Canal Plus comme d'un « cadeau » qui sera « offert pour Noël 1984 aux amoureux de l'image ». Dans un an à peine...

La mission exploratoire confiée en février au groupe Havas s'est traduite, en août 1983, par un rapport d'André Rousselet qui exposait au gouvernement la « faisabilité » de la chaîne. Fin octobre, le Premier ministre a donc officiellement donné son accord pour le lancement. Le feu vert accordé par Pierre Mauroy à la phase opérationnelle de Canal Plus ne fait, une nouvelle fois, qu'entériner un état de fait. Depuis le printemps 1983 Havas et les pouvoirs publics mènent des discussions techniques très serrées sur le contrat de concession, la diffusion des films, l'actionnariat, les décodeurs, etc.

Le contrat de concession de la chaîne, signé le 6 décembre 1983 par Georges Fillioud, André Rousselet, Jacques Delors et Henri Emmanuelli, provoquera par la suite un déferlement de commentaires et d'animosités. Dans ses vingt-cinq articles, le texte établi par le SJTI accorde à Canal Plus l'exploitation des fréquences du quatrième réseau pour une durée, renouvelable, de douze ans. Vivant des abonnements que les téléspectateurs souscriront, la chaîne n'est pas autorisée à diffuser des spots publicitaires classiques, mais elle détient l'exclusivité d'une nouvelle source de recettes, le sponsoring. Le contrat de concession stipule que Canal Plus sera prioritaire si l'Etat décidait d'autoriser la création d'une autre chaîne à péage. Plus fort, un système de compensation financière par l'Etat est prévu

148

dans le cas où l'exploitation de Canal Plus serait contrariée. Toute modification ultérieure dans la configuration audiovisuelle ouvrira droit à indemnisation de Canal Plus, ou à une renégociation de ses obligations. Bientôt cette dernière clause s'avérera plus judicieuse encore que ne l'avaient imaginé ses auteurs... Enfin, Canal Plus, chaîne vouée au cinéma, jouit par ce contrat du statut de média le « plus favorisé » pour la diffusion de films [1].

Contrairement aux clichés admis, la force de conviction et le pouvoir personnel d'André Rousselet n'ont pas toujours été indispensables pour obtenir ces clauses qui seront un jour jugées exorbitantes. C'est le pouvoir lui-même qui ne s'est pas montré très regardant ni prévoyant. Ceux qui ont négocié pour l'Etat ont certes le sentiment d'avoir concédé nombre d'avantages inédits à la future chaîne. Mais – et ce point ne sera pratiquement jamais évoqué dans les polémiques à venir – ils ont fait ces concessions avec une certitude en tête : il n'y aura pas d'autres créations de chaînes en France avant très, très longtemps.

Les largesses juridiques octroyées à Canal Plus le sont sur la foi des affirmations répétées de TDF selon qui il n'existe *aucun* autre réseau complet de fréquences. Sur la confiance dans les grands équilibres et la hiérarchie des priorités audiovisuelles définis par le gouvernement : une quatrième chaîne immédiate, suivie dans quatre ou cinq ans d'un satellite de télévision directe, lui-même accompagné sur les dix années à venir du plan de câblage. Dans l'esprit des rédacteurs du contrat de concession, comme dans celui des gouvernants, les « avantages » consentis ne le sont que pour contribuer à la réussite de la seule et unique chaîne qu'on peut espérer créer pendant le septennat de François Mitterrand.

Assistance légitime à une entreprise périlleuse, ces bontés ne sont alors censées léser personne. N'est-ce pas le ministre Georges Fillioud en personne qui, début mars 1984, alors qu'apparaît pour la première fois sur l'ancien réseau de TF1 la mire de Canal Plus, décrétera que « ... le gouvernement n'a pas l'intention d'accorder au cours des prochaines années des autorisations d'émettre par voie hertzienne »?

Un instant, en arrivant à Canal Plus, Philippe Ramond s'est dit qu'il venait de commettre l'erreur professionnelle de sa vie. L'embryon d'équipe qu'il a trouvé autour d'Alain de Sédouy lui a fait l'impression d'une collection de bras cassés. Un instant seulement. La

---

1. Nombre de films diffusables par an, heures et jours de programmation autorisés, délai entre la sortie en salle et sa diffusion TV... Sur tous ces points Canal Plus est assuré d'un traitement de faveur par rapport aux autres chaînes.

découverte de Bonnell, Anichini, Catherine Lamour, l'arrivée ensuite de Pierre Lescure, qui fera venir auprès de lui Alain de Greef et Albert Mathieu, sont pour l'ancien directeur du *Point* des signes plus encourageants. Même si les caractères de Pierre Lescure et d'André Rousselet ne vont pas toujours faire bon ménage avec le sien.

De mois en mois, Ramond peaufine listings et courriers d'incitation, teste des plaquettes d'abonnements, évalue le parc potentiel d'abonnés et leurs attentes. De son côté, Pierre Lescure confectionne des projets de grille de programmes, discute achat de films avec René Bonnell, fait son marché dans les sociétés de production, recherche animateurs et journalistes. C'est André Rousselet qui mène, personnellement, les discussions avec les industriels du cinéma réunis dans le BLIC (Bureau de liaison de l'industrie cinématographique). Négociations en labyrinthe, étirées sur plus d'un an, abandonnées, renouées... C'est un vrai combat, le premier de cette sorte pour le P-DG d'Havas qui, en janvier 1984, est également nommé président de Canal Plus.

La chaîne a besoin de films frais. Le BLIC, pour sa part, craint que leur programmation, même cryptée, et leur enregistrement sur magnétoscope dans les foyers ne tuent l'exploitation en salle. 350 ou 250 films par an? Agés de douze ou dix-huit mois? Rediffusés combien de fois, à quelles heures? Sur ces questions, Gilbert Grégoire, responsable du BLIC, et André Rousselet s'affrontent une fois par semaine. Glaçant, se protégeant derrière un humour dont les circonvolutions ne sont pas toujours suivies par ses interlocuteurs, André Rousselet est fréquemment au bord de la perte de sang-froid devant les exigences des « gens du cinéma ».

L'apprentissage est douloureux, mais fructueux. Lui qui déteste céder quoi que ce soit en arrive à suggérer de curieuses initiatives. Un moment, au plus fort de la mésentente avec le BLIC, il pense avoir trouvé la solution pour sortir du cul-de-sac : demander aux constructeurs de prévoir dans les décodeurs un système qui empêcherait l'enregistrement des films par les magnétoscopes! Ses collaborateurs auront bien du mal à le faire renoncer à cette idée qui priverait la chaîne d'une des principales motivations d'abonnement... En bout de course, peu avant le lancement, d'abord prévu en mai 1984, puis annoncé pour novembre, Canal Plus et le BLIC parviennent à un accord [2].

2. Diffusion de 320 films par an, rediffusables chacun six fois. La chaîne peut les programmer, un an après leur sortie, 24 heures sur 24 à l'exception des dimanche et lundi après-midi, du mercredi après-midi – jour des sorties en salles – jusqu'à 21 heures, du samedi de 13 heures à 23 heures. Canal Plus obtient qu'aucun film ne soit diffusé sur une autre chaîne moins de six mois après son passage sur la chaîne cryptée.

Même dédale de conversations sur le décodeur avec Thomson et Philips. Les suggestions américaines faites par Frédéric Chapus et basées sur le système de Robert Bloch n'ont pas été retenues. On leur a préféré une filière européenne. C'est finalement le modèle « Discret », soutenu par TDF et fabriqué par La Radiotechnique, une filiale du groupe Philips, qui est adopté.

Quant à l'actionnariat, c'est en mars 1984 qu'est constituée la société d'exploitation de la quatrième chaîne. Il faut croire que les « avantages » de Canal Plus ne sont pas si gros tant les groupes démarchés par André Rousselet se montrent peu enclins à y entrer. Approchés après Hachette et la CLT, Les Editions Mondiales, Dassault, Schlumberger... déclinent. Le verrouillage que s'assure le pouvoir en exigeant, dans le contrat de concession, que le groupe Havas détienne au moins 35 % de la société n'encourage personne à jouer les partenaires dormants...

Au printemps 1984, les seuls investisseurs à jouer la carte Canal avec Havas, qui souscrit 45 % du capital initial fixé à 150 millions de francs, sont un pool de banques conduit par la Société générale (20 %), la Compagnie générale des eaux (15 %), le promoteur immobilier Merlin, et deux compagnies d'assurances, AGP et GMF, avec chacune 5 %. Un tour de table très institutionnel, pour ne pas dire étatique. Havas et les banques s'y taillent la part du lion. La présence de la Générale des eaux, qui ne fait pas partie des adversaires de la gauche, s'explique par les liens privilégiés qu'entretient son président, Guy Dejouany, avec André Rousselet. La CGE s'intéresse beaucoup à l'audiovisuel, en particulier au câble; mais le fait qu'André Rousselet ait soutenu Guy Dejouany quand sa société avait fait l'objet d'une tentative d'OPA de la part de Saint-Gobain, au début du septennat, n'est pas étranger à cette participation dans Canal Plus. Pas plus que les relations qui peuvent s'être établies par le passé entre une richissime entreprise vivant des marchés municipaux et un ancien trésorier de campagnes électorales.

L'entrée de Guy Merlin dans le capital de Canal Plus est, elle, plus pittoresque. Important annonceur par ses activités de promoteur, l'homme est à l'image de sa réussite, direct, un peu lourd, très premier degré. Il ne s'embarrasse pas de préambules. Une affaire est « bonne » ou « à jeter ». C'est Philippe Ramond, prospectant les actionnaires en puissance, qui effectue la démarche pour ce recrutement. Lorsque le directeur du projet demande à rencontrer Guy Merlin, qu'il connaît, celui-ci est à l'Hôpital américain pour des examens. Dans sa chambre, Philippe Ramond lui explique Canal Plus, ses ambitions, ses perspectives. Le projet plaît au constructeur. Beaucoup. C'est du moins ce que Ramond peut conclure de la remarque et du geste que fait alors Guy Merlin vers l'armoire où est suspendue sa veste :

« Dis-moi combien de briques il te faut... Tiens, prends mon portefeuille là-bas. »

Philippe Ramond se contente d'enregistrer l'accord de principe et enverra par la suite Rémy Sautter, un des cadres d'Havas, pour confirmation et signature. Dix pour cent de 150 millions dans Canal Plus, Merlin en achète pour quinze « briques ».

En gestation depuis maintenant presque trois ans, tout s'accélère pour la naissance de Canal Plus à partir du printemps 1984. Philippe Ramond et Pierre Lescure ont embauché près de trois cents personnes, techniciens, standardistes, commerciaux... La chaîne a quitté Neuilly et s'est installée dans le 15e arrondissement, tour Olivier-de-Serres. Un choix qui ne s'est pas fait sans péripéties. Sur la trentaine de sites repérés, trois avaient été retenus. André Rousselet avait subi d'amicales et insistantes pressions pour aller dans le gigantesque projet architectural de la Grande Arche, à la Défense. Trop loin du centre pour les futurs « invités » et les journalistes, disait Lescure. Pas assez sûr et trop compliqué pour le personnel après 20 heures, renchérissait Philippe Ramond qui préférait un grand immeuble de l'avenue de Grenelle. Solution médiane, le centre de congrès de la tour Olivier-de-Serres. En février 1984, Philippe Ramond était venu présenter à André Rousselet le plan de répartition des bureaux. En constatant qu'on lui avait réservé un vaste bureau et un secrétariat, le P-DG d'Havas et de Canal Plus avait décrété, péremptoire, ne pas avoir besoin d'une pièce pour lui. Son bureau d'Havas lui suffirait. Inutile de compliquer les choses. Une semaine plus tard, Ramond était revenu sur le sujet en insistant un peu.

« Je ne veux pas de bureau... Mais bon, si vous y tenez, laissez ce coin-là (montrant le plan) et appelez ça " bureau passage Havas ". »

Jusqu'alors, André Rousselet est resté relativement en retrait dans l'organisation et la préparation au jour le jour de Canal Plus. Laissant toute latitude à Ramond et Lescure. Les deux directeurs n'ont qu'à se réjouir de cette liberté. Mais, à mesure qu'approche l'échéance du lancement, son attitude change. Il commence à vouloir tout suivre, tout vérifier, s'enquérir des moindres détails... Le formidable phénomène d'attente créé autour de la quatrième chaîne n'est pas étranger à cette implication soudaine et désordonnée. Chez lui, en ville, en voyage, partout où il se rend on ne lui parle plus que de cette télévision. Chacun entreprend d'en chercher la mire sur son récepteur.

La journée du 6 juin 1984 restera dans les mémoires de l'équipe comme celle du « Débarquement ». Ce jour-là, il est prévu que le P-DG viendra, pour la première fois, visiter les locaux enfin aménagés de la tour Olivier-de-Serres, et s'adresser aux troupes qui ne le connaissent pas, aux coursiers comme aux électriciens ou aux secrétaires qui travaillent douze heures par jour. Tout est prêt pour que la visite se passe au mieux. Philippe Ramond a prévu deux hôtesses pour l'accueillir à 17 heures dans le hall et le guider jusqu'aux étages.

Mais rien ne se passe comme prévu. Le chauffeur d'André Rousselet s'engouffre directement dans le parking au lieu de le déposer sur le parvis. De là, le P-DG prend un sinistre ascenseur. Se trompe d'étage. Atterrit dans un bureau où il se fait rabrouer. Parvient finalement à un comptoir :

« C'est pour un abonnement? demande l'employée.

– Non, je cherche monsieur Ramond.

– Vous avez rendez-vous? interroge-t-elle, pensant s'adresser à un fournisseur.

– Non.

– Alors faites la queue, là, comme tout le monde... »

C'est de méchante humeur qu'il trouve enfin Ramond et Lescure. Commence le tour du propriétaire.

« Beau bureau! s'exclame-t-il sur le seuil de celui, laqué noir, de Philippe Ramond. De quoi faire pâlir Pierre Desgraupes. » Puis, un peu plus loin, devant celui, symétrique, de Pierre Lescure : « Beau bureau! De quoi faire pâlir deux fois Pierre Desgraupes. Où se trouve le mien? »

Philippe Ramond, qui avait anticipé cette remarque, le dirige alors vers le « passage Havas », assez luxueusement agencé.

« Très beau, convient le président. Mais plus petit. »

Effectivement, la pièce compte une fenêtre de moins que celles des directeurs.

Rien ne s'arrange au pot de l'amitié avec le personnel. Là où chacun attendait encouragements et remerciements pour les efforts et le dévouement déployés, le P-DG pratique maladroitement la douche froide sociale. Fini de rigoler, annonce-t-il en substance. Nous à Havas, on sait ce que travailler veut dire, alors ne pensez plus aux vacances... Tous se regardent en se demandant s'ils ont bien entendu. La réponse est oui. Il suffit de constater la gêne de Marc Tessier.

André Rousselet ne cherche pas à provoquer. Il est agacé. Personne à Olivier-de-Serres ne l'a reconnu et c'est un homme qui n'a pas l'habitude des foules. Il s'exprime laborieusement en public. Son phrasé est hésitant. Ses formules lapidaires. Il a la brusquerie de ceux qui sont habitués à être compris à demi-mot. A partir d'août 1984, il s'installera deux, puis trois matinées par semaine au siège de Canal Plus. A la rentrée, il faudra casser quelques cloisons pour faire une place à son secrétariat.

« ...Les personnes dont les noms commencent par les lettres de A à E doivent se présenter à la visite médicale mercredi matin. Ceux dont les noms... »

L'appel, entendu dans les couloirs d'Olivier-de-Serres, a laissé Jacques Driencourt rêveur. Son badge d'identité plastifié à la main, il a soudain réalisé que les quatre-vingts feuilles de papier d'un lointain rapport, le souvenir d'un voyage à Los Angeles, les réunions du Béarn sont devenus une réalité qui se nomme Canal Plus. Une chaîne qui vit déjà comme une entreprise, avec ses salariés, son administration, ses projets... et tout cela lui est chaque jour un peu plus étranger. Léo Scheer et Antoine Lefébure ont aussi perçu cet éloignement.

Le compte à rebours qui s'amorce, cet été 1984, avant le saut de Canal Plus dans l'inconnu, sonne le glas d'une époque. L'avènement d'une autre équipe. La direction du Développement n'a pas résisté aux efforts déployés par André Rousselet pour arracher Canal Plus aux brumes de la prospective. En dépit des apparences, ce P-DG les irrite moins qu'il ne les fascine. L'éclatement de leur cellule est surtout dû aux frictions de leurs ambitions personnelles, à leurs déchirements, et à leur difficile cohabitation avec Marc Tessier. Ils savent que sans la conviction et l'obstination d'André Rousselet le projet Canal 4 ne serait resté qu'un chiffon de papier. Une étude de plus dans les armoires du groupe Havas.

A la lecture des plaquettes de présentation de Canal Plus et des premières déclarations dans la presse, les uns et les autres ont compris qu'ils n'auraient pas leur place dans l'histoire officielle de la chaîne cryptée. En effet, peut-on lire partout, celle-ci ne débute qu'un an plus tôt, en 1983, lorsque l'Etat charge l'agence Havas d'étudier et de mettre en œuvre un projet de télévision à péage... C'est l'immaculée conception. Avant : rien. TVCS et Jean Frydman n'existent pas. Le Développement appartient à l'Antiquité. Il lui reste à subir, symboliquement, le sort des architectes des pyramides que les pharaons faisaient emmurer dans leur construction avant la pose du dernier bloc de pierre.

Mais au xxᵉ siècle on n'emmure plus. On offre une petite place. A chacun des membres du Développement, Marc Tessier a proposé de

154

rejoindre Canal Plus comme salarié. Ils ont eu la bienséance de refuser, se sachant ni désirés ni aptes à se couler dans ce qui est devenu une équipe homogène, distincte d'Havas, autour de Lescure, Bonnell, Ramond...

En septembre, les ruptures se consomment. Léo Scheer quitte Havas pour entrer à Publicis. Jacques Driencourt reste mais va passer deux années pleines à voyager autour du monde aux frais du groupe, loin de Canal Plus. Léo et lui sont persuadés qu'il y a bien d'autres projets encore à inventer. Canal Plus n'est plus, depuis un moment, leur seul horizon. Il y a les satellites, le câble, la production, le cinéma. Après le cinéma, pourquoi pas une chaîne de télévision musicale ? Tous deux ont commencé à y réfléchir, ils ont même fait une communication en ce sens devant des publicitaires au début de l'année 1984...

Antoine Lefébure, que la télévision ne passionne pas autant que la radio, et qui en a assez de voir son temps absorbé depuis trois ans par Canal Plus, devient responsable de la prospective chez Havas.

Le quatrième homme, Frédéric Chapus, est définitivement sorti du projet au printemps, lors de la création de la société. Après s'être vu proposer par Marc Tessier ce qu'il considérait n'être qu'un strapontin à la direction. Et après avoir compris qu'il n'y avait plus aucune chance pour que le système de décodeur américain qu'il avait négocié à Los Angeles, en échange de la cartographie complète d'une chaîne cryptée, soit celui retenu pour Canal Plus. Robert Bloch avait très mal réagi, ayant l'impression de s'être fait berner. L'Américain avait même envisagé, un moment, d'intenter un procès, puis renoncé, confiant à Chapus, devenu son ami : « Ça prend trop d'énergie, ils sont trop français. » En acceptant de travailler pour Canal Plus, Chapus aurait eu le sentiment de le trahir à son tour.

« Tu ne sais pas prendre Rousselet. Tu le contraries et ça n'apporte rien... » Combien de fois Pierre Lescure a-t-il prévenu Philippe Ramond ? Souvent. A quelques jours du lancement la date du 4 novembre s'est substituée à celle du 1er pour ne pas associer la naissance de Canal Plus au jour des morts –, Philippe Ramond vit des heures et des nuits blanches. La détérioration de ses rapports avec André Rousselet est de notoriété interne.

A plusieurs reprises, ils se sont opposés sur des choix stratégiques, notamment sur le réseau de commercialisation des décodeurs. En homme de presse, Ramond aurait préféré que les candidats à Canal Plus puissent souscrire leur abonnement et prendre leur décodeur dans les kiosques à journaux des NMPP (Nouvelles Messageries de la presse parisienne), ou les bureaux de tabac... Le P-DG a opté pour un autre réseau, celui des revendeurs et installateurs de postes TV. Dispute encore sur la programmation vingt-quatre heures sur vingt-quatre, ou sur la diffusion de matchs de football. André Rousselet avait d'abord été contre ces deux possibilités. Le football ne passionne pas le golfeur qu'il est, et le prix des droits de retransmission, environ 250 000 francs le match, lui a semblé d'abord trop onéreux... Ramond, Mathieu et de Greef ont réussi à le convaincre du contraire.

Mais il n'y a pas que des désaccords. Sur le choix du matériel technique pour équiper studios et régies, le P-DG a soutenu de toutes ses forces les choix de Ramond et Anichini contre le ministre de l'Industrie, Laurent Fabius, qui les avait sommés par lettre d'acheter exclusivement français. En juillet 1984, alors que Laurent Fabius venait d'être promu Premier ministre en remplacement de Pierre Mauroy, Philippe Ramond s'était inquiété de savoir s'il fallait obtempérer à ses exigences sur le matériel... Altier, l'ancien directeur de cabinet de l'Elysée avait alors balayé l'objection d'un définitif : « On ne répond pas au ministre quand il a changé ! »

Entre deux remarques acerbes du P-DG et trois réunions de préparatifs tendues, l'ancien directeur du *Point* lit à livre ouvert, à mesure que novembre approche, son prochain départ. Il lui tient à cœur de réussir le lancement de Canal Plus. Mais il lui arrive aussi de penser, intrigué, à la dernière rencontre qu'il a eue, quelques semaines plus tôt, avec Robert Hersant.

Au cours d'un de leurs entretiens rituels, dans la pénombre de son bureau de la rue de Presbourg, le patron du *Figaro* lui a posé une bien étrange question, l'air de rien. Ou l'air de tout.

« Dites-moi, Ramond, avait dit Robert Hersant, plissant les yeux, maintenant que vous vous y connaissez en télévision, si je veux faire demain un studio à Paris, ça me coûte combien ? »

CHAPITRE XVII

Démons et merveilles libérales

En 1984, si tous les hommes de gauche et de bonne volonté avaient rédigé ensemble un précis de démonologie, le Mal aurait eu les traits d'un seul de leurs contemporains : Robert Hersant.

Socialement, Robert Hersant est à classer entre l'homme des cavernes et la fée Carabosse. On ne le voit jamais, et il joue des tours pendables à ceux qui le pourchassent. Il tient du mérou à visage lunaire et du lièvre à plusieurs terriers. Ses plus proches collaborateurs savent à peine où il se trouve exactement. D'une heure à l'autre il aime à changer de bureau, de quartier, d'appartement. C'est un ogre qui ne mange pas d'enfants mais des journalistes et du pouvoir, encore du pouvoir, avec du papier, de l'encre, des rotatives, des rédactions... Le pli des lèvres amer, le menton hautain, le front carré, obtus, il n'y a guère qu'un regard bleu et clair pour injecter deux milligrammes d'humanité à l'ensemble. Mais ces yeux-là n'ont pas de temps à perdre, en public, dans les fredaines humanitaires. Ou alors pour s'amuser, se distraire des importuns qui lui gâchent la vue sur le pouvoir médiatique absolu.

En redingote et canne à pommeau d'argent, il tiendrait un rôle de conspirateur fortuné, omnipotent et insensible, dans un roman de Ponson du Terrail. Le négatif de Rocambole. Hélas, Robert Hersant préfère sa Mercedes grise aux fiacres, et sa somptueuse propriété d'Ivry-la-Bataille aux ruelles de Bougival. Et il est assez secret pour ne pas correspondre totalement à l'image qu'il aime donner de lui-même. Assez perspicace pour ne pas être seulement, comme il travaille à le faire croire, un dogue méprisant, un chef d'entreprise hargneux et un cruel réactionnaire.

La noire légende Hersant ne recoupe pas toujours l'homme privé mais elle lui convient et le protège. Il est pour tous, c'est entendu, le salaud sartrien, celui du mauvais camp. D'abord englué dans son image de collabo, d'affairiste, de mercenaire de la presse, il est parvenu à retourner ce que la situation pouvait avoir d'infamant pour en faire une oriflamme enviable. On le hait, on s'en méfie depuis trente ans; mais il faudrait être aveugle pour ne pas mesurer la part d'admiration trouble qu'il y a dans le rejet de cet homme. Même ceux qui ont des raisons de le détester se prennent à le parer de qualités dont il n'est pas, il est vrai, complètement dépourvu.

Excès contraires et symétriques. Hersant repousse autant qu'il attire, dans un jeu équivoque où il y a du plaisir à se laisser prendre tout en le condamnant. Il joue de ce Yo-yo comme d'un ressort diabolique. Se posant en mètre-étalon du machiavélisme juridique et de la froideur mondaine, il s'attire des courtisans qu'il manipule à plaisir, mais il peut déconcerter le visiteur par une soudaine courtoisie, une remarque familière, un signe d'attention personnelle.

Au moment où le pouvoir s'apprête à bénir le lancement de la quatrième chaîne, le « papivore » se débat dans les mâchoires d'un projet de loi sur la presse dirigé contre lui. Mais il est confiant. Il a tout prévu depuis trois ans. Car ce piège, il l'a flairé avant même qu'il ne devienne une lueur dans le regard de ses promoteurs au gouvernement. Avant même le dépôt de ce texte assassin sur le bureau de l'Assemblée. Pauvres petits esprits! Il les a vus venir, ces Mauroy, Mermaz, Joxe et leurs plumitifs assermentés, les Jérôme Clément et les Thierry Pfister. Si tout se passe bien, dans quelques semaines il aura broyé leur projet et réduit à néant leurs manœuvres imbéciles.

L'affaire, qui n'est pas sans incidence sur le tournant audiovisuel auquel il prépare son groupe, remonte à l'automne 1981. Au moment où il commençait à discuter avec André Rousselet des infortunes de *France-Soir*, Robert Hersant, qui n'avait pas besoin de baromètre pour comprendre qu'un avis de tempête planait sur la Socpresse pour non-respect des ordonnances d'août 1944, avait chargé son plus fidèle directeur, André Audinot [1], d'éclaircir certains détails juridiques. Celui-ci s'était alors adressé au directeur du SJTI, Bertrand Cousin, pour obtenir une interprétation officielle, incontestable, de ces ordonnances. Il s'agissait pour Hersant, non pas de se soustraire aux poursuites déjà engagées contre lui par les syndicats de journalistes, mais d'avoir le cœur net quant à la structure qu'il avait donnée à son groupe, et de se prémunir contre de futurs procès en cas d'acquisition de nouveaux titres.

1. Directeur général du groupe de Robert Hersant, P-DG du *Figaro*, président du Syndicat de la presse parisienne et député de la Somme.

Bertrand Cousin avait fourni par écrit une interprétation claire et classique, la même que ses prédécesseurs au SJTI, qui ne remettait pas en cause l'organisation de Robert Hersant, ni celle d'autres groupes de presse... Mal lui en avait pris. Sans le savoir, le directeur du SJTI venait de se prendre les pieds dans un tapis que tissaient discrètement de leur côté les services de Matignon. Encouragés par des syndicats de journalistes, et afin de limiter les concentrations, ils préparaient une nouvelle interprétation de certains articles de ces ordonnances, l'objectif étant de parvenir à mettre en difficulté plusieurs dirigeants du groupe Hersant, soupçonnés de jouer les prête-noms, et de provoquer l'éclatement juridique du groupe.

En janvier 1982, à la suite de ce « faux pas », Bertrand Cousin, en pleine rédaction de la loi sur la communication, avait été accusé de partialité politique en raison de ses convictions personnelles, voire de faiblesse vis-à-vis de la Socpresse... Soutenu par de hauts fonctionnaires qui estimaient qu'il n'y avait rien à lui reprocher, il avait travaillé à la loi sur l'audiovisuel jusqu'à son adoption mais ne tarderait pas, s'estimant victime d'une injustice, à devoir quitter ses fonctions au SJTI et réintégrer le Conseil d'Etat.

Fin limier derrière ses allures de sanglier, Robert Hersant avait deviné aux remous de cette polémique la nature du dispositif qu'on se préparait à dresser contre lui. Il n'en avait pris que plus de plaisir à rouler le pouvoir et André Rousselet dans la farine de *France-Soir*, à empocher le *Dauphiné libéré*, à redoubler d'intérêt pour tous les quotidiens à vendre, puis à narguer sans vergogne les pouvoirs publics, en direct à la télévision.

Sur TF1, le samedi 25 septembre 1982, dans un inoubliable numéro de « Droit de réponse », Hersant, alors sous le microscope des brigades fiscales, avait accepté de quitter ses tanières pour répondre aux questions de Michel Polac. Mise en scène et reparties à la hauteur. « R.H. » avait insisté pour se présenter seul sur le plateau, sans le moindre collaborateur ou soutien. Dramaturgie d'une efficacité imparable. Face à ses détracteurs armés de dossiers accablants, mais agressifs et brouillons à l'antenne, il avait pu se poser en victime du « socialo-communisme »... Et s'était même offert le luxe de faire de l'humour : « ... Vous gâchez de la pellicule, avait-il jeté aux photographes envahissant le plateau pour prendre celui qu'on ne voyait jamais. Vous faites trop de photos, c'est comme ça qu'on coule les journaux ! »

Et hors antenne, il avait tranché péremptoirement le débat sur son passé pendant l'Occupation : « Je dois être le seul homme de ma génération à n'avoir pas été un héros de la Résistance... » Cette soirée de télévision avait plongé les dirigeants socialistes dans un état qui allait de la fureur à l'abattement.

C'est de cette tentative avortée de tordre le cou à la Socpresse, et de l'expansion constante de son groupe par Robert Hersant qu'était né, au printemps 1983, un projet de loi sur la presse. Projet concerté entre Matignon et le cabinet du Président, et que Pierre Mauroy devait en principe garder silencieusement sous le coude. Le temps de disposer d'un texte assez souple pour concerner toute la presse et Hersant en particulier...

Mais le Premier ministre, aiguillonné par Pierre Joxe (président du groupe socialiste à l'Assemblée) et Louis Mermaz (président de l'Assemblée nationale), n'avait pu s'empêcher, pour galvaniser des militants refroidis par la politique de rigueur, de brandir ce projet de loi au congrès du PS, à Bourg-en-Bresse, fin 1983. Déchaînant ainsi contre lui les foudres de l'ensemble de la presse. Une loi était certes nécessaire pour rénover les statuts de cette profession, avec des seuils pour parer aux positions dominantes de certains groupes, des instances pour juger et sanctionner les abus. Tout le monde en convenait. Mais pas une loi de ce type, dont il était patent qu'elle ne visait qu'un seul homme.

Mauroy s'était entêté : « Il faut qu'on apporte quelque chose de marquant dans le domaine des libertés, répétait-il à Jérôme Clément et Thierry Pfister... La disparition des petits titres de presse est inacceptable, la gauche doit contre-attaquer avec ses valeurs, la transparence, le pluralisme... »

Intentions généreuses. Exécution désastreuse. Le texte du projet n'emportait l'adhésion de personne. François Mitterrand, Robert Badinter, Jacques Delors étaient sceptiques sur son application. Dès le mois de janvier 1984, on recensait plus de 2 300 amendements déposés à l'Assemblée contre ce projet « liberticide ».

Robert Hersant a pris les devants. Dès l'été 1983, il a mis en place un plan de bataille et des effectifs pour riposter à l'« agression ». Il a finalement écouté André Audinot qui, depuis longtemps, lui conseillait de rencontrer ce Bertrand Cousin éconduit par le gouvernement de Mauroy et dont le « bagage » juridique pourrait s'avérer utile au groupe. A condition de ne pas tarder car, précisait Audinot, Bertrand Cousin s'ennuyait au Conseil d'Etat et cela faisait plusieurs fois qu'il était sollicité par des groupes de presse concurrents...

L'éloge appuyé de ce juriste par Audinot avait pris une résonance particulière aux oreilles de Robert Hersant. Superstitieux, voilà longtemps que le patron du *Figaro* avait demandé à ses cadres supérieurs qui, comme lui, avancent en âge, de se trouver un « double » professionnel et de le recruter. André Audinot pensait avoir trouvé le sien. Qu'on lui amène ce prodige !

« Je connais vos difficultés, avait-il dit à Bertrand Cousin en le recevant à la rentrée 1983 dans son PC opérationnel du *Figaro*, au dernier étage du journal, rue du Louvre. Vous savez à quel point je suis menacé par cette loi sur la presse. J'aimerais pouvoir compter sur vous pour enrayer cette offensive. Ce sera, si vous l'acceptez, votre première tâche... Mais ce sera difficile. Vous devez avoir conscience que c'est un peu comme si vous alliez sauter sur Diên Biên Phu dans les derniers jours du siège. »

Bertrand Cousin en était conscient. Et il en avait envie, ne dédaignant pas l'idée de prendre sa revanche sur le terrain même de ceux qui l'avaient écarté. Il ne restait qu'à parler salaire. Un mot que Robert Hersant n'aime pas. Le tigre de papier est un peu grippe-sou. Il compte.

« Ce n'est pas bien de mégoter sur la solde de quelqu'un qui va sauter sur Diên Biên Phu », avait plaisanté Bertrand Cousin. La nouvelle recrue ne manquait pas d'esprit. Lui non plus.

« Vous avez raison. D'autant qu'en principe on ne doit pas la lui verser très longtemps. »

Jamais soldat du droit ne fut plus motivé. Des mois durant, Bertrand Cousin, qui a mis sur pied une équipe de quatre professeurs de droit travaillant jour et nuit dans les locaux que le groupe Hersant occupe avenue Matignon, va pilonner le projet sur la presse de Pierre Mauroy. André Audinot, député, se charge du front politique et bat le rappel des amis du groupe, tant au RPR qu'à l'UDF. Pendant ce temps, Cousin organise réunion sur réunion à l'Assemblée où il indique aux députés de l'opposition les meilleurs angles d'attaque pour la rédaction des amendements. Ses élèves les plus assidus au palais Bourbon sont de jeunes « mousquetaires » qui veulent en découdre avec la gauche : François d'Aubert, Alain Madelin, Jacques Toubon.

Ils sont infatigables, et multiplient les dépôts de sous-amendements, les rappels au règlement, les demandes de suspension de séance... Ils allument de violents contre-feux en montrant du doigt une « pieuvre », à leurs yeux plus dangereuse que le groupe de presse lâchement visé par la loi : Havas. Ses tentacules publicitaires sont « une entrave » au libre fonctionnement du marché de la presse et de la publicité !

Très présent dans les tranchées, Robert Hersant surveille les mouvements, et actionne l'artillerie des titres du groupe qui tirent à boulets rouges sur les étrangleurs socialistes. C'est une victoire. Diên Biên Phu à l'envers. Robert Hersant et Bertrand Cousin l'emportent par K.O. à l'automne 1984. Des pans entiers du projet de loi s'effondrent sous les critiques du Conseil constitutionnel. Et le texte qui est finalement adopté ne menace plus en rien le groupe Hersant.

Victorieux sur la presse, Robert Hersant est déjà engagé dans un autre combat qui sera plus long, plus dur, mais pour lequel il est tout aussi confiant : l'audiovisuel. A l'heure où les techniciens de Canal Plus vérifient tour Olivier-de-Serres les derniers éclairages, assemblent les décors des studios et font les derniers essais de caméra, le président de la Socpresse se prend aussi à rêver de télévision.

L'audiovisuel, comme la plupart des autres groupes de presse, il y songe depuis longtemps. Mais, depuis l'arrivée de la gauche, deux gros nuages bouchaient l'horizon : la perpétuation du monopole pour la télévision et l'interdiction de publicité sur la bande FM. Impossible d'entreprendre quoi que ce soit, à plus forte raison quand la seule ouverture du septennat se résume à une chaîne cryptée offerte à un homme lige du Président.

Le déclic, chez cet être de papier assis sur la manne publicitaire que draine *Le Figaro Magazine*, a eu lieu en deux temps, au début de 1984. Le 27 mars, à la surprise générale et à l'étonnement de Georges Fillioud, qui avait vaillamment soutenu depuis trois ans la position du gouvernement (contre ses propres convictions), François Mitterrand a brusquement changé d'avis et s'est déclaré favorable à la publicité sur les radios locales privées. Le Président a fini par se rendre aux arguments de ceux, parmi lesquels Michèle Cotta, Jean-Louis Bianco, Jacques Attali et le publicitaire Jacques Séguéla, qui lui démontraient que l'ouverture concédée sur la FM en 1981 était une impasse. Les stations, n'ayant pas les moyens de vivre, en venaient à se vendre, à monnayer leur précieux droit d'émettre auprès de radios assez puissantes pour patienter et se constituer bientôt en réseaux FM. Mieux valait donc leur accorder la publicité.

Le coup était rude pour Mauroy. Il signifiait, une fois pour toutes, l'entrée dans l'ère des « radios-fric » qu'il rejetait. Le jour même de cette annonce, Robert Hersant avait révisé sa position à l'égard du phénomène des radios FM qu'il avait jusqu'alors tenu pour marginal et non rentable : « Prenez immédiatement contact avec tous nos directeurs de journaux et convoquez-les à Paris d'urgence, avait-il demandé à André Audinot. Je veux les voir. »

Une grande réunion avait été organisée pendant les vacances de Pâques, au cours de laquelle Robert Hersant avait, en résumé, fixé leur mission pour les mois à venir : « L'autorisation de la publicité sur la bande FM est un grand événement. Cela signifie que l'audiovisuel entre dans une nouvelle phase, commerciale. Je vous demande, à partir de maintenant, de rechercher, chacun dans vos zones respectives, le contrôle de fréquences... »

Le « papivore », qui avait observé avec curiosité l'ascension et le développement d'une jeune radio appelée NRJ, voulait emprunter la même voie : une radio parisienne tête de pont qui diffuserait ses programmes sur des stations régionales tout en gérant les recettes publicitaires.

A la rentrée 1984, il s'apprête à lancer, sur une trentaine de stations affiliées, son label : Chic FM.

L'autre moitié du déclic, ce sont ses amis de l'opposition qui l'ont provoquée. Début mai 1984, les giscardiens ont rendu public un document d'une quarantaine de pages qui expose leur plate-forme pour l'audiovisuel en cas de victoire aux législatives de mars 1986. Le texte, sous la responsabilité du sénateur-maire de Metz, Jean-Marie Rausch, a été rédigé par... Xavier Gouyou-Beauchamps. A la demande de Valéry Giscard d'Estaing, l'ancien P-DG de la Sofirad animait depuis l'été 1983 un groupe de réflexion sur ce sujet. Leurs réunions, confidentielles, se tenaient dans les locaux d'une petite société (la Compagnie française de télévision) installée rue Pierre-Charron, dans le 8ᵉ arrondissement. Xavier Gouyou-Beauchamps y avait expérimenté, au vu du taux d'absentéisme, la difficulté que représente la mobilisation des militants, le week-end, en pleine traversée du désert...

« La France entre à reculons dans l'âge de la communication », avertissait le programme giscardien, qui préconisait, dans un renversement de 180° par rapport au septennat précédent, un « désengagement complet de l'Etat dans l'audiovisuel ». Il faudrait conserver une seule chaîne de télévision publique et vendre les deux autres à des entrepreneurs privés. Même raisonnement pour la radio nationale dont on ne garderait que France Musique et RFI. Etait également prévue la privatisation du groupe Havas, et le remplacement de la Haute Autorité par une commission « purement technique » sur le modèle de la « Federal Communications Commission » américaine (FCC)...

Deux semaines plus tard, le 15 mai, Jacques Chirac, au cours d'une conférence à l'hôtel Intercontinental, dégainait le projet RPR pour la communication. Un programme lui aussi haut en couleur libérale, entièrement placé sous le signe de la privatisation. Là, c'est Bertrand Cousin qui, en marge de la Socpresse, avait canalisé et mis en forme le projet. Les réunions de travail préalables à ce discours se tenaient à la mairie de Paris, dans le bureau de Denis Baudouin, collaborateur de Jacques Chirac et ancien P-DG de la Sofirad. Réunions auxquelles était convié un jeune homme en charge auprès du maire de la communication, des nouveaux médias en général et du câble en particulier, José Frèches.

« L'audiovisuel oscille entre la confusion et le sectarisme », avait attaqué l'ancien Premier ministre en pleine amnésie, et qui se glissait déjà dans la peau d'un futur candidat à la présidentielle. A l'affiche du prochain film RPR, une seule chaîne publique choisie entre TF1 et A2, privatisation de la SFP, du groupe Havas, démantèlement de la Sofirad et, surtout, ce qui le différenciait sensiblement du programme giscardien, annonce d'un feu vert pour la création de télévisions hertziennes privées. Quant à la Haute Autorité, elle devrait céder la place à une « Commission nationale de la communication et des libertés » composée de sept membres, dont le président serait nommé par le président de la République.

Robert Hersant avait bu du petit-lait devant cette avalanche de bonnes intentions libérales. Les affaires allaient enfin reprendre! Ce n'était qu'une question de mois. RPR ou giscardienne, la prochaine législature ouvrirait en grand les portes de la caverne d'Ali-Baba; il n'y avait plus qu'à se préparer en douceur.

Familier du personnel politique de droite depuis trente ans, le patron du *Figaro* n'a aucune inquiétude à avoir. En période électorale, ces hommes-là vivent trop dans la dépendance de la moindre ligne publiée dans ses journaux pour oublier de lui montrer un peu de reconnaissance quand sonnera l'heure de la distribution. Le jour du partage, il sera présent. Mais il s'agit de choisir judicieusement et de ne pas arriver les mains et la tête vides.

L'audiovisuel, c'est un métier et ce n'est pas le sien. C'est pourquoi, dès la rentrée 1984, outre son activité radiophonique, il a commencé à tisser la toile d'un recrutement de professionnels. Rien de très concret encore, mais une stratégie de petits pas. Des contacts, notamment avec deux anciens de TF1, Patrice Duhamel et Jean-Marie Cavada. Le tout est de ne pas gaspiller des milliards dans de futiles acquisitions, mais de savoir devenir un partenaire inévitable, reconnu, souhaité. A ce propos, il n'a pas perdu son temps en s'assurant une relation suivie avec Philippe Ramond. Cet homme lui a

164

ouvert les yeux depuis un an sur le B.A.-Ba de la télévision; dommage qu'il soit entre les mains de Rousselet.

Pour en apprendre davantage, s'initier à l'exploitation d'une chaîne, rien de tel, comme en radio, que de se mettre en situation. Pourquoi ne pas envisager l'installation d'un équipement minimal? Prendre un temps d'avance sur la musique électorale. N'est-ce pas ce que font à leur manière ces loufoques promoteurs de télévisions pirates qui défrayent de temps en temps la chronique de ses propres journaux?

Les « loufoques » ne sont pas nombreux mais leurs initiatives bénéficient d'un certain retentissement, et parfois de défenseurs au plus haut niveau de l'Etat. Ce sont une dizaine d'hommes ou de femmes, toujours les mêmes, qui depuis mai 1981 resurgissent périodiquement pour réclamer au gouvernement l'ouverture de l'espace hertzien aux chaînes de télévision privées. Observateurs de ce qui s'est passé en Italie depuis 1976, ils ne comprennent pas pourquoi ce qui a été autorisé pour la bande FM ne le serait pas pour le petit écran. Ils ne l'admettent pas et le démontrent.

Les premiers, Captain Vidéo, un studio night-club dirigé par David Niles, s'étaient munis en novembre 1981 d'un émetteur assez puissant pour « arroser », depuis Rueil-Malmaison, une partie de l'Ouest parisien avec leur programme : une heure de chansons, d'interviews et de petites annonces. A minuit, quelques chanceux avaient pu capter une image floue sur leur téléviseur, mais c'était le symbole qui comptait. Plus tard, en juin 1983, avaient surgi les premières images d'Antène 1, une télévision pirate menée par des pionniers de la FM, Eric Ferry et Michel Fizbin. Antène 1 s'était offert un happening médiatique en réalisant son premier direct TV depuis un toit du quartier de la Goutte-d'Or à Paris avant de voir la police débarquer sur commission rogatoire et confisquer le matériel d'émission... En juin 1984, ce sont l'avocat socialiste Jean-Louis Bessis, ludion intarissable, libérateur forcené des voies hertziennes, et le journaliste André Bercoff (alias Caton) qui ont, depuis les toits d'un grand hôtel, offert aux Parisiens de brèves images de leur chaîne, Canal 5.

Initiatives désordonnées, sans suite, sans moyens financiers, mais qui, conjuguées avec ses déboires sur le terrain crucial des « libertés », ont suffi à mettre le pouvoir en alerte. Un pouvoir qui perd pied. Déjà enlisée dans les sables mouvants d'un projet de loi sur la presse que la profession condamne unanimement, la gauche se laisse encercler, en 1984, sur un autre front, celui de « l'école libre ».

Le projet de réforme du ministre de l'Education, Alain Savary, provoque lui aussi un rejet grandissant dans l'opinion. Et aboutit aux gigantesques manifestations de mars, puis de juin, où plus d'un million de personnes défilent à Paris en faveur de l'école privée. Epuisé par le fardeau de l'austérité, prisonnier des chiffres du chômage, acculé dans ses retranchements laïques et républicains, incompris, le gouvernement Mauroy tombe le 17 juillet 1984 sur le champ des libertés. Pierre Mauroy cède la place au plus jeune Premier ministre qu'ait jamais connu le pays, Laurent Fabius, chargé de tenir les rênes jusqu'aux élections de mars 1986 et d'en limiter des dégâts que l'on pressent considérables.

Tenir, et intervenir, voilà bien les deux verbes qui résument l'attitude de Laurent Fabius à l'égard de l'audiovisuel. Aussi jeune que maladroit, malgré ses efforts pour arrondir les tessons autoritaires qui hérissent sa conversation, aussi intelligent que pressé, le Premier ministre a tout pour froisser les médias. Acharné, présomptueux, militant sans chaleur, c'est l'envers de Mauroy, la doublure socialiste de l'interventionnisme de droite. Il use de la moue méprisante et du revers de main royal pour congédier, comme Jacques Chirac sait jouer du menton et accuser de l'index pour faire connaître son agacement. Laurent Fabius perçoit l'audiovisuel comme un instrument à reconquérir et à conserver. En 1982, déjà, il était farouchement opposé à l'inutile création d'une Haute Autorité qui ne servirait, à ses yeux, qu'à compliquer les rapports de l'exécutif avec le monde agité de la communication. Il ne lui est pas plus favorable en 1984.

Vis-à-vis de la télévision, la première chose que fait Laurent Fabius est de se ménager, avec l'accord d'Hervé Bourges, qui n'a pas trop le choix, un quart d'heure d'antenne mensuel sur TF1 pour délivrer la bonne parole socialiste au peuple. En toute modestie, l'émission s'intitule « Parlons France ». François Mitterrand n'est pas mécontent de l'initiative. En trois ans, il a essayé au moins dix fois de convaincre Pierre Mauroy de se livrer à un exercice de ce style. L'homme du Nord et ses conseillers ont toujours su résister à cette tentation...

Quelques jours après son installation à Matignon, début août, le fringant Premier ministre croit bon de convoquer la présidente de la Haute Autorité, Michèle Cotta, pour « bavarder ». Après les platitudes d'usage, Laurent Fabius aborde le plat de résistance – le terme n'est pas vain – : A2 et Pierre Desgraupes. La succession du P-DG est alors d'actualité. Non que Pierre Desgraupes soit en fin de mandat, puisque le sien court en principe jusqu'en septembre 1985, mais le Parlement s'apprête à voter une loi qui limite à soixante-cinq ans l'âge des présidents de société publique. Un texte taillé sur mesure pour évincer le « vieux » d'A2.

Pas assez révérencieux, imprévisible à la veille d'élections où la gauche part perdante, l'enquiquineur de la Deux, qui a eu soixante-cinq ans en décembre 1983, est dans le collimateur du pouvoir. Ne s'est-il pas à moitié prononcé, dans une interview au *Monde* (le 24 février 1984) – c'était le bouquet! –, en faveur de la privatisation d'A2, immédiatement après les déclarations de Giscard et Chirac sur l'avenir de l'audiovisuel? Desgraupes se croit-il déjà à la tête d'une chaîne commerciale? Mauroy parti, son compte est bon.

Sans même se soucier des formes et affichant par là en quelle estime il tient la Haute Autorité, son indépendance et sa présidente, Laurent Fabius annonce la couleur. Pour le changement de P-DG d'A2, le président de la République et lui, affirme-t-il, ont leur candidat. Un homme bien sous tous rapports et jugé politiquement « sûr », Jean-Claude Héberlé, actuellement directeur de RMC. Voilà. Exécution! Malheureusement, lui répond Michèle Cotta, Jean-Claude Héberlé n'est pas son candidat. C'est trop bête...

Michèle Cotta ne s'attendait pas à une telle caricature de mainmise du pouvoir sur l'audiovisuel. Pour jeune qu'il soit, Laurent Fabius a vingt ans de retard dans ce domaine. Même au temps du Général on devait s'y prendre avec plus de finesse... Il lui a parlé comme si elle n'était que son ministre de la Communication. Et encore! Ce pauvre Georges Fillioud vient d'être rétrogradé. Il n'est plus ministre, dans le gouvernement Fabius, mais simple secrétaire d'Etat aux techniques de la Communication!

Il n'empêche, grâce aux autres voix de la Haute Autorité nommées par la gauche, le pouvoir parvient, le mardi 2 octobre 1984, à faire nommer Jean-Claude Héberlé à Antenne 2. Michèle Cotta, qui jusqu'au bout a plaidé en faveur d'une femme, Janine Langlois-Glandier, s'est abstenue au moment du vote. Il ne sera pas dit qu'on lui a imposé le nom du nouveau P-DG d'A2. D'autres choix étaient possibles, mais l'assemblée n'a su se réunir autour d'aucun nom, ou bien ceux dont les noms étaient prononcés n'étaient pas vraiment candidats. On avait jonglé pour rien avec les patronymes de Claude Santelli, Pierre Moinot, Jean-Denis Bredin, Jean Maheu... Michèle Cotta avait même reçu chez elle une lettre fort aimable d'un ami avocat postulant pour la présidence d'A2. Elle avait cru à une blague et, pour détendre l'atmosphère, en avait fait lecture aux membres de la Haute Autorité en séance plénière. Ils avaient bien ri.

« Tenez, c'est Georges Kiejman qui nous joue un tour, leur avait-elle annoncé en commençant à lire l'acte de candidature.

– Formidable, avait conclu le réalisateur Daniel Karlin après lecture du "gag". Demain, je m'inscris au barreau. »

Des mois plus tard, Georges Kiejman confiera à Michèle Cotta combien il lui en veut « encore » car cette candidature était « on ne peut plus sérieuse ».

Quoi qu'il en soit, la « plaisanterie » n'a pas vraiment réussi à détendre les esprits. Tout comme la pilule Bourges, la nomination de Jean-Claude Héberlé reste en travers du gosier des membres nommés par le Sénat. Une fois de plus, c'est l'ancien P-DG de l'INA, Gabriel de Broglie, qui monte au créneau pour dénoncer l'inadmissible. Il le fait dans un entretien au nouveau journal de la famille libérale de droite, *Magazine Hebdo*. Avec Héberlé comme avec Bourges, la HA et sa présidente ont failli à leur mission, clame-t-il. L'organisme ne s'est « *soucié que des seules instances politiques... Une fois c'est fâcheux. Deux fois c'est très grave* ».

Mauvais temps pour la cohésion du groupe. On n'avait pas besoin de ce coup de pied de l'âne, rumine Michèle Cotta qui, fin 1984, sent bien que la Haute Autorité, ouvertement menacée dans les projets du RPR et de l'UDF, n'est pas plus en odeur de sainteté à gauche. La manière dont la HA a remis en cause, dans un « J'accuse... » publié par *Libération* (le 28 avril 1984), la succession « *sans aucune étude économique sérieuse* » des réformes audiovisuelles dans le pays, n'a plu à personne. Et le refus personnel d'obtempérer de la présidente dans l'affaire Héberlé lui vaut, découvre-t-elle, une soudaine disgrâce présidentielle.

En phase avec son Premier ministre, François Mitterrand sanctionne comme s'il avait été trahi. Plus d'invitations. Plus d'entretiens informels. Rideau sur l'Elysée. Michèle Cotta ne reverra le Président qu'une seule fois en tête à tête, le jour de son départ de la HA. Ils ne feront plus que se croiser dans les cérémonies officielles en jouant à être proches. Mais le malentendu subsistera. Chacun pensant que l'autre lui a manqué.

Cet automne, pour la communication, la première moitié du septennat de François Mitterrand s'achève sur des points de suspension, au milieu d'un carrefour non protégé. Tout est en place pour que soit donné ou bien le signal d'un développement harmonieux de l'audiovisuel, ou bien celui du plongeon dans l'incohérence. Avec trois chaînes publiques, une loi garde-fou, un organisme de régulation, une quatrième chaîne payante, un plan de longue haleine pour introduire la télévision par câble et un projet intermédiaire de satellite, le décor est planté. Les acteurs sont en place. Le scénario n'est pas parfait mais il tient debout.

Certes, on aurait pu réfléchir très tôt à resserrer le secteur public.

Trois chaînes c'est beaucoup, surtout quand on n'a pas les moyens politiques d'augmenter la redevance et qu'on est contraint de les laisser vivre de plus en plus, dangereusement, sur les herbages publicitaires... La logique voudrait à présent que l'on laisse chaque rameau de l'arbre se développer. A Canal Plus de prendre son élan. Au service public de se préparer à l'arrivée des chaînes par satellites. Au câble de creuser ses tranchées et de s'implanter dans les immeubles avant de devenir le support naturel, final, de toutes les chaînes.

Mais encore faudrait-il que la logique compte parmi les soucis du metteur en scène, François Mitterrand, ou qu'elle recouvre la sienne propre. Ce n'est pas le cas. L'homme qui avait su démonter la mécanique du « coup d'Etat permanent » croit si fermement que de nouvelles images suffiront à absoudre la gauche de ses maladresses journalistiques et scolaires, qu'il ne perçoit pas qu'il va livrer l'audiovisuel au chaos permanent.

Champagne à l'écran ! Le dimanche 4 novembre 1984, en régie, à 8 heures du matin, c'est un André Rousselet ému, ne trouvant plus ses mots, qui appuie en direct sur le bouton de lancement de Canal Plus. Flanqué de Pierre Lescure, Philippe Ramond et Marc Tessier, le P-DG jette sa chaîne à l'eau des ondes. Confiant. Impatient. Comme les 186 000 abonnés qui ce jour vont allumer leur décodeur pour regarder, à 10 heures du matin, le premier film crypté à être jamais diffusé en France, L'As des as, avec Jean-Paul Belmondo.

Nul ne sait si, à la même heure, le président de la République, seul et unique privilégié auquel André Rousselet a offert un abonnement de faveur, a mis en marche son décodeur. En revanche, il est établi que c'est à partir de cette semaine où est lancé Canal Plus que deux opérations confidentielles sont enclenchées à l'Elysée. Deux grenades qui vont conjuguer leurs explosions et déchiqueter le système audiovisuel patiemment élaboré.

D'une part, la France est résolue à reprendre en main le destin de la Compagnie luxembourgeoise de télédiffusion. D'autre part, François Mitterrand trouve sur son bureau les notes de synthèse sur l'audiovisuel qu'il a prié plusieurs de ses collaborateurs de lui fournir ces derniers jours. Sujet de réflexion : la création, en France, de chaînes de télévision privées.

DEUXIÈME PARTIE

OPÉRATEURS

CHAPITRE I

Détonateurs

Pour un peu, l'homme déguiserait sa voix.

« C'est sûr? demande Jean Drucker pour la deuxième fois. Il avait beau s'y attendre, il n'arrive pas à le croire.

– Absolument. J'ai essayé de joindre Jacques Rigaud. C'est décidé, ils vont le débarquer au prochain conseil de la CLT... »

L'informateur a déjà raccroché. Téméraire, mais pas imprudent au point de confier tous les détails de l'affaire par téléphone. Directeur de RTL, bras droit de Jacques Rigaud depuis cinq ans, Jean Drucker sait ce qu'il lui reste à faire au soir de ce samedi 8 décembre 1984. Prévenir d'urgence l'administrateur délégué de la CLT que les hostilités sont déclenchées. Le pouvoir français met en marche le processus d'éviction du P-DG de RTL pour le remplacer par un homme à lui. Le temps de prendre son agenda, Jean Drucker compose le numéro de l'hôtel où se trouve Jacques Rigaud, à Rome pour le week-end. Ville où il doit en principe le rejoindre lundi pour assister, comme ils le font régulièrement, au conseil d'administration d'une filiale cinéma de la CLT, Vides, implantée en Italie.

« La décision est prise, ils vont sans doute proposer un nouvel administrateur délégué au conseil d'administration du 17... Que fait-on? »

Généralement avisé, Jacques Rigaud n'a pas vu venir le coup et reste silencieux une petite minute au bout du fil..

« Ecoute, ne viens pas ici, reste à Paris. Il va falloir s'organiser et allumer des contre-feux. »

Ce sera sûrement Pomonti! Il en jurerait. A la seule évocation du nom du P-DG de l'INA, le sang de Jacques Rigaud ne fait qu'un tour. Cela fait des semaines que la rumeur court les rédactions. Jacques Pomonti serait le chevalier choisi par l'Elysée pour le bouter hors de la CLT. L'Elysée et Havas, bien sûr, le coup ne peut qu'être concerté avec André Rousselet. Mais s'ils ont décidé de le jouer, c'est qu'ils ont trouvé un terrain d'entente avec Albert Frère et le groupe Bruxelles Lambert. Havas ne se risquerait pas à imposer un nom à la CLT sans l'accord tacite du grand patron d'Audiofina. Cette histoire sent le coup de Jarnac à plein nez.

Pomonti! Jacques Rigaud se souvient soudain d'un déjeuner anodin et sympathique auquel l'avait convié le P-DG de l'INA en août dernier, au Train Bleu, le restaurant de la gare de Lyon. A y repenser, la conversation était-elle si anodine? Depuis combien de temps cette opération est-elle lancée? Il n'y a pas deux mois, au cours d'un dîner chez Taillevent, où le petit monde de l'audiovisuel était venu deviser avec des banques intéressées à investir dans la communication, il avait même, agacé par la persistance des rumeurs, tenté de faire sortir Jacques Pomonti de sa réserve. « Je vais vous faire une confidence, l'avait-il taquiné froidement devant les invités, avec sa tournure d'esprit particulière. Personnellement, je vous l'affirme, je ne suis pas candidat à la présidence de l'INA... » La provocation n'avait rien donné.

La réalité dépasse les suspicions de Jacques Rigaud. L'opération qui vise à l'évincer est en marche depuis la mi-juillet 1984. Elle mijotait dans les esprits depuis plus longtemps encore. Depuis qu'à l'Elysée comme à Havas l'administrateur délégué irrite. André Rousselet, les conseillers de François Mitterrand, le Président lui-même en ont assez de Rigaud. Ils lui reprochent d'être trop favorable aux Luxembourgeois, trop tolérant avec les chroniques de Philippe Alexandre, d'être un frein au développement des intérêts français dans la CLT. Ils veulent un administrateur neuf et politiquement fiable. Le signal en a été donné lors du changement de Premier ministre. En bons termes avec Laurent Fabius, devenu coutumier de conversations à bâtons rompus avec François Mitterrand, Jacques Pomonti est apparu comme le meilleur remplaçant.

Le Président a fait de cet homme aux analyses pénétrantes, quelquefois emportées, l'une de ses principales sources de réflexions sur la communication. Lors du changement de gouvernement il a même été envisagé de le nommer à la Communication. Georges Fillioud, finalement maintenu, avait peu apprécié l'épisode, et reproché à Pomonti d'avoir « cherché à jouer une carte personnelle »! Humeur passagère; peu après, le secrétaire d'Etat lui avait proposé de prendre la présidence d'A2 après le départ de Pierre Desgraupes. Jacques Pomonti avait préféré poursuivre la rénovation entreprise à l'INA.

Mais quand on avait commencé à lui parler de prendre en charge le destin de la CLT, ses réticences avaient fondu. En septembre, le Président a tranché et demandé à ce que Jacques Pomonti soit nommé au plus tôt en remplacement de Jacques Rigaud. Mais comment obtenir l'accord des partenaires luxembourgeois et belges pour cette substitution?

Pour le compte d'Havas, André Rousselet s'est fait fort d'obtenir l'assentiment d'Albert Frère en faisant jouer toutes les cordes du « pacte Audiofina ». Il est persuadé qu'ils trouveront un terrain d'entente. Le P-DG d'Havas a même déjà une petite idée de l'accord qui pourrait être scellé à cette occasion. En échange d'un agrément belge sur le nom de Pomonti, Havas pourrait faciliter, dans un proche avenir, l'accession à la présidence de la CLT du candidat soutenu par Albert Frères, l'ancien président luxembourgeois de la Communauté européenne, Gaston Thorn. Simple renvoi d'ascenseur diplomatique. Le mandat de l'actuel président de la Compagnie, Mathias Felten, ne touche-t-il pas à sa fin? Reste l'attitude du gouvernement luxembourgeois. Les statuts de la CLT sont clairs : proposé par la France, l'administrateur délégué doit être agréé par le grand-duché. Comment assurer le changement d'hommes sans risque d'incidents?

De la réponse du gouvernement français à cette innocente question va jaillir, tel un maelström, un extraordinaire faisceau de conséquences. Happé dans le tourbillon, à la fois pion du roi et acteur dans une partie d'un jeu sans règles, Jacques Pomonti est celui par qui le destin audiovisuel de la France va soudain bifurquer. Puis se cabrer. Et exploser.

La clé de l'énigme et le détonateur, ce sont les satellites.

En ne prenant pas au sérieux, à l'automne 1982, les menaces du gouvernement luxembourgeois de promouvoir son propre système de satellite au cas où elle se désintéresserait de la question, la CLT avait commis plus qu'une erreur de jugement. Un faux pas stratégique. Alors que la France, on l'a vu, lui faisait miroiter les ailes de TDF1, la CLT jouait à polir celles de son LUXSAT encore à l'étude. Jeu de glaces, jeu de dupes où rien n'avançait sérieusement.

Jeu de patience assez stérile pour avoir décidé le gouvernement luxembourgeois à s'engouffrer, habilement, dans la brèche. Le raisonnement du Luxembourg tenait en quelques mots, souvent répétés par Pierre Werner, président du gouvernement, à ses interlocuteurs français comme aux dirigeants de la CLT : le grand-duché est un petit pays, fruit de la confrontation historique entre la France et l'Allemagne, deux puissants voisins sans lesquels il ne pourrait pas vivre, mais devant lesquels il doit cependant s'affirmer dans la construction de l'Europe. L'audiovisuel est l'une de ses richesses que le Luxembourg entend continuer à gérer en toute indépendance. D'où l'obstination à créer *son* satellite...

Fin 1982, déçu du peu d'entrain de la CLT, Pierre Werner adresse un courrier à tous ses ambassadeurs dans le monde. Dans cette lettre, il réitère sa conviction que le Luxembourg doit se doter d'un satellite de télévision, et leur demande de prospecter des partenaires. La réponse la plus précise vient des USA. De Washington, où le beau-père de l'ambassadeur luxembourgeois se trouve être un général de l'armée US qui s'occupe de satellites militaires. Informée de la requête de Pierre Werner, l'épouse de l'ambassadeur en parle à son père, qui met son carnet d'adresses à contribution, et leur fait rencontrer Clay T. Whitehead, un expert de Los Angeles, ancien conseiller de l'administration Nixon et président de la société Hugues Satellites.

Enthousiaste et dynamique comme peuvent l'être les promoteurs américains, Clay T. Whitehead convainc Pierre Werner, début 1983, que le Luxembourg doit avoir recours à un satellite léger, de moyenne puissance et pouvant disposer de seize canaux de diffusion. Discours qui tranche sur les options technologiques de la France, TDF1 devant être un satellite de très forte puissance mais n'offrant que peu de canaux.

Vexée de l'initiative gouvernementale, la CLT commence à moins sourire; d'autant que Clay T. Whitehead propose, si Pierre Werner en est d'accord, de créer en Europe une société, Coronet, pour étudier la faisabilité du projet. Cela ne fait qu'aviver la rivalité franco-luxembourgeoise et Bernard Miyet est alors chargé par le gouvernement français de neutraliser les avancées du grand-duché vers la télévision par satellite.

Crédité par l'Etat luxembourgeois d'un droit de priorité de deux ans pour négocier le montage de Coronet, Whitehead se heurte ensuite à l'hostilité des gouvernements et des entrepreneurs européens envers son projet, qualifié partout de « satellite Coca-Cola ». Pour ne rien arranger à cette image « yankee », seules deux sociétés américaines semblent intéressées par l'aventure européenne : la chaîne de télévision à péage HBO, du groupe Time, et News Corporation, holding en pleine expansion d'un magnat australo-américain, Rupert Murdoch. Fin 1984, à la grande joie de la CLT et du gouvernement français, Coronet prend du plomb dans l'aile. La société n'est pas bouclée. Et la France, à sa manière, reprend l'avantage.

Le vendredi 26 octobre 1984 constitue même une date et un repère historiques dans le dossier. Ce jour-là, après des mois de menaces, de chantages réciproques et de sueurs froides partagées, la France et le Luxembourg signent un protocole d'accord qui doit mettre un terme à la guerre des satellites. Georges Fillioud, qui a repris les négociations engagées par Miyet, est parvenu à une entente qui semble satisfaire tout le monde. Cet accord stipule que la CLT bénéficiera pendant quinze années du droit d'usage de deux canaux du programme TDF1/TDF2 qui doit être lancé en septembre 1986.

Sur ces deux canaux, les chaînes de la CLT jouiront de l'exclusivité de la publicité pendant cinq ans. La France renonce ainsi à l'idée de lancer toute chaîne commerciale sur son satellite. En échange, la CLT et le Luxembourg mettent entre parenthèses leurs velléités de lancer leur propre satellite. Que s'est-il passé pour expliquer ce revirement des Luxembourgeois?

Voyant dans Coronet un cheval de Troie américain en Europe, la France a fait le maximum de concessions à la CLT, elle-même défavorable au projet Whitehead, pour la ranger à son point de vue. Ce que Paris redoutait, c'était que la CLT ne finisse tout de même, plutôt que d'être absente de la télévision par satellite, par rejoindre Coronet et n'inonde l'Europe francophone avec les programmes commerciaux de RTL-TV... L'octroi de deux canaux sur TDF1 et l'exclusivité des ressources publicitaires ont été des arguments de poids pour parer à cette tentation. Une fois la CLT décidée, en mai 1984, à suivre la filière du satellite français, il restait à obtenir du grand-duché qu'il renonce ou veuille bien différer Coronet.

Le calendrier électoral luxembourgeois a facilité la révision des choses. Dans le courant de l'année, Jacques Santer a succédé à Pierre Werner. Le nouveau chef du gouvernement n'est pas un ardent partisan de Coronet. Dès sa nomination, la CLT aussi bien que les émissaires du gouvernement français n'ont eu de cesse de rallier Jacques Santer aux propositions françaises. Chose acquise et signée en octobre.

Mais le protocole que Georges Fillioud paraphe solennellement à Luxembourg a fait l'objet d'une autre transaction, secrète. Un tout petit détail de rien du tout. Une babiole de fin de séance. L'accord franco-luxembourgeois est assorti d'une condition impérative : la France compte proposer bientôt la nomination d'un nouvel administrateur délégué à la CLT; il va de soi que le gouvernement luxembourgeois agréera le nom de Jacques Pomonti...

« Messieurs, regardez bien cette serviette, dedans il y aura bientôt la tête de Jacques Rigaud. » Toujours simple, André Rousselet quitte ses collaborateurs et s'envole pour Luxembourg dans un *jet* privé au matin du lundi 17 décembre 1984. Il ne s'est pas inscrit sur le vol régulier de la Luxair qu'empruntent habituellement les Parisiens qui se rendent aux conseils d'administration de la CLT. Mais ce n'est pas un conseil ordinaire qui doit se tenir aujourd'hui, Villa Louvigny. C'est le conseil du bon sens, du changement. Le P-DG d'Havas ne va pas, pour la circonstance, se mêler à la plèbe du charter pour Louvigny et devoir répondre à ses questions avant un conseil aussi important.

André Rousselet jubile. Voilà de quoi le distraire un peu des difficultés du démarrage de Canal Plus. Le jour J, en novembre, un quart d'heure après le début crypté de *L'As des as*, le standard de la chaîne avait explosé. Des centaines d'abonnés s'étaient plaints de ne rien voir, leur décodeur ne fonctionnait pas. Plusieurs milliers d'abonnés, eux, n'avaient pas trouvé de décodeurs dans leur ville ! Pierre Lescure et Philippe Ramond avaient passé une journée de lancement épouvantable.

Défaillances imputables surtout aux erreurs et aux calculs de Ramond, avait décrété un Rousselet hors de lui. C'est le marketing qui était coupable et lui valait remarques acerbes en ville et titres meurtriers dans les journaux sur la chaîne « morte » ou « invisible » ! Entre lui et Ramond, l'animosité n'avait fait qu'empirer au cours des semaines suivantes. Jusqu'à une altercation définitive et la rupture, début décembre. Philippe Ramond avait quitté Canal Plus après une scène orageuse avec son P-DG, qui lui avait proposé un placard à Havas. Devant son refus, Rousselet qui ne voulait plus de lui à Canal mais était assez prudent pour ne pas le laisser filer dans la nature ou à l'ennemi... s'était écrié :

« Mais vous appartenez à Havas !

– Ce n'est pas parce que vous avez été sous-préfet, que vous avez l'habitude de déplacer les gens à votre convenance comme des tableaux dans votre galerie qu'on doit obtempérer », s'était rebiffé Ramond, dépassant dans les termes le point limite de la résistance d'André Rousselet.

Quiconque a l'impudence d'observer qu'il n'a été que sous-préfet s'expose à sa fureur ou à un procès pour cruauté mentale. Adieu Ramond ! Que cet ours retourne à la presse d'où il n'aurait jamais dû lui faire l'honneur de le tirer !

Marc Tessier, qui n'attendait que cela, l'avait remplacé.

Pour Jacques Rigaud, dont il faut aussi se débarrasser mais pour d'autres raisons, tout a été réglé dans les moindres détails, en accord avec le principal actionnaire de la CLT, Albert Frère. Dans trois heures, Rigaud ne sera plus qu'un homme cultivé, une bonne relation avec qui André Rousselet aura toujours plaisir à bavarder peinture, livres... De tout, sauf d'audiovisuel, pour épargner ses nerfs. Les formes du renvoi seront respectées. Il y a une semaine, Marc Tessier, également administrateur de la CLT au nom d'Havas, a fait inscrire quelques points précis à l'ordre du jour de ce conseil. Réexamen du mandat de l'administrateur délégué, et proposition de coopter deux nouveaux administrateurs, Jacques Pomonti et Gaston Thorn. Ce sera net et sans bavure, se dit le P-DG d'Havas en atterrissant à Luxembourg... où une surprise l'attend. Tout est parfaitement réglé, mais pas dans le sens escompté. En pactisant avec le diabolique Albert Frère, André Rousselet a oublié de se munir d'une assez longue cuillère.

L'émissaire qui accueille André Rousselet à l'aéroport, et l'invite à s'asseoir à une table de la cafétéria, s'appelle Jean-Pierre de Launoit. Vice-président de la CLT et du groupe Bruxelles Lambert, c'est l'homme de confiance d'Albert Frère, « retenu » à New York. Ils seront en retard au conseil, prévient-il, mais impossible de faire autrement. Il est venu à la rencontre d'André Rousselet avec pour mission de lui expliquer que le changement d'administrateur n'est plus jugé opportun par Albert Frère. Jacques Pomonti ne remplacera pas Jacques Rigaud. André Rousselet a beau faire, il ne peut ravaler sa mauvaise humeur. Qu'est-ce que c'est que cette histoire!? Pour qui le prend-on? Et le respect de la parole donnée? Rien n'y fait. Rousselet a joué et perdu. Les « contre-feux » de Jacques Rigaud et de Jean Drucker ont renversé la situation.

Trop sûrs d'eux, André Rousselet et Georges Fillioud ont maladroitement oublié de ménager les susceptibilités belges et luxembourgeoises. Des susceptibilités que Jacques Rigaud, lui, connaît par cœur et dont il sait se servir. Pendant toute la semaine précédente, Jean Drucker et lui ont battu, sur le thème de l'indépendance de la CLT, tous les tocsins imaginables pour contrer l'offensive. La presse s'en est mêlée, annonçant d'avance le « limogeage » de Jacques Rigaud. Solidaire, la rédaction de RTL a aussitôt embrayé. En quelques heures, les journalistes ont préparé la riposte, adressant un courrier au siège de la maison mère et à chacun des membres du conseil d'administration de la CLT pour rappeler leur opposition à tout ce qui pourrait nuire à « l'image de marque d'indépendance » de RTL à l'égard de « tout pouvoir ».

Jacques Rigaud a déployé des trésors de rhétorique pour mettre le gouvernement luxembourgeois, et Albert Frères, en face d'une réalité inacceptable. Si on laisse se dérouler l'opération Pomonti, socialiste affiché et proche du président Mitterrand, a-t-il argumenté, il n'y aura bientôt plus aucune différence entre RTL et une radio comme RMC, c'est à dire une station-cadeau que l'on offre aux amis à chaque changement de gouvernement. La CLT n'a-t-elle pas, au contraire, bâti sa réussite et sa réputation sur son affranchissement des pouvoirs politiques? Voudrait-on, d'un coup, tout sacrifier pour faire plaisir à messieurs Mitterrand et Rousselet?

Plus rapide qu'André Rousselet, Albert Frère avait vite compris que la manœuvre Pomonti échouerait. Ce qui ne l'a pas empêché, jusqu'au dernier moment, de faire comme si elle devait être couronnée de succès. En retirant son soutien au P-DG d'Havas une heure avant le conseil, il lui rappelle qui est le vrai patron de la CLT et le laisse, seul, exposé aux conséquences de cet échec français. Et à la colère, prévisible, de François Mitterrand. A quelques années de distance, après l'affaire Paribas, Albert Frère vient de ridiculiser une nouvelle fois les autorités françaises.

André Rousselet, amer et furieux – de Launoit et lui n'ont pas été loin de s'injurier à la cafétéria –, arrive avec une bonne heure de retard Villa Louvigny. Cette grande bâtisse un peu sombre lui paraît lugubre. La mort dans l'âme, le P-DG d'Havas demande à ce que l'on retire le point numéro quatre de l'ordre du jour. Accepté. On ne parlera donc pas du remplacement de l'administrateur délégué. Jacques Rigaud a sauvé sa tête.

Dans l'avion du retour, la serviette cruellement vide, André Rousselet peut se demander ce qui est le plus pénible dans cette affaire : la vexation du ratage, le fait de devoir supporter encore – pour combien de temps! – Jacques Rigaud, les remontrances présidentielles à venir, ou les remarques de Jean Riboud, qu'il n'a jamais voulu suivre quand celui-ci le mettait en garde contre les perversions du « pacte Audiofina »? Ou tout en même temps? Sûrement. Et davantage encore, puisque l'un des effets secondaires de ce fiasco est l'effondrement inévitable de l'accord franco-luxembourgeois sur le satellite TDF1.

La CLT n'a pas voulu de Jacques Pomonti; il n'est plus certain qu'elle disposera des deux canaux promis. Officiellement, les deux sujets ne sont pas liés, mais la France, en représailles, va commencer à faire traîner le dossier TDF1. Quelques jours plus tard, le vendredi 21 décembre 1984, une réunion, prévue à Luxembourg et au cours de laquelle les deux gouvernements devaient préciser les détails de l'accord du 26 octobre, est subitement annulée.

A compter de ce jour, chacun, sans le dire, reprend ses billes et relance la guerre du ciel. La CLT veut croire malgré tout en la pérennité de cet accord qu'il est prévu de faire ratifier par les assemblées des deux pays avant l'été 1985. Il ne le sera jamais. De son côté, Luxembourg décide de recommencer à zéro les études et le montage d'une société auquel n'est pas parvenu Clay T. Whitehead. A Paris, l'Elysée, Laurent Fabius et Georges Fillioud, très irrités, décident de réexaminer tous les aspects de la question TDF1. Et de confier cette mission à un expert.

Ceux qui auraient la malveillance de penser que la désignation de cet expert pourrait obéir à quelque souci de vengeance maligne à l'égard de la CLT et du Luxembourg seraient en deçà de la réalité. Pour décider ce qu'il convient de faire du satellite TDF1, les pouvoirs publics français désignent à l'unanimité... Jacques Pomonti.

Rendue publique le mercredi 26 décembre, la mission confiée au P-DG de l'INA n'émeut personne, à l'exception du monde clos des habitués de la ligne Paris-Luxembourg. Pour la presque totalité des Français, Jacques Pomonti n'existe pas; le satellite a autant de consistance et d'intérêt que le programme d'exploitation lunaire abandonné par la NASA. On sait qu'on peut marcher sur la Lune. Bien. On sait que des satellites peuvent diffuser des images. Et après? Episodiquement, la petite merveille technologique TDF1 fait l'objet d'un reportage dans les journaux télévisés. Quarante-cinq secondes de gros plans abscons sur un insecte aux ailes emballées dans du papier d'aluminium, surveillé par des hommes en blanc qui ressemblent à des chirurgiens dubitatifs. Personne ne comprend pleinement le jargon de ces médecins qui parlent « transpondeurs », « rayonnement », « gigahertz »...

Jacques Pomonti, lui, se passionne pour l'engin. Il est fasciné par sa capacité à relier les pays d'Europe dans un même flot d'images et d'informations. Il va prendre sa mission à bras le corps, prêt à renverser murailles et frontières pour la remplir. Mais, au fait, quel est son objectif exactement? Qui, ce lendemain de Noël frisquet, accorde la moindre attention aux termes de la lettre de mission adressée par le Premier ministre au P-DG de l'INA? C'est pourtant elle qui donne le signal de « 1985 », An I de la révolution audiovisuelle.

Cette lettre, signée par Laurent Fabius, n'a pas été rédigée par lui. Chaque phrase en a été construite par Jacques Pomonti lui-même et Georges Fillioud, sous la lampe de son bureau rue Saint-Dominique, dans la soirée du samedi précédant Noël. Tirant un trait sur le passé, elle donne pouvoir à Jacques Pomonti, pour le compte du gouvernement français, de constituer une Société d'exploitation des satellites de télédiffusion TDF1 et TDF2. Cette société, dont l'Etat devra détenir au minimum 34 % du capital, aura pour fonction de sélectionner les programmes qui seront diffusés par ces satellites. Le reste du capital sera fourni par les sociétés françaises ou européennes intéressées qu'il revient à Jacques Pomonti de contacter et de choisir.

C'est à lui, et à lui seul, qu'incombe la tâche d'inscrire, sur cette table rase, le nom des chaînes qui descendront du ciel à l'automne 1986. Il n'aura de compte à rendre qu'au Premier ministre et, naturellement, à François Mitterrand. Un président qui, à partir de cet hiver et pour longtemps, fait de la construction d'un nouvel ordre audiovisuel une priorité absolue. Le dossier, qui relevait déjà du « domaine réservé », devient, au seuil de 1985, territoire présidentiel exclusif.

Dès le jeudi 27 décembre, Jacques Pomonti constitue une équipe pour l'assister et préparer ce qu'il voit comme un « kriegspiel » éclatant. Auprès de lui, des spécialistes du satellite, des experts financiers, et aussi un journaliste qu'il commence à mieux connaître, un phénomène, Patrick Clément (sans lien de parenté avec Jérôme Clément). De taille moyenne, la mèche châtain clair tombant sur le front, aussi fonceur et râblé que Pomonti est grand et mince, Patrick Clément dirige le laboratoire, l'école de formation et de recyclage à la presse audiovisuelle que parraine l'INA. Ils ont en commun des origines corses, le goût du voyage, le bleu intense du regard et une sorte de machiavélisme tranquille, au quotidien.

Après des mois d'hésitation, Jacques Pomonti n'a pas à regretter d'avoir choisi ce grand reporter à A2, ancien correspondant au Viêtnam puis à Beyrouth, pour s'occuper du centre de formation. Hésitations dues au portrait qu'on lui traçait d'un Clément intraitable, méfiant, deux tiers d'intelligence et d'astuce mêlée à un tiers de mégalomanie et d'indépendance ingérables. Jacques Pomonti n'avait retenu que les deux premiers tiers, et visé juste. Depuis qu'il le lui a confié à l'automne 1983, le centre ne désemplit pas. Six caméras Bétacam, cinq salles de montage, autant de voitures de reportages, pour réaliser chaque jour un journal TV de vingt-cinq minutes, confectionné en temps réel et dirigé tour à tour par Pierre Salinger, Christine Ockrent, Serge July... Telle est « l'école » dont s'occupe Patrick Clément et qui est basée, ironique coïncidence pour ce journaliste qui peut se vanter d'être allé 52 fois en Chine, rue du Dragon à Paris.

La télévision, celle de New York, Paris ou Hong Kong, Patrick

Clément en connaît les studios, le matériel, les dirigeants, comme le fond de sa poche. Jacques Pomonti le prend naturellement auprès de lui pour sa mission, qui nécessitera bien des déplacements et des contacts à l'étranger.

Le week-end du jour de l'an, enfermé trois jours durant dans une propriété des Cévennes appartenant à l'un de ses conseillers, entre soleil et givre, le P-DG de l'INA met au point son plan. Jacques Pomonti, pour commencer, récuse en son for intérieur la concession de l'exclusivité publicitaire à la CLT sur TDF1. Il s'était insurgé, dès son annonce, contre ce « cadeau aberrant » fait aux Luxembourgeois. Cette « idiotie » coûterait une fortune à la France. Pourquoi offrait-on sur un plateau d'argent la manne publicitaire française à une société étrangère qui en « prélève déjà une énorme portion » avec RTL? C'est la viabilité même du système qui en pâtirait. Comment, avec quel argent l'Etat français pourrait-il financer de nouvelles chaînes si l'on se prive de l'argent publicitaire et qu'on ne peut augmenter la redevance? Comment n'avait-on pas vu cette évidence?

Quand Jacques Pomonti reprend l'affaire début janvier 1985, il est impensable à ses yeux de poursuivre sur ces bases. C'est une chance que l'accord du 26 octobre dernier n'ait pas encore été ratifié, et il espère qu'il ne le sera pas. Il va tout reprendre à zéro. Si la CLT est toujours intéressée par TDF1, elle devra le faire à d'autres conditions. Si elle ne l'est pas, tant pis pour elle... Il doit bien y avoir en Europe d'autres groupes intéressés.

Sa mission est à double détente. Il lui faut à la fois trouver des partenaires prêts à louer les canaux de TDF1 pour lancer de nouvelles chaînes sur l'Europe, et prévoir financièrement, avec ces locataires, l'articulation de ce satellite avec sa doublure, TDF2 [2]. C'est une question de gros sous. En 1985, six ans après le démarrage du programme, TDF1 est pratiquement achevé et sa facture, environ un milliard et demi de francs, payée par les deniers publics. Il n'en est pas de même pour TDF2, encore en chantier, et pour lequel l'Etat aimerait trouver une solution qui ne lui fasse pas supporter l'intégralité des dépenses. C'est pourquoi il a demandé à Jacques Pomonti de créer une « société d'exploitation ».

Reprenant les calculs, le P-DG de l'INA parvient à la conviction que c'est jouable. Les sept années d'exploitation du tandem TDF1-TDF2 peuvent être équilibrées, à condition que les partenaires privés

---

2. Jumeau de TDF1, qui doit être lancé dans la foulée. Ses canaux doivent sécuriser le premier satellite et prendre le relais en cas de panne d'un canal sur TDF1. Sans doublure, un satellite ne peut être commercialement exploitable car les risques seraient trop importants pour les opérateurs de chaînes.

participent au financement de TDF2. C'est en suivant cet axe de réflexion que Pomonti se met en chasse d'opérateurs. Un tour d'Europe s'impose avec, en priorité, une visite au gouvernement luxembourgeois et au siège de la CLT.

Deux endroits où, c'est le moins qu'on puisse dire, il n'est pas accueilli à bras ouverts, la première semaine de janvier. « La mission Pomonti est une machine de guerre contre nous, contre la CLT, a prévenu Jacques Rigaud, Villa Louvigny. C'est le lot de consolation de monsieur Pomonti pour n'avoir pas été nommé administrateur délégué, pour casser l'accord d'octobre sur TDF1... » Jacques Santer au gouvernement et Gust Graas à la CLT font sensiblement la même analyse. Mais on est polis. On est entre diplomates et on s'offre le foie gras en brioche de bienvenue au déjeuner.

On laisse Jacques Pomonti développer la nouvelle stratégie parisienne sur le satellite et l'on reste calmes alors que, franchement, il y aurait de quoi... Comment, alors qu'un accord précis a été conclu, Paris peut-il maintenant parler à la CLT d'entrer dans une société d'exploitation, c'est-à-dire d'avoir à financer un satellite qui lui était gratuitement offert dans le protocole d'octobre? Et, en plus, il faudrait renoncer à l'exclusivité de la publicité! C'est à se taper la tête sur la table de négociations. Mais personne ne bouge. Au grand-duché on a le sens des convenances.

Quant à Jacques Pomonti, il est persuadé de n'avoir accompli que son devoir en avertissant la CLT de la nouvelle donne. Le malentendu est total. Il n'ira pas en se dissipant. D'autant que, si sa nomination à la tête de la CLT a échoué, la procédure qui doit bientôt le faire admettre comme membre du conseil d'administration est engagée et suit son cours.

« *If Maxwell is a monster, then Murdoch is a criminal...* [3] » C'est de l'humour. Du britannique. Le mardi 8 janvier au matin, Jacques Pomonti téléphone à l'un de ses amis à Londres, un économiste et financier de la City. « Quel est l'homme de communication anglais à voir pour un projet de ce type? » lui demande-t-il après un bref exposé de sa mission. « Maxwell! » fuse la réponse, assortie de cette lapidaire boutade résumant les deux personnages. Maxwell, Murdoch, et leur compétition planétaire à chéquiers tirés pour le développement de leurs groupes dans les médias. Deux magnats mondiaux de la presse, de l'imprimerie et de l'édition qui se jettent défi sur défi dans l'audiovisuel, où Murdoch tient une longueur d'avance,

3. Si Maxwell est un monstre, alors Murdoch est un criminel.

mais où Maxwell ne manque pas de ressources [4]. Est-il envisageable de rencontrer Maxwell dans les semaines à venir? Le correspondant londonien doit bien connaître la société fermée des « monstres » et des « criminels ». Il obtient pour Jacques Pomonti un rendez-vous avec Robert Maxwell l'après-midi même.

C'est une journée glaciale. Il ne fait pas loin de − 10 °C à Paris, et l'avion que prend Jacques Pomonti, accompagné de son conseiller financier, doit passer sous le dégivreur. En comparaison, il fait presque doux à Londres quand il arrive au siège du Mirror Group, un immeuble de Holborn Circus. L'accueil de Robert Maxwell est dans le ton, au milieu des travaux du luxueux penthouse qu'il se fait aménager au neuvième et dernier étage.

Si le mot géant a un sens, il est encore faible appliqué à cet homme. Des épaules non pas larges mais immenses, une taille et des bras à déraciner les arbres d'une main pour s'échauffer. L'embonpoint est à l'échelle mais couvert, sur mesure, de blazer ou de veston bleu marine, surmonté d'un cou cyclopéen, du nœud papillon idoine − souvent rouge − et d'une tête massive, épaisse, barrée d'un long sourire butant sur deux falaises qui ressemblent à des joues. On craint pour ses propres cartilages en lui serrant la main, pour sa colonne vertébrale quand il vous tape sur l'épaule, et pour ses arrière-pensées quand, de leur retranchement derrière de phénoménales paupières, ses pupilles bleues vous sondent. Et elles ne font jamais rien d'autre. Même quand il rit. Surtout quand il rit, si tant est que le déferlement caverneux et les sismiques mouvements de poitrine en question puissent être appelés ainsi.

Maxwell, c'est Hollywood-sur-Tamise. Fils des Carpates et d'une famille juive pauvre de Ruthénie, exilé, combattant pendant la Seconde Guerre dans les rangs de l'armée britannique, volontaire insensible au danger, son itinéraire allie courage, audace et mystères. Des blocs entiers de son existence restent obscurs ou marqués de relations imprécises avec les services secrets occidentaux et soviétiques. On se perd dans les versions successives qu'il a données de son labyrinthe biographique. En résumé, c'est à la force du poignet, d'une intelligence polyglotte et d'un entregent international, qui ferait passer Henry Kissinger pour un stagiaire en ambassade, que Robert Maxwell a construit une fortune et un empire de presse à sa taille. Un groupe à son image. Titanesque.

4. Premier imprimeur de Grande-Bretagne avec la British Printing and Communication Corporation, Robert Maxwell est également le premier éditeur avec Pergamon Press, qui publie près de 250 revues et magazines, et l'un des premiers patrons de presse britannique avec l'acquisition, en 1984, du groupe Mirror.

Un manoir dans la campagne anglaise, une femme et des enfants français, un yacht digne d'un armateur grec et répondant au prénom de sa dernière fille, *Lady Ghislaine*. Rolls, hélicoptères, appartements dans les grandes capitales du globe, la Maxwell Corporation est une multinationale grisée par sa propre vitesse de rotation. « Captain Bob », comme on l'appelle, fréquente l'élite des dirigeants planétaires, avec un faible pour ceux des pays de l'Est. Il dévore le temps et les kilomètres pour s'afficher en leur présence. D'une heure à l'autre il peut s'envoler pour Moscou, Prague, ou Los Angeles. Il décide de tout et tranche dans la minute. Instinctivement. Qu'il s'agisse d'acheter ou de vendre un journal, une imprimerie, des terrains... Ou de recevoir sur-le-champ un homme investi d'une mission pour un satellite de télévision par le président socialiste français.

« Cette affaire m'intéresse. Je suis d'accord pour y participer », dit-il à Jacques Pomonti quand celui-ci achève le récit de son projet pour TDF1. Robert Maxwell est emballé par cette idée de chaînes de télévision françaises et européennes qui couvriraient l'Europe et pour lesquelles il suffirait de se procurer une petite antenne de réception. Ce sera une révolution dans les médias. Il se dit prêt à réfléchir à une télévision en anglais, destinée à la Grande-Bretagne dont le système est limité à quatre chaînes hertziennes [5], mais qui pourrait concerner toutes les populations européennes. Il faut voir « grand » et dans le « futur ». Il faut étudier les coûts et les conditions, mais il ne demande qu'à « investir » et serait enchanté d'être pour la première fois, grâce à cette affaire, le partenaire de l'Etat français.

Tel est le tout premier contact audiovisuel du géant Maxwell avec la France. Enthousiasmé par son dynamisme et sa stature, Jacques Pomonti rentre à Paris convaincu de tenir le premier maillon de la société à constituer pour TDF1.

Maxwell, lui, pense avoir trouvé sans le chercher le premier élément d'une stratégie à bâtir dans ces médias français qui paraissent avoir tant besoin de concours extérieurs.

La même semaine de janvier 1985, à Paris, un autre homme se prépare à annoncer une décision historique pour son groupe : Robert Hersant. Ses antennes personnelles et des indiscrétions dans la presse l'ont renforcé dans sa conviction que la France va vers une ouverture à la télévision privée. Il ne sera pas le dernier sur la ligne de départ. Il sera même le premier. Ne dit-on pas que François Mitterrand pourrait officialiser ce virage de la politique audiovisuelle française dès le milieu de la semaine prochaine ? Robert Hersant, qui pour l'heure

5. BBC 1, BBC 2, le réseau commercial ITV, et la récente Channel Four.

pense en termes de télévision locale, s'est empressé, en décembre, d'appeler l'ex-directeur de Canal Plus qui l'avait averti qu'il était « disponible ».

« Ramond, je vous engage. Venez avec moi, on va lancer une télévision, lui avait-il dit. Qu'est-ce qu'on peut envisager de faire comme chaîne sur Paris? »

Robert Hersant sait qu'il n'a rien à attendre d'un gouvernement socialiste. Mais c'est pour la provocation et le plaisir de se positionner avant les autres qu'il passe surveiller en personne au *Figaro*, un dimanche, la mise en page du billet qu'il a rédigé pour la une. Celui par lequel la France entière apprend, lundi 14 janvier 1985 à l'aube, qu'il crée la société TVE, Tele Europe, qui sera, annonce-t-il, une *« chaîne nationale émettant de 6 h à 24 h. Chaque jour, quatre heures de programmes seront consacrés à des émissions sur Paris et l'Ile-de-France. Ces mêmes plages horaires seront mises à la disposition des stations régionales et locales aussi nombreuses qu'il sera possible d'en créer en accord avec des confrères et des municipalités... »*

Les deux responsables de ce projet, ajoute le patron du quotidien, seront Philippe Ramond, directeur général, et Jean-Marie Cavada, directeur d'antenne.

CHAPITRE II

L'annonciation

« Il faut reprendre l'initiative. Innover. Surprendre ! » Ce sont, aux premiers jours de janvier 1985, les trois verbes qui charpentent les conversations de François Mitterrand avec ses collaborateurs. Le président de la République en a assez de ruminer les échecs sur l'école et la presse. Assez d'être quotidiennement attaqué par la droite sur le thème des libertés assassinées par le socialisme. Assez de se voir traité dans la rue de « liberticide [1] » !

Liberticide ? Lui qui a instauré la Haute Autorité, autorisé plus de mille radios à émettre, donné le feu vert à la création de Canal Plus, libéré les rédactions du joug politique ? La mauvaise foi grasseyante de la droite le plonge dans un agacement infini. Qu'ont-ils donc fait, en leur temps, ces Chirac et ces Giscard qui pérorent et promettent n'importe quoi ? Où sont leurs titres de noblesse de libérateurs des ondes ?

Depuis novembre, François Mitterrand caresse un retournement de situation à sa façon. L'initiative à reprendre n'a de sens politique, d'efficacité que si elle est spectaculaire et concerne tous les Français ; et non telle ou telle catégorie qu'on l'accuserait d'avoir voulu favoriser. Il n'y a rien à espérer sur le terrain économique où les effets de la rigueur sont trop longs à venir. L'Europe ? Les Français ne s'intéressent pas assez à l'étranger pour être sensibles à ses efforts communautaires. Ne parlons plus d'école, de laïcité ou d'Eglise. Moins encore de presse. C'est par éliminations successives que le Président en est arrivé à cette conclusion : le seul domaine où une initiative

1. Le samedi 8 décembre, une impressionnante manifestation en faveur de la station de radio NRJ, à qui la HA reprochait l'excès de puissance de ses émetteurs, avait réuni plus de 100 000 jeunes à Paris. Réussite populaire après celle sur l'école libre, la manifestation avait beaucoup inquiété l'Elysée.

serait à la fois spectaculaire, au propre comme au figuré, immédiatement efficace, et concernerait tous les Français, c'est la télévision. Mais une télévision nouvelle, inédite. Avec des chaînes commerciales. La télévision privée!

Cette idée, François Mitterrand ne l'a pas trouvée un matin sous son oreiller. C'est la droite, naïvement, qui la lui a soufflée, ou plutôt claironnée, dans les tympans au printemps 1984. La prétention bouffonne et la lourdeur libérale des programmes électoraux de Chirac et de Giscard sur le chapitre Communication l'ont alerté sur ce que le sujet pouvait avoir de politiquement porteur. Derrière l'opulence démagogique du discours « tout-privatisation » de droite opposé au « tout-Etat socialiste », le Président a deviné les contours d'une proie que ses adversaires lui tendaient sans le vouloir. Une proie pour laquelle il n'a aucun goût personnel, qu'il aurait même tendance à condamner, mais qui ne manquerait sûrement pas de charme aux yeux des électeurs. Si le RPR et l'UDF agitent aussi haut et fort l'étendard de la télévision commerciale, c'est qu'il y a quelque bénéfice électoral à en escompter. Alors, en vertu de quel masochisme politique un président qui a aujourd'hui le pouvoir de prendre de vitesse la droite sur son terrain s'en priverait-il? L'idée fait son chemin. Renforcée, grossie comme un fleuve de ses affluents naturels : les notes demandées à son entourage, et de permanentes discussions en comité restreint, ou en tête à tête. Conviendrait-il d'ouvrir la France à la télévision commerciale?

Pas un ami qu'il n'ait sondé. Pas une note qu'il n'ait lue. Georges Fillioud et Jack Lang se sont immédiatement déclarés hostiles à pareil projet. L'apparition de la télévision privée ruinerait du jour au lendemain la politique menée depuis quatre ans, ont-ils soutenu. Chaîne privée ne peut signifier que médiocrité des programmes, invasion accrue des produits américains, jeux débiles, variétés racoleuses... Pour des raisons identiques, Jérôme Clément (qui a quitté Matignon pour la présidence du Centre national de la cinématographie) et Jean-Louis Bianco ont crié au casse-cou.

Introduire le loup commercial serait renoncer à toutes les ambitions civiques et culturelles de la télévision, renier d'un coup les valeurs de gauche déjà écornées par le lancement d'une chaîne payante! Ceux-ci sont et restent minoritaires dans leur point de vue. François Mitterrand les entend, mais ce sont d'autres voix qu'il écoute. Celles du bouillonnant Jacques Attali, sensible aux arguments des « pirates » nocturnes, Bercoff et Bessis, ou de l'inénarrable Jacques Séguéla. Les uns et les autres lui font valoir la nécessité d'ouvrir, d'aérer le système français, de débloquer, en offrant de nouveaux supports, les investissements publicitaires en France, de dynamiser un marché de la production qui s'essouffle.

François Mitterrand ne veut pas se limiter à une approche hexagonale du problème. Au cours de ses déplacements, il a eu l'occasion de l'aborder avec des hommes d'Etat étrangers. Cela a été le cas en Espagne, où Felipe Gonzalez envisage, lui aussi, une ouverture aux chaînes commerciales, et surtout de l'Italie où Bettino Craxi lui a chaleureusement conseillé d'opter pour la télévision privée. Le chef de gouvernement italien est même allé plus loin en lui vantant les mérites d'un certain entrepreneur milanais...

Vingt fois, cent fois le Président a écouté, souri, remercié, hoché la tête sans rien trahir de ses intentions devant ses interlocuteurs. Certains sont mesurés. Jacques Pomonti prône l'ouverture dans la prudence. D'autres beaucoup plus volontaires. Le plus résolu, le plus favorable de tous à la télévision commerciale est un homme qui tient une place privilégié dans le cœur et la vie de François Mitterrand. C'est Jean Riboud.

Depuis la disparition de Georges Dayan, Jean Riboud partage avec André Rousselet la place d'honneur dans la liste des amis les plus proches du Président. Imposant, charmeur, d'une intelligence souveraine, le patron de Schlumberger jouit à soixante-cinq ans d'une aura et d'un prestige personnels qui en font l'un des chefs d'entreprise les plus courtisés de la planète. C'est aussi, dit-on, le patron le mieux payé au monde. Issu d'une famille de banquiers lyonnais, Jean Riboud n'a jamais accepté de vivre, immobile, sur le confortable sofa de ses origines, à l'ombre fortunée de la haute société protestante. Etudiant antifranquiste dès le début de la guerre d'Espagne, résistant dès les premiers jours de l'Occupation, ses engagements le mènent, en 1943, à Buchenwald. En camp de la mort. Jean Riboud est un rescapé de l'indicible, un miraculé de l'horreur qui va faire de sa vie un hymne à l'existence, au plaisir d'être et au droit d'entreprendre. Au début des années 50 il rejoint, aux USA, le siège du groupe de Marcel Schlumberger, spécialisé dans l'ingénierie pétrolière. Vingt ans plus tard, il en est le président; et le groupe, déjà prospère, est devenu un très riche géant multinational.

Puissance et fortune personnelle n'ont en rien fait changer ses idéaux d'étudiant en droit. Ses convictions sont à gauche et le demeurent. Un milliardaire prosocialiste... Cela intrigue et force une sorte de respect de l'originalité à New York, où il vit la moitié du temps. Cela prête à sourire et fait jaser à Paris, où il possède un sompteux pied-à-terre avenue de Breteuil, avec jardin intérieur indien. Ce gestionnaire fait l'admiration et l'envie du CNPF. Esthète épicurien, le secret de Jean Riboud, c'est l'organisation de son temps. Maître de son groupe, il n'en est pas l'esclave. Il savoure la réussite, mais a pris ses distances avec ses fastes. A Paris comme à New York il sait toujours se ménager un après-midi de liberté pour visiter une galerie, ou passer un moment avec son fils, Christophe. Dans son ranch d'Arizona ou sous les arbres de La Carelle, son « château » dans le Beaujolais, il y a toujours place pour une conversation sur la peinture, la littérature, le cinéma ou les médias. La presse l'attire et il est entré, à titre personnel, dans le capital du quotidien *Libération* dont le directeur, Serge July, est devenu son ami et conseiller. Familier de Godard, soutien de Rossellini, exécuteur testamentaire de Max Ernst, le mécénat est chez Jean Riboud une seconde nature. Un art de vivre avec les arts.

Les arts, les arbres, la gestion du temps, François Mitterrand et Jean Riboud n'ont jamais manqué de sujets de conversation quand il leur arrivait d'épuiser les joies de l'économie internationale et du cours du dollar. Depuis qu'ils ont fait connaissance au début des années 70, ils n'ont pas cessé d'être en contact. Au fil des ans, Jean Riboud est devenu l'un de ceux par qui le futur Président s'est initié aux mécanismes boursiers internationaux, aux problèmes des entreprises, à une conception moins rigide et négative du profit. Le rapprochement s'est soudé en une indéfectible amitié qui a survécu aux désaccords [2]. Désavoué sur la conduite du pays, Jean Riboud n'a jamais perdu l'oreille du Président sur la communication. Début 1985, il est l'un de ses plus influents conseillers. Mais, depuis quelques mois, sa santé faiblit. Il a beau se fatiguer plus rapidement qu'à l'accoutumée, il n'en est que plus combatif pour un enjeu audiovisuel qui le captive. La perspicacité de ses arguments recoupe la préoccupation centrale de François Mitterrand. Et l'actualité récente sert d'écrin à son raisonnement.

Malgré son amitié pour Jacques Rigaud, Jean Riboud est un déçu chronique de la CLT, une victime lasse du « pacte Audiofina ». Longtemps, en Américain d'adoption familier des grandes chaînes commerciales, il a rêvé de voir la CLT mettre tous ses atouts et son savoir-faire dans la création de ce qu'il appelle un « CBS européen ». La CLT devait être la clé de l'audiovisuel européen pour la fin du

2. En 1983, Jean Riboud a été de ces « visiteurs du soir », comme les appelait Pierre Mauroy, qui tentaient de convaincre François Mitterrand de changer de politique. Son nom avait même été prononcé pour un poste de ministre de l'Economie, voire de Premier ministre. Après une phase d'hésitation et de consultation intense, le Président avait opté pour une voie inverse à celle que préconisait le P-DG de Schlumberger.

siècle. Il est revenu de ces chimères. La CLT sommeille sur ses dividendes. Chaque fois qu'il a suggéré de sacrifier une partie des bénéfices pour investir dans une nouvelle chaîne, on a ri. Même le plus gros actionnaire français, Havas, n'a pas voulu l'écouter, car cette suggestion contrariait par trop les projets d'André Rousselet avec Canal Plus. Chaîne sur laquelle il y aurait beaucoup à dire, ne peut s'empêcher de glisser Jean Riboud à François Mitterrand...

Mais ils ont déjà eu dix fois cette conversation. Mieux vaut parler de l'avenir. Puisqu'il n'y a rien à attendre de la CLT, il est temps pour la France, soutient le P-DG de Schlumberger, de faire elle-même une télévision commerciale. La marche des choses est irréversible; il y aura, tôt ou tard, des chaînes privées. Pourquoi attendre et en laisser le bénéfice à l'opposition? Esprit politique autant qu'homme d'affaires, Jean Riboud ne se voile pas la face.

François Mitterrand non plus. En 1986, pronostique le Président, la droite reprendra le contrôle des chaînes publiques. Il n'y a pas, malgré ce qu'il avait espéré, d'informations sur Canal Plus, pas de grand journal à 20 heures. La gauche risque de se retrouver nue devant les médias. En outre, estime-t-il, le fond des choses a peu changé depuis mai 1981. Les rédactions des chaînes publiques sont toujours peuplées d'opposants en puissance. Il aurait fallu faire le ménage plus tôt... Aujourd'hui, il est convaincu que le plus habile sera de mettre ces journalistes et ces cadres en concurrence avec d'autres. Il faut donc créer une chaîne refuge, de droit privé, confiée si possible à des sympathisants, et sur laquelle l'opposition n'aura pas de pouvoir.

Définitivement prise à la mi-décembre, la décision est gardée secrète. Mais des bruits commencent à courir. Les plus farouches adversaires du choix présidentiel en profitent pour mener une dernière charge. Fillioud, Rousselet et Lang jettent tout leur poids dans la balance. Et perdent. La machine infernale est lancée. François Mitterrand profitera de la nouvelle année et des traditionnelles cérémonies de vœux pour apprendre la nouvelle aux Français. Les dernières réunions qui se tiennent en petit comité à l'Elysée entre les fêtes n'y changeront rien. La plupart de ceux qui y participent concluent au grand danger de cette « ouverture » et recommandent davantage de réflexion.

Mais le Président est pressé. « Vous avez sans doute raison, répond-il imperturbablement aux objecteurs qui invoquent avec ferveur culture, morale, équilibre, qualité. Mais j'ai d'autres objectifs impératifs. Nous avons une reconquête des Français à mener sur le thème de la liberté. Il faut frapper un grand coup, là où c'est le plus visible, à la télévision. Techniquement, je comprends vos réserves, mais... »

Plus prosaïquement, comme tous les intéressés se le diront en regagnant leur ministère ou leur entreprise : « Nous sommes tous d'accord. C'est une connerie, mais on va la faire quand même ! »

Au lendemain du jour de l'an 1985, le choix historique de François Mitterrand n'est plus qu'un secret de polichinelle, mais l'annonce n'en produit pas moins son effet. Lors des vœux à la presse, à proximité du salon Napoléon où il s'est fait installer un studio de télévision pour ses allocutions, le Président brise, en douceur, un tabou vieux de quarante ans. « Les moyens de diffuser les images et les sons vont se multipliant, dit-il négligemment. Le problème est de savoir comment organiser cette liberté... [en évitant] une situation à l'italienne... » Rien de plus ce jour-là. François Mitterrand a déjà décidé que c'est à la nation qu'il confierait le détail de sa pensée sur le sujet. Une date est bientôt retenue pour une interview sur Antenne 2.

Et, le mercredi 16 janvier, c'est l'annonciation. Répondant en direct aux questions de Christine Ockrent, le Président confirme : il y aura des chaînes de télévision privées en France. Plusieurs chaînes ? Mais oui, mais oui. Bien sûr, c'est un peu compliqué mais ce n'est qu'une question de circulation sur les grands axes hertziens. La télévision, brode-t-il sur la foi des notes qui lui ont été transmises pour préparer l'entretien, c'est un peu comme la rue de Vaugirard de sa jeunesse. Avec un bon agent au carrefour, tout le monde doit pouvoir y circuler. C'est ce qui lui permet d'affirmer bien haut et de prendre date : « Il y aura, en plus du service public, d'autres chaînes [privées]. Des chaînes verticales, c'est-à-dire de grandes chaînes nationales qui passeront des arrangements avec des chaînes locales [privées également]... Dans l'ensemble de la France, il doit y avoir place pour 80 ou 85 chaînes locales... »

Le monde de la communication est abasourdi. En quelques secondes, on est passé du néant à l'annonce d'un foisonnement gargantuesque de chaînes privées. D'où le Président a-t-il tiré les chiffres de 80 ou 85 télévisions locales en sus de « grandes chaînes » commerciales ? Comment va-t-on procéder pour attribuer ces fréquences ? Qui « fera » la télévision privée en France ? Quand verra-t-on ces nouvelles images ?

Mystère intégral. Personne n'en sait rien, ni à l'Elysée, ni chez Georges Fillioud qui, pour la troisième fois de sa carrière de ministre, songe à remettre sa démission [3]. Minutieusement réfléchie comme

---

3. La première faisait suite à un échec personnel aux élections cantonales de 1982, la deuxième à la volte-face du Président sur la FM et la publicité.

décision politique, l'annonce relève de l'improvisation totale d'un point de vue technique et économique. Effectué pour masquer ou compenser des déficits dans d'autres domaines tout en coupant l'herbe sous les pieds de l'opposition, le choix n'est basé sur aucune étude économique approfondie sur le marché de la télévision. Pas de dossier prospectif sur les ressources des futures chaînes. Pas la moindre esquisse des mesures à prendre pour assurer la cohabitation des chaînes publiques, qui puisent déjà dans l'argent de la publicité, avec des chaînes commerciales dont cette même publicité sera la seule ressource. Pas une note chiffrée n'a été établie sur l'incidence de cette décision sur le déroulement du plan câble, la télévision par satellite ou les débuts de Canal Plus. Rien.

Quand on s'en aperçoit, la veille de la prestation du Président, on a recours au joker habituel : la mission d'étude pour gagner du temps. C'est ainsi que l'avocat Jean-Denis Bredin, désigné par Laurent Fabius sur proposition de Jack Lang, se trouve subitement chargé, le lundi 14 janvier, d'établir un rapport sur « l'opportunité d'ouvrir en France l'espace télévisuel à la télévision privée... » On ne saurait mieux avouer qu'on avait mis la charrue avant les bœufs. La décision étant déjà prise, prier un avocat de se prononcer sur son « opportunité » ne pouvait relever que de la farce ou du cynisme.

Le 16 janvier, sur Antenne 2, François Mitterrand cède à l'appel de l'irréversible, à la tentation de l'empreinte indélébile. En regardant la France au fond des yeux, il signe un chèque en blanc sur une banque d'images qu'on a oublié de construire et d'alimenter.

Ainsi, un jour ou l'autre, les propriétaires des futures chaînes devront aller puiser de quoi se nourrir dans le coffre-fort américain. Le Fort Knox audiovisuel.

CHAPITRE III

Coups de poignard

« Monsieur Pomonti?
– Oui.
– Ne quittez pas, monsieur le Président souhaite vous parler... »
Il est environ 17 heures 30 ce lundi 28 janvier 1985 lorsque le téléphone sonne sur la ligne directe du P-DG de l'INA, tour Gamma, dans un vaste bureau dont les baies vitrées dominent le quartier d'affaires en construction près de la gare de Lyon. Il fait déjà sombre, et de tristes néons éclairent les couloirs sans grâce, déserts, de ce dixième étage où Jacques Pomonti cumule, jusqu'à des heures avancées, ses fonctions à l'INA et celles de responsable de la mission pour le satellite. Depuis un mois, c'est tout juste s'il a eu le temps de savourer une heure de détente à son domicile. Il n'arrête plus. Régulièrement, il informe François Mitterrand de l'évolution de ses travaux et de ses rencontres, aussi n'est-il pas surpris que l'Elysée l'appelle. La teneur du propos le laisse pourtant perplexe :
« J'étais récemment en Italie et je me suis entretenu avec monsieur Bettino Craxi de nos projets pour le satellite, résume le Président. Il m'a dit qu'il pourrait être intéressant de rencontrer monsieur Berlusconi et éventuellement de l'associer au développement de la télévision par satellite en Europe... »
Le Président n'en dit pas davantage. Jacques Pomonti a compris le message. Aller voir Berlusconi? Le champion de la télévision commerciale en Italie? L'ennemi de la culture? Le bourreau de la télévision publique et du cinéma italiens? Oui, lui-même, Silvio Berlusconi. Tel est le souhait du président de la République française, dix jours à peine après l'annonce de l'ouverture aux chaînes privées.
Une heure plus tard, rendez-vous est pris à Rome, et des places réservées pour messieurs Pomonti et Clément sur le vol Alitalia de

11 heures 45 du mercredi 30 janvier. Retour le soir. Les dés sont jetés.

C'est trop fellinien pour être vrai. Et pourtant ce n'est pas le décor d'un film mais le domicile et bureau romains de celui que les journaux appellent « Sua Emittenza », en jouant sur les mots « éminence » et « émetteur », Silvio Berlusconi. Un ancien cloître, ou couvent, une bâtisse splendide, avec meurtrières, vitraux, rosaces, rampe d'accès pavée qu'empruntaient autrefois des mulets. Dédale baroque de pièces, murs de velours, lumière du jour teintée d'or, de pourpre, d'azur. Il fait un temps magnifique pour la venue de la « délégation » française que Silvio Berlusconi accueille en compagnie de son double, son ami d'enfance et bras droit, Fedele Confalonieri.

Berlusconi sourit comme seuls savent sourire ceux qui connaissent la valeur de la séduction en affaires, de toute son éclatante dentition, de toute sa bouche, de tout son visage. Un front lisse, le teint mat et des yeux bruns en amande, brillants, font office de sage présentoir à ce sourire dont c'est peu dire qu'il charme, rassure, et convainc de la stature hors du commun de celui qui l'arbore. Voici donc le diable italien en personne. Silvio Berlusconi, en chair et en images. Il n'est pas grand mais se tient droit, les épaules carrées, bras croisés sur des vestes qui le sont aussi, coupe italienne bien sûr, cravates rayées, chemises bleues. Redouté, admiré, son ascension et sa légende sont plus diaboliques que sa personne.

Un scénario qu'on n'oserait écrire, par peur de l'invraisemblable, et pourtant une histoire vraie. Celle du fils d'un directeur de banque milanais, élevé en moyenne bourgeoisie comme en couveuse, et dont il s'échappe, étudiant, pour chanter, jouer du piano, séduire, vivre. Le petit diable ne commence à en devenir un grand que bien plus tard, de retour au pays, la tête dans les plans de construction, les pieds dans le sable, le gravier, et le ciment de la société immobilière qu'il fonde en 1961. En quinze ans, c'est la fortune. La vraie. Celle qui force le hasard, le respect, et au besoin pactise avec l'institution politique. Fortune à l'italienne comme il en est des comédies. Rutilante. Bruyante. Gaie. Fortune bâtie sur un concept nouveau et des lotissements dans la banlieue de Milan, la riche capitale du Nord. Silvio Berlusconi invente des ensembles résidentiels à l'urbanisme nouveau : les villes « sans voitures ». Il suffisait d'y penser, et de les réaliser avec l'appui de jeunes architectes lassés des clapiers de l'après-guerre. Milano 2, Milano 3... Villes piétonnières pour cadres aux revenus confortables, écologistes avant l'heure.

Mais le coup de génie, la botte diabolique de Berlusconi, c'est

196

d'avoir compris que l'homme éloigné du centre-ville ne se contente pas de marcher, ne vit pas que d'amour et d'oxygène retrouvé mais aussi d'images, de divertissement. De télévision. Et de l'avoir compris au moment même où l'Etat italien renonce au monopole et dérégule le domaine hertzien, en 1976. Silvio Berlusconi a eu l'ingéniosité de prévoir des circuits de télévision intégrés à ses complexes immobiliers ; il n'a plus qu'à se lancer à la conquête des images qui les alimenteront. Mais pourquoi se limiter aux réseaux de Milano 2 ou 3, quand c'est toute une péninsule, des millions d'Italiens qui avouent leur soif de cinéma, de variétés, de jeux, de lots à gagner ?

Des centaines d'émetteurs de télévision envahissent les sites géographiques les mieux placés, les plus élevés du territoire. Bientôt plus de mille chaînes locales, régionales, parfois de quartier, couvrent l'Italie dans une incroyable débauche d'émissions, de séries où le pire ne côtoie que très rarement le meilleur. Patient, méthodique, raisonné, merveilleusement servi par sa connaissance du terrain politique, Silvio Berlusconi n'éparpille pas ses investissements dans le secteur et œuvre sur trois fronts : la constitution d'un réseau de télévision à partir d'émetteurs répartis sur le territoire, l'acquisition de droits audiovisuels, et la conquête des annonceurs.

Berlusconi est le premier à comprendre que l'anarchie ambiante ruinera les centaines d'opérateurs aux faibles moyens, qu'il faut réfléchir en termes de chaîne nationale. Il est encore le premier à percevoir l'indigence des programmes offerts aux téléspectateurs italiens. Pour capter le public, et surtout pour durer, il faut s'assurer de stocks d'émissions, de séries, de téléfilms. Il faut aller les chercher là où ils se trouvent, en Amérique, et en acquérir le plus possible pendant qu'ils sont encore abordables. Enfin, il est le premier à deviner l'extraordinaire impact qu'aura auprès des annonceurs un réseau de télévision commerciale structuré.

Ces trois conditions réunies, la réussite est au bout du chemin. Et c'est ce qui se produit, point par point. Entre 1978, où il lance sa première station de télévision régionale à Milan, et 1985, où l'Etat français lui envoie Jacques Pomonti en émissaire, Silvio Berlusconi est passé du rang d'entrepreneur de bâtiment à celui d'empereur de la télévision commerciale. Avec ses chaînes nationales, Canal 5, Italia 1 et Rete 4, il ne se contente plus de faire jeu égal avec la RAI, le service public, il la dépasse même certains soirs, il grignote son audience et lui prend peu à peu ses animateurs, ses stars, ses émissions.

Au bâtiment et à la télévision, Silvio Berlusconi a ajouté, sous le toit commun de son groupe, la Fininvest, des activités lucratives dans les domaines de l'assurance, de l'édition, de la finance et de la presse.

En dix années de course échevelée il a presque rejoint son idole au firmament du patronat italien, Giovanni Agnelli, l'homme de Fiat. Silvio Berlusconi est l'une des trois ou quatre plus célèbres personnalités d'Italie. L'une des plus contestées aussi. Sa réussite intrigue, elle sent les fonds de tiroir américains, l'argent publicitaire incontrôlable, et, pour ne rien arranger, son nom a été prononcé à plusieurs reprises, comme ceux de beaucoup d'autres hommes d'affaires du pays, dans le scandale de la Loge P2, en 1981.

Derrière l'entrepreneur boulimique et talentueux, l'homme Berlusconi a une grande soif de reconnaissance, de légitimation et de développement international. C'est ce dernier aspect qui le préoccupe le plus. Avec près de 50 % du marché de l'audience en Italie pour ses trois chaînes, Silvio Berlusconi sait qu'il ne peut aller beaucoup plus loin. En matière de télévision, l'expansion passe par l'étranger. C'est le message qu'il a peu à peu diffusé dans la classe politique italienne, et chez l'un des ses ténors, son ami Bettino Craxi, qu'il n'a jamais manqué de soutenir. Et réciproquement. En vantant à François Mitterrand en même temps qu'aux dirigeants espagnols les compétences de Berlusconi, sa connaissance de la télévision, le chef de gouvernement italien estime contribuer à l'exportation en Europe d'un bien national. Renvoi d'ascenseur opportun pour Berlusconi qui, depuis quelques mois, cherche les bases d'une progression géographique homogène dans le sud de l'Europe. Il est persuadé qu'il existe un modèle de télévision commerciale latine à inventer le long de l'axe Rome-Paris-Madrid. Il se trouve que cette trilogie télévisuelle en puissance recoupe, au milieu des années 80, une trinité d'Etats de sensibilité socialiste.

A ses voisins d'Europe encore prisonniers du monopole public, Bettino Craxi fait valoir qu'ils perdront l'audiovisuel au fond des urnes le jour où elles leur seront hostiles. Au contraire, créer des chaînes commerciales peut être un excellent moyen de diversifier le jeu politique et de ne pas se retrouver bredouille les soirs de défaite. Ouvrir des chaînes privées, c'est s'assurer, en cas de perte du pouvoir, que les vainqueurs n'auront pas le monopole de la communication. Il n'y a pas plus simple.

Jacques Pomonti n'aurait pu rêver d'un auditoire plus attentif. Silvio Berlusconi et Fedele Confalonieri, qui est un peu sa conscience, son Jiminy Cricket au front chauve et au sourire en clavier de piano, boivent respectueusement ses paroles. A Jacques Pomonti, qui fait observer, critique l'omniprésence de produits américains sur ses réseaux, « Sua Emittenza » répond qu'il ne rêve que de remédier à cet état de choses. Son obsession, confie-t-il, est d'inverser un jour le rapport de forces entre l'Europe et les USA. Les produits américains ne seront pas éternellement bon marché. Il faut donc commencer par se servir de ces produits pour installer des chaînes commerciales dont les profits permettront, à la longue, d'investir dans des productions originales :

« Nous avons besoin du modèle et du succès américains de la télévision commerciale pour dégager des fonds. Ce que je veux, c'est ensuite créer une industrie européenne de la télévision et du cinéma... » Dans pareille perspective, le satellite TDF1, qui couvrira l'Europe du nord au sud, peut s'avérer un utile marchepied. D'accord pour commencer à discuter des modalités d'accès à ce joyau de la technologie française.

En fin d'après-midi, Jacques Pomonti et Patrick Clément rejoignent l'aéroport dans une Alfa-Romeo que Silvio Berlusconi a mis à leur disposition. Avec chauffeur, et vitres blindées. On n'est jamais trop prudent dans cette Italie que les Brigades rouges et la Mafia ensanglantent périodiquement.

« Mitterrand me poignarde ! Je n'arrive pas à le croire. Il nous tue... » Depuis le 16 janvier, la terre se dérobe sous les pieds d'André Rousselet. Tour Olivier-de-Serres, au siège de Canal Plus, c'est la consternation. Visages blancs de fatigue, regards cernés. En deux semaines, depuis l'annonce de François Mitterrand, le taux des abonnements à la chaîne à péage a chuté verticalement. De 3 000 par jour à moins de 300. C'est l'hémorragie. Réflexe compréhensible de la part de ceux qui, s'ils songeaient à sacrifier 120 F par mois pour les films de Canal Plus, se disent maintenant qu'il serait stupide de payer si cher pour voir ce qu'ils obtiendront bientôt gratuitement sur les chaînes commerciales promises.

« Il me poignarde... » C'est ce que répète autour de lui le P-DG d'Havas et de Canal Plus. Tous les efforts de Lescure, Bonnell, Tessier, Mathieu et les siens sont menacés de ruine. Mais il y a plus grave. A ce rythme Canal Plus risque d'entraîner Havas dans un gouffre. Les projections financières évoquent pour Canal Plus un déficit supérieur à 500 millions de francs pour l'année 1985. Peut-être 600... C'est l'alerte générale au sommet de la chaîne. Le dépit d'André Rousselet est sans fond. François Mitterrand n'a rien voulu entendre de ses conseils, en novembre dernier, lorsqu'il s'était pour la première fois ouvert à lui de ses intentions. « Ne faites pas cela, Président, avait soutenu l'ancien directeur de cabinet. Réfléchissez aux risques, il est trop tôt pour aborder cette évolution. Cela pourrait déséquilibrer tout le système, compromettre ce que nous avons entrepris depuis 1981... » et foudroyer Canal Plus naissant, évidemment. Mais rien n'y avait fait. La politique à court terme l'avait emporté.

A l'heure où Jacques Pomonti quitte Rome, André Rousselet ressasse les différentes hypothèses. Il est impossible de continuer l'exploitation de la chaîne cryptée aux mêmes conditions. Jamais le chiffre prévu de 700 000 abonnés ne sera atteint en fin d'année. Il va falloir renégocier avec l'industrie du cinéma, arracher le droit à davantage de films, abaisser les coûts, essayer d'élargir la partie non cryptée du programme et y introduire de la publicité pour drainer un peu d'argent. En tarissant les abonnements, l'annonce présidentielle oblige Havas à supporter plus longtemps que prévu un effort financier considérable. Sans parler des autres actionnaires, qui prennent soudain peur d'un retentissant échec. Ne s'est-on pas engagé à la légère dans cette entreprise? entend-il dire un peu partout.

Certains n'ont pas attendu pour quitter le navire. Craignant un fiasco soudain, le promoteur Merlin s'est retiré dès le lancement de la chaîne, récupérant ses quinze millions de francs. « Juste à temps... » soupire-t-il depuis, en estimant avoir ainsi évité, avec Canal Plus, une des plus mauvaises affaires de sa vie. Question de flair. A cette occasion, le groupe de cosmétiques L'Oréal, présidé par François Dalle, est entré dans le capital de la chaîne, à hauteur de 10 %.

Si encore les pouvoirs publics faisaient un geste. Mais, « franchement, non, c'est impossible. On ne peut rien envisager avant que Jean-Denis Bredin ait achevé son rapport... » C'était à prévoir. Quand les difficultés commencent, il n'y a plus personne sur la ligne. Georges Fillioud compatit, c'est un moment pénible pour Canal Plus et pour lui-même, mais il est exclu d'alléger les charges de la chaîne cryptée dans l'immédiat. Il faut attendre. Et attendre, c'est dépenser de l'argent, laisser se répandre les rumeurs les plus alarmistes sur ce « *Titanic* sans orchestre » comme l'appelle le nouvel hebdomadaire de Jean-François Kahn, *L'Evénement du jeudi*. On réglera les comptes plus tard avec ceux qui jouent les croque-morts, enrage André Rousselet. Pour l'instant, il faut sortir de l'impasse. Une possibilité serait de transformer progressivement Canal en une chaîne commerciale. En faire, si tout espoir d'équilibre par la diffusion cryptée disparaissait, l'une de ces télévisions qu'annonce François Mitterrand. Mais c'est la mort dans l'âme que le P-DG d'Havas se résignerait à une aussi lamentable retraite.

Le vendredi 1er février 1985, la situation se dégrade un peu plus. Dès l'ouverture de la Bourse, le cours de l'action Havas s'affaisse dangereusement [1] sous le poids des pronostics les plus pessimistes formulés, non contre le groupe lui-même, mais contre sa filiale. Sur ce trou insondable qui s'appelle Canal Plus et dont on dit que les frasques vont priver les actionnaires d'Havas de dividendes en 1985, alors que les résultats d'Havas pour 1984 sont excellents!

La fille à péage mène ses parents à la banqueroute. Autour de la corbeille comme dans les dîners en ville, on se prépare à assassiner socialement cet inconscient, ce « garagiste » reconverti, ce prétentieux de Rousselet avec sa folie des grandeurs, son incompétence audiovisuelle, son entêtement, ses grands airs... Voilà où mène l'arrogance de ceux qui vivent trop près des rois!

Ces pleutres imbéciles tremblent pour leurs malheureux dividendes et fragilisent tout Havas avec leurs peurs, se dit, de son côté, le président de Canal Plus. Leur panique pourrait donner le coup de grâce à la chaîne avant que l'on ait pu faire quoi que ce soit pour la sauver. Enfermé dans son bureau, il rédige en ce vendredi noir une lettre à l'intention de son ancien collègue de l'Elysée, Pierre Bérégovoy, ministre de l'Economie et des Finances. Quelques feuillets serrés, clairs, argumentés, sur les tenants et les aboutissants du problème de Canal Plus, qui connaît un sérieux handicap de trésorerie du fait de la nouvelle donne instituée par le Président. Il s'y déclare prêt à des économies, des révisions de format; mais sans une aide rapide de l'Etat, grandement responsable de la situation, le sauvetage pourrait échouer. C'est le genre de lettre qu'un homme d'affaires ayant sa dignité rechigne à signer, mais il n'a plus le choix. Sans oxygène financier, Canal Plus plonge et Havas avec.

Le week-end est morose. Les centaines d'« amis » et relations qui l'avaient appelé le jour du lancement pour le féliciter et encourager l'équipe ont disparu.

Le lundi matin suivant, à la première heure, le cauchemar se poursuit. C'est livide, exaspéré, les yeux emplis de colère qu'André Rousselet arrive à son bureau.

« ROBERT HERSANT PROPOSE DE REPRENDRE CANAL PLUS », titre fièrement la une du *Figaro*, ce lundi 4 février, sous la mention : « Effondrement en Bourse des actions Havas. » Suit un court papier, en cinq points, où Robert Hersant manie, l'air de n'y toucher que par compassion, le scalpel et la hache dans la chair d'André Rousselet. C'est une déclaration de guerre, à froid, et un pied de nez supplémentaire à l'adresse du pouvoir. Le président de la Socpresse, deux semaines après avoir annoncé le lancement de TVE, se pose en sau-

1. Il passe de 710 F à 620 F contre 929 F aux beaux jours de l'automne précédent.

veur de Canal Plus, et des dividendes des actionnaires d'Havas, pré-cipités en enfer par l'incapacité de monsieur Rousselet.

S'adressant à ces actionnaires, il dit comprendre leur malheur et leur annonce que, selon ses calculs personnels, la situation est plus désespérée qu'ils ne l'imaginent. Avec 256 000 abonnés seulement au 1er février 1985, le déficit « *réel dépassera vraisemblablement le mil-liard de francs à la fin de l'exercice en cours* ». Cette chaîne, « *vou-lue par l'Etat socialiste* », est un « *échec* » certain. Par chance, Robert Hersant, le bon Samaritain bien connu, s'est trouvé sur le chemin de la malheureuse et propose, la main sur le cœur, « *à l'agence Havas et aux principaux actionnaires de reprendre leurs participations* » car « *Robert Hersant pense qu'il existe une autre issue pour une autre télévision* ».

A l'abri dans son bureau, rue de Presbourg, l'auteur glacial et cas-sant de cette offre d'achat peut rire à gorge déployée. Quatre ans après la tentative de rachat de *France-Soir*, il ridiculise une fois de plus ce brave Rousselet. La vie est belle, et cette proposition un joli coup à faire, une de ces occasions comme il ne s'en présente pas deux dans la vie d'un provocateur né. Provocation, car nul ne sait mieux que Robert Hersant l'impossibilité technique de son offre[2] et l'inexactitude de son verdict.

Rien ne dit encore que Canal Plus sera, comme il l'annonce, un échec. Il y a même auprès de lui quelqu'un qui soutient qu'en dépit des apparences, la chaîne cryptée est une excellente affaire. C'est Philippe Ramond, l'instigateur, mais non l'auteur, de ce qui res-semble à une première OPA dans l'audiovisuel français. Philippe Ramond, qui lui a téléphoné dans sa propriété d'Ivry-la-Bataille le soir du vendredi précédent. « Les gens s'affolent bêtement en Bourse, Canal Plus est l'une des meilleures affaires à prendre... » lui avait dit l'ancien directeur de la chaîne à péage qui connaît la réalité des chiffres aussi bien qu'André Rousselet. 250 000 abonnés en quatre mois d'existence, c'est plus que n'en avait conquis au bout de cinq ans la plus grande chaîne cryptée des Etats-Unis, Home Box Office (HBO). Il peut y avoir un passage difficile, mais la chaîne est viable; si on ne la tue pas dans l'œuf.

Cela, Robert Hersant n'en est qu'à demi convaincu. Par contre, et c'est tout l'objet de son billet, il pense qu'avec un petit coup de pouce la maison Canal Plus pourrait s'écrouler sur elle-même et, du coup,

---

2. Les statuts de la société stipulent qu'un actionnaire de Canal Plus ne peut vendre ses parts sans les proposer d'abord à la préemption des autres actionnaires. Il va de soi, Havas étant le principal actionnaire de la chaîne, que Robert Hersant n'aurait aucune chance de les acquérir.

libérer un réseau national complet sur lequel s'installerait peut-être une chaîne commerciale classique, cette « autre » télévision à laquelle il fait allusion sans en préciser la nature. Mais le patron du *Figaro* sait bien qu'il caresse là un vain espoir. Même si ce réseau était subitement libre, ce n'est pas à lui que la gauche le confierait. L'idéal serait que la chaîne cryptée s'enfonce doucement et ne se noie pour de bon qu'à la fin de l'année 1985, juste à la veille de la redistribution de l'après-mars 1986. Provocation donc, mais comment ne pas saisir l'occasion d'humilier un peu plus Havas, le pouvoir et André Rousselet? Pour Robert Hersant, c'eût été une entorse à son hygiène professionnelle.

« Hersant se fout de notre gueule! » A Canal Plus, l'heure n'est plus aux mots fleuris. Le mercredi 6 février se tient, sans incident, un conseil d'administration de la chaîne cryptée. Mais André Rousselet et Marc Tessier n'ont pas besoin qu'on leur fasse un dessin. L'estocade du *Figaro* a fait mal. La confiance des actionnaires part en quenouille, cela se lit sur les visages quand le P-DG aborde la question des besoins financiers. La baisse des abonnements se poursuit de manière dramatique. Pierre Lescure et Alain de Greef vont devoir tailler dans les programmes.

En sortant de ce conseil, le soir, André Rousselet sait qu'il doit se préparer à d'éventuelles défaillances dans son tour de table. Il faut trouver d'autres partenaires, au cas où... Mais qui? Mais où? Maintenant que les difficultés sont étalées sur la place publique, que la Bourse le désavoue, quel groupe, quel homme accepterait de lui prêter main forte? Vers qui se tourner alors que l'annonce présidentielle a « complètement brouillé » les cartes et les stratégies des différents groupes français? Hersant, Hachette, CLT, Europe 1, Publicis n'ont plus d'yeux que pour les futures chaînes privées. Tous ne parlent que de se diversifier dans la production audiovisuelle, de se préparer à la nouvelle « ère », de constituer des sociétés de production...

Depuis des mois, Europe 1 clame fort sa volonté d'entrer dans la télévision. La station, sous l'impulsion de son P-DG, Pierre Barret, a d'abord songé au câble et à la future chaîne parisienne que Jacques Chirac voudrait y diffuser. On a installé, rue François-Ier, un studio très sophistiqué pour une version TV de l'émission de Michel Drucker, transfuge de RTL. Les dirigeants d'Europe 1, Jacques Abergel et Philippe Gildas, assurent pouvoir produire plusieurs heures quotidiennes de télévision du jour au lendemain. Mais, depuis le 17 janvier, Europe 1 ne veut plus se limiter à un câblage si lent à venir et se positionne pour la télévision privée hertzienne. On dit la station plus ou moins associée dans cette démarche au groupe publicitaire de Marcel Bleustein-Blanchet, Publicis.

Le groupe de production cinématographique Gaumont ne voudrait pas rester sur la touche, les Editions mondiales non plus. Il n'est pas jusqu'à l'Harlequin publicitaire de l'Elysée, le père agité de la « Force tranquille », Jacques Séguéla, qui ne rêve de se voir si beau dans le miroir d'une télévision qui serait à lui.

Pour tous, le cryptage est mort-né.

Début 1985, le microcosme de la communication vit pétrifié.Tout le monde attend le rapport que Jean-Denis Bredin doit remettre en mai à Laurent Fabius. Et contemple avec délectation le calvaire de Canal Plus.

Place François-Ier, au siège du groupe Hachette, on se congratule d'avoir été aussi perspicace en ne suivant pas Rousselet. A un an des législatives, Jean-Luc Lagardère s'est mis en retrait, en réserve de la république audiovisuelle. Il attend. Il se prépare. Qu'on ne compte pas sur lui pour s'agiter à la manière de Robert Hersant. Son côté mousquetaire du roi ou garde du cardinal, selon les scrutins, lui interdit de piétiner l'homme à terre mais, il l'avait prédit, sans vrai financier et sans gestion au « quart de centime »... D'ailleurs, son bras droit, Yves Sabouret, vice-président d'Hachette, l'a fort bien rappelé dans les colonnes de *L'Expansion* le jour du démarrage de cette folie à péage : « *Tout se passe comme si la France pensait avoir les moyens de s'engager sur tous les supports (service public, hertzien, câble, satellite). La route va se resserrer en goulet, il y aura un juge naturel – le choix du public –, des victimes, et beaucoup d'investissements perdus. Chez Hachette, nous observons et vivons avec le pied posé sur l'accélérateur.* » Jean-Luc Lagardère reprend chaque mot à son compte.

Son groupe est dans les starting-blocks, paré pour les synergies. Il a tissé de nouveaux liens avec les « grands » de la communication, Warner, Disney, il se lance dans la production avec Hachette Première. Il se rôde. C'est d'ailleurs ce qu'il dit à Jacques Pomonti quand celui-ci vient le voir, fin janvier, pour lui proposer de participer à l'opération TDF1. Le satellite, c'est sa passion (n'en était-il pas le premier attributaire en 1979 ?), mais plus dans ces conditions. Jean-Luc Lagardère a une vision européenne, lui aussi, mais ce n'est pas celle de Jacques Pomonti qui, il le voit bien, se meut dans une Europe audiovisuelle socialisante. Son Europe à lui, du satellite et de la communication, tient en quatre groupes et en autant de pays : « Hachette pour la France, *my friend* Murdoch pour le versant anglo-saxon, *mio amico* Agnelli en Italie, et le géant allemand Bertelsmann... »

Attentisme d'une autre nature à la CLT, soulagée, elle aussi, de ne pas être montée dans la galère à péage. Et ce ne sont pas les déboires d'André Rousselet qui risquent d'attendrir le rescapé de « l'attentat du Petit Louvigny » en décembre dernier, Jacques Rigaud. Le lendemain de l'intervention de François Mitterrand sur A2, l'administrateur délégué a écrit à Georges Fillioud. La CLT, lui a-t-il rappelé, est toujours aussi désireuse d'obtenir l'exploitation de deux canaux sur TDF1, conformément au protocole d'octobre 1984, mais elle profite de l'initiative présidentielle pour l'informer qu'elle est vivement intéressée par l'une des chaînes dont la création est annoncée.

Finement, Jacques Rigaud a mis le doigt sur ce qui va devenir une épine majeure dans le dossier TDF1 : l'articulation entre les chaînes qui « monteront » un jour sur le satellite, et celles qui vont être créées au sol. Sur ce sujet, et sur bien d'autres, souligne le président de RTL, il serait ravi de recevoir, un de ces jours, la visite de monsieur Pomonti...

De quelque côté qu'il se tourne, André Rousselet ne rencontre plus que des groupes candidats à ces chaînes qui creusent la tombe de Canal Plus. C'est un compte à rebours fatal qu'égrène le calendrier. Son seul espoir réside dans l'appui d'un franc-tireur français téméraire, ou de groupes étrangers. Ou les deux. Rien ne pourrait être pire que ce qu'il vit en ce moment, est-il persuadé.

Erreur. Les mauvais génies qui font la fête sur le toit de Canal Plus n'ont pas fini de vider leur sac à malices.

CHAPITRE IV

La conjuration

« ... Vous devriez venir, nous avons besoin d'hommes comme vous. Je cherche des associés...

– André, sincèrement, non. Vous me comprenez... »

Encore une porte qui se ferme. Au domicile de Jean Riboud, avenue de Breteuil, André Rousselet est las, aux premiers jours de février 1985, de « comprendre ». Mais il n'en dit mot. Il a fait fausse route en venant chercher l'aide de Jean Riboud. Anciennes, autrefois affectueuses, leurs relations se sont distendues au fil des ans et des désaccords stratégiques sur la CLT, Audiofina, Albert Frère... Il avait espéré que... Mais Jean Riboud n'est plus tout à fait le même homme. Toujours très droit mais amaigri, les traits creusés, le cheveu rare, le patron de Schlumberger est aux prises avec la maladie. Il n'a cependant rien perdu de son acuité intellectuelle, ni de sa volonté de découvrir d'autres secteurs.

« Vous me comprenez, j'en suis sûr, reprend-il. Ecoutez, je ne suis pas tenté par la télévision à péage mais l'audiovisuel m'intéresse. J'aimerais me lancer dans la télévision, peut-être étudier de plus près votre situation et en reparler avec vous.

– Quand vous voudrez, Jean.

– Mais je n'ai personne actuellement pour s'occuper de cela. Auriez-vous quelqu'un à me recommander ? »

Quelqu'un ? La porte de Jean Riboud n'est donc pas complètement fermée s'il souhaite approfondir la question. Une bouffée d'espoir. Qui sait ? Peut-être parviendra-t-il à le convaincre que Canal Plus est une valeur sûre ?

« Si, je crois pouvoir vous conseiller un garçon très bien...

– Comment s'appelle-t-il ?

– Bernard Miyet. »

206

Le P-DG de Canal Plus n'a pas de mal à joindre Bernard Miyet, il est installé à deux bureaux du sien au huitième étage d'Havas. L'ancien directeur de cabinet de Georges Fillioud est, depuis peu, « ex »-président de la Sofirad. Il n'a résisté que quatre mois au changement de Premier ministre. Fin décembre 1984, Laurent Fabius l'a démissionné, avant de pousser à la tête de la Sofirad celui que Bernard Miyet avait refusé de prendre comme directeur général en 1983, Gérard Unger. Rien ne s'oublie. Solidarité de clan oblige, André Rousselet avait aussitôt offert au banni le gîte Neuilly et la couverture Havas.

« Cela vous dirait-il de travailler pour Jean Riboud? » demande peu après André Rousselet à Bernard Miyet.

Quelle question! Approcher Jean Riboud, ce mythe du patronat mondial, travailler pour lui? Qui hésiterait? Chômeur de luxe qui traite des petits dossiers par-ci par-là, Bernard Miyet n'a rien à perdre. C'est oui, bien sûr.

« Mais attention, André, prévient Miyet qui connaît le penchant du P-DG de Canal Plus pour une certaine forme d'allégeance de la part de ses collaborateurs. Je ne veux pas être l'homme de Rousselet auprès de Jean Riboud. »

Mi-février, Jean Riboud rencontre Bernard Miyet. C'est leur deuxième entretien. Le premier remonte au printemps 1983, lorsque le diplomate essayait de convaincre les actionnaires de la CLT de renoncer à LUXSAT. Deux ans. Une éternité! Aujourd'hui, plus rien n'est pareil. Au cours des derniers mois, l'audiovisuel a pris une place prépondérante dans l'esprit du P-DG de Schlumberger. Cet univers des télévisions privées qui le passionne est enfin accessible grâce à la sage décision de François Mitterrand. C'est un choix tardif, mais c'est le bon. Tout devient possible, même si, surtout si, comme c'est le cas, chaque mois compte désormais pour une année dans la vie de Jean Riboud. Chaque semaine est une victoire. Un bloc de temps, une montagne de vie et un bouquet de décisions virtuelles arrachés à la maladie.

A quarante ans de distance, c'est le même homme, le même étudiant lancé dans un combat sans merci. Dans la résistance au mal. Ce combat pour la vie, hasard du temps et de ses activités, Jean Riboud le double et le renforce d'un autre combat, mené parallèlement pour réaffirmer ce qui a été, ce qui est le moteur de son existence : entreprendre. Combat d'appoint, ombre et soutien du premier qui, à un autre moment de sa vie, aurait pu prendre les formes d'un continent à conquérir ou d'un film à soutenir mais qui, en 1985, apparaît sous les traits, encore indistincts, d'une chaîne de télévision à créer.

En ouvrant le pays aux chaînes privées, François Mitterrand a songé à Jean Riboud pour en être l'un des promoteurs. « Mais vous-même, sauriez-vous faire, imaginer ces télévisions que vous appelez de vos vœux ? » lui a quelquefois demandé le Président. Jean Riboud ne voulait se prévaloir de rien, mais ne pensait pas son itinéraire professionnel indigne de cette nouvelle expérience. Il était « prêt » à essayer. Pour tout dire, ces conversations n'allaient pas toujours dans le sens escompté par François Mitterrand. Ainsi, Jean Riboud n'avait jamais bien compris, ni admis, l'idée saugrenue d'utiliser l'ancien réseau de TF1 pour faire une chaîne cryptée. « C'est illogique, soutenait-il, on ne prend pas un réseau hertzien national pour servir une minorité d'abonnés. C'est presque une question d'équité sociale. La gauche ne peut pas faire cela... » En ce temps-là, Jean Riboud s'adressait à un Président sourd.

Mais aujourd'hui, a-t-il constaté, les mentalités évoluent à l'Elysée comme à Matignon et semblent comprendre l'erreur commise sur ce réseau. Peut-être n'est-il pas trop tard pour corriger le tir ?

« Je suis de plus en plus sceptique sur l'avenir de Canal Plus, confie-t-il d'emblée à Bernard Miyet. Peut-on envisager, à votre avis, d'en faire une grande chaîne généraliste, commerciale ? Une sorte de CBS français, voyez-vous ?

— Il est vrai que Canal semble mal parti, mais il est trop tôt pour juger. Il faut attendre deux ou trois mois avant de se prononcer. De toute manière, la chaîne à laquelle vous pensez pourrait s'installer sur l'un des nouveaux réseaux que doit définir Jean-Denis Bredin. »

Mais Jean Riboud a une autre analyse de la situation, plus fine, plus politique aussi. Il ne fait aucun doute, raisonne-t-il, que dans un an la droite mettra ses menaces à exécution et privatisera deux chaînes publiques. Les bénéficiaires en seront des groupes amis dans l'industrie ou la presse. La gauche se décide à parer le coup en créant de toutes pièces des chaînes privées ? Bravo ! mais rien ne dit qu'elles auront la taille et l'audience des réseaux nationaux privatisés à droite. Chacun sait qu'il n'y a plus de réseaux nationaux disponibles, il ne reste que des fréquences disséminées sur le territoire.

« Il me semble, reprend Jean Riboud, et c'est aussi à cela que j'aimerai que vous réfléchissiez pour moi, que le seul moyen d'anticiper un contrepoids privé d'envergure comparable aux chaînes publiques privatisées, c'est d'utiliser tout de suite un réseau existant, couvrant la totalité du pays... »

Un réseau de ce type, il n'en existe qu'un. Celui de Canal Plus. Le raisonnement de Jean Riboud, iconoclaste trois mois plus tôt, paraît subitement le seul à tenir debout, en février 1985, au moment où la chaîne d'André Rousselet ne s'affiche plus à la une des journaux que dans des faire-part de décès quotidiens.

Cette analyse conduira à un duel implacable, une lutte fratricide entre Jean Riboud et André Rousselet. Son issue ne dépendra bientôt plus que de la volonté du Président. Et des choix qui seront faits, cette même semaine, à Milan. Loin et, comme tout le monde alors à Paris, dans l'ignorance de ce qui se trame, Silvio Berlusconi n'en est qu'à l'ébauche d'un plan, d'une stratégie française qui croisera bientôt celle des duellistes.

Il en naîtra la Cinq.

La gorge en feu, enrhumé, mais les idées claires, Silvio Berlusconi ne quitte pas son invité des yeux. Pendant une demi-heure, en ouverture de ce dîner où il l'a convié dans sa propriété d'Arcore, près de Milan, il ne fait que l'écouter. Silvio Berlusconi apprécie les exposés limpides, synthétiques. Le discours que son vis-à-vis lui tient ne peut que le ravir. « Je ne crois pas aux entreprises de niveau local. Je ne connais pas bien la télévision mais il me semble que cela ne fait pas de différence avec d'autres domaines. Pour prospérer il faut croître, ne pas se cantonner à l'Italie, essayer d'équilibrer chiffres d'affaires national et international. Cette idée de satellite est séduisante. Le satellite distribue ses images sans tenir compte des frontières, il permet de prendre une position transnationale... »

C'est aussi le point de vue de Silvio Berlusconi. Son interlocuteur peut-il se charger, pour quelques semaines, de cette affaire où l'on ne sait pas encore très bien ce que veulent les Français ? Il faudrait, pour cela, se rendre assez souvent à Paris.

« Aucun problème, répond Angelo Codignoni, je veux bien m'en occuper. »

Ce sera une mission de plus, se dit-il, une parmi d'autres en cours pour la Fininvest et ces sociétés industrielles et financières pour lesquelles il intervient à titre de consultant. Grand, les cheveux bruns coiffés en arrière d'un haut front, Angelo Codignoni ne fait pas mentir son prénom. Il semble tout droit sortir d'une fresque vénitienne. Il y a quelque chose de séraphique, mais aussi d'ecclésiastique dans son visage aux lèvres ourlées, au nez fin et au regard sombre, velouté, à l'image de sa voix. C'est un condensé, aux abords de la quarantaine, du séducteur et de l'homme d'affaires italien où subsiste un reflet de l'étudiant studieux sous la couche de froids calculs, voire de cynisme, accumulée contrat après contrat.

Un bureau à Rome, directeur d'un consortium d'export, conseiller, Angelo Codignoni s'occupe depuis des années de dossiers internationaux pour de grandes entreprises italiennes. Travaux publics au Moyen-Orient, électronique au Maghreb, acheminement d'eau en Afrique, il est l'un des experts auxquels on fait appel pour nouer un contrat, renflouer un dossier, mettre en rapport deux sociétés ou, parfois, éclaircir les données juridiques d'une affaire audiovisuelle. C'est ainsi qu'Angelo Codignoni, dont l'épouse est directeur du personnel du groupe Berlusconi, a été sollicité pour démêler le dossier du rachat de la chaîne Rete 4 au groupe Mondadori, et celui de contrats compliqués entre la Fininvest et les « majors » américaines.

« Tu devrais venir travailler avec Berlusconi », lui répétait souvent Fedele Confalonieri.

– Il n'y a que l'international qui m'intéresse, je viendrai quand vous serez sorti de votre italianité », plaisantait-il.

Jusqu'à ce samedi de janvier où Confalonieri l'avait appelé chez lui : « Ecoute, nous sommes sollicités par le gouvernement, qui nous demande d'examiner le dossier d'un satellite français. Si c'est intéressant nous aurons besoin de toi... » La « demande d'examen » émanait directement du chef du gouvernement italien. Effet logique des échanges Mitterrand-Craxi. Angelo Codignoni avait été rappelé, trois semaines plus tard (« Berlusconi aimerait te voir... »); entendant parler pour la première fois de Jacques Pomonti, de TDF1 et de la télévision française.

Quand le dîner s'achève, Silvio Berlusconi et Angelo Codignoni sont en phase sur la stratégie à tenter en France. Avec ses trois chaînes italiennes, « Sua Emittenza » a exploité au maximum de leurs possibilités les catalogues de fiction acquis aux USA. Le satellite que lui tend l'Etat français est un instrument à saisir, une clé d'accès au ciel européen, mais non une fin en soi. Si, comme l'a affirmé le président Mitterrand, la France se dote de chaînes commerciales, il va bien falloir que ce pays trouve des hommes ayant l'argent et les programmes pour les créer. Il faut essayer de coupler, dans les discussions sur TDF1 avec Paris, satellite et réseau hertzien. Tôt ou tard, le gouvernement français devra faire face au problème de cette articulation.

La Fininvest a les deux : argent et programmes.

A Paris, Jacques Pomonti fait et défait ses valises trois fois par semaine. Londres, Munich, Rome, Madrid, Tokyo, le missionnaire de TDF1, seul ou accompagné de Patrick Clément et de ses conseillers financiers, sillonne l'Europe et au-delà. Il rencontre tous les groupes, tous les patrons internationaux de la communication. Il visite les géants, les Murdoch, Bertelsmann, Kirch, et les grandes compagnies industrielles comme Philips ou Thomson... A chaque retour, il rédige une note pour le Président ou le voit en tête à tête; François Mitterrand se prend au jeu, se fait raconter les groupes, les hommes. Jacques Pomonti ne lui cache pas que son initiative sur les chaînes commerciales est loin de lui faciliter la tâche pour le satellite.

En toute logique commerciale, les candidats à TDF1 plaident pour un couplage entre chaîne au sol et canal sur satellite. Ils savent qu'une chaîne diffusée sur l'Europe par le satellite ne sera pas rentable avant de longues années, le temps que la population s'équipe en antennes pour la recevoir. En revanche, si l'opérateur sur satellite bénéficie aussi d'un réseau hertzien, donc d'une audience et de recettes publicitaires immédiates...

Rien n'agace plus Jacques Pomonti qui ne veut pas entendre parler de cette exigence formulée assez clairement par la CLT, plus discrètement par le groupe Berlusconi. Ce n'est pas à lui d'attribuer ces futurs réseaux. Il n'a aucun mandat pour intervenir dans ce dossier, même s'il convient que la question est légitime, pour un groupe, de savoir, avant d'investir des centaines de millions de francs dans une chaîne par satellite, quelle sera exactement la nature de la concurrence sur terre.

En mars 1985, Jacques Pomonti réunit pour la première fois à Paris les entreprises intéressées par TDF1. Dans un hôtel du faubourg Saint-Germain se rassemble, pour une journée de séminaire, la fine fleur de l'Europe audiovisuelle en marche. Décor fané, lieu suranné et ambiance électrique. Pour l'occasion, la Fininvest a dépêché un duo italien, Angelo Codignoni et le programmateur fétiche de Berlusconi, Carlo Freccero. On diffuse sur un écran géant une cassette vidéo, réalisée rue du Dragon par Patrick Clément, vantant les avantages du satellite français. Puis on débat, en s'invectivant à l'occasion. La CLT, représentée par Jean Stock, revendique ses deux canaux. Hachette, par la voix d'Yves Sabouret, s'étonne de la présence d'un groupe aux chaînes « bas de gamme » comme celles de Berlusconi dans une « rencontre aussi sérieuse et importante ». Chacun y va de ses inquiétudes. Combien coûtera la location des canaux? Dans quelle langue diffusera-t-on? Quel sera le prix d'une antenne parabolique? Qui les fabriquera? Quand?

Courant avril, Jacques Pomonti n'est pas mécontent. Avec Maxwell, Berlusconi, un espoir du côté des Espagnols du groupe Cambio 16 et une offre toujours pendante faite à la CLT de rejoindre ces partenaires, il pense détenir les grandes lignes de la société qu'on lui a demandé de constituer. Société qui fait vibrer la fibre européenne du Président à qui il dépeint le « bouquet », l'éventail de programmes vers lequel il s'oriente. Celui-ci devrait comprendre une chaîne en anglais, une en italien, une en allemand et une chaîne publique française à créer, pour laquelle il a commencé à concevoir une grille de programmes destinée aux enfants d'Europe... Mais, avant de finaliser un accord, il serait intéressant que le Président rencontre les actionnaires potentiels de TDF1.

Pas un chat ni une voiture dans les rues aux abords du palais de l'Elysée quand, ce samedi de mi-avril 1985, par un après-midi frais et ensoleillé, Silvio Berlusconi vient, secrètement, rencontrer le chef de l'Etat français. Il n'entre pas par l'entrée principale, rue du Faubourg-Saint-Honoré, mais par le côté, par la porte dite de la « grille du coq », accompagné de Jacques Pomonti.

Huissier. Escorte. Couloirs. Silence. Attente dans le bureau de Jacques Attali. « Monsieur le Président va vous recevoir... » « Sua Emittenza », pourtant rompu à la fréquentation des lieux et des hommes de pouvoir, est impressionné, presque intimidé, inquiet de son français. L'hésitation ne dure qu'une minute. Quand François Mitterrand les reçoit, Silvio Berlusconi dégaine son sourire, qu'il tempère d'une touche de gravité.

Il est arrivé la veille à Paris, à bord de son *jet* privé, un Falcon. A l'hôtel Prince de Galles, où il est descendu, il s'est préparé à cette rencontre avec l'aide d'Angelo Codignoni.

« A votre avis, que dois-je dire à Mitterrand ? lui a-t-il demandé.
– La situation française est très compliquée... »

Comme il a pris l'habitude de le faire, Angelo Codignoni a dressé pour Berlusconi l'inventaire de ces « complications ». Venu à Paris en février pour deux ou trois rendez-vous ponctuels avec Jacques Pomonti, le consultant de Rome s'est impliqué dans ce dossier au point que Silvio Berlusconi lui a demandé de le suivre de plus près encore. Si bien qu'en avril, engagé à plein temps par la Fininvest, il réside à Paris en permanence. Dévore la presse. Passe ses journées en compagnie de Jacques Pomonti à l'INA, et de Patrick Clément rue du Dragon, deux des hommes les mieux informés du moment par leurs déplacements et contacts multiples pour le satellite.

Il s'initie au personnel politique français de la communication. Etudie les textes de loi, les programmes électoraux. Remplit son rôle de conseiller en passant au scanner tout ce qu'il voit et entend. Quand Berlusconi l'interroge, c'est un tableau complet que Codignoni lui brosse sur le « problème » de Canal Plus, où Jean Riboud semble « préparer quelque chose », sur celui des « Français et la

CLT » qui tourne au vinaigre, sur la possible création de deux réseaux hertziens, mais « rien ne devrait être décidé » avant la remise du rapport d'un avocat, Jean-Denis Bredin.

« Très compliquée, mais, a conclu Codignoni, c'est le meilleur moment pour développer votre vision de la télévision commerciale, expliquer que le satellite ne peut pas être rentable s'il n'est pas relié à un réseau terrestre. »

« Alors, dites-moi, qu'est-ce que la télévision pour vous ? » interroge François Mitterrand.

Difficile pour Berlusconi, une fois dans le bureau présidentiel et en présence de Jacques Pomonti, d'élever le moindre doute sur la viabilité du système TDF1. Délicat de réclamer un réseau hertzien en territoire étranger. Et il ne s'y risque pas. En revanche, et François Mitterrand est assez sensible depuis des mois à ces questions pour comprendre que cela revient au même, Silvio Berlusconi sait défendre à la perfection le concept de la télévision commerciale, ses bienfaits pour le marché, ses compétitions stimulantes pour la démocratie. Et il sait aussi retracer avec émotion sa propre carrière.

« Je suis un amoureux de la France », explique-t-il à un François Mitterrand à la fois austère, intrigué, et amusé par tant d'enthousiasme volubile. « Sua Emittenza » raconte ses années d'études, son passage à la Sorbonne, l'argent gagné en chantant dans les cafés, Montmartre... Un peu de satellite et beaucoup de souvenirs parisiens. Il ne s'agit pas de négocier, mais de faire connaissance. Alors la toile de fond de cette rencontre est à la fois naïve, quand Berlusconi parle de son amour pour la France, et hyperréaliste quand il sort de sa poche un papier et un feutre pour démontrer, avec un graphique, le principe de l'évolution des parts de marché quand des chaînes commerciales viennent « enrichir » l'offre faite aux téléspectateurs.

A Neuilly, dans les locaux d'Havas, on joue « Printemps noir » et « Apocalypse en sous-sol ». Ceux qui ont participé à la création de Canal Plus rasent les murs. Les quolibets volent bas. Pas une rencontre au distributeur de café qui ne s'accompagne de cinglantes allusions au désastre financier imminent. Février, mars et avril 1985 sont des mois de terreur à Canal, où seule la moquette bleu et jaune des couloirs est encore étoilée.

Jadis respecté à Havas, André Rousselet n'échappe pas à la houle. Si, dans la chaîne, l'épreuve contribue à souder une équipe attaquée de toutes parts, on ne compte plus, dans la maison mère, ceux qui commencent à dire tout haut ce qui se murmure depuis le vendredi noir en Bourse. « C'est sa faute! », « On va mettre vingt ans à combler le trou », « Il porte la poisse, il ferait mieux de partir... » Certains jours, le P-DG reste enfermé dans son bureau, du matin au soir, n'ayant même plus goût – alarmant symptôme – à vitupérer la presse qui l'écorche à coups de manchettes. Les négociations avec le cinéma évoluent pourtant favorablement. Pierre Bérégovoy lui a fait comprendre qu'il aidera Canal Plus dans la mesure du possible. Mais c'est insuffisant.

La situation a trop traîné. André Rousselet ne s'est pas assez méfié du danger et n'a pas vu jaillir le boulet qui s'abat sur lui fin avril. Trop occupé à négocier une rallonge par-ci, un délai de paiement par-là, à calmer les ardeurs défaitistes de tel actionnaire, il n'a pas vu ce qui saute aux yeux. Quoi qu'il fasse, dans l'esprit du pouvoir, sa chaîne est comme morte. Et un champion se présente pour prendre, sous la dépouille de Canal, son réseau. Quand Rousselet comprend que Jean Riboud en est à régler les détails de la reprise du réseau avec la bénédiction de Laurent Fabius et l'accord tacite de François Mitterrand, il est abasourdi. Groggy. Tout, absolument tout dans cette histoire, pense-t-il, se ligue contre lui.

Ce n'est plus un accident de parcours lors de la naissance d'une chaîne, c'est une conjuration! Un complot pour le faire décaniller d'Havas, tuer Canal Plus et lancer un prétendu CBS français de gauche.

Le samedi 27 avril, son infortune fait la une du... *Figaro*. Parti-culièrement bien informé, le quotidien de Robert Hersant – encore lui! – révèle que le gouvernement étudie le désengagement de l'Etat – c'est à dire le retrait d'Havas – de Canal Plus, et envisage la cession du réseau à des investisseurs privés. Un tour de table pour la construction d'une nouvelle chaîne pourrait se former autour du P-DG de Schlumberger, Jean Riboud.

André Rousselet fulmine. Il n'a découvert l'opération que par bribes et rumeurs, sans vouloir y croire. Et pour finir, elle s'étale dans la presse de son ennemi intime. Pourtant, depuis deux mois, les signes n'ont pas manqué. L'air s'est comme raréfié autour de lui. Mais le pire, enrage-t-il, c'est encore de réaliser qu'il a lui-même armé la main qui le serre aujourd'hui à la gorge. Miyet. L'homme dont il pensait qu'il parviendrait à convaincre Jean Riboud de l'aider est passé dans le camp adverse. Celui à qui il a ouvert tous ses dossiers, confié tous les chiffres, narré toutes ses négociations en est venu à épouser la thèse de Riboud...

« Vous m'avez trahi! Vous auriez dû quitter Riboud!» tonne André Rousselet, fin avril, devant Bernard Miyet qui lui confirme l'état des projets de Jean Riboud.

Partant de l'idée qu'on s'achemine, d'après l'état des réflexions de Jean-Denis Bredin, vers la création de deux réseaux de télévision supplémentaires qui ne couvriront chacun qu'une partie du pays, Bernard Miyet et Jean Riboud ont fait une analyse qui, en avril 1985, n'est pas sans logique. Canal Plus a peut-être des chances de réussir, mais il est absurde de continuer à la diffuser sur le seul réseau vraiment national sur lequel il faut installer le CBS français voulu par Jean Riboud. De cette manière toute la population bénéficiera, sans attendre, de la naissance d'une grande chaîne privée. Celle-ci aura, par son audience, immédiatement accès aux recettes publicitaires qui lui permettront de vivre. Ceci accompli, au lieu de supprimer totalement Canal Plus, on peut faire « glisser » la chaîne cryptée sur l'un des deux réseaux à venir. Elle aura ainsi le temps de murir, de monter en puissance tranquillement.

Usant d'un argumentaire solide, s'appuyant sur les études chiffrées de Bernard Miyet, aidé par une force de conviction peu commune, Jean Riboud est parvenu fin avril à rallier les pouvoirs publics à cette « solution ». Au nom de l'intérêt national et des élections à ne pas perdre, Laurent Fabius donne son aval à ce plan. C'en est trop pour André Rousselet.

« Vous m'avez trahi... TRAHI!»

C'est sans doute une chance pour ses tympans, son intégrité physique peut-être, que Bernard Miyet n'ait pas le loisir d'aller jusqu'au bout de son exposé devant André Rousselet. En effet, il va de soi, dans l'esprit de Jean Riboud, que la logique à terme est de contrôler les deux chaînes.

Tout comme il va de soi, à Matignon, que Canal Plus déposera demain son bilan et qu'on oubliera bien vite ce triste et lamentable « échec ».

CHAPITRE V

Duellistes

L'hélicoptère décrit une courbe métallique bruyante dans le bleu uni du ciel. Pas un nuage. Pas un souffle de vent. Rien que le soleil baignant la magnifique propriété du maître et ses jardins. Arcore. Sa piscine, ses pièces immenses, son piano. Arcore. Refuge de campagne milanais et galerie d'art privée pour milliardaire épris du Tintoretto. Endroit magique, sur la pelouse duquel un André Rousselet ébahi ne peut s'empêcher de s'écrier : « C'est vraiment *Dallas* ici !... » Sourire d'Angelo Codignoni qui l'a accueilli tout à l'heure à l'aéroport, et avec qui il attend Silvio Berlusconi. La grande hélice. Comme les enfants au manège. Cela marche, même avec les invités les plus blasés.

L'arrivée du maître de maison, à peine décoiffé en sortant de son hélicoptère, est à l'avenant. Impérial et fantasque. « Quel honneur, quel plaisir » de rencontrer M. Rousselet, « et pardon de vous avoir fait attendre. Rentrons déjeuner. » Silvio Berlusconi marche à la bonne humeur, on dirait qu'il chante intérieurement, qu'il est sur le point d'esquisser un pas de danse. C'est que tout va bien, au début de ce merveilleux mois de juin. Quelques accords au piano sur l'air de *Moi qui ai vécu un an étudiant à Pigalle...* Ce n'est plus *Dallas*, c'est *Hellzapoppin*.

Sans prévenir ni consulter personne autour de lui, André Rousselet a pris la décision de rencontrer, le 7 juin 1985, le diable milanais. Depuis que les ponts sont totalement coupés avec Jean Riboud, que l'étau se resserre sur Canal Plus, il est à nouveau à la recherche d'un partenaire.

Ce n'est pas de gaieté de cœur qu'il est venu ici, mais moitié par intuition personnelle, moitié sous l'effet des allusions, discrètes, de François Mitterrand à ce « dynamique italien ». Un Président, Rousselet le sent bien, que les embarras de Canal Plus laissent de plus en plus froid, quand ils ne l'agacent pas franchement. N'a-t-il pas récemment trouvé le moyen de lui redire : « André, voyez ce problème avec le Premier ministre » ? Autant dire à un condamné de prendre un verre avec son bourreau.

Pendant deux heures, Berlusconi et Rousselet discutent. Le P-DG de Canal Plus, tirant un peu sur la couverture élyséenne, se dit présent à Milan avec l'agrément du président de la République. Un langage que la Fininvest reçoit cinq sur cinq. Exposé préliminaire de la situation. Puis droit au but du voyage :

« Accepteriez-vous d'entrer dans le capital de Canal Plus ? » demande André Rousselet.

Dans l'esprit de Silvio Berlusconi, qui s'attendait à cette question mais pas aussi rapidement, c'est l'étincelle qui éclaire un bouclage possible de sa stratégie en France. En l'espace de quelques semaines il a reçu, d'un émissaire du Premier ministre, la proposition de monter sur un satellite, et aujourd'hui, d'un émissaire du Président, celle de mettre un pied dans un réseau terrestre couvrant la totalité du territoire français. Que souhaiter de mieux ? Une seule chose, bien simple : qu'André Rousselet en vienne à renoncer au cryptage auquel lui, Berlusconi, ne croit pas une seconde.

Mais il faut avancer à pas de loup.

« Je ne connais pas bien les chaînes cryptées, dit "Sua Emittenza" mais je suis sûr d'une chose. En télévision, le plus important, l'essentiel, c'est le réseau, *l'illuminazione* ! Vous en avez un qui couvre 90 % du pays. Avec un tel atout, vous avez des chances de gagner si vous faites une télévision que tout le monde peut voir... »

Echange d'idées en déjeunant. André Rousselet rentre à Paris indécis, mais le cœur un peu plus léger. Une porte est ouverte à Milan. Les jours qui suivent, c'est le « beau ténébreux » de l'aéroport, Angelo Codignoni, qui vient à Havas, mandaté par Berlusconi pour discuter avec les Français. Un plan s'échafaude pour l'entrée du groupe Berlusconi dans Canal Plus sur la base d'un partage en deux de l'antenne. Il y aurait une partie télévision commerciale classique en clair, du matin au début de la soirée, suivie d'un programme crypté payant. Les discussions se poursuivent à Milan, où Pierre Lescure, Marc Tessier et Jean-Claude Dumoulin [1] se rendent courant juin. L'accord qui se prépare donnerait à Berlusconi, contre un apport de trésorerie, la gestion et la programmation de la partie en clair ; tandis que l'équipe actuelle d'André Rousselet prendrait en charge la partie cryptée.

1. Le compatriote romanais de Bernard Miyet à la Sofirad est entre-temps devenu l'un des directeurs de Canal Plus.

Cet apport en trésorerie, André Rousselet en a un besoin pressant. Il est au bord de la cessation de paiement. Le 7 mai au soir, un conseil d'administration de crise s'est tenu à Canal Plus. Marc Tessier y a maintenu que l'objectif de 500 000 abonnés pourrait être atteint fin 1985 et qu'il fallait investir en ce sens. Mais personne ne veut remettre un centime au pot. Le P-DG de L'Oréal, François Dalle, et André Rousselet ont été à deux doigts de s'insulter en fin de soirée.

« C'est incroyable, s'était exclamé le patron des cosmétiques, c'est la première fois de ma vie que j'entre dans une affaire qui perd de l'argent et avec des...

– Des malandrins? Des escrocs? C'est ce que tu insinues? s'était emporté le P-DG d'Havas. C'est cela? Dis-le donc!

– Je n'ai pas dit ça, André... »

Les fonctionnaires de Matignon, qui en sont à évoquer ouvertement avec les journalistes l'« inévitable » et souhaitable dépôt de bilan de la chaîne, font tout pour empêcher ou freiner l'aide que veut lui apporter Pierre Bérégovoy. Il n'y a plus un centime dans les caisses de Canal. Pendant le festival de Cannes, début mai, sur le yacht loué pour la circonstance dans le port de Cannes, André Rousselet a tenté sa chance auprès du porte-monnaie de la CLT en sollicitant Jacques Rigaud. Mais le « gouverneur » de la CLT, Albert Frère, avait auparavant fait savoir à Jacques Rigaud qu'il ne serait question d'aider Canal Plus qu'à condition de pouvoir prendre 25 ou 30 % du capital. Autre actionnaire de la CLT, Jean Riboud était pour la première fois du même avis que son ennemi de Charleroi. Or, bien qu'à l'agonie, André Rousselet maintenait ses exigences; il ne céderait pas plus de 10 % du capital. Pas question de perdre le contrôle de la chaîne. Sur le yacht qui tanguait sous la pluie, Jacques Rigaud lui a fait comprendre que non, décidément non, la CLT n'a ni l'envie de venir sur Canal pour regarder passer les trains, ni la « vocation », comme il le résumera sèchement, de « jouer les ambulanciers ».

Cependant c'est là, au plus fort de la « cabale », qu'André Rousselet et Pierre Lescure entrevoient des lueurs d'espoir. Mais ils sont les seuls. Et ce ne sont que des lueurs. Les plus encourageantes arrivent avec le pointage du renouvellement des abonnements qui n'avaient été souscrits que pour une durée de six mois. Un taux de réabonnement record, autour de 85 %! Les dirigeants de Canal n'en croient ni leurs yeux ni les listings qui sortent des ordinateurs. On refait le programme informatique de gestion. Même résultat. Toujours sceptique et prudent, Marc Tessier commande une étude de contrôle. Confirmation de la divine surprise. Malgré les avanies et la mort annoncée dans les journaux, les 270 000 abonnés de Canal Plus rempilent. Une surprise due autant à la satisfaction des abonnés qu'à l'entêtement passé de Philippe Ramond.

Lors du montage commercial de Canal Plus, André Rousselet s'était d'abord opposé au principe, défendu par Ramond, de considérer qu'un abonnement est reconduit *de facto* tant que l'abonné n'a pas signifié, par lettre, son intention de le résilier. Pratique courante dans le marketing de presse et les contrats d'assurances, mais qu'André Rousselet trouvait à la limite de la malhonnêteté. Tout comme il rechignait à adopter le principe du prélèvement automatique mensuel, réputé « indolore ». Ramond n'en avait pas démordu. Deux points qui contribuent, dans cette passe difficile, à maintenir la tête de Canal hors de l'eau.

Pour le P-DG, c'est le coup de fouet déterminant qui le fait repartir au combat. Courant juin, il n'a plus aucun doute : non seulement Canal Plus s'en sortira si on le laisse agir, mais ce sera un succès. Cette conviction, Lescure, Tessier, Mathieu, de Greef..., ceux qui sont autour de lui et se battent depuis six mois, la partagent avec une ferveur quasi religieuse. Les épreuves, l'humiliation, la rage de gagner, de faire mentir les pronostics, ont fini par transformer ce groupe de professionnels en garde rapprochée d'André Rousselet. S'il perd, ils plongeront avec lui. S'il gagne...

A l'approche de l'été, leur conviction qu'ils vont l'emporter fait toutefois figure d'ultime excentricité suicidaire. Devenu la risée des dîners parisiens, André Rousselet est un fou qui s'ignore et commence à lasser. L'accord tarde à se concrétiser avec Silvio Berlusconi qui, voyant s'accentuer l'offensive contre Canal Plus, hésite à consentir un apport en trésorerie qu'il risque de perdre dans son intégralité si la chaîne s'effondre. Et c'est ce qui se profile.

Deuxième actionnaire après Havas, la Générale des eaux est affolée. Son P-DG, Guy Dejouany, ne cache pas ses doutes au groupe Berlusconi. « C'est un désastre, une tragédie. » Mais « Sua Emittenza » voit plus loin que le désastre du jour. Le réseau existe, il ne disparaîtra pas. Il y aura toujours une télévision à diffuser sur ces fréquences et il faut à tout prix être présent, avoir un pied dans ce champ. Tant qu'à s'occuper des programmes de la partie en clair, la Fininvest devrait participer à la régie publicitaire, en être actionnaire, et si possible majoritaire.

C'est là, dans la régie, au sein du mécanisme de collecte des recettes publicitaires, qu'est le cœur, le moteur de la télévision commerciale. Berlusconi en a fait l'expérience depuis des années, et sur trois réseaux ! Il n'y a que deux manières de gagner de l'argent avec une chaîne de télévision : en ayant des catalogues de programmes à lui vendre pour alimenter son antenne, et en tenant sa régie. Car c'est par là, et par là seulement, que l'on peut faire rentrer l'argent et réaliser des profits.

La troisième manière, c'est l'abonnement.. Mais Silvio Berlusconi ne croit plus au cryptage en France. Ni dans l'aptitude d'André Rousselet à redresser la partie de l'antenne qui serait à péage. Il y croit si peu qu'il commet l'imprudence d'informer l'Elysée de son scepticisme.

Il ne faut évidemment pas longtemps pour que l'ancien directeur de cabinet de François Mitterrand apprenne, en substance, que le « dynamique » Berlusconi le considère comme un pitre sympathique qu'il a eu la bonté de recevoir à Milan, ainsi qu'on le lui avait demandé, mais dont le cas est sans espoir.

De l'humeur qu'on devine, mais pris à la gorge, André Rousselet débarque à Milan, le lundi 8 juillet 1985, pour une nouvelle réunion de travail. A Arcore, l'ambiance n'est plus à la fête foraine. En cette fin de matinée, Silvio Berlusconi l'accueille mais s'excuse aussitôt, il est pressé. Une autre réunion sur un autre dossier l'appelle dans une pièce voisine. Mais tout est en ordre, il a préparé un projet d'accord que ses nombreux collaborateurs et avocats, ici présents, se feront un plaisir de lui présenter. Il reviendra dans un quart d'heure ou vingt minutes pour mettre au point, avec lui, les détails.

« De mieux en mieux, on me plante ici avec le petit personnel », peste intérieurement Rousselet. A côté de lui, Marc Tessier pressent le pire quand les cadres de la Fininvest exposent leur projet. M. Berlusconi est tout prêt à renflouer la chaîne et à s'occuper des programmes en clair. Monsieur Berlusconi a d'ores et déjà plusieurs centaines de millions de francs de commandes émanant d'annonceurs enthousiastes pour ce qui sera la toute première télévision commerciale en France. Une chaîne dont, naturellement, le groupe de M. Berlusconi détiendra, dès que l'équilibre financier sera rétabli, la majorité de la régie publicitaire.

Pour le P-DG d'Havas, c'est la bourse ou la vie. On le dépouille ! On lui laisse la nuit pour faire de la télévision cryptée à destination des seuls insomniaques. On l'achève. On humilie publiquement le président du premier groupe publicitaire d'Europe, en lui demandant d'abdiquer tout pouvoir sur la régie. Blanc, véritable bloc de rage contenue, André Rousselet ne dit pas un mot...

Interrompant ce long et lourd silence, Silvio Berlusconi entre soudain dans la pièce, alerte et guilleret.

« Pourriez-vous me répéter, et me confirmer, ce que vos collaborateurs viennent de m'exposer ? » lui demande le P-DG de Canal Plus.

Silvio Berlusconi reprend les grandes lignes de ses propositions. C'est un « bon accord », n'est-ce pas ? Y a-t-il un problème, un point obscur ?

André Rousselet n'écoute déjà plus. Il s'est levé, a repoussé sa chaise d'un geste sec. Il se tourne vers Angelo Codignoni :

« Appelez-moi un taxi ! » demande-t-il, quittant la pièce avec raideur, sans dire un mot de plus ni saluer personne.

La Fininvest vient de se faire en France un redoutable adversaire. Sans le savoir, persuadé que les jours d'André Rousselet dans l'audiovisuel sont comptés, Silvio Berlusconi vient de s'assurer une des signatures qui orneront un jour l'arrêt de mort de la Cinq.

Une chaîne qui n'est pas née.

A Paris, comme sous l'effet d'un mouvement de balancier, c'est le coup de grâce qui attend Canal Plus. Il n'y a plus d'alternative, apprennent André Rousselet et Marc Tessier, Laurent Fabius a fait une croix définitive sur la chaîne cryptée. La thèse de Jean Riboud, celle du CBS de gauche, est considérée comme la seule voie praticable. Le rapport que Jean-Denis Bredin a remis au Premier ministre le 20 mai, et rendu public en même temps, est d'une clarté biblique sur la question. Avec autant de méthode et de patience qu'il en a fallu autrefois à la commission Moinot (dont il a été le vice-président), Jean-Denis Bredin a repris et tenté de défaire le nœud gordien de l'audiovisuel français.

Dernier wagon d'un train dont il aurait dû être, au contraire, la locomotive, le travail de Jean-Denis Bredin s'est heurté à tout ce que le pays compte de documentations incomplètes, d'administrations peu coopératives, de politiques contradictoires. Un plan câble qui n'a pas avancé d'un pouce en trois ans, un satellite qui dépend d'une mission parallèle, une chaîne cryptée mourante, un secteur public aux trop faibles ressources... L'avocat a fait de son mieux, car il a vite compris que le chiffre hallucinant de 80 chaînes annoncé par François Mitterrand lui a été fourni par TDF. Maison secrète, hermétique et qui ne délivre, au compte-gouttes, que des informations parcellaires. Impossible de connaître le nombre exact de fréquences disponibles dans le pays. Impossible de déterminer avec précision combien de chaînes on pourrait installer, où, et quelle population elles couvriraient. TDF, un Etat dans l'Etat, barricadé derrière le comptoir du « secret défense » parce que les fréquences peuvent, en cas de conflit, être réservées à l'usage exclusif des militaires.

En trois cents pages, Jean-Denis Bredin est arrivé à la conclusion qu'on doit pouvoir bâtir, par étapes, deux réseaux supplémentaires nationaux mais d'inégale couverture. Le plus grand ne pourra toucher que dix-sept ou dix-huit millions d'habitants; le second, une dizaine de millions. Pénurie de fréquences et rareté des sites d'émission adéquats interdisent de faire mieux. Quant aux chaînes locales, on pourra en créer quelques-unes, mais sûrement pas quatre-vingt-cinq!

A partir de ce constat de paupérisme hertzien, l'avocat préconise la création de deux chaînes nationales privées, qui occuperont ces réseaux et les partageront, à certaines heures de la journée, avec des programmes locaux... Conscient qu'avec d'aussi faibles couvertures géographiques, les deux chaînes auront le plus grand mal à trouver les recettes publicitaires indispensables à leur équilibre, Jean-Denis Bredin recommande, pour accroître leur audience, que leurs programmes soient simultanément diffusés, dès que possible, par TDF1.

A Matignon, Laurent Fabius ne retient qu'une chose. Ces deux réseaux ne sont d'aucune utilité électorale immédiate. Il faut « libérer » celui de Canal Plus. Un point c'est tout.

Le Premier ministre veut en finir ce mercredi 10 juillet, à 18 heures 30. Avec ses grands airs et son discours monomaniaque sur la « reprise positive » des abonnements, André Rousselet lui fait perdre son temps. On n'en est plus à compter mille abonnés par-ci ou par-là. Il s'agit de créer d'urgence une chaîne pour des millions de gens. Pas pour une poignée d'originaux.

« Convenez-en, Canal Plus ne marche pas. Il faut reconsidérer tout cela en partageant votre réseau ou en allant sur un autre, plus petit...

– C'est votre droit de remettre en cause notre concession, gronde André Rousselet au bord de l'explosion. Mais ce sera compliqué... et cher. Il vous faudra indemniser Havas et les actionnaires. »

L'affaire prend les allures d'un affrontement sans merci. Et tant qu'à mourir, Canal Plus a décidé d'en faire payer le prix à l'Etat. Une clause, dans son contrat de concession, lui garantit des compensations en cas de changement dans l'environnement audiovisuel. Eh bien, c'est le cas! Ces dernières semaines, le P-DG d'Havas en a brandi la menace. Cette fois, il passe à l'acte et présente l'addition au pouvoir. L'apparition de nouvelles chaînes va lui porter préjudice; il chiffre à « plus d'un milliard de francs » ce que l'Etat devra débourser pour le tuer. Belle ardoise. Car l'effondrement public de Canal signifie licenciements, remboursement des abonnements, procès avec les fabricants de décodeurs... Sans parler du discrédit qui risque d'atteindre tout le monde quand sera connu le tarif du torpillage en pleine mer du navire Canal par l'amiral Fabius.

« Comment? Des indemnités? Mais qu'est-ce que c'est que cette plaisanterie de garçon de bains! »

S'il y a une chose qu'un homme de l'intelligence et du tact de Laurent Fabius devrait savoir, c'est que personne au monde ne traite André Rousselet de « garçon », ni de « garçon de bains ». L'entretien, qui a commencé dans une certaine tension, s'achève en invectives.

« Vous n'êtes qu'un jeune incompétent! » explose André Rousselet.

C'en est fait, définitivement, des relations entre Laurent Fabius et le P-DG d'Havas.

Paradoxalement, c'en est également fait, à la même période, des angoisses financières d'André Rousselet. Tandis que Pierre Lescure veille aux programmes et obtient les résultats qu'on peut lire dans la courbe des abonnements (qui dépasse le cap des 350 000 avant l'été), l'inspecteur des finances Marc Tessier se bat sur tous les fronts, dans les ministères comme auprès des banques, et parvient à enrayer les efforts du Gouvernement pour dissuader les Finances de secourir la chaîne. Grâce au prêt que consent Pierre Bérégovoy, grâce à l'argent des abonnements qui rentre, et grâce à celui des premières recettes publicitaires [2], André Rousselet se voit tiré d'affaire si... S'il arrive à contrer définitivement les plans de Jean Riboud et Laurent Fabius. Et pour rabattre les prétentions d'un Premier ministre, il n'y a qu'un seul homme, le Président.

Jamais, jusqu'à cette mi-juillet 1985, André Rousselet ne se serait aventuré à solliciter un arbitrage de François Mitterrand dans le conflit qui l'oppose à Laurent Fabius et au P-DG de Schlumberger. Ce ne sont pas simplement la pudeur ou le respect de la hiérarchie de l'Etat qui l'ont retenu de faire une telle démarche. C'est la crainte de se faire désavouer sur un dossier incertain par un Président qui ne déteste rien tant que d'avoir à trancher dans un débat qui ne laisse aucune échappatoire. La crainte du patron de la G7 de ne pas faire le poids, dans l'esprit du Président, face à un manager international comme Jean Riboud. L'appréhension, mais aussi l'amitié qu'il voue à François Mitterrand. Cette amitié dont il sait qu'il n'aurait fait que la ternir en se présentant devant l'arbitre avec, au fond de lui-même, un doute quant au bien-fondé de sa démarche.

Le jour où ce doute est volatilisé, André Rousselet peut demander à voir le Président, le mettre en face d'un choix dont tous deux savent qu'il aurait fait le bonheur de Corneille.

---

2. Canal Plus a renoncé à l'exclusivité du sponsoring en échange du droit de diffuser des spots publicitaires pendant ses tranches en clair.

Tous les ingrédients d'une tragédie moderne sont rassemblés là, dans ce face-à-face d'une heure et demie, le jeudi 18 juillet. Tous les éléments d'un drame de palais. Un chef d'Etat d'une grande puissance, son jeune Premier ministre et dauphin, ses deux amis les plus chers, dont l'un, Jean Riboud, est gravement malade. Avec, dans les replis de l'intrigue, une perte probable du pouvoir.

Une heure et demie d'argumentation patiente dans un climat de scepticisme épais.

« Canal Plus est un bon projet, explique André Rousselet en commentant la courbe des abonnements qu'il tient en main. C'est une question de temps.

– Ce n'est pas ce qu'on me dit.

– Président, faites-moi confiance, Canal Plus sera le succès audiovisuel de votre septennat.

– Tout le monde me soutient le contraire. »

Eprouvante sensation de renvoi de balles mortes. Dubitatif, François Mitterrand l'est cependant avec des nuances. Il lève des yeux intrigués à l'énoncé des chiffres. Privilège et art consommé du pouvoir, il ne cille pas quand son ex-directeur de cabinet fait allusion au projet de ceux qui veulent supprimer Canal Plus. Pour finir, André Rousselet met dans la balance trois décennies de fidélité :

« Président, je suis votre collaborateur depuis trente ans. Je m'honore d'être votre ami et vous savez que je ne voudrais pas être responsable d'un échec auquel votre nom pourrait être attaché. Si je me permets d'insister, c'est parce que je suis sûr que Canal Plus sera une réussite. »

Les deux hommes se quittent sans que la moindre décision ait été formulée par le Président. François Mitterrand se drape dans l'impassibilité des juges suprêmes comme dans les blouses de toile qu'il revêt pour arpenter la forêt landaise. Seule la tête dépasse. Et la tête ne dit rien.

C'est à ce silence qu'André Rousselet peut deviner, en sortant de l'Elysée, qu'il vient de gagner. Ce silence est à lui seul un début d'arbitrage en sa faveur. Si tel n'avait pas été le cas, François Mitterrand, au nom de la réciprocité dans cette amitié ancienne et loyale, ne l'aurait sans doute pas laissé partir sans le lui signifier. Le P-DG de Canal Plus devra cependant attendre et « mariner » près d'une semaine avant d'avoir confirmation de ce pressentiment.

224

Le vendredi 26 juillet, la sonnerie du téléphone retentit dans la quiétude ensoleillée d'un jardin, à Beauvallon, où André Rousselet s'est retiré dans l'attente d'un verdict clair et officiel. Le voici.

La voix est fatiguée mais le ton ferme. Appel empreint d'un *fair play* autrefois naturel aux *businessmen* américains.

C'est Jean Riboud.

« Bravo, André. Vous avez gagné. »

CHAPITRE VI

Illuminazione

La tablette d'aluminium est chauffée à blanc. Braise noire, le combiné arrache à Jacques Pomonti un douloureux soupir. A l'intérieur de la cabine, soleil et vitrage ont attisé l'air déjà brûlant des collines. C'est la rançon de la rusticité retrouvée. Il n'y a pas de téléphone dans la dizaine de bungalows construits en cet endroit retiré de la Corse, au-dessus de Saint-Florent, sur la route d'Oletta. Maisons de vacances que les enfants adorent, bâties autour d'une piscine comme, il y a trois mille ans, des huttes pouvaient l'être autour d'un point d'eau. C'est ici, chaque fois qu'ils le peuvent, que Jacques Pomonti et ses frères se retrouvent pour un week-end prolongé, une semaine de détente. Même si c'est une chaudière infernale, on bénit l'existence de la cabine. « Y a-t-il des messages ? » demande à son assistante le P-DG de l'INA. La vraie question serait : Y a-t-il encore de l'espoir ?

Car c'est autant par dépit que par envie de passer quelques jours en famille que Jacques Pomonti est venu se réfugier ici, loin de Paris. Loin du Premier ministre, loin de tous ces gens qui ne savent plus ce qu'ils veulent faire du satellite. Qui font mine, enrage-t-il du matin au soir, d'ignorer les résultats de sa mission et le montage qu'il leur propose. La plus belle des missions. Le plus solide des montages. La solution la plus judicieuse. La seule solution.

C'est à la mi-mai que les choses ont commencé à se gâter pour Jacques Pomonti. Tout marchait pourtant comme sur les roulettes d'une fusée Ariane qu'on mène à son pas de tir. Il avait pratiquement bouclé la société d'exploitation de TDF1 qu'on lui avait demandé de concevoir. Rayonnant de satisfaction, Robert Maxwell avait été le premier à signer une lettre d'intention pour son entrée dans cette société, suivi de Berlusconi, aussi content, semblait-il. Bien sûr, il y avait eu de mauvaises surprises et des défections. Les Espagnols de Cambio 16 s'étaient retirés. Jean Riboud, qu'il s'était efforcé de convaincre, avait d'autres projets en tête. La CLT continuait à faire la fine bouche... Mais, de leur côté, des banques françaises et luxembourgeoises s'étaient déclarées prêtes à investir dans le satellite. Tout était réglé, ou presque. La signature définitive interviendrait après l'agrément de son plan, dont il ne doutait pas, par Laurent Fabius. Mission accomplie, pourrait-il se dire alors.

Les premiers signes d'inquiétude étaient apparus peu avant la remise du rapport Bredin au Gouvernement. Sans prévenir personne, comme d'habitude, François Mitterrand avait sorti un lapin de son chapeau, au cours d'une allocution devant le Collège de France. Déplorant l'absence de programmes de grande qualité, le Président s'était prononcé pour la création d'une nouvelle chaîne, une de plus. Il serait « d'utilité publique », avait-il dit, de prévoir une chaîne éducative et culturelle, mais à dimension européenne. A titre personnel, il la voyait très bien comme une sorte de « vidéothèque du théâtre classique français, anglais, allemand, une encyclopédie générale spécialisée ». Le genre de télévision qui conviendrait à un canal du satellite TDF1. Jacques Pomonti n'avait plus eu qu'à tirer un trait sur son projet de programmes pour enfants. Quelle mouche avait donc piqué le Président ?

Ce n'était pas une mouche, mais le moustique tout-terrain, gardien du temple de la création au Gouvernement, Jack Lang. Nombreux étaient ceux qui se demandaient, autour du Président, si l'on n'était pas allé trop loin dans le sens mercantile en annonçant une floraison de chaînes commerciales. Ne risquait-on pas de dénaturer le grand idéal, le ciment commun, la foi culturelle de la gauche ? Jack Lang, lui, ne perdait pas son temps à se poser d'aussi vaines questions. Il était évident que François Mitterrand avait fait une « boulette énorme ». Ce n'était pas sa faute. Il avait été influencé par de pernicieuses argumentations. Il fallait réagir.

Le ministre de la Culture n'était pas seul. Georges Fillioud ne s'était pas non plus remis de l'annonce du 16 janvier, et ensemble ils s'étaient employés à convaincre François Mitterrand de redresser la barre. Cap sur la culture ! Hissez la grand-voile ! Pierre Desgraupes venait de remettre à Georges Fillioud un rapport que celui-ci lui avait commandé en octobre 1984 sur le thème : « Et si on avait les moyens de faire une chaîne culturelle... » Vaste sujet, qui était autant une question du ministère qu'un lot de consolation donné à ce P-DG qu'on avait élégamment écarté d'A2 pour dépassement de limite d'âge. Il n'en avait pas fallu plus pour déclencher la nouvelle initiative de François Mitterrand.

Dans la foulée, Jean-Denis Bredin avait rendu son rapport, qui prônait la reprise des futures chaînes hertziennes par TDF1. Ce qui posait une question de fond paralysante : irait-il de soi qu'on diffuserait sur les réseaux hertziens les chaînes envisagées par Jacques Pomonti? Ou bien, à l'inverse, l'obligerait-on à prendre sur TDF1 de nouvelles chaînes qu'il n'aurait pas choisies?

Le lundi 10 juin 1985, Jacques Pomonti avait déposé son plan [1] sur le bureau de Laurent Fabius et en avait remis le même jour un exemplaire au président de la République.

« Je suis prêt à monter la société, maintenant il ne faut pas perdre de temps, avait-il dit au Président.

– Très bien, nous verrons. Je dois d'abord voir si M. Fabius est aussi avancé que vous... »

Dix jours plus tard, sans nouvelles, le P-DG de l'INA s'était enquis de l'état du dossier chez Laurent Fabius. Pour rien. Le Premier ministre l'avait félicité pour son travail, mais quand Jacques Pomonti avait dit : « Bon, alors on y va? Je prépare une conférence de presse... », Fabius s'était empressé de l'en dissuader. Il fallait prendre son temps, étudier encore des détails, attendre.

Attendre quoi?

Un mois plus tard, ce vendredi 26 juillet, sous le soleil de Corse, Jacques Pomonti vit péniblement cette attente mystérieuse. « Oui, il y a quelques messages... » l'informe sa secrétaire. Ce ne sont pas ceux qu'il espérait, mais il y en a un qui ne saurait attendre : « M. Jean Riboud » a cherché à le joindre. Il le rappelle aussitôt.

« Ecoutez, mon cher Jacques, lui dit Jean Riboud, j'ai vu le Président et il m'a annoncé la nouvelle pour Canal Plus. C'est André qui l'a emporté. Maintenant, il y a une autre possibilité. Nous allons essayer de monter une cinquième chaîne... Pourriez-vous me faire rencontrer M. Berlusconi?

– Je vais faire mon possible et je vous rappelle », répond Jacques Pomonti, soufflé par la capacité de Jean Riboud à rebondir sur un échec. Perdant une bataille, malade, ayant dû renoncer à ses allers-retours mensuels à New York pour se faire soigner, Jean Riboud accuse le coup. Cet homme qui ne peut presque plus quitter Paris,

---

1. Le rapport remis par Jacques Pomonti à Laurent Fabius propose le montage financier suivant : 50 % de capitaux français et 50 % de capitaux européens comme le souhaitait le gouvernement. 34 de ces 50 % seraient détenus par l'Etat; l'Aérospatiale, Le Crédit Agricole et divers établissements bancaires se partageraient les 16 % français restants. Quant aux 50 % européens, ils réuniraient Maxwell (20 %), Berlusconi (8 %), Philips (5 %), et deux établissements financiers luxembourgeois, la Sofilec et la Narmer, pour les 17 % restants.

qui ne sort désormais de son appartement que pour de rares visites d'amitié et des soins à l'Hôpital américain, passe immédiatement à un autre projet. Pas un mot de regret. Pas une pointe d'amertume.

Ce n'est pas qu'il n'éprouve ni l'un ni l'autre. C'est la deuxième fois qu'il est, d'une certaine manière, désavoué par François Mitterrand... Mais cette vie est si courte, si compromise déjà, qu'il ne sert à rien d'en ressasser les déceptions. La vie, c'est maintenant la cinquième chaîne. C'est demain.

Pensif, admiratif comme le sont tous ceux qui ont côtoyé Jean Riboud, Jacques Pomonti, de cette cabine aux parois brûlantes, appelle Milan. Puis Paris. Le rendez-vous est fixé pour le lundi suivant à 17 heures. Au domicile de Jean Riboud.

L'arbitrage rendu par François Mitterrand est encore confidentiel. Si la bataille autour de Canal Plus est connue, la presse et le public en ignorent les détails et la portée. Silvio Berlusconi lui-même est dans l'expectative depuis la rupture théâtrale avec André Rousselet. Il a un pied sur TDF1, mais l'autre dans le vide, maintenant que Canal Plus a refusé son offre pour les tranches en clair. Aussi, quand Jacques Pomonti lui propose de rencontrer Jean Riboud pour parler d'un projet, « Sua Emittenza » reprend espoir.

Le lundi suivant, à 16 heures, dans les bureaux qu'Angelo Codignoni a loués pour la Fininvest rue Copernic, Silvio Berlusconi et Jacques Pomonti attendent les deux Mercedes blanches de location qui doivent les conduire avenue de Breteuil, chez Jean Riboud. A 16 heures 45, elles ne sont toujours pas arrivées. Tout le monde s'engouffre alors dans la petite R5 bleue à toit ouvrant de Patrick Clément. Juste à temps. Seuls Pomonti et Berlusconi pénètrent chez Jean Riboud, qui les reçoit près du jardin intérieur. Le contact est instantanément chaleureux. Jean Riboud est séduit. Deux managers qui s'observent. Deux mythes. Le P-DG de Schlumberger veut connaître l'histoire de Berlusconi et de la télévision commerciale en Italie. Celui-ci s'exécute.

La rencontre est, pour Berlusconi, comme un miroir de celle qu'il a eue avec François Mitterrand en avril. Jean Riboud s'informe, apprend, et s'ouvre de son ambition : créer une chaîne commerciale sur le plus grand des deux petits réseaux dont dispose la France. La cinquième chaîne. Un chiffre magique pour Berlusconi le superstitieux. Canale 5, c'est le nom qu'il a donné, en 1979, à sa première télévision, en espérant qu'elle deviendrait la cinquième chaîne d'Italie [2]. C'est devenu la troisième du pays!

2. Derrière les trois RAI et TMC Italie.

« Pensez-vous qu'une chaîne privée sans réseau national a ses chances? » demande Jean Riboud.

La réponse est catégorique.

« Non. Impossible.

– Vous voulez dire que ce projet n'a aucune chance?

– Si le réseau n'existe pas, non. Mais il faudrait être sûr que le réseau n'existe pas.

– Comment cela? »

Et Silvio Berlusconi raconte son autre vie, celle de chercheur de fréquences comme d'autres sont chercheurs d'or. Son obsession, c'est bien *l'illuminazione del territorio!*

Il y a place pour plusieurs réseaux hertziens dans son pays, où l'air et les ondes sont pourtant les mêmes qu'en France... Mais en Italie, c'est sa propre société qui s'occupe de l'implantation, de la fabrication des émetteurs, et de la diffusion. Il n'y existe pas de « TDF ».

Jean Riboud prend note et confie à Berlusconi, au moment de se séparer :

« Je ne sais pas si je parviendrai à monter cette télévision. Mon état de santé ne me permet pas de faire des projets à très long terme. Mais si je fais quelque chose, ce sera avec vous. »

Silvio Berlusconi quitte l'avenue de Breteuil avec le sentiment d'avoir rencontré un homme exceptionnel, mais si malade qu'il ne peut voir en lui un futur partenaire. Il est troublé. Heureux de l'opportunité qui lui est offerte d'entrer, peut-être, dans une nouvelle télévision française. Triste de n'avoir pas rencontré Jean Riboud avant que la maladie ne le cloue dans un fauteuil. Et superstitieux, toujours. Cette impression, terrible, d'avoir conclu une affaire en serrant la main d'un homme mourant...

Il sort en cherchant un endroit où se laver les mains de l'irrationnelle menace. Où noyer la mort qui entoure cette rencontre.

Ce n'est que le mercredi 31 juillet 1985, après d'homériques réunions préparatoires à Matignon, chez Georges Fillioud et à l'Elysée, que le Gouvernement fait connaître ses intentions pour l'audiovisuel. Dans une conférence de presse où il se confirme que Canal Plus restera crypté, Georges Fillioud annonce, gaillard et enjoué derrière ses gros sourcils, que la France va effectivement constituer deux réseaux, lancer deux chaînes commerciales. L'une « généraliste », pour tous publics. L'autre à « dominante musicale » pour montrer qu'on pense, à la veille des législatives, aux jeunes qui aiment la musique et qui votent.

La construction de ces réseaux d'émetteurs, qui toucheront « à terme 40 % de la population dans une soixantaine de villes », est confiée à TDF. Leurs opérateurs, choisis par le Gouvernement – aucun critère, aucune procédure ne sont précisés –, n'auront pas le droit d'interrompre leurs émissions par des écrans publicitaires. Il annonce encore l'adoption, pour le satellite TDF1, du projet de chaîne culturelle consécutif au rapport de Pierre Desgraupes. « Canal 1 », c'est son nom de code, diffusera une préfiguration de ses programmes sur FR3, à partir de 1986. Pour faire bonne mesure, Georges Fillioud ajoute qu'on devrait pouvoir faire de « quarante à cinquante » chaînes locales. C'est déjà deux fois moins qu'annoncé six mois plus tôt par François Mitterrand, mais toujours aussi peu réaliste.

Officiellement chargés des chaînes à créer, Georges Fillioud et Laurent Fabius ne vont plus être que les seconds rôles d'une histoire que le Président écrit à peu près seul. Georges Fillioud n'en sera qu'un figurant amer, parfois coléreux, souvent impuissant. Quant au Premier ministre, trois semaines après le sabotage du *Rainbow Warrior*, en Nouvelle-Zélande, il ne fait que commencer à descendre dans l'abîme de « l'affaire Greenpeace ». Le Gouvernement ne sera que le témoin des mariages audiovisuels conclus au-dessus de lui. Tout comme la Haute Autorité, à qui la loi de 1982 n'accorde aucun droit de regard sur ces chaînes, et que l'on tient soigneusement à l'écart de toutes les tractations.

Quels seront les opérateurs des réseaux? Qui aura le privilège de se lancer dans la télévision commerciale? Les hommes politiques, la presse, le public en sont réduits à glaner des hypothèses. Alors que se dessine, dans le plus grand secret, un axe Schlumberger-Berlusconi pour la chaîne généraliste, on croit deviner qu'elle pourrait être confiée à RTL-Télévision et Télé Monte-Carlo. La France est si pauvre en groupes de communication puissants. Leur taille est dérisoire. On parle de Robert Hersant, de la CLT, d'Europe 1 Communication, de Gaumont, d'Hachette, de Publicis, entreprises qui sont encore des nains à côté des grands groupes de communication étrangers. Tous se voient, se parlent, et envoient à Georges Fillioud, pour prendre date, lettres d'intention ou franches demandes d'attribution de fréquences.

Mais pas plus qu'à l'automne 1984, lorsque François Mitterrand s'interrogeait encore sur l'ouverture, il n'a été procédé à un examen économique du marché. Jamais un pays ne s'est lancé avec une telle frénésie dans une course à la multiplication des chaînes de télévision. Il y a désormais côte à côte, à l'été 1985, fonçant comme des trains aveugles sur leurs rails, sept grands convois : ceux des chaînes du secteur public TF1-A2-FR3, ceux de Canal Plus, d'une cinquième chaîne, d'une sixième, d'un satellite qui doit apporter quatre chaînes supplémentaires, plus des promesses de télévisions locales par dizaines, et pour finir un câble qui devrait reprendre la diffusion de toutes ces chaînes, en y ajoutant programmes étrangers et services vidéo.

Où trouver l'argent pour tous ces projets alors que la redevance ne suffit déjà pas à couvrir les frais des chaînes publiques et que l'on évalue, dans le meilleur des cas, à 1,5 ou 2 milliards de francs les ressources disponibles sur le marché publicitaire, c'est-à-dire de quoi faire vivre, au mieux, une seule chaîne nationale privée? Cette profusion irréfléchie porte en elle tous les germes d'un échec retentissant. Les maîtres d'œuvre de ce capharnaüm ferroviaire ont oublié deux détails. L'approvisionnement en carburant de leurs bolides. Et l'installation de postes d'aiguillage.

Parce qu'elle redoute un échec aux législatives du mois de mars suivant, la gauche s'accroche à l'audiovisuel comme à un gri-gri. On propulse de nouvelles chaînes pour des raisons qui n'ont rien à voir avec la communication. On ne se préoccupe pas de ces chaînes, de leur avenir, mais seulement de l'effet que produit leur annonce. Elles servent d'étalage, de vitrine à une démonstration libérale que l'on croit utile à d'autres secteurs. C'est le pansement d'urgence sur les plaies de l'école libre, du chômage et de la rigueur.

Il n'y a pas de politique audiovisuelle raisonnée, ce n'est qu'un substrat, un terreau sur lequel on espère rafraîchir l'image déplorable de la politique menée dans d'autres domaines. Faute de vision d'ensemble, cette non-politique de la communication compromet toute chance d'équilibre. En cet été 1985, le pouvoir se condamne, et avec lui ceux qui lui succèderont, à n'avoir d'autre choix que gérer les conséquences de cette erreur initiale. Puis les conséquences de ces conséquences...

Jusqu'à épuisement du système mis en place et son effondrement. Dans une collision lente et générale.

CHAPITRE VII

Eté pourri

Jean Riboud veut que les choses aillent vite. Avant de se précipiter dans la cinquième chaîne généraliste confirmée par Fillioud, le gestionnaire qu'il est souhaite s'assurer que l'investissement n'est pas insensé. Est-ce raisonnable, avec une moitié de réseau national ? Silvio Berlusconi a refroidi ses ardeurs, tout en semant le doute dans son esprit quant à la fiabilité des informations officielles. Le seul moyen d'en avoir le cœur net, c'est de faire procéder à une expertise confidentielle du réseau qu'on lui propose...

Début août, le P-DG de Schlumberger appelle celui qui est désormais son spécialiste de l'audiovisuel, Bernard Miyet. L'ancien directeur de cabinet interrompt aussitôt ses vacances au Maroc et rentre à Paris après avoir préparé Jean Riboud à une éventuelle déception : « Jean, lui dit-il au téléphone, soyons clairs, s'il n'y a pas de vrai réseau, c'est foutu ! »

Enfermé pendant trois semaines, quinze heures par jour, dans un bureau de Schlumberger, sortant seulement pour se procurer d'impressionnants lots de cartes géographiques et des ouvrages techniques, Bernard Miyet réexamine un à un les morceaux de fréquence qui figurent dans le rapport Bredin. Puis, région par région, en tenant compte du relief, de l'urbanisme, des interférences, il recherche tous les points d'émission possibles et détermine, règle à calcul en main, quel type d'émetteur pourrait y être installé, avec quelle orientation, quelle puissance, etc. Travail de fourmi et régal harassant pour Miyet, qui trouve là un dossier dont les complexités sont à la hauteur de ses appétits.

Quand il a terminé, que ses heures de sommeil ne sont plus qu'une danse effrénée de noms de sites, une valse de Marseille Grande

Etoile, tour Eiffel, Le Mans Mayet et de « kilowatts rayonnés », il se précipite chez Jean Riboud, qui se repose à La Carelle, dans le **Beaujolais**.

« Jean, j'ai tout vérifié. TDF raconte n'importe quoi. J'ai la conviction que l'on peut monter un réseau qui couvrira non pas 40 %, mais 85 % ou 90 % du pays.

– Très bien. Alors maintenant il faut convaincre Jérôme Seydoux de venir avec nous. »

Jérôme Seydoux Fornier de Clausonne, le P-DG de Chargeurs SA ? Lui-même. Beaucoup seraient surpris, en 1985, d'entendre Jean Riboud souhaiter la venue de « Jérôme » à ses côtés. Dix ans après l'avoir mis à la porte de... Schlumberger. C'est pourtant ainsi.

Des yeux comme deux repères bleus dans un visage émacié, la voix légèrement nasillarde, le P-DG de Chargeurs use et abuse de son image d'homme froid au parler bref. Phrases éclairs, moues difficiles à interpréter. Très mince, très sec, il porte lèvres fines, sourire court et veste de tweed clair. Jérôme Seydoux n'est rien de moins que l'un des petits- fils, par sa mère, du fondateur de la multinationale, Marcel Schlumberger. Un personnage dans cette lignée de grandes fortunes protestantes.

Ses goûts ne le destinaient pas à la finance et à l'industrie, mais à la chimie, aux laboratoires de recherche. Il se contentera d'en rêver. Après un passage aux USA, dans une banque d'affaires, et plusieurs années à Paris chez Neuflize, Schlumberger et Mallet, il est mis, par le P-DG Jean Riboud, à la tête de la Compagnie des compteurs que le groupe Schlumberger rachète en 1970.

Jérôme Seydoux y fait ses preuves de manager. Méthodique, économe, volontaire et cassant, il y forge aussi sa réputation de patron à la fois rigoureux et fils de grande famille qui peut s'offrir le luxe de disparaître trois jours pour aller jouer au golf sur un autre continent. Le penchant que développe alors Jean Riboud pour l'audiovisuel lui est étranger. S'il ne tenait qu'à lui, Jérôme Seydoux convertirait en liquidités les participations dans la CLT et Gaumont que Schlumberger a trouvées dans le portefeuille de la Compagnie des compteurs. Mais Jean Riboud veut les garder, et se fait même nommer administrateur de cette curieuse CLT.

En 1975, alors que la coutume veut que les membres de la famille – qui sont aussi des actionnaires – n'accèdent pas aux postes de direction de Schlumberger, Jérôme Seydoux est nommé directeur général du groupe. Trois mois plus tard, Jean Riboud – qui n'est pas de la famille – pousse vers la sortie ce directeur dont il se dit insatisfait.

Exit Jérôme Seydoux, qui va montrer ailleurs ce qu'il sait faire. Et brillamment. En une décennie, à partir de sociétés rachetées dans les secteurs du textile, des éponges (Spontex), puis dans les transports maritimes, routiers et aériens (UTA), il construit un empire, le sien, Chargeurs SA qui brasse un chiffre d'affaires de 12 milliards de francs. Longtemps brouillés à la suite de cette éviction, Jean Riboud et Jérôme Seydoux se sont pourtant réconciliés, depuis le début des années 80. Au-delà d'une rancune estompée, ils ont en commun le goût de la presse, du pouvoir, des affaires, et des sympathies à gauche. Depuis plusieurs mois, ils se voient à nouveau fréquemment.

En mai 1985, Jean Riboud l'avait déjà appelé, pour une autre affaire : « Nous allons reprendre Canal Plus, lui avait-il confié, certain à ce moment d'y parvenir. Comme vous le savez, Schlumberger ne peut pas être leader dans cette opération car le groupe est étranger [1]... Voulez-vous la faire avec moi ? » Jérôme Seydoux n'avait pas hésité : « Oui. » Son nom avait été parfois prononcé au printemps par les observateurs du duel Rousselet-Riboud, mais sans conviction. Les deux hommes étaient encore trop fâchés, pensait-on, pour que le P-DG de Schlumberger lui fasse même une petite place sur le projet de CBS français.

La vérité était tout autre. Ce que Jean Riboud avait offert à Jérôme Seydoux, c'était d'installer sa société, Chargeurs SA, groupe français, à la tête du tour de table de la chaîne qui remplacerait Canal Plus. L'arbitrage en faveur de Rousselet avait tout interrompu, mais quand, envoyé par Jean Riboud, Bernard Miyet lui explique la découverte d'un cinquième réseau national, Jérôme Seydoux a la même réponse : « OK pour la cinquième chaîne. »

Au cœur de l'été, presque tout le monde a quitté Paris. Mais l'administrateur délégué de la CLT n'a pas, lui, le cœur à partir en vacances. Tout juste s'accorde-t-il quelques week-ends dans sa propriété de Pyla-sur-Mer, près d'Arcachon, site paradisiaque entre dunes et marais asséchés. Il fait un temps splendide sur la capitale, mais pour Jacques Rigaud c'est un été pourri. Un mois d'août qui désoriente comme des séquences de rêves répétitifs, où l'intrigue, à la manière des romans de Kafka, évolue sans avancer. La CLT ne sait plus où mènent ses pas en France. Son administrateur, qui ne sait plus à quelle stratégie se vouer, a d'inquiétants pressentiments.

Depuis qu'on a confié cette maudite mission TDF1 à Jacques Pomonti, la CLT s'est arc-boutée sur l'accord d'octobre 1984. Deux

1. La multinationale a la plupart de ses bureaux aux USA, et son siège est domicilié à Curaçao, dans les Antilles néerlandaises.

canaux. Exclusivité publicitaire. Pas question de payer pour entrer dans une société d'exploitation. Peut-on concevoir situation plus abracadabrante? Pomonti, l'homme chargé de confectionner le bouquet de programmes de TDF1, initiative qui a remis en cause le protocole d'octobre, siège depuis la fin janvier au conseil d'administration de la CLT. N'est-il pas juge, partie, et un peu espion malgré lui? C'est ce qui fait qu'une fois, à Luxembourg, pour pouvoir rendre compte et commenter librement ses négociations sur TDF1, le Français Rigaud a dû prier un autre Français, Pomonti, de quitter un moment la salle du conseil de la CLT. Du jamais vu à la Villa Louvigny!

Depuis l'annonce de François Mitterrand sur les chaînes privées, Jacques Rigaud multiplie les déclarations d'intention. Il va de soi, veut-il croire, qu'un des deux futurs réseaux de télévision hertzienne devra se «constituer autour de RTL-Télévision». Le contraire «serait impensable». Il l'a dit à Georges Fillioud. Tout comme il serait impensable que la CLT «monte» sur TDF1 sans l'assurance préalable de jouir d'un de ces réseaux au sol...

Mais ce qui est évident pour Jacques Rigaud l'est moins pour le gouvernement français. Celui-ci est divisé sur la conduite à tenir vis-à-vis d'une CLT dont François Mitterrand ne veut plus entendre parler. L'Elysée est de plus en plus remonté contre cette Compagnie luxembourgeoise où rien ne semble pouvoir contrer le pouvoir grandissant de la droite sous les traits d'Albert Frère et de son groupe Bruxelles-Lambert [2]. Cette hostilité à la CLT, il faudrait que Jacques Rigaud soit de bois pour ne pas la percevoir. Mais elle n'est pas assez franche pour clarifier la situation. De leur côté, en effet, des hommes comme Fabius ou Fillioud continuent, début août, à prétendre vouloir lui faire une place dans le paysage audiovisuel français. Qui croire?

Au mot près, c'est exactement la question que se pose Jacques Pomonti au matin du 6 août 1985, en allant chercher Robert Maxwell à l'aéroport. Il a dû laisser en plan cartons et déménageurs qui occupent son appartement pour prendre le petit déjeuner avec «Captain Bob». Avant d'aller au rendez-vous qu'il lui a ménagé aujourd'hui, pour la première fois, avec François Mitterrand. Sur la route, Jacques Pomonti, sans le savoir, aligne ses angoisses sur celles de Jacques Rigaud. Cela fait maintenant deux mois que son montage financier pour TDF1, bouclé avec Maxwell et Berlusconi, dort chez Laurent Fabius. Dort, ou se meurt? On ne lui en dit pas un mot. Cela commence à bien faire.

2. Récemment encore, en juillet 1985, c'est Gaston Thorn, un homme désigné comme proche d'Albert Frère, qui a été nommé vice-président de la CLT.

Maxwell a voulu se faire beau. Son énorme nœud papillon rouge en témoigne. Il a aussi tenu à passer un moment avec Jacques Pomonti « avant », pour échauffer son français dans une conversation à bâtons rompus. Cette journée est pour lui un peu le clou d'une tournée de chefs d'Etat dont il prépare les portraits pour l'une de ses maisons d'édition. Il rentre de Chine, où il a vu Deng Xiaoping, et s'est arrêté à Moscou pour bavarder avec son « ami » Gorbatchev.

La rencontre, pour le Président français, a le même objectif que son premier entretien avec Silvio Berlusconi : faire connaissance. Et c'est un agréable moment que passent les trois hommes. Robert Maxwell fait vibrer chez François Mitterrand la double corde de l'amour de la France et des temps éloignés de la Résistance. « Mes évasions, à côté des vôtres, c'est peu de chose... » dit-il à Maxwell quand celui-ci retrace son emprisonnement et ses condamnations à mort par les nazis. Il est bien peu question de satellite. Ce qui ne résout rien au problème de Jacques Pomonti, qui prend ensuite le temps de déjeuner avec un Robert Maxwell aux anges. Le géant est heureux comme un enfant qui aurait croisé le Père Noël au mois d'août.

C'est le lendemain matin, mercredi 7 août, par la bouche de Georges Fillioud, que Jacques Pomonti apprend comment on s'apprête à rayer d'un trait de plume ses six mois de mission. Le secrétaire d'Etat lui révèle qu'il s'envole demain jeudi pour renouer, en accord avec Laurent Fabius et contre toute attente, les fils de TDF1 avec Luxembourg et la CLT. Avec cette CLT qui n'a jamais répondu, en temps utile, à ses offres !

A l'annonce de cette visite de Fillioud à Luxembourg, c'est tout le montage financier qu'il a eu tant de mal à élaborer qui s'effondre. Mais pourquoi ? Et d'où sort cette initiative ? Du cerveau du Premier ministre, qui redoute l'incident diplomatique avec le Luxembourg si l'on ne trouve pas, alors que Paris s'apprête à donner la cinquième chaîne à Riboud et Berlusconi, un terrain d'entente avec la CLT sur le satellite. Il s'agit d'amortir la colère prévisible des Luxembourgeois.

Vexé de n'avoir pas été prévenu alors qu'il est chargé du dossier TDF1, Jacques Pomonti appelle François Mitterrand qui, nouvelle surprise, lui dit ne pas être au courant de ce retournement. Ni du déplacement de Georges Fillioud à Luxembourg. Il est midi. Jacques Pomonti tourne en rond dans son bureau à l'INA; en compagnie de Patrick Clément qui l'encourage à réagir. C'est tout leur édifice que Fabius est en train d'abattre dans leur dos.

Alors, plutôt que de voir sombrer définitivement la société d'exploitation qu'il a conçue, et dont aucun aspect, aucun nom n'a encore été rendu public, Jacques Pomonti décide de tout livrer en détail à la presse pour le lendemain matin. Il est trop tard pour *Le Monde,* qui ne sortira qu'en début d'après-midi.

Ce sera *Libération.*

De pareilles avanies, Georges Fillioud aimerait ne jamais en revivre. Mais alors jamais. Dans l'avion qui descend sur Luxembourg, il relit en grimaçant la pleine page du quotidien où Jacques Pomonti explique que la société d'exploitation pour TDF1 est bouclée, que Maxwell et Berlusconi en sont, et que la CLT n'a pas daigné donner suite à ses propositions. En clair, la France se débrouillera très bien sans le Luxembourg. L'accueil risque d'être frais dans quelques minutes sur la terre du grand-duché, à moins, espère-t-il, que ses collaborateurs aient raison quand ils lui disent, pour le calmer, que la presse française du matin « doit bien arriver plus tard » dans ce petit pays. Et de quelle humeur peut bien être François Mitterrand qui, la veille, l'a appelé pour lui dire qu'il n'avait pas à aller « traiter avec la CLT » ?

Impossible de se décommander, a-t-il répondu, mais il fera son possible pour rester dans le flou à Luxembourg.

Maintenant, avec les déclarations publiques de Pomonti, le flou sera difficile à entretenir.

En effet. Malgré l'heure matinale, Jacques Santer, le chef du gouvernement luxembourgeois, qui le reçoit, a ostensiblement laissé *Libération* à portée de main. Georges Fillioud essaie de faire bonne contenance. Mais il va avoir bien du mal à trouver une réponse, ni trop claire ni trop floue, aux questions simples que lui posent les Luxembourgeois : « Qui traite quoi à Paris dans le dossier du satellite ? Qui dirige ? Qui négocie ? »

Cette visite est le dernier contact concernant l'audiovisuel du gouvernement Fabius avec Luxembourg. Les liens sont pratiquement rompus entre Paris et la CLT. La consigne générale que l'Elysée donne ensuite à Matignon et à Georges Fillioud est de mettre en place les chaînes privées sans prêter attention aux jérémiades de la Compagnie luxembourgeoise, mais en évitant un affrontement trop voyant.

La voie est libre pour Jean Riboud et Silvio Berlusconi.

C'est à l'amitié que Jacques Rigaud doit de comprendre, cet été, que la France est en train de tout faire pour barrer la route de la télévision privée à la CLT. A l'amitié de Jean Riboud, auquel il rend visite le samedi 10 août. Visite dont il sort doublement bouleversé.

Par la progression irréversible du mal qui emporte son ami, et par la confidence que le P-DG de Schlumberger lui a faite. Que Jacques Rigaud ne s'en offusque pas, mais, bien qu'actionnaire de la CLT, Jean Riboud a l'intention de créer la première chaîne commerciale française, et ce, sans la Compagnie luxembourgeoise. Il a des partenaires en vue mais il est bien trop tôt pour en parler. Ce n'est pas une déclaration de guerre mais, tout de même, il s'agit bien d'en remontrer un peu à Albert Frère et de narguer ce pacte Audiofina qui lui a trop longtemps interdit de réaliser ses rêves audiovisuels.

Voilà donc ce qui couve... Une chaîne privée franco-française. Sans Luxembourgeois. Sans Belges. Avec qui peuvent-ils donc espérer la faire? Europe 1, Publicis, Hachette, Gaumont? Mais ces groupes-là ont l'air de se tourner vers cette curieuse idée de chaîne à dominante musicale. En tout cas, on n'écartera pas la CLT d'un revers de main. La CLT se battra pour faire valoir ses droits.

C'est un Jacques Rigaud à la fois déprimé et combatif qui rentre chez lui. Il n'en peut plus de la valse-hésitation entre Paris et Luxembourg. Un jour, Fillioud le reçoit en secret dans son appartement privé pour l'assurer que la France veut faire une place à la CLT sur le satellite et dans les chaînes privées. Le lendemain, il lit le contraire dans la presse. Les déclarations de « M. Pomonti » à *Libération* l'ont plongé dans une fureur indicible. Fureur bien amorcée par les propos de « M. Berlusconi » la veille dans *Le Monde*.

Pour sa première intervention dans les médias français, Berlusconi, qui se dit intéressé par le satellite TDF1, a trouvé le moyen, au détour d'un paragraphe où sont évoqués les grands groupes qui peuvent prétendre à la télévision commerciale en Europe, de traiter la CLT de « petite chaîne régionale »! C'est le monde à l'envers. La CLT, cinquante ans d'expérience audiovisuelle, insultée par ce marionnettiste italien! Ce terrassier qui tire les ficelles de trois chaînes insipides dans son pays dont, avec ses gros sabots américains, il n'est pas prêt de sortir...

Fatale erreur d'appréciation, due autant au manque d'informations sur ce qui se trame réellement qu'à la confiance aveugle que Jacques Rigaud, ancien directeur de cabinet d'un ministre de la Culture, et futur président du musée d'Orsay, place dans la capacité de son pays à se prémunir contre ce qui est pour lui l'inculture en marche.

En six mois, le consul Berlusconi va faire une percée foudroyante à travers les Alpes.

CHAPITRE VIII

De la musique après toute chose

La percée commence par un dîner sur les Champs-Elysées, à la fin août 1985. Autour de la table, Silvio Berlusconi, Confalonieri, Pomonti... et un homme jeune, sportif, aux cheveux très noirs, en costume d'été léger. Il est grand, fort, son visage, au teint mat hérité d'une mère indienne, doit être rieur quand son regard est moins soucieux. « Mon père vous prie de l'excuser, dit-il. Il n'a pas pu venir... Je le remplace. Il m'a chargé de vous dire qu'il est prêt à faire quelque chose avec vous. Je serai votre interlocuteur avec Jérôme Seydoux que je vous propose de rencontrer bientôt... »

Christophe Riboud parle à la fois avec assurance et sur un ton juvénile complice. Directeur d'un institut de sondage, l'IFOP, il est le fils unique à qui Jean Riboud, dont les semaines sont comptées, a demandé d'assurer la bonne transition du dossier de la cinquième chaîne. Christophe n'a pas à le reprendre – il n'est pas suffisamment aguerri en affaires et ne manifeste pas de goût particulier pour la télévision –, mais à le suivre jusqu'aux mains de Jérôme Seydoux, et à participer personnellement, s'il le souhaite, à la future société. Personnellement, car le groupe Schlumberger, de la présidence duquel Jean Riboud s'apprête à démissionner [1], ne souhaite pas investir dans une chaîne. Depuis toujours l'audiovisuel est l'obsession de l'homme Riboud, non du groupe industriel.

« Une chose encore, ajoute Christophe Riboud. Dans l'esprit de mon père rien ne peut se faire si l'existence d'un cinquième réseau assez grand n'est pas confirmée. »

Silvio Berlusconi ne connaît pas Jérôme Seydoux mais assure qu'il le rencontrera « avec joie ». Pour ce qui est du réseau, une réunion est organisée à Milan, au début septembre, afin de vérifier les

---

1. Il démissionne pour « raisons de santé », le 11 septembre 1985.

240

recherches françaises avec Christophe Riboud et un Bernard Miyet survolté. Il ne lui manque plus qu'un tricorne sur le crâne pour avoir l'air, avec sa barbe, ses lunettes cerclées et ses grandes cartes géographiques roulées sous le bras, d'un pirate expliquant l'endroit où se trouve le trésor. Car c'est effectivement d'un trésor qu'il s'agit. Les ingénieurs italiens qui ont construit, émetteur après émetteur, les réseaux de Berlusconi, confirment les calculs de Miyet. C'est de l'or en ondes. « Parfait, dit Berlusconi à Riboud et Miyet. Le réseau est là, alors si vous avez la force politique pour l'obtenir, il faut y aller ! »

Un rendez-vous est organisé chez Georges Fillioud avec Miyet, Codignoni, un directeur technique du groupe Berlusconi et les dirigeants de TDF, dont son P-DG, François Schoeller [2] et son collaborateur Gérard Ganser. Fraîche ambiance rue Saint-Dominique. « Monsieur Schoeller et ses techniciens sont à votre disposition pour vérifier vos plans de fréquences », dit le secrétaire d'Etat. Georges Fillioud n'est pas trop à l'aise. Il a compris que François Mitterrand veille directement à ce que les souhaits de son ami Jean Riboud soient exaucés sans perte de temps. La situation lui échappe. Il y a quelques semaines encore Berlusconi n'était qu'un partenaire pour TDF1, introduit en France par Jacques Pomonti. Aujourd'hui, c'est un groupe qui vient, dans son bureau, soutenir au président de l'établissement le plus paranoïaque et sourcilleux de l'administration française, TDF, que ses services ont dû se tromper dans leurs calculs.

La tête carrée, le front têtu et la coupe en brosse, François Schoeller fait très grise mine. Il ne cache ni son scepticisme ni son irritation d'avoir à expertiser les élucubrations d'un néophyte comme Miyet soutenu par des bricoleurs italiens. Il ne le fait d'ailleurs pas dire à Silvio Berlusconi et vient en personne, le lendemain, le rencontrer à l'hôtel Prince de Galles. Il va faire cette expertise, dit-il, mais c'est du « temps perdu ». Attitude que les Italiens traduisent par : « Allez vous faire voir ! »

La querelle va durer des semaines. A partir de septembre, le gouvernement français, TDF et le groupe Berlusconi sont engagés dans un processus de négociations permanentes et secrètes. Les points les plus délicats font cependant l'objet de courriers, télex, rappels... Sil-

2. François Schoeller a succédé à Maurice Rémy, démissionné en janvier 1983 après l'incident de la « grue » de Latche. Au jour de l'an 1983, François Mitterrand, qui avait prévu de présenter ses vœux en direct aux Français sur A2 depuis sa bergerie des Landes avait vainement attendu que se présente la grue de TDF qui devait servir de relais hertzien pour la diffusion. Cette grue s'était « égarée » dans la campagne près de Nancy. Il avait fallu retarder de 24 heures l'émission. Le Président avait demandé à Georges Fillioud la démission du P-DG de TDF.

vio Berlusconi et Bernard Miyet auront gain de cause. Le réseau existe sur le papier, en effet. « Dont acte », finira par soupirer TDF. Mais il reste à le construire. Il va falloir, pour le rendre exploitable, installer des dizaines de nouveaux émetteurs sur le territoire. Cela prendra du temps. Surtout pour TDF, seule habilitée à effectuer ces travaux, et peu pressée d'apporter ainsi la preuve de ses erreurs ou de sa dissimulation maladive des fréquences.

Maintenant, il tarde à Silvio Berlusconi de rencontrer l'associé dont a parlé Christophe Riboud.

C'est Jacques Pomonti qui organise le contact avec le patron de Chargeurs SA. Le soir du vendredi 20 septembre, un dîner les rassemble au domicile de Jérôme Seydoux. Le jour même, une information coup de tonnerre a balayé les derniers scrupules que l'Elysée aurait pu avoir à écarter la CLT. Un communiqué laconique a révélé la création d'une société de « réflexion audiovisuelle » entre les deux titans détestés, Albert Frère et Rupert Murdoch. Cette alliance est perçue comme une provocation supplémentaire d'Albert Frère. Le pouvoir n'en est que plus pressé de favoriser l'axe Riboud-Seydoux-Berlusconi...

Le plat de poisson est un délice, mais Berlusconi et Seydoux donnent l'impression d'avoir avalé une arête. Le courant ne passe pas. C'est l'image inversée du contact avec Jean Riboud. On parle peu télévision. Engoncé dans son image de protestant austère, Jérôme Seydoux ne sait pas comment prendre la faconde latine de son invité, qui de son côté a l'impression d'avoir à faire à un incompétent en audiovisuel. Il faut pourtant faire un effort. Le chemin de la télévision française passe par cet escarpement. Et pour le survoler, on parle avions. Jacques Pomonti avait prévenu Berlusconi de la personnalité assez peu expansive de Jérôme Seydoux, mais à ce point... Quelle triste soirée!

« Je n'aime pas cet homme. Je ne l'aime pas... » se lamente en sortant Silvio Berlusconi. Dépité, raccompagnant Jacques Pomonti à son domicile, il fait plusieurs fois à pied le tour du pâté de maisons avec Fedele Confalonieri, avant de rentrer à son hôtel. « Je ne l'aime pas... » Mais il faut bien épouser Chargeurs SA pour jouir de sa dot, la cinquième chaîne.

Ce dîner n'était pas une réussite, mais Jérôme Seydoux, lui, ne considère pas avoir perdu sa soirée. Il sait combien il est difficile de s'associer, de mêler ses intérêts à ceux de partenaires inconnus. Ce qu'il retient, c'est qu'il y a là, avec Silvio Berlusconi, un savoir-faire immédiatement disponible. Lui ne connaît rien, mais il ne demande qu'à s'initier à cette économie des images, si éloignée du textile et des camions. Ce doit être un mariage de raison.

Ce ne sera jamais, tous les deux s'en doutent dès le premier soir, le grand amour.

Dès ses premiers contacts avec Jacques Pomonti, Silvio Berlusconi a pris ses habitudes à Paris. Le pilote de son avion privé pourrait faire le trajet Milan-Le Bourget les yeux fermés.

Au début, chaque fois qu'il vient, ne disposant pas encore de bureaux, il organise ses rendez-vous à son hôtel et s'installe plus ou moins, comme Angelo Codignoni, dans les locaux de l'école de l'INA, rue du Dragon, avec Patrick Clément. Un endroit qu'il affectionne assez pour y garder ses habitudes, même lorsque la Fininvest aura loué un local pour son antenne parisienne dans un immeuble de la rue Copernic, appelé, ça ne s'invente pas, le « Satellite ».

La rue du Dragon, pour Berlusconi, c'est à la fois l'endroit où il dessine des plans pour l'avenir et celui où il se détend et observe. Il ne déplaît pas à cet amoureux des planches et patron de trois chaînes d'assister, en spectateur discret, aux prestations des journalistes ou animateurs qui viennent là se perfectionner ou apprendre l'audiovisuel. Il ne lui déplaît pas non plus de rester, tard le soir, à parler de la France avec ce Patrick Clément qui connaît tant de choses, tant de gens, et fait montre d'un tel entrain qu'il a songé, au printemps, à le prendre comme conseiller parisien... C'est ici, rue du Dragon, qu'aux mois de mai et juin 1985 Patrick Clément et Angelo Codignoni ont commencé à préparer une grille de télévision pour ce qui devait être la partie en clair de Canal Plus, au cas où Berlusconi parviendrait à s'entendre avec Rousselet. Une grille à laquelle devait participer un ami de Clément, le journaliste Jean-François Kahn, et où Berlusconi voulait absolument voir figurer la vedette française de l'animation, Michel Drucker. La tranche en clair de Canal est tombée à l'eau, mais les idées de grille ont surnagé...

C'est Patrick Clément qui peu à peu les a aidés, lui et Codignoni, à se familiariser avec les institutions françaises.

C'est lui qui leur a conseillé de prendre une R25 gris métallisé plutôt qu'une grosse Mercedes pour leurs déplacements d'un ministère à l'autre. Moins voyant. Plus sérieux. Une voiture qui se fond dans la masse administrative. Enfin, presque... car la R25 retenue porte une plaque milanaise. C'est encore l'industrieux Clément qui a eu l'idée, les mois passant et la présence de Berlusconi dans l'audiovisuel français devenant plus qu'une probabilité, de mettre en œuvre pour lui un véritable plan de formation accélérée à la vie hexagonale. Avec l'aide de confrères, le grand reporter d'A2 rédige pour Berlusconi des centaines de fiches d'une douzaine de lignes au maximum. Biographies raccourcies du personnel politique, présentation des grandes sociétés, informations sur les sujets d'actualité parisiens, initiation aux professionnels du cinéma, de la publicité, de la télévision... Des fiches succinctes que Silvio Berlusconi lit et apprend consciencieusement. S'installer en France est une aubaine inouïe pour son groupe; il ne veut négliger aucune arme pour convaincre là où son sourire et sa séduction ne suffiront pas. Quand les discussions avec Fillioud, Pomonti ou Seydoux lui en laissent le temps, Berlusconi, de passage à Paris, se lance dans des pèlerinages à pied à Montmartre ou du côté de la Sorbonne. Librairies du 7ᵉ arrondissement et antiquaires pour les livres anciens. Marche dans les jardins de Bagatelle.

Avec Jérôme Seydoux, les relations s'améliorent sans se réchauffer. Elles sont un peu plus chaleureuses avec Christophe Riboud. Christophe qui, comme Patrick Clément, s'est pris d'une affection immédiate pour l'un des collaborateurs qui accompagnent régulièrement Berlusconi à Paris. Un homme d'une trentaine d'années, à la longue mèche brune tombant sur le front, aux yeux et à la voix graves, au charme et à la vivacité d'esprit irrésistibles : Carlo Freccero. « C'est mon fou », dit de lui « Sua Emittenza » en ne plaisantant qu'à demi. Freccero est l'âme – damnée pour certains – de la programmation des chaînes de Berlusconi en Italie. C'est le chantre de la contre-programmation, un intellectuel qui surprend en jonglant avec ces séries américaines dont il lui arrive de parler avec un véritable souffle poétique. Philosophe provocateur, doué d'une conscience politique toujours prête à débusquer le dérisoire d'une télévision commerciale qu'il adore et déteste à la fois, Carlo Freccero est le personnage le plus fantasque de l'équipe Berlusconi. L'un des plus attachants aussi, par son goût des paradoxes et sa capacité à fournir, en continu, des idées nouvelles à son « roi ».

Un magnat italien, Berlusconi; l'austère cinquième fortune de France, Seydoux; un fils d'industriel prenant la relève de son père, Riboud; trois personnages qui semblent avoir bien peu en commun, et pourtant, c'est bien une équipe qui se constitue cet automne. Deux faits contribuent à en souder les éléments disparates : l'aggravation, en octobre, de l'état de santé de Jean Riboud, et l'aigreur des premiers commentaires dans la presse sur le mystérieux « tandem Seydoux-Berlusconi » qui s'active dans Paris, on ne sait trop sur quoi. Hommes de télévision et producteurs de films s'inquiètent de ce que mijote en France le « fossoyeur du cinéma italien ». Même inquiètude à la CLT, pour le compte de qui Jean Drucker a déposé chez Georges Fillioud, le 4 octobre, un « mémorandum » qui fait office de candidature à la cinquième chaîne sans en être pleinement une.

S'il se doute de l'inutilité de cette démarche, Jean Drucker ne peut toutefois en mesurer toute l'étendue. Le chantier de la cinquième chaîne avance à pas de géant ; lorsque les choses ne vont pas assez vite pour Berlusconi, celui-ci prend la plume et s'adresse directement à François Mitterrand. C'est ce qu'il fait le 15 octobre 1985, sur papier à en-tête de la Finanziaria d'Investimento-Fininvest, via Rovani, à Milan, mais en date de Paris :

Monsieur le Président,
Le 10 septembre 1985, par lettre, je me permettais d'insister auprès de vous sur l'extrême urgence des décisions à prendre pour la mise en œuvre d'émissions de télévision avant l'échéance électorale de mars 1986.

Grâce à l'entremise de Jacques Pomonti, nous nous sommes mis au travail et, sous le couvert de Jean Riboud, avec son fils et Jérôme Seydoux, nous avançons et espérons conclure sur des bases égalitaires de capital et de gestion avant la fin octobre.

Sous réserve de surmonter les dernières résistances administratives et de trouver un terrain d'accord avec TDF, il sera possible de réaliser ce projet pour janvier 1986...

Un endroit où l'on ne veut pas croire à la bonne marche de l'opération en cours, et où l'on s'étrangle d'indignation quand le nom de Berlusconi commence à être prononcé avec insistance au gouvernement, c'est rue de Valois, chez Jack Lang. Le ministre de la Culture voue un mépris sans nom à ce que représentent Berlusconi et ses chaînes de télévision. En homme de théâtre, en défenseur du livre et de la création cinématographique, Jack Lang est horrifié par une manœuvre qu'il devine mais ne comprend pas, de la part du président Mitterrand, pour introduire la « calamité » des programmes Berlusconi de ce côté-ci des Alpes.

Il s'ouvre parfois de ses interrogations à Laurent Fabius qui le rassure en lui disant que « rien n'est fait », qu'il ne s'agit pour le moment que de « contacts » et que l'Etat saura « naturellement », le cas échéant, préserver l'intégrité de la culture et la qualité de la télévision française... Jack Lang le juriste ne peut être totalement rassuré ; il s'agit de « Sua Emittenza », renard en son pays et profiteur des coupables faiblesses du droit italien en matière d'audiovisuel.

Jack Lang fait tout ce qu'il peut pour éviter cet affront, mais vient le moment où il n'est plus possible que le ministre de la Culture se dérobe davantage à une rencontre avec celui que François Mitterrand a élu pour donner corps au cinquième réseau. Il faut recevoir Berlusconi. Au moins une fois. Pour la forme. Mais ni l'ébruiter ni s'en vanter. Un dîner est organisé, à la mi-octobre, rue de Valois.

Assis à l'arrière de la voiture qui le conduit au ministère de la Culture, dans l'enceinte du Palais-Royal, Silvio Berlusconi admire une nouvelle fois le petit boîtier en loupe d'orme qu'il compte offrir à Jack Lang en signe d'amitié.

A l'intérieur, une montre de grand joaillier comme taillée dans un lingot d'or, de celles dont « Sua Emittenza » aime parfois à combler généreusement ses interlocuteurs... En voyant le cadeau que Silvio Berlusconi croit judicieux de faire à un ministre, Fedele Confalonieri et Patrick Clément doivent user de la plus grande diplomatie pour l'en dissuader. Il n'est pas certain, suggèrent-ils, que ce soit là le sommet du bon goût pour M. Lang. Ne vaudrait-il pas mieux penser à un présent un peu plus subtil, moins lourd et moins brillant? « Pourquoi pas une mappemonde éditée par Pouillon? » propose Clément... En arrivant au ministère, Berlusconi se résigne à laisser le boîtier dans la voiture. Une mappemonde? Trop tard pour ce soir. Mais il y réfléchira.

Au premier étage, tout le monde s'assoit comme à la messe dans le petit salon qui jouxte la salle à manger du ministre. Parmi les invités, Georges Fillioud, des membres de son cabinet, mêlés à ceux du cabinet de Lang, dont Frédérique Bredin, fille de Jean-Denis Bredin, conseiller pour le cinéma et adversaire énergique du groupe italien. Quand les battants de la porte s'ouvrent, Berlusconi découvre avec un haut-le-cœur le gigantesque plateau de fruits de mer qui trône au centre de la table. Il ne supporte ni le goût ni la vue des coquillages! Son premier réflexe est de vouloir partir aussitôt de cet endroit. Confalonieri le retient par la main. Le visage gris, crispé, Berlusconi prétexte une hépatite pour négocier une autre entrée. Magnanime, Jack Lang fait prévenir la cuisine. Tout le monde passe à table, et on apporte alors une assiette de saumon fumé. Un plat que Silvio Berlusconi, très difficile, n'aime guère plus. Mais qu'il se force à avaler.

Le reste du dîner est à l'avenant. Forcé. C'est pour la cuisine comme pour l'audiovisuel. Lang ne digère pas Berlusconi, à qui le ministre de la Culture reste sur l'estomac. Ils n'ont rien à se dire. « Sua Emittenza » sort de table avec la sensation de n'avoir rien mangé et le sentiment qu'on ne veut pas de lui dans cet arrondissement de la capitale.

Vendredi 25 octobre 1985. 18 heures 03.

« Il se passe actuellement des choses graves. Je dois tenir informé le public... »

Au micro de RTL, Jacques Rigaud a pris ce soir un ton de circonstance. Entre la causerie au coin du feu et *Ici Londres*. Il est parmi les premiers à avoir quitté, il y a quelques minutes, l'église Saint-François-Xavier où était célébré un office funèbre à la mémoire de Jean Riboud, décédé le dimanche 20 octobre, pour pouvoir intervenir en ouverture du journal de Jacques Chapus.

Les informations qu'il a recueillies ces derniers jours confirment ses craintes. Le pouvoir négocie dans l'ombre l'octroi d'une concession à Jérôme Seydoux et Silvio Berlusconi. On élimine sans vergogne la CLT du jeu audiovisuel français. « ... On ne sait toujours pas qui occupera les canaux du satellite à moins d'un an de son lancement... » déplore-t-il à l'antenne. On ne sait pas davantage qui bénéficiera du réseau multiville de la cinquième chaîne, feint-il de croire en ajoutant que, en revanche, il y a à la CLT des moyens et des hommes qui ne demandent qu'à se mettre au service du pays et à relever le défi de la télévision privée. Avec un réaménagement des programmes de RTL-Télévision, « un nouveau programme pour la France est prêt. Nous pouvons l'offrir dans les jours qui viennent au public français ». Mais il faut pour cela que le Gouvernement accepte de prendre en considération la candidature de la CLT à l'exploitation de ce réseau.

C'est un coup de micro dans l'eau. Pour prendre date.

L'enterrement de Jean Riboud a eu lieu le mardi 22 à Ouroux, dans le Beaujolais, près de La Carelle, en présence de François Mitterrand, de ministres, de la famille Schlumberger, des habitants du village et d'amis tels que Serge July, Bernard Miyet... Ces derniers temps, le Président appelait Jean Riboud tous les jours, et lui rendait visite deux fois par semaine malgré un agenda surchargé.

La mort de Jean Riboud endeuille les négociations qui durent depuis plusieurs semaines entre le Gouvernement, Seydoux, Berlusconi et TDF; mais, d'une manière certaine, elle a aussi cimenté un socle pour l'attribution de la cinquième chaîne aux partenaires que l'industriel avait lui-même choisis. Cette chaîne qui ne lui a jamais été formellement promise par le Président. Il n'est pas dans le tempérament de François Mitterrand de promettre; tout comme il n'était pas dans celui de Jean Riboud de solliciter. Mais il allait de soi, depuis l'arbitrage en faveur d'André Rousselet à propos de Canal

Plus, que Jean Riboud disposait d'une priorité tacite pour la chaîne suivante.

Sa mort, loin de remettre ce droit en question, lui donne l'inaltérabilité, la puissance d'une dernière volonté.

Le jour même de cet enterrement, Silvio Berlusconi a envoyé trois courriers qui portent la mention *Personnel et confidentiel*; ils scellent sa candidature à la future Cinq.

Le premier est destiné à Laurent Fabius :

Par l'intermédiaire de M. Georges Fillioud, vous avez bien voulu me demander de vous faire part, dans les plus brefs délais, de mes intentions relatives à l'octroi prochain d'une concession de service public pour un service de télévision par voie hertzienne... Je vous précise dès maintenant que je suis prêt à déposer ma candidature dans les formes qui vous paraîtront appropriées.

Comme vous en êtes informé, des discussions approfondies ont lieu depuis plusieurs semaines entre les groupes Chargeurs SA et Fininvest sur l'ensemble des questions et problèmes touchant ce dossier. Je suis prêt à vous communiquer le résultat de nos réflexions communes dès le 28 octobre prochain. C'est pourquoi je sollicite, au nom des principaux partenaires de cette opération, un rendez-vous de votre part...

Le deuxième est une copie du premier, adressée à François Mitterrand et accompagnée d'une lettre dans laquelle Silvio Berlusconi précise :

...Comme vous pouvez le constater, cette lettre confirme à nouveau [au Premier ministre], *et sur sa demande, ma volonté de participer au développement de la télévision commerciale en France avec l'aide des partenaires français désignés par le Premier ministre...*

Le troisième pli arrive sur le bureau de Georges Fillioud.

« Sua Emittenza » y déplore l'incurie de TDF et demande « *l'appui* » du secrétaire d'Etat pour « *recevoir le plus rapidement possible des réponses précises aux questions posées* » sur les fréquences disponibles.

La hiérarchie des salutations qui concluent ces missives est soigneusement respectée. Georges Fillioud a droit à une « *sincère considération* ». Laurent Fabius écope d'une « *très haute considération* ». François Mitterrand mérite une « *très fidèle considération.* »

Si la marche conquérante de Jérôme Seydoux et Silvio Berlusconi est encore souterraine, quoique soupçonnée par un nombre très restreint de personnes, en revanche la perspective de la création de la

Cinq éclipse toute autre actualité audiovisuelle en cet automne. Or il se passe, ou se prépare pendant ces derniers mois de 1985, bien des choses qui seront déterminantes pour le futur. D'abord, du côté de cette chaîne dont l'annonce est passée presque inaperçue, cette sixième chaîne à dominante musicale. Celle qui devra, selon TDF, se contenter des restes du festin de fréquences, avec un réseau réduit à la portion congrue. L'idée de créer en France une chaîne musicale ne peut être revendiquée par personne en particulier, mais il est certain que Léo Scheer et Jacques Driencourt ont beaucoup contribué à faire cheminer l'idée dans les esprits. En 1984, l'équipe de la direction du Développement à Havas avait même commencé à sonder les cerveaux de la maison sur la question.

« Après Canal Plus, il faudra penser à faire des chaînes thématiques, information, musique, comme il y en a aux USA... » Marc Tessier les avait regardés avec des yeux ronds. Non mais, franchement, c'était déjà assez compliqué de mettre Canal sur les rails, alors ce genre de fantaisie... Driencourt et Scheer, qui songeaient à quitter Havas, avaient remballé leur suggestion et s'étaient occupés, pour se distraire, de concevoir une autre télévision. Ce n'était qu'un jeu. Mais il aurait des suites.

Tous deux se disaient qu'en télévision l'avenir appartient aux formules courtes. Ils s'étaient amusés à concevoir une chaîne-horloge dont les programmes donneraient l'heure. Il s'agissait d'une grille horaire divisée en quatre quarts d'heure, eux-mêmes subdivisés en tranches de trois ou quatre minutes occupées par des modules d'images se succédant toujours dans le même ordre au fil de l'heure. Ainsi, selon que le téléspectateur tomberait sur le dessin animé, le reportage, le clip musical ou le flash d'informations, il connaîtrait l'heure.

Le principe était qu'avec cette chaîne, le téléspectateur aurait à tout moment la possibilité de regarder un programme court, rapide, distrayant et informatif. L'idée avait ses limites mais restait astucieuse. Driencourt et Scheer riaient eux-mêmes de cette mise en boîte – et en images – des paradoxes de la société de consommation que leur inspirait peut-être la lecture de Jean Baudrillard. Pour aller jusqu'au bout du gag, ils avaient appelé cela la « Junk TV ».

Puis Léo Scheer avait quitté Havas pour l'autre géant publicitaire, Publicis. Avec une forte envie de démontrer qu'on pouvait encore innover en télévision après Canal Plus. Avant de partir il avait signé, à la demande d'André Rousselet, une lettre par laquelle il s'engageait à ne pas monter de projet de télévision cryptée.

Le groupe de Marcel Bleustein-Blanchet que rejoint Léo Scheer n'a pas perdu, depuis les années 70, son intérêt pour l'audiovisuel, mais il reste dans une position d'observateur. Il a posé quelques jalons du côté du câble en évoquant avec deux entreprises amies, Gaumont et l'hebdomadaire *Le Point*, la possibilité de créer une chaîne. Sollicité, avant son lancement, pour entrer dans Canal Plus, le fondateur de Publicis n'a pas donné suite.

Observateur, mais tout de même un peu acteur, en coulisses. Par exemple, Publicis a été approché le plus discrètement du monde en 1984, par... le gouvernement luxembourgeois! Et ce pour lui demander conseil sur le projet Coronet de l'Américain Clay T. Whitehead. A cette occasion, le directeur du groupe, Maurice Lévy, avait rencontré Pierre Werner, chef du gouvernement du grand-duché. On était au plus fort de la rivalité franco-luxembourgeoise sur le satellite, et Whitehead cherchait des partenaires pour la société Coronet. Le gouvernement de Luxembourg, méfiant à l'égard des deux ennemis déclarés de Coronet Havas et la CLT, qui ne ménageaient pas leur peine pour dissuader les groupes de communication européens de monter sur un « satellite Coca-Cola » –, cherchait un allié dans le groupe rival, Publicis.

A peine entré à Publicis, où il s'occupe d'une filiale et d'une lettre d'information interne sur les médias, Léo Scheer eut à suivre ce dossier. Brièvement car, Clay T. Whitehead n'ayant pu aboutir à la création de la société Coronet, le gouvernement luxembourgeois avait mis en sommeil son projet de satellite de télévision au début de 1985. Au même moment, un événement s'était produit à Paris qui allait mobiliser toutes les énergies de Publicis : l'ouverture aux chaînes privées.

« Nous sommes candidats... Nous nous réjouissons de cette ouverture. Le groupe Publicis est prêt à se lancer dans l'aventure de la télévision commerciale... » La déclaration passe inaperçue au milieu des commentaires qui suivent l'annonce de François Mitterrand. Mais c'est un fait, dès le lendemain, sur TF1, Maurice Lévy expose publiquement l'objectif. Le Président avait lancé une balle. Publicis, le premier, l'avait reprise au bond.

Maurice Lévy agit en sportif, veillant à son image de footballeur-étudiant-cadre américain qui viendrait juste de retirer ses épaulettes et son casque à grille d'acier. De longues jambes, de longs doigts, d'interminables bras, c'est un *grand* directeur de quarante-trois ans, aux dents tout aussi longues. Il est le plus proche collaborateur et le dauphin du père fondateur de la publicité moderne, Marcel Bleustein-Blanchet. Maurice Lévy a l'intelligence souple derrière une mâchoire carrée. Une dureté professionnelle inégalée sous un masque de commerçant au sourire trop mécanique pour être attentionné. Il représente le dernier modèle encore humanoïde du publicitaire de demain, pour qui chaque homme risque de ne plus être qu'un consommateur en puissance.

Sans perdre une minute, Publicis adresse dans tous les endroits stratégiques, l'Elysée, Matignon, la mairie de Paris, la Haute Autorité..., des lettres qui confirment son souhait d'exploiter les fréquences à venir. Il ne reste qu'à attendre. Mais pas seul. On sera plus fort à deux ou trois. Dès janvier 1985, un rapprochement s'esquisse avec Europe 1. La télévision, Europe 1 en rêve depuis la nuit des temps de sa création [4]. Pierre Barret, P-DG de la station depuis le départ de Jean-Luc Lagardère, partage cet intérêt. Cet autre sportif, journaliste, amateur d'exploits, de moto et de tennis, grand voyageur, se passionne pour le petit écran. Historien, écrivain conteur nostalgique des Croisades ou de la vie quotidienne au Moyen Age, il sait aussi se projeter, et avec lui Europe 1, dans le futur technologique immédiat.

Depuis sa nomination, Pierre Barret prépare Europe 1 à la télévision. Il a équipé ses studios. Il a inscrit cette ambition dans le nouveau nom du groupe, Europe 1 Communication. Et, s'agissant de télévision commerciale, cela ne peut pas nuire, se dit-il, d'avoir à ses côtés un grand groupe publicitaire. Le rapprochement Publicis-Europe 1 n'est pas non plus dénué d'arrière-pensées politiques. Le groupe de Marcel Bleustein-Blanchet entretient d'excellentes relations avec le Premier ministre Laurent Fabius et son entourage, dont fait partie Gérard Unger, successeur de Bernard Miyet à la présidence de la Sofirad, qui contrôle Europe 1...

Georges Fillioud leur fait savoir que leur demande est « enregistrée ».

Jusqu'à l'été 1985, il ne se passe rien de notable, sinon que le rapport Bredin est jugé peu encourageant par Europe 1 et Publicis. Les réseaux ont l'air ridiculement petits et le rapport n'est pas favorable à l'interruption des émissions par de la publicité. Drôle de conception de la télévision commerciale... Rien de spécial, sinon encore qu'on regarde en spectateur le duel Rousselet-Riboud en déclinant, une fois de plus, l'offre d'André Rousselet de rejoindre la chaîne à péage. Chez Publicis, on ne prend pas parti, c'est contraire à l'éthique de la

---

4. Avant d'être celui d'une station de radio en 1953, le projet Europe 1 devait donner naissance à une télévision.

maison. Et surtout à l'esprit des affaires. On attend de pouvoir se lancer soi-même sur les ondes, en se demandant si une chaîne généraliste représente le meilleur choix.

Léo Scheer soutient qu'une télévision généraliste coûte les yeux de la tête et ne rapporte rien avant très longtemps. Il y a, aussi, la visite du patron de Gaumont, Nicolas Seydoux, en mai, qui vient annoncer à Maurice Lévy sa décision de promouvoir plutôt un projet musical avec la radio NRJ. Il ne veut pas se lancer dans un format généraliste « trop cher, trop incertain... »

En juillet, Maurice Lévy lui-même n'est plus très sûr d'en vouloir quand Pierre Barret l'appelle et lui décrit à son tour les avantages qu'offrirait pour Europe 1 et Publicis une télévision musicale. Une grande radio doublée d'une chaîne musicale, c'est le couple idéal...

Le projet généraliste, Europe 1 n'en parle plus que du bout des lèvres depuis la fin mai, lorsque Pierre Barret, Jacques Abergel et Philippe Gildas apprennent, d'abord amusés, le dépôt par NRJ, concurrent d'Europe 1 et leader sur la bande FM, d'un projet de chaîne à vocation musicale. Une télévision qui ne diffuserait que des vidéoclips, des concerts et des films musicaux... Encore un coup de mégalomanie du directeur de NRJ, se dit-on rue François-Iᵉʳ. Ce Jean-Paul Baudecroux a décidément un culot monstre! Cela fait quatre ans qu'il viole toutes les lois avec ses émetteurs ultrapuissants et, maintenant qu'il a su faire descendre 100 000 jeunes dans la rue, il se croit tout permis. Même les coups de pub les plus grossiers, comme de prétendre lancer NRJ-TV!

Puis ils passent de l'amusement à l'interrogation lorsqu'ils constatent que le dossier NRJ est soutenu par quelqu'un qu'on ne peut soupçonner ni de mégalomanie ni de coup de pub gratuit, le P-DG de la Gaumont, Nicolas Seydoux, frère de Jérôme Seydoux. Enfin le doute devient inquiétude car, tout compte fait et refait, l'argumentation sommaire de NRJ-TV n'est pas idiote. L'idée de base est qu'il sera difficile de faire vivre une cinquième, puis une sixième chaîne « généraliste » sur le marché publicitaire français. La concurrence sera trop forte. Il faut proposer une chaîne thématique, pour un public et des annonceurs précis.

Georges Fillioud ne s'en vanterait pas, mais le discours que l'on tient pendant l'été à Matignon et au secrétariat d'Etat est exactement celui de NRJ. Pas de place pour cinq chaînes généralistes. D'où l'annonce, le 31 juillet, d'une chaîne à dominante musicale. Le mot « dominante » laissant ouverte la possibilité pour le futur opérateur de faire des incursions programmatiques dans d'autres domaines au cas où la musique ne suffirait pas à faire vivre l'antenne... C'est ce langage que Georges Fillioud tient à Maurice Lévy lorsqu'il le rencontre le 13 août : « Vous devriez préparer une grille et un dossier de chaîne musicale... » Il le dit à tous ceux qu'il reçoit, et il reçoit beaucoup de monde : « Pensez musical! »

Europe 1, Gaumont, NRJ et Publicis ont compris et commencent à discuter. Il n'y a qu'une chaîne à prendre, autant s'associer. Les conversations ne sont pas simples, surtout entre les deux radios concurrentes. Gérard Unger, pour la Sofirad, couve d'un œil attentif et fabiusien le montage en cours. A l'approche de l'automne, comme Europe 1 refuse de voir NRJ détenir 25 % du capital de la future chaîne, on arrête un schéma qui convient à presque tout le monde : Europe 1 aurait 30 %, Gaumont 25 %, Publicis 25 %, NRJ 10 %, Club Méditerrannée 10 %.

D'autres, au même moment, préfèrent s'en tenir à leur projet initial pour la sixième chaîne. C'est le cas du producteur cinématographique UGC et de l'agence RSCG, celle de Jacques Séguéla, qui réfléchissent à HIT TV, une télévision différente, ni généraliste, ni musicale, ni thématique, mais un peu tout à la fois. Le projet HIT TV, auquel se joint le quotidien *Libération*, est celui d'une chaîne fondée sur le principe de la « contre-programmation ». Il consiste à proposer une série à l'heure où tous les autres diffusent un journal, un film à l'heure des jeux, etc. C'est le projet qui est le plus souvent donné gagnant tout au long de l'automne 1985.
Gourou publicitaire du Président, apôtre de la pub comme remède à tous les maux, un talent de bateleur à couper le souffle, Jacques Séguéla n'est-il pas le mieux placé pour convaincre François Mitterrand? Lui n'en doute pas. Capable de soutenir tout et son contraire à deux minutes d'intervalle dès qu'il s'agit d'image, de marketing, de produits et de stars, Jacques Séguéla se targue de pouvoir retourner la situation si le hasard voulait que le projet HIT TV ne soit plus favori. Mais il le dit un peu trop fort. Et commet justement, ce qui est fâcheux pour un homme qui vendrait son ombre à un mur, une grossière erreur de marketing personnel. Il est persuadé que c'est François Mitterrand qui, en dernier ressort, tranchera dans l'attribution des deux chaînes privées. Il ne voit pas, ou ne comprend pas, que ce qui était vrai au printemps ne l'est plus à l'automne. Une sorte de partage compensatoire s'est instauré entre le Président et son Premier ministre.

En octobre, il devient évident au sommet du pouvoir – où Jacques Séguéla ne manque pas d'entrées – que François Mitterrand investit toute son énergie dans la cinquième chaîne destinée à Jean Riboud et qu'il laisse à Laurent Fabius, le désavoué de juillet à propos de Canal Plus, le soin de choisir les partenaires qui prendront la sixième. Le petit réseau est un lot de consolation concédé à Matignon. Un terrain de jeux pour le Premier ministre qui a grand besoin de réconfort car, de première en deuxième puis en troisième équipe de saboteurs, « l'affaire Greenpeace » est un engrenage qui le broie.

Politiquement aux abois à la veille des législatives, Laurent Fabius n'est plus lui-même. Ou alors il est trop lui-même, et ce n'est guère mieux. Comme au cours du débat qui l'oppose à Jacques Chirac le dimanche 27 octobre 1985 sur TF1. Désarçonné par un maire de Paris pourtant peu brillant, il lance une réplique autoritaire et suffisante : « ...Vous oubliez que vous parlez au Premier ministre de la France !... » Propos qui s'accompagne du geste dont on congédiait autrefois laquais et manants.

Cette attitude du Premier ministre en surprend plus d'un. Elle donne l'image d'un pouvoir fragile et susceptible. Mais ce n'est certainement pas une révélation pour Michèle Cotta. L'exaspération hautaine de Laurent Fabius, la présidente de la Haute Autorité la connaît. C'est une confirmation, un *remake* télévisé du tête-à-tête qu'elle a eu avec lui à propos de Jean-Claude Héberlé, en 1984.

Voilà d'ailleurs un P-DG d'A2 qui aura fait long feu... Michèle Cotta préfère ne pas penser aux mots qui ont dû venir à l'esprit du Premier ministre, au début de ce mois d'octobre, quand Jean-Claude Héberlé a été remercié et remplacé par Jean Drucker.

Cette fois-ci, Matignon s'est abstenu de faire pression mais n'en pense pas moins, elle le sait. Tout comme l'Elysée.

« Ecoute Michèle, si c'est pour FR3, non merci... » avait répondu Jean Drucker à la présidente de la Haute Autorité qui l'avait débusqué, en plein été, à Saint-Rémy-de-Provence pour lui proposer « de présider une chaîne, pourquoi pas la Trois ? » Le directeur de RTL n'avait pas à craindre de dire nettement les choses à Michèle Cotta, amie de longue date et ancien chef du service politique de la station. Il n'avait pas pris très au sérieux la proposition. Elle était pourtant sérieuse, même si Michèle Cotta ne faisait alors qu'un tour de piste pour préparer le renouvellement des P-DG des chaînes publiques à l'automne. Le nom de Jean Drucker était sur les lèvres de quelques membres, dont les siennes. La Haute Autorité, qui venait d'être partiellement renouvelée [5], avait besoin de savoir si les hommes dont les noms étaient cités seraient effectivement intéressés ou pas.

Début octobre, Michèle Cotta revient à la charge auprès de Drucker, cette fois à propos d'A2, où la situation de Jean-Claude Héberlé devient précaire pour cause d'absence de résultats, de conflits ouverts avec la rédaction (Albert du Roy et Christine Ockrent ont claqué la porte en mars 1985) et d'une vilaine polémique sur un film consacré aux résistants de l'« Affiche Rouge » [6]. Huit jours plus tard, un jeudi soir, nouvelle relance : « Réfléchis bien, je te repose la question... On va désigner le P-DG d'A2, tu as jusqu'à 8 heures demain matin pour me donner une réponse de principe avant qu'on passe au vote. »

Le vendredi 11 octobre 1985 au matin, avant d'entamer sa lecture des journaux, qui titrent sur la mort d'Orson Welles, il dit « Oui ». Un peu par conviction, un peu par curiosité pensant que son nom ne servira qu'à habiller d'un voile pudique la réélection forcée de Jean-Claude Héberlé. Pour la forme, il prévient son président et ami à RTL, Jacques Rigaud, qui prend les choses avec un stoïcisme imperturbable. « Tu sais qu'il y a des élections dans six mois, alors si tu es nommé tu seras viré dans moins d'un an... », lui dit-il, dissimulant son appréhension devant la perte éventuelle de son collaborateur par l'une de ses phrases fétiches : « Mon intérêt, c'est de vous garder; mon honneur, c'est de vous laisser partir. »

Sur ce, Jean Drucker regagne son bureau, pour ce qui serait un vendredi comme les autres... s'il n'y avait pas ce coup de fil de l'assistante de Michèle Cotta à 18 heures : « Monsieur Drucker?... Vous êtes P-DG d'A2. [7] »

Il y a de l'Antoine Doinel chez Jean Drucker, cet énarque de quarante-quatre ans qui a désespéré son père en préférant les sciences politiques à une carrière de médecin, puis en optant pour les peuplades analphabètes de la télévision plutôt que pour les élites ministérielles. D'abord, un passage au ministère de la Culture en 1970... Ensuite l'exploration.

Depuis quinze ans, Jean Drucker promène son scepticisme d'épi-

5. Trois nouveaux membres y ont fait leur apparition en remplacement de Stéphane Hessel, Marcel Huart, Bernard Gandrey-Réty; il s'agit de Gilbert Comte, Raymond Forni, et Raymond Castans, directeur des programmes de RTL où il est remplacé par Philippe Labro.
6. *Des terroristes à la retraite*, un document du cinéaste Mosco programmé puis déprogrammé sur pression du PC...
7. Le même jour, la HA confirme Hervé Bourges à la présidence de TF1, nomme Janine Langlois-Glancier P-DG de FR3 en remplacement d'André Holleaux, et maintient Bertrand Labrusse P-DG de la SFP.

curien raisonnable dans toutes les strates de la communication, la radio publique à Radio France, le monopole dans les dédales de l'ORTF, les méandres de la production à la SFP, avant de se familiariser avec la radio et la télévision privées à la CLT, auprès de Jacques Rigaud. Il existe entre eux un lien presque filial. C'est le président de RTL qui, entre deux conseils d'administration, prend le temps d'enseigner à Jean Drucker comment découvrir Rome, à pied, par les ruelles et les jardins secrets, sans jamais passer par les artères touristiques de la ville.

Jean Drucker a appris la télévision en s'intéressant à ce que les pouvoirs gaulliste et pompidolien considéraient, à côté de la noble information, comme la maladie honteuse de cet instrument : les programmes. Pendant que son frère Michel en faisait l'ascension par la face animation, Jean s'attaquait à la paroi gestion, production, création... L'un à l'écran, l'autre derrière. Poursuite dans la vie professionnelle d'une complicité de frères qui avaient partagé un moment, place Clichy, le même appartement. Jean vivait sa cinéphilie à trois séances par jour. Michel allait à Cognacq-Jay profitant de la voiture de Léon Zitrone, qui habitait l'immeuble en face de chez eux...

Mariant costumes sombres de banquier, pochettes et cravates aux tons chauds, juxtaposant sur son visage les yeux sombres du moraliste et les pattes d'oie du séducteur, Jean Drucker est passé au travers des clans, des partis et des querelles de la communication. C'est le pédagogue inventif de vingt ans d'économie et de politique audiovisuelle. L'exégète intarissable qui rend lumineuses les catacombes de la télévision. Il échappe aux étiquettes. Ni de droite ni de gauche : l'expérience du service public et du secteur privé.

La Haute Autorité voit en lui le P-DG dont A2 aura besoin pour la période qui s'annonce, et qu'on résume déjà par le terme « cohabitation ». Car c'est bien Antenne 2, laisse entendre l'opposition libérale depuis plusieurs mois, qui sera la première des chaînes à être privatisée l'an prochain.

CHAPITRE IX

Concessions

La consigne de boucler d'urgence le dossier de la cinquième chaîne tombe de l'Elysée le vendredi 15 novembre 1985 à 9 heures 30. C'est François Mitterrand en personne qui en intime l'ordre à Georges Fillioud, au moment où le secrétaire d'Etat entre en réunion avec Jacques Pomonti et des cadres de l'INA.

« Je viens d'avoir le Président, confie en aparté Georges Fillioud à Pomonti. Il a l'intention de donner une conférence de presse la semaine prochaine, et il veut absolument que tout soit réglé d'ici là pour les télévisions privées. Il faut conclure les discussions et signer...

– Pour quand?

– Sa conférence est prévue pour le jeudi 21. Tout doit être signé avant mardi soir. »

Une recommandation identique est tombée la veille au soir sur Matignon, où, près de Laurent Fabius, Louis Schweitzer, son directeur de cabinet, et Alain Prestat, conseiller technique, suivent l'audiovisuel en assurant le relais avec les services de Georges Fillioud. Mais le Président a l'habitude d'appeler lui-même le secrétaire d'Etat quand il trouve que les choses ne vont pas aussi vite qu'il le veut. C'est ce qui vient de se se produire, à quatre mois des législatives. François Mitterrand, qui entend aussi, par cette conférence de presse, effacer la médiocre prestation du Premier ministre face à Jacques Chirac, s'inquiète de l'avancement des travaux sur la cinquième chaîne. Ses collaborateurs Jean-Claude Colliard et Jean-Louis Bianco, qui suivent l'affaire et sont en contact avec Jérôme Seydoux, trouvent également que les choses ne vont pas assez vite. Le chef de l'Etat a été catégorique à plusieurs reprises : il faut impérativement que les deux nouvelles chaînes commencent à émettre avant les élections de mars 1986. Sinon, le bénéfice politique de l'apparition des images promises en janvier dernier sera perdu pour la gauche. Rien ne doit faire obstacle à cette volonté. Le Président s'informera directement, personnellement, de l'évolution du dossier qui, ce week-end, est classé plus « Urgent et Confidentiel » qu'auparavant. Priorité à la cinquième.

Ou plutôt, à la Cinq.

Sur ce point, Christophe Riboud et Jérôme Seydoux ne se sont pas montrés contrariants. Parvenus à la fin octobre à une « base d'accord » sur le partage du capital de la chaîne avec Silvio Berlusconi, ils se rangent à sa proposition d'appeler la chaîne tout simplement la Cinq. Logique numérique, bien sûr, mais aussi, encore, superstition de « Sua Emittenza ». Cinq est le chiffre porte-bonheur de Berlusconi. Il lui voue, comme un joueur, une sorte de culte amoureux. Le cinq, c'est la vie, la réussite, l'argent, le plaisir... Silvio Berlusconi est intarissable sur les mérites cachés de ce numéro « gagnant ».

Pour être à l'unisson, la société qui exploitera la chaîne s'appellera France Cinq. Là, par contre, les conversations ont été moins simples. Au départ, lors des premières discussions, il avait été tacitement admis que les intérêts français et italiens seraient à égalité dans la société à constituer. Mais Jérôme Seydoux, qui sent naître au fil des négociations avec les pouvoirs publics des réticences et des commentaires sur la présence de la Fininvest, obtient de Silvio Berlusconi qu'il renonce à un partage 50-50. Dans la situation française de cette fin d'année 1985, fait-il valoir, il sera politiquement plus acceptable de se présenter avec une société aux intérêts majoritairement français, comme devra l'être son président. Le mieux serait un rapport 60-40. Entrepreneur en terre étrangère, Silvio Berlusconi cède de bon gré sur la présidence. De moins bon gré sur l'inégalité des parts, qu'il ressent comme vexatoire.

De toute manière, « Sua Emittenza » n'a pas d'autre choix que de se ranger aux désirs de l'Etat qui l'accueille. La situation politique est si incertaine... Depuis la fin de l'été, Bernard Miyet, Jérôme Seydoux et Angelo Codignoni reçoivent message sur message de l'opposition. On leur « déconseille », plus ou moins vivement, de conclure cette affaire avec les socialistes avant les élections. La plupart de ces recommandations émanent directement des proches de Jacques Chirac à la mairie de Paris, Maurice Ulrich, Denis Baudouin... On n'est pas hostile à Berlusconi. On le prie simplement de s'écarter et de patienter en voulant croire que, finalement, cette cinquième chaîne ne se fera pas avant les élections. Après, on verra. Les groupes amis des libéraux, Hersant et Hachette, semblent se mettre en piste pour l'acquisition des chaînes publiques à privatiser. Berlusconi pourrait y trouver une place pour s'asseoir...

Rompu aux revirements politiques dans son pays, qui n'en est pas avare, « Sua Emittenza » sait qu'il ne peut se contenter en France du seul contact avec la gauche socialiste. Pour l'heure, il est un peu démuni sur son flanc droit à Paris, mais il travaille à rééquilibrer tout cela. En juillet, à Milan, il a noué une relation on ne peut plus cordiale avec un sénateur des Hauts-de-Seine, baron du RPR à l'accent méditerranéen, Charles Pasqua.

C'est en cherchant, au printemps dernier [1], un lieu pour implanter des studios de production en région parisienne qu'Angelo Codignoni a d'abord fait la connaissance du maire RPR d'Asnières, Michel Maurice-Bokanovski, puis celle de Charles Pasqua, président du groupe RPR au Sénat, chargé du dossier sur les fréquences hertziennes à la Haute Assemblée. Les deux sénateurs avaient été conviés à visiter les installations et les studios à Milan. Depuis, Charles Pasqua et Silvio Berlusconi, qui élargit de cette manière son assise politique à Paris, gardent un contact amical.

Au moment où François Mitterrand intervient pour accélérer la marche de la Cinq vers les téléspectateurs, la répartition du capital est réglée dans ses grandes lignes et la création juridique de la société France Cinq est à l'étude. Ce n'est pas de ce côté que le Président s'alarme des retards. Ce qui le préoccupe, ce sont les préparatifs techniques indispensables à la « visibilité » du cadeau qu'il veut offrir aux Français. C'est qu'il ne suffit pas, en effet, de décider la création de chaînes. Encore faut-il que les citoyens puissent en capter les images sur leur récepteur. Sinon tous les citoyens dans un premier temps, du moins, symboliquement, ceux de la région la plus peuplée. Ceux de la capitale et de l'Ile-de-France. La précipitation imposée par l'Elysée, les moyens employés pour répondre à ce souci vont provoquer d'irrémédiables dégâts dans la petite enfance de la Cinq.

Les Parisiens verront-ils les premières émissions de la chaîne? Les ingénieurs de Télédiffusion soutiennent qu'ils recevront mal la Cinq et la Six si les nouveaux émetteurs ne sont pas installés sur la tour Eiffel. Ce qui pose un problème de relations avec Jacques Chirac.

1. C'est l'époque où le groupe Berlusconi rachète en Espagne les plus grands studios de production cinéma et cherche à compléter en France son infrastructure de production européenne.

Juridiquement, la tour Eiffel dépend de la mairie de Paris, qui entretient et exploite l'édifice. Mais le tourisme et la restauration ne sont pas les seules recettes que fournit la tour. Sa situation au cœur de la capitale et sa hauteur exceptionnelle en ont fait un site d'émission privilégié pour la radio et la télévision. C'est du haut de sa dernière plate-forme (à 305 mètres) et contre rétribution versée à la ville que TDF, dans le cadre d'une convention signée avec la mairie de Paris, diffuse déjà depuis longtemps les chaînes publiques. Cette convention est formelle. Aucune installation d'un émetteur pour une chaîne privée ne peut se faire sans que soit renégocié l'accord entre la municipalité et TDF.

Jacques Chirac redoute que les deux nouvelles télévisions « socialistes » ne viennent compromettre ses propres projets audiovisuels. Il a promis aux Parisiens une télévision qui serait la leur, celle de leur région. Mais, à Paris comme ailleurs, on compte peu de fréquences disponibles, et toutes ne présentent pas les mêmes avantages techniques [2]. Ce que craint le maire, c'est que soient attribuées aux cinquième et sixième chaînes les deux meilleures fréquences. Et qu'on le prive ainsi de tout projet ultérieur. Ce n'est jamais dit explicitement, mais la question est au cœur des conversations que TDF a engagées avec l'Hôtel de Ville et qui traînent en longueur de manière inquiétante pour le pouvoir. Jacques Chirac n'est pas pressé de négocier un avenant à la convention existante. A la rigueur, si on lui donne l'assurance qu'on lui réservera une « bonne » fréquence... Ce dont il n'est pas question, ni au gouvernement ni à l'Elysée, où l'on cherche depuis des semaines une parade à la course de lenteur engagée par Jacques Chirac.

Il faudrait du doigté et de la souplesse pour persuader le maire de Paris. Un homme dont la gauche a déjà mis les nerfs à vif en 1982 quand a été envisagée une refonte du statut de la ville avantageuse pour les socialistes. Mais, impatient, le Gouvernement choisit de passer en force. A la dynamite.

Le vendredi 15 novembre 1985, Georges Fillioud demande une nouvelle fois à TDF et au groupe Berlusconi s'il est « tout à fait indispensable » d'émettre depuis le sommet de la tour Eiffel. Des deux côtés, la réponse est d'abord « oui ». Puis, dans l'après-midi, Jérôme Seydoux et Bernard Miyet s'inquiètent des rumeurs qui leur parviennent de Matignon sur une initiative que le Gouvernement s'apprêterait à prendre à propos de la tour Eiffel. Un texte serait en

2. Certaines fréquences, en fonction des émissions déjà existantes, permettent une réception plus large et de meilleure qualité que d'autres, sujettes à des interférences, des brouillages...

préparation qui imposerait à Jacques Chirac l'installation des émetteurs sur la tour Eiffel. Cela pourrait avoir des conséquences politiques catastrophiques et, en milieu d'après-midi, Jérôme Seydoux convainc Silvio Berlusconi qu'il « serait plus sage » d'oublier la tour Eiffel pour l'instant. On peut éviter un conflit en se rabattant sur un autre point d'émission, la tour de Romainville, en région parisienne.

A 18 heures, les actionnaires de la Cinq font connaître leur changement d'opinion à Georges Fillioud. Trop tard. Laurent Fabius, qui persiste avec l'Elysée dans une analyse strictement politique [3], et à qui il ne déplaît peut-être pas d'user de son pouvoir sur Chirac, qui l'a ridiculisé lors de leur récent face-à-face, a pris une décision définitive. Il demande à Georges Fillioud, en profitant d'un débat en cours sur les télévisions locales privées, de déposer et de soutenir le soir même à l'Assemblée nationale un amendement particulier.

Il s'agit d'un texte dont la rédaction a été achevée dans l'après-midi, qui autorise TDF à « *installer sur les toits, terrasses et superstructures des propriétés bâties, publiques ou privées, les moyens de diffusion par voie hertzienne et à poser les équipements nécessaires à leur fonctionnement* ». En clair, et même si elle n'est pas nommément citée, le pouvoir réquisitionne la tour Eiffel au profit des chaînes privées.

Embarrassé, Georges Fillioud dépose l'amendement à 19 heures. Il est discuté dans la nuit de vendredi à samedi. Mais les premiers ravages de « l'amendement tour Eiffel » se font déjà sentir.

Lorsqu'il apprend la nouvelle dans la soirée de vendredi, alors qu'il se trouve à Rodez, Jacques Chirac sort de ses gonds. « C'est un hold-up! Une spoliation! Une atteinte sans nom au droit de propriété... » Le maire de Paris ne décolère pas. Il n'a pas de mots assez durs et imagés pour dire son indignation devant l'énormité de la chose. C'est la Ville de Paris qu'on cambriole nuitamment. Il en fait une affaire personnelle. C'est à lui qu'on chaparde cette tour. C'est lui dont on viole le bon droit. C'est un ancien Premier ministre et un présidentiable qu'on traite de cette manière... Ses adjoints, Maurice Ulrich, Denis Baudouin, Jacques Toubon, sont aussi scandalisés que lui. La riposte se prépare au téléphone. Ce coup-là, Jacques Chirac ne le pardonnera jamais, ni au pouvoir ni aux bénéficiaires des chaînes commerciales. Jamais.

---

3. On ne voit qu'une chose : il y aura moins de téléspectateurs, donc moins d'électeurs, pour recevoir la Cinq si elle est diffusée depuis Romainville – 300 000 – plutôt que de la tour Eiffel – 3 millions.

« Ils ont volé la tour Eiffel », titre samedi matin *Le Quotidien de Paris*. Dans l'après-midi, une réunion de crise se tient à l'Hôtel de Ville. Jacques Chirac est à deux doigts de vouloir fermer la tour Eiffel pour en interdire l'accès à TDF.

La guerre est déclarée. Tous les moyens sont bons, mais il en est de meilleurs que d'autres. L'idée de fermer la tour ne tient pas. Elle léserait trop touristes et habitants. Par contre, si le « hasard » faisait qu'il y eût subitement de grands travaux d'utilité publique à réaliser au sommet de la tour Eiffel, qui nécessiteraient la fermeture de l'accès au dernier étage par l'unique ascenseur... TDF pourrait toujours se présenter avec ses émetteurs.

Mais cela ne peut être qu'un palliatif. Sur le fond, il n'y a qu'une façon de laver l'affront qui vient d'être fait à Jacques Chirac et, à travers lui, à toute l'opposition, aux millions d'électeurs dont on sait qu'ils voteront RPR-UDF en mars prochain : balayer les chaînes créées par l'arbitraire socialiste. Dans le courant du week-end, Jacques Chirac multiplie mises en garde et avertissements : « Toute concession de service public de télévision par voie hertzienne qui serait délivrée dans ces conditions par l'Etat doit être condamnée... »

Voilà comment la Cinq est morte, une première fois, en venant au monde. Car, s'il n'en connaît pas les détails, Jacques Chirac sait qu'à l'heure où il prononce cet anathème, les futurs opérateurs et le cabinet de Georges Fillioud sont enfermés rue Saint-Dominique, pour établir cette « concession de service public » à laquelle il fait allusion.

Week-end surréaliste. Pendant trois jours et trois nuits, du vendredi 15 au lundi 18 novembre au soir, le secrétariat d'Etat de Georges Fillioud devient le théâtre d'un étrange ballet et le lieu de négociations croisées. Dans ce quartier de Paris, à deux pas de Matignon, dont les rues sont tranquilles et désertes en fin de semaine, c'est un défilé permanent de voitures de fonction, dont certaines arborent des plaques milanaises. Seydoux, Berlusconi, Miyet, Pomonti, Codignoni, Schoeller... Des équipes d'avocats pour chacun des groupes. Des techniciens de TDF. Des conseillers qui font la navette avec Matignon ou l'Elysée. Un va-et-vient continuel de petits groupes d'hommes qui se saluent en changeant de bureaux.

Plusieurs pièces du 35, rue Saint-Dominique sont affectées, pour la circonstance, à différentes négociations. En l'espace de soixante-douze heures, on doit régler des questions en suspens depuis trois mois sur la création de la Cinq, son contrat de concession, son cahier des charges, sa diffusion, et sa présence sur le satellite TDF1. Ce sont des dialogues marathons, entrecoupés de plats cuisinés que livre un traiteur. Les groupes se font et se défont d'une heure à l'autre, pour parler réseau, obligations de production ou tarif de location d'un canal du satellite. Face à ses innombrables interlocuteurs sur ces sujets, Georges Fillioud aligne un cabinet restreint. Il a été réduit d'une part pour limiter les risques de fuites, d'autre part en raison de convictions par trop favorables chez certains à la CLT, alors définitivement exclue du jeu.

Au fil des dernières semaines, Georges Fillioud, qui n'est pas lui-même un adepte de la télévision à la Berlusconi, a vu son directeur de cabinet, Patrick Imhaus, se détacher carrément de lui, en désaccord sur cette opération qui introduit « Sua Emittenza » en force en France. C'est Christian Tardivon, directeur adjoint du cabinet, qui a pris la relève pour finaliser les négociations. C'est lui qui, alors que les discussions marquent une pause, sur le coup de 3 ou 4 heures du matin, prend deux heures de sommeil dans le petit appartement de la rue de Bourgogne mis à la disposition du ministre, change de chemise, puis va porter à Matignon, avant 8 heures, l'état de la copie sur les différents dossiers. Où Alain Presta et Louis Schweitzer l'examinent et répondent « oui » ou « non » sur chaque point. Puis les discussions reprennent rue Saint-Dominique, à grand renfort de tasses de café.

Pour Jacques Pomonti, c'est un mauvais moment à passer. Quand Georges Fillioud l'a prévenu qu'il fallait en finir avec les chaînes privées, le P-DG de l'INA a repris l'espoir de voir aboutir sa propre mission. Mais, à l'issue de la première réunion sur TDF1, le samedi 16 novembre, Jacques Pomonti peut mesurer la distorsion qui existe maintenant entre son projet de constitution d'une société d'exploitation du satellite et les ambitions effectives des groupes qu'il a en face de lui. Berlusconi et Seydoux, pour qui le plus important est l'obtention du réseau hertzien, sont incités par Matignon et l'Elysée à prendre, avec, une place à bord du satellite français. S'ils veulent faire la Cinq, ils doivent aussi s'engager à la diffuser sur TDF1.

L'espace d'un moment, le dernier carré des alliés de la CLT au gouvernement, et Georges Fillioud lui-même, ont espéré que cette articulation obligatoire ferait reculer Berlusconi. Il n'en a rien été. Au contraire. Quand, au cours d'un déjeuner à la mi-novembre, Georges Fillioud leur a fait part de l'exigence gouvernementale, il a eu la surprise d'entendre Seydoux et Berlusconi lui répondre à l'unisson : « Aucun problème, nous en prendrons même deux. Un pour la Cinq, l'autre pour faire une chaîne italienne... » Mieux vaut tenir la Cinq que courir après, se sont dit les associés. Si le satellite est un point de passage obligé, il faut y aller, il sera toujours temps de rediscuter les conditions financières plus tard.

C'est exactement ce qu'ils font ce week-end avec Jacques **Pomonti**. A quoi bon entrer dans une société d'exploitation, avoir à financer la construction de TDF2? Ils ne veulent pas non plus louer la chose à n'importe quel prix; et certainement pas à celui qu'avance Jacques Pomonti : 120 millions de francs en moyenne par canal et par an. « Trop cher, beaucoup trop cher... » disent Miyet et Seydoux à Jacques Pomonti, qui lui ne conçoit pas d'exploitation équilibrée du système TDF1/TDF2 au-dessous de ce tarif. En faisant un effort, Seydoux accepterait de payer jusqu'à 50 ou 55 millions. Pas plus. Le groupe Berlusconi est du même avis, mais reste en retrait dans la discussion. Le seul groupe à avoir accepté d'emblée le tarif, c'est Maxwell, qui n'est pas à Paris.

Dans la soirée de samedi, c'est la rupture. Jacques Pomonti quitte la table de négociation, excédé par les marchandages de Jérôme Seydoux et furieux de comprendre que Bernard Miyet, ancien directeur du cabinet de Georges Fillioud, a eu accès à des dossiers et études confidentiels sur les comptes de TDF1 et s'en sert... Au cours de la nuit, pour s'assurer de son dernier allié dans le montage initial, Pomonti téléphone à Robert Maxwell. « Etes-vous toujours partant ? » lui-demande-t-il. « Oui, et j'arrive à Paris dans la journée », répond le patron de Pergamon Press. Rasséréné, Jacques Pomonti s'offre un peu de repos.

« Nous devons avoir une position commune sur le prix du satellite. Il faut parler avec Maxwell... » dit Berlusconi à Angelo Codignoni, le dimanche 17 au matin, en prenant le petit déjeuner au Prince de Galles. L'état-major de la Fininvest a jeté l'ancre ici pour ce week-end décisif. On se procure le numéro du Mirror Group car, jusqu'à présent, Maxwell et Berlusconi ne se sont jamais rencontrés. Londres dirige Codignoni sur le manoir de Maxwell à Oxford, où celui-ci décroche.

« Nous ne nous connaissons pas, dit Angelo Codignoni. Je représente M. Berlusconi, qui est à Paris pour régler le problème du satellite. On nous dit que vous acceptez de payer 120 millions la location d'un canal... Il nous semblerait plus logique que ce prix soit moins élevé, autour de 50 millions. Ne pourrait-on en parler avec vous ici ?

– 50 millions au lieu de 120 ? Je serai à 17 heures à Paris », répond Maxwell sans plus de détails.

C'est un Jacques Pomonti on ne peut plus confiant qui va chercher une fois de plus Maxwell à l'aéroport. Confiant, car il ignore que la situation a été retournée dans la matinée... En arrivant au ministère,

Maxwell demande avant toute chose à voir Georges Fillioud en tête à tête, pendant que Silvio Berlusconi et Jérôme Seydoux attendent dans une petite salle du premier étage. Une demi-heure plus tard, ils ont la surprise de voir apparaître dans l'encadrement de la porte la souriante corpulence de Robert Maxwell. Silvio Berlusconi se lève et s'apprête à tendre pour la première fois la main à cet homme qui le dépasse de trois têtes et de deux ceintures, mais le géant en a décidé autrement. Maxwell prend Berlusconi d'un coup dans ses bras et l'embrasse chaleureusement.

« Ah! Silvio, comme je suis content de te connaître... se réjouit Maxwell, tutoyant d'emblée Berlusconi en français. Je viens de me mettre d'accord avec le ministre pour 50 millions. Hein, Jacques [se tournant vers Pomonti, effondré], nous sommes bien d'accord pour 50 millions? Voilà, Silvio, maintenant il ne reste qu'à signer les papiers. Il faudra que tu viennes me voir en Angleterre... »

Quel homme sympathique! se disent Français et Italiens en regardant Maxwell qu'ils imaginent, un quart d'heure plus tôt, penchant son immense corps au-dessus du bureau de Georges Fillioud pour le « convaincre » de faire un léger rabais... Quel homme d'affaires! En fait, le patron du Mirror n'a pas eu à débattre beaucoup pour obtenir ce prix d'ami. Georges Fillioud, comme Pomonti, est coincé par le calendrier, les exigences du Président et du Premier ministre. Il faut en finir au plus vite, à n'importe quel prix. Et puis ce diable de Maxwell a tellement de ressort. « C'est impossible, a-t-il soutenu au secrétaire d'Etat, nous ne pouvons pas payer plus de 50 millions par canal... » Il est imbattable en puissance de conviction. Comment ne pas se montrer conciliant avec l'unique milliardaire travailliste d'Europe? Un homme qui a trois projets par jour, qui se propose d'investir en France, qui est reçu par François Mitterrand, et qui est en train de devenir la coqueluche du Gouvernement, cet homme-là ne peut pas être tout à fait indigne d'un arrangement tarifaire.

Dans les heures qui suivent, les papiers sont préparés en vue de la signature des engagements pour TDF1. La mort dans l'âme, Jacques Pomonti raccompagne Maxwell à son avion dans la nuit.

« Captain Bob » doit percevoir son amertume, mais il est trop satisfait du « bon accord » pour le plaindre. Montrant tout de même qu'il sait à quoi s'en tenir sur ce deal, Robert Maxwell quitte Pomonti en lui disant, pince-sans-rire, « *I'm not sure that it is good for France, but I'm sure it's good for Maxwell!* »

Formule que Silvio Berlusconi, Christophe Riboud et Jérôme Seydoux pourraient reprendre à leur compte mot pour mot à propos du contrat de concession et du cahier des charges de la Cinq. Au soir de ce dimanche, les textes sont prêts. Il ne manque plus que la signature du Gouvernement au bas des documents. Celle-ci doit être précédée d'un examen des contrats par l'Elysée et Matignon.

« Tout est en ordre... » L'esprit partagé entre la joie et le doute, Silvio Berlusconi et Fedele Confalonieri rentrent à leur hôtel, avenue Georges-V. La joie et l'excitation d'être à la veille, lui, l'entrepreneur milanais décrié, de lancer une chaîne en France, de faire pousser une branche de son groupe à Paris... Le doute, c'est celui qui s'insinue dans la conversation à 2 heures du matin. « Mais, si demain le gouvernement français ne signe pas la concession... S'il change d'avis. Nous passerons pour des imbéciles... »

L'inquiétude a sa source dans le comportement des pouvoirs publics français qui, pendant des semaines, ont joué du fantôme de la CLT pour endiguer les souhaits des actionnaires de la Cinq sur la concession et le cahier des charges. Laissant entendre à Chargeurs SA et à la Fininvest, alors qu'il n'en était rien, que la CLT attendait derrière la porte et se montrerait moins exigeante. L'argument a subitement disparu de la bouche des négociateurs français, qui ont finalement accepté, ces dernières heures, la plupart des demandes formulées par la Cinq. Mais, sait-on jamais?

C'est une nuit très particulière au Prince de Galles. Entre veillée d'armes et fête tranquille. Jusqu'à 4 heures du matin, Silvio Berlusconi parle avec ses collaborateurs, échafaude des plans. En trois jours viennent de se dénouer neuf mois d'interrogations sur la France.

En janvier, on l'appelait à la rescousse pour un satellite. En novembre, il va créer la première chaîne commerciale de ce pays. La créer à partir de rien et dans un délai extraordinairement court. Toutes les concessions qu'ils ont obtenues, avec Jérôme Seydoux, ont été subordonnées à un engagement formel de leur part : les premières images de la Cinq apparaîtront sur les écrans au plus tard le 20 février prochain. Dans trois mois!

Trois semaines avant les législatives.

Les contrats pour la Cinq sont revus par Laurent Fabius, qui les présente, le mardi 19 novembre au matin, à l'Elysée. Jusqu'à la dernière minute du lundi 18, relançant les inquiétudes de Berlusconi, il a fallu procéder à diverses modifications, rediscuter plusieurs points avec Jérôme Seydoux, sur le nombre de films ou la publicité pour la bière que la Cinq serait autorisée à diffuser. La rédaction de l'ultime mouture des contrats, dont la teneur va bientôt faire l'effet d'une bombe, a été achevée dans la nuit de lundi à mardi.

Ce même mardi, on peut lire dans les journaux une information à laquelle personne ne prête sérieusement attention. Il s'agit de la reprise, brève, d'un communiqué diffusé la veille dans l'indifférence générale : la société Bouygues SA y annonce sa décision de se lancer dans la télévision privée hertzienne, et confie une mission d'étude préparatoire à un ancien journaliste de FR3, Alain Schmit. Cela ne vaut même pas un sourire ironique dans Paris...

Le cabinet du Président donne son feu vert en fin de matinée, le mardi 19, pour la signature définitive des documents concernant la Cinq et qui vont engager l'Etat français. Georges Fillioud a prévu de donner le même jour une conférence de presse pour annoncer la création de la cinquième chaîne. Mais il doit y renoncer. L'atmosphère est explosive à Paris.

Ce ne sont plus des remous que provoque « l'amendement tour Eiffel », mais une véritable bataille rangée. L'opposition hurle de plus en plus fort au détournement de bien public. La presse italienne ne fait pas dans le détail : « *Berlusconi scala la tour Eiffel per conto di Mitterrand* », titre le *Corriere della Sera* (« Berlusconi vole la tour Eiffel pour le compte de Mitterrand »). Des dizaines de journalistes, informés sans en connaître la nature, des négociations intensives menées pendant le week-end rue Saint-Dominique, assiègent les bureaux du secrétaire d'Etat.

Dans l'après-midi, alors que la signature définitive est prévue à son bureau, Georges Fillioud téléphone à Jérôme Seydoux. Le secrétaire d'Etat demande que les dernières formalités se déroulent en un autre lieu. Il y a trop de journalistes et d'agitation. Les partenaires de la Cinq ne pourront pas leur échapper. Et il ne faut pas, comme cela est convenu, qu'ils répondent aux questions de la presse avant que le Gouvernement ne se soit exprimé pour annoncer la création officielle de la chaîne. Ce qu'il fera demain, mercredi, après le Conseil des ministres. Ne serait-il pas préférable, pour déjouer la vigilance de la presse, que lui, Georges Fillioud, se rende chez Jérôme Seydoux, au siège de Chargeurs SA ?

C'est donc boulevard Malesherbes, près de la Madeleine, que se retrouvent, à 19 heures 30, tous les protagonistes de la Cinq. Dans la grande salle aux meubles anciens du conseil de Chargeurs SA, autour d'une magnifique et immense table. Avec le représentant du Gouvernement qui se déplace chez un particulier pour conclure une affaire, la signature a l'étrangeté d'une situation inversée. Seydoux, Berlusconi, Riboud, Fillioud... se « félicitent » de la grande première que sera la Cinq dans l'histoire de la télévision française. On débouche les bouteilles. Avocats et collaborateurs sont invités à trinquer.

Il n'y a pas assez de champagne.

On se sépare vers 22 heures, après avoir constaté, et rectifié, des erreurs dans le numérotage des articles de la concession.

Si c'était la seule chose que l'on risquait de leur reprocher...

CHAPITRE X

« Beaujolais Champagne »

La bombe explose peu après la sortie du Conseil des ministres du mercredi 20 novembre. En lieutenant fidèle qui boit jusqu'à la lie la coupe que lui a versée le Président, Georges Fillioud présente à la presse le détail des conditions octroyées à la Cinq. Dix-huit années de concession de service public. Interruptions publicitaires à volonté. Autorisation de faire de la publicité pour tous les secteurs d'activité jusque-là interdits (et qui le restent pour les autres chaînes) : presse, livres, grande distribution, alcools de moins de 10 degrés, etc... Diffusion de films plus récents que ceux des chaînes publiques. Obligations minimales concernant la diffusion de programmes français. Information facultative, et la Cinq ne prévoit pas d'en faire. Priorité sur les canaux de TDF1...

C'est un gigantesque tollé. Dès le début de l'après-midi, les tirs d'indignation s'accumulent et embrasent l'annonce dont François Mitterrand espérait tant dans une réprobation générale et violente. A l'Assemblée nationale, l'opposition tire au lance-flammes sur cette « honte », ces « tripatouillages », ces avantages « indignes » accordés à des marchands de Coca-Cola sur petit écran. Les élus socialistes sont penauds, désemparés. Ils ne comprennent plus rien. On leur avait dit que tout irait bien, que les intérêts de la création française ne seraient jamais lésés par l'arrivée des chaînes commerciales. Que celles-ci auraient des obligations « proches » de celles du service public. On en est à des années-lumière.

La droite écume de rage contre la « monstruosité » des facilités accordées à la Cinq. Elle parlait déjà de briser ce qui se ferait à la suite de l'amendement tour Eiffel; elle ne pense plus qu'à pulvériser ce contrat de concession et ce cahier de charges « iniques ». Georges Fillioud se défend comme il peut; il vient à l'Assemblée parler de la

« cinquième source d'images » comme d'une chaîne pour laquelle « toutes les précautions ont été prises... » Aux députés RPR qui proclament ne pas avoir, eux, de « Berlusconi » à « faire jaillir » de leur manche après les élections, le chœur des socialistes répond en scandant : « Her-sant, Her-sant... »

Dans la tempête, et pour la première fois depuis des décennies, la droite est approuvée, encouragée par plus remonté qu'elle : les professionnels de la création audiovisuelle. Jusque tard dans la nuit de ce mercredi, les télégrammes pleuvent sur les bureaux de François Mitterrand, de Jack Lang, de Georges Fillioud. Ce ne sont que cris de « Trahison ! », « Scandale ! », « Crime ! » Silvio Berlusconi est désigné comme l'ennemi public numéro un. « On ne confie pas le poste de ministre de la Justice à Mémé Guérini... » résume lapidairement le cinéaste Bertrand Tavernier. « Comment justifier une pareille ânerie ? » renchérit Claude Chabrol. « C'est une honte qui ruine toute la politique audiovisuelle menée depuis cinq ans ! » s'étranglent les producteurs de films.

Rue de Valois, Jack Lang se sent le dindon d'une farce ignoble. Il trépigne. On a fait se ridiculiser le ministre de la Culture. Connaissant son hostilité à cette chaîne et à Berlusconi, le Gouvernement lui a caché l'étendue des avantages accordés. Il n'a été associé à aucune discussion. Pis, hier soir encore on lui affirmait à Matignon qu'il pouvait dormir tranquille : la Cinq aurait de véritables obligations relatives à la création, la production, au cinéma... Jack Lang a cru ces balivernes, au point qu'il s'est senti autorisé à déclarer, le matin même en sortant du Conseil des ministres : « Il n'y a pas d'exemple au monde où un gouvernement ait négocié avec autant de rigueur. La majorité des œuvres diffusées par cette chaîne seront françaises et fabriquées en France. »

Une demi-heure plus tard, il découvrait le texte définitif d'un cahier des charges qui, en fait, autorise la Cinq à ne diffuser que 25 % de productions françaises pendant plusieurs années. Autrement dit, un texte qui permet à la Cinq de devenir la tête de pont de milliers d'heures de productions américaines, le diffuseur de ces catalogues dont Silvio Berlusconi a eu l'habileté d'acquérir les droits non seulement pour l'Italie, mais aussi pour plusieurs pays européens, dont la France et l'Espagne.

Furieux, Jack Lang rédige un brouillon de lettre de démission qu'il voudrait jeter à la face de ce pouvoir dont il fait partie. C'est délicat. D'autant que le Président, qu'il vénère, n'est pas blanc-bleu dans cette affaire. Peut-on démissionner d'un gouvernement qui n'a plus que trois mois à vivre sans risquer d'aggraver encore la défaite électorale qui s'annonce? Un brouillon. Deux brouillons. Finalement, il rédige une énième note de protestation destinée à l'Elysée, qui commence par un cinglant « On m'a fait croire que... » Puis une lettre à l'attention du Premier ministre, où il apprend sèchement à Laurent Fabius qu'à son avis « un gouvernement Chirac n'aurait pas fait pire » !

Le lendemain, inquiet de l'ampleur de la consternation générale, François Mitterrand tente de balayer les critiques au cours de sa conférence de presse. Mais le cœur n'y est pas. Les arguments sonnent un peu creux. « On parle avec mépris de la télévision commerciale, dit-il... L'évolution de la technique fait éclater le monopole. Il valait mieux prévoir qu'attendre. A ce moment-là, le service public se serait effondré et on n'aurait rien préparé pour l'avenir. J'ai toujours dit : " Sauvegardons le service public "... »

Le Président est sur la corde raide. Toujours sous le coup des révélations successives dans l'affaire Greenpeace, il est, à la veille d'une cohabitation qu'il prépare et redoute à la fois, prisonnier du joker audiovisuel qu'il a voulu jouer avec la Cinq. L'opération ne tourne pas à son avantage et il le déplore en privé. Il dit que cette affaire n'a pas été conduite par le Gouvernement avec toute l'adresse requise, feignant d'oublier que son implication personnelle a court-circuité les processus de décision habituels. Le coup est mal parti mais il n'est pas perdu. Il faut voir au-delà des réactions épidermiques du moment, se dit-il; il faut penser à la satisfaction de ceux qui vont bénéficier de la Cinq, les téléspectateurs. Eux comprendront certainement la portée du geste. Que lui reproche-t-on, au juste? D'avoir choisi Berlusconi et Seydoux? Mais, se récrie-t-il devant la presse, « nous n'avons pas eu à choisir », il n'y avait pas d'autres candidats pour faire une chaîne privée en France...

Vendredi 22 novembre, la neige et le froid ne découragent pas la petite foule qui attend sur le trottoir et dans le hall du Crillon, place de la Concorde. « Allez voir ce qui se passe... » demande Silvio Berlusconi à Codignoni en ajustant sa cravate. La veille, « Sua Emittenza » a quitté la suite Fontainebleau du Prince de Galles, dont le bar et les couloirs étaient envahis jour et nuit par les journalistes. Dans une demi-heure, le patron de la Fininvest va donner sa première conférence de presse en France.

Angelo Codignoni traverse le hall et croit comprendre le pourquoi de l'attroupement lorsqu'il aperçoit une célébrité du cinéma italien présente à l'hôtel. « C'est la folie en bas, dit-il à Berlusconi, Gina Lollobrigida est ici. La rue est bloquée. » Mais, n'en déplaise à l'actrice, ce n'est pas pour elle que s'est formée cette cohue. Le fauteur de trouble, c'est Berlusconi. C'est lui que la presse française et européenne attend ce matin. C'est ce fameux « Diable » qu'elle veut approcher.

Il était prévu que « Sua Emittenza » rejoindrait à pied le pavillon Gabriel, proche de l'hôtel, où Jérôme Seydoux et Christophe Riboud l'attendent pour la conférence. Il lui faudra prendre discrètement une voiture pour faire les trois cents mètres. Là, sur une estrade fleurie, les trois actionnaires de la Cinq vont rivaliser de séduction et de garanties pour calmer les polémiques. Pour rassurer et convaincre qu'il s'agit de faire une chaîne bien française, soutenue par un « grand professionnel italien, le meilleur en Europe », affirme Jérôme Seydoux. L'industrie du cinéma se fait des frayeurs, et elle a bien tort. Silvio Berlusconi est au meilleur de sa forme. Très souriant, bras croisés, il a posé devant lui une petite bouteille symbolique de Coca-Cola et il attaque. Qui aurait l'idée de boire du Coca en mangeant des spaghettis? plaisante-t-il. Eh bien, lui non plus. Il préfère le beaujolais! C'est pour cette raison que la Cinq sera une « télévision beaujolais, avec champagne le samedi... »

Cette première conférence est, comme le seront les suivantes, un véritable show. Il n'y a pas plus cabot que Berlusconi. Il capte la lumière des projecteurs comme les questions qui lui sont posées, en douceur. Il amortit les sujets délicats d'un large sourire, prend le temps de répondre en s'excusant de son « mauvais » français. Il ne se froisse pas. Il est ici pour le bien de la France qui a souffert si longtemps de ne pas connaître la vraie télévision. En dix minutes, il éclipse ses partenaires. La salle n'a plus d'yeux que pour lui. Il a tous les talents pour éluder en donnant l'impression de répondre à tout. *A star is born.* A le voir si détendu, qui se douterait que la prestation de Silvio Berlusconi a été réglée dans les moindres détails au cours de la nuit? Il n'a presque pas dormi. Il s'est entraîné, comme un sportif.

Il a passé la nuit à l'école de l'INA, rue du Dragon. Elève attentif, il a répété inlassablement devant les caméras de Patrick Clément, répondant aux questions en rafales que lui posaient les confrères amis réunis par celui-ci. Il a pris connaissance du briefing prévoyant, pour la conférence du lendemain, un « *long exposé liminaire de Jérôme Seydoux* » et avertissant : « *La grande majorité des questions, sans doute agressives, seront adressées à Silvio Berlusconi. Exemple : Le cinéma français est menacé. La presse est menacée. Comment avez-vous fait fortune? Etes-vous membre de la Loge P2? Etes-vous au service du gouvernement socialiste?* »

272

Ce questionnaire est accompagné d'un feuillet de « Techniques de réponse » qui recommande la distance et la légèreté. Silvio Berlusconi ne doit pas chercher à répondre à toutes les questions. Il peut utiliser « *la technique de François Mitterrand* » et les regrouper en disant, par exemple sur la P2 : « *Je suppose qu'il y a d'autres questions sur ce sujet, je vous propose de les poser toutes maintenant.* » Il doit apparaître de bout en bout comme l'homme qui « *respecte la France et ses lois* ». Au milieu de la nuit, on a trouvé la formule magique de la Cinq : « Beaujolais et Champagne ».

Training efficace et presque trop prévoyant. Au pavillon Gabriel, l'allant de Berlusconi fait merveille. La presse s'inquiète bien des programmes de la Cinq, de la tour Eiffel... Mais pas un mot sur la fortune, l'appartenance ou non de Silvio Berlusconi à la Loge P2 de scandaleuse mémoire. Il n'aura pas à se servir de ses fiches. Les journalistes ne l'entendront donc pas répondre :

« *C'est une question qu'on ne pose plus en Italie. Probablement parce que cela reviendrait à dire que le CNPF italien, la Cofindustria, dont je fais partie au plus haut niveau, accueille dans ses rangs et aux côtés d'hommes comme Giovanni Agnelli, Orlando ou Pirelli, des gens pour le moins peu recommandables, vous me l'accorderez.*

Et pour finir, M. Seydoux, dont vous ne discutez pas, je crois, l'honorabilité, choisit de bien étranges associés. »

Si Silvio Berlusconi terminait la conférence en criant « Vive la République ! Vive la France ! » personne n'y trouverait rien à redire. Il sort en chef d'Etat hilare. Pour un peu, ce serait l'ovation. Mais c'est une ruée folle, un déferlement de journalistes sur la star qui regagne sa voiture. On essaie de lui mettre des tours Eiffel miniatures dans les mains pour les photos. On l'agrippe. On l'interpelle en anglais, en italien, en allemand. Un journaliste de l'AFP réussit à plonger dans sa voiture avant qu'elle ne démarre. Impossible de s'arrêter, deux autres s'engouffreraient dans la berline. Berlusconi et Codignoni le gardent sur leurs genoux jusqu'au Crillon, où ils doivent se frayer un chemin jusqu'à la suite du maître. Une fois dans la chambre ils comptent les boutons qui manquent à leurs vestes froissées. Et distribuent des tickets improvisés à la presse qui attend dans le couloir et l'escalier pour une minute d'entretien personnalisé avec *il signor* Berlusconi.

Les réactions en chaîne qui se produisent à partir de cette date vont façonner pour longtemps une image inquiétante de l'audiovisuel français. Entre foire d'empoigne permanente, enchevêtrement d'incohérences et machiavélisme sourcilleux. La Fininvest ne comprend pas l'étendue de la réprobation. Du point de vue de Silvio Berlusconi, en regard de l'anarchie totale qui règne en Italie pour la programmation et la publicité, les conditions qui sont faites à la Cinq lui permettront à peine de vivre.

Il ne connaît que le non-régime juridique audiovisuel de la péninsule. Il ne comprend pas qu'il puisse se trouver des esprits pour se plaindre du « laxisme » des socialistes. Pourquoi imposerait-on à une chaîne commerciale des obligations, compréhensibles pour un secteur public financé par la redevance, mais certainement pas pour des entrepreneurs privés? La télévision privée n'a pas vocation à perdre de l'argent, mais à en gagner. Les Français ne le comprennent-ils donc pas? Et pour gagner de l'argent, il faut faire de l'audience, vendre de l'espace aux annonceurs, acheter des programmes.

C'est cela, la télévision privée, pas autre chose. Ce n'est ni une école ni une église, mais un lieu de distraction. Gratuit pour le téléspectateur. Enfin, et c'est ce qu'il admet le moins, pourquoi l'accable-t-on alors que le contrat de concession de la Cinq, négocié par Bernard Miyet, est de même inspiration que celui établi pour Canal Plus?

Plus averti du contexte national, Jérôme Seydoux ne s'attendait cependant pas à un tel orage. Mais il est aussi plus froid, plus patient. Les professionnels du cinéma, au premier rang desquels son propre frère Michel, qui possède la Gaumont, menacent d'attaquer la Cinq et de la priver de films... Les choses se calmeront d'elles-mêmes, se dit-il. Et tout a été prévu au cas où elles ne se calmeraient pas.

« Au secours, la droite revient! » crient les panneaux publicitaires sur les murs de Paris. Eh bien, qu'elle vienne s'y frotter, sourit Jérôme Seydoux en pensant aux promesses de meurtres faites par le RPR et l'UDF. Lui et Silvio sont prêts. Il y a dans leur concession, comme pour Canal Plus, une clause particulière qui fige la situation. Aucune modification ne peut être apportée à l'audiovisuel français sans que cela entraîne une procédure d'indemnisation des propriétaires de la Cinq. Plusieurs articles mettent la chaîne à l'abri des infortunes réglementaires et d'un déséquilibre d'exploitation consécutif aux changements qui interviendraient dans les autres chaînes.

Indemnisation, si on avait l'idée de transformer Canal Plus et son grand réseau en chaîne commerciale concurrente « en clair ». Indemnisation encore, si l'opposition s'obstine à vouloir privatiser une ou plusieurs des chaînes publiques. Indemnisation enfin, si l'on touche à la concession de la Cinq. Mieux, une clause stipule que, si les affaires de la Cinq ne produisent pas les bénéfices escomptés, ses actionnaires pourront choisir de fermer boutique à la troisième année d'exploitation. Le verrouillage est total, se dit Jérôme Seydoux. Si la droite veut nous casser, cela lui coûtera une fortune et il est plus probable qu'avant d'en arriver là elle cherchera à négocier...

Outragée, la CLT dépose le lundi suivant la signature de cette concession un recours contre la Cinq devant le Conseil d'Etat. Jacques Rigaud a frisé dix fois l'apoplexie ces derniers jours. Jamais une entreprise audiovisuelle internationale comme la CLT n'a été aussi lâchement traitée par un gouvernement. Pendant le week-end, alors que Silvio Berlusconi et Jérôme Seydoux mettent au point un plan d'urgence pour fabriquer une télévision complète avant le 20 février prochain, à Luxembourg un conseil de guerre réunit les dirigeants de la CLT. La riposte en forme de « recours » est étudiée avec le gouvernement du grand-duché qui, dans cette affaire, se sent aussi humilié que la Compagnie luxembourgeoise.

Le chef du gouvernement, Jacques Santer, parle d'un « acte contraire aux relations entre Etats », le Luxembourg a été floué, trompé, « malgré les fermes assurances données par le président de la République française ». L'ambassadeur de France au grand-duché est convoqué pour une demande d' « explications ». En représailles, Jacques Santer, Jacques Rigaud et Jean-Pierre de Launoit pour Albert Frères, prennent la décision d'attaquer le gouvernement français, de dénoncer les conditions d' « arbitraire absolu », l' « absence de compétition », le « secret » qui ont présidé à la confection et à l'attribution de la Cinq.

La CLT n'a pas l'intention de se contenter d'une procédure administrative contre Seydoux et Berlusconi. On a voulu l'évincer du cinquième réseau ? On joue sur les mots en prétendant qu'elle n'était pas candidate à ce qu'elle savait promis à d'autres ? On aurait voulu la voir s'amuser à perdre dans une fausse compétition ? Parfait. Elle réitère son intérêt pour les deux canaux du satellite TDF1, et elle se porte candidate au sixième réseau. On va voir ce qu'on va voir. Puisque c'est ainsi, la CLT va enfoncer le clou et surenchérir. Osera-t-on rembarrer une seconde fois un groupe qui se propose d'accepter des conditions d'exploitation beaucoup plus contraignantes que celles accordées à la Cinq ?

La CLT affirme pouvoir faire, avec une concession identique à celle de la Cinq, une sixième chaîne de qualité ; cela en acceptant des obligations de production et de diffusion d'œuvres françaises plus importantes, en diffusant moins de films... Et en s'engageant à ne pratiquer qu'une seule interruption publicitaire dans les programmes.

En attendant, Jacques Rigaud dépose donc son recours devant le Conseil d'Etat. La démarche fait sourire le gouvernement français, où l'on commence à se dire que, décidément, la CLT ferait mieux de se faire oublier un moment... Mais c'est un sourire bref, car il s'avère que la CLT a mis le doigt sur de graves anomalies dans le contrat de concession de la Cinq. L'une d'entre elles est loin d'être anodine et incite le secrétariat général de l'Elysée à prévenir d'urgence le directeur adjoint [1] du cabinet de Georges Fillioud, Christian Tardivon, qu'il va peut-être falloir tout renégocier. Dans la précipitation, en effet, personne n'a prêté attention au fait que l'Etat français accordait une concession de service public à une société privée qui n'a pas encore d'existence juridique. Au moment de la signature, relève le recours de la CLT, la société France Cinq qui doit exploiter la chaîne n'était même pas constituée. Ce n'est jamais qu'un cas possible d'annulation pure et simple du contrat par le Conseil d'Etat.

Jacques Rigaud, entre deux bouffées de colère, jubile d'avance.

Les candidats à la sixième chaîne, eux, ne se réjouissent pas. Ces huit jours de la Cinq qui ont ébranlé quarante années de monopole ont également taillé en pièces les projets de Publicis et Europe 1 pour la chaîne musicale. Dépendant de la Sofirad, que préside Gérard Unger, la station de la rue François-Ier est discrètement « invitée » par le Gouvernement à se retirer du projet musical pour joindre ses forces aux associés de la Cinq [2]. Les 15 et 22 novembre, Gérard Unger a rencontré Jérôme Seydoux pour lui présenter, en quelque sorte, avec RMC et Europe 1, les « filles » de l'Etat que la Sofirad aimerait « marier » aux princes charmants de la Cinq. Accord conclu.

« Maurice, tout ça, c'est politique. C'est pourri... On n'a pas le choix. Il faut qu'on se retire... » dit sans ambages le P-DG d'Europe 1, Pierre Barret, le lendemain de l'attribution de la Cinq, au directeur général de Publicis, Maurice Lévy. Le coup est sévère pour la sixième chaîne, qui perd le leader de son montage et 30 % du capital prévu. Il vient s'ajouter à un autre revers, aussi difficile à supporter : l'amendement tour Eiffel, qui n'aurait jamais dû voir le jour et dont les dégâts sont dramatiques.

Si Fabius et Fillioud avaient été moins bornés, peut se dire Maurice Lévy... Si un certain accord secret avait été respecté, la sixième chaîne aurait eu toutes les chances d'être la seule chaîne commer-

1. En désaccord sur les conditions d'attribution de la Cinq, le directeur de cabinet, Patrick Imhaus, a démissionné.
2. Europe 1 prendra 10 % du holding français détenant 60 % du capital de la Cinq.

ciale à passer le cap des prochaines législatives. C'est au cours des mois de septembre et octobre 1985 que se sont noués les liens particuliers de la Six avec l'opposition.

Progressant dans l'ombre et le sillage de la Cinq, la création de la sixième chaîne fait si peu parler d'elle qu'on l'oublierait presque. Pour la conquérir, il y a toujours deux candidats. D'un côté l'agence de Jacques Séguéla, RSCG, avec UGC, dont le projet de « contre-programmation » est un peu en porte à faux avec la « dominante musicale » souhaitée par le Gouvernement. Mais Seguela est si sûr de l'emporter... De l'autre, le dossier des « fédérés musicaux » : Europe 1, Publicis, NRJ, Gaumont et le Club Méditerranée.

Cette chaîne musicale, Maurice Lévy et Léo Scheer s'y consacrent avec une énergie moins voyante mais identique à celle des promoteurs de la Cinq qui, juridiquement et techniquement, leur ouvrent la voie. Les questions que se pose la Six, les problèmes de réseau qu'elle doit résoudre, les problèmes d'émetteurs, de concession, sont en effet les mêmes que ceux de Silvio Berlusconi et Jérôme Seydoux. Il y a peu de contacts entre les deux équipes, mais, à sa manière, le travail de Bernard Miyet sur les fréquences et les négociations obligatoires avec TDF, font office de trait d'union. Avec TDF, la Six fait à son tour l'expérience du black-out organisé sur un dossier. Mais en plus noir encore, car on lui fait comprendre que les « meilleures » fréquences sont déjà réservées pour la Cinq et qu'il n'y a aucun moyen d'aller contre cette iniquité.

Fin septembre 1985, Marcel Bleustein-Blanchet a confirmé par lettre à Laurent Fabius et Georges Fillioud la candidature de son groupe. A cette époque, le président de Publicis rayonne de joie à l'idée de se lancer dans la télévision. Plusieurs fois par jour, comme il en a l'habitude, mais plus encore qu'à l'accoutumée, il pénètre à l'improviste dans le bureau de son directeur pour demander à « Maurice » où « on en est », si « tout va bien ». Autant parce qu'il veut effectivement savoir où en est la chaîne que parce qu'il est curieux de découvrir qui sont, du matin au soir, les visiteurs de Maurice Lévy.

A soixante-dix-neuf ans, avec sa crinière blanche, ses fossettes heureuses, son œil bleu, son inimitable zézaiement et une commode surdité, Marcel Bleustein-Blanchet en remontrerait à bien des quadragénaires sur le chapitre du dynamisme, de l'humour et de la rigidité en affaires. Ce fils d'un vendeur de meubles de Barbès a derrière lui une carrière et une vie extraordinaires. A la communale avec Jean Gabin, sorti d'école avec la célèbre mention « Sait lire, écrire et compter », il est le premier en France à avoir deviné l'essor que pouvait prendre, dans un monde industrialisé, ce qu'on appelait encore la « réclame » et dont il ferait la « publicité ». Il fonde Publicis à l'âge de vingt ans. Il n'est pas grand mais c'est, dans le privé comme autour d'une table de négociation, un intrépide séducteur.

Un petit siècle après le baron Charles-Louis Havas, Marcel Bleustein-Blanchet apporte sa contribution à la révolution des rapports entre les médias, l'information et la publicité. Il invente les différents « métiers » de la publicité, la conception, la création; il façonne un ancêtre du marketing, panaché d'intuition et de méthode Coué. Il lui arrive de dire que ce marketing confine, vis-à-vis de l'annonceur, à une sorte d'« escroquerie » par consentement mutuel. Mais cela donne d'étonnants résultats commerciaux. Auteur de slogans immortels qui semblent tirés de dialogues de Michel Audiard, Marcel Bleustein-Blanchet est monsieur « Dubo, Dubon, Dubonnet... », « André, le chausseur sachant chausser »... Fondateur de Radio-Cité, la plus grande station commerciale d'avant-guerre, pilote, combattant de la France libre, il est la France de Piaf, de Trenet, des jeux et des premiers grands journaux radiophoniques.

Biens confisqués par l'occupant. Radio détruite en 1944. L'existence déchirée à la Libération par la perte de parents et d'amis dans la shoah. Marcel Bleustein-Blanchet repart à l'assaut de la vie et de la publicité dans les années 50, relançant Publicis, mais sans radio [3]; du moins jusqu'à la rencontre avec Jean Frydman qui lui remet le pied à l'étrier avec la régie d'Europe 1. Mais, bien que ce soit une excellente affaire, une régie ne procure qu'un vague ersatz de l'émotion qu'il y a à diriger, à posséder une radio ou une télévision. Cette télévision, Jean Frydman et Marcel Bleustein-Blanchet y ont seulement rêvé sur des projets comme Canal 10, avant de se brouiller.

Aujourd'hui, en 1985, ce petit écran est enfin à portée de main. Ce n'est plus une vue de l'esprit, mais une réalité. Maurice Lévy et Léo Scheer n'ont pas eu à forcer « Marcel » pour que Publicis se mette sur les rangs. Comment un homme comme lui pourrait-il laisser son groupe en dehors d'une compétition dans laquelle son principal concurrent, Havas, est déjà présent avec Canal Plus? Marcel Bleustein-Blanchet a une âme de bagarreur et de bateleur qui lui ferait préférer mourir d'épuisement plutôt que de céder du terrain à la concurrence. Il se sent revenu aux beaux jours de Radio-Cité lorsque

---

3. A la Libération, la constitution du monopole radiophonique d'Etat a interdit la création de radios privées comme il en existait de nombreuses avant-guerre. C'est la raison pour laquelle les seules stations commerciales qui se lancent en France par la suite, Radio Luxembourg – qui deviendra RTL – et Europe 1, ont leurs émetteurs hors du territoire français et sont apelées radios « périphériques ».

Maurice Lévy annonce la candidature de Publicis sur TF1. Il déchante un peu pendant l'été, lorsqu'il comprend qu'il ne pourra pas faire une grande chaîne généraliste mais devra se contenter d'une chaîne musicale. Contre mauvaise fortune... Il veut bien croire à cette sixième chaîne et ne manque jamais une occasion de pousser la porte du bureau de Léo Scheer pour s'informer de l'avancement du dossier et reprendre, en conteur de sa propre légende, le récit des aventures de Radio-Cité où il l'avait laissé la veille...

Une chose a pourtant du mal à surmonter le barrage de son handicap auditif : il va falloir débourser beaucoup d'argent pour créer la Six. Le groupe est prospère, mais son président rechigne à dépenser. Ce qu'il entendrait en revanche à travers un concert de marteaux piqueurs, c'est qu'il y a un risque politique à se lancer dans cette affaire. Et la politique, Marcel Bleustein-Blanchet se défend d'y toucher, de près ou de loin. Excepté les extrémismes de droite et de gauche qu'il rejette, il pratique un apolitisme en image d'Epinal. Cette neutralité consiste à entretenir d'excellentes relations avec les deux grands courants démocratiques. Bref, outre des raisons historiques personnelles, il est aussi à l'aise avec les gaullistes qu'avec les socialistes. L'homme qui a conseillé de Gaulle pour son image et dont la fille a épousé Robert Badinter ne voudrait pour rien au monde que ce bel équilibre soit rompu par une histoire de télévision.

Or, c'est bien ce qui se dessine quand, à partir d'octobre 1985, alors que les préparatifs de la Six vont bon train, des messages semblables à ceux que l'on décoche à l'intention de la Cinq commencent à se planter dans le cuir de la Six. « Réfléchissez, Jacques Chirac déplore les conditions dans lesquelles tout ceci se fait, ne devriez-vous pas attendre ? » La mairie de Paris prend des gants avec un homme tel que Marcel Bleustein-Blanchet. Mais, sur le fond, les conseils que fait passer Maurice Ulrich, collaborateur du maire de Paris, diplomate et ancien P-DG d'A2, se résument à une même consigne : « N'y allez pas, nous casserons tout après mars 1986. »

Les mises en garde redoublent d'intensité lorsque les premières rumeurs, en novembre, commencent à circuler sur ce qui deviendra l'amendement tour Eiffel. Marcel Bleustein-Blanchet déteste la tournure conflictuelle que prend ce débat sur un point de diffusion. Partageant les craintes politiques du président de Publicis, Maurice Lévy entreprend de négocier un accord avec Maurice Ulrich, qu'il connaît bien. Avec Gérard Unger, président de la Sofirad, il s'efforcera de dissuader le Gouvernement de toucher à la tour Eiffel. Le pacte secret conclu avec Maurice Ulrich est clair : si Maurice Lévy parvient à convaincre les pouvoirs publics de renoncer à cet amendement, la Six aura la vie sauve après les élections. La droite ne touchera pas à sa concession et laissera ses actionnaires en paix.

Pour Publicis, c'est un contrat d'assurance-télévision. Pour Maurice Ulrich, qui en convainc Jacques Chirac, c'est un pacte judicieux. Il laisse les mains libres à l'opposition de respecter son engagement à « casser » la Cinq, tout en se montrant magnanime avec la Six, cette petite chaîne musicale pour jeunes qui ne diffusera pas d'informations. A la différence de la Cinq, la Six n'est pas un enjeu politique pour l'avenir.

Maurice Lévy organise alors une rencontre secrète entre le proche de Fabius, Gérard Unger et le proche de Chirac, Maurice Ulrich. Tous trois sont d'accord pour dire que cette histoire de tour Eiffel n'est que le fruit des insondables âneries de TDF. Les nouvelles chaînes pourraient fort bien se contenter, pour démarrer, du site de Romainville... Maurice Lévy paie de sa personne et se démène, dans des rencontres qui n'ont pas lieu à Matignon ou rue Saint-Dominique, mais aux domiciles privés des uns et des autres, pour convaincre Georges Fillioud et Laurent Fabius de ne pas commettre l'irréparable.

Dans les heures mêmes qui précèdent le dépôt du texte, le 15 novembre, la partie semble gagnée. Mais l'insistance de TDF sur la « nécessité » de la tour Eiffel, la pression constante de l'Elysée pour accélérer la création des chaînes, à quoi il faut ajouter l'inimitié que Fabius porte à Jacques Chirac, font que le Premier ministre maintient la décision de déposer l'amendement. Marcel Bleustein-Blanchet peste contre ce qui est désormais une crise ouverte entre la gauche et la droite dont son groupe est devenu l'otage.

Dépôt ne signifie pas adoption. Maurice Lévy conserve l'espoir, jusqu'à la mi-décembre 1985, que le Gouvernement retirera le texte qui a déclenché une telle polémique. Mais c'est un faible espoir. Entre-temps, le montage de la Six, qui a perdu son principal partenaire, Europe 1, parti sur la Cinq, s'est affaibli. Il s'effondre à la veille de Noël, quand l'amendement est définitivement adopté. « Inutile de continuer, c'est fini, dit alors un Maurice Ulrich amer à Maurice Lévy. Ou bien on m'a menti, ou bien on s'est joué de moi pendant des semaines... Ce qui est sûr, c'est qu'on m'a discrédité auprès de Chirac... »

Le pacte ne repose plus sur rien. Si elle se crée, la Six ne survivra pas aux législatives. Au milieu d'une nuit, à la veille de Noël, Marcel Bleustein-Blanchet rédige impulsivement une lettre qu'il fait porter au matin à Georges Fillioud. Il ne veut plus de cette sixième chaîne. Il ne veut plus rien. Il en a assez. Il renonce à la Six.

Il ne faut plus lui parler de télévision.

CHAPITRE XI

Campagne d'Italie

Paris-Milan. *Milano-Parigi.* Ce qui se met en place pour la Cinq après la signature du contrat de concession est le pont aérien le plus cher et le plus luxueux de l'histoire de la télévision.

A peine finies les agapes, exotiques pour les Italiens, d'une choucroute à la Brasserie de Lorraine le soir de la signature, il faut se rendre à l'évidence : personne, excepté le Gouvernement, ne tient à voir naître cette chaîne. Trois recours sont déposés devant le Conseil d'Etat avec pour objectif l'annulation du contrat et du cahier des charges de la Cinq[1]. Pris dans la tourmente juridique, voués au bûcher par l'opposition, Jérôme Seydoux et Silvio Berlusconi craignent de pas pouvoir lancer la Cinq à la date promise. Ils ont signé avec le socialisme. Ils sont maudits. C'est le blocus.

Alors que la Cinq est à construire de A à Z, qu'il faut trouver bureaux, studios, installations techniques, etc., il n'y a, subitement, plus rien de libre dans Paris et ses environs. Une à une, les portes des sociétés de production, qui disposent des studios indispensables à la préparation des premières émissions, se ferment. Des locaux inoccupés se retrouvent subitement réservés pour d'improbables tournages. Quand ces sociétés ne reçoivent pas le coup de fil amical et prévenant d'un membre de l'entourage chiraquien, elles prennent tout simplement les devants. Prudentes, elles sondent l'Hôtel de Ville afin de savoir ce qu'il convient de faire. Elles ne veulent pas courir le risque de reproches post-électoraux pour avoir traité avec la Cinq.

D'autres ne se posent même pas de questions, une partie de leur capital étant détenu par la CLT. C'est donc par le plus étonnant des hasards qu'elles n'ont rien, vraiment rien, pas le moindre studio à

---

1. A celui de la CLT se sont ajoutés ceux du BLIC, Bureau de liaison des industries du cinéma, et de la SACD, Société des auteurs compositeurs dramatiques.

louer. Quant à la plus grande des sociétés de production, la très publique SFP, plannings et lobbies de créateurs, soutenus par le ministère de la Culture, conspirent pour qu'elle ne puisse prendre de nouvelles commandes sur ses innombrables plateaux...

Il en va pour les hommes comme pour les lieux. Blocus et terre brûlée. Pour « Sua Emittenza », la première recette du succès d'une télévision commerciale, c'est l'alignement des stars à l'antenne, du lundi au dimanche, en pack serré, souriant, irrésistible. Les vedettes, ce sont les preux chevaliers de l'audience qui distribuent jeux, chansons, cadeaux... La star, c'est la « matière première », le combustible de la chaîne privée. C'est l'énergie de la star, son charisme auprès de la plus vaste des cibles publicitaires, les ménagères, qui font s'envoler la chaîne vers les bénéfices. C'est parce que les stars sont chères qu'il faut les payer plus cher encore; on les paie autant pour être à l'antenne que pour ne pas être sur la chaîne concurrente.

En Italie, Silvio Berlusconi a développé ce principe au-delà de ce que peuvent imaginer les esprits français. Année après année, les réseaux de la Fininvest sont partis à la conquête des vedettes de la RAI. Il suffit d'y mettre le prix, et de savoir ensuite leur trouver une place dans le programme. Là encore, il n'y a pas cent recettes, mais deux ou trois seulement, déjà éprouvées aux Etats-Unis, et poussées à leur paroxysme par Berlusconi. Il faut, avant et après le passage de la vedette, un échelonnement de séries et de téléfilms à héros récurrents, personnages dont le public prendra goût aux aventures quotidiennes, policières ou familiales. Les séries sont le coffret-cadeau qui contient l'émission vedette du début de soirée, le fameux *prime time*. Quant à la star, l'étoile du show, elle ne peut briller qu'en smoking, œil de velours, évoluant au milieu d'un essaim de visages féminins ravissants, de jupes courtes, de talons aiguilles et d'objets à gagner.

Quand Silvio Berlusconi met la Cinq sur pied, la France est un pays où l'on ne parle pas de « stars » de la télévision (le mot appartient encore à l'univers du cinéma), mais de « vedettes ». Au long de l'automne qui s'est écoulé, de nombreux contacts sont pris avec ces vedettes du petit écran. Pour beaucoup d'entre elles, l'apparition d'une chaîne privée est un événement de portée exceptionnelle. Une ouverture professionnelle qui s'ajoute à celle de Canal Plus. Le temps du monopole, de l'employeur unique et tout-puissant, est révolu. A partir du début novembre, Jérôme Seydoux rencontre nombre de ces personnalités de la télévision et du cinéma. Parfois en compagnie de Silvio Berlusconi, qui en rencontre également de son côté, rue Copernic. Ils voient ainsi Michel Drucker, Patrick Sabatier, Bernard Pivot, Alain Delon, Thierry Le Luron, Yves Montand, Patrick Sébastien...

Le directeur de *Libération*, Serge July, avec qui est envisagée la création de magazines, présente Christine Ockrent au patron de Chargeurs SA. Tous se montrent intéressés. Excités, presque tous font le voyage à Milan, se rendent dans les studios ultramodernes où se fait la télévision à la manière Berlusconi. Ils suivent, enthousiastes, la visite guidée des plateaux les mieux équipés d'Europe, des salles de montage les plus perfectionnées, des régies informatisées. Ils voient les moyens inouïs dont disposent les chaînes du groupe, les voitures de reportage, les camions-régie et les hélicoptères. Ils font connaissance avec la Fininvest, son rang de sixième groupe privé italien, de quatrième groupe de télévision dans le monde, ses 20 milliards de francs de chiffre d'affaires, ses filiales de production (Video Time) ou d'achat de droits (Rete Italia).

Les plus en cour ont droit à Arcore, aux bibliothèques, aux toiles Renaissance, aux écuries... Ils peuvent comparer avec les locaux vieillots, les véhicules fatigués et les studios archaïques de la télévision française. Pourtant, ils hésitent. De retour à Paris, l'excitation fait place aux réticences. Les voilà soudain silencieux. Tardant à confirmer ou à prendre un second rendez-vous. Leur engouement retombe comme un soufflé après la signature de la concession.

Ceux qui se disaient prêts à rejoindre la Cinq déclarent forfait. La mairie de Paris ou les groupes concurrents sont passés par là. « Pensez à l'avenir..., leur dit-on, ne vous jetez pas sur la première chaîne privée qui passe, dans quelques mois elle sera morte, mais A2 deviendra une télévision commerciale, puis viendra le tour de FR3 »... « Demain, je serai opérateur », dit Hachette de son côté. « J'achéterai une chaîne publique », laisse entendre Hersant. « Justice nous sera rendue et nous montrerons ce que nous savons faire », clame la CLT.

Ces chants de sirènes font une hécatombe dans les équipes que la Cinq essaie de constituer.

Fin décembre 1985, le Gouvernement avertit Jérôme Seydoux et Silvio Berlusconi. Ce qui était à craindre se confirme. Le recours déposé par la CLT est fondé. Si l'on veut éviter le ridicule et l'affront d'une annulation de la concession, il faut négocier, rédiger et rendre public un nouveau contrat. Il faut modifier ce cahier des charges que la Haute Autorité, à son tour, critique dans les termes les plus sévères. Michèle Cotta, dont l'institution n'a pas une fois été consultée sur la création de la Cinq, condamne une concession de trop longue durée, ainsi que l'« absence de garanties et d'obligations suffisantes ».

Entre Noël et le jour de l'an, le manège des avocats, des conseillers techniques et financiers recommence. Que de temps et d'énergie perdus par la maladresse du Gouvernement ! se disent Berlusconi et Seydoux. A quelques semaines du lancement, rien n'est prêt. La Cinq n'a pas d'adresse. Les bureaux de la Fininvest, rue Copernic, sont trop exigus. Silvio Berlusconi aimerait couronner son implantation en France par l'acquisition de bureaux pour son groupe, et d'un appartement de prestige pour lui car il en a assez d'être poursuivi par les journalistes dans les halls de palaces.

En attendant d'avoir trouvé un siège pour la chaîne, les locaux de Chargeurs SA sont mis à contribution. Les équipes de techniciens italiens dépêchés à Paris viennent y camper. Sans stars, sans moyens logistiques sur place, les promoteurs de la Cinq n'ont qu'une seule solution pour honorer la promesse d'émettre au plus tard le 20 février. Il faut préparer la chaîne là où se trouvent les moyens, à Milan. Il faut, dans un double mouvement militaire, acheminer de Milan à Paris les hommes et le matériel qui seront indispensables au démarrage, et, à l'inverse, envoyer séjourner à Milan, pour y répéter et enregistrer les émissions, les professionnels qui accepteront de rejoindre la Cinq. C'est bel et bien un pont aérien qui commence à fonctionner fin décembre. Avec recours aux avions-taxis, et même au jet personnel de Silvio Berlusconi quand les vols réguliers ne suffisent pas à assurer la cadence.

« Ça souffle, ça souffle... » compatit François Mitterrand en se penchant vers Jacques Pomonti, au cours d'un dîner donné au mois de décembre à l'Elysée en l'honneur du roi du Maroc. Jacques Pomonti, première victime de la Cinq. La tornade qui agite Paris depuis l'octroi de la concession le désigne comme le premier responsable. « C'est ta victoire ! » lui a lancé ironiquement au téléphone le directeur de cabinet du Président, Jean-Claude Colliard, le soir de la conférence de presse de Berlusconi. La gauche comme la droite reprochent au P-DG de l'INA d'avoir été le cheval de Troie par lequel « Sua Emittenza » s'est introduit dans le pays. C'est la faute à Pomonti, entend-on dire.

« Sa » victoire ? Alors que c'est exactement l'inverse, que seule sa fidélité à François Mitterrand lui interdit d'étaler sur la place publique l'écheveau de circonstances et d'interventions qui ont engendré cette Cinq ? « Sa » victoire ? Alors qu'il sort laminé de l'aventure qui a ruiné sa mission pour TDF1 ?

Tel un rouleau compresseur, le dossier de la Cinq a écrasé son montage pour le satellite. En cédant aux exigences de Maxwell, de Berlusconi et de Seydoux, estime Jacques Pomonti, le Gouvernement a réduit à néant un an d'efforts pour organiser une société d'exploitation viable pour le satellite. Au prix dérisoire auquel l'Etat leur loue les canaux, il n'y a plus aucun espoir de faire financer TDF2 par les opérateurs. Maintenant qu'ils ont une chaîne et un réseau national qui, grâce au travail de bénédictin de Miyet, pourra toucher vingt-huit millions d'habitants (au lieu des dix-sept annoncés par TDF), il y a tout à parier que Seydoux et Berlusconi vont se désintéresser du satellite.

Le soir où il a raccompagné Maxwell, Jacques Pomonti est rentré chez lui et a refait tous les calculs. Le lendemain, il a adressé une note à Laurent Fabius dans laquelle il expliquait que le Gouvernement venait de faire un choix qui lui coûterait cher. Un choix contraire à l'esprit de la mission qu'on lui avait confiée. N'était-ce pas à la société d'exploitation qu'il devait monter qu'il appartenait d'attribuer les canaux, de choisir les programmes? En bradant TDF1, l'Etat se condamnait à payer TDF2 de sa poche et à l'offrir aux opérateurs. Ne pouvait-on corriger cette contradiction, revenir sur un accord bâclé contraire à l'intérêt du pays?

Sans réponse de Matignon, Jacques Pomonti a essayé par lui-même de renverser le rapport de forces. Pour le jeudi suivant la conférence de presse de François Mitterrand du 21 novembre, Maxwell et Berlusconi ont organisé une réunion de travail sur TDF1. Auparavant, ils ont demandé à Pomonti, celui qui a réuni leurs destins sur ce satellite, de présider le consortium de production européen qu'ils veulent créer. A nouveau, le P-DG de L'INA a pris la température de Matignon. « Je n'ai pas de consigne particulière, lui a répondu le directeur de cabinet de Laurent Fabius, Louis Schweitzer, mais, pour l'instant, considère-toi comme toujours en mission, mandaté par le Gouvernement, et ne t'engage pas dans ce consortium... »

Jacques Pomonti s'est rendu à Londres. Se considérant « toujours mandaté », il a obtenu de Maxwell et Berlusconi, à l'arraché, un accord pour renégocier leurs engagements sur TDF1. Mais, rentré à Paris, il ne peut que constater le désintérêt de Matignon. Dépassé par la virulence du tollé sur la Cinq, Fabius n'ose plus bouger sur l'audiovisuel. Il fait le dos rond, se contente de couver le seul dossier où il a le champ libre, celui de la sixième chaîne, et laisse l'Elysée régner sans partage sur tout le reste.

Las d'attendre, une nuit du début décembre, Jacques Pomonti prend une feuille blanche et rédige à l'intention de Laurent Fabius la lettre par laquelle il prend acte et tire les conséquences de l'inertie gouvernementale. C'est une lettre de « *remerciements* », sèche et passionnée. « *Je ne démissionne pas,* précise-t-il. *Je mets fin à ma mission.* »

« Tu vas te faire écorcher vif par les Luxembourgeois... » Jusqu'au dernier moment, André Rousselet essaie de dissuader Jacques Pomonti de participer au conseil d'administration de la CLT qui se tient à la veille de Noël. Depuis deux semaines, le P-DG d'Havas l'appelle tous les deux jours pour lui dire qu'il doit impérativement démissionner du conseil. Il n'a plus rien à y faire, et la CLT le tient évidemment pour principal responsable de son éviction de l'audiovisuel français. A quoi bon se faire écharper Villa Louvigny et mettre les administrateurs français dans l'embarras?

Jacques Pomonti choisit d'assister malgré tout au conseil avec la ferme intention de s'expliquer. La séance est houleuse. Les attaques se résument à un seul et même grief : « Comment monsieur Pomonti ose-t-il encore se présenter devant nous? Il aurait dû démissionner depuis six mois, compte tenu de la manière odieuse dont il a trahi la CLT... » Jacques Pomonti demande à pouvoir s'exprimer sur ses choix. On l'interrompt. Le vice-président de la CLT, Gaston Thorn, coupe court à ce qui risque de devenir une séance de tribunal populaire. « Tout ce qui compte, dit-il en substance, c'est de savoir si monsieur Pomonti a eu, dans le cadre de sa mission, le sentiment, l'intime conviction, de défendre les intérêts de la Compagnie luxembourgeoise pendant cette période. »

En réponse, Jacques Pomonti révèle la teneur d'une clause confidentielle de l'accord constitutif de la société d'exploitation du satellite. L'engagement de souscription à cette société, signé en juin 1985 par Maxwell, Berlusconi et Seydoux, comporte un codicille stipulant qu'en aucun cas les signataires ne s'opposeront à l'entrée de la CLT dans cette société le jour où elle le désirerait.

A ces mots, la discussion s'arrête. Jacques Pomonti se lève, salue et quitte la salle, ostensiblement raccompagné par Gaston Thorn.

Amère « victoire ».

Il fait déjà nuit sur Arcore, en cette fin d'après-midi du mardi 24 décembre 1985. Confalonieri, Galliani [2], Codignoni, qui ont travaillé toute la journée avec Silvio Berlusconi sur les préparatifs de la Cinq, sont invités à partager le dîner de réveillon. Les cadeaux commencent à arriver. Ceux qui ont leurs habitudes dans la maison s'apprêtent à aller se changer. C'est alors que Silvio Berlusconi sou-

2. Adriano Galliani, président de RTI, Radio-télévision italienne, qui regroupe les chaînes de Silvio Berlusconi.

pire en déplorant de n'avoir toujours pas trouvé un appartement et un bureau à Paris. « Vous cherchez un appartement et vous ne m'en parlez pas ! dit Goffredo Lombardo, le producteur de cinéma. Mais j'en ai un que je n'utilise presque jamais. Il est à votre disposition, si vous le voulez... »

« Merveilleux ! s'exclame Berlusconi. C'est pour six ou huit semaines seulement, jusqu'au lancement de la Cinq, qui va nécessiter ma présence régulière en France. »

Lombardo espère que l'endroit conviendra. Si cela peut faire gagner du temps...

Du temps, la Cinq n'a pas les moyens d'en perdre. Lundi 30 décembre, Georges Fillioud confirme aux actionnaires que la CLT a définitivement raison : le contrat de concession n'est pas valable. Il a été signé par des personnes physiques (Seydoux-Riboud-Berlusconi) représentant France Cinq, alors que l'Etat ne peut conclure un contrat de concession qu'avec des personnes « morales, de droit public ou de droit privé », autrement dit avec des sociétés légalement constituées, ce qui n'est pas le cas de France Cinq. Dans sa légèreté, le Gouvernement a aussi négligé de le faire contresigner, comme il l'aurait dû, par le Premier ministre et le ministre des Finances. Copies à refaire, donc. Cela prendra bien deux ou trois semaines et complique un peu plus les préparatifs de lancement [3]. Il n'est déjà pas simple d'organiser une chaîne avec deux équipes de culture et de nationalité différentes. Qui sera le patron de la Cinq que se partagent deux hommes riches, puissants, et indépendants ? Deux hommes de pouvoir.

Jérôme Seydoux détient la majorité du capital mais ne connaît encore rien à la télévision. Silvio Berlusconi est minoritaire, mais c'est lui qui possède le savoir-faire, les équipes et les programmes. C'est lui qui a mis au point, parce qu'il est impossible de confectionner une grille complète dès le démarrage, l'idée d'une boucle de programmes de quatre heures rediffusée toute la journée. Boucle constituée de variétés, de jeux et de séries qui donneront le ton de la Cinq.

La chose est tacitement entendue. Pour le lancement, Silvio Berlusconi sera l'opérateur, en liaison constante avec le patron de Chargeurs SA. Dans ce schéma il n'y a pas place pour Bernard Miyet, dont il était prévu qu'il deviendrait directeur général. Pris entre ces

3. Les textes des nouveaux contrats de concession et cahier des charges seront signés le vendredi 17 janvier 1986. Il ne s'agit que d'un toilettage juridique. La plupart des privilèges resteront : clauses d'indemnisation, multiples coupures, régime de diffusion des films.

deux grands actionnaires, l'ancien directeur de cabinet de Georges Fillioud comprend que son avenir n'est plus là. Il se prépare à partir. En outre, Bernard Miyet est inquiet sur l'avenir de la Cinq. A ses yeux, le contrat de concession et le cahier des charges qu'il a rédigés sont les seuls garants de sa viabilité. Sans ces conditions d'exploitation, qui paraissent léonines, la chaîne disparaîtra ou vivotera.

Selon les calculs de Miyet, la seule installation de la chaîne demande un investissement de près d'un milliard de francs. Et il faudra un milliard de plus pour la faire fonctionner la première année. Ensuite, son budget annuel devrait tourner autour d'un milliard et demi de francs. En 1985, les experts situent le potentiel d'investissements publicitaires pour les nouvelles chaînes entre un milliard et demi et deux milliards de francs. La marge est étroite. Il est donc impérieux que la Cinq obtienne le blocage des recettes publicitaires sur les chaînes publiques. L'Etat doit se rendre à l'évidence : à partir du moment où il a décidé de créer des chaînes privées, il doit également ment interdire aux chaînes publiques de se nourrir au double râtelier de la redevance et de la publicité.

Il faudra bien qu'un jour le Gouvernement, celui-ci ou un autre, prenne le risque de l'impopularité en augmentant la redevance. On se plaint que la Cinq ait si peu d'obligations ? Le contraire, selon ses actionnaires, serait la condamner à périr. Mais si on lui donne la possibilité d'équilibrer rapidement ses comptes, puis de commencer à faire des bénéfices, elle pourra ensuite apporter sa contribution à la création et à la production audiovisuelles. Bref, ce qui a été concédé ne l'a été que pour faciliter le décollage de la Cinq. Cela doit permettre de produire les bénéfices nécessaires à une montée en puissance de ses obligations, à partir de la troisième année...

La première semaine de janvier 1986, Angelo Codignoni se présente à l'entrée d'un immeuble bourgeois près de la place de l'Etoile, et demande à visiter l'appartement de M. Lombardo, avec la désagréable sensation de perdre son temps. Silvio Berlusconi est trop difficile pour s'installer chez quelqu'un. Mauvais point, l'ascenseur est ridiculement petit...

Ascenseur minuscule mais appartement somptueux. Il faut une bonne minute à Angelo Codignoni pour réaliser qu'il a sous les yeux exactement l'appartement dont rêve Silvio Berlusconi depuis des mois et dont ils se disaient chacun qu'ils ne le trouveraient jamais à Paris. C'est un duplex magnifiquement meublé d'environ six cents mètres carrés, avec deux immenses salons, un vaste bureau à l'étage qui était autrefois la salle de jeux des enfants, trois chambres spacieuses, une salle de bains d'où l'on peut admirer la tour Eiffel en se rasant. Ocre des tentures. Bleu des tapis. Patine des tables et des commodes en marqueterie. Hautes et larges fenêtres avec plongée panoramique sur la place de l'Etoile.

Ce n'est pas un appartement, c'est un palais avec vue sur l'histoire de France, et l'Arc de Triomphe pour unique vis-à-vis. Un château, un *palazzo* où, le soir venu, s'éclairent les Guardi et les Picasso qui en ornent les murs. Cet endroit va devenir un lieu mythique de l'audiovisuel français; Silvio Berlusconi ne s'y installera pas pour six semaines mais pour plusieurs années. Tel est le lieu qu'on ne connaîtra bientôt plus que par le nom de sa rue : « Tilsitt ».

Magie des lieux. La rue de Tilsitt forme un demi-cercle autour de l'Etoile. L'autre moitié est constituée par la rue de Presbourg. Celle-là même où vivent, derrière la pierre de taille d'hôtels particuliers qui leur servent de quartier général, Robert Hersant et Jean-Luc Lagardère.

Presbourg. Tilsit. C'est dans le cercle vicieux de ces deux rues que l'audiovisuel français va commencer à tourner en rond.

CHAPITRE XII

Entrée des artistes

Sable fin et langueur estivale dans les Petites Antilles. Jeudi 16 janvier 1986. Sur la plage, Maurice Lévy compte chacune des précieuses minutes de repos que lui offre ce séjour au Saint-James Club d'Antigua. Un voyage organisé par Europe 1 pour les annonceurs. Le P-DG de la station, Pierre Barret, fait le poirier à côté de sa compagne, Mireille Darc, à deux tapis de plage de distance du directeur de Publicis, « Mister » Lévy qu'on demande précisément au téléphone, de Paris.

« Maurice, dit une voix excitée au lointain zézaiement, on retourne dans la télévision. Quand rentrez-vous ?

— Mais qu'est-ce qui vous arrive ?, demande Maurice Lévy à Marcel Bleustein-Blanchet. Cela fait quinze jours qu'il n'est plus question de télévision pour nous et...

— Rentrez, je vous z'expliquerai. »

Trois jours plus tard, le dimanche 19 janvier, Maurice Lévy retrouve le froid bitume parisien et se fait expliquer le dernier rebondissement de la chaîne musicale. Peut-être faut-il davantage parler de rugissement que de rebondissement. Marcel Bleustein-Blanchet n'a pas supporté deux semaines la lecture des journaux qui le décrivaient, après sa renonciation, comme un vieux lion ayant perdu « ses griffes », un grand manager sur le retour, fatigué d'entreprendre...

Mais ce n'est pas l'unique raison de son revirement. En face, chez Georges Fillioud et Laurent Fabius, on n'a pas bien compris le retrait de Publicis et tout a été fait pour essayer de faire revenir Marcel Bleustein-Blanchet sur sa décision. Même réaction chez le ministre de la Culture, Jack Lang, soucieux de voir une chaîne musicale pour les jeunes compenser l'affaire de la Cinq. Si Publicis persistait à renoncer, il faudrait se résoudre à donner le sixième réseau à Jacques

Seguela et UGC, autrement dit à un homme perçu dans le public comme appartenant à la sphère Mitterrand. Au cas où les critiques mettant en cause sa virilité d'entrepreneur n'auraient pas suffi, le simple fait que Jacques Séguéla, son plus important concurrent après Havas, hériterait *de facto* de la chaîne, serait insupportable au fondateur de Publicis. Deux bonnes raisons de reprendre le flambeau musical.

Le lendemain, lundi 20, Maurice Lévy reprend le chemin des antichambres ministérielles. « Marcel » lui a organisé un rendez-vous à 16 heures avec Georges Fillioud pour renouer les fils. Depuis plusieurs jours, en l'absence de son directeur, Marcel Bleustein-Blanchet a refait le tour des partenaires de cette chaîne, qu'ils ont baptisée TV6, afin de savoir qui est prêt et qui n'est pas prêt à remonter au créneau. Pas de problème pour Gaumont et NRJ. Même son de cloche chez le producteur Christian Fechner [1], pressenti pour la direction des programmes. Pas de désistement non plus du côté de l'homme le plus puissant et le plus secret du monde de la publicité : Gilbert Gross, vers qui le président de NRJ, Jean-Paul Baudecroux, avait conseillé à Maurice Lévy de se tourner au moment où Europe 1 les avait lâchés pour la Cinq.

S'ouvre alors pour TV6 une campagne d'une semaine menée tambour battant, comme lorsque Publicis doit enlever un budget qui risque de tomber dans l'escarcelle d'une autre agence. Mardi 21 janvier 1986, Maurice Lévy s'entretient avec Jean-Claude Colliard, directeur de cabinet de François Mitterrand. Le matin du mercredi 22, visite à Laurent Fabius en compagnie de Marcel Bleustein-Blanchet pour, en une demi-heure, faire définitivement acte de candidature. L'après-midi même, chez Fillioud, reprennent les réunions techniques abandonnées en décembre. Le 23 janvier, le secrétaire d'Etat aux Techniques de la communication se plie au désir de l'Elysée et de Matignon en organisant une tentative de mariage entre le projet musical de Publicis-Gaumont et la chaîne à contre-programmation de Jacques Séguéla. Essai infructueux. Les deux équipes n'ont rien pour s'entendre et Jacques Séguéla est certain de sa victoire au finish.

Le lundi soir suivant, le 27, Marcel Bleustein-Blanchet et Maurice

---

1. En novembre 1985, Maurice Lévy était à la recherche d'un homme de production et de programmes quand Léo Scheer, à qui autrefois Jacques Driencourt avait vanté les mérites de son ami Fechner, avait suggéré de rencontrer ce producteur de quelques-uns des plus grands succès du cinéma de l'époque. Le directeur de Publicis avait ensuite passé des semaines à convaincre cet homme de cinéma, réservé à l'égard de la télévision, de rejoindre la Six. Il y était parvenu quand Marcel Bleustein-Blanchet avait décidé de se retirer...

Lévy dînent en tête-à-tête au domicile parisien du premier, rue Albéric-Magnard. Il ne leur reste plus qu'à mettre au point les détails du lancement de la Six. Le Premier ministre le leur a fait savoir dans la journée : la Six leur appartient. Et ils veulent croire ce qu'on leur certifie : pas de soucis à se faire pour ce qui est des menaces de l'opposition. La concession qu'ils signeront dans les prochains jours est d'inspiration similaire à celle de la Cinq [2]. Mais quel gouvernement oserait remettre brutalement en cause la parole de l'Etat? S'il s'en trouvait un pour s'y hasarder, cela lui coûterait une fortune. Les actionnaires de TV6, comme ceux de la Cinq, n'ont donc rien à craindre.

Le lendemain matin, la nouvelle de l'attribution de la Six tombe sur les téléscripteurs. Une nouvelle fois, la CLT a été blackboulée. Elle n'avait pas fait montre d'une grande ardeur depuis l'annonce de sa candidature au petit réseau, préférant miser sur la Cinq de l'après-législatives. Le seul challenger, la chaîne à contre-programmation HIT TV, va au tapis. Georges Fillioud annonce que la création de la sixième chaîne est confiée à un groupe d'actionnaires français mené par Publicis. Avec son réseau, la nouvelle venue touchera dans un premier temps sept à huit millions d'habitants. Son budget sera d'environ 300 millions de francs.

En fin d'après-midi, Jacques Séguéla s'étrangle de rage en faisant part de sa réaction à l'AFP. Incapable du fair-play d'un Jean Riboud, le patron de RSCG fulmine contre ce gouvernement qui « n'a pas choisi la télévision du talent », vitupère contre « ces socialistes qui ont penché vers le fric », veut faire croire que son « handicap » a été de ne pas « avoir de fille épouse d'un ministre », et affirme sportivement, sans réaliser que ses mots plaident pour le favoritisme et l'arbitraire qu'il dénonce faute d'avoir pu en bénéficier cette fois-ci, que « si c'était le Président de la République et non le Premier ministre » **qui** avait eu à prendre la décision « nous aurions notre télé. C'est sûr. Mais on ne peut pas demander à un énarque [Fabius] d'avoir de l'imagination ».

De la « Force tranquille » au fiel assassin.

---

2. Concession pour dix-huit ans avec clauses de protection et d'indemnisation en cas de résiliation. Mais cahier des charges plus restrictif en matière de cinéma pour cette chaîne musicale. Coupures publicitaires illimitées. Accès aux secteurs interdits de publicité sur les chaînes publiques. TV6 devra financer une centaine de vidéoclips par an et produire trois cent cinquante, puis cinq cents heures de programmes à partir de la troisième année d'exploitation.

« Hersant m'a prévenu, si je viens travailler avec vous, je suis fini... » c'est ce que dit en janvier, effondré, Philippe Bouvard au groupe Berlusconi qui lui renouvelle son offre d'animer un talk-show le soir sur la Cinq. Il a eu droit à une réponse de même nature lorsqu'il a demandé à l'entourage de Jacques Chirac comment serait perçu son enrôlement sur la chaîne de Silvio Berlusconi.

A un mois du lancement, le blocus s'est encore renforcé. Privés des vedettes, Berlusconi et Seydoux se rabattent sur les deuxièmes lignes et les talents en herbe – Roger Zabel, Alain Gillot-Pétré, Guillaume Durand auxquels ils confient des émissions à préparer du jour au lendemain à Milan. Des charters d'invités franchissent les Alpes pour trois heures de studio. Les frais de production s'envolent avec les avions. A Paris, les équipes et une tête de réseau pour la diffusion s'installent enfin sur trois étages, dans un immeuble au 21 de la rue Jean-Goujon, à deux pas d'A2.

Installation dans la fébrilité et le désenchantement. Le mariage des équipes se heurte au sentiment qu'ont les Français d'en être réduits à importer d'Italie des morceaux de télévision, à poser un pipe-line pour images milanaises. Aux programmes, Carlo Freccero doit résoudre l'équation d'une grille privée de films français par un boycott des producteurs.

Pourtant, en dépit des handicaps et des menaces, la Cinq est accueillie favorablement par les publicitaires. C'est que pour eux elle est une aubaine, le ballon d'oxygène qu'ils attendent depuis dix ans. Par la révolution qu'elle va entraîner dans l'économie du marché publicitaire et des médias, l'arrivée de la Cinq est l'un des principaux bouleversements de la décennie.

Pour les annonceurs et les agences, l'émergence d'une chaîne commerciale signifie la fin du règne de l'arbitraire.

Pour comprendre la force de leur sentiment de libération, il faut avoir à l'esprit comment s'organisent depuis l'introduction de la publicité à la télévision en 1968, la vente et l'achat des espaces dans lesquels sont diffusés les messages publicitaires. Il faut également retenir ce qu'est le cheminement de l'argent publicitaire ; le processus par lequel cet argent va devenir la clé, le maître du système audiovisuel dans son entier.

La publicité n'est pas seulement ce que l'on en voit, les belles images de familles heureuses partant en week-end, déjeunant de céréales, jouant au Loto, buvant du jus de fruits sous les tropiques... La publicité, c'est une affaire, un business à la fois extraordinairement simple, sophistiqué, opaque et rentable.

La publicité, c'est avant tout de l'espace. La meilleure idée de campagne, la photo la plus étonnante, le spot le mieux réalisé ne sont d'aucune utilité sans les pages de magazine, les panneaux d'affichage au bord de la route, les minutes de radio pour que le message soit entendu, les écrans de télévision pour que le film de huit ou trente secondes soit vu. Environ 80 % du budget publicitaire d'un annonceur ne sert qu'à acheter ces espaces. Le reste couvre, en principe, les frais de création et d'exécution de la campagne par l'agence de publicité qu'il aura choisie.

Dans la pratique, un fabricant de voitures ou de pâtes alimentaires confie, par exemple, un budget publicitaire de 10 millions de francs pour un nouveau produit à son agence conseil en publicité. L'agence prélève sur cette somme la commission qui lui permet de vivre et consacre, grosso-modo, 8 millions de francs à l'achat, dans des médias qu'elle sélectionne, des espaces qu'elle pense les plus appropriés à la cible – les consommateurs concernés par ce produit. Chaque média vend à l'agence de publicité ses espaces, ses pages de journaux, son temps d'antenne à un tarif convenu. Le média commercialise lui-même son espace par une régie dite « intégrée », ou bien concède sa commercialisation à une société, une régie extérieure, qui prend elle aussi sa commission au passage. Il s'agit en principe d'un commerce comme un autre et, en fonction de ses liens avec l'agence, de la fréquence des campagnes, le média acceptera ou non de faire une remise de quelques pour cent à son client, l'agence.

Tant que la publicité est interdite à la télévision, la totalité des investissements publicitaires se répartit entre la presse, la radio, l'affichage et le cinéma. Du jour où elle est autorisée sur une, deux, puis trois chaînes publiques, c'est l'engouement pour ce « mass-media » par excellence. Les annonceurs ne rêvent plus que de voir leur campagne passer sur le petit écran. Pour l'Etat, pour les gouvernements successifs, cette ouverture grandissante des chaînes à la publicité est un moyen d'augmenter les ressources de la télévision en faisant l'économie d'une augmentation de la redevance. La presse et les autres médias regardent fondre le trésor qu'ils se partageaient autrefois.

Mais il y a un revers à cet engouement, qui débouche sur une situation commercialement grotesque. Bien qu'elle se soit accrue avec les années, la ponction publicitaire permise aux chaînes reste limitée. Cela engendre un décalage énorme entre une offre réduite d'espace TV et une demande en expansion constante. En 1985, la demande s'élève à plus de 5 milliards de francs, dont à peine 4 peuvent être acceptés par les chaînes publiques[3]. Encore le sont-ils dans des conditions qui font hurler les publicitaires.

La rigidité du système de commercialisation de l'espace sur les chaînes publiques est telle que certaines agences et certains annonceurs se demandent s'ils ne feraient pas mieux de jouer au Loto avec l'argent des annonceurs. Outre que leurs tarifs ne sont pas négociables, les régies de TF1, A2, FR3 ne permettent pas à l'acheteur d'espace de choisir le jour et l'heure où seront diffusés ses spots. L'affluence est telle qu'il faut littéralement faire la queue. Le guichet des régies ne s'ouvre qu'une fois par an, en octobre, pour la vente de l'espace de toute l'année suivante. Il faut alors prévoir ses achats. Contrairement à ce qui se passe dans les médias privés, la radio ou la presse, l'agence ne peut pas effectuer une sélection, organiser un « plan média ». Impossible pour l'annonceur de maîtriser sa stratégie de communication TV. La diffusion des spots est le fruit du hasard et des probabilités d'une programmation impossible à connaître plusieurs mois à l'avance. C'est ça ou rien. Celui qui refuse de jouer le jeu perd sa place dans la file.

C'est de ce joug archaïque et irrationnel, se réjouissent les publicitaires, que la Cinq doit demain les libérer. Pour la première fois, ils vont avoir un interlocuteur souple à la télévision, avec lequel ils pourront choisir ce qu'ils achèteront et discuter le prix de l'espace en fonction du volume de leurs achats, des programmes de la chaîne et de leur audience. Finie la « roulette russe ».

Annonceurs et publicitaires sortent conquis d'une présentation commerciale de la Cinq qui a lieu le 20 janvier 1986. Ravis par les principes affichés, novateurs et libéraux. Mais légèrement inquiets, toutefois, de la personnalité et des pratiques publicitaires connues de Silvio Berlusconi en Italie, même si c'est un Français, Christophe Riboud, qui dirigera la régie de la Cinq. Berlusconi a mis au point son propre système de commercialisation. Chez lui, il traite directement avec les annonceurs, qui font ainsi l'économie d'une commission d'agence. Il a organisé sa propre gestion des tarifs et des relations avec l'annonceur. Cela va du troc pur et simple, où il concède la diffusion de spots en échange de lots de marchandises, à la variation du prix des écrans en fonction des effets de la campagne sur les ventes, en passant par l'offre d'espaces gratuits en échange d'un intéressement aux ventes du produit...

Cette technique de vente tranche avec les méthodes françaises,

---

3. D'où la « réserve », le « volant » estimé autour de 1,5 milliard pour le financement de chaînes privées.

que Silvio Berlusconi découvre avec étonnement et réticence. Car le marché français a une spécificité : la présence d'un acteur, la centrale d'achats d'espace, qui en fait un système unique au monde. La centrale, reine et banquière aux pouvoirs grandissants. Maudite et vénérée, comme son histoire.

En France, à la différence d'autres pays où un annonceur achète l'espace en direct, il y a toujours eu un intermédiaire entre l'annonceur et le média. Longtemps, cet intermédiaire a été l'agence de publicité. Celle-ci, on l'a dit, se rémunérait sur sa commission, élevée à environ 15 % du budget. La concurrence aidant, certaines agences en sont venues, dans les années 60, à casser leur commission pour obtenir des budgets, acceptant de faire une campagne pour 12 %, 10 % voire moins. Mais leurs frais n'en diminuaient pas d'autant. Si elles se livraient à ce dumping, ce n'était pas par charité, mais tout simplement parce qu'elles avaient commencé à se rémunérer autrement... sur le budget destiné à l'achat d'espace, bien sûr.

Comment ? Rien de plus simple. En exigeant peu à peu des rabais plus conséquents sur le tarif affiché par les médias. Rabais qu'elles ont pris l'habitude de ne pas répercuter intégralement au niveau de l'annonceur. En d'autres termes, les agences ont commencé à s'octroyer une sorte de prime, plus ou moins transparente, sur l'achat d'espace. Cette prime compense largement la diminution volontaire de leur commission. Médias et agences ont ainsi déclenché une dérégulation progressive du marché publicitaire.

Jusqu'au jour de 1969 où un homme a l'idée, géniale ou perverse selon les points de vue, de faire de l'achat d'espace – activité annexe mais lucrative des agences – un métier à part entière. De déconnecter la fonction d'achat d'espace de l'activité de création publicitaire. Puis de la pratiquer à très grande échelle. Théorie enfantine et fructueuse. Cet homme propose aux annonceurs de se passer des agences pour l'achat d'espace. De lui confier leurs budgets qui, ainsi réunis dans les mains d'un même acheteur, constitueront vis-à-vis des médias une force d'achat irrésistible. Ce nouvel intermédiaire obtiendra ainsi les meilleures conditions tarifaires, les plus importants rabais. Le média y trouvera son compte grâce à un volume annuel de ressources garanti, au lieu des commandes au coup par coup des agences. L'intermédiaire, quant à lui, revendra en quelque sorte au détail ces espaces achetés au prix de gros. Prélevant au passage une commission confortable mais garantissant à l'annonceur un prix défiant toute concurrence. La centrale d'achats d'espace publicitaire était née.

En quinze années, la formule connaît un succès foudroyant. Avec

6 milliards de chiffre d'affaires en 1985, son initiateur, qui a fait des émules, est devenu le leader du marché publicitaire et le premier interlocuteur des médias français. Prises à leur propre jeu, battues, les agences ne s'en sont pas remises.

L'homme s'appelle Gilbert Gross.

Le jeudi 20 février 1986 à 20 h 05, un Falcon orné du logo de Canale 5 se pose au Bourget. Silvio Berlusconi en descend, s'engouffre dans une voiture et file à grande vitesse vers le centre de Paris. Rue Jean Goujon. Où l'on attend la dernière cassette de la soirée de lancement de la Cinq. C'est la dernière bande, sortie à 18 heures de la régie finale à Milan, mais c'est la plus attendue. C'est elle en effet qui doit ouvrir le gala télévisé de la Cinq à 20 h 30. Berlusconi a veillé au montage jusqu'au dernier moment et a ramené la bande dans son avion.

A 20 h 20, la cassette est remise au technicien qui guette devant l'immeuble de la Cinq. A 20 h 25, toujours aussi vite, la voiture de Silvio Berlusconi remonte les Champs-Elysées, prend à droite avant l'Etoile et s'arrête rue de Tilsitt, à l'angle de l'avenue de Wagram.

Une grille à franchir. Ascenseur. Troisième étage. La presse italienne est là. Brèves salutations. Le temps d'aller s'asseoir devant un téléviseur pour assister, enfin, au démarrage de la cinquième chaîne. En priant que rien ne saute. En croisant les doigts pour que la tête de réseau montée à la hâte ne disjoncte pas. Pour que la tour Eiffel n'explose pas.

Ce ne sont pas là des fantasmes de magnat italien. L'affaire n'a pas été ébruitée mais, quelques jours plus tôt, une alerte à l'engin explosif a mis en émoi le sommet de la tour Eiffel et a conduit à faire protéger l'émetteur fraîchement installé de la Cinq. Cette tour dont la troisième plate-forme a tenu la dragée haute à la Cinq ces dernières semaines. Pour cause de guerre picrocholine avec la mairie de Paris.

A peine la conférence de Berlusconi destinée aux annonceurs s'achevait-elle, le 20 janvier que l'on apprenait que l'administration de la tour Eiffel avait décidé d'entreprendre des travaux de sécurité qui pourraient compromettre les activités de TDF à son sommet. En résumé, l'Hôtel de Ville passait à l'attaque en déclenchant un « programme de révision technique » de l'édifice. Il avait fallu faire intervenir la police, le mardi 21 dans la soirée, à 300 mètres d'altitude, dans un froid et un vent glacials, lorsque les ingénieurs de TDF s'étaient fait refouler avec le matériel d'émission destiné à la Cinq. Moment de confusion extrême. Gardiens, journalistes et CRS dérapaient sur les marches métalliques. Affrontement symbolique avant la reddition de la tour. Il était temps. Certains commençaient à se demander si l'on ne devrait pas avoir recours aux hélicoptères pour déposer hommes et matériel au sommet...

Mais ce n'était qu'un début. Vinrent ensuite les alertes à la bombe rue Jean-Goujon. Puis, une autre fois, cette voiture suspecte dans le garage de la Cinq, dont les services de déminage décidèrent de faire sauter le coffre. Précaution dont l'équipe de la chaîne se serait volontiers passée car il s'agissait de l'Alfa-Romeo d'un des Italiens détachés à Paris.

Enfin, ayant été avertis qu'un attentat était à craindre au niveau de la tête de réseau, rue Jean Goujon, Jérôme Seydoux et Silvio Berlusconi avaient décidé d'aménager une régie de secours dans les locaux d'Europe 1, rue François-Ier. Par sécurité, la station, devenue actionnaire de la Cinq, recevrait systématiquement le double des cassettes des émissions à diffuser...

Eprouvant et incertain lancement.

Mais à 20 h 30, ce jeudi, sans autres explosions que celles de quelques bouchons de champagne, le premier visage de la Cinq apparaît sur l'écran. Il y a du bleu. Du jaune. Un « 5 » étoilé de turquoise traverse l'écran. Un rideau de paillettes s'ouvre sur le nez laqué blanc d'un Concorde en carton-pâte. Une haie de girls tout en jambes et plumes accueille les stars du cinéma, de la chanson et de la télévision venues saluer le public de la Cinq.

On lève haut la main. Les cinq doigts écartés, en signe de ralliement.

La Cinq est là. Mais le lendemain elle est accueillie fraîchement dans les journaux et dans la rue. Le strass tape-à-l'œil, le Lido ambulant du Concorde, les smokings réveillon du jour de l'an et les reparties trop écrites pour animateurs figés en conserves vidéo ne passent pas le petit écran.

Peut-être, mais la Cinq est là. A la date prévue.

TV6 aussi, qui démarre en douceur peu après, le samedi 1er mars, dans un concert d'images surréalistes où, sur moquette musicale, évoluent poissons et crabes réalisés à la palette graphique. Enchaînement de vidéoclips pour la première chaîne musicale française. Les émissions viendront se poser progressivement sur les plages et dans l'aquarium bleuté de TV6.

Ceux qui ont la chance de capter ces deux chaînes sans avoir à effectuer trop de réglages ne sont pas nombreux. Avec ou sans tour

Eiffel, à Paris comme en province, La Cinq a l'image neigeuse. Et TV6 les contours oscillants. Certains reçoivent le son mais pas l'image. Ou l'inverse. Il n'y a pas eu assez de temps pour inciter les téléspectateurs à faire modifier leur installation, l'orientation de leur antenne... Les deux réseaux bricolés par TDF ne sont pas au point.

Mission accomplie dans les temps pour les opérateurs. Mais doivent-ils s'en féliciter? Passé les premières heures de curiosité, la déception est patente. Capter les deux nouvelles chaînes demande trop d'efforts et de patience. Si l'opposition va au bout de ses menaces, il n'est pas certain qu'il se trouvera beaucoup de monde pour défendre des téléfilms flous et de brumeux vidéoclips...

L'empressement du Gouvernement à propulser les deux télévisions sur la scène avant les élections se paiera au prix fort. Mais il ne sert à rien de le lui faire observer. Il y a belle lurette que les sonnettes d'alarme tirées par quelques têtes restées froides à gauche ne sont plus entendues. La Haute Autorité jappe dans le désert.

Il reste une trilogie de dossiers concernant Canal Plus, le satellite, et Europe 1, que le Gouvernerment a décidé, coûte que coûte, de boucler avant les législatives.

Souhaits exprès du Président.

Le premier souhait, le plus ancien, consiste à remodeler le capital de Canal Plus pour y diminuer la participation du groupe Havas. Le but de la manœuvre est limpide. La droite ayant promis de privatiser Havas, il s'agit de mettre Canal Plus à l'abri des futurs propriétaires du groupe publicitaire. Il ne faut pas que la chaîne, son réseau, passent sous contrôle adverse. Ce souhait, François Mitterrand l'avait exprimé à André Rousselet peu après avoir arbitré en sa faveur, en juillet 1985. Il ne lui avait pas été nécessaire d'insister, le P-DG d'Havas et Canal Plus partageant la même conviction.

D'ailleurs, dès l'automne 1984, songeant à couper l'herbe sous les pieds du RPR et de l'UDF, André Rousselet avait demandé au Président de prendre lui-même l'initiative de privatiser Havas, avant les élections. Il se trouverait bien quelques groupes amis pour se porter acquéreurs. « C'est prématuré », avait répondu François Mitterrand, pas très chaud pour affronter les risques d'un zig-zag tout nationalisation en 1981, rigueur en 1983, privatisation en 1985...

Au lendemain de l'arbritage, le compromis avait donc été de restructurer soigneusement le capital de la chaîne cryptée, qui se débattait alors dans les difficultés que l'on sait.

Cette décision avait d'ailleurs donné lieu à un nouvel échange au vitriol entre Laurent Fabius et André Rousselet. Tous deux à couteaux et humeurs tirés. Le Premier ministre exigeant un « engagement écrit » du P-DG de Canal Plus à réduire la part d'Havas. André Rousselet répliquant qu'il n'était pas permis à Laurent Fabius de douter ainsi de l'engagement en ce sens qu'il avait pris auprès du Président. « Ecrivez-le-moi! », avait insisté Fabius.

Des années plus tard, Laurent Fabius, rayé de la carte du monde d'André Rousselet depuis cet été 1985, rencontrera le P-DG de Canal Plus au cours d'une cérémonie de remise de décoration à l'Elysée, et essaiera d'enterrer publiquement la hache de guerre tout en justifiant son attitude d'autrefois sur la chaîne à péage : « André, il faut en finir avec tout cela... Je n'ai jamais voulu la mort de votre chaîne. » Désinvolte, André Rousselet répondra : « Eh bien, écrivez-le-moi, et on en reparlera... »

Pendant l'automne 1985, alors que les projecteurs sont braqués sur la cinquième chaîne en préparation, André Rousselet met en œuvre la stratégie de désinvestissement d'Havas dans Canal Plus qui doit lui permettre d'atteindre et l'objectif politique assigné, et un objectif personnel précis. L'ancien directeur de cabinet sait qu'il devra démissionner de la présidence d'Havas en mars 1986. Mais il peut conserver celle de Canal Plus si Havas n'y joue plus un rôle prépondérant... Il a tiré la chaîne du gouffre où on la précipitait et veut continuer à la diriger vers les cimes. Canal, qui a fêté son premier anniversaire en novembre 1985 avec plus de six cent mille abonnés n'a plus rien du *Titanic* sans orchestre évoqué à son lancement. Bien au contraire.

Les abonnements se sont envolés à partir de juin 1985 pour ne plus retomber. Abonnements par dizaines de milliers pendant l'été. Explosion à la rentrée avec plus de cent dix mille abonnés nouveaux en septembre. Autant en octobre, où il devient clair que l'équipe a eu raison de se battre. Que la chaîne à péage française équilibrera ses comptes – comme prévu dans un lointain rapport d'octobre 1982 – au bout du quatorzième mois d'exploitation. Et qu'elle commencera alors à faire des bénéfices. De mauvaises langues prétendent que ce succès n'est dû qu'à l'apparition de films pornographiques. La chose n'est sûrement pas indifférente aux motivations d'abonnement, mais c'est là une vision bien restrictive d'une antenne qui ne fait que tenir ses promesses. Elle innove, offre des spectacles sportifs et cinématographiques inédits, et ce pour une somme relativement modique.

Fin février 1986, avec plus de huit cent mille abonnés, le seuil d'équilibre atteint, le succès confirme les espérances les plus optimistes. Cette fois, André Rousselet n'a aucun mal à proposer en janvier une augmentation de capital qui – Havas n'y souscrivant pas – fait fondre la participation du groupe publicitaire de 42 % à 37 %. Un peu plus tard, en février, Havas cède 12 % de ses parts à de nouveaux actionnaires invités à entrer dans le capital de Canal Plus. Il s'agit du groupe Perrier, de la chaîne de télévision privée britannique Granada et de la société GGMD, que préside le numéro un de l'achat d'espace publicitaire et partenaire de golf d'André Rousselet, Gilbert Gross [4]. La CLT, qui cette fois souhaitait entrer dans Canal Plus à hauteur de 10 %, reste à la porte.

Autant l'annonce de la création des chaînes commerciales a nui au démarrage de Canal Plus, autant le lancement effectif de la Cinq et de TV6 n'a pas la moindre incidence sur la progression de la chaîne cryptée. Ce fait, qui passe inaperçu en mars 1986, est pourtant lourd de sens. Il indique à quel point Canal Plus a déjà commencé à étancher la soif d'images nouvelles des téléspectateurs, qui ne se précipitent pas vers les nouvelles venues. Il montre que ces Français, qui ne sont pas les cadres privilégiés que l'on pensait, mais souvent des foyers à revenus modestes, sont aussi prêts à payer pour une télévision de qualité.

Second souhait du Président : régler la question TDF1 avant les législatives.

Le vendredi 7 mars 1986 au matin, Georges Fillioud et son directeur de cabinet par intérim, Christian Tardivon, convoquent le représentant à Paris du groupe Berlusconi, Angelo Codignoni. Tout bien réfléchi, expliquent-ils, le Gouvernement ne croit plus au projet et au montage qu'a proposés Jacques Pomonti. Il faut trouver autre chose pour boucler ce dossier avant le 16 mars. « Nous voulons une solution internationale, dit Georges Fillioud. Depuis le début, le groupe Berlusconi s'est montré intéressé par TDF1 ; si vous le voulez, vous avez techniquement le temps d'organiser avec d'autres groupes un consortium pour ce satellite... »

En sortant du ministère, Codignoni appelle Berlusconi : « C'est simple, l'opération du satellite, ou on la boucle avant les élections françaises, où elle saute. » Il faut « monter » ce consortium, décide « Sua Emittenza », ce serait une absurdité, tant que la France ne revient pas à des tarifs de location prohibitifs, de renoncer à la diffusion européenne. Il se charge de trouver un partenaire pour « inter-

4. Nouvelle répartion du capital de Canal Plus : Havas, 25 % ; Compagnie générale des eaux, 15,6 % ; L'Oréal, 10,4 % ; Société générale 10 % ; Banques, 12,5 % ; GMF, 5,2 % ; Perrier, 5 % ; GGMD, 5 % ; Granada, 3 %... solde détenu par des fonds communs de placement.

nationaliser ». A Codignoni de créer juridiquement, et au plus vite, la nouvelle société. Le temps d'informer Jérôme Seydoux et de consulter les avocats du groupe Berlusconi à Paris (cabinet Gide-Loyrette-Nouel) qui prépareront les documents, et Angelo Codignoni s'envole pour Luxembourg. Par avion privé, en début d'après-midi. Au grand-duché, les formalités de création d'une nouvelle société, le Consortium européen pour la télévision commerciale, ne prennent pas une heure.

En fin d'après-midi, dans l'appartement de la rue de Tilsitt, Silvio Berlusconi commence à travailler à la nouvelle organisation pour TDF1. Travail mené en contact avec Jérôme Seydoux et le partenaire allemand auquel il a proposé d'entrer dans ce consortium, Beta Taurus, le groupe de Léo Kirch, important producteur mais aussi plus gros détenteur pour l'Europe de droits audiovisuels sur les catalogues des compagnies américaines.

Se dessine alors un nouveau schéma TDF1 avec, sur deux canaux, la Cinq et la chaîne culturelle prévue par le Gouvernement français [5]; les deux autres canaux étant exploités en commun par un consortium réunissant Fininvest, Kirch, et Robert Maxwell qu'il faut aller voir pour en discuter.

A 21 heures le pilote du Falcon au Bourget est prévenu qu'il doit se tenir prêt à décoller. Et à 22 h 30, ce vendredi soir, Silvio Berlusconi s'assied à Londres, face à Maxwell qui est en compagnie de son épouse, dans le penthouse du Mirror. Il explique les grandes lignes de la nouvelle affaire. Le géant écoute, tout en modifiant ou approuvant, à grands coups d'épais feutre rouge, les titres des pages du journal qu'on lui apporte avant de lancer les rotatives. A minuit, la question TDF1 est réglée pour Maxwell. Il « suit ». « Silvio, dit-il, toujours aussi direct et familier, la production, je n'y connais pas grand-chose. Mais je veux développer mon groupe dans ce domaine et je veux le faire avec toi ! »

Enfermés rue de Tilsitt les samedi 8 et dimanche 9 mars 1986, Berlusconi, ses avocats, ceux de Maxwell, Seydoux, et Ian Mojto, bras droit de Léo Kirch, mettent au point le consortium. Dans la soirée de dimanche, alors que se confirme l'enlèvement à Beyrouth d'une équipe de reporters d'Antenne 2 [6], qui s'ajoute à ceux de Jean-

5. Le gouvernement a décidé en octobre 1985, dans la foulée du rapport Desgraupes, qu'elle prendra dans un premier temps la forme d'une Société d'édition de programmes de télévision – SEPT – à caractère culturel et éducatif. Ses actionnaires en seront l'Etat, à travers les participations qu'y prendront FR3, l'INA, et Radio France.
6. Philippe Rochot, Georges Hansen, Aurel Cornéa et Jean-Louis Normandin.

302

Paul Kauffmann et de Michel Seurat, l'accord est conclu. Un contrat est négocié et préparé en urgence avec TDF pour la location des canaux au prix convenu, 55 millions de francs.

Il n'est plus du tout question de société d'exploitation. TDF louera directement le satellite aux opérateurs, mais en indexant le prix de location sur son audience potentielle. Partant d'un prix plancher, le tarif augmentera au fur et à mesure que la population s'équipera en antennes paraboliques de réception. Au-delà d'un certain seuil, estime-t-on, ce tarif sera à lui seul suffisant pour régler la question en suspens du financement de TDF2. Bel et bon accord qui, en fait, n'engage à rien puisque, et chacun de fermer pudiquement les yeux sur cet aspect des choses, à la date de mars 1986, soit sept années après le lancement du programme TDF1-TDF2, aucune décision n'a encore été prise concernant la fabrication de ces antennes!

Le lundi matin, tous les papiers du consortium sont signés. François Schoeller, P-DG de TDF, et son directeur Gérard Ganser se rendent chez Berlusconi, rue de Tilsitt, pour parapher l'accord. Robert Maxwell est là. On tire au sort, avec des petits morceaux de papier au fond d'un bol, la répartition des différents canaux. En fin de matinée, François Schœller va faire viser le contrat par Georges Fillioud. A cette heure, le Gouvernement finissant est aux prises avec le début d'un cauchemar. Le Jihad islamique vient de diffuser la photo d'un cadavre qui serait celui de Michel Seurat.

Rue de Tilsitt, on passe à table. « Et maintenant, dit Maxwell en tournant sa fourchette dans son assiette de pâtes, il faut trouver un président à notre société. Je propose une présidence tournante. D'abord Berlusconi, puis moi, puis Kirch, et Seydoux en dernier. »

Le lendemain, mardi 11 mars, c'est un Fillioud en col roulé bleu, décontracté comme un cadre supérieur à la veille d'un départ en congé, qui annonce la création du consortium européen qui exploitera TDF1. Evidence pour les observateurs : une fois de plus, la CLT est absente du dernier jeu de Lego audiovisuel français. Une croix définitive est faite sur la mission Pomonti qui a été reconduit à la présidence de l'INA. RTL et la CLT pourront se consoler en apprenant que le Gouvernement autorise enfin les radios périphériques à émettre en modulation de fréquence, comme elles le réclament depuis des années. Les mêmes RTL et CLT seront peut-être moins ravies du dernier coup de l'Elysée, qui a permis au groupe Hachette d'empocher sa station concurrente, Europe 1.

Troisième souhait de l'Elysée, la vente d'Europe 1, contrôlée par la Sofirad, était dans l'air depuis la fin 1985. Le mercredi

4 décembre, François Mitterrand, poursuivant une stratégie d'anti-cipation et d'herbe coupée sous les pieds de l'opposition, s'était étonné dans une interview au *Matin* : « *Je trouve anormal*, disait-il, *le statut de certains postes périphériques liés financièrement et juri-diquement à la puissance publique, sans être assimilables au service public. Par exemple Europe 1. Je ne verrais que des avantages à leur véritable privatisation qui mettrait fin à un héritage ancien et lourd...* » Etonnement bien soudain pour qui s'était accommodé depuis cinq ans de cette « anomalie ».

Bien qu'ayant souffert de l'introduction des radios FM en 1981, Europe 1 est une belle affaire à saisir avec ses 19 % d'audience, juste derrière RTL, ses huit millions d'auditeurs réguliers. Une affaire qui réalise, grâce à l'assainissement effectué par Pierre Barret, d'appré-ciables bénéfices. A qui vendre les 35 % d'Europe 1 que possède l'Etat à travers la Sofirad? Un homme est prioritaire pour lever le doigt et dire « Moi ». Cet homme, c'est l'un des financiers fondateurs de la station, l'industriel Sylvain Floirat.

Toujours bon pied bon œil à quatre-vingt-six ans, Sylvain Floirat, qui détient encore 10 % d'Europe 1, dispose d'un droit de préemption sur les actions détenues par la Sofirad. Ce droit avait été judicieuse-ment inscrit dans un contrat par celui qui, en 1963, avait négocié pour tirer la station d'une mauvaise passe la cession d'une partie du capital d'Europe 1 à la Sofirad : Jean Frydman.

C'est cette clause – Sylvain Floirat étant étroitement associé à Jean-Luc Lagardère – qui va permettre au groupe Hachette de se positionner en repreneur de la station. Peu avant Noël 1985, Jean-Luc Lagardère a été sollicité par Gérard Unger, P-DG de la Sofirad : « Etes-vous intéressé par Europe 1? » Est-ce une question à poser à celui qui en fut si longtemps le patron? Evidemment, qu'il l'est! Sinon la préemption tombe, et Dieu sait quand pareille occasion se représentera... Ayant ainsi bloqué l'option, le P-DG de Matra-Hachette procède à quelques rapides consultations.

L'affaire est intéressante, lui assure l'un de ses principaux conseil-lers, Jacques Abergel, par ailleurs directeur de la station aux côtés de Pierre Barret et Philippe Gildas. Même réaction à l'intérieur du groupe Hachette, où Yves Sabouret et Etienne Mougeotte, qui s'occupent entre autres du développement audiovisuel, l'encou-ragent; tout comme le jeune directeur général d'Hachette, Jacques Lehn. Et puis Jean-Luc Lagardère a un tel attachement pour la radio de la rue François-Ier...

Le mercredi 5 mars 1986, onze jours avant les élections, Hachette acquiert donc officiellement les 35 % de la Sofirad pour une somme de 500 millions de francs et prend le contrôle d'Europe 1. Avec ses activités dans la presse, l'édition, la distribution, le cinéma... le groupe, qui fête ses cent soixante ans cette année accède ainsi, en s'adjoignant une radio nationale et une société d'affichage [7] à la dimension « multimédia » dont rêve Jean-Luc Lagardère. Dimension presque complète. Il ne lui manque plus, pour faire jouer à plein les mécanismes miraculeux de la « synergie », qu'une chaîne de télévision. Mais ce n'est qu'une question de temps. Comme Robert Hersant, le groupe Hachette compte sur l'après-mars pour satisfaire ce désir.

Au cours d'un point de presse organisé le jour du rachat d'Europe 1, Jean-Luc Lagardère confirme haut et fort que son groupe « souhaite être opérateur d'une chaîne privée ». Il ignore encore laquelle, mais une équipe y réfléchit. En revanche, précise-t-il à l'intention de ceux qui s'interrogent sur d'hypothétiques alliances entre candidats, il est sûr que « Robert Hersant et lui ne sont pas fait pour être partenaires ».

Ce que ne mentionne pas le P-DG de Matra-Hachette, c'est qu'un autre groupe s'est offert à reprendre Europe 1 avec lui. Un groupe qui est allé deux fois à la Sofirad pour se déclarer intéressé. Un groupe dont le P-DG est une connaissance de presque trente ans. Un ami, pour ainsi dire. Une relation au caractère exceptionnel, qui a essayé jusqu'au dernier moment, avant que Jean-Luc Lagardère ne donne son accord définitif à Unger, de le bluffer en lui disant au téléphone : « J'ai vu Mitterrand, il pense que ce serait bien qu'on reprenne Europe 1 ensemble... »

Jean-Luc Lagardère lui fera part de son étonnement, puis tranchera : « Non, j'y vais seul », sans exclure toutefois, devant l'insistance du groupe en question à vouloir pénétrer dans l'audiovisuel avec Hachette, une collaboration, un partenariat futur. Il faudra en discuter. On verra cela après les élections.

C'est ainsi que Jean-Luc Lagardère et Francis Bouygues commencent à parler, en mars 1986, de ce qu'ils pourraient bien faire ensemble dans les grands chantiers de la radio et de la télévision.

Ainsi s'ébauche un axe Bouygues-Hachette.

---

7. Giraudy, détenue par Europe 1.

CHAPITRE XIII

Libéralisme à la carte

C'est une Restauration en miroir double face. Quatrième République d'un côté. Cinquième de l'autre. Sur le cadre aux dorures fatiguées, on peut lire : Cohabitation. Les législatives de mars 1986 sonnent le come-back des dirigeants d'autrefois. Mais le purgatoire de l'opposition a transformé les doctrinaires du tout-Etat audiovisuel en apôtres du marché. Ce sont les pâques du libéralisme, le retour de cloches qui tintent « libre entreprise » et carillonnent « privatisation » à tous les coins de rue. Pas de surprises, il y a deux ans que la nouvelle troupe au pouvoir s'entraîne chaque matin devant sa glace à réciter son credo : « Je privatise l'industrie. Tu privatises la banque. Nous privatisons la télé... » Facile à chanter. Un peu moins facile à exécuter pour ce qui est de l'audiovisuel, où, derrière les paravents de l'« Union », les droites et centres divers se livrent bataille en ordre dispersé.

Son char triomphal endommagé dès le premier jour par le début d'une série d'attentats, Jacques Chirac n'a pas trop le temps de s'impliquer dans les préparatifs de la cuisine audiovisuelle. Il n'en a pas grande envie non plus. C'est une cuisine pour laquelle il a toujours montré des goûts simples, affectionnant ce plat rustique et fidèle qu'est une télévision contrôlée par l'Etat. Avec le monopole, au moins c'est clair, on sait à qui on a affaire, et si l'on n'est pas satisfait du journal de vingt heures, on peut toujours changer les dirigeants. Tandis qu'avec des entrepreneurs privés...

Nommé Premier ministre, le Corrézien Chirac ne cache pas en privé qu'il n'a fait que suivre le mouvement, l'idéologie du temps, à propos de la privatisation des chaînes. Autant il est convaincu du bien-fondé de la théorie libérale en matière d'établissements bancaires et de secteurs industriels, autant, s'agissant de la télévision, il reste sceptique. Cela fait partie des concessions qu'il a jugé utile de faire aux ultralibéraux de l'UDF pour aboutir à une plate-forme électorale commune. Il a même su en rajouter à l'occasion dans des effets de tribune, avec cette conviction sans nuances de qui, précisément, n'est pas convaincu. Cependant il aurait aimé être celui qui offre à la France, et pour commencer aux Parisiens, une grande chaîne commerciale. On l'a privé de cette joie en faisant la Cinq et TV6 dans des conditions de « transparence douteuse »...

Exclusivement attaché, comme la plupart des hommes politiques de sa génération, à la « couleur » des informations délivrées par le petit écran, Jacques Chirac a l'intelligence d'admettre qu'il n'a pas d'avis définitif en cette matière qu'il ne maîtrise pas vraiment. L'audiovisuel est un monde dont il reconnaît toute l'importance, mais qu'il appréhende mal. Imbattable dès qu'il s'agit d'avaler jusqu'à plus soif des dossiers sur l'économie ou l'agriculture, il a tôt fait de bâiller quand on lui demande quelle chaîne il faudrait privatiser. Qui insiste s'expose à cette pensée profonde : « Ne nous précipitons pas, l'audiovisuel est un nid à emmerdements. » Pour s'occuper du « nid », Jacques Chirac a ses hommes à lui. Et un ministre.

Ces hommes sont au nombre de trois. Ils étaient à ses côtés à l'Hôtel de Ville. Ils le suivent à Matignon. Le premier, Maurice Ulrich, sera son directeur de cabinet. Le diplomate et ancien P-DG d'A2, entré au Conseil d'Etat en sortant de la chaîne, rejoint la mairie de Paris en janvier 1985. « Pourquoi vous embêter au Conseil d'Etat, lui a dit un jour Edouard Balladur, vous vous amuserez plus à la mairie... » là où sont requises des compétences d'homme de télévision pour superviser le lancement d'une société : Paris Câble.

La soixantaine distinguée, Maurice Ulrich est l'un de ceux qui ont été le plus outragés par les conditions dans lesquelles est née la Cinq. Il a vécu de près la déception et la rage chiraquiennes de se voir souffler par la gauche l'introduction d'une chaîne commerciale dans le pays. C'est lui qui, pendant des semaines, à l'automne 1985, discute de pied ferme avec le P-DG de TDF, François Schoeller, et finit par avoir le sentiment d'être soufflé en public le jour où est déposé l'amendement « scélérat » sur la tour Eiffel. Maurice Ulrich, d'ordinaire si maître de ses réactions, s'est presque fâché ce jour-là, y compris avec son ami de Publicis, Maurice Lévy. En tant que directeur de cabinet à Matignon, lui aussi a peu de temps pour l'audiovisuel, ce qui ne l'empêche pas d'avoir quelques certitudes bien arrêtées sur la privatisation qu'il ne tardera pas à faire connaître. Tout comme le jeune conseiller de Jacques Chirac qui s'installe en face de l'hôtel Matignon, rue de Varennes, José Frèches.

José Frèches n'est pas aussi fragile et léger que pourraient le laisser supposer sa constitution, son allure de lamartinien romantique, ses longues mèches ramenées en arrière d'un visage aux traits fins. Depuis 1982, cet ancien conservateur des Musées de France s'occupe pour Jacques Chirac de tout ce qui concerne les nouvelles technologies de communication, et en particulier du plan de câblage de la capitale. Depuis plusieurs mois, cet énarque de trente-six ans, sachant qu'il suivra le maire si celui-ci devient Premier ministre, a envie de tâter du cabinet ministériel, de mettre son grain de sel dans un secteur aussi politique et prometteur que l'audiovisuel.

Le troisième homme arrive à Matignon en fauteuil roulant, avec une jambe cassée. Ancien de la direction du service de presse de Georges Pompidou, puis président de la Sofirad sous Valéry Giscard d'Estaing, Denis Baudouin est entré à la mairie de Paris en 1977. Courtois, corpulent et gourmand, les milieux de la presse et de la communication n'ont plus de secrets pour celui qui, avec un sens aigu de la formule, du bon mot ou de la « petite phrase », officie désormais en tant que conseiller auprès du Premier ministre.

Les trois collaborateurs du « Premier » partagent un même ressentiment à l'égard de la course contre la montre que les socialistes ont engagée dans l'audiovisuel. Une même volonté de rouvrir ces dossiers dont ils attribuent le caractère bâclé, obscur, à l'hystérie d'une fin de règne socialiste. Mais aussi une même réserve à l'égard du bric-à-brac libéral qui sert de projet au nouveau ministre de la Culture et de la Communication, François Léotard.

Ils ont dû s'y mettre à plusieurs pour convaincre le jeune baron marathonien de l'UDF d'accepter ce poste dont il ne voulait pas. François Léotard ne se vivait qu'au niveau d'un ministère de la Défense, à la rigueur d'un portefeuille économique... Mais, divinisé en surveillant général de la « cohabitation », François Mitterrand a récusé le nom de Léotard pour la Défense quand Chirac le lui a proposé. Il n'est pas certain que ce refus ait été pour déplaire au Premier ministre. Celui-ci apprécie déjà modérément de devoir caser au gouvernement ceux que l'on appelle « la bande à Léo ». Les Madelin et autres Longuet, qui ont contribué à hisser dans l'opposition le fanion Léotard. S'il faut supporter toute la bande autant que ce ne soit pas sur les plus hautes marches ministérielles. Un moment, Jacques Chirac a envisagé de lui offrir les Affaires sociales. En définitive, il hérite de ce ministère de la Culture et de la Communication sur lequel lorgnait le RPR Jacques Toubon, que Chirac engage à prendre plutôt la tête de son parti, qui en a besoin d'une maintenant qu'il est à Matignon.

La Culture, cela fait un peu modeste pour un Léotard qui croyait tenir le rang militaire de la France dans le monde au bout de ses doigts. Mais l'ex-séminariste sait composer avec l'adversité. C'est une affaire d'endurance. L'heure du pouvoir tant espéré viendra plus tard. En attendant, il y a sûrement de grandes et belles choses à faire dans la Culture et la Communication pour réconforter les frères et sœurs de la communauté UDF-RPR qui a tant souffert du péril socialo-communiste en cinq ans.

François Léotard s'installe donc rue de Valois, en lieu et place de Jack Lang. Pour commencer, il faut donner à ce beau pays la loi moderne et progressiste qui lui fait tant défaut en matière de communication. Un vrai texte, qui fera date. Une bible médiatique à l'usage du prochain millénaire. « Frère Léo » a des idées sur le sujet.

La cohabitation a des airs d'opérette dont le livret tire vers la tragédie. En télévision, le premier acte s'ouvre sur un débat qui met les antichambres en émoi : quelles chaînes doivent être privatisées? La plate-forme électorale de l'ex-opposition prévoit de faire basculer deux chaînes publiques dans le secteur privé. Ce texte est le fruit des réflexions combinées de deux groupes de travail. L'un, pour le RPR, était animé par l'ancien directeur du SJTI devenu l'un des responsables du groupe Hersant, Bertrand Cousin, qui, en mars, est élu député. José Frèches était le rapporteur des travaux de ce groupe au sein duquel ont notamment planché des professionnels comme Claude Contamine, ancien P-DG de FR3, Jean-Louis Guillaud, ex-P-DG de TF1, René Han, ou Francis Brun-Buisson qui a été membre du SJTI avec Cousin.

A l'approche de l'échéance électorale, cette cellule a élargi ses consultations en créant un groupe de réflexion qui a compté jusqu'à quatre-vingts membres, au cours de ses réunions tenues rue Pierre-Charron. Dans les locaux de la SDP, une société chargée de faire du couponing et du phoning (en français : harceler l'humanité au téléphone pour lui arracher l'aumône) pour le compte du RPR. C'est là que s'est amorcée la constitution des équipes qui vont faire et diriger la réforme. Quelques-uns des professionnels participant à ces rencontres ont été conviés à venir plancher sur l'audiovisuel, au début 1986, devant Edouard Balladur qui préparait l'esquisse d'un gouvernement de cohabitation.

L'autre groupe, pour l'UDF, était coordonné par Xavier Gouyou Beauchamps qui, comme Cousin au RPR, a participé en 1984 à l'élaboration des premiers programmes libéraux sur la communication. Parmi les assidus des réunions techniques animées par cet ancien

P-DG de la Sofirad, Jean-Loup Arnaud, de la Cour des comptes, le journaliste Patrice Duhamel, le directeur de Thomson Jean-Claude Darmon, et Michel Boyon, devenu directeur de cabinet de François Léotard... Rédigeant inlassablement textes, motions et articles, Xavier Gouyou Beauchamps est l'auteur de la trame d'un projet de loi sur la liberté de la communication que Valéry Giscard d'Estaing a déposé, le 9 janvier 1986, sur le bureau de l'Assemblée nationale. Un texte aux teintes libérales renforcées par la proximité des législatives, et qui préfigure la future loi sur l'audiovisuel.

Il était alors temps d'en finir avec le concours de libéralisme auquel se livraient ces deux groupes. Ce fut chose faite au cours des premières semaines de 1986. Experts du RPR et de l'UDF se réunissant pour mettre au point la fameuse plate-forme.

L'euphorie de la veille de la victoire, lorsque Xavier Gouyou Beauchamps venait à moto à l'Hôtel de Ville pour discuter avec José Frèches, est passée. Ayant assez côtoyé la politique, les uns et les autres ne sont pas sûrs que la plate-forme, compromis entre courants aux préoccupations divergentes, sera appliquée. Au lendemain du 16 mars, les rêves se cognent aux angles du principe de réalité. Premier couac, il est techniquement impossible de privatiser deux chaînes du jour au lendemain. Est-ce même vraiment souhaitable ? se demandent Jacques Chirac et Edouard Balladur. De son côté, François Léotard, qui a confié la rédaction du projet de loi à Gouyou Beauchamps, prend la plate-forme au mot.

Par contre, il ne faudrait pas pousser le nouveau ministre de l'Economie, des Finances et de la Privatisation, Edouard Balladur, dans d'inaccessibles retranchements pour lui faire dire que cette unique privatisation ne s'impose pas dans l'immédiat... Mais il y a les promesses électorales. A la mi-avril, la poire est coupée en deux. On privatisera bien deux chaînes. Une maintenant. L'autre « plus tard », c'est-à-dire jamais. François Léotard renâcle puis accepte. Va pour une. Mais laquelle ? A2, ou FR3 ? Deux clans s'affrontent. « Battez-vous pour privatiser A2... N'acceptez surtout pas FR3. Dans dix ans, on y sera encore », conseille Xavier Gouyou Beauchamps à François Léotard. « Je crois qu'il faut faire porter le premier effort sur FR3 », soutient au contraire Maurice Ulrich à Matignon. Dans ce débat où l'affectif l'emporte le plus souvent sur l'économique, la position défendue par le directeur de cabinet de Jacques Chirac pèse d'un poids décisif.

Sans le dire explicitement, Maurice Ulrich se battra contre toute tentative de privatisation d'A2, chaîne qu'il a présidée, pour laquelle il conserve une affection particulière, liée à l'inébranlable conviction que c'est elle qui représente le mieux le service public. Opinion dans laquelle il est conforté par un ennemi acharné de la privatisation en général et de celle d'A2 en particulier, son P-DG Jean Drucker. Une alliance objective unit Ulrich et Drucker, même si ce dernier donne un urticaire quotidien à Matignon depuis qu'il a eu l'idée de faire apparaître chaque soir, au journal de 20 heures, les visages des Français retenus en otages à Beyrouth. L'initiative fait pousser des grognements de mauvaise humeur à Charles Pasqua, ministre de l'Intérieur, et à Chirac.

Pour ménager le maintien d'une entité publique TF1-A2, Maurice Ulrich propose à Jacques Chirac d'arrêter le choix sur FR3 et d'exploiter au maximum la spécificité de cette chaîne en associant la presse quotidienne régionale à sa privatisation. FR3 Régions n'est pas bien adaptée et coûte cher, pour de maigres résultats. Autant la confier, par morceaux, aux journaux de province. En se désengageant, l'Etat récupérera la partie de redevance attribuée à cette chaîne et pourra ainsi renforcer les ressources de TF1-A2. Jacques Chirac donne son accord pour que soit organisé un déjeuner avec les patrons de presse et au cours duquel on pourra les sonder sur ce projet.

En fait on en organisera deux, fin avril, pour ménager les susceptibilités de ceux qui, comme Jean-François Lemoine *(Sud-Ouest)* et Evelyne Baylet *(La Dépêche du Midi),* ne supporteraient pas d'être assis à la même table pour cause de concurrence régionale ou conflits personnels... Ces déjeuners sont aussi décevants l'un que l'autre. Ils se déroulent à Matignon, dans la salle à manger de Jacques Chirac. Maurice Ulrich, assis à côté d'un Robert Hersant peu loquace, est atterré, tout comme Denis Baudouin et le Premier ministre. Les patrons de la presse quotidienne régionale se montrent poliment curieux mais n'ont pas l'intention d'investir le moindre sou dans cette opération. Ils ont déjà tant de « charges » et de « crédits » que leur impose le « renouvellement » de leurs vieilles imprimeries datant de la Libération, si peu de « possibilités financières »... Si encore l'Etat leur offrait FR3 pour rien, ou pour quelques millions symboliques.

C'est une fin de non-recevoir. Après le second déjeuner, Jacques Chirac passe la tête par la porte du bureau de son directeur de cabinet : « Vous avez d'excellentes idées, lui dit-il, moqueur et compatissant, mais il est clair qu'elles ne passent pas la rampe. » Au fond de lui-même, le Premier ministre pense comme ses conseillers : la presse régionale est « indécrottable », enferrée dans ses vieilles querelles familiales, ses vieux schémas, la protection frileuse de ses recettes publicitaires locales qu'elle craint de voir la télévision lui ravir.

Maurice Ulrich va plus loin encore dans le raisonnement. L'échec de cette offre risque de placer FR3 hors course pour la privatisation. Non seulement il va désormais falloir envisager l'hypothèse de Léotard, A2, mais en plus la France va garder pour de longues années un secteur public handicapé par la morphologie inextricable et le coût désastreux de FR3. A moins que...

Ces patrons de presse timorés font le bonheur de François Léotard, qui ne manque pas une occasion, sans se prononcer vraiment, de laisser croire qu'A2 sera la chaîne privatisée. C'est ce qu'il dit au P-DG Jean Drucker, dans l'avion où ils se retrouvent par hasard le 24 avril 1986, en route pour l'inauguration du MIP-TV, le marché international des programmes de télévision qui se déroule à Cannes, chaque printemps.

« C'est A2 le plus probablement qui sera choisie, dit-il, j'aurai bientôt l'occasion de l'annoncer...

– C'est une chose que je croirai quand je la verrai », réplique poliment Jean Drucker.

La scène a pour lui un goût de déjà vu, déjà entendu. En effet, quelques jours plus tôt, il a été convié à un petit déjeuner surréaliste, au bureau de Jean-Luc Lagardère, pratiquement à l'aube, comme les affectionne le patron d'Hachette.

Sûr de lui, pétulant, le nouveau propriétaire d'Europe 1 et candidat officiel à la reprise d'une chaîne publique a dit d'emblée au P-DG d'A2 : « Ecoutez, ce sera A2. Et c'est Hachette qui va l'avoir ! Vous connaissez bien la chaîne, vous pouvez m'en parler... »

Mais Jean Drucker n'a pas le temps d'en « parler » car Jean-Luc Lagardère embraie sur sa propre vision des choses et entreprend de donner un cours au président d'A2. « La télévision, voyez-vous, c'est comme Matra... » la suite se perd dans les brumes de cafés et les miettes de croissants. Jean Drucker n'écoute déjà plus. Tant de conviction et d'aveuglement à la fois le laisse pantois sur le trottoir de la rue de Presbourg, une heure plus tard. Une seule chose l'ébranle. Va-t-on vraiment privatiser A2 ?

Ce n'est pas la seule interrogation pour le Gouvernement qui doit, en même temps, trancher sur les grandes orientations de la loi que préparent Léotard et Gouyou Beauchamps, tous deux en contact et tiraillements continuels avec le RPR Bertrand Cousin, mais c'est la plus urgente. Sous les nécessités du temps qui presse, du climat d'inquiétude que la question des otages et du terrorisme installe, sous la pression encore des contradictions qui se font jour entre libéraux, on décide pratiquement de tout cela en deux conseils inter-ministériels, les 12 et 14 mai 1986. Participent à ces conseils Jacques Chirac, Edouard Balladur, Maurice Ulrich, François Léotard, Alain Madelin, José Frèches, Charles Pasqua...

RPR et UDF tirent chacun à soi la couverture de la loi. En coulisse, c'est une foire d'empoigne à peine déguisée. Les durs de « la bande à Léo » débinent à qui mieux mieux les ringards du RPR qui hésitent à confier au successeur de la Haute Autorité le pouvoir de nommer les patrons de chaînes publiques. La frange modérée chiraquienne s'énerve de l'extrémisme libéral de ces jeunes loups qui tètent leurs idées aux mamelles du reaganisme ou du thatchérisme le plus sommaire. En même temps, il faut préserver l'image de l'Union. Ces gouvernements de coalition sont des attelages difficiles à conduire, et Jacques Chirac, présidentiable en puissance, ne peut pas s'offrir le luxe d'un accroc avec le réservoir d'électeurs que représente Léotard.

Le Premier ministre ne voit pas vraiment la nécessité de supprimer une Haute Autorité qui s'est toujours montrée équitable à l'égard du RPR dans les débats sur l'information. Il a même plus ou moins promis à Michèle Cotta, au début de l'année, que l'instance survivrait à l'après-mars. C'était ne pas compter avec les exigences de Léotard et des caciques de son parti.

A peine les résultats du 16 mars connus, l'antienne commence au RPR comme à l'UDF : « La télé est contre nous... Regardez, rien ne change, ce sont toujours les mêmes... » Rédactions taxées d'« inféodation » socialiste. P-DG de chaîne coupables de « mitterrandisme ». Mais, cette fois, impossible de bouger un seul de ces pions installés de plein droit par la Haute Autorité. Des têtes doivent tomber... Chirac cède et prévient Michèle Cotta en avril que la Haute Autorité ne passera pas le printemps. Optimisme de calendrier : on est persuadé de faire adopter la nouvelle loi sur la communication avant la fin juin...

En hors-d'œuvre, les « interministériels » posent plusieurs principes. La future CNCL (Commission nationale de la communication et des libertés) comprendra sept ou neuf membres. Contrairement à la HA, elle aura pouvoir d'attribuer les fréquences pour les télévisions privées et de choisir les acquéreurs lors de la privatisation. Cette privatisation pour laquelle il faut maintenant se décider : A2 ou FR3 ? Charles Pasqua argumente pour FR3. Léotard revient à la charge sur A2. On se regarde. Jacques Chirac écoute et parle peu. Il est de moins en moins persuadé de la priorité de ce dossier dans l'esprit des français ; mais il est trop tard. Le débat est public et fait la une des journaux. Reculer serait se déjuger et compromettre l'Union. Le Premier ministre reste en retrait mais attend. Il sait qu'une troisième idée a commencé à faire son chemin.

Ces derniers jours, son directeur de cabinet, Maurice Ulrich, lui a fait remarquer combien, « tout compte fait », c'est A2 qui présente le plus les caractéristiques d'une chaîne publique. Avec ses programmes forts, ses émissions anciennes, ses « Dossiers de l'écran » et ses « Apostrophes », héritage du P-DG Marcel Jullian... Pourquoi bouleverser un si bel équilibre? Alors qu'en face, si l'on y réfléchit bien, TF1 est déjà engagée sur la voie commerciale! Maurice Ulrich n'est pas le seul à tenir ce raisonnement. Edouard Balladur, Alain Madelin, pourtant proche de Léotard et dans un premier temps favorable à la privatisation d'A2, sont sur la même longueur d'onde.

Insensiblement, depuis la nomination d'Hervé Bourges à sa présidence en 1983, TF1 a rénové son image et son audience. Le virage s'est produit à la rentrée 1984 quand, après une année d'ajustements et de prise en main des équipes, Hervé Bourges et Pascal Josèphe ont entrepris de moderniser la programmation et de contre-attaquer face aux places fortes d'A2. Faisant pièce au « Théâtre de Bouvard » sur A2, juste avant le journal du soir, « Cocoricocoboy » de Stéphane Collaro donne le signal d'un changement de stratégie sur TF1 et d'une reconquête qui se poursuit encore avec succès en mai 1986.

L'introduction de séries et de téléfilms, l'apparition des premiers « soap operas », l'extraordinaire popularité du « Bêbête-Show », les dossiers incendiaires de « Droit de réponse » donnent lieu à une course-poursuite à l'audience dont TF1 sort vainqueur. A la traîne en 1983, au coude à coude avec A2 en 1984, la Une reprend la tête en 1985 et creuse d'autant plus l'écart que Pierre Desgraupes a quitté A2 et qu'elle est la première en France à anticiper un aménagement de ses méthodes commerciales et de son fonctionnement. N'hésitant pas pour cela à faire largement appel aux publicitaires.

Bourges, Josèphe et le responsable de la régie de TF1, Bochko Givadinovitch, explorent des voies nouvelles pour accroître les recettes de la chaîne. L'une d'elles a provoqué un scandale à l'automne 1985 lorsque TF1, chaîne publique, a réduit en poussière le tabou sur l'argent sale de la publicité en signant un accord avec le groupe Pernod-Ricard pour le parrainage de « Cocoricocoboy » par Orangina.

C'était une première. Comme pour aggraver son cas, TF1 a eu l'insolence d'afficher un déficit de 85 millions de francs en 1985. Autant donc la confier au secteur privé, qui saura mettre de l'ordre dans sa gestion.

314

Ces éléments, au moment de choisir la chaîne à privatiser, conduisent quelques esprits à songer à TF1. Ce sont les plus spectaculaires. Il en est d'autres strictement politiques. Toutes tendances et tous clans confondus, mais avec une pointe d'acrimonie supplémentaire du côté du RPR, la droite souhaite se débarrasser au plus vite du P-DG Hervé Bourges. Trop en cour à l'Elysée, trop tiers mondiste – et « tiers mondain » ajoute-t-on –, trop à gauche, trop insupportable à tous ceux qui, comme Michel Droit et nombre de gaullistes « historiques », s'indignent encore, trois ans après sa nomination, qu'on ait pu remettre une chaîne de télévision entre les mains de cet ennemi de la vraie France, ce partisan et artisan de l'indépendance algérienne.

La privatisation de TF1 permettrait de faire d'une pierre trois coups : honorer une promesse électorale, épargner la coalition RPR-UDF en ne choisissant pas entre « A2 et FR3 », et flanquer Bourges dehors. Il n'y a plus à tergiverser.

Au cours du comité interministériel du lundi 12 mai, constatant l'impasse du débat « A2 ou FR3 », Edouard Balladur ouvre une brèche et suggère TF1. C'est peut-être la solution. Chacun soupèse les arguments et l'impact qu'aurait un tel choix... Impossible de se déterminer aujourd'hui, faute de temps. Jacques Chirac propose donc un second rendez-vous le surlendemain, mercredi en fin de matinée, après le Conseil des ministres.

Ce ne sera pas un « interministériel » de pure forme, on discutera encore un peu mais, personne n'ayant manifesté une opposition catégorique, la décision est comme déjà prise, et gardée secrète. Ce sera TF1 !

Dans l'après-midi du mercredi 14 mai 1986, à 15 h 30, François Léotard annonce à l'Assemblée nationale ébahie le choix du Gouvernement.

A 18 h 30, rue Cognacq-Jay, les personnels de TF1, sous le choc, tiennent une assemblée générale. Hervé Bourges intervient sur le circuit de télévision interne pour calmer l'effervescence. Au nom du syndicat FO, le journaliste Jean-Claude Bourret lance un appel à la grève immédiate « contre la privatisation ».

A 20 heures, le ministre de la Culture et de la Communication est l'invité du journal de TF1. Il confirme et commente. TF1 sera privatisée. « A2 restera la chaîne de référence du service public. »

Ite missa est.

A sa manière, aussitôt après l'accident de Tchernobyl en avril, la décision de privatiser TF1 fait entrer en fusion l'audiovisuel français. Sous des dehors bon chic, bon genre, c'est une dérégulation brutale et irraisonnée qui vient d'être décrétée. Le vernis libéral masque mal une ignorance vaniteuse et pédante des mécanismes du marché. Comme si les difficultés dans lesquelles la gauche socialiste a précipité le système en créant la Cinq et TV6 ne suffisaient pas, la droite en rajoute à la louche.

Le choix de privatiser TF1 procède d'une cécité béate et d'un déni des faits. Aveuglée par l'éclat du programme de 1984, rédigé à un moment où il n'existait effectivement que trois chaînes en monopole, l'opposition libérale se conduit, deux ans plus tard, comme si, au fond, elle refusait d'admettre l'existence de Canal Plus et des chaînes commerciales. Elle ne veut pas voir que, avec une grande habileté politique, François Mitterrand lui a chipé l'os qu'elle rongeait. Elle ne veut rien entendre des révisions stratégiques que devrait imposer cet état de fait.

La droite n'a pas fait son deuil d'un programme avorté. Elle en nie même le décès au point de continuer à vivre comme si l'on était toujours au début des années 80, et cherche à se persuader qu'on saluera dans l'allégresse une décision économiquement imbécile et dangereuse. Car si, en 1984, la privatisation d'une chaîne aurait eu un sens et une logique, dans la mesure où elle aurait conduit à un audiovisuel relativement équilibré, avec deux réseaux publics, une grande chaîne commerciale et une télévision cryptée, en mai 1986 elle n'a plus ni l'un ni l'autre.

La réalité budgétaire est simple et sans appel. Avec sa victoire aux législatives, la droite n'a pas multiplié par deux ou trois l'argent disponible pour la télévision sur le marché publicitaire. Qu'elle le veuille ou non, il n'y a toujours que 2 milliards de francs environ à partager. Or, dans la mesure où le Gouvernement compte maintenir la Cinq et la Six en les réattribuant à d'autres opérateurs, et c'est bien son intention affichée, comment peut-il sérieusement croire, et essayer de faire croire, que toutes ces chaînes privées trouveront de quoi vivre?

Pour ces éminents professeurs, il devrait sauter aux yeux que seule une de ces chaînes, deux dans le meilleur des cas, pourra vivre décemment. Il n'y a aucun pays au monde où coexistent cinq grandes chaînes de télévision prospères. Les Etat-Unis, avec leurs quarante années d'expérience dans ce domaine et un marché publicitaire au potentiel gigantesque, n'alignent que trois grands réseaux. Comme la gauche un an plus tôt, la droite ne perçoit pas ce qu'une once de réalisme lui dicterait de faire : choisir.

316

Privatiser TF1, chaîne populaire au réseau national, c'est à l'évidence assurer le transfert immédiat sur cette chaîne des trois quarts des ressources publicitaires disponibles. C'est condamner la Cinq et la Six, si l'on maintient la publicité sur les chaînes publiques, à une bataille longue et périlleuse. C'est mathématique : si l'on veut un système avec trois chaînes commerciales (TF1, la Cinq, la Six), il faut au minimum, et sans garantie de succès, retirer la publicité à A2 et FR3 tout en augmentant la redevance pour les aider à faire face à la concurrence. Comble de démagogie, François Léotard décide au contraire de réduire cette redevance!

Si l'on se refuse à priver de publicité les chaînes publiques, il faut choisir : maintenir la Cinq et la Six, *ou* privatiser TF1. C'est l'un *ou* l'autre. Vouloir tout en même temps, comme le gouvernement Chirac, c'est déséquilibrer définitivement l'audiovisuel. C'est condamner les chaînes à une lutte sauvage, qui sera peut-être mortelle pour une, sinon deux d'entre elles.

Fruit d'une idéologie plus que d'une approche rationnelle élémentaire de la télévision, le choix de TF1 est le fait d'apprentis sorciers. Le Gouvernement ne réalise même pas que, s'il adhérait vraiment à ses généreux préceptes libéraux, il ne se chargerait pas, du haut de son incompétence, de déterminer quelle chaîne doit être privatisée. Il en laisserait le soin, comme celui d'examiner attentivement les conséquences économiques d'un tel bouleverserment, à l'instance « indépendante » et « professionnelle » par laquelle il compte remplacer la Haute Autorité. En commençant par décider seul n'importe quoi n'importe comment, le gouvernement de cohabitation affiche la nature profondément étatiste de sa réflexion audiovisuelle.

La journée du 14 mai 1986 s'achève sur de nouvelles interrogations. Que sortira-t-il du processus de fission qui s'engage? Qui achètera TF1? A quel prix? Quand? Va-t-on vraiment casser la Cinq et TV6? Qui les reprendra? Que vont faire les Hachette, Hersant, CLT? Les rumeurs d'une candidature de Bouygues sont-elles sérieuses?

Ce sont des questions que tous ces groupes se posent eux-mêmes. Et auxquelles ils commencent, autant que faire se peut à l'abri des regards et des commentaires indiscrets, à fournir leurs propres réponses.

CHAPITRE XIV

Gesticulations

C'est tout Bouygues.

« Jean-Luc, allons, mais qu'est-ce que tu fabriques à Paris ? Il fait un temps merveilleux à Cannes ! J'ai croisé ta ravissante femme, hier soir. Tu ne vas pas rester à Paris pour le week-end, quand même ! Allez, je suis à l'hôtel du Cap. Je te réserve une chambre et tu viens...

— Si tu insistes, pourquoi pas, répond Jean-Luc Lagardère du fond de son bureau donnant sur la place de l'Etoile...

— Oui, j'insiste, il faut qu'on parle télévision tous les deux. Je t'attends. »

Tous les ans, Francis Bouygues va au Festival de Cannes comme d'autres vont en cure thermale ou en pèlerinage à Lourdes. Il « prend » le cinéma comme les eaux ou les bains de boue. C'est son plaisir. Sa détente. Son jardin secret quand il ne s'occupe pas de celui, bien réel, des orchidées jaunes, rouges ou blanches qu'il acclimate dans la serre de sa propriété près de Sully-sur-Loire. Ce sont deux jardins sans danger, où, pour quelques heures, Bouygues devient un autre homme. Ses deux passions le rendent passagèrement inoffensif. Mais quand la lumière se rallume dans la salle ou qu'il sort de la serre tropicale pour retourner à ses affaires, mieux vaut prendre gare à l'appétit, à la ruse, à la force et aux ambitions démesurées du bâtisseur.

Ses ambitions lui ressemblent. Elles sont larges d'épaules, grandes et lourdes. Si elles parlaient, elles auraient ce timbre de voix dominateur, expéditif, que ne laissent pas deviner les traits bon enfant du visage, les joues de grand-père affectueux, les sourcils broussailleux en accent circonflexe qui atténuent le regard perçant. Numéro un mondial du bâtiment, Francis Bouygues cultive l'apaisante image d'un sexagénaire bonhomme, d'un « Nounours » marchand de sable qui masque en fait un tempérament et un vocabulaire de tonton flingueur. C'est toute l'ambiguïté de ce centralien à la capacité hors du commun, de ce constructeur matinal, à l'obstination sans failles et aux talents de businessman international. C'est aussi, professionnellement, un bagarreur de rue, un homme qui fait le coup de poing avec des plans, des devis, des armées d'avocats et un entregent politique hors catégorie. Francis Bouygues sait parler aux hommes. Il parle fort. Il demande. Il commande. Et, si cela ne suffit pas, il se bat. Francis Bouygues ne s'avoue jamais vaincu.

De la petite société qu'il crée dans les années 50 il a fait un empire, Bouygues SA, et de ses salariés une nation. Il existe un esprit Bouygues, une manière d'être, de travailler, un savoir-faire Bouygues, et même un ordre du mérite interne à l'entreprise, le « Minorange ». C'est l'esprit de famille appliqué à la gestion d'entreprise. Des chantiers aux quatre coins du monde et au cœur de Paris. De la construction titanesque de l'université de Ryad à celle du musée d'Orsay en passant par l'Arche de la Défense, dont il est fier de s'entretenir parfois avec François Mitterrand, le patron de Bouygues SA ne se lasse pas de faire croître et embellir son chiffre d'affaires : 50 milliards de francs prévus pour 1986, depuis qu'il a racheté, fin 1985, son principal concurrent et numéro un français de la construction routière, la SCREG, qui ajoute 20 milliards au poids du groupe.

Un rachat complexe qu'il a mené en s'appuyant sur celui auquel il a confié le secteur « Diversification » de Bouygues SA, un ingénieur de quarante-quatre ans, Patrick Le Lay. Ce Breton de Saint-Brieuc, à ses côtés depuis 1981, est devenu le plus précieux collaborateur d'un Francis Bouygues désireux d'explorer de nouvelles terres, loin de la construction. En Auvergnat avisé, Bouygues ne veut pas se cantonner aux échafaudages et aux bétonneuses. D'autres secteurs méritent peut-être le détour. C'est sur Patrick Le Lay qu'il compte. Sur la compétence éprouvée de cet homme aux allures un peu sévères de séminariste ou de fonctionnaire méthodique.

Visage régulier, lunettes métalliques posées devant des yeux bleu clair qu'il fait cligner lorsqu'il sourit, Patrick Le Lay semble ne devoir jamais quitter le rôle de l'élève appliqué, sérieux et grave qu'il a été. Son rigorisme ne laisse pas entrevoir beaucoup de chaleur mais s'harmonise à merveille avec un dispositif intellectuel parfaitement rodé. Implacable. Sans états d'âme. L'aventure vers laquelle Francis Bouygues le pousse va déchirer cette enveloppe sans rendre moins implacables sa détermination et son intelligence.

« Patrick, il faut penser à développer le groupe. On n'a rien fait de grand jusqu'à maintenant... » Fin 1985, la remarque de Francis Bouygues avait plongé Patrick Le Lay dans une certaine perplexité. Rien de « grand », alors qu'il venaient de finaliser l'accord sur la SCREG? Francis avait déjà « oublié » cette acquisition et passait à autre chose.

Dans les bureaux du siège de Bouygues SA, à Clamart, tous deux s'étaient jetés alors dans une réflexion intense. Comment se diversifier? Bouygues SA est un prestataire de services traditionnel. Il construit. Son métier de base l'insère dans la ville, dans le milieu urbain. Quels sont donc les métiers modernes dans la prestation de services? En gros, il y en a trois. La finance, l'informatique et la communication.

« La finance, ce n'est pas notre métier », avait déclaré Francis Bouygues qui s'est toujours refusé à créer une banque dans son groupe. Quant à l'informatique, Patrick Le Lay avait écarté cette perspective par le raisonnement suivant : « Mieux vaut laisser tomber les métiers où il faut être très intelligent parce que c'est là que la concurrence est la plus forte... » Principe qu'il inculquait à son propre fils. Restait la communication. Le mot les séduisait, même s'ils avouaient « ne rien y connaître ». « Ce n'est pas grave. On peut toujours aller voir », avait conclu Bouygues. Comme celles des armées victorieuses, les grandes stratégies d'entreprise ne sont-elles pas toujours écrites *a posteriori*?

Assisté de Cyrille du Peloux, un jeune polytechnicien qui venait d'intégrer le groupe, Patrick Le Lay s'était mis en quête d'informations sur le mystérieux domaine de la communication. Observant avec attention le jeu de construction de la Cinq auquel se livrait la gauche. Dossiers, lectures et travaux pratiques divers qui passèrent par une participation dans une radio, Electric FM, patronnée par le président (RPR) du conseil régional d'Ile-de-France, Michel Giraud, puis par le dépôt, devant la Haute Autorité, le 10 janvier 1986, d'un projet de télévision locale parisienne.

Ayant dans ses rares prérogatives celle de pouvoir autoriser des projets de télévisions locales, la HA avait lancé un appel d'offres en ce sens. Bouygues SA y avait répondu, avec un dossier « Télévision Paris », à la préparation duquel participait un ancien journaliste de FR3 recommandé par Michel Giraud et neveu de Jacques Chaban-Delmas, Alain Schmit. Ce projet, encouragé par Jacques Chirac qui y voyait une préfiguration de la chaîne à offrir aux Parisiens, n'a pas survécu aux élections de mars 1986. Mais il a eu l'avantage de familiariser Patrick Le Lay avec les grands axes d'un dossier télé : montage financier, programmation, achat de droits, régie... Humblement fier, comme le reste de son équipe, de travailler avec quelqu'un qu'ils avaient « vu » à la télé (Alain Schmit), Patrick Le Lay avait également songé, pour épauler ce projet, à faire appel à l'expérience audiovisuelle de la CLT, exclue à ce moment des grands projets du pouvoir.

Ce furent alors des contacts sans lendemain avec Jacques Rigaud et Albert Frère... Mais cela permit de progresser dans l'acquisition de bases techniques et de convictions. Au premier rang desquelles celle-ci : la télévision, c'est comme le bâtiment, « il faut être maître chez soi ». Seconde conviction : l'endroit stratégique d'une chaîne, c'est la régie par où transitent les recettes publicitaires.

D'autres contacts ont été pris par curiosité, dont un avec l'émissaire parisien du groupe Berlusconi, Angelo Codignoni, que Patrick Le Lay a rencontré pour la première fois en janvier 1986, rue de Tilsitt... Sans se douter des rapports homériques, accidentés qu'ils entretiendront bientôt... De ces rendez-vous, le directeur de la diversification est sorti avec une troisième conviction : on ne prend pas Bouygues très au sérieux dans la communication. Il faut travailler encore plus, viser encore plus grand. C'est pourquoi, avec Francis Bouygues, ils se sont accrochés si fort, début 1986, à la vente annoncée d'Europe 1 par la Sofirad.

Jean-Luc Lagardère était prioritaire sur cette affaire. Mais « Francis » ne désespérait pas de convaincre « Jean-Luc » de discuter d'un partenariat avec Hachette qui pourrait, au lieu de se limiter à la radio, s'étendre à ces chaînes de télévision que l'opposition veut privatiser...

Au lendemain des élections du 16 mars, Jean-Luc Lagardère ayant acquis Europe 1, Francis Bouygues, toujours direct, est venu aux nouvelles : « Alors, Jean-Luc, puisque tu l'as fait pour nous deux, maintenant, comment fait-on pour y entrer ? » Lagardère n'était pas chaud pour partager Europe 1, qu'il considère presque comme une propriété de famille... Mais sa porte n'est pas fermée. Les premières conversations exploratoires sur l'audiovisuel entre les groupes Bouygues et Hachette commencent fin mars. Patrick Le Lay et Cyrille du Peloux rencontrent régulièrement ceux que le patron de Matra délègue en son nom : son directeur financier, Philippe Camus, et le directeur général d'Hachette à qui il veut confier Europe 1, Jacques Lehn.

Le 9 avril 1986, ils se réunissent rue de Presbourg afin d'étudier un protocole d'accord pour une alliance Bouygues-Hachette. Le texte de ce protocole a été rédigé par Bouygues. Jean-Luc Lagardère fait aussitôt rayer d'un trait de plume l'article le plus précis, le sixième, intitulé « Propositions management Europe 1 » et qui prévoit une coordination entre les deux groupes pour la direction de la station... On ne partage pas une direction d'antenne. Le reste du protocole est une déclaration d'intention en vue d'une future coopération sur une chaîne privatisée, et on peut donc continuer à bavarder. En attendant d'en savoir plus long sur les intentions du pouvoir. Chacun se dit que les discussions concrètes démarreront lorsque le Gouvernement annoncera enfin la privatisation de A2.

A la veille de cette décision qui tarde, Francis Bouygues inaugure donc la cuvée 86 des films de Cannes. Jean-Luc Lagardère se résigne à quitter Paris pour le rejoindre. Mais le cœur n'y est pas. Plus les semaines passent, plus son intuition et ses relations auprès des nouveaux dirigeants lui disent qu'il sera l'attributaire de la chaîne privatisée. Et plus il en est sûr, moins le P-DG d'Hachette est enclin à discuter avec un partenaire si gourmand.

Une fois à Cannes, il déjeune deux ou trois fois avec Bouygues. Ils savent qu'il faudra faire un tour de table, puisque la loi, encore en préparation, interdirait à un seul groupe de posséder la majorité du capital. Mais chacun se voit en leader de l'opération et « l'alliance » ne progresse pas.

Francis Bouygues ne manque pas une projection. Jean-Luc Lagardère, qui a ces « grands machins mondains » en horreur, préfère les courts de tennis aux heures où ils sont désertés par les festivaliers. Puis un dîner léger. Suivi d'une soirée télévision.

A peine esquissé, l'axe s'effiloche.

Au lendemain de ce week-end, c'est la surprise TF1. Jean-Luc Lagardère s'interroge. Il croyait A2 à portée de main et se réjouissait de concourir pour une chaîne aussi prestigieuse, financièrement équilibrée. Voilà maintenant qu'il s'agit de la Une déficitaire d'Hervé Bourges... Pas question de se retirer pour autant. Il confie l'examen de la chaîne et la préparation du dossier au vice-président d'Hachette, Yves Sabouret, et au directeur de *Télé 7 Jours*, Etienne Mougeotte. Egalement chez Hachette, Jean-Louis Guillaud, P-DG de TF1 avant 1981, sera un temps chargé de coiffer le projet, avant de se voir confier par le gouvernement Chirac la présidence de l'AFP.

L'approche de Francis Bouygues est différente. A2 ou TF1, c'est

322

du pareil au même, dit-il à Patrick Le Lay, puisqu'on « ne connaît pas plus l'une que l'autre ! » Cela ne change donc rien. Il faut se préparer et continuer à parler avec Hachette.

En juin, les deux P-DG se retrouvent dans le bureau de Lagardère pour une nouvelle conversation dont chacun sort persuadé de « tenir le manche », d'être le patron du projet de reprise de TF1, tout en se déclarant prêt a une association à 50-50... Ils s'embrassent presque, enivrés par cette fausse entente que personne ne veut prendre l'initiative de rompre. Coïncidence, au même moment, sous les fenêtres de Jean-Luc Lagardère, on ranime au son de *La Marseillaise* la flamme du Souvenir. En sortant, Francis Bouygues glisse à son collaborateur : « Naturellement, Patrick, c'est nous qui dirigeons. » Phrase que, de leur côté, Jacques Lehn et Yves Sabouret sont habitués à entendre dans la bouche du P-DG d'Hachette.

L'usure et les quiproquos entre les équipes se chargent de la rupture. De réunion en réunion, elles n'ont plus grand-chose à se dire. Chacune garde par-devers elle les informations stratégiques recueillies sur TF1. Ces rencontres sont parfois émaillées d'incidents « diplomatiques ». Comme lorsque Patrick Le Lay cite en exemple de ce qu'il ne faudra pas diffuser sur la chaîne privatisée le film *Tenue de soirée*, de Bertrand Blier, ignorant que celui-ci a été produit par Hachette. « On ne passera pas des trucs comme ça à l'antenne, c'est lamentable... » Irrité, Jacques Lehn défend le film. Le ton monte. Patrick Le Lay, qui ne cherche pas à excuser sa franchise, en rajoute. Jacques Lehn se fâche. Sans doute ne connaît-il pas le jugement sans appel porté par Jean-Luc Lagardère, le producteur, sur cette œuvre au sortir d'une projection privée : « J'espère que ce film ne marchera pas. J'ai honte pour mon pays. »

Le jeudi 5 juin 1986, Lagardère est l'invité du cocktail annuel de l'Union des annonceurs. Devant un parterre d'entrepreneurs et de journalistes, il se lance dans un vibrant plaidoyer pour qu'Hachette puisse un jour devenir « opérateur ».

« Pas question pour nous de faire un loupé stratégique, précise-t-il en réponse à des questions sur ses futurs partenaires dans cette candidature... Avec Bouygues, pourquoi pas... Avec Hersant, jamais. »

Deux semaines plus tôt, le 22 mai, Europe 1 a congédié l'un de ses éditorialistes, Jean-François Kahn, pour avoir évoqué à l'antenne le ballet aquatique des « requins qui ne demandent qu'à s'emparer d'une chaîne publique ».

« On va sur TF1. Commencez à prendre des contacts. » Très « commandant en chef », Robert Hersant réunit son état-major pour la télévision le jeudi 15 mai 1986, au lendemain de l'annonce faite par François Léotard. Pour Philippe Ramond et Jean-Marie Cavada, les pilotes du projet Hersant, c'est enfin le signal de l'action, du combat. Cela fait près d'un an et demi qu'ils se livrent, à la demande du patron du *Figaro*, à une véritable « gesticulation », au sens militaire du terme : affirmer sa présence, se montrer, changer constamment de position, intriguer le camp adverse.

L'opération « gesticulation » est un succès. Il y a dix-huit mois, le groupe Hersant n'avait aucune existence dans la télévision. Aujourd'hui, il est le mieux placé avec Hachette pour obtenir la chaîne privatisée. Cette position, Robert Hersant l'a conquise avec un projet inabouti dont la réelle fonction a été de positionner son groupe : TVE, lancé en janvier 1985, ou plutôt TVES puisqu'à Télévision Europe s'est ajouté le terme sésame de la communication moderne : Satellite.

L'apparition de ce dernier mot sur la coquille juridique du projet date, elle aussi, de janvier 1985. Au moment où il s'apprêtait à rendre publique à la une du *Figaro* la création de TVE, Robert Hersant avait été contacté par... l'équipe de l'Américain Clay T. Whitehead, opérant à Luxembourg. Parvenu à l'expiration du délai qui lui avait été accordé pour monter une société d'exploitation, celui-ci était désespérément à la recherche de partenaires européens pour le projet de satellite du gouvernement du grand-duché, Coronet. Des réunions s'étaient tenues aussitôt à Paris entre Whitehead, Hersant et Ramond dans les bureaux de la Socpresse, avenue Matignon.

Le promoteur américain, qui jouait là sa dernière carte (car le gouvernement luxembourgeois avait récusé ses montages précédents, jugés trop américains), avait proposé au groupe Hersant de rejoindre Coronet par l'intermédiaire d'une société franco-suisse en cours de constitution. Société dans laquelle, grâce à la présence de quelques groupes européens, le poids de compagnies américaines telles que le groupe Time Life serait dilué... Une fois bouclée, l'opération Coronet devait être lancée publicitairement par l'agence française Publicis.

Mais, fin janvier 1985, Whitehead avait échoué à nouveau, dans une certaine confusion, et malgré l'accord de principe du groupe Hersant, à finaliser ce montage. Robert Hersant n'en avait pas moins conservé le « S » ajouté prématurément au sigle TVE, et encouragé ses troupes à se préparer pour l'acquisition d'une chaîne de télévision, « un jour ou l'autre ». De préférence, l'une de celles que la droite privatiserait.

L'équipe Ramond-Cavada pour TVES, dont firent partie un moment Patrice Duhamel et Xavier Gouyou Beauchamps, s'est d'abord installée au sixième étage du *Figaro*, rue du Louvre, à quelques mètres du bureau de Robert Hersant. Façon pour le P-DG de signifier au reste du groupe l'importance qu'il accordait au développement dans l'audiovisuel. Quant à la « gesticulation », elle n'a pas été sans conséquences concrètes.

Pendant un an, jusqu'au début 1986, Philippe Ramond et Jean-Marie Cavada ont parcouru le monde, visité les grandes sociétés de télévision pour faire connaître TVES, les ambitions de « M. Hersant » à Paris et son souhait de trouver des partenaires internationaux pour exploiter « bientôt » une « grande chaîne » sur le territoire français... Le propriétaire du *Figaro* sait qu'il lui faudra des alliés et des programmes, que son manque d'expérience lui interdira de s'occuper seul d'une chaîne.

Télévisions australiennes, chaînes mexicaines, groupes américains, réseaux japonais... Ramond et Cavada sont passés partout, ont regardé, écouté, se sont fait expliquer les programmes, le matériel, la régie, la mesure d'audience, etc. Opérateurs, publicitaires, producteurs, ils les ont rencontrés, questionnés et intrigués par un discours parfaitement rodé sur le thème « Nous ne savons pas encore exactement ce que nous allons faire en France, mais notre groupe est incontournable. M. Hersant est prêt à se lancer dans la télévision... »

A la longue, cette gesticulation internationale a produit son effet. Hersant n'est plus un inconnu. Il a beaucoup de journaux. Il peut lever beaucoup d'argent auprès des banques. Il faudra compter avec lui. La Fininvest de Berlusconi n'a pas, naturellement, échappé à ce ratissage en règle. Dès juin 1985, Philippe Ramond avait rencontré Angelo Codignoni à Paris et, deux semaines plus tard, le 27 juin, il avait visité les studios de Milan en compagnie de Patrice Duhamel. Puis, à l'été, Robert Hersant lui-même avait fait le voyage pour prendre la mesure du phénomène Berlusconi et s'entretenir avec lui.

Quand ils n'étaient pas par monts et par vaux à porter la bonne parole, les globe-trotters de Robert Hersant installaient le siège parisien de la télévision du « patron ». Pendant un moment, Robert Hersant a songé à utiliser une partie de l'immeuble de *France-Soir*, rue Réaumur, pour y implanter des studios dans les sous-sols dont les plafonds sont très hauts. Mais, toutes réflexions syndicales faites, le « papivore » avait renoncé à cette idée. Il craignait qu'en cas de grève des ouvriers du Livre, sa chaîne de télévision fût également menacée...

Après avoir longtemps cherché, Philippe Ramond s'était vu proposer par une connaissance, Georges Besse (P-DG de Renault), le local rêvé. Un garage Renault, boulevard Pereire. Lieu idéal, sans cloisons, avec piliers et hauteur de plafond convenable. Robert Hersant a visité le garage le 4 juillet 1985 et signé le bail le 19. Huit jours plus tard, avant de partir en congé, alors que venait de se dénouer le duel Rousselet-Riboud, et que ce dernier se lançait dans le processus de création de la Cinq, Robert Hersant a également signé, pour 20 millions de francs de travaux d'aménagement et 40 millions de francs de matériel. Tête de réseau, régies, banc de montage...

C'est une chaîne opérationnelle que veut alors Hersant, et au plus vite.

Depuis janvier 1986, Robert Hersant piaffe. Devant « Pereire », son jouet, il est comme au volant d'une voiture de sport qui attend un dernier feu vert pour foncer. Dans l'ex-garage sont rassemblés les équipements électroniques les plus performants et sophistiqués. Les rumeurs sur la haute technicité de ce matériel ont franchi les frontières. Ce sont désormais les studios du boulevard Pereire que des étrangers demandent à visiter. Hersant est fin prêt. Dans son bureau de la rue du Louvre, il dispose maintenant d'un superbe mur d'images sur lequel il peut suivre toutes les chaînes en même temps. Il n'y manque que la sienne.

Quand il voit la Cinq et TV6 commencer à émettre, en février 1986, son taux d'adrénaline fait un bond. Angoisse d'être doublé sur la ligne de départ. Désir de piloter lui-même l'un de ces bolides hertziens. Peur que la droite n'honore pas ses promesses et qu'il n'y ait pas de session de rattrapage après mars.

Aujourd'hui, tout est en ordre. Certes, comme les autres, il pensait à A2. Mais qu'est-ce que cela change? Lorsqu'il répète « On va sur TF1... » à son équipe, ce matin du 15 mai 1986, dans son nouveau bureau-repaire de « Pereire », il croit en ses chances. Il a jeté tous ses filets à droite depuis le 16 mars. Ses journaux jouent à fond le jeu de la cohabitation chiraquienne.

Il a Ramond pour l'opérationnel, et Cousin en député très actif au groupe RPR, où il surveille, au jour le jour, l'évolution de la loi Léotard. Le scrutin du 16 mars a fait de Robert Hersant un homme avec une dizaine de députés à l'Assemblée qui sont plus ou moins salariés de son groupe. Cela peut être utile pour se faire entendre dans un hémicycle où la droite ne détient qu'une très courte majorité. Enfin, il est lui-même constamment sur la brèche. Il rencontre quand il le désire Jacques Chirac ou Edouard Balladur. Conversations informelles qui lui permettent de sonder les états d'esprit et laisser deviner ses souhaits qui ne sont pas toujours entendus. Comme lorsqu'il s'interroge devant le Premier ministre, avant que ne soit connu le nom de la chaîne privatisée, sur la possibilité pour son groupe de prendre pied dans... Canal Plus.

Evidemment, il y a aussi les candidatures de Bouygues et d'Hachette. Mais quelles chances pourrait bien avoir un constructeur qui ne sait même pas à quoi ressemble une chaîne, et un patron de presse, Lagardère, dont le Gouvernement se méfie un peu? Comment le pouvoir pourrait-il compter sur quelqu'un qui a pris le contrôle d'Europe 1 grâce à François Mitterrand une semaine avant les élections? Non, la pole position, c'est lui, Hersant, qui la tient.

Pourtant, bien que TF1 soit l'objectif affiché, ce n'est pas le seul. Une prudence élémentaire impose à Robert Hersant de ne jamais indiquer le véritable objectif d'une manœuvre. C'est grâce à cette progression par louvoiements qu'il est encore parvenu, la première semaine de janvier 1986, à prendre le contrôle du *Progrès de Lyon* et de *L'Union de Reims*, infligeant au pouvoir un camouflet supplémentaire. Ce qui est bon pour la presse ne peut pas faire de mal à l'audiovisuel.

C'est la raison pour laquelle, quelques jours plus tôt, début mai, il a reçu rue de Presbourg, dans la plus grande discrétion, Silvio Berlusconi...

L'état de grâce du groupe Berlusconi à Paris a duré à peine quelques semaines. Entre l'effervescence inquiète du lancement de la Cinq et l'arrivée du gouvernement Chirac, « Sua Emittenza » n'a eu que le temps de goûter au plaisir d'être opérateur d'une télévision française reçue par un nombre dérisoire de téléspectateurs. Le temps de devenir une star de la vie des médias nationaux, un homme à qui on demande parfois un autographe lorsqu'il s'aventure sur les Champs-Elysées, ou à qui un peintre de Montmartre offre une toile... Un temps vécu dans une atmosphère décalée : critiques françaises contre les programmes, mais en fin de compte campagne de presse exceptionnellement favorable au groupe, lui accordant aussitôt une sorte de reconnaissance internationale inespérée.

En Italie, la présence de Berlusconi dans la télévision française est un événement national qui valorise la Fininvest et la fait sortir de son image d'usine à produire une télévision inculte saucissonnée de publicité... Quant à l'échéance politique de mars, elle a pesé sur Berlusconi et Jérôme Seydoux comme une épée de Damoclès acceptée... Mi-avril, à la suite d'un des recours déposés contre elle, la Cinq est privée de films par le Conseil d'Etat. Elle devra se débrouiller avec ses seuls téléfilms et séries, le temps de trouver un nouvel accord avec les professionnels du cinéma.

Depuis la victoire de la droite, Jérôme Seydoux et Silvio Berlusconi sont à la fois acteurs et spectateurs du jeu qui condamne la Cinq. Pendant que le lancement se préparait, le président de Chargeurs SA est entré en contact avec des membres de l'opposition. En décembre 1985, il a vu Roger Chinaud et Michel Poniatowski; en janvier, Edgar Faure; en février, Raymond Barre... Dans l'ensemble, la tonalité des entretiens n'était pas alarmante. « On négociera le moment venu... » laissaient entendre ces interlocuteurs. C'est avec sérénité que Jérôme Seydoux s'est préparé à cette négociation.

Mais c'est avec inquiétude qu'il constate bientôt l'acharnement que le RPR, au pouvoir alors que les pronostics donnaient Barre bien placé pour la cohabitation, met à casser la Cinq. Lorsqu'il parvient à voir Ulrich, Frèches et Gouyou Beauchamps, ceux-ci ne font que l'écouter poliment. Contrairement à ce qu'il espérait, Chargeurs n'a rien « à négocier » avec le Gouvernement. Jérôme Seydoux se heurte à des barrières infranchissables. Impossible, par exemple, d'obtenir un rendez-vous avec Jacques Chirac. Le Premier ministre l'ignore superbement. Quelques relations ne ménagent pourtant pas leur peine pour lui frayer un accès. Le 18 avril 1986, c'est la chanteuse et femme d'affaires Régine qui assure à Seydoux qu'elle va « arranger ça » et lui obtenir un rendez-vous avec Jacques Chirac, qu'elle « connaît bien ». Régine se donnera un mal fou. Pour rien. Ce n'est pas la seule. Huit jours plus tard, le 26 avril, Bernard Tapie, l'entrepreneur et animateur d'une émission de TF1 (« Ambitions »), vient à la rescousse, sur le thème « Vous avez des difficultés avec Chirac? Nommez-moi président de la chaîne, et je résous votre problème... »

De son côté, François Léotard ne prend même pas la peine de répondre ou de faire répondre aux courriers hebdomadaires que Jérôme Seydoux lui adresse. Le ministre commet là une erreur qui pèsera lourd d'un point de vue juridique si l'on en vient à faire jouer la clause d'indemnisation.

L'Elysée n'est guère plus prolixe. François Mitterrand, qu'il rencontre avec Christophe Riboud le 24 avril, ne peut rien pour eux mais les encourage à se battre pour rester dans la Cinq. Le Président s'est replié sur ses terres, il attend que la droite passe aux actes avec ses projets libéraux. Pour l'audiovisuel, Colliard et Bianco font de même. Au lendemain de sa visite à l'Elysée, histoire de faire bouger les pions, Jérôme Seydoux se déclare prêt à racheter A2 pour 4 milliards de francs si la chaîne vient à être privatisée... Mais l'initiative ne donne rien. Le gouvernement de cohabitation se conduit comme si

Seydoux n'existait pas. En revanche, il accorde un peu plus d'attention à son partenaire italien.

« Nous avons un contrat de concession signé par l'Etat. Nous ne sommes pas allés voler quelque chose en France... » Tel est le raisonnement que tient le groupe Berlusconi à Giulio Andreotti, ministre des Affaires étrangères, et à Bettino Craxi, le chef du gouvernement, en espérant que ce message sera entendu à Paris où, après mars, presque personne ne veut le recevoir. Porte close à l'Elysée. Entrouverte sur des seconds couteaux à Matignon. A demi fermée chez Léotard. Mais le message passe. D'autant mieux que la présidence européenne est alors assurée par l'Italie, que Jacques Chirac rencontre Bettino Craxi, et que le ministre de l'Intérieur, Charles Pasqua, soutient en privé à Matignon qu'il serait dommage de priver la France du savoir-faire télévisuel de Berlusconi...

Le blocus finit par être levé. L'ambassadeur italien à Paris, qui a rencontré les ministres concernés, informe la Fininvest que la concession et l'actionnariat de la Cinq ne pourront rester en l'état, mais que le gouvernement français n'a pas de griefs à l'encontre de M. Berlusconi. Le cabinet d'avocats parisien de la Fininvest demande et obtient alors les premiers rendez-vous à Matignon pour Silvio Berlusconi. « Je suis un homme d'affaires, dit "Sua Emittenza" à José Frèches, le conseiller audiovisuel de Jacques Chirac. Je ne veux pas entendre parler de politique. Que dois-je donc faire pour n'être plus traité en pestiféré par le gouvernement français ? » Propos reçus et transmis à Chirac avec une bienveillante neutralité.

Après avoir commencé par dire en mars « Je ne veux pas de Berlusconi », le Premier ministre est moins catégorique en mai et en juin. Il ne lui revient pas, dit-il en substance, de s'occuper des détails de la redistribution qui s'opérera dans les chaînes. Mais si l'on peut trouver un arrangement sur la Cinq permettant de ne pas mettre l'Etat dans l'obligation de verser des indemnités colossales aux actionnaires actuels, il n'y verra pas d'inconvénient. Ne dit-on pas, les indemnités étant calculées sur la base des bénéfices que la chaîne pourrait réaliser en dix-huit ans de concession, que ce sont des « milliards » de francs que l'Etat devrait verser à Seydoux et Berlusconi ?

Pour Berlusconi, l'essentiel, c'est qu'on ne lui demande pas de plier armes et programmes et de quitter le pays. A partir de là, tout reste possible. Intuition dans laquelle le conforte l'avalanche d'appels qu'il reçoit des divers groupes intéressés par l'exploitation d'une chaîne. Comme si chacun réalisait soudain qu'il faudrait bien, pour cette exploitation, trouver des gens expérimentés et riches en droits audio-visuels.

Le premier à se manifester a été Robert Hersant, qui lui a avoué hésiter entre une chaîne publique (on ignorait encore laquelle) et la reprise de la Cinq. Le patron du *Figaro* n'excluait pas de faire appel, sous une forme à déterminer, aux « services » du groupe Berlusconi. C'était flou, mais encourageant. Pour un esprit au fait des mécanismes politiques, cela signifiait que le gouvernement Chirac, tout en voulant briser la Cinq, ménagerait peut-être une certaine continuité.

Puisque Jacques Chirac ne lui en veut pas personnellement, « Sua Emittenza » se sent autorisé à rechercher de nouvelles alliances, cette fois avec des partenaires agréés par la droite... Il s'agit de trouver le bon, dans un pays qu'il connaît encore mal et où toutes les positions sont brouillées par l'étrangeté de la cohabitation.

En mai toujours, Silvio Berlusconi a reçu à Paris la visite du patron multimilliardaire et original de la Générale occidentale, Jimmy Goldsmith, également propriétaire de l'hebdomadaire *L'Express*. Venu rue de Tilsitt en compagnie de Gilberte Beaux, qui préside la Générale occidentale, Jimmy Goldsmith a expliqué à Silvio Berlusconi sa satisfaction d'avoir enfin vu partir le gouvernement socialiste, et s'est montré désireux de reprendre la Cinq. « Je serai peut-être candidat, lui a-t-il annoncé. Dans ce cas, je ne vois pas d'objections à ce que vous restiez présent dans la chaîne. J'aimerais pouvoir faire quelque chose avec vous. Mais, pour Seydoux, c'est fini... »

Impression d'ouverture, encore, avec le président du groupe de presse Editions Mondiales, Antoine de Clermont-Tonnerre, qui songe lui aussi à la Cinq et ne dédaignerait pas de s'allier à la Fininvest...

Il y a donc de l'espoir.

« Il y a même une solution, annonce fièrement Jérôme Seydoux à Silvio Berlusconi, en juillet 1986. C'est Havas ! » Circonspect et discret, le P-DG de Chargeurs SA a un joker en poche pour la Cinq depuis la mi-mai. Il n'en a pas parlé à ses associés tant qu'il n'était pas certain de parvenir à un accord. L'ouverture s'est faite grâce à l'intervention d'un homme, un financier qui se trouve être à la fois membre du conseil d'administration de Chargeurs SA et le principal associé d'Albert Frère, Gérard Eskénazi.

Le 16 mai 1986, Jérôme Seydoux a dessiné avec Gérard Eskénazi une hypothèse de recomposition du capital de la Cinq qui assurerait la continuité. Le schéma dont ils ont convenu associerait quatre protagonistes à parts égales (25 %) : la CLT, Havas, Seydoux et Berlusconi. Une semaine plus tard, le 22 mai, Gérard Eskénazi organisait une rencontre confidentielle entre Jérôme Seydoux et Albert Frère au domicile parisien de ce dernier, avenue Foch. Jusqu'alors très remonté contre la Cinq [1], Albert Frère a confié ne pas être hostile à cette solution, dont il faut, bien sûr, étudier les détails avec Matignon et le nouveau président du groupe Havas, Pierre Dauzier.

Nouveau président car, le 23 avril 1986, en toute logique, André Rousselet a démissionné de son poste pour ne plus être que P-DG de Canal Plus. Repli stratégique longuement réfléchi et effectué sans accrocs. André Rousselet en a négocié la manœuvre au cours d'un tête-à-tête avec Edouard Balladur. Un homme auquel il a autrefois, étant directeur du cabinet du Président, rendu quelques services, et avec lequel il entretient des relations cordiales. Il avait même été envisagé, lors du choix des membres de la Haute Autorité en 1982, d'y faire entrer Edouard Balladur... En bon renvoi d'ascenseur, Balladur a donc « accepté » la démission de Rousselet d'Havas, mais lui lui a, fort opportunément, « proposé » de conserver la présidence de Canal Plus.

C'est la raison pour laquelle tous ceux qui, à droite, dont José Frèches et Maurice Ulrich, s'interrogent après mars sur les « extraordinaires » avantages dont jouit Canal Plus, sur la nature de sa concession, se heurtent à des oreilles murées. On ne les écoute pas, à Matignon, lorsqu'ils suggèrent de revoir les conditions d'exploitation accordées à la chaîne cryptée, de lui ôter le droit aux recettes publicitaires... On ne touche pas à Canal Plus, leur fait-on comprendre. Le chantier est déjà bien assez vaste avec la Cinq, TV6 et la chaîne à privatiser. Inutile de se lancer, en ouverture de la cohabitation, dans une guérilla de longue haleine avec André Rousselet, ce proche du Président dont la chaîne connaît maintenant le succès.

Car en mai 1986 Canal Plus franchit le cap du millionnième abonné. L'investissement initial n'est pas loin d'être amorti. Les bénéfices vont commencer à tomber. Depuis son bureau de la tour Olivier de Serres, André Rousselet s'appliquera, le temps de la cohabitation, à mettre au point sa stratégie d'expansion pour Canal Plus. Il a le temps. Il a des idées précises dont il parle souvent avec Pierre Lescure. Mais il ne quittera pas des yeux pour autant la bonne marche du groupe Havas qui sera bientôt privatisé. Il est d'ailleurs dans les meilleurs termes avec le nouveau P-DG désigné par le Gouvernement.

1. Il a, début mai 1986, fait comprendre à Berlusconi, qui avait souhaité le rencontrer, que l'heure italienne était passée en France et qu'elle sonnait « maintenant » en faveur de la CLT.

Pierre Dauzier, ce Corrézien de quarante-sept ans, est entré en 1963 au groupe Havas dont il a, comme on dit, gravi tous les échelons. Longtemps collaborateur de Jacques Douce, c'est André Rousselet qui en 1982 a fait nommer directeur général cet ami personnel et compatriote régional de Jacques Chirac. Pierre Dauzier est du petit nombre de ceux qui peuvent, à tout moment, se faire entendre du Premier ministre, qu'il tutoie. Pragmatique, il a deux priorités lorsqu'il s'assoit dans le fauteuil du P-DG : mener à bien la privatisation du groupe, et poursuivre son développement audiovisuel après Canal Plus en faisant entrer Havas dans une autre chaîne de télévision.

Au printemps 1986, la question n'est pas de savoir avec qui ni dans quelle chaîne. Il va de soi que le groupe Havas œuvrera en étroite collaboration avec le grand exclu de la télévision, la CLT, à la reprise de la chaîne qui lui est en quelque sorte due : la Cinq. Depuis le 17 mars 1986 au matin, la CLT prépare un dossier de candidature. Jacques Rigaud multiplie les contacts avec Edouard Balladur, José Frèches, François Léotard, et rencontre régulièrement Maurice Ulrich aux dîners du « Siècle » [2]... Il n'y a pas de raison pour que la reprise de la Cinq ne se fasse pas avec Havas, actionnaire de la CLT, régisseur de RTL, et donc tout désigné pour s'occuper également de la future régie de la chaîne. Le pragmatisme de Pierre Dauzier n'exclut pas la politique. Le nouveau P-DG sait comprendre à mi-mot et lire entre les lignes.

Aussi, quant à l'approche de l'été ses conversations avec le Premier ministre ou ses proches collaborateurs lui font comprendre qu'après tout il serait peut-être judicieux de ne pas apparaître comme des sauvages brisant le vase Seydoux-Berlusconi, de maintenir dans la Cinq un lien entre anciens et futurs actionnaires, que le principal actionnaire de la CLT lui-même, Albert Frère, n'est pas contre, Pierre Dauzier fait ce qu'il doit faire. Il téléphone à Jérôme Seydoux et lui propose de se réunir autour d'une table de négociations. Ils se verront plusieurs fois avant de se retrouver, le 22 juillet, chez Jérôme Seydoux et en compagnie de Berlusconi pour mettre sur pied un projet d'accord sur la base de quatre fois 25 % (Havas, CLT, Chargeurs SA, Fininvest)... « Je vous donne une réponse dans un délai de quinze jours », dit Pierre Dauzier en les quittant ce jour-là.

Il faut du temps, laisse-t-il entendre, car ce projet d'accord n'a pas

2. Les dîners du Siècle, groupe-club de réflexion fondé au lendemain de la Libération par Georges Bérard-Quelin, réunissent régulièrement, chaque dernier mercredi du mois, industriels, décideurs politiques, journalistes de renom. L'accès au Siècle nécessite un parrainage de deux des membres de son conseil d'administration.

encore été soumis aux autres actionnaires de la CLT. Et il ne sera pas aisé de convaincre un homme comme Jacques Rigaud d'épouser Berlusconi, le patron du groupe qui a dit autrefois que la Compagnie luxembourgeoise de télévision était « régionale ». Ce Berlusconi qui a pour ainsi dire occupé la Cinq par le fait du prince Mitterrand... Il faut du temps, mais Pierre Dauzier n'en aura pas.

Jacques Chirac, un moment bienveillant à l'égard de cet aménagement du capital de la Cinq, choisit soudain la manière forte. Pour donner un gage de bonne volonté aux libéraux, qui réclament une réattribution des chaînes en bonne et due forme, le Premier ministre fait sauter les ponts.

Le vendredi 1er août 1986, en début d'après-midi, Jérôme Seydoux est au beau milieu d'un parcours au golf de Deauville quand on l'appelle au téléphone. C'est Michel Boyon, le directeur de cabinet de François Léotard, qui a l'insigne amabilité de le prévenir que le lendemain paraîtront, au *Journal officiel*, deux décrets résiliant les concessions de la Cinq et de TV6. Jérôme Seydoux raccroche et compose le numéro de La Carelle.

A la même heure, donc, dans la magnifique propriété près de Macon, Christophe Riboud et Angelo Codignoni viennent juste de s'installer au soleil, dans le jardin, avec femmes et enfants, quand le P-DG de Chargeurs SA leur apprend la suppression, sans autre forme de procès, de la Cinq.

Toujours à la même heure, place de l'Etoile à Paris, Publicis apprend que les trésors de concertation déployés entre TV6 et Matignon n'ont servi à rien.

Le samedi 2 août à l'aube, les décrets sont au rendez-vous. Pour éviter l'écran noir et assurer une transition, la Cinq et TV6 pourront continuer à émettre sous leur forme actuelle jusque trois mois après l'installation de la CNCL, qui veillera à la réattribution des deux réseaux.

CHAPITRE XV

Chemin de croix

Pour le Gouvernement comme pour les groupes de communication, la période qui s'étend de mars à novembre 1986 ressemble à un long, très long tunnel. Les choses devaient aller vite, croyait-on, mais elles s'enlisent dès le départ de la cohabitation.

Pendant tous ces mois, un homme souffre un martyre législatif sans nom : c'est François Léotard, dont la loi doit conditionner la reconstruction de l'audiovisuel. Parti pour rédiger une réforme qu'il veut courte et synthétique, le marathonien se prend les pieds dans la tapisserie juridique. Au Sénat, devant lequel il présente son texte avant l'Assemblée nationale, c'est Verdun. Lui qui voulait éviter de faire une loi à cent articles, comme Georges Fillioud en 1982, pulvérise ce record avec près de cent vingt articles mal dégrossis que la Haute Assemblée prend un plaisir sadique à rafistoler. En épinglant, chaque fois que possible, le « jeune » et « inexpérimenté » membre du Gouvernement.

Tout est bancal dans ce projet de loi à propos duquel François Mitterrand lui-même tient, lors de sa présentation en conseil des ministres, le 11 juin 1986, à exprimer d'« extrêmes réserves ». Il faut être un expert de la mécanique législative pour prétendre rénover trente années de lois audiovisuelles, remplacer la Haute Autorité par la CNCL, privatiser une chaîne publique, en casser deux autres, élargir les prérogatives de l'instance de régulation, instaurer des règles anticoncentration, renforcer le secteur public tout en l'amputant et en commettant l'erreur d'abaisser le montant de la redevance quand il faudrait l'augmenter... Il faut être équilibriste ; et François Léotard est un piètre funambule. Son texte, élaboré par Xavier Gouyou Beauchamps, est tiré à hue et à dia par Matignon et le Palais du Luxembourg. Les exigences et les compromis des uns et des autres s'y déposent en strates incohérentes.

C'est un enfer législatif avec guerre de tranchées qu'endure le ministre les soirs de juin et juillet au Sénat, lorsque, tenant sa revanche sur les affres subies pendant la discussion de la loi « anti-Hersant » sur la presse, l'opposition socialiste s'organise en commandos de choc pour déposer et soutenir un amendement par quart d'heure. Amendement dont l'intitulé à lui seul demande parfois un quart d'heure d'explication liminaire...

Si Léotard et le Sénat sont rarement du même avis, bientôt le ministre lui-même n'est plus d'accord avec son propre texte, tant les modifications successives sont nombreuses. Il voulait une CNCL de sept membres. Elle en aura treize [1]. Il a fallu céder à ceux qui réclament à Jacques Chirac un siège dans cette auguste future assemblée. L'Académie française, la Cour des comptes, de cassation, le Conseil d'Etat... Sièges qui s'ajoutent aux membres nommés par les présidents de la République, du Sénat, de l'Assemblée nationale... C'est une salade mixte incongrue que laisse se concocter un François Léotard impuissant. Il est paralysé par les forces politiques de l'Union, mais enivré de sa dernière trouvaille, celle qui consiste à prétendre que la main de TF1 sera accordée au Don Juan qui fera monter le plus haut les enchères du « mieux-disant culturel ».

L'expression signifie que celui qui fera le plus de promesses sur les programmes, la production, l'éthique, le pluralisme... empochera la chaîne. C'est un encouragement au mensonge et aux engagements démesurés. Grande et creuse ânerie érigée en règle, le « mieux-disant » sert de cache-sexe pour déguiser le fait que l'on s'apprête à vendre TF1 à l'une des trois entreprises sympathisantes du pouvoir : Hersant, Bouygues ou Hachette. Mais Léotard est fier de sa formule, qu'il récite jusqu'à plus soif sur les perrons de ministère, les plateaux de télévision et les bancs du parlement où l'on fait semblant de prendre au sérieux ce critère qui n'en est pas un.

Au soir d'un armistice sans gloire, le 24 juillet 1986, la loi « relative à la liberté de communication » est adoptée au Sénat après s'y être traînée pendant vingt-trois jours de séances publiques et avoir fait face à mille huit cents amendements, dont plusieurs centaines déposées par des sénateurs de la majorité. Clôturant les débats, le sénateur RPR Adrien Gouteyron ridiculise un

---

1. La CNCL comptera donc quatre têtes de plus que la Haute Autorité. Six seront nommées par les présidents de la République, du Sénat et de l'Assemblée nationale. Trois par la Cour de cassation, la Cour des comptes, le Conseil d'Etat. Plus un membre de l'Académie française. Ces dix personnes en coopteront trois autres dans les domaines de la presse, des télécommunications et de l'audiovisuel. Contrairement à la Haute Autorité, dont le président était choisi par le président de la République, celui de la CNCL devra être élu par la Commission.

peu plus le ministre en comparant le débat aux « plus grandes superproductions de Hollywood ». A côté de la réforme Léotard, *Cléopâtre* ou les *Dix Commandements* n'étaient que des œuvrettes. Des courts métrages.

Le calvaire de « Léo » connaît ensuite une pause de brève durée avant de recommencer à l'Assemblée. Là, pour éviter de voir son texte mis en pièces par les députés, le Gouvernement engage sa responsabilité et a recours à l'article 49-3 de la Constitution qui permet à la loi d'être adoptée, dans la nuit du 12 au 13 août 1986, par une Assemblée déserte. Elle sera promulguée le 30 septembre 1986.

Le ministre de la Culture et de la Communication sort laminé de cette épreuve et en chute libre dans les sondages. Son image dans l'opinion est affligeante. Mais il n'est pas certain que Jacques Chirac en soit marri. Eventuel présidentiable en 1988, François Léotard n'a eu que ce qu'il cherchait, se dit-on à Matignon : du plomb dans les ailes. Il lui sera difficile de faire le joli cœur devant les électeurs avant un petit moment.

Pris dans l'étau du terrorisme, des otages de Beyrouth, de la bavure policière de la rue Mogador, où un jeune homme est abattu de deux balles dans le dos, le Premier ministre a de moins en moins de temps et d'énergie à consacrer à l'audiovisuel. Il lui faut pourtant trancher dans un dossier dont on n'ose même plus dire qu'il est épineux : celui du satellite TDF1. Comme c'était à prévoir, en même temps qu'elle règle le sort de la Cinq et de TV6, la droite casse le contrat signé in extremis par Georges Fillioud avec le consortium Berlusconi-Maxwell-Seydoux-Kirch. A un an du lancement du satellite, qui est une nouvelle fois reporté, de juillet 1986 au printemps 1987, Jacques Chirac et François Léotard doivent reprendre la question à zéro et trouver des chaînes attributaires pour les quatre canaux.

TDF1, c'est le mythe de Sisyphe spatial. Mais, cette fois, le rocher est encore plus difficile à pousser qu'avant. En effet, des voix s'élèvent un peu partout chez les libéraux, et particulièrement dans la bande à Léo, pour soutenir que ce satellite est devenu inutile, qu'il est frappé d'obsolescence technique et que le plus sage serait de s'en débarrasser. Le 21 juillet 1986, l'hebdomadaire *Le Point* révèle le contenu d'une lettre du secrétaire d'Etat aux PTT, le libéral Gérard Longuet, à Jacques Chirac. Dans ce courrier, Gérard Longuet affirme que le satellite TDF1 n'est pas fiable techniquement, qu'il est trop sophistiqué, trop cher, et n'a pas assez de canaux. Bref, il est tout juste bon à servir de vitrine expérimentale pour le D2-MAC, la nouvelle norme de diffusion choisie par la France[2]. En attendant, si le pays pense sérieusement à la télévision par satellite, il ferait mieux de se tourner vers d'autres satellites, moins coûteux, plus performants et de moindre puissance.

C'est un grand pavé dans une petite mare. La publication de la lettre de Gérard Longuet rend public un débat fiévreux qui oppose depuis plusieurs années la corporation des ingénieurs de TDF, père du projet TDF1, et celle des Télécommunications. Deux administrations rivales, commercialement concurrentes, qui se déchirent sur ce point à longueur de rapports techniques : compte tenu des progrès de l'électronique depuis le lancement du projet TDF1, faut-il renoncer complètement à cet objet « lourd » au profit de la gamme de satellites des Télécommunications, plus légers mais parfaitement aptes à diffuser de la télévision?

Débat de fond entre, d'un côté, les partisans d'une politique nationale de prestige en matière de satellite et de nouvelles technologies; de l'autre les libéraux, dont François Léotard, qui ne pensent pas que l'Etat, les deniers publics, doivent financer ces grands travaux qui ne rapportent rien. A plus forte raison, disent-ils, quand on peut faire la même chose pour moins cher.

Les récents choix du Luxembourg en matière de satellite apportent de l'eau au moulin des libéraux français. Après les échecs répétés de Clay T. Whitehead sur Coronet au début de 1985, les Luxembourgeois ont décidé de reprendre le projet en main sous une forme différente et sans partenaires américains. Car si Whitehead a buté sur les montages financiers, son raisonnement en faveur d'un satellite « léger » et ses études de marché étaient fiables.

Courant 1985, le gouvernement du grand-duché a favorisé, après bien des tâtonnements, la création d'une société d'exploitation du satellite (SES) qui a commandé à la société américaine RCA Astro Electronics un satellite de moyenne puissance, équipé de seize canaux de diffusion. Le projet se nomme Astra.

La structure juridique de Coronet a été liquidée. Ses actifs ont été repris par cette SES, tandis qu'un accord secret garantit à Clay T. Whitehead, pour son rôle de défricheur, des royalties de 5 % sur les bénéfices futurs du premier satellite Astra, dont le lancement est prévu pour avril 1987.

---

2. En novembre 1984, la France a adopté pour TDF1 la norme D2-MAC. Cette nouvelle norme de transmission, qui à terme doit remplacer le SECAM en France, constitue, estime-t-on, la première étape vers la télévision haute définition. Elle assure une meilleure définition de l'image, un son numérique, et la possibilité de diffuser le son d'une même chaîne en plusieurs langues.

Assez spectaculairement, Français et Luxembourgeois sont donc, en 1986, soit sept ans après le démarrage des deux programmes, toujours au coude à coude dans leur course à la télévision par satellite. Chacun avec un engin radicalement différent. Le duel TDF1-Astra prend la suite du duel TDF1-Coronet. Les deux satellites doivent toujours être lancés par une fusée Ariane quelques mois plus tard.

L'annonce officielle du projet Astra, en octobre 1985, a déclenché sourires et railleries à Paris. Mais en juin 1986, lorsque la SES confirme ses intentions et révèle ses tarifs, on rit déjà moins. Non seulement Astra pourra diffuser seize chaînes, et davantage encore deux ans plus tard, avec un second satellite, mais les canaux seront accessibles pour un prix moyen de 30 ou 35 millions de francs, contre 55 sur TDF1.

En outre, alors que les industriels français en sont encore à se demander s'ils vont investir dans la fabrication d'antennes de réception pour TDF1, celles qui permettront de recevoir Astra vont être rapidement produites en grande série... Pour les libéraux français, il n'y a pas d'hésitation à avoir. Avec la moyenne puissance et le grand nombre de canaux, le Luxembourg choisit la bonne voie et prend une longueur d'avance sur la France.

Or, cette même semaine de juillet 1986 où *Le Point* met les pieds dans le plat, Jacques Chirac doit arbitrer sur l'avenir de TDF1. La casse, ou le maintien du projet? Comme ses prédécesseurs, le Premier ministre ne tient pas à être celui qui aura achevé TDF1, bien qu'il s'interroge sur la viabilité économique de l'opération. Pas une réunion sur le sujet sans qu'il ne lève, embarrassé, indécis, les bras au ciel.

Au cours d'un conseil interministériel, il coupe la poire en deux et arbitre en faveur de la poursuite du programme TDF1, tout en décidant de faire nommer un expert. Il reviendra à celui-ci d'étudier la commercialisation de TDF2 et de constituer une société d'exploitation... Rengaine bien connue. Et retour à la case départ, celle de Jacques Pomonti deux ans plus tôt.

L'expert que le gouvernement Chirac choisit n'est autre que le nouveau président de TDF, Claude Contamine, P-DG de FR3 avant 1981.

CHAPITRE XVI

Câbles en stock

Dans le registre des bombes-catastrophes à retardement, il y a plus menaçant encore que les 3 milliards de francs que risque de coûter à l'Etat le programme TDF1-TDF2. C'est le fameux plan câble. Lancé dans la foulée de la loi sur la communication en 1982, le projet de câblage du pays en fibre optique a parcouru quelques mètres et s'est écroulé sur lui-même.

Quatre ans plus tard, en 1986, c'est entre 6 et 8 milliards de francs qui ont été dépensés pour pratiquement rien. Mal maîtrisé, le choix technologique de la fibre optique s'est révélé une tragique erreur. Le gouvernement Mauroy avait annoncé que près de deux millions de foyers français seraient raccordés au câble en 1986 [1]. Douche froide : ils ne sont pas deux cent mille à l'été 1986, et seulement vingt-cinq mille à vouloir s'abonner.

En Allemagne, où un plan de câblage a été lancé à la même époque qu'en France, plus de trois millions de foyers sont déjà raccordés, et un million et demi d'entre eux se sont abonnés aux chaînes proposées.

L'écart entre ce succès naissant en Allemagne et le début d'échec ruineux en France tient à la différence d'approche et aux stratégies audiovisuelles adoptées par les deux pays. Avant de lancer leur plan câble, les services de la Bundespost (l'équivalent allemand des PTT) font établir des rapports précis pour déterminer s'il existe une demande chez les utilisateurs, un marché. Le principal problème à surmonter pour la Bundespost est d'accepter d'investir jusqu'à ce que

1. Etre raccordé au réseau n'est pas être abonné. Cela indique simplement que les travaux d'acheminement du câble jusqu'à l'immeuble ou la maison ont été faits. Libre ensuite aux foyers de s'abonner ou pas.

soit atteint le seuil de sept millions de foyers raccordés, point d'équilibre estimé – pour la population allemande – du nouveau média.

Au moment où l'on fait ce type d'analyse en Allemagne, au début des années 80, les deux pays ont des situations audiovisuelles similaires, avec un régime de monopole et des chaînes publiques. A populations et revenus comparables, leurs chances de développer harmonieusement un plan de câblage sont identiques. Pourtant, ils vont choisir des voies diamétralement opposées.

En Allemagne, on se dit que tout doit être mis en œuvre pour atteindre le point d'équilibre. Cet objectif ne peut se réaliser dans un délai raisonnable qu'à plusieurs conditions impératives. Il faut, d'abord, pour aller au plus vite vers les abonnements et satisfaire le téléspectateur, que la technologie employée soit la plus simple et la moins coûteuse. Ce qui implique que l'on utilise du fil de cuivre classique. Il sera toujours possible, plus tard, quand il y aura des millions d'abonnés, de remplacer le cuivre par une technique plus sophistiquée. Ensuite, il faut qu'une seule et même administration centralise l'installation et la gestion des réseaux câblés. Enfin, il est indispensable de protéger le câble, ce nouveau média, de toute concurrence. Le câble doit être prioritaire jusqu'à ce qu'il ait atteint son point d'équilibre. En d'autres termes, il faut renoncer à créer de nouvelles chaînes par voie hertzienne ou par satellite.

Ces conditions ont été respectées par l'Allemagne.

La France, de son côté, a pris le contre-pied de cette stratégie. Sans études de marché, elle commence par condamner le traditionnel câble de cuivre en adoptant une coûteuse fibre optique dont personne ne sait exactement comment il convient de l'utiliser. Ensuite, considérant que la télévision n'est pas un produit suffisamment noble et porteur pour cette fibre miraculeuse, la France décrète que le câble aura pour fonction première non pas de véhiculer des images, mais de fournir de « nouveaux services ». Ainsi, au lieu de promouvoir tout simplement, pour commencer, un plus large choix de télévisions, l'Hexagone annonce qu'il y aura sur ces réseaux des choses aussi divertissantes et incitatives à l'abonnement que de la vidéosurveillance, du téléachat, de la messagerie bancaire, etc.

En France, la mythologie de l'interactivité escamote le réel. On ne se soucie pas des attentes du public. On lui vend une technologie dont l'utilisation ne s'impose pas. C'est la même démarche que pour le Concorde supersonique ou les abattoirs inutiles à La Villette. Un classique de la gestion technocratique française. Comme si les conditions d'un fiasco n'étaient pas déjà assez nombreuses, la France décide, au moment où elle s'apprête à lancer son plan de câblage, de créer une quatrième chaîne hertzienne à péage, Canal Plus. C'est, de toute évidence, le meilleur moyen de fusiller le câble avant même sa naissance.

Ceux qui alertent le Gouvernement de ce danger en 1983 sont priés de se taire. Il n'est permis à personne de tenir ce simple raisonnement : on ne peut tout faire en même temps; c'est le câble ou Canal Plus. L'un ou l'autre, pour cette enfantine raison que les produits d'appel de Canal Plus, le cinéma, le sport, l'érotisme, sont aussi ceux de tous les réseaux des pays câblés. Dans ces pays, la principale motivation d'abonnement au câble, c'est qu'il permet de voir ce que les autres chaînes ne peuvent pas offrir. En France, si des télévisions hertziennes proposent déjà ces émissions, personne ne voudra payer deux fois, une pour Canal Plus et une autre pour le câble.

Dès 1984, le plan est très mal parti. Quand le Gouvernement en prend conscience, il réagit en essayant vaille que vaille de limiter les dégâts financiers. On décide d'associer de grandes entreprises à la construction des réseaux. Tout compte fait, réalise-t-on, la fibre optique n'est pas indispensable; le bon vieux cuivre peut encore servir. On fera donc des réseaux avec un peu de fibre optique et beaucoup de cuivre. Les PTT resteront maître d'œuvre des réseaux, mais des sociétés d'économie mixte s'occuperont de leur gestion.

Il faut des partenaires privés ou semi-privés pour ces sociétés. La Caisse des dépôts et consignation en sera. Et aussi les grandes compagnies de distribution d'eau. Parce qu'elles disposent d'importants moyens financiers, qu'elles détiennent un savoir-faire, une pratique de la gestion des abonnements semblable à celle que requiert le câble, la Lyonnaise des eaux et la Compagnie générale des eaux sont invitées à investir dans les réseaux câblés. L'Etat conserve ainsi le monopole de la construction, tout en concédant à ces gestionnaires privés l'exploitation sur le terrain.

Comme ils se répartissent les municipalités du pays depuis des décennies, les distributeurs d'eau se partagent les zones câblées. Le découpage suit la courbe de leurs affinités politiques respectives : plutôt à droite pour la Lyonnaise, dont le P-DG, Jérôme Monod, est un ancien secrétaire général du RPR et proche de Jacques Chirac; plutôt à gauche pour la Générale des eaux. Mais, s'il est vrai qu'il existe d'étroits rapports entre la distribution d'eau et des images (elles peuvent emprunter les mêmes voies souterraines), il y a un monde entre la commercialisation d'un produit dont personne ne peut se passer, l'eau, et un bien dont l'usage reste facultatif, la télévision.

Les résultats commerciaux de ce système se feront vite sentir. Le public ne s'abonne pas.

Touché par Canal Plus, mais pas coulé, le plan câble va subir les autres coups que lui porte le gouvernement socialiste avec la création de la cinquième et de la sixième chaîne. En doublant l'offre de télévision hertzienne, qui passe de trois à six chaînes de 1981 à 1986, on paralyse pour de très longues années l'expansion du câble. Quel est l'intérêt de cette technique de télédistribution pour qui reçoit déjà six programmes dans de bonnes conditions et ne s'intéresse pas aux chaînes étrangères ? Aucun.

Plusieurs milliards de francs plus tard, les trois câblo-distributeurs et le Gouvernement se regardent dans le blanc des yeux. Ils savent qu'ils vont vers un Niagara de pertes financières, mais décident hardiment de faire comme si de rien n'était. En 1986, contre tout bon sens économique, on poursuit le satellite TDF1, on persiste dans le plan câble, on veut réattribuer la Cinq et TV6 et repeindre TF1 aux couleurs de la privatisation.

Faute d'avoir établi des priorités, les gouvernements socialistes et libéraux, pour des motifs différents mais avec une même inconscience, organisent une gabegie de fonds publics qui se chiffrera bientôt par dizaines de milliards de francs.

Les câblo-distributeurs croient si fort à ce câble qu'ils sont censés commercialiser qu'ils ne craignent pas d'investir dans la cause même de leur perte. Ainsi, la Compagnie générale des eaux fait le grand écart entre les réseaux câblés et Canal Plus, dont elle est le second actionnaire. Quant à la Lyonnaise des eaux, elle décide en 1986 de se lancer à son tour dans la télévision hertzienne. Autant pour ne pas être en reste par rapport à son concurrent que parce qu'elle veut croire que les retours sur investissements d'une chaîne hertzienne seront meilleurs que ceux des réseaux câblés, dont les courbes d'abonnement ressemblent aux paysages de la Beauce.

Son projet ? Une chaîne parisienne, Métropole Télévision, dont la teneur confidentielle ne sort pas, en 1986, des murs de la Lyonnaise des eaux et de la mairie de Paris.

Historiquement, on ne peut pas dire qu'en 1984 Jérôme Monod, le P-DG de la Lyonnaise, s'est jeté sur l'exploitation du futur réseau câblé parisien que lui tendait Jacques Chirac. A la tête d'un groupe au chiffre d'affaires de près de 15 milliards de francs, dans des domaines aussi divers que l'eau, le traitement des déchets et les services funéraires, groupe implanté aussi bien aux Etats-Unis qu'en

Espagne ou au Japon, Jérôme Monod commence par dire non. Le câble ne l'intéresse pas. Jacques Chirac doit le relancer trois fois pour convaincre cet homme austère et secret, réputé impitoyable en affaires comme dans la gestion de son personnel, industriel cultivé, cinéphile et parent de Jean-Luc Godard.

Deux ans plus tard, le P-DG de la Lyonnaise voit se confirmer ses craintes les plus sombres. Paris, qui devait être selon son maire une grande ville câblée à la fin de la décennie, ne le sera pas avant longtemps. Les cinq cent mille foyers raccordés promis par Jacques Chirac ne sont pas encore vingt mille... Il n'y a pratiquement pas d'abonnés. Techniquement, l'installation du câble dans la ville obéit à des plans ubuesques. C'est un vrai gruyère qui a été dessiné pour donner une satisfaction toute symbolique aux maires d'arrondissements, qui font du câble un enjeu électoral. A ce petit jeu, il n'y a que des tronçons isolés de rues et de quartiers où les travaux soient achevés.

Commencés partout en même temps, ces chantiers ne répondent à aucune vision d'ensemble. Pas plus qu'à une politique de commercialisation cohérente. On ne peut pas dire que la Lyonnaise des eaux se réjouisse d'avoir cédé au maire.

C'est aussi pour cela qu'elle préfère opter, début 1986, pour le développement sur Paris d'une chaîne hertzienne. Métropole Télévision. En caressant l'espoir un peu vague que cette chaîne, si elle voit le jour, sera éventuellement reprise sur le réseau câblé de la capitale, puis distribuée dans d'autres grandes villes. Le projet Métropole n'en est encore qu'au stade de la société d'études. La Lyonnaise est leader dans cette société où sont réunis la Compagnie financière de Suez, Pathé-Cinéma, le groupe de presse Amaury, qui édite *Le Parisien libéré* et *L'Equipe*, ainsi que le producteur de cinéma Marin Karmitz, avec sa société MK2.

Pour diriger le projet, la Lyonnaise fait appel à un jeune ancien directeur des Télécommunications qu'elle a recruté en 1985, Nicolas de Tavernost. La trentaine, grand, une large bouche et des yeux bleu pâle, Nicolas de Tavernost a été l'un des adversaires les plus acharnés du gaspillage anarchique de fonds et d'énergies dans le plan câble. Il a préconisé, sans être entendu, des schémas d'équipement plus rationnels, tout comme il a soutenu l'inutilité de poursuivre l'expérience TDF1. Lassé, il a souhaité partir pour le secteur privé. En novembre 1985, il a hésité une semaine entre deux propositions : l'une, que lui faisait un certain Patrick Le Lay pour renforcer l'équipe de diversification du groupe Bouygues; l'autre, de la Lyonnaise. Finalement, il a préféré les fenêtres de la Lyonnaise sur le parc Monceau aux bureaux paysagers de Bouygues à Clamart.

Telle quelle, Métropole TV apparaît comme une chaîne locale parisienne appelée à proposer ses programmes – généralistes – à des chaînes locales affiliées en province, le jour où il y en aura. C'est le principe de la syndication à l'américaine. Contrairement aux lourds projets de Robert Hersant, d'Hachette ou de la CLT, Métropole TV ne nécessite pas un gigantesque réseau de fréquences. Son ambition, puisqu'il y aura redistribution dès que la CNCL sera en place, est de postuler pour la fréquence parisienne qu'occupe actuellement TV6, la chaîne musicale. Inutile de dire avec quel soin jaloux le Premier ministre couve la gestation de Métropole TV, dont José Frèches suit pour lui l'évolution, en liaison avec Nicolas de Tavernost et Jérôme Monod. Avec ce projet, Jacques Chirac tient enfin la chaîne qu'il a promise aux Parisiens.

En septembre 1986, un consultant rejoint la petite équipe de Métropole TV qu'il côtoie depuis qu'il a quitté Europe 1 au printemps. C'est Pierre Barret. Ensemble, Tavernost et Barret préparent le dossier qu'il faudra défendre devant la CNCL. Car il semble évident qu'on ne reconduira pas sur le sixième réseau une chaîne à dominante musicale.

« Maurice, on s'est mis un dossier épouvantable sur le dos. Epouvantable ! » Quand il a appris la publication imminente du décret supprimant TV6, Marcel Bleustein-Blanchet a été partagé entre la colère et le soulagement. C'est le directeur de Publicis, Maurice Lévy, qui en a fait les frais sur le coup. La colère, pour la deuxième fois de sa vie, de se sentir spolié par un gouvernement [2], le soulagement de voir enfin le terme d'une aventure aussi mal engagée. Quatre mois après son lancement, TV6 n'a apporté que des soucis politiques et financiers à Marcel Bleustein-Blanchet ; s'il avait su, confie-t-il autour de lui, jamais il ne se serait risqué dans cette jungle où même les amis politiques mentent ou ne contrôlent pas la situation.

Jusqu'au dernier moment, Maurice Lévy et Léo Scheer ont voulu croire que TV6 passerait au travers des mailles du filet et ne serait pas tuée par décret. Ils ont vu Léotard, Ulrich, ils ont démarché Matignon, la Rue de Valois, le Sénat pendant la discussion de la loi. On leur a assuré dix fois, sans rien promettre, que la Six, « ce n'est pas la même chose que la Cinq », qu'on pourrait « discuter »... Pour rien.

La menace qui planait au-dessus de la chaîne se doublait, depuis son lancement, de conflits à répétition entre les actionnaires. Très

2. La première remonte à la suppression de Radio-Cité pour cause de monopole à la Libération.

vite, des malentendus étaient survenus entre Maurice Lévy, partisan d'une programmation musicale avec passage en douceur vers une grille plus variée, et Christian Fechner, qui pensait faire une plus large place au cinéma et à la fiction. Fechner est parti au printemps, fâché de ne pas avoir les moyens de mettre plus rapidement en place la programmation qu'il souhaitait. Déçu de voir TV6 faire du sur-place, avec une audience microscopique, et sous les quolibets. Furieux, pour finir, de découvrir dans la presse le contenu d'un projet de grille dont il n'avait pas la première émission sous la main, mais que Maurice Lévy avait voulu rendre public pour inciter les acheteurs d'espace publicitaire à investir sur TV6. Fechner est remplacé par Patrice Blanc-Francard, transfuge d'A2. Ce sont ensuite les derniers actionnaires entrés dans le capital, producteurs et distributeurs de disques [3], qui estiment que la chaîne, au contraire, n'est pas suffisamment musicale...

Les partenaires se renvoient mutuellement la responsabilité des déboires de la chaîne. Au milieu de cette tourmente, le responsable de la régie de TV6, Gérard Morax, comme son homologue Christophe Riboud sur la Cinq, a le plus grand mal à convaincre les annonceurs de miser sur une antenne condamnée.

Malgré ces avanies, à la rentrée 1986 Maurice Lévy persuade Marcel Bleustein-Blanchet et les actionnaires qu'il faut continuer l'expérience TV6. Oui, c'est un dossier « épouvantable », mais rien n'est perdu. Au mieux, on peut attaquer le décret du 2 août qui casse la concession. Un recours en ce sens est déposé par TV6 devant le Conseil d'Etat. Au pire, si le décret est maintenu, on fera jouer la clause d'indemnisation et les actionnaires n'auront pas perdu l'argent investi dans la courte existence de la chaîne.

Tant de choses bougent en cette rentrée que personne ne sait vraiment où mènent les pièces du puzzle audiovisuel mélangées par la cohabitation.

Il y a TF1, chaîne pour laquelle trois groupes sont en lice : Hachette, Hersant, Bouygues.

Il y a la Cinq, sur laquelle la CLT, Goldsmith, Havas, Berlusconi, Seydoux vont se livrer bataille pour y rester ou y entrer.

Et puis il y a TV6, convoitée par Métropole TV mais sur laquelle Publicis veut peut-être se maintenir...

Pendant que François Léotard essayait stoïquement de défendre sa loi, ces groupes ont entrepris leur propre parcours du combattant.

3. Virgin, Polygram, CBS.

Celui que leur impose un article de la loi qui limite à 25 % la participation maximum d'une même société dans le capital d'une chaîne. D'où l'obligation [4], pour les postulants à l'exploitation d'une chaîne de prévoir des tours de table. Cela ne change rien pour les groupes les moins riches, qui auraient été contraints de trouver des associés pour reprendre une chaîne. Mais cela handicape la stratégie des plus puissants, qui, eux, voient leur appétit limité et seront contraints de se marier avec d'autres partenaires.

Officiellement imposée pour garantir le pluralisme et l'équité dans le capital des chaînes, la barre des 25 %, dont on ne soupçonne pas encore combien ses effets seront catastrophiques sur leur bonne marche, a une origine plus précise et moins connue. Ce ne sont pas, comme on le croit, les gouvernants libéraux qui ont formulé cette exigence, mais le P-DG d'une entreprise particulière : Havas.

En effet, c'est Pierre Dauzier qui, dans les semaines suivant la constitution du gouvernement Chirac, est allé rendre visite au rédacteur de la loi, Xavier Gouyou Beauchamps, pour demander que soit introduite dans le texte la contrainte des 25 %. Pourquoi? Parce qu'en prenant le fauteuil d'Havas il a promis à André Rousselet qu'il veillerait à la protection des 25 % détenus par le groupe Havas dans la chaîne cryptée. André Rousselet a pensé, en accord avec Dauzier, que ce verrouillage à 25 % mettrait Canal Plus à l'abri des turbulences que la privatisation prochaine d'Havas ne manquera pas de déclencher. De son côté, Pierre Dauzier ne voyait que des avantages à ce que, grâce à ce seuil, ses concurrents ne puissent maîtriser seuls une chaîne nationale et soient obligés d'en partager le capital.

Léotard et Gouyou Beauchamps ont traîné des pieds face à cette demande. Ils considéraient la barre des 25 % comme une entrave à la liberté des entrepreneurs d'investir dans une chaîne. On leur interdirait ainsi d'en détenir, et c'est le point central de l'affaire, la minorité de blocage. Qu'adviendrait-il en cas de conflit parmi les actionnaires? Pierre Dauzier avait alors employé les grands moyens pour faire passer cette exigence, disant en substance aux auteurs de la loi : « C'est comme ça et pas autrement : 25 %! Si vous n'êtes pas d'accord, nous irons à l'arbitrage chez Jacques Chirac, et nous verrons qui l'emportera. »

Pierre Dauzier pouvait tranquillement prendre ce risque, l'issue d'un éventuel arbitrage ne faisant pas l'ombre d'un doute.

4. Il n'existait pas de restriction de ce type lors de la création des chaînes commerciales, un an plus tôt.

Les dirigeants des groupes candidats sont donc condamnés à se rencontrer, à discuter, à former des alliances, des contre-alliances et des précontrats de mariages. Les mois de juillet, août, septembre 1986 sont un inextricable écheveau de rencontres, de visites, de rendez-vous qui ne peuvent déboucher sur rien de précis, les conditions de reprise des chaînes n'étant pas encore connues. Mais cela permet de se juger, de jauger l'autre, ses ambitions, ses moyens, ses hommes. Certaines de ces rencontres auront un impact sur la manière dont se redessinera l'audiovisuel dans quelques mois. C'est le cas de la visite que Francis Bouygues rend à Silvio Berlusconi, mi-juillet, à Milan.

Doutant de jamais s'entendre avec Jean-Luc Lagardère pour la reprise de TF1, le P-DG de Bouygues SA cherche des partenaires. Patrick Le Lay lui a parlé de ce Berlusconi dont l'itinéraire n'est, après tout, pas si éloigné du sien. Ne sont-ils pas deux hommes du bâtiment, de la construction? Rendez-vous est pris et, pour faire plaisir à Bouygues, qui n'a encore jamais volé sur ce type d'appareil, Silvio Berlusconi lui envoie, le 17 juillet 1986, le Grumman flambant neuf qu'il vient d'acquérir. Presque comme un vacancier, Bouygues fait le voyage en famille, avec sa fille Corinne et son fils Martin, mais accompagné aussi de Patrick Le Lay et d'un ami, le leader du « mobilier urbain », Jean-Claude Decaux. Après un tour d'hélicoptère au-dessus des complexes immobiliers Milano 2 et 3, on passe aux choses sérieuses autour de la table du déjeuner à Arcore.

« Vous êtes un professionnel de la télévision, pas moi, mais je veux une chaîne. Associons-nous pour reprendre TF1, propose Francis Bouygues.

– Ce serait avec plaisir, répond Berlusconi, mais je suis déjà sur la Cinq. Je ne peux pas être candidat avec vous sur TF1. Si je l'étais, compte tenu de la situation en France, cela vous nuirait. »

Comme tout le monde, Berlusconi donne peu de chances à Bouygues face à Hachette et à Hersant. Souhaitant à tout prix se maintenir dans la télévision française, son souci est de trouver le partenaire le plus à même de l'emporter dans la compétition. Cela, Angelo Codignoni l'a déjà laissé entendre à Patrick Le Lay. C'est vrai qu'il y a des affinités naturelles entre les groupes Bouygues et Berlusconi mais, comme il y a peu d'espoir que le premier obtienne une chaîne, le second, en s'associant avec lui, risque de tout perdre et de devoir quitter la France.

« Sua Emittenza » tient le même raisonnement à l'égard des offres de mariage que lui a renouvelé le magnat franco-britannique, Jimmy Goldsmith, pour la reprise de la Cinq. Selon Berlusconi, qui commence à mieux saisir les méandres de la vie politique française,

Goldsmith a encore moins de chances que Bouygues. Avec Gilberte Beaux, le patron de la Générale occidentale et de *L'Express* a misé, et perdu, sur Raymond Barre comme Premier ministre de la cohabitation... Berlusconi voit mal comment un barriste pourrait se faire attribuer une chaîne dans un jeu dominé par une coalition où le RPR tient les rênes.

L'intuition du patron de la Fininvest, et ce depuis le premier jour de la cohabitation, est que son meilleur allié serait Robert Hersant. « C'est le seul, dit-il souvent, qui peut nous faire rester à Paris... » Au cours de l'été, l'intuition devient certitude. Les conseillers de Jacques Chirac à Matignon, José Frèches en premier, font comprendre au groupe italien que la meilleure monture à prendre, s'il veut rester en France, c'est Hersant.

Mais, chaque fois que Silvio Berlusconi le fait appeler, Robert Hersant a toujours la même réponse énigmatique et polie : « Il est trop tôt. Rappelez-moi plus tard. »

« Il est trop tôt. » Combien de fois Robert Hersant répond-il par ces mots à Angelo Codignoni, à Patrick Le Lay et à tant d'autres qui le sollicitent? Ce dont personne ne se doute, c'est que le patron du *Figaro* hésite. Il veut TF1, mais depuis le début de l'été, et de manière de plus en plus insistante à partir de l'automne, le pouvoir lui recommande de réfléchir. Matignon lui conseille d'oublier la Une et de se rabattre en douceur sur la Cinq, dont on lui fait comprendre qu'il a toutes les chances de la décrocher. Ce qui est moins facile à garantir pour TF1. Ce n'est pas la crainte de voir Hersant échouer dans la conquête de TF1 qui pousse Jacques Chirac, Edouard Balladur et leurs conseillers à le détourner de cette chaîne. C'est la peur de l'onde de choc que provoquerait son succès.

En posture sociale délicate, le Gouvernement s'inquiète de l'effet qu'aurait le symbole TF1, historiquement et affectivement la première chaîne des Français, tombant entre les mains du « papivore » dont l'image, on ne le sait que trop bien à Matignon, n'est pas flatteuse. C'est un long et difficile travail d'approche que d'essayer de faire valoir ces arguments à un Robert Hersant déterminé à acquérir une télévision publique. Un Robert Hersant dont les hommes ont déjà commencé à explorer TF1.

Comme Le Lay pour Bouygues et Sabouret pour Hachette, Philippe Ramond a pris contact avec Hervé Bourges et Pascal Josèphe. Les dirigeants de la Une ont décidé de jouer cartes sur table et d'ouvrir la maison à ceux qui veulent la racheter. Le 22 juillet 1986, une rencontre au domicile du patron de la régie de TF1, Bochko Givadinovitch, a réuni pendant deux heures Bourges et Ramond. Robert Hersant s'était fait excuser. On a parlé stars, programmation, stocks de programmes et gestion publicitaire... Chaque fois qu'il le peut, Philippe Ramond rencontre les vedettes. Il a vu Mourousi, Polac... Les uns et les autres proclament ne pas vouloir faire « obstacle » à une reprise par Hersant. Mais les syndicats de la chaîne, eux, s'inquiètent, et ils le font savoir. Des associations de défense du service public se constituent [5]. Le pouvoir craint des mouvements de grève qui nuiraient au symbole que doit être la privatisation de TF1.

Il veut convaincre Hersant d'y renoncer.

5. Parmi les innovations de la sémantique libérale version Léotard, on remarque, avec la loi de septembre 1986, la disparition de l'expression « service public », remplacée par « secteur public »...

CHAPITRE XVII

Treize à table

Il n'y a plus vraiment de Haute Autorité, Michèle Cotta démissionne, le mardi 9 septembre 1986, et reprend son activité de journaliste avec une chronique quotidienne sur Europe 1. Une station dont le nouveau président est un ancien animateur devenu milliardaire dans la presse de charme et musicale avec Daniel Filipacchi, Frank Ténot. A ses côtés, à la direction générale d'Europe 1, Jean-Luc Lagardère a délégué celui qui a mené la restructuration du groupe Hachette depuis 1981, Jacques Lehn.

Plus de Haute Autorité. C'est sur fond d'attentats, de « charter pour le Mali » et des premières manifestations contre la réforme universitaire d'Alain Devaquet que la CNCL va s'installer et éclairer d'une lumière cruellement « rétro » la communication des années 80.

Le pire était à prévoir. On fait mieux encore.

Partie pour illuminer l'audiovisuel de demain avec une instance de régulation moderne, la cohabitation accouche d'une Commission nationale de la communication et des libertés à son image : conservatrice. Premier nommé, l'académicien Michel Droit, soixante-trois ans, donne le ton très *Figaro Magazine*, auquel il collabore, de cette assemblée. Dès le 14 juin 1986, l'Académie française s'était manifestée par courrier auprès de Jacques Chirac pour réclamer une miette du fromage CNCL : « Notre compagnie tient à rappeler à votre haute attention sa propre vocation à s'y intéresser aussi... » avait écrit l'Académie. En clair : donnez-nous un siège !

Les nominations qui suivent sont de la même veine passéiste et nostalgique d'un ordre audiovisuel périmé. Craignant que les membres les plus jeunes des grands corps d'Etat n'aient été contaminés au fil de leurs études par une idéologie gauchisante, on a décidé que seuls ceux d'un certain niveau (conseiller-maître...) seraient autorisés à

350

voter pour désigner leur représentant à la CNCL. Pour la plupart, ô hasard démocratique!, ces « grands » électeurs ont un âge qui leur a sans doute permis d'échapper aux virus marxistes. Ces grands corps d'Etat envoient donc chacun leur élu. Pierre Huet (soixante-six ans) pour le Conseil d'Etat, Michel Benoist (cinquante-neuf ans) pour la Cour des comptes et Yves Rocca (soixante-quatre ans) pour la Cour de cassation. Le président de l'Assemblée nationale, Jacques Chaban-Delmas, choisit deux femmes : l'ancien P-DG de Radio France, Jacqueline Baudrier (soixante-quatre ans), et Daisy de Galard (cinquante-sept ans), journaliste et productrice de télévision. Le président du Sénat, Alain Poher, décide de reconduire ses deux nommés de la Haute Autorité vers la CNCL, Gabriel de Broglie (cinquante-cinq ans) et Jean Autin (soixante-cinq ans).

Quant à François Mitterrand, il délègue deux fidèles. Bertrand Labrusse (cinquante-cinq ans), conseiller-maître à la Cour des comptes, a démissionné en juillet de la présidence d'une SFP qu'il estime condamnée à l'asphyxie financière par la loi des libéraux. Pendant l'été, François Mitterrand a convié l'ex-P-DG à venir le voir : « Alors, monsieur Labrusse, c'est un peu austère, la Cour des comptes, non? Mais vous reviendrez certainement à l'audiovisuel. »

Fin octobre, François Mitterrand l'appelle et l'informe de sa décision de le nommer à la CNCL, puis ajoute : « Vous serez ravi, je pense, d'apprendre que votre partenaire est Catherine Tasca. » Comme beaucoup de ceux qui entendent pour la première fois ce nom, Bertrand Labrusse a compris « Tosca » et cherche vainement dans les annuaires des grandes écoles les détails de la carrière de sa nouvelle collègue... Catherine Tasca, qui codirige avec Patrice Chéreau le Théâtre des Amandiers à Nanterre, est une femme de quarante-cinq ans, à laquelle le Président avait déjà songé en 1985 pour remplacer Erik Arnoult – alias Erik Orsenna, écrivain – aux questions culturelles à l'Elysée.

Pour la CNCL, François Mitterrand avait une vingtaine de noms en tête, dont ceux de Jean-Claude Héberlé et Jacques Pomonti... « Il pense à toi, mais ne t'emballe pas, la liste est longue », avait dit Jean-Louis Bianco à Catherine Tasca. Enarque, mitterrandiste, militante de la culture atterrée par ce qui se mijote sur les fourneaux audiovisuels de la droite, Catherine Tasca ne peut décliner une seconde fois l'offre présidentielle. Elle n'a pas envie de quitter le théâtre, mais la CNCL est une tâche qui ne se refuse pas. Plus qu'une tâche, c'est une mission.

C'est seulement le vendredi 31 octobre 1986 que la CNCL se réunit au complet, après que les dix premiers nommés se sont réunis, là ou siégeait la Haute Autorité, avenue Raymond-Poincaré, pour coopter les trois derniers membres de l'aréopage : le pionnier de la RTF Pierre Sabbagh (soixante-huit ans), le journaliste et directeur de la Fédération nationale de la presse française Roger Bouzinac (soixante-cinq ans) et l'ingénieur et ancien président de Thomson Jean-Pierre Bouyssonnie (soixante-six ans).

La première image que la CNCL donne d'elle-même par sa composition sociologique est, à de rares exceptions près, celle d'un organisme fermement ancré à droite, pour ne pas dire ouvertement réactionnaire, et où la tendance RPR l'emporte de manière écrasante. C'est aussi l'image d'une assemblée ingouvernable en raison des querelles intestines qui s'y développent aussitôt. Conflits de clochers et d'attributions, dont le plus sévère porte sur le point de savoir qui présidera l'organisme. La lutte est âpre, pour ce poste, entre quatre candidats : de Broglie, Huet, Benoist, Autin. Elle est même si âpre, et l'institution naissante déjà si indépendante, qu'il faudra que le conflit soit en partie arbitré... à Matignon, par José Frèches et Maurice Ulrich, qui reçoivent certains postulants en rendez-vous individuels, à la recherche du plus professionnel et pondéré.

C'est Gabriel de Broglie qu'ils adoubent, après avoir demandé au président du Sénat de bien vouloir chapitrer, pour qu'il calme ses ardeurs à vouloir présider la CNCL, le second de ses protégés, Jean Autin. En dépit de cela, le vote ne va pas de soi. A l'avant-dernier tour, c'est Michel Benoist qui mène, d'une voix devant de Broglie. Au dernier tour cependant, de Broglie est élu président, grâce notamment aux voix de Labrusse et Tasca.

Le parcours de la CNCL commence dans les tensions et l'amertume des perdants. Il se gâte peu après par un couac protocolaire qui coûtera cher à la Commission.

Le mercredi 12 novembre, jour où le Premier ministre l'installe officiellement dans ses locaux de l'hôtel d'York, rue Jacob, les invités de la CNCL cherchent des yeux le chef de l'Etat... et ne le voient pas. Le Tout-Paris politique, audiovisuel et journalistique est là, mais on a négligé d'adresser une invitation à François Mitterrand. Un « oubli » qu'il ne pardonnera pas. Ne serait-ce que pour avoir été privé du plaisir qu'il aurait peut-être éprouvé à ignorer la cérémonie.

Qui est responsable de cet oubli? Vaillamment, les cabinets de Chirac, Léotard et de Broglie se rejettent la faute...

Ce faux départ vire à la pièce de boulevard paléo-gaulliste avec la nomination, le 3 décembre 1986, des P-DG de l'audiovisuel public.

Pourtant, les mandats des présidents en fonction ne sont pas achevés. Ce jour-là, y compris auprès de certains de ses défenseurs, la CNCL se discrédite pour longtemps. En moins d'une heure, tous les P-DG sont renvoyés, à l'exception paradoxale d'un seul, celui de TF1, Hervé Bourges. C'est pourtant de lui que la majorité RPR-UDF et la Commission auraient aimé débarrasser prioritairement l'audiovisuel. Mais ils ne peuvent le faire. En accompagnement de la privatisation de TF1, il était prévu de remplacer Hervé Bourges, dès la loi promulguée, par un administrateur provisoire. Mais, nouvelle leçon de droit pour François Léotard, la manœuvre s'est avérée juridiquement critiquable. Le Conseil constitutionnel en a fait la remontrance au Gouvernement. Il a fallu renoncer, se résigner à supporter Bourges jusqu'à ce que la privatisation soit accomplie et que les repreneurs de TF1 désignent eux-mêmes un nouveau P-DG.

Bourges intouchable, la CNCL se fait les dents sur les autres. Sont donc remerciés Janine Langlois-Glandier à FR3, Jean Drucker à A2, Jean-Noël Jeanneney à Radio France, Jacques Vistel à RFO... Ces P-DG ont-ils démérité? Causé la faillite de leur entreprise? Perdu la confiance de leurs salariés? Ce sont là des questions subalternes que la CNCL n'a pas le temps de se poser. L'esprit de la Restauration impose le retour des équipes dissoutes par la gauche en 1981. A raison de quelques instants de discussion par poste, on nomme Claude Contamine, ex-P-DG de FR3, à la présidence d'A2, et René Han à celle de FR3. Roland Faure retourne à Radio France, mais cette fois comme P-DG, tandis que Jean-Claude Michaud devient P-DG de RFO, et Henri Tezenas du Montcel de RFI. A l'exception du dernier, considéré comme barriste, tous sont des sympathisants RPR.

Cette séance de nominations dont la durée exacte, cinquante-deux minutes, atteste du sérieux, laisse complètement atterrée la classe libérale. Empêtrés dans la loi tout au long de l'été, Léotard et Gouyou Beauchamps comprennent, trop tard, qu'ils ont livré l'audiovisuel sur un plateau au RPR. Eux qui voulaient croire en une instance souveraine ont assemblé une caricature de bureau politique déguisée en collège mondain. Ces nominations sont la résurgence de ce que l'on voulait effacer. Elles dégagent un parfum de naphtaline et d'ORTF qui leur donne le cafard.

Il n'y a pas que chez Léotard, Rue de Valois, que l'on s'inquiète. A Matignon aussi, certains se rendent compte de l'effet désastreux de cette brochette de P-DG dont les noms sont pourtant bel et bien passés par les oreilles et les bouches des conseillers du Premier ministre. Les semaines précédant ces nominations, Frèches, Baudoin et Ulrich ont reçu sollicitations et candidatures. Quelques-uns des postulants ont souri quand on tentait de leur expliquer qu'il fallait s'adresser à la CNCL... Tous étaient convaincus qu'un brin de cour chez Balladur puis à Matignon permettrait de se retrouver ensuite dans les bonnes grâces d'une majorité de membres de la CNCL.

D'ailleurs, ces nominations se sont accompagnées, aux yeux de certains, de quelques étrangetés. Un Claude Contamine, qui la veille n'est pas candidat, allant même jusqu'à l'affirmer à l'un des membres de la CNCL, se retrouve P-DG d'A2 le lendemain avec une majorité de voix au premier tour... Pour voter en faveur de Jean-Claude Michaud, inconnu au bataillon, il en est qui ont dû se tourner vers leurs voisins et s'enquérir : « Michaud... avec un « d » ou un « t » ? »

Des membres ne doivent pas se sentir très fiers d'avoir cédé à d'amicaux encouragements extérieurs en renvoyant Jean Drucker d'A2. Celui-ci a obtenu trois voix, dont celles de Bertrand Labrusse, qui a plaidé pour son maintien, et de Catherine Tasca. Le scrutin achevé, quelques membres ont ainsi éprouvé le besoin de se faire connaître auprès de Labrusse comme étant la « troisième voix » pour Jean Drucker. Au bout d'une heure de ce défilé, Bertrand Labrusse, n'y tenant plus et devançant la rengaine du sixième visiteur, ironise : « Je sais, vous allez me dire que vous avez voté Drucker. Avec les deux voix sûres qu'il a eues, la vôtre est la huitième en sa faveur. Il est donc réélu P-DG. Allons rectifier le procès-verbal... »

A l'Elysée, les choix de la CNCL et leur côté « retour des émigrés » ont, c'est rare, mis François Mitterrand en colère. Telle est donc la vraie nature de cette instance, à qui il revient à présent de réattribuer les chaînes commerciales et de privatiser TF1 ? L'énormité de la parodie et la confiscation des postes clés au profit du RPR sont un affront personnel pour le Président. Un *casus belli*.

« Eh bien, dit un François Mitterrand glacial, le lendemain, en recevant les deux membres de la Commission qu'il a nommés. S'ils veulent la guerre... ils l'auront ! »

CHAPITRE XVIII

Roques and rôles

« J'ai pris une décision que je vous demande de ne pas divulguer. Nous n'allons plus sur TF1. Nous sommes candidats à la reprise de la Cinq... Vis-à-vis de l'extérieur, il faut continuer à entretenir le flou... »

C'est le mercredi 17 décembre 1986, à 8 h 30, que Robert Hersant informe ses plus proches collaborateurs de ce coup de théâtre, le premier d'une longue série. Cette décision, Robert Hersant s'y prépare depuis plusieurs semaines. Elle résulte d'un faisceau de pressions et d'une logique économique.

Les pressions, ce sont celles du pouvoir, qui se sont multipliées au cours des mois d'octobre et de novembre. Les gouvernants ont eu beau y mettre les formes nécessaires, le patron du *Figaro* a compris qu'on le considère comme un ogre s'apprêtant à dévorer TF1. De semaine en semaine, les informations les plus critiques lui sont revenues de Matignon et de la rue de Rivoli. Ce qui à la rentrée n'était encore que conseils est devenu recommandation pressante : « Ne choisissez pas TF1. Portez-vous sur la Cinq. »

Fin novembre et début décembre, la conjugaison de deux facteurs politiques a incité le Gouvernement à accentuer la pression sur Hersant. L'ampleur des manifestations étudiantes contre le projet Devaquet, les nominations des P-DG par la CNCL, la violence de la répression policière et la mort de Malik Oussekine, matraqué par les voltigeurs dans la nuit du 5 au 6 décembre 1986, ont provoqué une crise grave au sein du gouvernement Chirac. L'impopularité de l'équipe au pouvoir va croissant. Sa mainmise soudaine sur l'audiovisuel avec la désignation des nouveaux P-DG a des relents que l'opinion publique rejette.

Le soir du dimanche 7 décembre, le président de la CNCL,

Gabriel de Broglie, n'est pas bien convaincant lorsqu'il déclare à l'émission d'Anne Sinclair « 7 sur 7 » qu' « aucune autorité gouvernementale n'était informée des ces choix [de P-DG], ni ne pouvait les prévoir... » Il l'est d'autant moins que beaucoup ont encore en mémoire l'éclat virulent de Jacques Chirac le 23 mai dernier à **Autun**, devant un parterre de sénateurs républicains indépendants. Le Premier ministre s'en était pris aux chaînes de télévision, aux journalistes et à leurs commentaires « trop systématiquement excessifs ou déformateurs », et leur avait même conseillé, comme aux plus beaux jours des lignes directes entre pouvoir politique et audiovisuel, de « se reprendre ». Il est bien difficile, devant le zèle RPR de la CNCL, de ne pas établir de rapprochements.

C'est la même CNCL qui, le 8 décembre, saisie par quelques députés RPR qui lui demandent purement et simplement de supprimer l'émission « Droit de réponse » sur TF1, engage une procédure critique à l'encontre de la Une. Ces députés n'ont pas supporté que la parole y ait été donnée aux étudiants manifestants. La Commission trouve le moyen d'écrire à Hervé Bourges pour s'étonner que l'émission de Michel Polac s'occupe d'« *actualité immédiate* » alors que, estime-t-elle, ce n'est pas « *sa vocation* » (sic).

Violences et tentation de reprise en main des chaînes, cela fait beaucoup pour une même première semaine de décembre. Surtout lorsque, comme en point d'orgue, le fleuron de la presse Hersant y apporte soudain une contribution nauséeuse. Le samedi 6 décembre, les lecteurs du *Figaro Magazine* et bientôt toute la population découvrent l'éditorial de Louis Pauwels, pour qui les étudiants et lycéens qui défilent dans les rues ne sont que des « *enfants du rock débile, les écoliers de la vulgarité pédagogique, ahuris par les saturnales de "Touche pas à mon pote"*... »

Pour l'éminent philosophe du groupe Hersant, ces manifestants sont « *les produits de la culture Lang* » et constituent ce qu'il n'hésite pas à appeler une « *jeunesse atteinte de sida mental* »! Une expression qui, en même temps que le cœur, soulève la colère et l'indignation, jusques et y compris dans les rangs de la majorité. Est-ce à un groupe de presse qui porte ce genre d'appréciations sur la jeunesse que l'on va confier la première chaîne de télévision du pays? Pour le Gouvernement, le virus du « sida mental » découvert par Pauwels est le dérapage de trop qui tombe à pic. Hersant *doit* renoncer à TF1.

Il n'est pas certain que, sans ces événements, Robert Hersant n'aurait pas néanmoins été conduit à la même décision. Par simple logique économique. Tout au long de l'automne, le « papivore » a refait ses comptes. On ne sait pas encore combien coûtera TF1. En septembre, le Gouvernement a lancé un appel d'offres auprès des cabinets d'expertise financière pour qu'ils déterminent le prix de la Une. On parle de 3 milliards de francs au moins. Compte tenu de la répartition du capital de la Une qu'impose la loi [1], si Hersant veut être opérateur avec 25 %, il devra débourser plus d'un milliard de francs... C'est une somme exorbitante pour un groupe comme la Socpresse, déjà considérablement endetté. Mais ce n'est pas insurmontable. Les banques sont là pour ça et, sous tous les régimes, depuis trente ans, Robert Hersant a toujours su s'entendre avec les banquiers...

Enfin, c'est quand même beaucoup d'argent.

Fin novembre, hésitant toujours, Robert Hersant a demandé au représentant du groupe Berlusconi à Paris, Angelo Codignoni, de lui établir « sur une feuille de papier », la liste des avantages et des inconvénients que comporterait la reprise de la cinquième chaîne. En quelques minutes, Codignoni lui avait préparé un tableau synoptique qui laissait peu de place au doute quant à ce qu'il convenait de faire. Le tableau recoupait dans ses grandes lignes les analyses de plusieurs des conseillers de Robert Hersant, et certaines de ses propres convictions. A une importante réserve près, l'insuffisance du réseau, il n'y aurait que des avantages pour un groupe comme le sien à se tourner vers la Cinq.

Certes, la Cinq n'a ni le prestige ni l'audience de TF1, lui a fait valoir Codignoni. Il peut paraître préférable de s'accrocher à la conquête d'une chaîne comme la Une, qui a déjà en portefeuille une part de marché considérable. Les chances de réussite y sont plus évidentes. Mais à quel prix? Combien faudra-t-il débourser pour entretenir TF1, sans parler des risques de levée de boucliers anti-Hersant, de grèves... A quoi il faut encore ajouter la pesanteur sociale des mille cinq cents salariés de cette entreprise, la masse salariale que cela représente. Il faudra restructurer, faire face à des conflits sans fin.

Tandis que pour la Cinq, le ticket d'entrée est gratuit. Avec l'équivalent de ce que les repreneurs de TF1 devront sortir de leur poche, il est possible de faire de la Cinq une très grande chaîne, en partant de rien. La chaîne est à construire, mais les fondations existent déjà. Avec un personnel bien choisi, des équipes et des coûts plus flexibles, cela peut devenir la meilleure affaire de la saison...

1. La loi Léotard établit que la cession de TF1 se fera en direction de trois acheteurs différents. Un groupe de repreneurs pourra acquérir 50 % du capital de la chaîne tandis que 40 % seront introduits en Bourse. Les 10 % restants devront être réservés aux salariés. La loi stipule en outre que 15 % maximum du capital de la chaîne pourront être détenus par un ou des groupes étrangers.

TF1 est un château à restaurer pour une fortune. La Cinq est une maison que l'on peut bâtir comme on veut.

Comme toujours, Hersant a pris connaissance de ces raisonnements sans faire de commentaires, se ménageant la liberté de prendre ensuite sa décision. Il a longuement réfléchi avant de sacrifier l'orgueilleux désir d'être un jour le patron de TF1 sur l'autel d'une proie plus modeste. Il a également soupesé, en chef d'entreprise, les conséquences que son déplacement, une fois connu, pourrait avoir sur le reste du jeu audiovisuel. Il ne les a pas toutes perçues – personne ne le pourrait, compte tenu du nombre de groupes en présence et de l'instabilité des alliances. Mais il en est une qui lui a immédiatement sauté aux yeux.

Tant que lui, Hersant, est candidat à TF1, les chances de Bouygues et Hachette sont presque nulles. Il n'est pas pensable que son groupe ne soit pas retenu. Peut-être faudra-t-il accepter des mariages, mais en tout cas il en sera... En choisissant la Cinq, le raisonnement reste le même. Il n'est pas possible, à plus forte raison s'il a rendu au pouvoir le service de renoncer à TF1, qu'il ne soit pas l'attributaire de la Cinq. Mais alors, pour TF1, à côté d'un groupe inexpérimenté comme Bouygues, Hachette se trouvera en meilleure posture. Or, il ne faut en aucun cas que le groupe de presse concurrent du sien, propriétaire du plus puissant hebdomadaire de programmes de télévision, *Télé 7 Jours*, devienne l'opérateur de la Une. Cela menacerait doublement le groupe Hersant.

Menace en termes de presse, car la Une, premier média français, permettrait à Hachette de faire jouer au maximum, avec des campagnes couplées, les synergies publicitaires avec les titres de son groupe et sa radio nationale, Europe 1. Le groupe de presse Hersant risquerait dans ce cas de souffrir de difficultés financières au moment même où il aurait besoin d'argent pour investir dans la Cinq. Menace aussi en télévision, car, du haut de TF1, Hachette n'aura pas de mal à tenir la dragée haute à Hersant, peinant pour débuter sur une petite Cinq.

Il y a donc deux conditions sine qua non pour que le changement de stratégie de Hersant se passe au mieux. Condition n° 1 : Hachette ne doit pas décrocher la Une. Condition n° 2 : il faut s'allier avec quelqu'un ayant de l'expérience et des programmes.

Habitué à manœuvrer silencieusement sa barque dans ce type de situation, Robert Hersant a attendu le dernier moment pour avertir ses collaborateurs.

Il est déçu de devoir abandonner TF1. La frilosité et l'ingratitude des politiques qu'il a aidé à faire élire ne l'étonnent plus, mais quand même... Entre les otages, le terrorisme, le sida mental, les étudiants, la cuvée des P-DG de la CNCL, il est vrai que le pouvoir accumule les verges pour se faire battre. C'est peut-être à tout cela qu'il a pensé, la veille de ce mercredi 17 décembre, en résumant la situation à quelques-uns de ses proches par un sibyllin : « Avec ces cons-là, on n'arrivera à rien sur TF1... » sans préciser de quels « cons » il s'agit.

Le flou qu'il demande à ses collaborateurs d'entretenir pendant « quelques jours » doit lui permettre de visser discrètement sa nouvelle position.

A la mi-décembre, aucun des groupes de communication en piste pour les reprises de chaîne ne se doute du « petit roque » auquel se livre Hersant. Havas et la CLT encore moins que les autres. Depuis la rentrée, ces deux entreprises ont créé avec Paribas une société d'étude pour préparer leur candidature à la Cinq. Le P-DG d'Havas, Pierre Dauzier, et l'administrateur délégué de la CLT, Jacques Rigaud, en peaufinent les grandes lignes. Autour de cette société gravitent des partenaires tel le financier Bernard Arnault, et des titres de presse, dont le quotidien *Le Monde*, qui coproduit sur RTL l'émission politique « Le Grand Jury ».

Pour coordonner la mise en place de ce projet, la CLT a recruté un consultant. Il se nomme Claude Lemoine. Ancien directeur de FR3 avant 1981 auprès de Claude Contamine, estampillé « de droite » mais repêché et placé à la tête de TMC Italie [2] par André Rousselet au début du septennat, Claude Lemoine est une de ces intelligences polyvalentes qui passent d'une société, d'un dossier à l'autre.

Jacques Rigaud est, au début de cet hiver, un homme heureux. Il tient sa revanche audiovisuelle. La CLT sur la Cinq, ce n'est plus qu'une question de semaines. Tel que se présente le calendrier, la Cinq et TV6 devraient être réattribuées en janvier ou février 1987, avant la privatisation de TF1. Avec RTL5 (c'est le nom de la future chaîne), les Français vont enfin voir de quoi la CLT est capable en matière de télévision commerciale. Bien sûr, il faut s'attendre à une compétition avec le projet auquel travaille, dit-on, Jimmy Goldsmith, et peut-être avec celui de Seydoux et Berlusconi, si jamais ils sont candidats à leur propre succession. Mais leurs chances sont nulles. Les circonstances politiques ne sont plus les mêmes.

Quand la CNCL verra la stature financière et l'expérience audiovisuelle du groupement CLT-Havas-Paribas, elle ne pourra pas hésiter. Surtout s'agissant de la CLT, dont tout le monde sait qu'elle a été lâchement écartée d'une fausse compétition en 1985. Jacques Chirac

2. La branche italienne de Télé Monte-Carlo.

le sait aussi. Le Premier ministre ne s'est-il pas fendu d'une promesse sans ambiguïté, en septembre dernier, devant Gaston Thorn, Jacques Rigaud et le directeur du *Monde*, André Fontaine? Sortant du studio du « Grand Jury », dont il était l'invité, Jacques Chirac leur a dit, tout de go, dans un de ces élans dont il est coutumier : « La Cinq, vous l'aurez. » Le mot a autant réjoui que surpris Rigaud. Quelle promesse! C'est quand même culotté, alors qu'on semble vouloir faire tant de cas de la procédure, du « mieux-disant culturel », de l'indépendance de la CNCL...

« Vous l'aurez... » L'expression sonne agréablement aux oreilles de la CLT, quelques mois seulement après avoir été comme maudite par le destin. Jacques Rigaud ne peut s'empêcher de penser à ce jour de février 1986 où, président de l'établissement du musée d'Orsay en travaux, il a rencontré François Mitterrand à l'Elysée pour fixer avec lui la date de l'inauguration. Le Président souffrait du dos, ce jour-là, et ils s'étaient assis près de son bureau pour éviter la mollesse du canapé. Ils avaient rapidement convenu du 1ᵉʳ décembre 1986 pour l'inauguration et, l'air de rien, François Mitterrand lui avait dit, alors que la Cinq était sur le point de commencer à émettre : « Je regrette, monsieur Rigaud, de ne pas vous avoir vu plus souvent. Cela aurait peut-être évité certains malentendus... »

Profitant de l'ouverture, l'administrateur délégué lui avait alors expliqué que la CLT avait le sentiment de s'être fait claquer la porte française au nez; avant de lui relater les épisodes d'une éviction au profit de la Cinq version Seydoux-Berlusconi.

« Comment cela? s'était étonné François Mitterrand. On m'a dit qu'il n'y avait qu'un seul candidat pour cette chaîne.

– On vous aura menti, monsieur le Président », s'était permis Jacques Rigaud, avant d'ajouter qu'au point où en étaient les choses la CLT axerait désormais davantage son développement sans doute sur les pays anglo-saxons et l'Allemagne plutôt que vers une France qui ne voulait pas d'elle.

« Je ne savais pas tout cela, voyez-vous », avait conclu, évasif, le Président. Et il avait l'air sincèrement étonné.

Mais il est vrai, pouvait se dire Jacques Rigaud, que la sincérité chez l'homme politique François Mitterrand serait à elle seule un sujet de thèse.

Heureux, Jacques Rigaud ne le reste pas longtemps. Le mardi 23 décembre 1986, le groupe Berlusconi se manifeste et souhaite un rendez-vous. C'est une première. La CLT et Fininvest se regardent de travers depuis plus d'un an. Mais on ne refuse pas une offre de discussion. Jacques Rigaud, qui a déjà eu l'occasion de croiser Angelo Codignoni, n'a rien contre une rencontre. Ils se verront le soir même, au bar du Plaza, avenue Montaigne.

La démarche du groupe italien est motivée par l'urgence. En contact avec tout le monde, le groupe Berlusconi, à la fin de l'année 1986, n'a pas de perspectives concrètes. Sans nouvelles de Robert Hersant, toujours en discussions filandreuses avec Havas, Goldsmith, Bouygues ou les Editions Mondiales, Jérôme Seydoux et Silvio Berlusconi se retrouvent les mains vides. Ils n'ont pas de point d'ancrage sérieux dans l'audiovisuel de demain. Or, il reste peu de temps avant l'expiration du délai de grâce accordé à la Cinq. En se tournant vers la CLT, groupe à l'évidence le mieux placé pour reprendre la Cinq, la Fininvest tente de se frayer un passage vers l'oxygène.

Au Plaza, Codignoni expose à Rigaud le raisonnement suivant : la CLT part gagnante, c'est un fait, mais rien n'est encore acquis. Si, en revanche, la Compagnie luxembourgeoise s'associe au groupe Berlusconi, assurant ainsi la continuité que le pouvoir souhaite sur la Cinq, plus rien ni personne ne pourra s'opposer à leur victoire. Sans Berlusconi, par contre, la chose reste aléatoire.

« C'est la meilleure des solutions pour nos entreprises », dit Codignoni à un Jacques Rigaud qui boit du petit-lait.

Quelle savoureuse revanche! Et pas seulement à propos de la Cinq! La chose n'est pas connue, mais déjà il y a six ans, Berlusconi et la CLT ont failli... s'associer! La face de l'audiovisuel européen aurait pu être changée. A l'époque, Silvio Berlusconi, entrepreneur dans l'immobilier, commençait seulement son développement télévisuel en Italie. Il recherchait des partenaires pour l'épauler dans son expansion, et s'était tourné vers le seul groupe européen qui avait une expérience dans la télévision commerciale, la CLT. Au même moment, la Compagnie luxembourgeoise cherchait à s'implanter dans la production en Italie...

A l'initiative de Jacques Douce, directeur d'Havas, un dîner avait été organisé à Paris, à la mi-décembre 1980, dans un restaurant des Halles. Berlusconi et Confalonieri y avaient rencontré Jacques Rigaud, Gust Graas et Jean Drucker. Des réunions en Italie avaient suivi ce dîner. La CLT allait entrer dans le capital du groupe italien. L'accord devait être signé au cours d'une dernière réunion, fin avril 1981, à Milan. Une réunion à laquelle Berlusconi s'était fait attendre, longtemps. Très longtemps. Il ne s'y était jamais présenté. Dans la nuit précédente, il avait changé d'avis et préféré garder son autonomie. Les contacts avaient été rompus.

Depuis, la CLT observe les mouvements de la Fininvest à son égard avec une certaine circonspection. Au Plaza, Jacques Rigaud maintient le cap :

« Vous arrivez avec un an de retard, dit l'administrateur délégué. Je suis certain d'avoir une chaîne, cette fois, et ce sera la Cinq. Mon tour de table est déjà bouclé.

– Sans doute, encaisse Angelo Codignoni. Mais si jamais Hersant se porte sur la Cinq, que pourrez-vous faire ? Il y aura une bataille politique entre vous deux ; pouvez-vous imaginer que la CNCL ira contre Robert Hersant ? »

La question trouble Rigaud, qui n'en montre rien.

Mais, de son côté, l'assurance de Rigaud trouble l'Italien. Le lendemain, à Milan, où l'on s'apprête à fêter un second Noël de crise – l'année d'avant, c'étaient les préparatifs de la Cinq dans la précarité politique et la tourmente de la tour Eiffel –, Codignoni rend compte à Berlusconi.

« Si la CLT est certaine d'avoir la Cinq, et si Hersant se maintient sur TF1, il faut réfléchir et peut-être quitter la Cinq pour aller avec lui...

– Cela dépendra du prix », répond « Sua Emittenza ».

Le doute et l'expectative des deux groupes sont de courte durée. Codignoni a vu juste. Peu après le rendez-vous du Plaza, un matin, Jacques Rigaud est dans sa salle de bains quand l'un de ses enfants lui apporte le téléphone portatif. On le demande. M. Dauzier. Jacques Rigaud a beau être assis sur le bord de sa baignoire, il tombe pourtant de haut.

« C'est très embarrassant pour nous, dit le P-DG d'Havas, j'apprends qu'Hersant a décidé de lâcher TF1 pour la Cinq. »

La scène a comme un goût amer de déjà vu pour l'administrateur délégué. Si Hersant change d'objectif, c'est qu'il a reçu des assurances. Lui aussi. Il faut consulter les partenaires du projet RTL5 et aviser après les fêtes.

Les vacances de Noël sont gâchées.

Pas celles de Pierre Dauzier, qui part au Maroc pour une semaine, entre les fêtes, où il sera en compagnie de Jacques Chirac. Le Premier ministre prend un peu de repos. Le P-DG d'Havas tourne et retourne la nouvelle donne. Robert Hersant a pris la peine de le prévenir personnellement de son initiative. Pour Pierre Dauzier, la question n'est pas de savoir si Hersant a des chances. C'est comme s'il avait déjà la Cinq, il l'a compris au ton de son interlocuteur.

Non, la question est de décider ce qu'il faut faire. Désormais, quiconque veut investir dans la Cinq doit se rallier à la candidature Hersant. Le groupe Havas ne peut effectuer pareille manœuvre. D'abord parce que les deux groupes sont farouchement concurrents sur le marché publicitaire de la presse quotidienne régionale, Hersant avec ses titres, Havas avec ceux dont il assure la régie. Ensuite, et surtout, parce que la première motivation du groupe Havas à entrer dans la Cinq était de s'occuper de la régie. Et il est impensable que Robert Hersant ne s'occupe pas lui-même de la régie de la chaîne, comme il le fait pour son groupe. Havas ne pourrait être qu'un partenaire dormant. Enfin, André Rousselet n'accepterait jamais qu'Havas soit à la fois actionnaire de Canal Plus et d'une Cinq contrôlée par Hersant. Inutile d'y songer.

Ce qui revient à dire que, par son déplacement, Hersant vient de faire exploser en vol le tour de table de RTL5. Havas, ne pouvant ni se maintenir dans une candidature vouée à l'échec ni se marier avec Hersant, doit chercher une autre solution pour être présent sur une seconde chaîne... Après Hersant, Dauzier va devoir effectuer un « grand roque » pour s'assurer une place dans la seule chaîne qui reste, la sixième comptant pour rien : TF1.

Entre Noël et le Jour de l'An, Robert Hersant appelle Angelo Codignoni et délivre, à l'intention de Silvio Berlusconi, le message attendu, espéré depuis des mois :
« Mon choix s'oriente vers la Cinq. C'est le moment de parler. »

Le mardi 30 décembre 1986, au petit matin, Philippe Ramond se rend boulevard Malesherbes pour informer officiellement le bras droit de Jérôme Seydoux et directeur général de Chargeurs SA, Jean-Pierre Lagrange, du choix définitif de Robert Hersant. Quelques jours plus tôt, Ramond a procédé de même à l'égard de la CLT en mettant au courant le coordinateur du dossier RTL5, Claude Lemoine. Ce sont des démarches que Philippe Ramond accomplit désormais pour Robert Hersant comme seul et unique responsable de TVES. En effet, à la mi-décembre, Jean-Marie Cavada est parti pour A2, où le nouveau P-DG, Claude Contamine, lui a confié la direction générale de la chaîne.

Début janvier, Hersant et Berlusconi s'attellent tranquillement à la constitution de leur tour de table. Un second coup de théâtre, qui se produit encore à l'insu du public, leur laisse les coudées franches.

On ne le saura que deux semaines plus tard, mais c'est au lendemain du Jour de l'An 1987 que les groupes Havas et Hachette décident de se marier dans une candidature commune à la reprise de TF1.

Comme tout ce qui touche à l'audiovisuel en France, la soudaine alliance entre Hachette et Havas, frères ennemis, relève d'un cocktail classique : deux tiers de politique, un tiers d'initiative d'entrepreneurs. Qu'il s'agisse de la gauche socialiste avec la Cinq ou de la droite libérale avec TF1, les stratégies n'ont d'indépendantes que le mot. Organisme de régulation ou pas, le pouvoir ne renonce jamais à intervenir dans la confection du meilleur monde audiovisuel politiquement acceptable. A plus forte raison lorsque les candidats sont ou bien d'importants groupes de presse dont le poids sur l'opinion peut être décisif (Hersant), ou bien de puissants groupes industriels qui ont la particularité de réaliser les trois quarts de leur chiffre d'affaires grâce aux commandes de l'Etat (Bouygues), ou bien encore les deux en même temps, comme dans le cas de Matra-Hachette.

La décision prise par Pierre Dauzier de se rapprocher du groupe de Jean-Luc Lagardère s'inscrit dans cet univers brumeux où politique et affaires s'entrecroisent sous les impulsions successives du Gouvernement. Début 1987, il y a beau temps qu'on ne voit pas d'un très bon œil, chez Jacques Chirac et Edouard Balladur, la perspective d'un groupe Hachette seul maître à bord sur la première chaîne de télévision française. Certes, les relations personnelles entre le Premier ministre et Jean-Luc Lagardère sont cordiales. Ce sont deux expansifs qui aiment chacun faire à l'autre leur numéro de charme et de dynamisme étudié. « Tout va bien ? » « Tout va très bien ! » C'est ainsi que débutent souvent leurs entretiens, et on enchaîne sur le football ou d'autres disciplines sportives. Mais s'ils sympathisent, Chirac et Lagardère ont peu de points communs et ne sont pas intimes. Alors que l'un, Chirac, se nourrit de poésie chinoise dès que ses dossiers lui en laissent le loisir, l'autre se passionne pour ses chevaux dans son haras de Normandie.

Ces mondanités mises à part, le « cas » Lagardère est observé avec vigilance par le Gouvernement. Lagardère est bien gentil, mais il n'est pas jugé assez fiable. Avec la radio, la presse, l'édition, les missiles, le métro, l'automobile, il touche à trop de choses. On ne s'y retrouve plus. Il est trop porté aux compromis, trop dispersé. A la fois trop autonome et très dépendant. Il est incontrôlable. Ce n'est pas comme Bouygues. Celui-là, au moins, on sait exactement ce qu'il fait.

En même temps, il est évident qu'on ne peut pas écarter d'un revers de main la candidature qui présente les meilleures garanties pour satisfaire au « mieux-disant » culturel. Dans l'opinion, le groupe Hachette, avec son éclectisme éducatif et distrayant, sa Bibliothèque verte, ses Guides bleus, ses livres d'art et d'histoire, ses coproductions de films de qualité, fait déjà figure de vainqueur le plus probable. Mais si on ne peut pas l'écarter, on peut l'« encadrer ». Avec un peu d'astuce, on peut circonscrire le pouvoir d'Hachette demain sur TF1. Il suffit de « marquer » Lagardère « à la culotte », comme dans un match. Havas fera ça très bien.

C'est ainsi qu'est née l'idée du tandem Hachette-Havas dans les cerveaux de Matignon et de la Rue de Rivoli (où Balladur et son chargé de mission, Jacques Friedmann, ne sont pas restés inactifs sur ce dossier), et dans l'esprit de Pierre Dauzier. Une fois alerté par Hersant, Dauzier s'est démené pour ménager une place à Havas dans la télévision privée. Il a parlé ou reparlé mariage avec tout le monde. Avec Seydoux, avec Berlusconi et avec Bouygues ! Il entretenait ainsi pour Havas, à côté du projet RTL5 avec la CLT, plusieurs fers au feu. Un protocole d'accord fut même sur le point d'être signé avec Bouygues SA, qui cherchait un partenaire pour monter son propre tour de table. Mais Dauzier n'avait pas cru aux chances du constructeur et n'avait pas donné suite.

Brouillant les cartes, depuis mars 1986 Havas joue un jeu étrange et dangereux. Misant sur tous les numéros. Occupant toute la table de roulette. Au risque d'apparaître, au jour de l'échéance, comme un génial stratège. Ou un traître.

Aux premiers jours de janvier 1987, le rapprochement s'effectue avec Hachette. Pierre Dauzier, retour du Maroc, et Jean-Luc Lagardère, qui rentre de Courchevel, se croisent lors de la cérémonie des vœux à l'Elysée. L'un et l'autre ont été discrètement informés du fait que ni Jacques Chirac ni Edouard Balladur ne verraient d'inconvénients, pour user d'un euphémisme, à ce qu'ils prennent langue à propos de TF1. L'un et l'autre, avec des analyses différentes, sont réceptifs à ce message.

Pour le P-DG d'Havas, le raisonnement est sans appel : Hersant aura la Cinq, Hachette sera plus fort que Bouygues devant la CNCL. Si Havas loupe le coche et n'est pas dans TF1, le groupe se condamne à voir son adversaire Hachette régner sans partage sur tous les secteurs clés des médias : radio, presse magazine, télévision, distribution... Il faudra au moins une génération au groupe Havas, se dit Dauzier, pour remonter la pente. Autant essayer de pivoter vers Hachette et être candidat avec Lagardère.

Sa décision est prise. Mais Pierre Dauzier omet d'en avertir aussitôt son partenaire jusque-là privilégié : la CLT, dont il est actionnaire...

Rue de Presbourg, dans le bureau de Lagardère, ou place François-Ier, au premier étage du somptueux hôtel particulier à façade de castelet qui est alors le siège du groupe Hachette, les discussions sur une alliance Hachette-Havas ne traînent pas. Sitôt informé de la bienveillante attention avec laquelle le pouvoir couve ce rapprochement, la nécessité en devient évidente à Jean-Luc Lagardère. Bien sûr, les deux entreprises se disputent sans relâche publicité et influence; mais, justement, n'est-ce pas là le signe d'une complémentarité idéale? Plutôt que de continuer à se déchirer petitement en province, pourquoi ne pas joindre forces et savoir-faire dans l'exploitation commune de la plus grande chaîne de télévision commerciale d'Europe que sera TF1? Comment n'y a-t-on pas pensé plus tôt?

C'est une alliance en or, se dit Lagardère, à qui, en l'occurrence, le dispositif anticoncentration édicté par la loi Léotard rend bien service. En effet, ce dispositif permet à un même groupe d'être actionnaire dans deux ou trois chaînes de télévision différentes, mais il interdit à ce groupe de posséder plus de 25 % du capital de l'une, 15 % du capital de la seconde, et 5 % de celui de la troisième. En d'autres termes, puisque Havas détient déjà 25 % de Canal Plus, il ne peut prétendre à plus de 15 % de TF1, où Hachette pourra être leader avec 25 %. « Pourra », et c'est aussi pourquoi l'alliance lui paraît coulée dans un métal précieux, car il va de soi que si le pouvoir les incite à s'entendre, c'est qu'il n'y a plus aucun risque, une fois l'accord scellé, que TF1 leur échappe.

La suggestion tombe au bon moment pour Jean-Luc Lagardère. Depuis un an, lui qui ne peut pas imaginer ne pas être l'attributaire de la Une se prépare. Mais en dilettante méticuleux. Il a confié la gestion, l'intendance du dossier, à Etienne Mougeotte et Yves Sabouret. Le directeur de *Télé 7 Jours* et le vice-président d'Hachette ont commencé à étudier la conception d'un projet, sans trop avancer. Attendant que soient connues les conditions de la privatisation, et notamment le prix de TF1. Prix qui conditionne naturellement les hypothèses de grilles de programme et d'exploitation.

Comme les autres, ils ont pris contact avec l'équipe en place à TF1. Les rendez-vous n'ont eu lieu ni à TF1 ni au groupe Hachette, mais au bar du Hilton Suffren. L'entente n'a pas été très bonne avec Hervé Bourges et Pascal Josèphe, à qui les certitudes et l'assurance d'Hachette ont donné le sentiment qu'ils ne sont là que pour fournir l'inventaire de la maison. Impression renforcée chez Hervé Bourges par sa rencontre en tête à tête avec Jean-Luc Lagardère, le 26 juin 1986, au cours de laquelle le P-DG de Matra-Hachette a fait comprendre au P-DG de TF1 que, une fois opérateur de la Une, il ne garderait pas l'équipe en place. Disposant, disait-il, d'une grande réserve de « professionnels », il importerait son encadrement sur TF1.

La quasi-certitude de gagner conduit même le groupe à ne pas pré-voir un tour de table solide, avec des partenaires de rechange. En jan-vier 1987, Hachette n'a pas encore réuni tous les associés nécessaires pour reprendre les 50 % de TF1. Une moitié de chaîne dont le prix n'est toujours pas établi, bien qu'on évoque maintenant assez souvent le chiffre de 3,5 milliards de francs... Le rapprochement avec Havas a ceci d'idéal qu'il fournit automatiquement un apport de 15 %. Si l'on y ajoute les 25 % d'Hachette, il ne reste à trouver que 10 %, ce qui n'a rien d'impossible. Plusieurs titres de presse français veulent investir dans la télévision, et sinon, des groupes étrangers, dont la chaîne anglaise TV South, le quotidien espagnol *El Pais*, ou la compagnie américaine MCA, sont prêts à prendre chacun 1 % ou 2 %.

A présent qu'il peut s'entendre avec Havas, Jean-Luc Lagardère estime pouvoir faire définitivement une croix sur l'autre hypothèse, la proposition Bouygues. Après un long silence consécutif à leur ren-contre de Cannes en mai, Francis Bouygues et Patrick Le Lay ont « relancé » Lagardère à la fin 1986. Le numéro un du bâtiment paraissait avoir lui-même des difficultés à réunir un tour de table.

Mais, une nouvelle fois, Lagardère et Bouygues s'étaient heurtés au sempiternel débat : qui commandera? Ce que Bouygues a som-mairement résumé, en novembre, dans un entretien au magazine *L'Expansion* : « *Lagardère veut le leadership et moi aussi... Nous n'avons pas la même conception du rôle de l'actionnaire.* » Au pas-sage, Bouygues comparait les tentatives de « diversification » de son groupe à un sport un peu plus violent que les autres : « *C'est comme à la chasse, on tire le gibier qui se présente.* » Lagardère aurait bien pris Bouygues avec lui, mais à 10 % ou 15 %. Cela, Francis Bouygues n'a jamais voulu en entendre parler. Il aime à citer, dans ces circonstances, une maxime imparable empruntée à l'industriel Sylvain Floirat. En affaires, si l'on s'associe, ce ne peut être que pour contrôler : « Petit minoritaire, petit con. Grand minoritaire, grand con! »

Lagardère n'hésite pas à franchir les étapes vers Havas. Quelques jours après la rencontre des vœux présidentiels, il organise un déjeu-ner avec Pierre Dauzier et Daniel Filipacchi, vice-président d'Hachette. Accord de principe. Ensuite, on explore les modalités de l'alliance. Vers la mi-janvier, un protocole d'accord est prêt. Selon ses termes, la présidence de TF1 reviendra au goupe Hachette tandis que la régie publicitaire et la direction générale de la chaîne échoiront à Havas. Yves Sabouret sera donc P-DG, Marc Tessier directeur géné-ral, et Etienne Mougeotte directeur d'antenne.

Ce protocole semble satisfaire les deux parties, qui gardent jalousement le secret sur son existence. Pierre Dauzier prend ensuite connaissance de l'état des travaux d'Hachette. Il participe à quelques réunions organisées place François-Ier pour bâtir l'argumentaire qu'il faudra développer devant la CNCL. Réunions dont il sort assez inquiet tant l'état d'impréparation du dossier Hachette est grand.

Mais à quoi bon s'inquiéter, puisque la compétition n'est qu'un jeu en trompe l'œil? Par contre, il y a plus ennuyeux : le prix de TF1 tarde à venir.

CHAPITRE XIX

Danses avec les loups

« Havas vous lâche pour TF1...
– Ce n'est pas possible ! Je ne le crois pas ! »

Jacques Rigaud explose intérieurement ce samedi matin du début janvier où, sous le sceau du secret, des amis banquiers lui apprennent son infortune.

« Mais c'est impossible ! » se répète l'administrateur délégué de la CLT, tout en se résignant à accepter l'authenticité des informations qui lui sont données sur l'avancement des contacts Dauzier-Lagardère. Il n'y a pas dix jours, avant Noël, Havas et la CLT formaient le meilleur tour de table pour la Cinq. Aujourd'hui, tout s'effondre. Non seulement la CLT se retrouve face à Hersant, mais elle est trahie d'une manière odieuse par l'un de ses plus importants actionnaires. Trahie au-delà de ce qui est imaginable puisque, en s'alliant à Hachette, Havas, régisseur exclusif de RTL, informé des secrets commerciaux et financiers de la station, passe à l'ennemi qui contrôle Europe 1 ! Bouillant, mais préparé au pire par les confidences qu'on lui fait, Rigaud attend que Pierre Dauzier se manifeste.

Ce n'est que plusieurs jours après, alors que tout est pratiquement cadré avec Hachette, que celui-ci, embarrassé, téléphone à Jacques Rigaud pour lui confirmer les rumeurs qui commencent à se répandre. Pierre Dauzier tente de justifier sa stratégie et de convaincre la CLT de se joindre à Havas-Hachette sur TF1. Mais quel rôle pourrait bien jouer la Compagnie luxembourgeoise avec quelques miettes de capital sur la Une ? La CLT n'a pas vocation à jouer les figurants dans le vaudeville Hachette-Havas. Rigaud fulmine contre l'ampleur d'une trahison qui lui donne le sentiment que l'histoire se répète. N'est-on pas encore, sans le dire, en train d'écarter la CLT ?

La rupture entre Havas et la CLT est consommée.

Scandalisé, Jacques Rigaud envoie une lettre incendiaire à Pierre Dauzier.

Que peut désormais faire la CLT?

Aux mêmes heures du début janvier 1987, rue de Presbourg, Robert Hersant jubile.

« Mon cher Silvio, dit-il à Berlusconi, qu'il reçoit pour discuter des participations au capital de la Cinq, je vais vous donner le maximum en tenant compte des partenaires auxquels je pense et des exigences politiques... »

« Sua Emittenza » fait observer qu'il n'est pas seul sur la Cinq, il y a Christophe Riboud et Jérôme Seydoux; il faut leur donner la possibilité de rester... Hersant opine, mais laisse glisser : « Je ne peux rien garantir pour vos associés... » Berlusconi n'insiste pas. Il a essayé. Pas en vain puisque, à la réflexion, Hersant décide de faire porter un message à Jérôme Seydoux, le 6 janvier au matin, pour lui proposer de se joindre au capital de la future Cinq. Ce n'est pas par bonté d'âme qu'il entrouvre la porte, mais par calcul politique élémentaire. Méfiant, il prend ainsi un contrat assurance-CNCL.

« Seydoux peut-il nous apporter un appui à la CNCL? » demande-t-il à Berlusconi en songeant aux voix de Labrusse et Tasca. Réponse positive. On ne sait pas comment voteront ces deux membres, mais on peut être sûr que sans Seydoux dans le tour de table, ce sera contre Hersant.

Jérôme Seydoux réserve sa réponse. En revanche, Christophe Riboud est tout à fait contre un partenariat avec Hersant. Le jour où Angelo Codignoni lui présente cette hypothèse comme la seule permettant à la Cinq de survivre avec ses actionnaires d'origine, le fils de Jean Riboud refuse un compromis idéologique contraire à son éducation et à ses convictions : « Je ne pourrai jamais accepter le passage de cette Cinq à une autre avec un partenaire qui symbolise le contraire des idées que mon père a défendues jusqu'à sa mort. Si l'on peut trouver un associé neutre, que ce soit la CLT, Goldsmith ou un autre, je peux réfléchir. Mais si c'est Hersant, pour moi c'est non. »

Instinctivement, c'est aussi la position de Jérôme Seydoux, qui n'a aucune affinité pour ce que représente Hersant. Mais en affaires, il faut savoir être pragmatique. Le tout est de choisir à bon escient. Aussi, le vendredi 16 janvier 1987, le président de Chargeurs SA rencontre François Mitterrand, celui qui a créé cette chaîne, pour aborder la question de son maintien, ou non, dans la Cinq. Le Président ne tranche pas mais cela revient au même puisque, en résumé, il dit à

Jérôme Seydoux : « Faites comme vous le sentez, il peut y avoir un avantage à garder un pied dans la maison. » C'est, en gros, ce qu'a déjà répondu l'Elysée quand, au début janvier, Silvio Berlusconi a fait poser la même question : « Faut-il aller avec Hersant? » avait-il demandé. « Faites comme vous voulez. » « Sua Emittenza », qui se sent redevable de sa position en France au chef de l'Etat, veut se garder à gauche avant de basculer à droite.

Son maintien dans une nouvelle Cinq, Berlusconi le prépare notamment avec le soutien d'un homme qui, depuis la rentrée 1986, « assiste » la Fininvest dans ses démarches pour rester en France avec l'aval du cabinet de François Mitterrand. Il s'agit de l'ancien collaborateur de Georges Fillioud, Christian Tardivon.

L'analyse de l'Elysée, celle que font le Président, Jean-Claude Colliard et Jacques Attali, c'est que dans moins de deux ans toutes ces questions de chaînes reviendront à la surface. Aujourd'hui, la cohabitation fait ses ravages, mais ce mal constitutionnel nécessaire ne s'éternisera pas. Il sera alors temps de reprendre les choses en main. On ne pourra sûrement pas se livrer à une nouvelle « casse » de la Cinq et de la Six; mieux vaut donc être prévoyant, et encourager la présence d'actionnaires amis dans leur capital. Le jour venu, il sera toujours possible, par le jeu des augmentations de capital, de rééquilibrer ou d'inverser les rapports de forces. Quant à TF1, c'est une autre histoire. Jack Lang a exprimé le fond de la pensée élyséenne sur la question en affirmant, dès juin 1986, que ce crime ne resterait pas impuni, et que TF1 serait « renationalisée » à « coup sûr ».

Ce vendredi 16 janvier où Jérôme Seydoux se rend à l'Elysée, Jacques Chirac reçoit de son côté le vice-président de la CLT, Gaston Thorn. Le Premier ministre, qui craint comme ses prédécesseurs un incident diplomatique avec le Luxembourg pour cause de promesse audiovisuelle non tenue, essaie de recoller les morceaux. Il en a parlé avec Pierre Dauzier; la seule solution consisterait à faire une place à la Compagnie luxembourgeoise sur la Cinq de Robert Hersant. Des signaux en ce sens sont partis de Matignon vers le patron du *Figaro*, et Jacques Chirac compte sur le doigté diplomatique de Gaston Thorn pour convaincre le premier actionnaire de la CLT, Albert Frères, de s'asseoir à une table avec Hersant.

Ce sera celle d'un restaurant, L'Espadon, au Ritz, où Frères, Thorn et un Hersant qui arrive très en retard, pour le seul plaisir d'incommoder, se retrouvent le week-end suivant. C'est un désastre prémédité par Hersant, qui n'a rien, fait-il comprendre, à concéder à la CLT. Il effectue cette démarche de mauvaise grâce, pour complaire au Premier ministre, mais ne veut pas entendre parler de partage. Si la CLT souhaite une portion de la Cinq, à la rigueur, pourquoi pas. Mais aucun rôle dans le management, les programmes, et encore moins dans la régie. Bougon et têtu, Hersant se conduit en maître du jeu. Quand il s'en va, au moment où l'on apporte les cafés, Albert Frère et Gaston Thorn restent sidérés par tant d'arrogance et vexés de s'être prêtés à une telle mascarade.

Robert Hersant, lui, sort l'esprit tranquille. Avant peu, pense-t-il, il aura bouclé son affaire pour la Cinq. A ses côtés il y aura Berlusconi, peut-être Seydoux. Son choix de partenaires est presque arrêté. Il a mis un point final aux conversations avec Jimmy Goldsmith et Gilberte Beaux qui soutiendront sans doute seuls un dossier de reprise de la Cinq...

L'actionnariat de la Cinq n'est plus un souci pour le patron du *Figaro*. Par sécurité, celui-ci garde en poche une liste de candidats. Cette liste lui permettra d'avoir sous la main à tout instant un tour de table de secours.

L'esprit serein il peut assister, en gourmet, à la tempête que soulève le jeune mariage Havas-Hachette.

C'est le 20 janvier que *Libération* révèle l'existence de l'accord Hachette-Havas. C'est un coup de tonnerre qui ébranle tout l'audiovisuel et alarme le monde de la publicité. Mis ensemble, les noms de ces deux groupes, de ces deux « pieuvres », font frissonner la profession et hurler au risque de « concentration ». En quelques jours, un « front du refus » s'organise autour des grandes agences indépendantes de publicité.

Il rassemble les agences FCA!, CLM, BDDP et la plus remontée de toutes contre Havas et Hachette, RSCG, la société de Jacques Séguéla. Omniprésent, Séguéla multiplie les interventions où il dénonce « l'abus de position dominante » à redouter si les deux géants prennent le contrôle de TF1. Le publicitaire n'a pas de mots assez durs pour stigmatiser du matin au soir ce que représente Havas pour lui, patron d'une agence autonome, libre, et fière de le rester. Pour le « front du refus », Havas est synonyme de compromissions permanentes avec le pouvoir, d'emprise occulte sur le marché publicitaire, de collusion souterraine avec d'autres géants de la publicité tels l'acheteur d'espace Gilbert Gross ou Publicis.

Tolérer un mariage Havas-Hachette condamnera l'ensemble de l'audiovisuel et de la publicité à une dictature. Si on leur donne TF1, ces deux-là feront la loi et les tarifs. Il n'y aura plus de place pour les petites agences. Tous les médias n'appartenant pas à la sphère

Hachette-Havas souffriront mille morts par asphyxie publicitaire. Se rend-on seulement compte qu'à eux deux plus TF1, ces mastodontes pèseront près de 25 milliards de francs de chiffre d'affaires ? Imagine-t-on le pouvoir que représentera une constellation rassemblant TF1, Europe 1, de l'affichage, la régie publicitaire de RTL, les trois quarts du marché des petites annonces, le quart de l'édition française, la chaîne complète de la distribution des journaux dans le pays... ?

Les premiers jours, ce front du refus, qui s'offre des encarts dans la presse, fait sourire Pierre Dauzier et Jean-Luc Lagardère. Réaction épidermique de jalousie, disent-ils. Mais, bien vite, ils doivent se rendre à cette réalité que les cris de la profession publicitaire trouvent un écho favorable dans les médias, du moins ceux qu'ils ne contrôlent pas, et aussi dans le monde politique. Et là, il n'y a plus de quoi sourire.

La lutte anticoncentration entamée par les publicitaires est le cheval de bataille préféré des barristes. Légèrement laissés pour compte dans la vie politique depuis le choix de Jacques Chirac pour la cohabitation, les partisans de Raymond Barre voient là une excellente occasion de refaire surface sur ce qui est leur terrain par excellence. Depuis la publication en 1984 des projets audiovisuels du RPR et de l'UDF, Barre s'est toujours démarqué de cet ultralibéralisme. La lutte contre la concentration dans les médias et les risques d'« abus de position dominante » qui en découlent, c'est son credo. Il a auprès de lui un conseiller d'une redoutable efficacité dans ce domaine, Jacques Bille.

Derrière sa quarantaine et son look d'énarque ministériel impeccable, Jacques Bille dissimule une âme de rocker des rues et la discothèque qui va avec. S'il peut transiger et accepter un compromis au cours d'une discussion sur les mérites de deux versions d'un même standard par Elvis Presley, il est de fonte et ne bouge pas d'un millimètre sur la question de la concentration. Il se trouve que Jacques Bille, ancien responsable du Service d'information et de diffusion auprès du Premier ministre Barre, est, en 1987, le directeur du syndicat professionnel des agences conseils en publicité (AACP), syndicat révulsé par l'accouplement des deux « H ». Et il se trouve encore, ce n'est bien évidemment pas un hasard, que quelques capitaines du front du refus ont le cœur barriste...

Début février, la canonnade commence à produire ses effets. Jean-Luc Lagardère s'inquiète de cette levée de boucliers qui, cela se sent, énerve les pouvoirs publics car elle donne l'image d'un Etat couvrant le mariage de « grands méchants loups ». Quant à Pierre Dauzier, il est *très* inquiet. Il réalise trop tard qu'il a commis une erreur en sous-estimant, voire en ignorant la réaction que provoquerait son pas de deux avec Hachette. Une erreur dont il risque de souffrir bien plus qu'Hachette. L'ampleur du rejet menace le cœur même de l'activité d'Havas. Comme la banque, la publicité est un métier basé sur la confiance. Il suffit d'un rien pour l'altérer. Le déluge de critiques qui s'abat sur Havas peut incommoder les annonceurs qui lui confient leurs budgets... Or Havas, sur le point d'être privatisée [1], a plus que jamais besoin d'inspirer confiance à ses futurs actionnaires privés et au public... Le processus qui s'enclenche pourrait être très dangereux pour le groupe.

Il faut que cela cesse. Et vite!

A la veille de leurs ultimes négociations financières, Hersant et Berlusconi mettent au point leur stratégie de reprise. Le dossier « programme » et « fonctionnement » de la future Cinq a été préparé d'un côté par Philippe Ramond pour TVES, de l'autre par Angelo Codignoni et Carlo Freccero pour la Fininvest. Avant même d'être présenté à la CNCL, ce dossier est un patchwork de compromis avec cette Commission qui, installée depuis seulement deux mois et peu au fait de l'économie audiovisuelle, joue à une sorte de jeu d'« enchères ». En clair, la CNCL reçoit les candidats à l'exploitation d'une chaîne à longueur de journée; et elle trouve judicieux, dès qu'un groupe dit pouvoir prendre tel ou tel engagement chiffré sur la production, le nombre de films qu'il diffusera, etc., de le faire savoir au groupe concurrent qui, le lendemain, se sentira contraint de suren-chérir.

Entre le début décembre 1986 et la fin janvier 1987, la barque de chaque candidat se charge ainsi progressivement d'obligations et d'engagements de plus en plus lourds, et économiquement de moins en moins réalistes. La CNCL a le sentiment de protéger au mieux les intérêts et la qualité de l'audiovisuel. Mais cette course à l'engagement s'avérera catastrophique. Achat de films, production de dessins animés, diffusion maximale de publicité par heure, investissements divers; alors que les dossiers de reprise pour la Cinq et la Six doivent être déposés au plus tard le 10 février, chaque groupe est tenté d'en rajouter sur son offre de la veille. Tout en la dénonçant auprès de Hersant, Ramond n'échappe pas à cette logique.

Le dossier de la Cinq est lourd et ambitieux. C'est une conjugaison

1. La période prévue est la fin du printemps 1987, après les privatisations de TF1 et Pari bas.

des grilles avec lesquelles Carlo Freccero jongle sur la Cinq depuis son arrivée en France, et des documents élaborés par un groupe de professionnels auxquels Philippe Ramond a fait appel à l'automne 1986 pour préparer la reprise de TF1 [2].

Sortie du néant à travers un réseau dérisoire, privée de films, la Cinq s'est tout de même taillé, grâce à l'inventivité programmatique de Freccero, une place non négligeable dans le public. Avec une gamme de séries et de téléfilms américains puisés dans les catalogues de droits détenus par la Fininvest, il est parvenu, de « K 2000 » en « Riptide », de « Supercopter » en « Star Trek », à hisser l'audience à 7 % en moyenne, avec des pointes à 10 % ou 12 % certains soirs. C'est aussi cette place, ajoutée à la menace de procès que pourraient intenter Seydoux et Berlusconi, qui rend politiquement délicate une réattribution de la chaîne sans « continuité » dans son actionnariat. Edifiant paradoxe, le jour d'octobre 1986 où la Cinq a retrouvé le droit de diffuser des films, après avoir passé un accord avec la profession du cinéma, elle a préféré s'en dispenser. Contrainte au format « tout séries et téléfilms », certains avaient prédit qu'elle s'effondrerait ; c'est tout le contraire qui s'est produit. En six mois, la Cinq de Carlo Freccero a démontré qu'on peut fidéliser les téléspectateurs avec une télévision sans vedettes, sans information et sans films.

En revanche, depuis la parution du décret la condamnant, la chaîne a souffert de l'annulation des commandes publicitaires. La Cinq, qui le jour de son démarrage détenait un portefeuille de 500 millions de francs de réservations d'espace publicitaire, termine en février 1987 sa chaotique première année d'exploitation avec 250 millions de déficit.

La finalisation du tour de table de Robert Hersant se déroule en deux temps. Dans la dernière semaine de janvier 1987, tout est prêt pour une association Hersant, Berlusconi, Editions Mondiales et Chargeurs SA ; Jérôme Seydoux ayant accepté le principe d'une négociation sur son maintien dans la chaîne. Il se décidera, dit-il à Robert Hersant qu'il rencontre pour la première fois le 22 janvier, en fonction de la hauteur de la participation qu'il pourra prendre.

Cette finalisation ne se fait pas sans tensions. Pendant tout le mois de janvier, Hersant tente d'imposer à ses partenaires le schéma juridique d'une société en commandite, une Cinq dans laquelle ils

---

2. On rencontrait dans ce groupe Frédéric Rossif (documentaires), Pierre Grimblat (production), Guy Lux (jeux et variétés), Igor Barrère (magazines scientifiques), Robert Hossein (grands spectacles), François Nourissier (littérature), Pierre Tchernia (cinéma)...

n'auraient aucun pouvoir et dont lui serait l'unique patron. Ce schéma, il l'a peaufiné avec un avocat de son groupe, Yves de Chaisemartin, et l'un de ses directeurs Christian Grimaldi. De leur côté, Seydoux, Berlusconi et Philippe Bouriez, le P-DG du groupe Cora-Révillon, qui contrôle les Editions Mondiales, renâclent. Ils ont fait savoir à la CNCL qu'une société en commandite pourrait poser des problèmes au regard de la loi... Des réunions parallèles s'organisent entre ces trois dissidents qui ne tardent pas à constituer une coalition pour limiter le pouvoir de Hersant dans la Cinq.

Le samedi 31 janvier 1987, c'est l'affrontement. Toute la matinée, les équipes de Berlusconi, de Hersant et des Editions Mondiales ont mis la dernière main au dossier. Mais, l'après-midi, les Editions Mondiales ne reparaissent pas pour achever le travail. Un échange orageux entre Hersant et Bouriez, chef de file de la révolte, s'est terminé par une rupture. Hersant ne veut plus de Cora-Révillon dans sa Cinq. S'il le pouvait, il se débarrasserait du même coup de Berlusconi et de Seydoux, qui ont participé à la rébellion. Mais à huit jours du dépôt du dossier à la CNCL, il serait délicat de remettre en cause le principe de « continuité » souhaité par le Gouvernement.

Histoire de faire rentrer Berlusconi dans le rang, le groupe Hersant, inquiet, fait intervenir... Charles Pasqua. On espère que le ministre de l'Intérieur, dont la sympathie pour Berlusconi n'est pas un mystère au gouvernement, parviendra à le raisonner. C'est voir juste. Charles Pasqua appelle « Sua Emittenza » et lui fait amicalement mesurer les risques de son attitude. En fomentant une révolution dans le Palais de Hersant, avec ces barristes notoires que sont les Editions Mondiales, il s'expose à ne pas avoir de place dans la nouvelle Cinq...

Dans la semaine qui suit, les choses rentrent dans l'ordre. Apparemment, Berlusconi se range. Bouriez ne reviendra pas dans les discussions chez Hersant qui, vacciné, ne cessera plus de se méfier de ses partenaires, Seydoux et Berlusconi. Il reste un week-end seulement pour boucler définitivement le capital.

Le samedi 7 février, Hersant et Berlusconi se retrouvent avenue Matignon, dans le bureau d'Yves de Chaisemartin. « C'est le moment crucial, dit Hersant, car si nous ne nous entendons pas aujourd'hui, chacun pourra encore changer de cheval. » La réunion débute à 9 heures et s'achève un peu avant minuit. Sont présents Hersant, Chaisemartin, Grimaldi, Berlusconi, Codignoni et leurs avocats. On parle d'abord répartition des tâches. Hersant explique ses 60 millions de francs d'investissements dans « Pereire », dit qu'il a une petite équipe. Berlusconi se positionne en arguant du fait que dans l'ancienne Cinq il s'occupait de la programmation et des achats de programmes car il « connaît bien la télévision ». Il fait part de son scepticisme sur les journaux d'information que veut introduire le patron du *Figaro*. C'est cher et ça ne rapporte rien... Il dit aussi avoir une certaine expérience dans la régie publicitaire.

A ce moment, Hersant le coupe. Il y aura de l'information sur la Cinq. En outre, le président de la Socpresse ne veut pas des méthodes de commercialisation de l'espace pratiquées en Italie. Les centrales d'achats d'espace ne l'accepteraient pas. Or, pour démarrer, la Cinq aura besoin d'elles, de leurs réservations et de leurs chèques d'avances. S'il laisse Berlusconi agir comme de l'autre côté des Alpes, les centrales y verront une déclaration de guerre. Guerre qu'il ne souhaite pas, car il entretient d'excellentes relations avec la gent publicitaire et la première de ces centrales, celle de Gilbert Gross, qui a considérablement aidé son groupe...

En fin de matinée, ces points étant réglés, les statuts ayant été relus et annotés par les avocats, les négociateurs vont déjeuner au Bristol.

La séance reprend à 15 heures. Ordre du jour : le capital. « Nous sommes associés, nous devons être à égalité », dit Hersant à Berlusconi : « 25 % chacun? » Adopté. Mais quid de Jérôme Seydoux? demande Berlusconi. Cela dépend s'il peut ou non apporter des voix à la CNCL, rappelle Hersant : « On ne sait jamais, il y a treize membres, et quand il y a des votes à bulletin secret... Je suis député, je sais de quoi je parle. » Mais sa conviction sur ce point est déjà faite. Seydoux peut servir. Hersant suggère de proposer 10 % à Seydoux, qui n'assiste pas à la discussion. C'est un signe de conciliation, fait-il comprendre, puisque à eux deux Berlusconi et Chargeurs SA détiendront la minorité de blocage. C'est à prendre ou à laisser, mais il faut que Seydoux se décide avant ce soir.

Interruption de séance. Silvio Berlusconi téléphone à Jérôme Seydoux, qui, au même moment, se trouve avec Christophe Riboud et Antoine de Clermont-Tonnerre au siège de la Cinq, où l'on prépare un dossier avec tour de table de rechange au cas où l'affaire capoterait avec Hersant! Prudents eux aussi, « Sua Emittenza » et Seydoux seraient alors candidats à leur propre succession, avec le renfort des Editions Mondiales.

« Je suis avec Hersant, dit Berlusconi à Jérôme Seydoux. Nous faisons l'accord. Tu peux avoir 10 %, et peut-être monter à 15 % plus tard. Je pense que c'est une proposition honnête. Réfléchis et rappelle-nous au plus vite, parce qu'en fonction de ta décision nous devons monter le reste du tour de table. »

En fin d'après-midi, Jérôme Seydoux rappelle. C'est d'accord. Christophe Riboud, pour sa part, confirme son refus. Après quoi, Robert Hersant se retire un long moment dans son bureau pour appeler à son tour les têtes de sa liste. Parmi elles, une mutuelle agricole, Groupama, dont Jacques Chirac lui a dit qu'elle désire investir dans l'audiovisuel. Groupama acquiesce pour environ 15 %. Hersant appelle également l'un de ses rares amis, le banquier Jean-Marc Vernes, qui assiste à un tournoi de tennis à Lyon. « Jean-Marc, lui dit-il, nous bouclons ce soir le capital de la Cinq, en êtes-vous? » C'est oui. La SCI (Société centrale d'investissement) de Vernes prendra 5 %. Les autres appels sont destinés à la banque traditionnelle du groupe Hersant, le Crédit Lyonnais, au quotidien économique *Les Echos* et à un groupe de télévision canadien, Vidéotron...

Quand Robert Hersant retrouve les autres, le capital de la Cinq est pratiquement bouclé. Les papiers sont signés dans la soirée. Le lendemain, dans la nuit du dimanche 8 au lundi 9 février, Philippe Ramond fait imprimer et relier le dossier de candidature pour la CNCL. Juste avant de le faire déposer le mardi 10, peu avant 20 heures, Hersant et Berlusconi le feuillettent une dernière fois.

« Robert, je ne veux pas vous cacher ce que je pense, dit alors "Sua Emittenza". Ce dossier, avec cette grille de programmes dans l'état actuel du réseau de la Cinq, c'est aller au casse-pipe...

– Il faut faire les choses dans l'ordre, répond le "papivore". D'abord gagner à la CNCL. Ensuite, on verra comment régler les problèmes. Mon cher Silvio, c'est ça la France! »

Conclusion philosophe d'un week-end qui connaît un nouveau coup de théâtre, le troisième, lequel emplit d'une joie sans mélange Robert Hersant.

Jeudi 5 février 1987. Dans une voiture, rue de Rivoli.

« Monsieur, ils ont dit le prix, à la radio..., annonce à Jean-Luc Lagardère, qui sort d'un rendez-vous, son chauffeur et garde du corps.

– Le prix?

– Oui, pour TF1. C'est 4 milliards et demi.

– Eh bien, ils ne s'embêtent pas! commente estomaqué le P-DG de Matra-Hachette; 4 milliards et demi! »

Avec le système de péréquation voulu par le ministère de l'Economie pour la privatisation de TF1 (le groupe repreneur devra payer 75 % de la valeur globale de la chaîne pour acquérir 50 % du capital) cela signifie que les actionnaires vont devoir débourser 3 milliards de francs pour acheter la moitié de TF1. Mais enfin, si c'est le prix voulu par les pouvoirs publics... Plusieurs établissements et cabinets de conseil ont conjugué leurs efforts pour estimer la valeur de TF1. Le suspense ne durait que trop. Voilà qui est lourd, mais clair.

Tout de même, 4 milliards et demi!

A peine Jean-Luc Lagardère arrive-t-il à son bureau, après un déjeuner au Sénat avec Alain Poher, que Pierre Dauzier l'appelle.

« C'est affreux, lui dit le P-DG d'Havas, le prix est trop élevé. Je me pose des questions...

– Des questions?

– Eh bien, je dois réfléchir, je vais peut-être devoir laisser tomber, à ce prix-là... »

Le « peut-être » n'est qu'une clause de style. En fait, Pierre Dauzier a eu la veille, mercredi 4 février, la primeur de l'information sur le prix de TF1. Il a été averti par le cabinet d'Edouard Balladur. A ce tarif, le jeu de TF1 en vaut-il encore la chandelle? Il faudra débourser près de 900 millions pour acquérir les 15 % visés, alors que ses précédents calculs tablaient sur une somme d'environ 600 millions. C'est beaucoup plus, et dans un environnement politique menaçant.

L'annonce du prix de la Une correspond à un sommet dans la campagne du « front du refus » et des barristes contre Hachette et Havas. Dans *Le Monde*, Jacques Séguéla parle du groupe Havas comme d'un gros poisson *« séculaire et raffolant des endroits vaseux »*. Le député François d'Aubert, l'un des lieutenants de Raymond Barre, passe Havas au vitriol sur toutes les antennes. En y réfléchissant bien, ce prix exorbitant et voulu comme tel, Dauzier le sait, par les pouvoirs publics qui craignent d'être accusés d'avoir bradé TF1, ce prix, au fond, n'est-il pas une porte de sortie à saisir d'urgence? Il s'en ouvre à quelques collaborateurs, dont le directeur financier d'Havas, Marc Tessier, qui plaide pour le retrait.

Le lendemain, vendredi 6 février, Pierre Dauzier rappelle Jean-Luc Lagardère et lui annonce qu'il « se retire de l'opération ». La première chose qui vient à l'esprit de Jean-Luc Lagardère en entendant Dauzier est, comme il le confiera plus tard à quelques proches : « Mais comment ai-je pu être assez con pour m'associer avec ce type? » Juste avant de sentir monter en lui une sourde angoisse. Se retirer? Mais, et Hachette? Interloqué, il demande au P-DG d'Havas de prendre le temps de réfléchir, il y a sûrement moyen de s'arranger. Reparlons-en pendant le week-end. Lagardère sera dans sa propriété de Normandie, et Pierre Dauzier à Deauville.

Mais la décision du P-DG d'Havas est définitive. Entre l'addition pour TF1 et la fronde publicitaire, « on va se caraméliser dans l'audiovisuel », se dit-il. Les relais politiques habituels sont informés du projet de retrait. Maison couvée par l'Etat, Havas ne décide rien de ce genre sans en référer. Auparavant, Pierre Dauzier a procédé à une dernière, simple et mortelle analyse. Son retrait a toutes les chances de tuer la candidature d'Hachette. Faut-il en pleurer ? Lorsqu'il a décidé et accepté de « pivoter » vers TF1 et Hachette, Pierre Dauzier a entrevu cette cynique évidence : en termes de stratégie d'entreprise, mieux vaut mourir à deux sur un projet plutôt que de voir son concurrent l'emporter seul et doubler de puissance.

Dès le premier jour, cette alliance était potentiellement piégée. Les politiques qui encourageaient l'accord Havas-Hachette l'avaient-ils immédiatement perçu ? Cela reviendrait à les créditer d'un machiavélisme souvent au-dessus de leurs moyens. Mais c'est un fait. Menée à son terme, on aurait parlé de cette alliance comme d'une splendide réussite. Interrompue avant l'heure, elle a les traits d'une gueule béante dans laquelle Hachette va se faire tailler en pièces.

Le samedi 7 février au soir, alors que Robert Hersant et Silvio Berlusconi mettent la dernière touche à leur accord, Pierre Dauzier règle depuis Deauville la mécanique du repli. Le dimanche 8 au matin, il prévient son directeur de la communication, Georges Leroy. Un communiqué est prêt, mais il est indispensable qu'il ne soit pas diffusé auprès des agences et journaux avant la fin de la journée. « Rien avant 21 heures. » La raison de ce délai ? Ce n'est pas, comme on pourrait le penser, le signe d'une ultime négociation. C'est, plus politiquement, un service rendu par Pierre Dauzier au Premier ministre.

En effet, ce dimanche soir, Jacques Chirac est l'invité du « Club de la presse » sur Europe 1, et il ne faut pas qu'on puisse lui poser une question sur le retrait d'Havas. A lui seul, ce retrait est une nouvelle bombe posée dans le chantier audiovisuel. Inévitablement, il sera interprété comme une décision politique. Son amitié avec le P-DG d'Havas étant connue, Jacques Chirac ne pourrait qu'être embarrassé si on lui demandait de s'expliquer sur ce dossier, à plus forte raison sur l'antenne du groupe « lâché ». Voilà pourquoi c'est seulement vers 22 heures 30, depuis une cabine téléphonique d'Orly où il a accompagné des parents, que Georges Leroy appelle l'AFP pour donner lecture du communiqué annonçant le retrait.

Pour Jean-Luc Lagardère, qui, jusqu'au dernier moment, a voulu croire qu'Havas se maintiendrait, c'est le début d'un cauchemar épouvantable. La terre se dérobe sous ses pieds. Il ne peut plus faire un pas sans craindre de voir s'ouvrir une nouvelle trappe.

Et le pire est à venir.

CHAPITRE XX

De Cinq à Six

« C'est trop cher, il ne faut pas y aller, dit Le Lay à Francis Bouygues le jour de l'annonce du prix de TF1.

— Patrick, dans les grandes affaires, l'argent ne compte pas. De l'argent, on en trouve toujours, pas des grands projets... »

Derrière la remarque fier-à-bras de Bouygues, l'inquiétude perce. TF1, c'est très cher. Et cette annonce à une résonance lugubre. Elle tombe le jour où l'on apprend que le président de la GMF, Michel Baroin, s'est tué en Afrique dans un accident d'avion. Or la GMF est l'un des partenaires qui ont accepté d'étudier une candidature à TF1 avec Bouygues.

Deux mauvaises nouvelles, c'est beaucoup pour une journée. Patrick Le Lay est ébranlé. Derrière son assurance et ses faux airs de notaire impavide, il redoute l'échec de ce qu'il a patiemment échafaudé au fil des mois, depuis mai 1986. C'est une incroyable machinerie technique et intellectuelle que le groupe Bouygues a mise au point pour TF1. Se sachant le moins désiré et le plus ignorant en télévision, Bouygues a conçu l'« opération TF1 » comme il le fait de ses plus vastes chantiers. Avec des moyens en hommes, en argent et en matériel.

Depuis le 15 mai 1986, Patrick Le Lay n'a pas eu un déjeuner ou un dîner de libre. Son agenda s'est empli de centaines de rendez-vous méthodiquement organisés, tantôt avec les dirigeants de TF1, tantôt avec des hommes politiques, puis avec chacun des membres de la CNCL. Inlassablement, avec une clarté qui impressionne ses interlocuteurs, il vient présenter le groupe Bouygues, expliquer l'intérêt du bâtisseur pour le monde de la communication. Francis Bouygues en personne fait de même. A eux deux, ils démarchent tout ce que Paris compte de décideurs politiques, de responsables audiovisuels, de publicitaires. L'objectif est d'abord de se faire reconnaître, puis d'apprendre. Apprendre tout ce qu'il faut savoir pour ensuite dessiner des plans et passer à la construction. Dans ce genre de situation, l'obsession de Francis Bouygues est de simplifier les problèmes. En lobbying, Le Lay et lui sont des athlètes imbattables. Ils ont instauré de bonnes relations avec Hervé Bourges et Pascal Josèphe, qui les aident à prendre connaissance des mécanismes et des réalités de la Une. Leur intention, ont-ils déclaré au P-DG de TF1, n'est pas d'être des « opérateurs », seulement des « gestionnaires », et ils le « garderont » parce qu'ils auront besoin d'« aide ».

Traditionnellement installés à Clamart, Francis Bouygues et Patrick Le Lay ont un nouveau lieu de prédilection pour les « réunions TF1 », les bureaux du groupe sur les Champs-Elysées, au 7e étage d'un immeuble moderne. A partir de janvier 1987, c'est là qu'ils se retrouvent presque tous les jours, le plus souvent en fin d'après-midi, pour faire le point.

Où en est Bouygues? Loin et nulle part. L'image « casque et béton » colle au groupe, et l'on continue à sourire, ou rire, de cette folle envie de télévision. Rescapé d'un cancer du poumon, Bouygues est à la fois admiré pour un certain courage et raillé par ceux qui voient en lui un grand-père séduit par une danseuse à 4 milliards de francs.

Le Lay a brassé tous les noms de groupes pour esquisser un tour de table. Ce sont des dizaines d'heures qu'il a passées à sauter d'un état-major à l'autre, d'un siège social à celui du suivant sur sa liste. Havas, Berlusconi, Hersant, CLT... Avec un penchant peut-être pour Berlusconi, en raison des affinités « BTP » des deux groupes, mais aussi par lien de sympathie rivale, de bras droit à bras droit, avec Angelo Codignoni. Ils se voient deux à trois fois par semaine, discutent ou ferraillent, mais s'apprécient.

Aidé d'Alain Schmit, qui fait office de tête chercheuse dans la télévision, Patrick Le Lay s'est peu à peu introduit dans le milieu des professionnels du petit écran. Il a pris comme conseiller Marcel Jullian, l'ancien P-DG d'A2. Il a tout simplement envoyé des lettres à ceux qu'il désirait rencontrer. L'historien Alain Decaux lui a répondu et a intégré la cellule de réflexion qui se constitue. On lui dit que la GMF cherche à investir dans la télévision? Il entre en contact avec son président, Michel Baroin, qui lui fait prendre conscience du plus grand impact qu'aurait la candidature Bouygues s'il pouvait y adjoindre un grand titre de presse, comme la CLT l'a fait avec *Le Monde*. Michel Baroin a-t-il une idée? Oui, un ami, grand journaliste et directeur d'hebdomadaire; Jacques Duquesne, du *Point*.

Même Jacques Séguéla est venu faire des offres de services – d'abord refusées par Jean-Luc Lagardère et Jérôme Seydoux. Fin janvier, apparaissent dans les quotidiens de pleines pages de publicité avec le visage rassurant de Bouygues qui confirme le pacifisme de ses intentions sur TF1. Il ne veut pas être gouverneur, seulement leader d'un groupe de repreneurs qui conservera la Une « telle qu'elle est », avec tous ses talents, son histoire... Jacques Séguéla, qui à la même période mène le combat contre l'alliance Havas-Hachette, devient l'un des conseillers particuliers de Bouygues. « C'est ma deuxième " Force tranquille " », dit-il à ses associés de RSCG en leur faisant miroiter la possibilité, si tout se passe bien, d'hériter un jour du budget publicitaire du groupe.

Mais tout cela ne fait pas un dossier complet, ni un tour de table.

L'événement décisif dans la constitution du dossier ne se produit que le lundi 2 février 1987. Ce jour-là, après mûre réflexion, le directeur du *Point*, Jacques Duquesne, décide de signer avec le groupe Bouygues pour le tour de table. C'est le premier. Le symbole que représente un grand hebdomadaire indépendant, le prestige journalistique qu'il apporte seront des facteurs d'entraînement certains pour d'autres partenaires. Vibrant de satisfaction et de fierté d'avoir un « grand bonhomme comme Duquesne » avec lui, Francis Bouygues se lève et embrasse Le Lay trois fois en apprenant la nouvelle.

Puis Le Lay obtient l'accord de la GMF-FNAC. Il est l'un des derniers à voir vivant Michel Baroin, qui prend l'avion le soir même. Ils n'ont pas eu le temps de signer. En quarante-huit heures, des accords de principe se confirment : Bernard Tapie, avec qui Bouygues a repris en 1986 les piles Wonder, des banques, et les Editions Mondiales (qui viennent de rompre avec Hersant) se déclarent prêts à suivre l'entrepreneur de travaux publics sur TF1.

Bouygues est confiant.

Mais, quand tombe le couperet du prix, le 5 février, l'humeur est sombre au 90, Champs-Elysées. Un à un, tous les actionnaires potentiels du dossier Bouygues, sauf la banque Worms, se rétractent et demandent à « réfléchir ». « Débrouillez-vous, refaites le tour », dit à Le Lay un Francis Bouygues hésitant, qui sait que tous ses cadres ne partagent pas son désir de TF1. Certains, à Clamart, considèrent que Patrick Le Lay, promu chef d'un chantier qui leur échappe, pousse Bouygues dans une voie qui menace les bénéfices du groupe.

Son « tour », Le Lay le refait en passant par Berlusconi et Hersant où, lorsqu'il laisse entendre que Bouygues n'est plus si sûr de vouloir aller sur la Une, on l'encourage à persévérer quand même. Hersant et

Berlusconi n'ont alors qu'une crainte, c'est de voir Hachette emporter TF1 à coup sûr avec Havas si Bouygues se retire... Pour éviter cela, Hersant est prêt à faire jouer son poids et son influence en faveur de Bouygues. Quant à Berlusconi, auquel Francis Bouygues vient rendre visite rue de Tilsitt, il lui tient ce discours mobilisateur :

« C'est vrai que vous n'avez pas beaucoup de chances face à Hachette. Mais vous êtes un industriel important. Moi, si j'étais dans mon pays, je tenterais d'être l'opérateur d'une chaîne comme TF1. »

Le constructeur, à qui Berlusconi conseille entre autres, pour boucler son tour de table, d'aller voir Robert Maxwell, ignore alors la vraie raison de ces encouragements. Une raison en deux volets. Le premier, c'est que, pour réussir sur la Cinq, Hersant et Berlusconi préfèrent avoir en face d'eux un groupe comme Bouygues, qui ne connaît rien à la télévision. Si, en plus, il s'associait avec Maxwell, qui n'y connaît rien non plus, ce serait « Magnifico ! » Quant au second volet, il ne s'ouvrira que plus tard, en même temps que la chasse aux stars...

Bouygues repart, indécis.

C'est lorsque retentit l'explosion du retrait d'Havas que les hésitations de Bouygues s'envolent. Berlusconi a raison. Il faut entreprendre, avancer ! Hachette, on le voit maintenant, a commis un faux pas terrible en faisant confiance à Havas. Penser que lui-même, Bouygues, a failli s'associer à ces groupes... Havas quitte le ring. Hachette est déstabilisé, raison de plus pour mettre les bouchées doubles. Il faut boucler le tour de table. Les trois « H » français se sont casés ou retirés ; que disent les groupes étrangers ?

Le lundi 9 février 1987 au matin Patrick Le Lay, après avoir en vain tenté d'obtenir Rupert Murdoch au téléphone, et renoncé à appeler Bertelsmann, car il ne parle pas l'allemand et veut faire la chose lui-même, téléphone à Robert Maxwell, qu'il ne connaît pas, à Londres. Il n'attend pas une minute pour avoir « Captain Bob » : « J'ai entendu parler de TF1, dit-il. Si vous êtes libre, venez me voir à midi, j'aurai un quart d'heure à vous consacrer. Prévenez de votre arrivée à Londres, un hélicoptère vous attendra à l'aéroport. » Le Lay raccroche et fonce au Bourget pour emprunter l'un des avions du groupe Bouygues.

Le gouvernement Chirac a brisé le consortium pour le satellite TDF1 en 1986, mais Robert Maxwell ne se désintéresse pas pour autant de sa seconde patrie. Loin s'en faut. Certes, si, en décembre 1985, il avait su que ce consortium ne passerait pas l'hiver, il ne se serait pas ridiculisé en annonçant à Londres, dans des conférences de presse tapageuses, qu'il allait faire une télévision européenne anglophone qui rayonnerait, grâce à TDF1, sur « plus de deux cent millions de téléspectateurs européens »... En tout cas, peut-il se dire, il n'a pas perdu son temps en mettant les pieds en France. Depuis qu'il a été introduit auprès de François Mitterrand, c'est un interlocuteur privilégié de l'Elysée, dans les meilleurs termes avec le directeur de cabinet, Jean-Claude Colliard. C'est par ce canal qu'il a, à l'automne 1986, pu prendre le contrôle de la seconde agence de presse française, l'ACP [1] dont l'un de ses fils, Ian, est devenu le président.

En pleine cohabitation, les offres de services milliardaires et socialisantes de Maxwell sont un baume sur le cœur de l'Elysée. Maxwell est considéré par le Tout-PS comme un appui indispensable et militant. On ne jure plus que par ce grand homme qui se dit prêt à investir une fortune dans des bureaux à la Grande Arche de la Défense, et qui sort quelques millions de francs de sa poche pour contribuer, dans le cadre du Bicentenaire qui se prépare, à la réalisation d'une encyclopédie de la Révolution française sur vidéodisque. Maxwell a toujours un projet pour dépanner l'Elysée, pour lancer un journal. Maxwell, c'est le messie avec un accent britannique.

Le « quart d'heure » de Le Lay chez Maxwell en dure cinq ou six de plus. Il est reçu avec tous les égards et le scepticisme dus au représentant d'une grande entreprise que la Maxwell Communication Corporation (MCC) ne connaît pas. Autour de la table, se trouvent les fils Ian et Kevin, et des avocats. Patrick Le Lay expose le projet Bouygues. « Avez-vous des références en Angleterre? », demande Maxwell. Patrick Le Lay lui indique la société Trafalgar House, avec laquelle Bouygues SA a conclu des contrats de construction. Devant Le Lay, Maxwell prend le téléphone et appelle son président. On lui confirme le « sérieux » du numéro un mondial du bâtiment. Puis Maxwell s'éclipse de longues minutes.

« Très bien, dit-il en revenant. Je prends 20 % de TF1.

– Impossible, dit Le Lay. Vous pouvez prendre 12 %.

– C'est 20 % ou rien, tente Maxwell.

– 12 %, maintient Le Lay.

– Alors, 15 %?

– D'accord », cède Le Lay, qui sait bien qu'il faudra convaincre Maxwell de descendre à 12,5 %!

Mais il tient l'accord. C'est ce qui compte. La discussion se poursuit au cours du déjeuner.

1. Déficitaire chronique, l'Agence centrale de presse était condamnée à mourir ou à être reprise. L'Elysée ne souhaitait pas voir disparaître ce réservoir à information d'une partie de la presse régionale. Les candidats à perdre de l'argent dans cette affaire n'étant pas nombreux, on avait accueilli à bras ouverts les propositions de Maxwell.

« J'ai un président, dit Patrick Le Lay en quittant Maxwell. Il faudrait le voir.

— Quand vous voudrez, répond le géant avec un large et respectueux sourire. Il paraît que sa fille est jolie... »

Patrick Le Lay en déduit que Robert Maxwell a su mettre à profit le moment où il s'est absenté tout à l'heure. On a dû lui fournir une fiche « au carré » sur le groupe et la famille Bouygues. Et il y a tout à parier qu'il a aussi pris la température de l'Elysée sur son éventuelle association avec Francis Bouygues.

Avant de rentrer à Paris, Patrick Le Lay appelle Corinne Bouygues. Un déjeuner est organisé pour le lendemain même, au siège du groupe, à Clamart, où « Captain Bob » sera reçu comme un prince mondial des médias.

En ce mois de janvier 1987, le Jeu de la Communication tient du billard à trois bandes et de ces constructions de dominos où la chute du premier entraîne celle de tous les autres. Du jour où Hersant a confisqué la règle du jeu en jetant son dévolu sur la Cinq, les autres n'ont plus eu qu'à s'adapter ou périr. A trois semaines du dépôt des dossiers à la CNCL, après avoir été « trahie » par Havas, après que la rencontre Hersant-Frères s'est soldée par un échec, en désespoir de cause, la CLT se tourne vers la sixième chaîne.

C'est l'unique issue qui lui reste dans la télévision française. Et encore, peut-on vraiment parler d'issue à propos d'un aussi minuscule réseau, qui touche à peine quatre, cinq millions d'habitants? Réseau dont la CNCL n'a pas fait savoir ce qu'elle compte faire, et pour lequel trois candidats sont déjà en lice.

Trois?

Dans son imprécision et ses chausse-trappes, la loi Léotard ne dit pas explicitement s'il faut maintenir le sixième réseau en l'état, ou s'il doit être fractionné en lots de fréquences régionales pour permettre l'éclosion de chaînes locales. Confiant, le législateur s'en est remis à la sagesse de la CNCL qui, à peine installée, s'est demandé ce qu'elle devait bien faire et n'a pas trouvé de réponse à cette double question : faut-il démembrer le réseau, et doit-on conserver le principe d'un programme « à dominante musicale » sur les fréquences en question?

Le temps passant, l'affrontement est devenu inévitable entre les occupants actuels de la Six, les actionnaires de TV6, et le projet parisien de la Lyonnaise des eaux, Métropole TV... Mais, là aussi, comme pour la Cinq, le pouvoir politique est omniprésent. Il surveille et oriente à sa guise les mouvements des groupes.

En novembre 1986, Matignon s'est trouvé devant un problème

qu'il n'avait pu prévoir. Lancée depuis six mois, démentant tous les pronostics, TV6 a pris une sorte d'envol. C'est modeste, mais significatif. Après des semaines d'inexistence, de déchirements internes, de chapelets de vidéoclips, TV6, « la plus jeune des télés », s'est découvert à la rentrée un ton et des programmes plus charpentés. Maurice Lévy, son P-DG, et Patrice Blanc-Francard, son directeur d'antenne, réussissent une petite percée avec des films, de la musique, et des séries américaines frappées du label « sixties ». Les maisons de disques actionnaires de la chaîne se frottent les mains en voyant leurs ventes progresser. Commercialement, la vie est rude pour TV6, qui ne réalisera pas plus de 30 millions de francs de recettes publicitaires dans l'année, mais, satisfaction, les indices d'audience affichent une excellente progression en soirée. La suppression pure et simple de TV6, qui serait passée inaperçue en juin 1986, pose un problème à Jacques Chirac en novembre. En effet le Premier ministre tient à promouvoir, sur la fréquence parisienne de TV6, la Métropole TV de son ami Jérôme Monod, P-DG de la Lyonnaise.

Son directeur de cabinet, Maurice Ulrich, tente alors un nouveau pacte secret avec le directeur de Publicis, Maurice Lévy. En échange du retrait du recours que TV6 a déposé devant le Conseil d'Etat contre le décret d'annulation de sa concession (recours qui semble juridiquement fondé), Matignon propose à la chaîne de faciliter son rapprochement avec Métropole TV. La victoire de Métropole ne faisant pas l'ombre d'un doute...

Maurice Lévy ne montre pas d'empressement, échaudé par le cafouillage du pacte sur l'amendement tour Eiffel, mais aussi parce qu'il estime « injuste » et discriminatoire la condamnation qui a frappé TV6. Sa réserve est accueillie avec satisfaction à Métropole TV, où Pierre Barret et Nicolas de Tavernost, les coordinateurs du projet, sont défavorables à un accord avec TV6. L'ancien P-DG d'Europe 1 ne souhaite ni agence de publicité ni maisons de disques dans le capital de la chaîne. Cela n'interdit pas d'engager discrètement des conversations exploratoires...

Sans enthousiasme, un peu « pour voir », les actionnaires de TV6 envisagent, au début décembre 1986, de se porter candidats à leur propre succession. Cela se fait au cours d'un conseil d'administration, le vendredi 12. Marcel Bleustein-Blanchet balance, mais suit Maurice Lévy. En dépit de cette option, et alors que des négociations informelles se poursuivent avec Métropole, les actionnaires de TV6 vont continuer à se déchirer. Jusqu'à la rupture.

D'un côté Publicis, Gaumont et NRJ (qui joue longtemps double jeu en s'inscrivant aussi comme partenaire de Métropole) annoncent, à l'issue d'un autre conseil tenu le samedi 24 janvier 1987, qu'ils se présentent seuls à la succession de TV6. De l'autre, les éditeurs musicaux que sont CBS, Virgin et Polygram choisissent de rallier le projet d'UGC (anciennement HIT TV), rebaptisé Télé Fictions Musique, TFM. Cet éclatement se fait dans la douleur et les cris. Les actionnaires de TV6 ont tant de reproches à se se lancer au cours du Conseil qu'ils en viennent presque aux mains.

Pour ce qui les concerne, les responsables de Métropole TV, Jérôme Monod et Nicolas de Tavernost, font comme tous les autres candidats en cette fin d'année 1986 : ils vont voir Gabriel de Broglie, le président de la CNCL. Les entretiens ont lieu avenue Raymond-Poincaré, car les travaux d'aménagement du siège de la Commission, rue Jacob, à l'hôtel d'York, sont en cours. L'accueil est glacial.

Enarque, conseiller d'Etat, historien passionné par l'orléanisme, haut fonctionnaire qui a connu tous les recoins de l'ORTF, de Radio France à la présidence de l'INA jusqu'en 1981, entré à la Haute Autorité par choix d'Alain Poher, le prince Gabriel de Broglie déconcerte par sa culture, l'agilité de son intelligence et un comportement où se conjuguent suavité diplomatique et morgue aristocratique. Il fait un peu, malgré lui, homme de salon littéraire qui se serait trompé de siècle. On le devine aussi enclin à trancher de l'avenir d'une chaîne musicale ou de la télévision en général qu'un huissier de justice à réparer une navette spatiale. Le rock'n roll et les séries américaines sont une injure bruyante à la civilisation et à la langue française qu'il affiche vénérer mais pratique avec moins de talent qu'un Edouard Balladur. Il doit pourtant y avoir de l'humour, quelque part bien caché, chez ce fantassin du subjonctif. Pour tout dire, la chaîne musicale empoisonne l'existence de Gabriel de Broglie. Elle mine son temps et son énergie.

Monod et Tavernost repartent sans avoir rien appris ni compris des intentions de la CNCL. Mais ils découvrent un peu plus tard, par des indiscrétions gouvernementales, que la Commission s'achemine vers un maintien de l'homogénéité du réseau. S'il le démembre, Gabriel de Broglie craint de ne pas dénicher preneur pour les fréquences autres que la parisienne, et de se retrouver avec des plaintes pour « écran noir » en province.

Dans le bureau de Jérôme Monod, à la Lyonnaise, rue de Lisbonne, c'est la consternation. Nicolas de Tavernost, comme Barret, n'a jamais songé à Métropole TV comme à une chaîne nationale. Le concept est strictement local. Il faut ou bien abandonner, ou bien trouver de nouveaux partenaires pour adapter le projet. Leur premier choix se porte sur la radio NRJ. D'abord parce que c'est la station qui a le vent en poupe (celle que les fils de Jérôme Monod écoutent), et qu'elle peut donner une touche jeune et musicale au dossier; ensuite parce que, en s'y prenant bien, Métropole TV peut ainsi espérer faire éclater l'actionnariat de TV6 dont fait partie NRJ. Mais le P-DG de la station, Jean-Paul Baudecroux, hésite lui aussi. Pendant des semaines, la Lyonnaise cherche ainsi des associés pour Métropole. Ce sont des palabres sans fin avec les revenants d'UGC, promoteurs de TFM...

Aux premiers jours de 1987, alors que se confirme le glissement du groupe Hersant vers la Cinq, à trois semaines de la date limite de dépôt des dossiers de candidature, c'est toujours l'impasse pour la Lyonnaise. Métropole TV, TFM, et le tenant du titre, TV6, sont sur la ligne de départ. A ce moment, la Lyonnaise et Jérôme Monod doivent faire face à un nouvel adversaire, en la personne de Robert Hersant!

En effet, le patron de la Socpresse, qui est en train de régler les détails de son tour de table et de sa stratégie pour la Cinq, est devenu un militant inconditionnel du rock et des vidéoclips. Il a pris son bâton de pèlerin pour expliquer à Jacques Chirac et à tous ceux qui peuvent peser dans la décision future qu'il faut « absolument » maintenir l'existence d'une chaîne musicale sur le sixième réseau. Il redoute la concurrence d'une chaîne généraliste pour la Cinq. Auprès du Premier ministre, Hersant fait tout ce qui est possible pour barrer la route au projet « généraliste » Métropole.

Coincé entre Monod et Hersant, Jacques Chirac les convie tous deux à prendre le petit déjeuner, un dimanche matin, dans son appartement à l'Hôtel de Ville. « Essayez de vous entendre », leur dit-il. Mais, précisément, Robert Hersant ne veut rien entendre d'autre sur le sixième réseau que le doux murmure du hard-rock. Jacques Chirac, résumant la situation à ses collaborateurs, se dira « emmerdé » par cette histoire de sixième chaîne. Hersant et Monod se quittent fâchés. Ils le resteront de longs mois et, le jour où, en guise de réconciliation, Jérôme Monod invitera Hersant à déjeuner à la Lyonnaise pour l'obliger à venir sur son territoire, le « papivore » arrivera avec une heure de retard pour montrer sa bonne humeur.

Au risque d'aggraver la colère de Robert Hersant, les instigateurs de Métropole TV débloquent leur situation en prenant contact avec... la CLT. Ce rapprochement est discrètement initié par Matignon, où José Frèches suit ces dossiers. Il a lieu la semaine qui suit l'inutile rencontre, mi-janvier 1987, entre Hersant, Thorn et Frères, quand il devient clair que la CLT n'a plus d'autre choix en France que de se porter sur la sixième chaîne ou de s'effacer. Un retrait dont il n'est pas question, Jacques Chirac ayant promis à la CLT une place dans la télévision française...

Plutôt que de se retrouver avec un affrontement entre deux projets, Métropole TV et celui de la CLT, dont un seul sortira vainqueur, le Premier ministre encourage discrètement une alliance. Le dimanche 25 janvier 1987, dans un cabinet particulier du Bristol, un dîner rassemblant Monod, de Panafieu (le directeur général adjoint de la Lyonnaise des eaux), Thorn, Rigaud, Barret et de Launoit pour Albert Frère scelle ce rapprochement. La CLT fait contre mauvaise fortune presque bon cœur. La Lyonnaise se réjouit d'avoir rencontré un partenaire au savoir-faire reconnu et aux stocks de programmes bien fournis.

Jacques Rigaud et Jérôme Monod s'entendent sur une parité dans le capital : 25 % à la Lyonnaise, 25 % à la CLT. Le groupe de presse Amaury entrera pour 10 %, des banques compléteront. Reste le moins simple : se présenter devant la CNCL pour expliquer le changement de stratégies et la nature du nouveau projet. La conjugaison de Métropole et de RTL5 doit donner naissance à une chaîne nationale, généraliste, faisant une place privilégiée à la musique...

Monod et Rigaud rendent visite individuellement aux membres de la Commission auxquels la CLT ne peut évidemment pas donner la vraie raison de son changement de cap. Difficile de dire à Gabriel de Broglie ou à Jean Autin qu'elle renonce à la Cinq parce qu'elle sait que les jeux sont faits, que Jimmy Goldsmith servira de faire-valoir malgré lui et que la Cinq sera offerte à Hersant sur un plateau...

Le mariage Métropole-CLT n'est pas du goût de Pierre Barret. Les dirigeants de la Lyonnaise se disent, eux, que l'ancien P-DG d'Europe 1, sans expérience de la télévision, aura du mal, s'il n'y croit pas, à défendre le nouveau projet devant la CNCL. Tant qu'il ne s'agissait que d'un dossier de chaîne locale, cela ne posait pas de problème. A présent qu'il s'agit d'obtenir un réseau et de construire une chaîne nationale, il serait bon de prendre quelqu'un ayant une telle expérience. Le vendredi 6 février, Jérôme Monod prend la décision de se séparer de Pierre Barret.

On cherche le nom d'un remplaçant. Guy de Panafieu se souvient alors d'un copain de promotion : Jean Drucker, qui a quitté A2 en décembre dernier...

« Jean, si tu n'as pas d'engagement particulier, peux-tu passer me voir? Nous aimerions avoir, à titre personnel et amical, ton avis sur notre dossier... »

Tel est le coup de fil que reçoit, un matin du début février, le ci-devant P-DG d'A2.

Non, depuis deux mois qu'il a été remercié par la CNCL, Drucker n'a pas d'« engagement particulier ». Sa femme et Jacques Rigaud, qui l'avaient prévenu, avaient raison. Il s'est fait jeter comme un employé. Il avait voulu croire que son côté professionnel-ne-faisant-pas-de-politique ferait de lui un P-DG de compromis acceptable pour la durée de la cohabitation... Mais il y avait eu l'affaire des otages, la bavure de Mogador, son refus de virer Claude Sérillon comme on le lui demandait, la mort de Malik Oussekine dont le traitement, comme toute l'information sur A2, avait donné de l'urticaire à Pandraud et Pasqua. Sottement, le pouvoir ne pouvait s'empêcher de croire que c'était la télévision qui organisait les manifestations d'étudiants... Enfin, la CNCL, bras armé du mécontentement gouvernemental, lui avait silencieusement crié : « Dehors ! »

Depuis, l'ex-P-DG, chaque matin, conduit sa fille à l'école, achète les journaux et se fait répondre qu'il n'y a pas de « travail » pour lui quand il appelle la maison dont il dépend administrativement, le ministère de la Culture et de la Communication. Alors, il a vraiment le temps de jeter un coup d'œil sur le dossier de Métropole Télévision et de conseiller son ancien camarade, Guy de Panafieu. Camarade d'une promotion de l'ENA dont fait également partie une amie de Jean Drucker, Catherine Tasca, aujourd'hui membre de la CNCL.

Le lendemain, Jean Drucker gare son Austin rue de Lisbonne. Voit le dossier qui doit être remis le 10 février. Donne un avis. Et rencontre Jérôme Monod dans son vaste bureau avec tentures, murs jaunes et canapé noir où, Lyonnaise des eaux oblige, l'on entend par la fenêtre l'eau jaillir d'une fontaine. La Lyonnaise lui propose de « présenter et soutenir le dossier devant la CNCL ». Drucker demande à réfléchir. « Je ne veux pas prendre le poste de mon ami Barret », dit-il pour commencer. Cette question est « déjà réglée », lui explique-t-on, Pierre Barret ne s'occupe plus de Métropole. Jean Drucker interroge Monod : ce projet s'inscrit-il dans une logique de longue durée, ou bien est-il appelé à ne pas survivre à la cohabitation ? L'ancien secrétaire général du RPR qu'il est ne sera-t-il pas tenté d'intervenir dans la gestion quotidienne de Métropole ? Faudra-t-il tenir compte de ses amitiés RPR, ou bien la chaîne sera-t-elle libre de ses mouvements et de ses programmes ?

« Je suis conscient que la télévision est une industrie, répond Jérôme Monod. Oubliez mes amitiés politiques et sachez que je n'en tiendrai pas compte. Je ne me mêlerai pas de l'antenne, uniquement de la gestion et des investissements nécessaires à cette entreprise. Voulez-vous nous rejoindre ? »

Jean Drucker accepte. Beaucoup croient qu'il entre par la porte de la CLT, à laquelle il a autrefois appartenu. Il n'en est rien. Les deux plus surpris – mais agréablement – sont Jacques Rigaud et Gaston Thorn, à qui Jérôme Monod a annoncé, peu avant cet entretien, au cours d'un dîner chez Taillevent, qu'il songeait à Drucker, s'ils l'emportaient devant la CNCL, pour présider la chaîne.

Voyant se préciser le danger de la chaîne généraliste, Robert Hersant accentue la pression en faveur du maintien d'une chaîne musicale sur le sixième réseau. Au lendemain du dépôt des dossiers de candidature, le mercredi 11 février, il se rend à l'Assemblée nationale pour mettre en garde les députés RPR-UDF contre les « risques de déséquilibre économique » s'il existe demain six chaînes de télévision généralistes.

Métropole n'en a cure. Main dans la main, Lyonnaise et CLT travaillent à la composition de leurs équipes. Jean Stock s'occupera des programmes. Nicolas de Tavernost, de la gestion. Président en puissance, Jean Drucker n'a que quelques jours, avant les auditions des candidats, pour assimiler l'ensemble du dossier et concevoir un argumentaire. Il bachote jour et nuit, préparant l'oral.

Ces auditions, la CNCL innove en les rendant publiques. Le geste a une incontestable portée positive, même si les résultats ne laissent que peu de place au mystère. Gabriel de Broglie aimerait parvenir à dissiper le malaise créé par les nominations des P-DG en décembre. Les 15 et 16 février, des auditions à huis clos précèdent les auditions publiques qui seront retransmises le 18 en direct sur TF1. Pour le quidam, cette manifestation pourrait sembler une saine et démocratique compétition. En réalité, on le sait, il n'est pas un geste des groupes en lice qui n'ait été soigneusement étudié, voire décidé en fonction du jeu des relations entre le personnel politique en place et les groupes de communication.

Avec ou sans Haute Autorité pour les socialistes, avec ou sans CNCL pour la droite, le résultat est le même : l'audiovisuel reste objectivement la propriété réservée, le terrain de jeu exclusif de l'Etat qui en concède les riches fiefs ou les terrains vagues à ses vassaux du jour. La CNCL n'a pas besoin de consignes pour choisir. Sa composition sociologique et son essence politique s'en chargeront. Et si cela ne suffit pas, s'il lui prend la fantaisie de faire la télévision buissonnière, le pouvoir saura la ramener dans le droit chemin.

Scène de genre, le mercredi 18 février 1987, devant la CNCL, avenue Raymond-Poincaré. Les manifestants de l'association « La télé est à nous » se sont grimés pour l'occasion. Un officier nazi en uniforme, représentant Hersant, reçoit un téléviseur des mains d'un comédien portant le masque de Jacques Chirac. Ainsi s'ouvre la première audition publique dans l'histoire de la télévision française pour l'attribution d'une chaîne.

A l'intérieur, une salle qui n'est pas assez grande. Caméras et journalistes par dizaines. Deux longues tables couvertes de fleurs. Treize visages de cire sous les projecteurs. En deux journées, tous vont tout promettre. Impérial, Robert Hersant tient le devant de la scène pendant deux heures, avec un dossier parfaitement préparé et maîtrisé [2]. Il s'est livré à plusieurs séances-répétitions avec Berlusconi, rue de Tilsitt. Du grand art. Et une touche de grandiloquence qui ne peut manquer de plaire à la Commission. « Nous ferons la meilleure télévision en investissant 1 milliard de francs, proclame-t-il. Notre chaîne portera très haut le fanion de la télévision française... »

Regardant la CNCL au fond des yeux il ajoute : « Votre choix est donc d'importance nationale... Le XXIᵉ siècle sera celui de la Communication. Des nations vont y perdre pied. La géographie de l'Europe désigne Paris pour cœur de cette grande bataille. » Hersant fait du de Gaulle. A ses côtés, Berlusconi sourit à s'en déchirer les ligaments.

Succédant à cette tête d'affiche, Jimmy Goldsmith et le directeur de son projet, Henri de Turenne, ne font qu'accomplir leur devoir de candidat sans chances. Ils le font avec application. Ils dessinent, pour un public et une CNCL qui s'intéressent à peine à ce qu'ils disent, une chaîne dont l'information sera « la colonne vertébrale ». Par politesse, on se retient de bâiller. On pose même des questions qui donnent l'impression d'un examen critique de cette candidature.

Le lendemain, jeudi 19 février, c'est le tour des prétendants au sixième réseau. Là, le spectacle est moins caricatural. Si la prestation des promoteurs de TFM est médiocre, les deux grands rivaux que sont Métropole TV et TV6 s'affrontent dans des présentations de haut niveau. Jean Drucker pour la première, Maurice Lévy pour la seconde, défendent des dossiers construits, argumentés, solides. Et contradictoires. L'un plaide pour la création d'une « véritable sixième chaîne », généraliste, capable un jour de faire pièce aux grandes tout

2. Composition du capital de la nouvelle Cinq : 25 % pour TVES (Robert Hersant), 25 % à Reteitalia (Silvio Berlusconi), 15 % à Pargeco (Mutuelles agricoles), 10 % pour Chargeurs SA (Jérôme Seydoux), 9 % à SCI (Jean-Marc Vernes), 5 % aux Echos, 3 % au Crédit Lyonnais, 3 % à Télémétropole (groupe canadien)...

en affichant sa différence[3]. L'autre poursuit la logique d'une télé-vision musicale tournée vers les jeunes. La force de conviction, la densité de leurs exposés respectifs divisent la CNCL, qui paraissait pourtant avoir définitivement choisi une orientation généraliste.

Au soir de ce jeudi, la CNCL se retire pour délibérer. Elle annonce qu'elle se prononcera dans les jours qui viennent. A l'évidence, les jeux sont déjà faits pour la Cinq. Pour la Six, en revanche, mystère. La petite musique de Maurice Lévy paraît même avoir un léger avan-tage dans les cœurs.

Un autre suspense agite ce soir-là le microcosme audiovisuel. Le groupe Hachette sera-t-il ou non candidat pour TF1? C'est le lundi suivant, le 23 février, avant minuit, que les dossiers de reprise doivent être déposés sur le bureau de la CNCL. Selon les rumeurs, Hachette renoncerait à se présenter...

3. Composition du capital de Métropole Télévision pour la Six : 25 % à la CLT, 25 % à la Lyonnaise des eaux, 10 % aux éditions Amaury (groupe Le Parisien), 8,1 % à la Compagnie financière de Suez, 8,1 % à Parfinance, 8,1 % à Paribas, 5 % au groupe Worms, 2,5 % à la société MK2.

CHAPITRE XXI

Rouleaux compresseurs

Samedi 14 février. Il fait gris. Il fait froid. Il fait triste au premier étage du château parisien de Hachette, place François-Ier. C'est une après-midi déprimante. Dans un coin, sur l'écran d'un téléviseur dont on a coupé le son, s'agitent les équipes d'un match de rugby. Les présents jettent de furtifs coups d'œil vers l'écran. Le temps est long. Jean-Luc Lagardère rompt le silence :

« Daniel, c'est maintenant qu'il faut choisir. Si tu as des réticences profondes, si tu as la conviction que c'est une erreur, dis-le-moi et Hachette ne sera pas candidat. »

Songeur, Daniel Filipacchi commence par laisser s'exprimer les autres. Il faut « voir », « réfléchir ». Chacun reste prudent, signe de l'anxiété générale devant la décision à prendre. Le débat dure deux heures. Il y a là Yves Sabouret, Etienne Mougeotte, les patrons du secteur presse, Roger Thérond, Philippe de Rauquemaurel, des cadres du groupe. Une semaine après l'annonce du prix de TF1 et le retrait de Havas, Hachette est doublement sonné. Le groupe ne parvient pas à reprendre son souffle et ses esprits. Il hésite. C'est dans une semaine, dernier délai, qu'il faut déposer le dossier. Thérond estime qu'il ne faut pas « y aller », c'est trop « casse-gueule ». Sabouret et Mougeotte, futurs dirigeants en puissance d'une TF1-Hachette, maintiennent qu'il faut se « battre ». Filipacchi hésite.

Tout son être lui conseillle de ne pas s'engager dans cette folie. Homme de presse, il n'a jamais eu grande confiance dans les investissements en télévision. Il aurait peut-être fait une exception pour Canal Plus, si...

Filipacchi est un artisan. Un projet, pour lui, c'est avant tout des copains, une table et des crayons pour faire un journal qu'on peut toucher avec les doigts et vendre au numéro. Le principe d'une affaire comme la télévision commerciale, qui repose entièrement sur des annonceurs, des recettes publicitaires imprévisibles, où l'on vend le vent de l'audience et non un produit de papier, concret, dénombrable, ce principe-là ne lui convient pas. Trop d'aléas, de technicité mystérieuse. Trop de fragilité dans l'exploitation. On ne voit pas les gens sortir leur portefeuille comme devant un kiosque à journaux. On est à la merci des instituts de sondages. Et, en plus, il faut des investissements cent fois plus élevés que dans la presse, tout en sachant que la rentabilité y est plus longue à venir.

TF1 est une « *playmate* » que l'éditeur de *Lui* ne désire pas. C'est par solidarité avec « Jean-Luc » que Daniel Filipacchi s'est fendu d'un billet dans *Le Monde* le 5 août 1986 pour lancer pratiquement un appel solennel aux pouvoirs publics. « *Refuser TF1 à Hachette*, y disait-il, *serait une terrible erreur pour la France.* » Au fond de lui-même, cet hiver, il aurait préféré que le groupe se porte candidat à la reprise de la Cinq, où tout est à créer pour moins cher, plutôt que de se mettre sur le dos « cette monstrueuse baraque », la vieille Une. Les résultats financiers de Hachette ne sont pas mauvais, bien sûr, mais ils ne sont pas fameux non plus. Pour s'offrir Europe 1, le groupe a dû vendre ses intérêts dans Pathé et sa participation dans la CLT. Avec TF1, il faudra procéder à des augmentations de capital, emprunter aux banques... Est-ce bien indispensable?

Mougeotte et Sabouret l'emportent cependant.

De quoi aurait l'air Hachette en se défilant? Où est le « mieux-disant culturel », dans le béton de Bouygues ou dans les milliers d'ouvrages publiés chaque année par le groupe? Qui a le plus de chances de l'emporter, quand on y réfléchit? Havas a trahi, peut-être sur ordre, ils ne l'emporteront pas au paradis... Mais, est-ce une raison pour baisser les bras? Comment la CNCL hésiterait-elle entre un fabricant d'autoroutes au kilomètre et un pilier de la culture française?

« Moi, dit Lagardère, je suis de l'avis d'Etienne et Yves. On va se battre. Et on va gagner! Je vous le dis.

– Ecoute, Jean-Luc, se décide Filipacchi, je t'ai toujours fait confiance. Mon opinion est qu'il ne faut pas y aller. Mais si tu penses qu'il le faut, je te soutiendrai jusqu'au bout.

– On y va! » lance Lagardère.

A l'extérieur, pourtant, se propagent des bruits selon lesquels Hachette « n'y va pas ». Ils ont leur origine dans les tentatives répétées du groupe pour négocier de meilleures conditions d'accès à la Une. Bouygues manœuvre de la même manière et dans le même sens. Mais, à la différence de Hachette, il ne s'interroge pas publiquement et ne fait pas de déclarations. Pour les deux candidats, la difficulté à monter les tours de table est patente. Mais, tandis qu'Hachette dévoile sa faiblesse en déclarant à l'AFP, après l'annonce du prix : « *Trois milliards de francs pour 50 % de TF1 est un chiffre beaucoup trop élevé qui conduit nécessairement à une rentabilité négative dans les dix ans à venir, durée de la concession* », Bouygues ne dit pas un mot et laisse Hachette affaiblir tout seul sa position. Ce qui ne l'empêche pas, parfois en compagnie de Bernard Tapie, d'aller pleurer dans les ministères concernés sur la triste condition de candidat à TF1.

Ainsi, dans les jours qui précèdent la remise des dossiers, certains responsables de cabinets ministériels s'amusent de voir Francis Bouygues et Jean-Luc Lagardère patienter au même endroit à une heure d'intervalle, ou attendre parfois l'un et l'autre, dans deux antichambres séparées, de rencontrer le même ministre. Les deux hommes, les deux équipes trouvent le prix de TF1 si élevé qu'ils ne veulent pas déposer de dossier sans avoir essayé d'obtenir un rabais. Ils viennent, séparément, exposer les mêmes craintes, les mêmes griefs sur la complexité des tours de table auxquels on les contraint, sur la courte durée de l'autorisation d'exploiter TF1.

Sur tous ces points, Jacques Chirac et Edouard Balladur, les deux hommes les plus sollicités par les candidats – qui ont compris que François Léotard ne pèse pas lourd dans le processus de privatisation – refusent de transiger. Il n'y a rien à négocier. « Vous êtes libre de ne pas être candidat », répond le Premier ministre, tout en priant pour qu'aucun ne le prenne au mot. Fermeté qui induit, là encore, deux attitudes distinctes de la part des groupes.

Bouygues s'en retourne à son siège sans rien trahir de son inquiétude et s'active avec Patrick Le Lay à boucler le tour de table. C'est chose faite dans la semaine qui précède le dépôt des dossiers, pendant ces journées où les candidats à la cinquième et à la sixième chaîne planchent devant la CNCL. Ses partenaires sont Maxwell, qui finalement prend 12 %, le groupe GMF-FNAC (3 %) où Jean-Louis Pétriat a pris la succession de Michel Baroin, les Editions Mondiales (2 %) et une nébuleuse de banques et de groupes où figurent la Société générale, le Crédit Lyonnais, Worms, Tapie, *Le Point,* des quotidiens régionaux. Actionnaires auxquels s'ajoute la présence symbolique de François Dalle, patron de L'Oréal, ami de Francis Bouygues et proche de François Mitterrand. Bouygues réussit ainsi une composition de capital présentable, un panachage financier et politique rassurant. Gallimard en est aussi, ce qui ne peut pas nuire au « mieux-disant culturel »... En même temps que les détails du capital, Patrick Le Lay règle ceux du dossier à fournir.

Comme pour tout le reste, Bouygues SA a mis les petits plats dans les grands. Au cours des dernières semaines, une véritable communauté s'est constituée pour soutenir et préparer le dossier Bouygues. C'est une trentaine de personnes qui se retrouvent le soir autour d'une longue table dans l'immeuble des Champs-Elysées. Chaque jour à partir de 18 heures, c'est le brain-storming général. Il y a là Marcel Jullian, Alain Decaux, Antoine de Clermont-Tonnerre, Danièle Thompson, Henri Verneuil, Jacques Séguéla – à qui Bouygues refuse une campagne sur le thème « Non à la pieuvre verte Hachette »... Comédiens, professionnels de la production (Christian Dutoit), écrivains, avocats (Samuel Pisar représente Maxwell, qui vient de temps en temps), chacun apporte sa contribution sur ce qu'il convient d'introduire dans le dossier, ce qu'il faut éviter, le type de grille qu'il importe de présenter.

Au fil des soirées on élague, on peigne les propositions. On se quitte vers 21 heures, parfois beaucoup plus tard, et on se retrouve le lendemain. C'est de cette manière, et en mettant toute une équipe au travail sur la seule question de la présentation physique du dossier, du papier à utiliser, du choix des couleurs pour les grilles, de la clarté des fiches d'introduction, que Bouygues SA se prépare. Rien n'est secondaire, pas un aspect n'est laissé au hasard.

C'est exactement l'inverse chez Hachette. Le jour où Jean-Luc Lagardère découvre l'état du dossier de candidature proprement dit, une semaine avant son dépôt, il pique une colère devant le paquet de feuilles volantes mal photocopiées. Depuis un an, c'est sa manière de procéder, il s'en est remis aux hommes qu'il a choisis. Il ne s'est pas occupé de l'intendance. Il a fait confiance.

« Qu'est-ce que c'est que ce truc ? » s'écrie-t-il alarmé.

Yves Sabouret justifie la modestie de la présentation :

« Jean-Luc, on ne va pas faire comme les autres, on va surprendre. Ils vont sûrement sortir un document sur papier glacé, genre nouveaux riches. Les gens de la CNCL sont des fonctionnaires, des esprits rigoureux du Conseil d'Etat et de la Cour des comptes... Ils seront plus sensibles à un certain dépouillement de notre dossier...

– On voit bien que tu n'as jamais répondu à un appel d'offres ! s'emporte Lagardère en éparpillant les tristes feuillets. On en a pourtant fait suffisamment avec Matra. Je peux te dire qu'avec un dossier comme ça on est sûr de se ramasser ! »

Si encore c'était le seul souci du président de Matra-Hachette ! Mais ce n'est rien à côté de l'insoluble problème que lui pose le bouclage de son tour de table. En se retirant, Havas a laissé à Hachette un trou béant de 15 % qu'il faut combler. Or, pour faire de la place à Havas, début janvier, Hachette avait été contraint d'écarter des groupes intéressés qui, vexés, n'ont pas envie de revenir aujourd'hui. C'est le cas de la banque d'investissement de Pierre Moussa. C'est aussi celui de plusieurs groupes étrangers. Il y a deux mois à peine, l'ami et associé de Jean-Luc Lagardère, le magnat australien Rupert Murdoch, avec qui il a lancé la version américaine du magazine *Elle*, ne demandait qu'à venir. « Je vais racheter la 20th Century Fox, lui avait dit Murdoch lors de conversations à New York ou chez Lagardère, avenue Hoche... Avec la Fox, je vais faire une télévision qui ira sur un satellite. Toi tu auras ta chaîne française, on pourra travailler ensemble. »

Depuis, tout a changé. Murdoch a des difficultés aux Etats-Unis. Il a fait passer le message par Filipacchi : si « Jean-Luc » insiste, il viendra, mais il préférerait rester à l'écart de cette opération. Il doit faire face à une situation complexe aux Etats-Unis, avec des problèmes de nationalité et de lois antitrusts... C'est ainsi que, pendant le week-end du 21 février, à la veille de la date fatidique, Hachette commence à battre le rappel des actionnaires qui pourraient le suivre dans TF1. Sa précipitation et son aveuglement causeront sa perte.

« On en a bavé, mais ça en valait la peine. » A midi et demi, ce lundi 23 février 1987, Philippe Ramond exulte sous les vivats, dans le grand studio-salle de rédaction du boulevard Pereire. On se presse, on s'embrasse, on se congratule. Il y a quelques minutes, sa collaboratrice, Françoise Watelet, est venue le chercher : la CNCL le demandait au téléphone. Ils ont gagné! Il avait beau s'y attendre, c'est un agréable choc. Avant de regagner la salle aux installations électroniques ultramodernes conçue par Sylvain Anichini, le transfuge de Canal Plus, Philippe Ramond prévient le groupe Berlusconi de leur victoire.

En direct à l'antenne sur la Cinq, le champagne coule à flots. Demain commence la grande aventure télévisuelle de Robert Hersant.

C'est depuis 9 heures, ce lundi, que la CNCL au complet procède à la désignation des attributaires de la Cinq et de la Six. La Cinq n'a pas posé de problème. Après une discussion d'où il ressortait que le dossier Hersant était à l'évidence le plus étoffé, le vote n'a été qu'une formalité. Neuf voix pour Hersant. Deux pour Goldsmith. Deux abstentions, celles de Catherine Tasca et Bertrand Labrusse.

En fin de matinée débute l'examen du cas plus épineux de la

sixième chaîne. Au grand embarras du pouvoir, qui suit de très près les délibérations de la CNCL. De si près que des conseillers de Matignon ont pris l'habitude d'être informés de ce qui se dit en séance plénière de la Commission au rythme des suspensions de séance ou des sorties des uns ou des autres pour satisfaire de naturels besoins... Ces liaisons téléphoniques connaissent un « coup de feu » marqué aux heures des repas.

C'était couru, bien des membres de la CNCL se sont pris d'affection pour la « sympathique » chaîne musicale de Publicis et de Gaumont, ce qui n'a rien pour contrarier Robert Hersant. En début de séance, il est effectué un vote pour déterminer, avant d'entamer les débats, s'il convient ou non de « réentendre » les différents candidats. Par sept voix contre cinq (Gabriel de Broglie s'est abstenu), il est décidé que les auditions de jeudi dernier sont suffisantes. Ceci bien que le président de la CNCL ait annoncé avoir reçu, au cours du week-end, une lettre par laquelle Métropole TV prend un engagement supplémentaire – hors audition publique, donc – en matière de programmation musicale. Engagement sur lequel, n'en étant pas informés, les autres candidats n'ont pu surenchérir...

La discussion qui s'engage ensuite est, malgré le courrier « miracle » de Métropole, plutôt favorable à la thématique musicale. Chacun donne sa préférence. C'est une consultation informelle, afin de dégager les tendances. Jacqueline Baudrier hésite. Jean Autin est contre TV6, mais salue la prestation de Publicis. Michel Droit soutient la musicale. Catherine Tasca, qui est « sceptique » sur l'avenir d'un sixième réseau généraliste, plaide en faveur de la musique. Idem pour Labrusse, Daisy de Galard et Pierre Huet. Gabriel de Broglie soutient pour sa part qu'il n'existe nulle part au monde des chaînes hertziennes thématiques et que ces télévisions ont vocation à être cryptées...

Au cours de son intervention, le président mentionnera, curieusement, l'« enjeu international » que représente cette sixième chaîne au regard des relations diplomatiques avec le Luxembourg. Autrement dit, il serait politiquement périlleux d'écarter, avec Métropole, la CLT. A la fin de la discussion, on compte sept avis favorable à TV6, quatre pour Métropole Télévision, et deux pour TFM. Passons donc au vote avant d'aller déjeuner, proposent quelques membres.

Mais, de toute évidence, Gabriel de Broglie n'a pas envie de passer au vote sur la Six ce matin. L'affaire est délicate. Le président de la CNCL suggère alors de revenir sur la décision prise préalablement et de voter à nouveau sur le point de savoir s'il faut auditionner une autre fois les candidats. Il est clair aux yeux de quelques membres que Gabriel de Broglie cherche à gagner du temps. Dans la confusion, et vu l'heure avancée de la matinée, le vote sur la Six est renvoyé à l'après-midi.

La séance reprend vers 16 h 30. On commence par rédiger l'autorisation accordée à la Cinq le matin. Puis on revient à la Six. Gabriel de Broglie ouvre la discussion mais semble s'être ravisé sur les auditions complémentaires qu'il souhaitait si fort le matin. Il demande qu'on passe directement au vote sur l'attribution. Comme par enchantement, il n'y a plus que quatre voix en faveur de TV6, sept désormais pour Métropole TV, et toujours deux pour TFM.

Pendant l'heure du repas, la CNCL, qui s'égarait du droit chemin, a été magistralement reprise en main par le pouvoir politique. Pendant qu'ils déjeunaient, plusieurs membres ont reçu d'amicaux appels, à titre personnel, de leurs correspondants habituels à Matignon... C'est tout juste, prendra coutume de plaisanter à ce sujet Roger Bouzinac, si on ne leur a pas dit que les « divisions blindées luxembourgeoises » risquaient d'être aux portes de Paris avant le soir si la CLT n'était pas choisie. Appels au bon sens, au civisme, et au patriotisme. Les téléphones ont fonctionné dans tous les sens. Jacques Chirac se tient informé d'heure en heure de l'évolution des esprits à la CNCL. Il a craint le clash avec le grand-duché et avec la Lyonnaise des eaux que provoquerait le rejet de la Métropole.

Avant la reprise de séance, à 15 heures, Gabriel de Broglie a fait joindre d'urgence l'administrateur délégué de la CLT, Jacques Rigaud. Celui-ci déjeunait en compagnie d'un de ses anciens élèves devenu ministre, Hervé de Charette.

« Si la sixième chaîne ne vous est pas attribuée, lui a dit le président de la CNCL, la CLT a-t-elle une autre solution pour être présente dans l'audiovisuel français? Envisagez-vous, éventuellement, de rejoindre l'un des tours de table qui seront candidats à TF1?

– Il n'y a pas d'autres alternative que la sixième chaîne pour la CLT », lui a résumé Jacques Rigaud.

Deux heures plus tard, l'agitation matignonesque a produit ses effets. C'est *en toute indépendance* que la CNCL désigne Métropole TV comme attributaire du sixième réseau.

« Vous l'avez », c'est par ces mots que Nicolas de Tavernost apprend, de la bouche du directeur des services de la CNCL, Pierre-François Racine, le succès de Métropole TV. Emu, il se précipite dans le bureau de Jérôme Monod.

« On l'a!

– Vous en doutiez? », ironise Monod, très calme.

C'est une affaire parmi d'autres. Un peu plus drôle, peut-être. N'at-il pas, par exemple, reçu ce matin même un coup de fil de Francis Bouygues? Celui-ci, à quelques heures de remise des dossiers prévue ce soir, lui offrait d'entrer dans le tour de table de TF1! Jérôme Monod a décliné. Bouygues a insisté. C'est non. Le P-DG de la Lyonnaise sait que ce qu'il convoite avant tout, c'est l'assise financière de sa société, et la valeur politique de l'amitié qui le lie au Premier ministre.

En début de soirée, vers 20 heures, c'est la cohue des journalistes autour de Francis Bouygues, venu déposer le dossier de candidature [1] de son groupe à la nouvelle adresse de la CNCL, rue Jacob. Ensuite, tous guettent l'arrivée du groupe Hachette, en écoutant à la radio les réactions politiques aux deux grandes décisions du jour.

A gauche, c'est le tollé contre « la haute main sur l'information » que détient désormais Robert Hersant avec la Cinq. Les communistes s'insurgent contre « la loi du profit » en télévision. La CFDT voit en Hersant un « ministre de l'Information de fait ». A droite, c'est la satisfaction : l'UDF rappelle que la Cinq et la Six avaient été attribuées par les socialistes « sans consultation de la Haute Autorité ». Jusqu'à Jean-Marie Le Pen qui se réjouit pour le « grand professionnel » qu'est Robert Hersant.

Ministre « fantôme » de la Culture en attendant des jours meilleurs, Jack Lang crie à l'« assassinat d'une œuvre de vie et de culture » à propos de TV6 et « souhaite de tout cœur que les artistes, les producteurs et les jeunes se mobilisent pour la résurrection d'une chaîne musicale ».

A 21 heures, rue Jacob, Hachette n'a toujours pas déposé de dossier.

A 22 heures non plus.

Au siège de Hachette, à cette heure, c'est l'affolement. Le tour de table n'est pas bouclé. Le week-end précédent, et toute la journée de lundi, Jean-Luc Lagardère et Yves Sabouret ont cherché des solutions pour combler la brèche laissée par Havas. Dans une atmosphère très tendue, Mougeotte, Lagardère et Sabouret sont suspendus au téléphone. Le Gouvernement, à son tour, prend peur qu'Hachette ne puisse déposer de dossier et concourir. Dans ce cas, que faire? Il n'y aurait, avec Bouygues, qu'un seul candidat. Faudrait-il lui donner

1. Il s'agit du dossier juridique pour l'acte de candidature; il comporte les documents sur la société, la composition prévue pour le capital, etc. Il sera complété, ultérieurement, d'un dossier d'exploitation proprement dit de la chaîne avec prévisions de grilles, engagements particuliers...

TF1 d'office ou annuler le processus de privatisation? Dans les deux hypothèses, ce serait du plus mauvais effet sur l'opinion publique. C'est la raison pour laquelle Matignon – qui n'a déjà pas chômé aujourd'hui avec la Six – et la Rue de Rivoli conjuguent leurs efforts pour tirer Hachette de l'ornière.

Les banques nationalisées sont conviées par le cabinet d'Edouard Balladur à boucher les trous dans la coque du dossier Hachette. Dans la soirée, les dirigeants du groupe sont toujours en ligne avec les responsables de la BNP, du Crédit Lyonnais, ou de la Société générale. Les banques s'inscrivent sans plaisir pour environ 3 % chacune. Dans une autre pièce, Daniel Filipacchi et des secrétaires s'escriment pour obtenir des réponses par fax des groupes étrangers qu'on a relancés depuis trois jours. On a même à nouveau pensé à Murdoch, mais le Gouvernement aurait vu d'un très mauvais œil l'Américain prendre pied sur la première chaîne. Finalement, l'anglais TV South, l'américain MCA et l'espagnol *El Pais* prennent quelques pour cent.

A 23 heures 15, un nouveau débat agite la maison Hachette. Qui doit porter le dossier rue Jacob? On penche pour Etienne Mougeotte. Mais il faut faire au plus simple, et c'est la directrice de la communication, Elizabeth Ardaillon, qui est envoyée à la CNCL, où elle dépose le dossier à 23 heures 40. Vingt minutes avant l'expiration du délai.

Ce tour de table, dont la composition a été bâclée, contient l'explosif à trois initiales qui va pulvériser la candidature Hachette : BNP.

Pendant la nuit du lundi 23 au mardi 24 février 1987, sur les rotatives du *Figaro* roule le billet que Robert Hersant a rédigé pour la une dans la soirée. Se référant à sa condamnation et celle d'autres personnalités par le groupe Action Directe, inscrite dans des documents récemment saisis par la police, le « papivore » écrit, sous la mention : « *Un éditorial (court) de Robert Hersant* », et avec le titre : « *Les Choses de la vie...* » :

« *Je devais comparaître devant un jury populaire présidé par M. Rouillan. Moins cinq!*

Je viens de comparaître devant un jury culturel présidé par M. de Broglie. Plus cinq.

Ainsi va la vie. »

Le lendemain du dépôt de sa candidature, Hachette est pris dans un engrenage impitoyable. Dès que son adversaire, Bouygues, aura saisi l'énormité de la faille, le groupe de Jean-Luc Lagardère n'aura plus aucune chance d'échapper au piège.

La responsabilité du Gouvernement est ici écrasante. L'appui qu'il a apporté à la maison Hachette ne s'est pas fait dans la discrétion. Dans les conversations parisiennes, Jean-Luc Lagardère devient le champion de Chirac pour TF1. Si le Premier ministre et Balladur l'ont aussi activement soutenu dans la confection de son tour de table, souligne-t-on, c'est qu'il est l'heureux élu. Comme pour la Cinq, la rumeur se propage que la compétition est faussée, que Bouygues n'est qu'un faire-valoir.

Chez Bouygues même, l'anxiété affleure à mesure que ces bruits remontent les étages de l'immeuble des Champs-Elysées. Patrick Le Lay s'interroge avec ses collaborateurs, Cyrille du Peloux et un nouveau venu auquel on songe pour la direction générale de TF1, Pierre Barret, évincé quelques jours plus tôt de Métropole TV. L'inquiétude perce dans les réunions quotidiennes où il faut, de plus en plus, travailler à la préparation de l'audition publique qui aura lieu en mars ou avril 1987. La date n'est pas encore fixée.

Spectateur souvent silencieux de ces rencontres, auxquelles participent également Bernard Tapie, Evelyne Prouvost et Jacques Duquesne, Francis Bouygues rumine. Hachette vainqueur d'avance ? L'aurait-on pris, lui, pour un imbécile ? Quel rôle de « cocu » croit-on pouvoir lui faire jouer si « Jean-Luc » est gagnant d'avance ? Mais sa rumination ne durera pas longtemps. Le jour où, à la fin février, par des indiscrétions provenant de la CNCL, il prend connaissance du montage financier exact de la candidature Hachette, un large et cruel sourire intérieur illumine son visage. Ainsi donc, constate-t-il avec Patrick Le Lay, les rumeurs sont fondées, Hachette a dans son tour de table la BNP. Mais, au fait, se disent les deux hommes, qui connaissent parfaitement la réponse, cette banque n'a-t-elle pas été associée de très près à l'évaluation du prix de TF1 ?

La BNP, voilà la faille ! Le défaut juridique de la cuirasse. En moins de temps qu'il n'en faut pour le dire, Bouygues fait plancher ses conseillers financiers et avocats sur la question. L'angle d'attaque est choisi : avec la BNP à ses côtés, Hachette triche. Cette banque ayant eu accès à des informations confidentielles sur TF1 dans le cadre de l'évaluation financière de la Une, elle place *ipso facto* Hachette en position d'« initié ». Le groupe de Lagardère détient donc des informations qui ne sont pas à la disposition des autres candidats...

Malin, bien conseillé, Bouygues ne fonce pas tête baissée. Il attend. Dans l'immédiat, mieux vaut laisser se développer la campagne qui veut qu'Hachette soit le vainqueur officiel. On peut même en rajouter. C'est Jacques Séguéla qui s'en charge. Le publicitaire ne peut plus rencontrer un journaliste sans feindre de lui confier à quel point, hélas, les jeux sont faits pour TF1. Il y met un zèle extraordinaire et, encore fier de sa mission, il confiera des années plus tard à sa victime, Jean-Luc Lagardère, que c'est lui, Séguéla, qui a inventé la formule « Hachette candidat officiel du pouvoir ». Ajoutant qu'il n'avait pas eu grand mal à la faire passer dans l'opinion, car il y a tellement de « cons » et de cerveaux crédules parmi « les journalistes »...

Vraie ou fausse paternité, la formule fait mouche. Début mars, Hachette s'enfonce dans un marais de critiques. Vainqueur avant le combat, il est à nouveau montré du doigt par tous ceux qui s'inquiètent de sa puissance médiatique. Le débat sur la concentration, la puissance, le contrôle des médias écrits et audiovisuels reprend avec rage.

Bouygues ne bouge toujours pas. Au lieu d'attaquer, il se meut à contre-courant, feint d'être victime d'un traquenard et, suprême habileté, il commence à laisser entendre que, dans ces conditions, il s'interroge sur la nécessité de se maintenir candidat.

Nous sommes au début du mois de mars 1987. La CNCL, comme le Gouvernement, panique à l'idée de se retrouver cette fois avec Hachette pour seul candidat. En outre, la CNCL a examiné d'assez près le dossier de Lagardère pour comprendre le bâton de dynamite que représente la présence de la BNP. Par prudence, sentant venir l'orage, Gabriel de Broglie écrit le mardi 3 mars aux candidats pour leur demander des éclaircissements sur leurs tours de table. C'est une planche de salut que Lagardère ne sait pas saisir pour modifier rapidement la composition de son capital.

Le P-DG de Matra-Hachette est ulcéré des bruits infondés qui circulent sur sa victoire décidée d'avance. Il s'emporte contre ce qu'il considère être de la mauvaise foi ou carrément de la malveillance à l'égard de son groupe. Il ne comprend pas que la manœuvre consiste précisément à l'énerver, à l'enfermer dans un discours buté sur l'honnêteté et la transparence de son capital pour TF1. Il sous-estime Bouygues et Le Lay. Il surestime Sabouret et Mougeotte. Il croit à l'image qu'il veut donner de lui-même, celle d'un mousquetaire combattant « à la loyale ».

Au lendemain de la lettre aux candidats du président de la CNCL, Francis Bouygues tire quelques coups de feu en l'air, histoire de faire du bruit. Il écrit à Gabriel de Broglie pour humblement lui demander de bien prêter attention à la manière dont les choses se passent, car elles ne lui semblent pas très claires du côté de son adversaire. Il ne voudrait pas, fait-il comprendre avec cette fausse naïveté qui est la sienne, croire tout ce que l'on entend, mais, ma foi, s'il y avait du vrai dans ce qu'on dit, il n'hésiterait pas à déposer un recours devant le Conseil d'Etat.

Il est des « coups de feu en l'air » qui sont des bombes de forte puissance. Evoquer un recours devant le Conseil d'Etat en s'adressant à un homme, Gabriel de Broglie, qui en est membre, c'est le mettre en demeure de tout faire pour protéger son corps d'origine et son honneur de toute atteinte. A compter de la minute où il reçoit cette lettre, quoi qu'il fasse, le président de la CNCL va vivre dans la crainte du faux pas. Il lui faudra être encore plus attentif au dossier Hachette. Et il ne fait pas de doute que celui-ci est défectueux.

Haussant légèrement le ton, Francis Bouygues met ses doutes sur la place publique le vendredi 6 mars 1987. Avec son avocat, Louis Bousquet, il a tout prévu. Il dispose même depuis quelques jours d'un allié souterrain particulièrement utile en la personne de Robert Hersant, que Patrick Le Lay a rencontré avec le juriste et député RPR Bertrand Cousin. Maintenant qu'il a la Cinq, Hersant est prêt à tout pour faire en sorte qu'Hachette n'obtienne pas TF1. La coalition d'intérêts Hersant-Bouygues sera terriblement efficace. De son côté, Jacques Chirac reçoit Bouygues le week-end des 7-8 mars, pour l'assurer que la compétition se déroulera dans les règles, qu'il n'y a pas lieu de songer à s'en retirer.

Chez Hachette, le désarroi prend le dessus sur la combativité. Le groupe ne contrôle plus sa propre candidature. Il est ballotté par les images qui sont partout données de lui. C'est un candidat à la dérive qui, le lundi 9 mars, prend un nouveau coup sur la tête quand la CNCL décide de valider les deux candidatures, en demandant toutefois à Hachette de modifier son tour de table... et d'écarter la BNP. Devançant l'artillerie de Bouygues, la CNCL a estimé que, en tant que conseil du Gouvernement pour la privatisation, cet établissement bancaire a pu avoir accès à des informations confidentielles. Juridiquement, la CNCL n'a pas d'autre choix que de formuler cette exigence.

C'est le moment qu'attendait Bouygues, car la reconnaissance du caractère contestable de la présence de la BNP lui permet de lancer l'offensive. Peu importe, explique-t-il, que la BNP se retire. Il est trop tard ! Le passage de cet établissement dans le tour de table suffit à le discréditer complètement. Francis Bouygues peut mettre en marche le rouleau compresseur, il est sûr d'aplatir Lagardère, et la CNCL avec, si elle ne fait pas ce qu'il faut pour sauver sa peau.

Le mardi 10 mars, Bouygues SA adresse à la CNCL un « recours » qui n'a de « gracieux » que le nom. Il proteste officiellement, en cinq pages, contre la candidature Hachette. Le ton change, cette fois :

c'est un ultimatum. Le retrait de la BNP [2] ne change rien aux anomalies établies du dossier Hachette, dit Bouygues. L'audit de TF1 auquel a participé la banque devait rester confidentiel. C'est une logique de broyage sans pitié qui est là en action.

Avec un soin savant du tempo à respecter pour être le plus efficace, Bouygues récidive deux jours plus tard. Le jeudi 12, nouveau « recours gracieux » sur le bureau de Gabriel De Broglie, et communiqué de presse pour demander la « *disqualification* » de Hachette. Le mot est lâché. Et c'est le mot qui compte, non l'acte. La CNCL et Bouygues savent pertinemment qu'il est impossible de « disqualifier » Hachette sans faire voler en éclats la privatisation et la réforme Léotard. C'est politiquement impossible. Par contre, l'effet meurtrier du mot reste dans les esprits. On accrédite une fois pour toutes le thème de la candidature mal ficelée du groupe de Lagardère. Les journaux Hersant sont là pour le rappeler de plus en plus fort.

Avec la CNCL, Bouygues a frappé là où ça fait très mal. La plupart de ses membres sont des juristes, affolés à l'idée de perdre la face devant un tribunal. Comment savoir si Bouygues ira au bout de ses propos en portant plainte ? Cet homme est capable de tout. Dans le bâtiment, il a la réputation d'ouvrir un guichet contentieux au moment où un chantier démarre. C'est un procédurier hors pair qui sait s'entourer d'excellents avocats.

Jean-Luc Lagardère a trop attendu pour réagir. Le samedi 14 mars, bouillant de colère, il s'emporte contre les méthodes Bouygues et les calomniateurs. «*Accuser le groupe Hachette d'être un tricheur*, dit-il dans un communiqué, *frôle la diffamation... Je préférerais que le champion des travaux publics s'efforce de devenir le champion de l'audiovisuel plutôt que de se contenter d'être le champion de la procédure et de l'intimidation...*» Mais les dégâts commis sont irréparables. La polémique se produit, qui plus est, à un moment où le P-DG de Matra connaît bien des déboires avec son club de football, le Matra-Racing.

A ce rythme, quand les deux candidats déposent, le 26 mars, leur dossier d'exploitation pour TF1, la CNCL est un organisme complètement déstabilisé. Retors, Bouygues menace maintenant la Commission d'un nouveau recours. La BNP s'étant retirée, n'est-il pas fondé à attaquer Hachette pour modification de tour de table en cours de compétition ? Gabriel de Broglie ne sait plus où donner de la tête. Bouygues et ses avocats n'arrêtent plus de menacer. C'est un pilonnage intensif mais étudié qui s'abat sur la rue Jacob.

2. Elle sera remplacée par le Crédit agricole.

Le mardi 31 mars, des auditions privées ont lieu à la CNCL. C'est l'occasion d'une ultime mise au point des candidatures pour Hachette et Bouygues. Ambiance cordiale avec le groupe Bouygues le matin. Tension l'après-midi avec Lagardère, qui prend assez mal qu'on lui parle encore de « concentration » en s'interrogeant sur le nombre de radios, avec celles de la bande FM, que son entreprise contrôle.

L'avant-veille, invité d'Anne Sinclair à l'émission « 7 sur 7 » de TF1, François Mitterrand a pris plus que des distances avec la CNCL, regrettant la disparition de TV6 qu'il « aimait beaucoup » avec ses « formidables » vidéoclips. Le Président prend date en s'interrogeant : « Avec cette commission, ce n'est pas le pluralisme, c'est l'uniformité. Je commence à me demander ce que la liberté va devenir... »

Le dossier Hachette est entaché d'irrégularités, martèlent Bouygues et Le Lay. Faudra-t-il poursuivre la CNCL pour complicité passive ? Saisir le Conseil d'Etat ? Gabriel de Broglie tente bien de déjouer ces manœuvres de guerre psychologique, mais en vain. Lorsqu'il adresse une fin de non-recevoir à Bouygues et refuse de « disqualifier Hachette », le constructeur charge l'obus suivant et parle maintenant de déposer un recours avec demander d'effet « suspensif ». En d'autres termes, même si Hachette emportait TF1, sa prise de possession de la chaîne ne pourrait s'effectuer tant que le Conseil d'Etat ne se serait pas prononcé. Et dans le cas où celui-ci donnerait raison à Bouygues, la CNCL serait ridiculisée et il faudrait reprendre à zéro la privatisation de TF1...

Avec ce type de discours, combiné aux erreurs de l'équipe Lagardère et à celles du Gouvernement, Francis Bouygues a déjà 75 % de sa victoire en poche. S'il sait maintenir la pression, et s'il se défend bien en audition publique le 3 avril prochain, ce sera gagné. Alors il s'entraîne. Il simule, comme on simule la construction d'un pont sur un ordinateur.

L'espace de la cafétéria du siège Bouygues, à Clamart, est réquisitionné les derniers jours de mars. L'équipe Le Lay, qui a observé attentivement la disposition des lieux au rez-de-chaussée de la rue Jacob, là où auront lieu les auditions publiques, a entièrement recréé le décor à Clamart. Avec la disposition des tables, des lumières, des caméras, le tout au centimètre près. C'est dans cette CNCL bis que tous répètent assidûment leur rôle, Francis Bouygues en premier. Quatre jours de suite, de 14 à 20 heures, on y mime, devant les caméras d'une agence de reporters, les questions embarrassantes, les professions de foi. Patrick Le Lay refait vingt fois son texte introductif. Ils sont d'abord décontenancés, puis ils s'habituent, progressent, et gagnent en aisance.

Tout le monde se plie à l'exercice. Même Tapie, habitué aux caméras avec l'émission qu'il anime sur TF1. Même Maxwell, qui se joint au groupe, la veille de l'audition, et répète soignement son texte, écrit à la virgule, sur sa francophilie passionnée, ses enfants « nés à Maisons-Laffitte ». Le soir, visionnage critique et conseils techniques pour le lendemain.

Le 2 avril au soir, pour se détendre avant le saut dans la réalité, demain, l'équipe Le Lay va au cinéma sur les Champs-Elysées. Voir *Le Moustachu*, avec Jean Rochefort.

Préparation moins intensive et méthodique du côté de Hachette, où l'on a beaucoup de mal à réunir en même temps Filipacchi, Sabouret, Mougeotte, Ockrent, Fontaine [3], tous ceux qui doivent assister Lagardère à la CNCL. Les coups de boutoir du concurrent ont un effet démobilisateur. Mais ils n'ont pas entamé la conviction générale d'être le seul groupe à même de répondre aux exigences du mieux-disant culturel. « Messieurs, nous allons gagner ! » dit Jean-Luc Lagardère, frappant du poing sur la table, en ouverture et conclusion de chaque réunion place François-Ier. Façon briefing Royal Air Force, juin 1944.

C'est le groupe Hachette que le sort a désigné pour passer le matin du vendredi 3 avril. A partir de 10 heures, les auditions sont retransmises en direct sur TF1 et suivies avec l'attention que l'on devine dans les locaux de la chaîne, où, dans une petite salle à manger près du bureau du P-DG, Hervé Bourges et Pascal Josèphe ne quittent l'écran des yeux que pour répondre au téléphone si c'est « important ».

Pour Hachette, les choses ne se passent pas mieux qu'en audition privée. Les corbeilles de fleurs et les nappes de velours rouges tendues sur les tables ne réchauffent pas l'atmosphère. Christine Ockrent sourit. Mais on sent Lagardère crispé, Filipacchi mal à l'aise. Mougeotte et Sabouret déploient un talent certain dans leur démonstration, mais... Ça ne se dégèle pas avec le temps. Deux heures et bien des engagements solennels plus tard, c'est la même sensation de banquise séparant la CNCL et Hachette. Pourtant prévenu de l'intérêt que les membres portent à ce sujet, Jean-Luc Lagar-

---

3. André Fontaine, directeur du *Monde*, qui a choisi, après avoir souhaité la Cinq avec la CLT, de se tourner vers TF1 avec Hachette.

dère monte sur ses grands chevaux dès qu'il est questionné sur la concurrence. « Moi aussi, je suis contre la concentration ! » lance-t-il à l'assistance incrédule. Maladroitement, Hachette confirme son souhait d'interrompre les journaux de TF1 par de la publicité. Il n'y a pas que de la maladresse, il y a aussi du courage. Il en faut à Christine Ockrent pour remettre Michel Droit à sa place lorsque celui-ci croit bon d'émettre des doutes sur l'objectivité de la rédaction de TF1. Elle n'en manque pas et le montre. Ce qui revient à se couper d'une voix de plus.

L'audition s'achève sur des sourires figés.

A 15 heures, Bouygues entre en scène rue Jacob. Le contraste avec la matinée est saisissant. Ne serait-ce qu'au physique, l'équipe Bouygues marque des points irrationnels à la première seconde. A l'élégante mais rigide minceur d'un Lagardère et d'une Christine Ockrent succèdent les rondeurs bonhommes de Francis Bouygues et celles, gargantuesques, de Robert Maxwell. Après la visite matinale d'une pieuvre désignée redoutable, ils donnent l'impression d'une rassurante équipée familiale, endimanchée avec recherche. Il y a de la posture filiale dans le tandem Francis Bouygues-Patrick Le Lay qui fait face à Gabriel de Broglie. On parle simple, direct, et poli. Voici les bons élèves, les vrais, les studieux, ceux qui ont soigné leur copie, respecté la marge, fignolé la frise et apporté une sucrerie à l'instituteur sous la forme d'une splendide maquette du futur siège de TF1 [4].

Sous les projecteurs, la CNCL sue de bonheur tranquille. Elle est sauvée. Ces gens qui lui font face ont tout pour plaire et leur éviter un crash juridique. Même Bernard Tapie sait se montrer discret, au bout de la table où l'a prudemment relégué Le Lay (« Tu te mets là, et c'est moi qui parle ! » l'a-t-il prévenu après que celui-ci a tenté de s'asseoir auprès de Francis Bouygues en arrivant). Pendant deux heures meublées d'autant de promesses solennelles que le matin, la CNCL irradie la satisfaction généreuse. Elle ne pose pas de questions, elle les roucoule.

En noir et blanc, ce collège costumé ne dépareillerait pas dans un film des années 30 où des adultes passeraient un baccalauréat collectif avant de partir en vacances. C'est la même culture compassée, la même tonalité « avant-guerre », la même fraternité académique lorsque, au détour d'une question, Michel Droit et Alain Decaux se saluent et se félicitent l'un l'autre. On ne sait pourquoi, il émane de la Commission dans son ensemble comme une résurgence, un fragment

---

4. On sait alors que la Une ne pourra rester rue Cognacq-Jay, aux locaux trop exigus, qu'il faudra lui construire un nouveau siège.

de Troisième République, à la fois plaisant dans son aspect « rétro » et insupportable.

Avec Bouygues SA, c'est l'entente parfaite. Pour un peu, on ne serait pas surpris de voir l'un des membres de la Commission ou de l'équipe candidate se lever pour servir le thé et présenter une assiette de gâteaux secs. Le dispositif rodé à Clamart fait merveille. Le Lay en remontrerait à Louis Jouvet, Bouygues à Raimu ou Michel Simon, Maxwell donnerait des cours à Orson Welles.

Dans la soirée de ce vendredi, Jean-Luc Lagardère appelle Gabriel de Broglie, s'étonne de la sympathie que la Commission a témoignée à son concurrent, déplore l'échange affectueux entre Droit et Decaux. Le P-DG de Matra se fait du souci pour rien, lui rétorque-t-on. La CNCL a la tête froide et va prendre son temps pour se prononcer. Bonsoir.

Le samedi 4 avril au matin, Yves Sabouret téléphone à son tour à la CNCL qui se réunit pour « commencer à discuter de TF1 » ce week-end. C'est « lundi ou mardi prochain », l'assure-t-on, que le verdict sera rendu.

Mais à 13 heures, ce samedi, Gabriel de Broglie propose de passer au vote. Huit voix pour Bouygues. Quatre pour Hachette. Une abstention.

A 13 h 45, les premières dépêches tombent.

« C'est Bouygues ! »

Prévenu par la CNCL, Patrick Le Lay joint Francis Bouygues qui déjeune en famille chez Prunier.

« On a gagné ! exulte Le Lay.

— On a gagné quoi ? bougonne Bouygues.

— TF1, on l'a !

— Ah bon ! »

Comédien, Francis Bouygues peut se laisser submerger par la joie de la victoire sans rien en afficher. Une demi-heure plus tard, c'est Hervé Bourges qui l'appelle et l'invite sur le plateau du journal de vingt heures, ce soir, à Cognacq-Jay.

« J'aimerais que mon meilleur collaborateur, Patrick Le Lay, m'accompagne, dit Bouygues à Bourges.

— Aucun problème, simplement il vous faudra être bref, ne pas parler plus de trois ou quatre minutes...

— Mais qu'est-ce qu'on peut dire en si peu de temps ?

— Bien des choses, répond Bourges, amusé.

— Alors, à ce soir... Ah, j'oubliais, Cognacq-Jay, ça se trouve dans quel quartier ? »

Place François-Ier, la consternation le dispute à la colère. Confiant dans le délai annoncé par la CNCL, Jean-Luc Lagardère a pris la route de son haras normand dans la matinée. La nouvelle le foudroie et l'assomme. Il crie à la trahison, au complot. Son ire remonte jusqu'à Matignon, où l'on essaie de faire admettre à Hachette que « c'est bien désolant » mais que la CNCL s'est librement prononcée. L'information produit l'effet d'un typhon dans les médias et le public en prenant tous les pronostics à contre-pied. Mais Jacques Chirac n'est pas vraiment surpris. Depuis une quinzaine de jours, ses collaborateurs, José Frèches et Denis Baudouin, l'ont prévenu d'un probable retournement de situation. A plusieurs reprises, Denis Baudouin, à qui Francis Bouygues disait, en visite à Matignon : « Tu verras, j'ai des flèches dans mon carquois », a tenté de prévenir Jean-Luc Lagardère du danger qu'il avait à se conduire en mieux-disant culturel vivant...

La chute de l'ange Lagardère n'émeut pas beaucoup l'Elysée, où on éclate de rire sonores en apprenant que c'est Bouygues. François Mitterrand n'a jamais formulé de préférence. Hostile à la privatisation, c'est pour lui un peu du pareil au même. A ceci près que Francis Bouygues, pendant la durée de la compétition, a su se manifester avec adresse à l'Elysée. Il y vient souvent, parler travaux, évolution de la Grande Arche. Dès le début, il a tenu au Président et à Jean-Claude Colliard, son directeur de cabinet, un discours clair : « Je suis candidat, je n'attends rien de vous, leur a-t-il dit, je vous tiens juste au courant de ma démarche. » Mais, a-t-il fait comprendre, s'il gagne TF1, le Président n'aura pas à s'en plaindre.

Jean-Luc Lagardère, lui, ne s'est pas manifesté auprès du Président. Alors qu'une sorte de sympathie s'est créée autour du chantier de la Défense entre Bouygues et Mitterrand, il n'existe rien de tel à l'égard du P-DG d'Hachette. Lagardère et Mitterrand ont pourtant un ami commun, Roger-Patrice Pelat, qui dit souvent au Président qu'il a « tort » de ne pas faire davantage confiance au patron de Matra. Mais rien n'y fait. La différence tient à de petites choses, des marques de politesse appréciées même quand on les devine intéressées, comme dans le cas de Bouygues. Tandis que, pour Jean-Luc Lagardère, l'Elysée a vainement attendu un petit mot de remerciement pour la cession d'Europe 1 à Hachette en mars 1986...

Ce samedi, sous le choc de sa défaite, Jean-Luc Lagardère rédige un article. Le premier de sa vie, qu'il destine au *Journal du Dimanche*, où il paraîtra demain à la une. Il s'y met en scène dans son haras, parlant à ses chevaux, confiant sa déception aux meilleurs amis de l'homme. « *Je viens d'apprendre la décision de la CNCL.* *Bouygues est leur champion...* » Après un bref « *Bravo Francis...* », le P-DG d'Hachette s'en prend aux « *irresponsables* » qui ont fait perdre son groupe en parlant de concentration – « *Hachette est loyal et n'est pas un hors-la-loi* ». Puis le texte bascule dans un lyrisme néo-lamartinien échevelé. « *Cette après-midi, je foule l'herbe verte de mes herbages... J'ai passé de longs moments seul avec mes chevaux que j'élève avec tant d'amour depuis plus de vingt ans. Les poulinières me présentent leurs nouveau-nés... et je lis dans le regard des mères comme un reproche... Un peu de tristesse dans leurs yeux de biches, mais une infinie fidélité.* »

Personne de son groupe n'aura le cœur de lui dire qu'il aurait pu s'épargner un article aussi larmoyant. « Jean-Luc » est le boss. Il ne peut pas se tromper. Mais tous prendront soin, pendant des semaines, de ne plus prononcer le mot tabou. Lagardère sera traité avec toutes les attentions que l'on doit à un homme qui se relève de cette grave maladie, la « Télévision ».

Avec Bouygues, la CNCL se dédouane à bon compte de son allégeance à l'égard du pouvoir lors des nominations de P-DG. Hachette s'est piégé lui-même dans une image de vainqueur qu'il voulait récuser, mais que sa propre presse et Europe 1 entretenaient sans même s'en apercevoir. Les discours trop conquérants ont fini par engendrer une impression de confiance en soi excessive, presque de suffisance, que la CNCL s'est régalée à sanctionner.

La privatisation de TF1 donne un certain répit à la Commission. Mais pas à l'audiovisuel. Devenant effectif, ce nouveau bouleversement va rendre invivable un système déjà placé sous le signe de la précarité financière. En surnombre, vivant toutes d'expédients publicitaires, les chaînes vont devoir s'affronter plus durement pour survivre. La privatisation de TF1, la reconduction de la Cinq et la transformation de la sixième chaîne musicale en réseau généraliste ne peuvent qu'aggraver encore la situation.

La gauche socialiste avait multiplié les télévisions en les contraignant à puiser dans une manne publicitaire au volume inchangé. La cohabitation étend par idéologie les proportions du sinistre. La gauche a innové en introduisant le capitalisme dans un secteur où il n'existait pas. La droite est fidèle à elle-même en rendant ce capitalisme aussi « sauvage » que dans d'autres domaines.

Désormais, les chaînes sont à la merci d'un régime où l'alternative est : piétiner son adversaire ou décliner.

Elles vont donc s'entre-tuer.

TROISIÈME PARTIE

PRÉDATEURS

CHAPITRE I

Stars War

« J'ai été escroqué ! Roulé ! Ça ne se passera pas comme ça. On nous vole, Patrick, c'est du pillage ! s'insurge Francis Bouygues. C'est un complot !

    – Ça ne sert à rien de vous affoler, raisonne Patrick Le Lay. Ça ne sert à rien que vous m'affoliez. Si on se dit tous les matins que c'est un drame, on est cuit ! »

Trois semaines ne se sont pas écoulées depuis leur victoire rue Jacob, et Bouygues et Le Lay découvrent déjà ce qu'il en coûte de ne rien connaître à la télévision. En une poignée de jours, les plus grandes vedettes de TF1, celles qui assurent les records d'audience et les rentrées publicitaires par leur popularité, passent avec armes et bagages sur la Cinq. Stéphane Collaro, Patrick Sabatier, Patrick Sébastien et la responsable des variétés, Marie-France Brière, quittent TF1 sans autre forme de procès, du jour au lendemain. Tout à la joie de l'avoir emporté, puis pris dans l'ouragan des mille choses à organiser pour prendre possession de la Une, Bouygues et Le Lay n'ont absolument pas vu le traquenard que leur préparaient depuis deux mois Robert Hersant et Silvio Berlusconi. Ils s'y sont même précipités.

Un piège à la mécanique d'une redoutable précision.

L'engrenage s'est mis en place au lendemain de l'attribution de la Cinq à Robert Hersant, le 24 février 1987. Mais tout avait commencé bien avant, dès les premières semaines de Silvio Berlusconi à Paris en 1985 et ses premiers contacts avec les stars de la télévision. Elles avaient hésité, on l'a vu, à suivre « Sua Emittenza ». Depuis, même au plus fort des difficultés de la Cinq en 1986, Berlusconi et Seydoux n'ont jamais renoncé à les séduire. Un mot aimable, une invitation à dîner, un voyage à Milan, tout a été prétexte à maintenir le lien avec ce qui, dans le système Berlusconi, est l'essence de la télévision commerciale, la vedette aimée, chérie du public. Non seulement la vedette, mais aussi, à l'occasion, le cadre supérieur. Là, Berlusconi n'a pas eu à déployer des trésors de séduction.

Nombre de dirigeants de chaînes ont rêvé, rêvent encore de travailler avec lui et le lui font savoir. A deux reprises, par exemple, juste avant la naissance de la Cinq en 1986, et en juillet de la même année, après le choix de TF1, Hervé Bourges et Pascal Josèphe, se sachant condamnés par la droite, ont offert à Jérôme Seydoux et Silvio Berlusconi de présider et diriger la Cinq. Démarche sans suite, mais le contact est pris. Des mois avant que Bouygues ne se déclare candidat, une sympathie financièrement stimulée par la promesse de très hauts revenus attirait déjà les vedettes de TF1 dans le fastueux appartement de la rue de Tilsitt...

Le jour où Hersant obtient la Cinq et publie ses « Choses de la vie » à la une du *Figaro*, le 24 février 1987 donc, il rencontre Silvio Berlusconi. Autour de la table, chacun sait qu'il va falloir passer des mots aux actes.

« Silvio, je veux faire une télévision qui gagne, dit Robert Hersant.

– Il n'y a pas de mystère, répond Berlusconi. Il faut devenir une chaîne populaire comme TF1. Je ne connais qu'une règle pour y parvenir : trois grandes stars, trois soirées variétés, deux grands films par semaine et deux soirées fiction.

– Et un grand journal à vingt heures, ajoute Hersant, qui tient à ses informations.

– Un journal, d'accord, mais alors il faut un grand jeu juste avant... Les stars, elles sont sur TF1. C'est là que nous devons les prendre, et avant la privatisation. Parce que si Hachette gagne...

– Ça, dit Robert Hersant, je m'en occupe. »

Hachette ne doit pas gagner. Pour Hersant, il faut impérativement que Bouygues sorte vainqueur du duel. Non par sympathie pour Bouygues, mais par bon sens de businessman averti. Impérativement, et « à tout prix », c'est le cas de le dire. C'est l'autre raison pour laquelle Hersant et Berlusconi ont littéralement fait campagne pour Bouygues. La raison pour laquelle Berlusconi a pris peur lorsque Bouygues a fait mine, un temps, de renoncer à la compétition. Celle encore pour laquelle tout a été fait, dans des réunions rue de Tilsitt avec Patrick Le Lay, Cyrille du Peloux et Angelo Codignoni, pour cornaquer au maximum le groupe Bouygues.

Cette raison, la voici : une partie des grandes vedettes du petit écran ont secrètement signé des précontrats avec le groupe Hachette.

418

Financièrement, cela signifie que, tout en continuant à travailler, elles perçoivent une rémunération forfaitaire de la part de Hachette, en échange de quoi elles garantissent de rester – ou de venir – sur TF1 si Jean-Luc Lagardère l'emporte. Ces précontrats, dont l'équipe Bouygues ignore tout, Hachette, si sûr d'acquérir TF1, les a proposés aux stars afin de bloquer leur éventuel départ sur la Cinq. Toutes n'ont pas accepté les sommes confortables qui leur étaient offertes. Bernard Pivot, qui règne culturellement sur A2 avec « Apostrophes », très convoité, ne signe pas. Mais ceux qui se sont laissé tenter ont fait une excellente affaire, puisque le précontrat stipule qu'ils percevront l'indemnité convenue en tout état de cause, que le groupe Hachette obtienne ou non TF1. Dans le cas de Stéphane Collaro et Patrick Sabatier, pour prendre les noms les plus célèbres, le précontrat leur assure à chacun un jackpot de plus d'un million de francs...

La compétition pour la Cinq – et la victoire quasi assurée d'Hersant – a marqué le début d'une folle période de dérégulation des tarifs et des salaires à la télévision. Du jour au lendemain, sollicitées ou venant d'elles-mêmes, les vedettes veulent discuter avec la Cinq. « J'ai Sabatier qui me court après », dit Hersant à Berlusconi en janvier. Le patron du *Figaro* traitera en direct avec l'animateur. La plupart des autres stars, c'est Silvio Berlusconi qui les reçoit, rue de Tilsitt. C'est un défilé continuel. Stéphane Collaro, Michel Drucker, Bernard Pivot, Anne Sinclair, Yves Mourousi...

C'est une valse inimaginable de chiffres. Jusqu'à ce moment, les salaires de la télévision publique dépassent rarement 40 000 ou 50 000 francs pour les animateurs, moitié moins pour les journalistes stars. D'un seul coup, on offre à certains de « doubler » ou « tripler » leur rémunération. Quant aux animateurs les plus recherchés, c'est un système encore bien plus profitable qui se met en place. Sur les conseils notamment de Silvio Berlusconi, ils créent leurs propres sociétés de production. Ces animateurs-producteurs ne travailleront plus en échange d'un salaire « dérisoire » de 100 000 ou 150 000 francs mais auront une enveloppe budgétaire par émission dont ils négocieront le montant, qui pourra dépasser 3 millions de francs...

Beaucoup sont tentés par la Cinq mais ont quelques pudeurs. Ils voudraient bien de l'argent du diable Hersant, mais sans avoir à négocier avec lui, car cela pourrait nuire à leur image de marque. Très rares sont ceux qui, comme Michel Drucker ou Anne Sinclair, déclinent l'offre sans chercher à faire monter les prix. D'autres, en revanche, ne craignent pas de signer deux précontrats, l'un avec

Hachette, pour TF1, l'autre avec l'équipe Hersant. Comme Patrick Sabatier et Séphane Collaro, au risque de se trouver dans une situation délicate si les deux groupes obtenaient les chaînes qu'ils guignent. Les portefeuilles s'ouvrent, les têtes tournent.

C'est une période surréaliste où Hersant, amoureux de la télévision, donne l'impression de s'encanailler. Il jubile à discuter contrats avec les professionnels. Il s'est pris de passion, comme tous ceux qui ont la chance d'y passer et d'y déjeuner, pour l'appartement de la rue de Tilsitt. C'est la folie des grandeurs. C'est « comme au cinéma ». Le meilleur endroit de la capitale où manger des pâtes fraîches en admirant l'Arc de Triomphe.

Au début, Berlusconi venait avec son cuisinier personnel. Puis Codignoni a trouvé la perle rare, Michele [1], un jeune cuisinier de vingt-quatre ans qui prépare des merveilles de tagliatelles, de penne, de fettuccini au basilic dont Robert Hersant raffole. Très souvent, sur le coup de midi et demi, le téléphone sonne et Hersant annonce précipitamment : « On a à parler, j'arrive, je viens manger des pâtes... » Depuis la rue de Presbourg, il n'a que quelques centaines de mètres à parcourir. Quand il n'a pas le temps de reprendre des penne, c'est qu'il doit filer boulevard Pereire, rue du Louvre, avenue Matignon... ou dans quelque autre de ses repaires pour un rendez-vous de travail.

Fin mars et début avril 1987, le gros de ce travail consiste à sceller les accords de principe avec ceux qui sont prêts à quitter leur chaîne pour aller sur la Cinq. Il ne suffit pas au « papivore » qu'Hachette trébuche, il est nécessaire aussi que les stars ne restent pas sur TF1 avec Bouygues... C'est la théorie que « Sua Emittenza » a mise en pratique en Italie, l'« assèchement » du terrain adverse par captation de stars. Les réseaux Berlusconi se sont envolés vers les sommets de l'audience après qu'il a « asséché » la RAI. Il faut faire pareil en France.

Aux journalistes-vedettes qu'il veut recruter, parmi lesquels Bruno Masure, Marie-France Cubbada, Pierre-Luc Séguillon, et qui se demandent ce que sera l'information sur une chaîne Hersant, le P-DG de la Socpresse tient un même discours : « Moi, pour faire de la politique, j'ai mes journaux. Si je veux faire de l'agitation, je m'en sers. La Cinq, c'est différent. Sur cette chaîne, l'information sera ce que les journalistes en feront... A vous de voir. » Pas question de créer une *Figaro*-Télévision; Berlusconi l'a convaincu que ce serait le plus sûr moyen de faire fuir les téléspectateurs.

1. Plus tard, Berlusconi prendra Michele comme cuisinier du Milan AC.

Le jour où Bouygues gagne à la CNCL, Silvio Berlusconi donne à Hersant le « top départ » pour le transfert des stars avec une formule qu'il enjolive de son accent italien : « C'est maintenant qu'il faut les faire signer, pendant que le béton de TF"Uno" n'est pas encore sec... »

Ainsi, quand, au lendemain de sa victoire sur Hachette, Francis Bouygues « remercie » Robert Hersant de lui avoir « donné un coup de main important » avec son influence et ses journaux, il est à des lieues de se douter qu'au même moment la Cinq est en train de vider TF1 de sa substance. Cette naïveté va lui coûter cher et transformer l'audiovisuel, en quelques jours, pour longtemps, en une gigantesque partie de Monopoly ponctuée de « J'achète ! », « Je vends » et de « Retournez à la case Départ ».

L'enchaînement des faits est digne d'un roman-feuilleton façon « Dallas ».

Au soir de son triomphe, le samedi 4 avril 1987, Francis Bouygues n'a pas le moindre soupçon. Il rayonne en sortant du vingt heures de TF1 où il s'est réjoui de vivre « ce jour merveilleux ». Il sera le P-DG de la chaîne, a-t-il expliqué, parce qu'il « aime diriger les hommes ». Patrick Le Lay sera directeur général. Hervé Bourges, que Francis Bouygues invite à venir dîner en famille au Gril du Plaza, sait depuis quelques jours qu'il ne sera pas gardé comme P-DG de TF1, malgré les promesses initiales de Bouygues.

Au cours des auditions privées et des rencontres personnelles, la CNCL a fait comprendre au groupe de Clamart qu'un engagement à ne pas conserver l'actuel P-DG serait un bon point dans le dossier. Gabriel de Broglie et Jean Autin ont été sans ambiguïté à ce sujet avec Bouygues. « On me demande de vous chasser, a-t-il confié au P-DG avant l'audition publique, c'est une exigence si je veux TF1. » Le constructeur obtempère mais souhaite maintenir Bourges auprès de lui comme conseiller.

Le lundi suivant, Patrick Le Lay commence à s'installer rue de l'Arrivée, au siège de TF1. L'ambiance est au beau fixe. Dans l'ensemble, les personnels de la chaîne ont favorablement accueilli le choix de Bouygues, qui a toujours dit qu'il viendrait avec une équipe réduite. On ne craint pas de bouleversement, tandis qu'avec Hachette, qui annonçait vouloir implanter ses hommes à tous les postes clés...

Les premiers signes inquiétants apparaissent à la fin de cette première semaine, vers les 11 et 12 avril, alors que se prépare la grande fête qui doit accompagner la passation de pouvoir et signifier la métamorphose de TF1 en chaîne commerciale à part entière. Le dimanche des Rameaux, le 12 avril, un dîner au Ritz rassemble nouveaux et anciens dirigeants de TF1 en compagnie de Stéphane Collaro et Marie-France Brière. Le climat est étrange. Francis Bouygues ne sait pas très bien comment s'y prendre avec ces drôles d'animaux de télévision que sont les vedettes. Il est à la fois impressionné, maladroit et ignorant des us et coutumes. En sortant de table, Collaro confie à Hervé Bourges qu'il a « presque signé avec la Cinq ». Un euphémisme pour quelqu'un qui est en précontrat avec la Cinq depuis des semaines...

Patrick Le Lay n'est pas plus à son aise. Le courant n'est pas franchement passé avec les quelques vedettes qu'il a croisées les premiers jours dans les couloirs de TF1. S'il avait été mieux préparé à ses nouvelles tâches, il aurait remarqué que la plupart des contrats des animateurs arrivaient à échéance avant l'été 1987. Il aurait songé plus tôt à les étudier... Mais là, il n'en a guère le temps. Il y a trop de dossiers à assimiler d'un coup, trop de démarches administratives consécutives à la victoire. Trop de situations invraisemblables, aussi, avec les divers membres de l'équipe Bouygues; où tout le monde veut avoir son mot à dire sur la gestion et les programmes. Bernard Tapie s'impatiente. Robert Maxwell pose des questions. Et qui va vraiment diriger? Faut-il garder Pascal Josèphe à la direction des programmes? Mais alors, que faire de Pierre Barret, à qui Bouygues a signé un contrat de directeur général en même temps qu'il prenait contact avec un autre pressenti pour ce poste, Philippe Labro, le directeur de RTL? C'est compliqué, les journées n'ont que vingt-quatre heures...

La première alerte sérieuse arrive par le ballon rond. Le lundi 13 avril, TF1 étant désormais une chaîne privée, il faut engager une renégociation des accords avec les fédérations sportives. Un déjeuner est organisé au domicile de Francis Bouygues avec Jean Sadoul, président de la Ligue française de football. Au cours des deux heures que dure ce repas, les prix s'envolent allègrement. Pour ne pas perdre – au bénéfice de la Cinq ou de A2 – son exclusivité sur le football, TF1 privatisée s'engage à payer 75 millions de francs des droits que, la veille, TF1 publique détenait pour 12 millions! La retransmission d'un match passe en moyenne de 1 à 5 millions, et les droits sur les images qui alimentent le magazine « Téléfoot » de 4 à 20 millions par saison! Bouygues est dépassé et ne discute presque pas. Il accepte, tout en se demandant dans quel curieux univers il a mis les pieds.

Et ce n'est qu'un début.

Pharaonesque. La fête qui rassemble un peu plus de sept mille invités aux Pyramides de Port-Marly restera comme une folie mégalomaniaque d'économie mixte. Plus tout à fait publique, pas encore complètement commerciale, TF1 offre au public le spectacle de sa mue le soir du mercredi 15 avril 1987. C'est la nef des fous, avec des milliers de bouteilles de champagne pour arroser l'enterrement de la Une publique et saluer la naissance du mieux-disant choisi par la CNCL. Maxwell, Rousselet, Léotard... Un ballet incessant d'hélicoptères dépose les VIP dans les jardins où, à la nuit tombée, de puissants jets d'eaux sont traversés de projections d'images laser. Surgissent en alternance, dans l'espace noir et constellé de gouttelettes, les portraits démesurés de Francis Bouygues, le logo de TF1, et le buste d'Hervé Bourges, plus royal que jamais, bombant le torse dans son smoking, souriant et secret.

Lui se doute de ce qui se prépare. Scrutant les centaines de téléviseurs qui ont été disposés dans les trois pyramides pour permettre aux invités de suivre la soirée retransmise en direct sur la Une, Hervé Bourges peut deviner l'ampleur du renversement qui se trame. Sur l'immense scène, les stars viennent l'une après l'autre animer et saluer la transition de TF1 du public au privé. Anne Sinclair, Michel Polac, Patrick Sabatier, Stéphane Collaro, Jean-Claude Bourret, Frédéric Mitterrand, Patrick Sébastien... tous se succèdent à l'antenne dans un pot-pourri presque indécent d'autosatisfaction. Tous se congratulent et vantent cette chaîne qu'ils « aiment tant », qui leur a « tant donné de joies professionnelles » et qui leur en réserve encore...

Bourges sourit dans sa barbe. Hier, il a déjeuné rue de Tilsitt en compagnie de Robert Hersant et Silvio Berlusconi. Il a compris que les propriétaires de la Cinq se lancent dans une opération de ratissage frénétique de vedettes. Mais se doute-t-il que certaines d'entre elles, qui sont ici ce soir, ont déjà au fond de leur poche un nouveau contrat pour démarrer la saison prochaine sur la Cinq ? Au cours de ce déjeuner, Berlusconi lui a entrouvert la porte d'une société de production qu'il pourrait présider. En veine d'amabilité, Hersant a même félicité Bourges pour les résultats obtenus sur TF1. Interloqué, Bourges en a posé sa fourchette :

« Comment, mais je suis assassiné tous les jours dans vos journaux..! »

– N'y faites pas attention, lui a répondu Hersant, plus misanthrope qu'à l'ordinaire. Les journalistes sont des cons. »

De pantagruéliques pâtisseries et un feu d'artifice hollywoodien concluent la fête et l'émission. La retransmission s'achève sur TF1, mais la nuit continue à Port-Marly où, de table en table, reprennent les milliers de conversations sur la munificence des deux « B », Bourges et Bouygues.

Qui devinerait que cette fête est le prélude d'un Pearl Harbor cannois? Dans quelques jours, en effet, s'ouvre le traditionnel Marché international des programmes à Cannes, le MIP-TV qui réunit les professionnels de la télévision du monde entier...

Faussement patelin, les mains croisées, Edouard Balladur pose en souriant, au matin du jeudi 16, pour la photo du jour. A sa gauche, une montagne hilare pour une fois en costume sombre et sobre, bien que ses boutons de manchettes soient de la taille d'une poignée de porte : Robert Maxwell. A sa droite, plus circonspect et tenant à la main un petit rectangle de papier, Francis Bouygues. Le papier vaut 3 milliards de francs lourds. C'est le montant du chèque demandé par l'Etat aux repreneurs de TF1. Dire que Bouygues a signé de bon cœur serait faire injure à ses racines auvergnates. Jusqu'à la dernière minute, au grand énervement de Balladur, il a essayé de négocier le prix de la Une comme celui d'un terrain à bâtir. Avec d'autant plus de pugnacité aujourd'hui qu'il a découvert que l'Etat a, deux jours plus tôt, exigé d'Hervé Bourges un chèque de 148 millions de francs, correspondant à un excédent de recettes publicitaires encaissées par la chaîne au statut encore public. Ceci afin d'apurer les comptes.

Francis Bouygues a très mal pris cette opération comptable, considérant que l'Etat lui a « piqué cent cinquante briques » avant même qu'il ne soit installé dans son fauteuil de P-DG. Il a fait ce qu'il a pu pour que « l'Etat-voyou », comme il l'appelle, revienne sur cette décision; et Balladur a bien failli renoncer à son flegme aristocratique.

Il n'y a rien eu à faire.

L'après-midi, dans la foulée d'un conseil d'administration qui nomme Bouygues P-DG de TF1, une cérémonie de passation de pouvoir a lieu, en présence du ministre de la Culture et de la Communication, dans les salons du Hilton Suffren, près de la tour Eiffel. A peine entré dans le salon aux tentures jaunes, Hervé Bourges est abordé par un jeune homme : «Monsieur le président, je suis Ian Maxwell. Mon père, qui occupe une suite ici, au sixième étage, ne veut pas descendre pour la passation mais voudrait vous voir et vous demande de monter à la fin de la cérémonie... » Entendu, concède Bourges qui n'a jamais rencontré Robert Maxwell et se demande bien, d'abord ce qu'il lui veut, ensuite pour quelle raison il boude la passation...

Devant le micro, Bourges et Bouygues se félicitent. « Cher Francis, dit le P-DG sortant, avec la télévision vous partez à la découverte d'un univers qui vous semblera souvent irrationnel... » Bouygues acquiesce en silence, puis répond au « cher Hervé », le « chef du village TF1 », le « magicien de la Une » qui n'est plus P-DG mais qu'il « souhaite » garder avec lui. Il annonce avoir confirmé Pascal Josèphe à la direction des programmes. Derrière, Léotard tient la chandelle. Il est soulagé. Juste avant la cérémonie, le père idéologique de la privatisation de TF1 s'est inquiété auprès d'Hervé Bourges, qu'il sait hostile à sa politique : « J'espère que vous ne direz rien qui puisse me gêner... Sinon, je serai obligé de répliquer. »

On échange des cadeaux. Le personnel de TF1 offre à Bourges un téléviseur géant. Le « cher Francis » lui montre le fonctionnement de l'antenne parabolique géante dont il lui fait cadeau. Mais le plus beau cadeau, c'est celui que lui fait, hors caméras, Pascal Josèphe, qui le connaît le mieux : la collection complète des articles parus sur lui dans la presse depuis son arrivée à TF1, reliée sous une « magnifique » couverture en cuir bleu.

Hervé Bourges n'attend pas la fin du cocktail qui suit pour rejoindre Maxwell au sixième étage du Hilton où celui-ci, en chemise, l'accueille d'un retentissant :

« Ah ! Hervé, il faut que tu restes.

– Rester où ?

– A TF1 ! Avec nous. On mettra le paquet, on a besoin de professionnels comme toi. Et puis, je n'ai aucune confiance en Bouygues ! »

Méfiance qu'on lui rend bien. TF1 privatisée part sur de curieuses bases. Les deux principaux actionnaires de la chaîne n'ont pas d'atomes crochus. Maxwell aurait préféré garder Bourges comme P-DG simplement pour que ce ne soit pas Bouygues. Quant à ce dernier, il aimerait autant que Maxwell se contente d'être un partenaire dormant, à Londres. L'entente est biaisée dès le premier jour. Comment Bouygues a-t-il pu croire que « Captain Bob » accepterait de faire un somme après avoir signé un chèque de 750 millions pour 12,5 % de TF1 ?

Jusque-là, même s'il perçoit l'« irrationalité » dont parle Bourges, Francis Bouygues n'a pas d'inquiétude majeure. TF1 est une grande et belle chaîne riche de talents, d'un réseau national ; les annonceurs se pressent au guichet de sa régie que tient Bochko Givadinovitch. Tout est encore pour le mieux, et il peut commencer à faire un peu de provocation raisonnée, comme ce matin, sur Europe 1, avant d'aller remettre son chèque à Edouard Balladur.

Sur le ton simple de celui qui sait faire des comptes, Francis

Bouygues a froidement déclaré qu'à son avis, c'est une évidence mathématique, il n'y a pas assez de place en France pour cinq chaînes généralistes... « Nous en avons deux fois plus qu'il n'en faut », a-t-il soutenu, en se référant aux trois grands réseaux généralistes des Etats-Unis. « Il y aura donc des morts! » voilà sa conviction.

Les vrais soucis commencent le lendemain, vendredi 17 avril. Ce jour-là, Marie-France Brière, directrice des variétés, qui n'est autre que celle qui a conçu et forgé avec ses poulains, Sabatier, Collaro et Sébastien, l'armature des plus forts taux d'audience de la Une, annonce à Patrick Le Lay qu'elle s'en va. Petite, peu expansive mais douée d'un « flair » professionnel envié, Marie-France Brière est en négociation depuis plusieurs semaines avec les hommes de Berlusconi. Elle va rejoindre l'équipe de la Cinq, aux côtés de Philippe Ramond et Carlo Freccero, pour faire sensiblement le même travail. Patrick Le Lay en reste abasourdi. Il ne comprend pas « ces gens-là ».

Il y a peu, il a reçu la visite de l'agent qui s'occupe des intérêts de Patrick Sabatier, dont le contrat est à renégocier. L'agent lui a fait comprendre que les temps changent. Maintenant Patrick Sabatier, dont le contrat avec la Une expire fin juin, est presque une star internationale... Avec sa propre société de production, il devient un animateur et entrepreneur recherché... D'ailleurs, la chaîne d'en face, la Cinq, ne s'y est pas trompée, puisqu'elle se propose de lui offrir « 2 millions et demi » ou davantage « par émission ». Si TF1 souhaite garder le talentueux Sabatier, elle ne peut rechigner à s'aligner sur ce tarif et à verser, à titre d'avance, une somme forfaitaire de quelques millions, ticket d'accès au filon d'audience qu'est le généreux animateur.

Sur le coup, Patrick Le Lay, d'une paradoxale naïveté en la matière, a cru qu'on lui parlait en « anciens francs ». Quand il a réalisé, en s'arrachant mentalement les cheveux, qu'on lui demandait d'aligner au moins 250 millions de centimes pour *chaque* émission de Patrick Sabatier, plus une prime de plusieurs millions lourds, alors il s'est fâché et a fichu l'intermédiaire à la porte.

Depuis, il est sans nouvelles de Sabatier. Et voilà que Marie-France Brière claque la porte. Ce soir-là, Patrick Le Lay et Francis Bouygues se regardent en se demandant ce qui se prépare. Bourges était-il au courant? Qu'est-ce que c'est que ces histoires invraisemblables de cachets en millions de francs? Il faudra éclaircir tout cela rapidement, peut-être même dès la semaine prochaine, à Cannes, où ils comptent se rendre pour l'ouverture du MIP-TV.

« Patrick, je me demande bien ce que l'avenir nous réserve, dit Bouygues.

– Je n'en sais rien, mais ce qui est certain, répond Le Lay, c'est qu'il y a deux loups qui rôdent en ce moment dans Paris. Hersant et Berlusconi. »

A Cannes, au MIP-TV, les nouveaux propriétaires de TF1 n'ont le temps de rien éclaircir du tout. Seulement celui d'encaisser les coups qui pleuvent par dépêches d'agence interposées, les 23 et 24 avril. Successivement, Patrick Sabatier et Stéphane Collaro annoncent leur transfert sur la Cinq. Ceci se passe au vu et au su de la presse spécialisée, des producteurs et opérateurs de chaînes de la planète. L'affront est total. Les « Bouygues'men », comme on commence à les appeler, sont ridiculisés. Leur humiliation emplit d'une joie sans limite Robert Hersant et Silvio Berlusconi, qui ont signé des contrats mirifiques avec les deux stars. Celles-ci disposeront sur la Cinq, par émission, d'une enveloppe de 2,5 millions pour Sabatier et de 3 millions pour Collaro.

Ces crochets du droit laissent Bouygues KO. C'est l'hémorragie, et rien ne vient la compenser. Patrick Le Lay a cru à son tour qu'il parviendrait à débaucher Michel Drucker d'A2, mais l'animateur refuse et le lui dit à Cannes. C'est la panique à TF1, où, pour ne rien arranger, les querelles intestines se développent. L'histoire se répétant tristement, Pierre Barret est évincé de TF1, dont la direction générale lui était pourtant promise. Mais Bouygues ne sait plus où donner de la tête. Il a tout promis à tout le monde. Il signe des contrats pour un même poste avec deux ou trois personnes différentes... Alors, il s'est séparé sans ménagement aucun de Pierre Barret. L'ex-directeur d'Europe 1 a beau agiter son contrat, Bouygues s'en moque et menace froidement, s'il persiste, de le traîner dans la boue en clamant qu'il est « incompétent ». Scandalisé par cette brutale arrogance, allergique à l'intimidation, Barret ne cédera pas et ira devant les tribunaux.

Ces jours-ci, il y a eu pour TF1 au moins deux directeurs d'antenne en puissance avec Philippe Labro et Pascal Josèphe, deux directeurs généraux avec Christine Ockrent (transfuge de l'équipe Hachette) et Pierre Barret, et deux directeurs de l'information avec Alain Denvers, en poste, et Jean-Claude Paris. Situation vite ingérable qui accrédite un peu plus l'idée que Bouygues a peut-être gagné la Une, mais qu'il est incapable de s'en occuper. L'anarchie menace. Le départ des stars est un cataclysme qui atteint Bouygues au plus profond de son être d'entrepreneur. Ce sont les fondations de la maison qui s'évanouissent avec Brière, Collaro, Sabatier... C'est ce qui le fait tonner une fois de plus, auprès de Le Lay, à Cannes :

« J'ai été escroqué ! »

C'est le fonds de commerce de TF1 que la Cinq dévalise impunément. Il ne reste plus que Patrick Sébastien, qui n'a pas encore signé avec la Cinq. Mais il en est question, et le P-DG de TF1 est aux abois. Que faire pour le retenir ? Si la troisième star s'envole, que restera-t-il de cette Une achetée 3 milliards ?

Une réunion de crise se tient alors à Cannes, le vendredi 24 avril 1987, près du Palm Beach, sur le yacht de Robert Maxwell, le *Lady Ghislaine*. Elle se déroule dans la superbe salle à manger à l'avant du navire, où trône sur d'épais tapis blancs une table ronde en marbre. Bouygues, Le Lay, Bourges et Josèphe sont venus à la réception offerte par le patron de la Maxwell Communication Corporation en son propre honneur et en celui des mirobolants projets internationaux qu'il annonce dès qu'un micro passe à sa portée. Aujourd'hui, il a convoqué sur son bateau le gratin de la production audiovisuelle planétaire pour l'informer de son intention de construire un empire mondial de la communication. Les habitués de ses discours mégalomaniaques n'y font même plus attention et se contentent de savourer le champagne, le saumon et le caviar en regardant la mer ou les invités qui continuent d'arriver et doivent se déchausser avant de monter à bord, car il est interdit de porter des chaussures et de fumer.

C'est donc en chaussettes que se tient un conseil de guerre impromptu dans la salle à manger. Maxwell abandonne ses invités lorsque Bouygues et Le Lay lui disent qu'il faut « des décisions rapides pour enrayer les départs en cascade ». Le petit groupe s'isole. Maxwell ferme la porte après avoir rabroué son fils Ian en lui disant : « Tu n'as pas besoin d'assister à cette réunion. »

Patrick Le Lay et Pascal Josèphe expliquent aux deux actionnaires de TF1, Bouygues et Maxwell, que s'ils veulent garder les gens, cela « coûtera beaucoup d'argent ». Tout récent conseiller personnel de Bouygues, Bourges s'abstient de jeter de l'huile sur le feu. Il a déjà fait savoir, par une déclaration à l'AFP, ce qu'il pense de la situation. Pour résumer, si l'ancien P-DG avait été maintenu dans ses fonctions, personne n'aurait quitté la chaîne ! A bon entendeur...

Les exigences des stars sont jugées « indécentes » par Bouygues. Mais, pour conserver les talents qui restent encore, il va falloir faire des efforts sur les salaires et offrir des cadeaux. Et à ce rythme, TF1 sera en déficit de plus de 300 millions hors impôt à la fin de l'année, préviennent Le Lay et Josèphe. Le cas de Patrick Sébastien, qui « fait monter les enchères », est au centre des conversations. C'est 3,5 millions de francs par émission, plus une prime qu'il faudrait verser à l'animateur. C'est « insensé ! », « exorbitant ! », Francis

Bouygues refuse de jouer aux enchères avec la « voyoucratie » de Berlusconi et Hersant.

Maxwell aussi qui, explosant de hargne, pointe soudain un doigt vengeur sur Le Lay et Josèphe et s'exclame, menaçant : « Attention, vous êtes comptable de nos profits dans cette chaîne ! »

Livide, Patrick Le Lay serre les mâchoires. On vient de lui faire comprendre qu'il n'est qu'un employé et qu'un employé, ça se change à volonté. Il sent la chaîne lui échapper. Il ne sait plus sur quoi, sur qui s'appuyer pour avancer dans une corporation qu'il ne connaît pas. Bouygues lui-même, qui l'embrassait il y a peu pour la maîtrise avec laquelle il a conduit l'opération de candidature du groupe, paraît subitement si renfrogné et anxieux...

Le lendemain matin, samedi, lorsqu'ils reprennent l'avion pour Paris avec Francis Bouygues et sa fille Corinne, Patrick Le Lay surprend son directeur des programmes, Pascal Josèphe, en lui disant : « On ne va pas s'en sortir facilement. Je vais proposer à Francis Bouygues qu'il y ait deux vice-présidents dans la chaîne. Moi pour les finances, Bourges pour l'antenne... » Arrivé au Bourget, Le Lay prend Bouygues à part dans un hangar et lui fait part de son idée qui ne séduit guère le P-DG. Il dit qu'il va « réfléchir ». Ils se séparent au parking. Patrick Le Lay et Pascal Josèphe ont rendez-vous avec l'agent de Patrick Sébastien, Jacques Marouani, chez l'avocat de Francis Bouygues, Me Bousquet. Avec l'accord des actionnaires, ils lui font comprendre qu'ils ne souhaitent pas surenchérir sur la Cinq. Si Sébastien veut rester sur TF1, c'est « à prendre ou à laisser ».

Sébastien laisse, et passe à la concurrence.

La Cinq est une poule aux œufs d'or qui fera presque regretter à Patrick Sabatier d'avoir franchi le pas le premier : des trois transfuges, il a la plus « petite » enveloppe budgétaire. Les autres ont su se faire désirer davantage. Mais pour se consoler, Patrick Sabatier peut toujours penser à la Ferrari qu'il essaie d'obtenir de Berlusconi en cadeau de bienvenue [2].

De plus en plus convaincu qu'il est victime d'un vaste complot, Francis Bouygues décide de prendre lui-même les choses en main. Il n'a plus confiance en Bourges, qu'il soupçonne d'avoir joué un rôle bien trouble dans le départ des stars. Il ne le garde comme conseiller que pour le neutraliser, l'empêcher d'aller ailleurs. Il mènera personnellement les discussions avec les vedettes qui restent sur TF1 chez lui, rue des Sablons, au dernier étage-terrasse d'un appartement

2. Berlusconi s'énervera en apprenant qu'on lui demande aussi d'y installer le téléphone !

clos de baies vitrées. Et il y recevra les nouveaux talents qu'il a l'espoir de faire venir sur TF1. Par exemple Christophe Dechavanne, animateur des après-midi d'A2, introduit par Pascal Josèphe, et avec qui ils déjeunent le lundi 27 avril. Au milieu du repas (après qu'un Bouygues indécis a demandé en aparté à Josèphe « combien » on peut « lui donner à celui-là ? ») le téléphone sonne et apporte discrètement une réponse à une autre question de Francis Bouygues. Celle qu'il a posée, la veille au soir, à l'un de ses actionnaires et conseillers auquel il a confié que Le Lay et Josèphe ne semblaient pas faire le poids dans la situation :

« Auriez-vous quelqu'un à me recommander pour prendre en main la direction des programmes ?

– Oui, avait répondu Jacques Duquesne, directeur du *Point*. Vous devriez voir Etienne Mougeotte. »

Au lendemain de la défaite d'Hachette, Etienne Mougeotte n'avait pas eu besoin de consulter son horoscope pour deviner qu'il porterait le chapeau du désastre. « Ce n'est peut-être pas la peine que tu retournes à *Télé 7 Jours* », lui avait délicatement dit au téléphone Roger Thérond (directeur du groupe), le lundi suivant... Puis, une huitaine de jours plus tard, il y avait eu une grande réunion-psychodrame de tous les dirigeants sur le thème « Hachette après la bombe ». Vaste sujet.

S'efforçant de reprendre du poil de la bête, Jean-Luc Lagardère y avait développé une théorie chère à Yves Sabouret, qui l'avait lui-même étayée lors de la création de la première Cinq, à l'époque où Hachette, comme la CLT, avait dû se contenter de regarder passer le train Seydoux-Berlusconi. En résumé, avait alors soutenu Yves Sabouret, il est plus judicieux d'attendre que notre heure vienne. En télévision, on peut avoir une stratégie dite « de l'hôtellerie ». Explication : « Les hôtels de luxe érigés ces dernières années ont presque tous fait faillite, mais ceux qui les ont repris font de bonnes affaires... » Autrement dit, laissons les autres investir des sommes folles dans leurs chaînes, on les rachètera quand elles seront en difficulté.

A la mi-avril 1987, Lagardère reprend l'argumentation à son compte pour remobiliser ses troupes. « On ramassera une chaîne à la première faillite et on en fera un succès, voilà tout ! »

Etienne Mougeotte avait eu le malheur de ne pas partager ce point de vue et de dire qu'au lieu d'attendre il fallait se développer dans la production audiovisuelle... Sèchement, Lagardère lui avait alors fait comprendre que lorsqu'on vient de se prendre une pareille « gamelle », on ne se met pas aussitôt en quête d'une autre... Les cadres du groupe avaient ricané. Beaucoup étaient secrètement heureux de l'échec. Une réussite aurait signifié à court terme la primauté de l'audiovisuel sur la presse écrite, fonds de commerce historique de la maison. Depuis cette réunion, où l'on ne peut pas dire que l'équipe Sabouret avait serré les rangs pour faire face, chaque matin Mougeotte voyait dans sa glace le portrait-robot du bouc émissaire. Plus politique, plus diplomate, major de sa promotion à l'ENA, Yves Sabouret sauverait sûrement sa peau et sa position, mais pas Mougeotte. La première occasion de partir sera la bonne.

Alors qu'il prenait ensuite quelques jours de repos dans sa propriété de Sainte-Maxime pendant le MIP-TV, Etienne Mougeotte avait reçu un appel de Rémy Sautter, l'un des responsables de RTL.

« Il y a de bonnes chances, lui avait-il dit, que Philippe Labro parte diriger TF1. Veux-tu le remplacer à RTL?

– Tout de suite, oui, je suis candidat, et sans condition. »

Peu après, c'est Labro qui lui confirmait la proposition.

Mais, à peine revenu à Paris, Etienne Mougeotte recevait un appel de Philippe Labro qui renonçait à TF1 : « Désolé, mais finalement je n'y vais pas. Ces gens sont des fous furieux. Un matin ils veulent un directeur des programmes, l'après-midi ils n'en veulent plus, et ça recommence le lendemain. Je n'ai pas envie de perdre mon âme et ma santé dans un cirque pareil. Tu ne peux pas t'imaginer le bordel qu'il y a dans cette chaîne! »

Déçu, Mougeotte, qui se voyait déjà directeur de la première radio de France – sacrée revanche sur Hachette et Europe 1 –, se retrouve seul dans un immense bureau de la place François-Ier, à broyer du noir... Quand, ce lundi 27 avril au matin, Jacques Duquesne l'appelle et lui explique. Il y a eu un mini-conseil de guerre hier, dimanche, chez Bouygues, de retour de Cannes. Ils sont paniqués. Les stars se débinent. Labro décline. Ils ont flanqué Barret dehors. Le Lay ne s'en sort pas. Lescure ne veut pas quitter Canal Plus. Bouygues se méfie de Bourges et Josèphe... Veut-il venir?

On peut rencontrer Mougeotte et parler avec lui. C'est ce qu'apprend ce coup de fil à Francis Bouygues pendant le déjeuner avec Dechavanne. Ils dîneront ensemble le soir même. Dans l'après-midi, Pascal Josèphe, à qui Bouygues n'a rien dit de ses intentions, découvre par la bande que le nouveau P-DG de TF1 songe au directeur de *Télé 7 Jours*... Il joint Patrick Le Lay, lui dit qu'il entend parler d'un dîner « important » chez Bouygues ce soir, peut-être avec celui qui a mené le dossier Hachette, et demande ce qu'il en est exactement. Le Lay tombe des nues et dit, catégorique : « C'est n'importe quoi, Pascal, des bruits sans aucun fondement, Francis m'en aurait parlé... »

En fait, Bouygues et Mougeotte dînent bien ensemble le lundi soir rue des Sablons. Le directeur de *Télé 7 Jours* ne pose qu'une condition à sa venue : que Bourges, Josèphe et Denvers quittent physiquement TF1. « Sinon, dit-il, je ne pourrai jamais rien diriger, car Bourges se croira toujours autorisé à tirer les ficelles. » Bouygues accepte.

Le lendemain, à 7 heures du matin, Le Lay appelle Josèphe de sa voiture et lui dit : « Je vais prendre le petit déjeuner avec Bouygues, j'en saurai plus sur ce qui a pu se passer hier soir...

— C'est simple, dit Josèphe, si quelqu'un vient à la direction en plus de nous deux, je m'en vais.

— Pascal, si vous partez, moi aussi », répond Le Lay.

Trois heures plus tard, Patrick Le Lay, visage défait, annonce à Pascal Josèphe qu'Etienne Mougeotte dirigera les programmes de TF1. C'est la volonté de Francis Bouygues. Il n'y peut rien. Patrick Le Lay reste directeur général.

Dans la matinée, Mougeotte signe son contrat à Clamart. A 13 heures, il déjeune rue des Sablons en compagnie de Bouygues et de Séguéla qui donne des conseils à tout bout de champ sur ce qu'il convient de faire, de ne pas faire, de refaire... (« Séguéla épuise tout le monde, il nous emmerde », résume Le Lay à cette époque). Alors qu'Etienne Mougeotte dit qu'il préfère s'installer dans les bureaux Bouygues des Champs-Elysées tant que le trio des anciens de TF1 ne sera pas parti, le téléphone sonne. L'appareil est sur le coin du bar. Bouygues se lève, décroche, salue, écoute une minute puis déclare : « Ouais, vous êtes peut-être conseiller, mais c'est moi qui paye. Et je vous paye pour que vous vous taisiez ! »

Il raccroche. Revient à table et dit à Mougeotte : « Eh bien, Bourges, il vous aime pas beaucoup... Il vient de me dire : " Francis, vous faites la première erreur depuis qu'on vous a donné la chaîne. Mougeotte est un *has-been*, un mou et une fausse valeur. " Ça ouais, il vous aime pas ! »

Ambiance.

Plus tard dans la semaine. Même appartement, même Bouygues, qui a invité Jean-Luc Lagardère pour un déjeuner en tête à tête. « Est-ce que tu accepterais qu'on se voie tous les deux ? » a-t-il demandé à « Jean-Luc ». A la veille de partir quelques jours en vacances, le P-DG d'Hachette a accepté de partager le repas de son bourreau et « ami ». Scène ô combien surréaliste ! Le transfert d'Etienne Mougeotte est encore secret. Il n'en est donc pas question. Les deux P-DG ont à la fois beaucoup et pas grand-chose à se dire. Après la décision de la CNCL, un abîme de joie compliquée pour l'un, de dépit douloureux pour l'autre, les sépare. Francis Bouygues joue de la fibre consolatrice, évoque l'article bucolique de Lagardère publié dans le *Journal du Dimanche* après les auditions publiques :

« J'ai lu ton truc, dit-il à son invité. Très émouvant. Vraiment. Ecoute, Monique [Mme Bouygues] et moi, on en avait les larmes aux yeux... »

Piètre consolation pour le P-DG de Hachette, qui, très premier degré, ne se demande même pas s'il n'y aurait pas une touche d'ironie dans cette remarque. Mais le clou de la rencontre, c'est lorsque les deux patrons refont à grands traits leur parcours de candidat.

« Jean-Luc, permets-moi de te le dire, je crois que tu n'as pas su bien t'y prendre...

– Comment ça? demande Lagardère.

– Tu vas comprendre, dit Bouygues en sortant un calepin de sa poche. J'ai un peu honte de te le dire, mais regarde, c'est comme ça qu'il fallait faire. Tu as joué la CNCL, moi j'ai joué les gars... »

Et pendant dix minutes Francis Bouygues égrène à un Lagardère stupéfait la liste des rendez-vous personnels qu'il a eus avec chacun des membres de la CNCL au fil des derniers mois. C'est une énumération en règle de déjeuners, de grands restaurants parisiens, de week-ends campagnards, une formidable leçon de lobbying intensif. La CNCL, ce sont des hommes et des femmes, des êtres de chair et de sang, sensibles à l'attention qu'on leur porte, aux belles choses, aux grandes tables, aux grands vins, à la vie quoi, comme tout le monde. Il ne fallait pas plastronner, mais au contraire adopter un profil bas et professionnel.

Francis Bouygues et Patrick Le Lay ont pris leur tâche à cœur, il n'y a pas un membre de la CNCL qu'ils n'ont pris la peine de convier à déjeuner, l'un ou l'autre, une, deux, trois, dans certains cas quatre fois. Traitement de base de relations publiques bien comprises. Efficacité garantie. Certains membres revenaient parfois à la CNCL en s'extasiant encore sur le vin, le diamètre des corbeilles de fruits ornant la table de Francis Bouygues, le raffinement des mets. Tout cela ne fait pas une décision, mais ça ne peut pas nuire.

Comme si le ciel lui tombait une seconde fois sur la tête, Jean-Luc Lagardère prend conscience de sa négligence. Il n'a rien fait de tel. Il a cru en une compétition « réglo » où il partait gagnant. Pendant des mois il n'a jamais envisagé de rencontrer les treize arbitres pour discuter avec eux. Ce n'est que dans les derniers jours, sous les pressions de Mougeotte et de Sabouret, qu'il s'y était résigné et en avait rencontré quelques-uns, à la va-vite, sans savoir trop quoi leur dire, si ce n'est vanter la capacité de son groupe et sa dimension culturelle. Il y avait eu quelques déjeuners un peu austères et guindés entre les superbes boiseries de la salle à manger du troisième étage de l'immeuble Hachette, boulevard Saint-Germain. C'est tout.

Lagardère s'était trompé de jeu et de règles.

Peu après ce déjeuner avec Bouygues, alors qu'il passe quelques jours en Grèce sur le yacht de Daniel Filipacchi, Jean-Luc Lagardère apprend par la radio le départ de Mougeotte pour TF1. Le sang brésilien de la femme du P-DG d'Hachette ne fait qu'un tour, c'est une « trahison » de plus. D'abord furieux, Jean-Luc Lagardère n'éprouve bientôt plus ni colère ni rancune. C'est une page noire de la vie de son groupe qu'il tourne ce printemps. Simplement, « Etienne », pour qui il a une réelle affection, aurait pu le prévenir. Il ne sait pas que Mougeotte a essayé vingt fois de le joindre et qu'on lui répondait que « M. Lagardère » n'était pas là. Il ne sait pas que ce sont des fuites organisées qui ont informé la presse et précipité son transfert à la veille du 1er mai.

Dans les derniers jours d'avril, Hervé Bourges, Pascal Josèphe et Alain Denvers, le directeur de l'information, rompent avec TF1-Bouygues. Denvers et Josèphe démissionnent. Bourges ne donne pas suite à la lettre d'engagement comme conseiller à très haut salaire et voiture de fonction que lui envoie Bouygues. Leur départ ne sera officiel que début mai. Jusqu'au dernier moment, Francis Bouygues aura tenté de retenir Bourges et Josèphe à des postes sans pouvoir, ne comprenant pas qu'on puisse résister à ses offres généreuses. Se montrant tour à tour câlin ou brusque. Disant à Josèphe que son départ est un acte d'agression : « Si je comprends bien, l'accuse-t-il un soir au téléphone, vous aussi, vous me posez des mines... »

Il affectionne ces formules chocs, au point de conclure un jour une conversation avec Hervé Bourges, à qui il fait part de ses griefs à l'égard de Pascal Josèphe, par un théâtral :

« La dernière balle de mon revolver sera pour lui ! »

CHAPITRE II

Obsolescence publique

Le printemps et l'été 1987 sont les saisons d'une stabilisation trompeuse de l'audiovisuel. La Cinq et TV6 ont été réattribuées sans douleur populaire. Une manifestation famélique dans les rues de Paris a accompagné les dernières heures de la chaîne musicale, Jack Lang en tête. Au dernier soir de son existence, fin février, TV6 a offert une chaleureuse soirée d'adieu à ses rares téléspectateurs; avec force clips, équipe sur le plateau, propos d'assassinés en direct sachant rester dignes face à la cruauté du destin politique. A minuit, extinction des feux avec images de *La Guerre des étoiles* et le masque des forces du mal, Darth Vador, en méchant vainqueur. Ce soir-là, sur les Champs-Elysées, les photographes avaient envahi le plateau de TV6, et attendaient que le P-DG de la chaîne, Maurice Lévy, vienne prendre la pose au moment de couper définitivement l'électricité...

Mais Maurice Lévy avait refusé de se prêter à ces simagrées. Triste de l'échec d'une aussi courte et excitante aventure, il s'était retrouvé seul sur le plateau, après minuit, au milieu des papiers gras et des boîtes de soda. Seul à se dire que la télévision, c'était bel et bien terminé pour Publicis, que la CNCL, ce « Conseil national des cons en liberté », comme il les avait qualifiés, ne l'y reprendrait plus.

Léo Scheer pense de même, lui qui jusqu'au dernier jour avait collecté dans de profonds sacs postaux les milliers de lettres, cartes et dessins de soutien adressés à TV6. Sacs de jute qu'il traînait ensuite à la CNCL, dans les ministères et dans les rédactions, pour essayer de convaincre tous et chacun qu'il fallait revenir sur l'« imbécile » décision de supprimer TV6...

Le lendemain, 1er mars, étaient apparus à la place de TV6 la mire et les premiers programmes de cette nouvelle chaîne qui s'est vu interdire par la CNCL de s'appeler RTL6, comme elle l'avait prévu.

Il ne faut pas chercher bien loin les raisons de cet ordre intimé à la Lyonnaise des eaux et à la CLT. Mécontent de ne pas avoir réussi à préserver l'existence d'une chaîne musicale sur le sixième réseau, le groupe Hersant a pesé de tout son poids sur la Commission, via Philippe Ramond et Michel Droit, pour que Métropole TV démarre dans la plus grande discrétion. En s'appelant RTL6, cette chaîne aurait instantanément bénéficié d'une certaine notoriété. On l'aurait associée à la radio la plus populaire du pays... Et cela, il ne le fallait à aucun prix, pour que la nouvelle Cinq puisse avoir le champ libre. La Lyonnaise et la CLT ont dû s'incliner et rebaptiser leur chaîne « M6 ».

Son P-DG, Jean Drucker, a préféré ne pas relever la mesquinerie de ces nouvelles démonstrations d'indépendance de la CNCL et a foncé dans les préparatifs de lancement. Rue Bayard, la salle de projection privée de RTL, au sixième étage, a été transformée en studio. Simultanément, un centre nodal a été installé pour établir une liaison permanente avec Luxembourg d'où, dans un premier temps, proviendront une grande partie des programmes de M6. Face aux mastodontes que sont TF1, A2, FR3, et que veut être la Cinq de Robert Hersant, Jean Drucker a opté pour le format d'une chaîne moins classique. « Nous n'avons pas le choix, a-t-il posé comme diagnostic dès les premières réunions de direction avec Jean Stock et Nicolas de Tavernost. Il faut faire de M6 une chaîne de complément. Si on essaie de rouler sur l'autoroute de TF1, on se fera écrabouiller en six mois. Si à l'inverse on veut continuer sur l'étroit créneau qui était celui de TV6, on se retrouvera dans le fossé. Ce qu'il nous faut, c'est l'entre-deux, la piste cyclable, et de la patience... » Unanimement, les actionnaires de M6 ont approuvé ce positionnement. Ils jugeront aux résultats.

A mi-parcours de son existence, la cohabitation vit déjà dans l'attente de son dénouement : l'élection présidentielle de mai 1988. Le rythme des privatisations s'accélère, comme pour mieux rendre irréversible le changement. L'expression en vogue est « noyau dur ». Elle s'efforce de cacher une certaine propension à s'assurer un chœur d'actionnaires sympathisants de droite dans les entreprises qu'on fait basculer du public vers le privé. C'est particulièrement vrai de la privatisation du groupe Havas dans le capital duquel entrent en force la Lyonnaise de Jérôme Monod et l'un des financiers du RPR, le banquier Jean-Marc Vernes, P-DG de Béghin-Say, ami proche de Robert Hersant et actionnaire de la Cinq. Le noyau dur de Havas, que préside Pierre Dauzier, lui-même familier de Jacques Chirac, est un « noyau RPR ». Mais, conformément à l'accord non écrit entre Balladur et Rousselet, la privatisation de Havas ne change rien à la vie de Canal Plus.

Ce n'est pourtant pas l'envie qui manque à certains, en 1987, de plonger les mains dans l'extraordinaire pactole que représente maintenant la chaîne cryptée. Les nouveaux actionnaires privés de Havas n'ont aucun pouvoir sur cette mine d'or. La CNCL est irritée, quant à elle, parce que Canal Plus, qui jouit d'une « concession » de service public, échappe à sa juridiction. Avant la loi Léotard, toutes les chaînes, publiques ou privées, bénéficiaient d'une concession. Mais, pour les chaînes ne relevant pas du « secteur » public, la loi Léotard a imposé qu'un simple régime d'« autorisation » – accordée par la CNCL – se substitue au régime de concession octroyée par l'Etat.

Seul Canal Plus a échappé au changement de statut et reste donc, avec sa « concession » initiale, en dehors du territoire de la CNCL. Ce dont Gabriel de Broglie et plusieurs membres se plaignent régulièrement à Matignon auprès de José Frèches ou de Denis Baudouin qui, dit-on, n'aurait pas dédaigné, si l'on en avait modifié le statut, jouer lui-même un rôle dans la chaîne à péage...

Patient, à l'aise et tranquille dans les méandres de la cohabitation, André Rousselet vit un rêve de chaîne. En juin 1987, Canal Plus a dépassé un million huit cent mille abonnés. Le taux de renouvellement reste exceptionnellement élevé, autour de 95 %. Canal Plus est une télévision qui, en 1986, aura réalisé environ 110 millions de francs de bénéfices, et qui s'apprête à en engranger 300 cette année. Toutes les craintes d'échec sont loin derrière. Son avenir est ouvert sur tous les développements imaginables. Et c'est à les cerner que s'appliquent André Rousselet et Pierre Lescure. Ils ont déjà un scénario en poche. Une trame simple. Un temps mort-née, la chaîne cryptée dispose désormais, au contraire, d'un formidable temps d'avance sur les autres. Les bouleversements successifs dans la cinquième et la sixième chaîne, puis la privatisation de TF1, vont conduire toutes ces antennes à se livrer une guerre fratricide sans précédent sur le marché publicitaire. C'est un souci que Canal Plus ne connaît pas : les abonnements sont une recette à l'exemplaire régularité, qui permet de disposer d'une importante trésorerie et de faire des projections réalistes.

Pour Lescure et Rousselet, nul doute que les autres chaînes vont s'affronter dans des batailles homériques et coûteuses pour obtenir films et retransmissions sportives qui sont déjà, en première exclusivité, sur Canal Plus. Elles vont faire monter les prix et se ruiner en surenchères. Cela a commencé spectaculairement le 22 avril dernier, lorsque, pour asseoir son image et sa présence, la Cinq de Robert Hersant est allée jusqu'à offrir 8 millions de francs pour les droits de diffusion du match Bordeaux-Leipzig. Il faut les laisser s'entre-déchirer et se vider les porte-monnaie. Pendant ce temps, Canal Plus peut préparer sa propre succession.

Pierre Lescure et Michel Thoulouze, son ancien complice de A2 qui l'a rejoint [1], ont en tête de créer des chaînes de télévision thématiques, cryptées, à budgets modestes. Ils raisonnent en termes de complémentarité avec Canal Plus. Des chaînes que l'on pourrait recevoir un utilisant un décodeur commun, sur le modèle de celui de Canal... Pourquoi pas, par exemple, une télévision exclusivement destinée aux enfants, aux amoureux du cinéma d'avant-guerre, au sport?

L'un de ces projets, celui de la chaîne pour enfants, a pris forme. Mais le problème est celui de la diffusion. Peut-on songer à une diffusion hertzienne? C'est peu probable, à cause de la rareté des fréquences. Il y a bien le câble, mais il est pratiquement inexistant dans le pays. Le nombre de foyers raccordés est toujours aussi dérisoire; quant aux foyers abonnés, c'est encore pire. Voilà pourquoi, tout doucement, André Rousselet en vient à articuler la stratégie de développement de Canal Plus autour de la diffusion par satellite. Il y est encouragé par le retour dans l'actualité de TDF1, projet de satellite toujours vide, accomplissant son périple sans but avec une lancinante régularité.

La mission qui avait été confiée à l'automne 1986 au P-DG de TDF, Claude Contamine, en vue de trouver des actionnaires pour le satellite, n'avait pas donné grand-chose. Comme d'habitude, quelques industriels, qui savaient que cela ne les engageait à rien, avaient promis d'« étudier » leur entrée dans une société d'exploitation... Il fallait réunir un peu plus de 600 millions, mais, le jour de sa nomination à A2, Claude Contamine n'avait pas plus de 100 millions de vagues promesses [2]...

Pour succéder à Contamine à la présidence de TDF, le pouvoir a désigné en décembre 1986 le rédacteur malheureux de la loi Léotard, l'ancien P-DG de la Sofirad et préfet de l'Ardèche, Xavier Gouyou Beauchamps, qui hérite à son tour du bébé TDF1. Tant qu'à faire, il

1. Après avoir navigué de A2 à TV6 en passant par Hachette et un bref rôle de conseil dans la première Cinq auprès de Carlo Freccero.
2. Il y a déjà de moins en moins de responsables pour croire en TDF1. Au lendemain de la remise du rapport Contamine, le ministre du Budget, Alain Juppé, écrivait à Jacques Chirac, dans une lettre dont *Le Figaro* a révélé le contenu le 3 février 1987, que TDF1 correspond à : « *une approche désormais frappée d'obsolescence technique (...) qui risque d'aboutir à une impasse industrielle et commerciale ruineuse pour le Gouvernement...* »

aurait préféré la présidence de la Société française de production (SFP), dont la droite ne souhaite pas garder l'actuel P-DG, François Lemoine, qui a pris la succession de Bertrand Labrusse. Mais la SFP est un poste qui requiert une grande confiance de la part du Premier ministre et de celui des Finances. Proche de Giscard, Gouyou Beauchamps ne remplit pas exactement ces conditions à l'égard de Chirac et Balladur...

Ne sachant trop que faire du satellite, et n'ayant pas le temps de s'en occuper lui-même, Xavier Gouyou Beauchamps a eu l'idée de s'en remettre à un ami, un homme qu'il a connu sous « l'ancien régime », avec lequel il a travaillé à la Sofirad sur le dossier Téléfrance USA, un certain Philippe Guilhaume. Mais, après quelques semaines, trouvant que ce dernier n'avançait pas bien vite, Xavier Gouyou Beauchamps a fait appel à un consultant dont le chemin a déjà croisé plusieurs fois les grands dossiers de l'audiovisuel, un ancien directeur de FR3, Claude Lemoine. Guilhaume et Lemoine se connaissaient un peu, ayant des relations communes. Ainsi, depuis le début 1987, Claude Lemoine est celui qui s'occupe, en collaboration avec Philippe Guilhaume, du sort de TDF1. Sans beaucoup plus de succès que Contamine.

Si bien qu'à l'été 1987 on ne sait toujours pas ce qui sera diffusé par le satellite, dont le lancement est maintenant prévu pour janvier 1988. Le manque d'empressement des industriels scelle une fois pour toutes la fin des espoirs d'un traitement « libéral » du problème. Le privé ne prendra jamais cet objet en charge. Il est devenu clair qu'ou bien l'Etat paiera la facture globale du programme TDF1-TDF2, soit au total quelque 3,2 milliards de francs, ou bien la France devra renoncer complètement à son projet et faire une croix sur le 1,7 milliard de francs déjà englouti depuis 1979. Et il n'est évidemment pas question de renoncer, un an après que Jacques Chirac a arbitré en faveur de la continuation du désastre.

Aux yeux d'André Rousselet, cela signifie qu'il peut désormais être intéressant de recourir à ce satellite pour diffuser les nouvelles chaînes auxquelles songe Canal Plus. En effet, il n'y aura que le prix de location des canaux à payer. Rien de plus. En principe, la CNCL devra lancer un appel d'offres aux opérateurs qui voudront monter sur TDF1. Lors des auditions pour la réattribution de la Cinq et TV6, comme lors de celles pour la privatisation de TF1, la CNCL a préparé le terrain en ne manquant jamais de poser aux candidats la question de leur intérêt pour TDF1. Tous, d'abord Hersant et Berlusconi, puis Bouygues, ont naturellement clamé haut et fort leur passion pour un si bel engin. Dire la vérité sur ce satellite, jugé « obso-

439

lète » et « perdu » par le Gouvernement lui-même, eût été un très mauvais point dans les dossiers de candidature. Tout le monde a donc promis de monter sur TDF1 avec l'arrière-pensée commune de n'en jamais rien faire. Ou alors, s'il n'y a rien à payer...

A l'inverse, le P-DG de Canal Plus n'a rien promis – on ne lui a rien demandé non plus – mais voit parfaitement l'utilisation qu'il pourrait faire de ce satellite pour promouvoir de nouvelles chaînes.

Trompeuse, la stabilisation du système audiovisuel l'est deux fois. Il y a d'un côté les chaînes commerciales qui se préparent à la guerre, de l'autre ce qui reste d'un service public amputé, appauvri, et aigri. En l'espace de seulement deux années, la France a complètement renversé les termes de son propre marché. Par le fait de la privatisation de TF1, la surface des télévisions commerciales privées est maintenant supérieure à celle des chaînes publiques. A un monopole d'Etat se substitue un début de monopole privé. Comme une dent de sagesse, l'extraction de TF1 de la gencive publique laisse ce secteur avec une cavité béante et des mâchoires affaiblies. Antenne 2 et FR3 ne se vivent plus que comme des télévisions abandonnées à elles-mêmes par le pouvoir qui, suprême marque de mépris, a réduit la redevance qui les nourrit.

Depuis longtemps en panne de missions claires et de moyens financiers suffisants, les chaînes publiques battent de l'aile. Tant qu'elles ne vivaient qu'entre elles, ce déficit d'idées et d'argent ne leur nuisait pas, elles continuaient à se partager 100 % de l'audience et des investissements publicitaires en télévision. L'apparition en 1986 de la Cinq et de TV6, avec leurs faibles réseaux et leurs infimes recettes de première année d'existence, n'a pas eu le temps de modifier grandement ce schéma.

En revanche, avec TF1 ce sont plus de 40 % de part de ce marché qui tombent d'un coup dans l'escarcelle de Francis Bouygues. C'est un déséquilibre irréversible. Antenne 2, qui réalise actuellement 35 % de part de marché, ne pourra se maintenir à ce niveau, en admettant qu'elle le veuille, qu'en alignant progressivement ses programmes sur ceux de TF1. Et comment pourrait-elle y parvenir, avec les 2,5 milliards de francs de son budget, face à celui de la Une qui, depuis l'annonce de la privatisation et grâce à la mécanique commerciale rodée par Bochko Givadinovitch, a séduit les annonceurs au point de faire passer d'un coup son budget de 3 à 4 milliards de francs? Ne parlons pas de FR3, dont les 15 % de part de marché péniblement conquis en dix ans d'existence sont maintenant menacés par les nouvelles chaînes commerciales. Le jour où la Cinq et M6 s'envoleront, il est à craindre que la première à en souffrir sera la chaîne régionale. La course est perdue d'avance pour le secteur public.

Télévision à l'identité écartelée, coincée entre ses missions nationales et régionales, accrochée à son étiquette « chaîne du cinéma », FR3 doit faire un écart plus grand encore depuis le vendredi 8 mai 1987. Ce jour-là sont apparus sur son antenne les premiers programmes culturels de la SEPT, cette vraie-fausse chaîne sans réseau, en attente d'une diffusion sur le satellite TDF1. FR3 lui servira de vitrine.

Dans les limbes depuis si longtemps, la chaîne culturelle doit servir de remède à la médiocrité supposée du secteur public, et d'antidote à la télévision commerciale. C'est l'alibi parfait pour ne pas prendre en charge et réformer le secteur public tant qu'il en est encore temps. On part du principe que l'étoile de la SEPT montrera la voie de la qualité perdue... Pour le moment, la SEPT est une société d'Etat que se repassent les gouvernements, et qui permet de caser, comme dans un nouveau fromage, les amis des amis. Premier ministre, Laurent Fabius l'avait confiée à l'un de ses fidèles, Bernard Faivre d'Arcier. La cohabitation propulse à sa présidence l'historien Georges Duby. Michel Guy, ancien ministre et directeur du Festival d'automne, en est le vice-président.

En l'état, cette société n'a aucune vocation à devenir une chaîne hertzienne classique. Sa dimension européenne, souhaitée par François Mitterrand, se concrétise toutefois par la proposition de l'Allemagne, au cours d'un sommet franco-allemand à la fin mai 1987, de s'associer au projet français pour monter une chaîne culturelle commune.

En attendant, FR3 essuie les plâtres et supporte une greffe de programmation incohérente avec le reste de son antenne.

Les dirigeants d'A2 et FR3 sont à la tête d'entreprises qui s'enfoncent imperceptiblement dans l'ennui et la morosité. Vue des fenêtres d'A2, la vraie vie télévisuelle est ailleurs, sur TF1, dans la Cinq ou avec M6. Personne, dans cette chaîne, ne l'avouera publiquement mais tous ceux qui y sont passés depuis l'annonce du choix de TF1, et avec une plus grande vigueur encore depuis l'accomplissement de la privatisation, s'en sont rendu compte : Antenne 2 est déçue. Déçue de n'avoir pas été, comme il en était question, la chaîne retenue pour la privatisation. Les esprits s'y étaient dans l'ensemble préparés. Animateurs, techniciens, employés se sont un moment rêvés en tête de pont d'une télévision commerciale de qualité. Les déclarations lointaines de leur P-DG Pierre Desgraupes les y avaient incités. Les promesses non voilées de Léotard sur le choix d'A2 les avaient confortés dans cette conviction. C'est eux qui innoveraient. Eux qui connaîtraient la griserie des hauts salaires, de la télévision à l'américaine, du grand réseau privé façon CBS ou ABC...

A2 s'est rêvée belle en mariée privée. Elle s'est réveillée malade et aigrie du passage de TF1 au soleil de l'argent facile et des records d'audience. Dans une moindre mesure, FR3 a ressenti la même légitime et humaine frustration. C'est TF1, la mère des chaînes, qui a été élue, au détriment de ses enfants, dont l'avenir est bouché. On en veut à la Une, à Bouygues, à Léotard et aux P-DG, Contamine et Han. Le secteur public en veut à tout le monde. On l'a laissé tomber comme un vieux journal.

Mais surtout, après l'avoir laissé choir, on l'évide. Car ce ne sont pas seulement les stars qu'on s'arrache dans le camp commercial, ces stars qui ont été formées à l'école de la télévision publique. Ce sont aussi les anonymes, ceux qui savent faire tourner la machinerie d'une antenne. Techniciens, cadres, preneurs de son, caméramen sont l'objet d'une formidable course au débauchage.

Armées de leurs chéquiers, TF1 et la Cinq raflent un à un les meilleurs professionnels d'A2 et FR3, qui voient leurs salaires parfois doubler en passant de l'avenue Montaigne (A2) à la rue Cognacq-Jay ou au boulevard Pereire. Travail de sape effroyablement efficace, ce débauchage dans le vivier du service public fait se disloquer des équipes entières habituées à travailler ensemble depuis quinze ou vingt ans. Il fait s'insinuer l'envie et la jalousie dans les rédactions et studios d'A2 et FR3. Il installe le doute chez ceux à qui aucune offre n'est faite. Il rend amers ceux que TF1 – c'est une spécialité des équipes Bouygues – contacte, et fait lanterner avec des propositions alléchantes uniquement pour empêcher la Cinq de mettre le grappin sur eux. Le jour où la Cinq se résigne à chercher quelqu'un d'autre, TF1 oublie subitement ses offres...

C'est un service public moralement en lambeaux qui surnage après la privatisation de la Une et la réattribution de la Cinq. La loi Léotard a fait d'A2 et FR3 une double poudrière qui, à la première occasion, va exploser.

CHAPITRE III

Commandant « Couche-Tôt »

« Robert, ce n'est pas ce qui était prévu, dit Silvio Berlusconi. Sans le réseau...
– Je sais, tranche Hersant. Mais il y a des blocages. Je ne comprends pas. C'est la CNCL qui traîne les pieds. »

Les pâtes au basilic et le débauchage de stars sont des plaisirs de courte durée. Dès le mois de mai 1987, Robert Hersant doit monter en première ligne pour assurer à la Cinq le développement de son réseau. La stratégie de la chaîne, dont témoigne la grille de programme qu'elle prépare pour la rentrée, repose entièrement sur le trio de vedettes enlevées à TF1. Ce sont elles qui doivent, par leur présence, assurer le véritable démarrage, lui donner une existence définitive dans l'opinion. Pour cela, il faut que la Cinq, qui n'est pas reçue dans un grand nombre de régions, dispose au plus vite de nouvelles fréquences.

Le match de demi-finale de Coupe d'Europe, Bordeaux-Leipzig en avril, n'avait pas d'autres fonctions que de sensibiliser population et pouvoir public. Il s'agissait pour la chaîne d'affirmer son existence face à TF1 et Canal Plus, et d'attiser le mécontentement de ceux qui ne pourraient pas voir ce match, faute d'être dans une zone desservie. Ce qui était le cas des Bordelais eux-mêmes. Résultat : des milliers d'appels téléphoniques, des lettres de protestation à la CNCL, à TDF, demandes émanant de nombreuses villes pour « capter la cinquième chaîne ». Opération promotion réussie par le nouveau directeur général de la Cinq, Philippe Ramond.

Lors des auditions privées des candidats, en février, la CNCL a toujours laissé entendre qu'elle favoriserait, quels que soient les attributaires de la Cinq et de la Six, l'extension des réseaux. La Commission « comprenait » qu'il s'agissait d'une exigence vitale pour la croissance et l'équilibre des deux chaînes commerciales.

443

Au lendemain de l'attribution, Robert Hersant a pris lui-même les choses en main et a rencontré le président de la CNCL, Gabriel de Broglie. Au début, tout s'est bien passé. La Cinq et la CNCL étaient, si l'on peut dire, sur la même longueur d'onde. A plusieurs reprises, Gabriel de Broglie a formellement promis, c'est du moins ainsi que Robert Hersant et Philippe Ramond ont interprété ses propos, que la Cinq disposerait à la rentrée 1987 d'un réseau couvrant environ 60 % du territoire au lieu des 45 % actuels. Et près de 85 % au printemps 1988.

Au fil des semaines, pourtant, le ton a changé. Lors de ses visites à la CNCL, le patron du *Figaro* s'est aperçu que l'on cherchait à différer le lancement des appels d'offres pour l'ouverture de nouvelles fréquences. Ce qui semblait une priorité admise ne l'était plus. Gabriel de Broglie tergiversait. Agacé, Robert Hersant a bien invité le président de la CNCL à venir en bavarder en tête à tête début mai, chez lui, à Saint-Cloud. Mais il n'en est rien sorti. Gabriel de Broglie, qui s'est dit « conscient » du problème, a invoqué les lenteurs administratives de la Commission elle-même, et celles de TDF, avec qui les relations ne sont pas simples. En résumé, pour le président de la Commission, c'est son intendance, ses « gens » qui ne « suivent » pas.

A la mi-mai, Berlusconi s'inquiète une nouvelle fois de l'avancement des travaux sur *l'illuminazione*. Le temps presse, c'est bientôt les vacances, la rentrée approche vite. Il voit bien l'embarras, l'énervement de Robert Hersant sur le sujet, et n'insiste pas. Les choses vont « s'arranger », lui garantit « Robert ». En d'autres termes, comprend Berlusconi, Hersant saura faire intervenir qui il faut pour accélérer le dossier des fréquences. En attendant, sans fréquences, il est impossible d'accéder au désir de la CNCL, qui souhaite voir la Cinq mettre en place de nouveaux programmes avant la rentrée. Il n'en avait jamais été question auparavant.

La Commission formule cette exigence au cours de réunions de plus en plus tendues. Au cours de l'une d'elles, Gabriel de Broglie se met en colère contre le représentant de Berlusconi, Angelo Codignoni, parce que la Cinq ne change pas assez vite d'image. C'est que la CNCL ne se sent pas bien dans sa peau d'organe de régulation. Décriée de partout, elle tente de se positionner en arbitre et en gendarme de l'audiovisuel. Elle a peur, subitement, de passer pour une institution à la botte d'Hersant, c'est aussi pour cela qu'elle ne se presse pas sur le dossier des fréquences.

« On peut apporter quelques modifications de l'antenne pour leur faire plaisir, dit en gros Berlusconi à Hersant. Mais il faut garder les munitions pour la grille de rentrée. D'ici là, il est indispensable d'obtenir les nouveaux émetteurs... »

Le passage de l'ancienne à la nouvelle Cinq s'opère dans des conditions financières et avec une répartition des rôles qui vont être déterminantes pour l'avenir de la chaîne. La question de l'achat des programmes y est cruciale. Le changement d'opérateur a mis un terme à l'activité de la première société, France Cinq. Cette société, présidée par Jérôme Seydoux, a engagé (comme TV6) la procédure qui doit lui permettre, un jour lointain, d'être indemnisée pour « rupture de concession ». Une nouvelle société, La Cinq, au capital de 250 millions, réunit les actionnaires de la chaîne.

Dans le cadre de la « vieille » Cinq, la société d'exploitation achetait elle-même ses programmes. Jérôme Seydoux et Silvio Berlusconi faisaient leur marché, leur plein de fictions, auprès des distributeurs – essentiellement – américains et européens. Cette démarche nécessite une mise de fonds pour la constitution d'un stock de programmes. Or cet investissement initial n'est pas souhaité en 1987 par Robert Hersant. Gardée confidentielle, la raison de son refus est simple, mais sera lourde de conséquences.

A sa fermeture, la société France Cinq s'est avérée détenir un stock de programmes d'une valeur résiduelle d'environ 170 millions de francs, compte tenu des séries et téléfilms qu'elle avait acquis mais pas encore diffusés. La logique aurait voulu que ce stock soit repris par la nouvelle Cinq, comme cela s'était fait pour le personnel et les locaux de la rue Jean Goujon [1]. Mais Robert Hersant fait un calcul qui lui interdit cette solution. La société La Cinq ne disposant pour démarrer que de 250 millions de capital, lui faire prendre en charge 170 millions de programmes, ajoutés aux 60 millions investis dans les studios de Pereire, obligerait le P-DG à provoquer immédiatement une augmentation de capital dont il n'a pas les moyens. Robert Hersant se lance dans la télévision sans avoir les fonds nécessaires aux énormes investissements que cela suppose. Ceci n'est pas pour déplaire à Berlusconi, vers qui Hersant est contraint de se tourner pour les programmes.

« Je ne peux pas prendre en charge l'achat du stock de l'ancienne Cinq. Je ne veux pas commencer par demander de l'argent aux actionnaires, dit le président de la Socpresse à son partenaire italien au printemps 1987. Je propose que vous achetiez les programmes pour le compte de la Cinq et que vous nous les revendiez au fur et à mesure des besoins de la chaîne... Cela me paraît plus logique, compte tenu de votre expérience en ce domaine. »

A cette proposition, Berlusconi répond oui, à une condition. Il veut

---

1. Une partie de l'administration et les services commerciaux de la Cinq seront rue Jean Goujon, l'autre partie, les studios et la rédaction, à Pereire.

bien jouer les « trésoriers » de programmes, mais demande – et obtient – de devenir le fournisseur privilégié, l'acheteur « exclusif » de séries, films et téléfilms pour la Cinq. Il rachète donc le stock de la vieille Cinq, qui constituera la base d'un catalogue qu'il ne va cesser d'enrichir en prospectant et en acquérant des droits sur le marché américain. C'est dans ce « catalogue » que la Cinq de Robert Hersant puisera et achètera, aux tarifs établis par Silvio Berlusconi, de quoi nourrir l'antenne. C'est la naissance et bientôt les tribulations de ce qu'on appellera le « catalogue Berlusconi ». Il trouve son origine dans l'incapacité technique et financière où est le groupe opérateur, Hersant, de faire tout simplement de la télévision.

C'est aux termes de cet accord très précis entre Hersant et Berlusconi que la nouvelle Cinq démarre en 1987. L'entente entre les deux principaux actionnaires sur les programmes se complète rapidement d'un autre partage des rôles, cette fois sur la régie publicitaire, et en faveur de Robert Hersant. Les premières semaines, les équipes Hersant et Berlusconi se côtoient, à la régie, dans la commercialisation de l'espace. Mais, faute d'un patron unique, et en raison de divergences sur les méthodes de ventes, la situation est vite ingérable. Début juin, Robert Hersant appelle Berlusconi à Milan et l'avertit : « Silvio, ça ne marche pas, il va falloir qu'on décide qui dirige la régie. »

Berlusconi n'a pas vraiment le choix. La vente d'espace publicitaire, il le sait, requiert une grande disponibilité. Le système français impose aux dirigeants des médias de payer de leur personne, de participer aux « négociations » avec les acheteurs d'espace. Il faut se montrer, discuter, charmer. Il faut marchander. Berlusconi ne peut se permettre de passer sa vie à Paris. Résolument hostile aux méthodes françaises qui font de la centrale d'achat d'espace un partenaire à ses yeux omnipotent, « Sua Emittenza » n'a pas les moyens de combattre la résolution dont lui fait part Hersant de superviser lui-même ce secteur.

Le « papivore » revendique la régie publicitaire. Il impose cette décision à Berlusconi. Et il confie la gestion de Régie Cinq à celui qui se charge déjà de la commercialisation de l'espace publicitaire des titres de la Socpresse, Antoine Verdier. Afin de parfaire son contrôle sur ce levier, Hersant couple *de facto* la régie de la Cinq avec celle de son groupe de presse. C'est-à-dire qu'il va pouvoir offrir aux annonceurs, aux agences et aux centrales, un ensemble multimédia (presse, radio FM et télévision) où ils dispatcheront leurs budgets publicitaires. Lui et ses hommes veilleront seuls à la gestion de cette régie.

Hersant et Berlusconi se partagent donc les deux activités maîtresses d'une chaîne de télévision, régie et programme. Les autres actionnaires n'ont pas droit de regard. Cette situation ne facilitera pas l'instauration d'un minimum de transparence dans les comptes de la Cinq. Ce « Yalta » n'empêche pas les associés de se conseiller mutuellement. Chaque fois qu'il en a l'occasion, Silvio Berlusconi rappelle à Hersant qu'il faut prendre garde à ne pas « tomber dans le piège des centrales d'achat d'espace »...

Le piège? « Silvio » se fait des idées. Il n'a pas encore admis que la France est un pays « compliqué ». Pour la publicité, dit Hersant, le plus simple est encore de parler avec ceux qui comptent : « Moi, quand je dois négocier pour mon groupe, j'y vais en direct. En face d'un Gilbert Gross, on ne peut pas envoyer n'importe qui. »

La rue Jacques Dullud est discrète et parallèle à l'avenue Charles-de-Gaulle, dans ce Neuilly où s'affichent avec ostentation les grandes agences de publicité. L'immeuble de la société GGMD ne paie pas de mine. Une bâtisse moderne de quelques étages. Un mur d'images dans le hall, carrelage et toiles futuristes. Escalier en colimaçon. Le bureau de Gilbert Gross est au quatrième, à droite en sortant de l'ascenseur. Mais ce n'est pas un bureau, c'est un hangar miniature. Des maquettes d'avions partout. Des ailes, des fuselages, des hélices à profusion, accrochés aux murs, pendant du plafond, jonchant une large table basse. Avions de toutes générations. Entiers ou en pièces détachées. Ailerons, carlingues, compteurs, l'antre lumineux du leader de l'achat d'espace est une invitation au voyage. Le bureau d'un homme envié, haï, aussi influent que discret. Aussi puissant que méconnu.

« Quand je serai grand, je m'achèterai un avion », avait dit l'enfant Gilbert Gross à sa mère, à la Libération, après son baptême de l'air sur un vieux Dakota effectuant la liaison Toulouse-Paris. Promesse tenue, et plutôt deux fois qu'une. Son brevet de pilote, l'adolescent l'a obtenu bien avant son permis de conduire, parce que c'était seize ans pour les avions, et dix-huit pour l'auto. Exactement comme avait fait le cousin et meilleur ami de son père, Marcel Bleustein-Blanchet, qui est également le parrain de son frère, Francis Gross.

Le bureau de Gilbert Gross ne porte aucune trace de sa seconde passion, celle à laquelle il aurait préféré consacrer sa vie plutôt qu'à la publicité. A quinze ans, il se voyait pilote *et* chirurgien. Dans l'immeuble du square Neuilly où ils résidaient, Gilbert et son copain Michel étaient en admiration devant le chirurgien de renom Gaston Cordier, qui habitait au sixième. Ils avaient la vocation, et celui-ci les emmenait souvent assister à des opérations. Michel a étudié et est devenu neurochirurgien. Gilbert a bifurqué vers la publicité et la chirurgie est restée comme un grand regret... Depuis, dans les croisières qu'il organise chaque année à travers le monde pour ses clients, annonceurs et médias, il y a toujours quelques éminents représentants de la Faculté. Ils ne sont pas là pour la sécurité, mais pour le plaisir de quelques conversations sur son sujet de prédilection. Ces croisières sont le lieu de rendez-vous « détente et business » de tous les patrons de régies publicitaires, de journaux, radios, télévisions, des présidents des plus grandes entreprises. Un point de rencontre qui assure la cohésion d'un club hermétiquement clos : les acheteurs et vendeurs d'espace.

Il y a un mystère, une énigme Gilbert Gross, et en 1987 celui-ci fait encore ce qu'il faut pour l'entretenir, tout en assouplissant la rigueur de sa discrétion. Pendant des années, il a vécu sans apparaître publiquement. La cinquantaine grisonnante et bronzée hiver comme été, le regard clair, la poignée de main énergique du golfeur, c'est l'antimondain par excellence, l'anticocktails et sorties. Gilbert Gross boit peu, ne fume pas et n'est pas dans son assiette s'il n'a pas eu ses dix heures de sommeil. A tel point que son ami le publicitaire et écrivain Pierre de Plas a surnommé une fois pour toutes cet amoureux du repos dans les îles du Pacifique ou de l'océan Indien le « Commandant Couche-Tôt ».

Pas de déclarations. Très peu d'interviews. Il y a un mythe, une légende Gilbert Gross, où se confondent, comme dans les romans de gare, réussite, fortune, revers, et plus grande fortune encore. Son histoire est une « *success story* » à l'américaine. Elle a les couleurs de sa troisième passion, celle qui lui fait prendre son jet pour aller disputer de très officiels championnats à Las Vegas ou en Floride : le poker. Gilbert Gross est joueur, capable de s'adapter aux dizaines de variantes du jeu selon les pays du monde où il se trouve et la nationalité de ses partenaires-adversaires. Un jeu dont les règles ne sont pas si éloignées de celles du marché publicitaire. Mais ceci ne suffit pas à expliquer cela. Au départ de la réussite de Gilbert Gross, il y a l'intuition, l'incompréhension, et le rejet.

Dans les années 60, Gilbert Gross a fondé une petite agence de publicité qui vivote, la SPFD. Il en est le directeur de création et le commercial. Il fait tout lui-même, pour pas grand-chose. Lassé de faire du porte-à-porte et de préparer des campagnes pour des bières et du café qui ne lui rapporteront jamais de quoi s'offrir même un biplan d'occasion, Gilbert Gross trépigne. Il a vingt-cinq ans et l'impression de passer à côté de l'existence.

Un jour de 1969, il est mis en contact avec le patron de Perrier,

Gustave Leven, qui vient de racheter les cafés « Califat » et a besoin d'une campagne publicitaire. Ses propositions pour cette campagne conviennent. Le budget est modeste. Gilbert Gross apporte chaque semaine les maquettes destinées aux magazines ou aux panneaux d'affichage où la publicité « Califat » doit passer. Ainsi que l'estimation globale du prix des espaces publicitaires à retenir sur les différents supports. Il y en a, par exemple, pour 150 000 francs en magazines, panneaux, ou spots radios...

A l'époque, il pense que le tarif affiché par les médias est le prix à payer. A ces réunions assiste un homme d'un certain âge, « monsieur Clément », qui repart avec l'estimation de Gilbert Gross dans sa poche. La semaine suivante, cet homme annonce simplement : « Alors le plan-média de Gilbert, ça ne coûtera pas 150, mais 110 000 francs... » Longtemps, Gilbert Gross reste ébahi. Comment ce qui vaut 150 000 francs pour tout le monde peut-il soudain ne valoir que 110 000 pour Clément? Où est l'astuce?

Les deux hommes sympathisent. Tant et si bien qu'un matin « monsieur Clément », qui s'amuse de son étonnement sur le miracle tarifaire, propose à Gilbert Gross de l'accompagner à l'un de ses rendez-vous d'affaires. Ils se rendent au siège d'un quotidien de province où son mentor vient acheter de l'espace pour une campagne Perrier. Gilbert Gross tombe à la renverse. L'achat d'espace, c'est le « marché aux puces »! Il suffit de savoir marchander et de prendre les emplacements dont d'autres ne veulent pas pour obtenir des remises sur le tarif annoncé. C'est une révélation. Voilà le secret. « Monsieur Clément », qu'il s'agisse de radio, de journaux ou d'affichage, « consent » à acheter les heures creuses, les panneaux moins bien placés, les pages peut-être moins lues d'un magazine. Mais il en prend beaucoup. Cela soulage le média qui sinon ne les aurait pas vendues. Et on lui fait un rabais conséquent.

En fait, Gilbert Gross vient seulement de découvrir ce que les grandes agences comme Havas, Publicis et autres font depuis des années. Elles se paient de plus en plus souvent sur la ristourne qu'elles obtiennent, secrètement, des médias. Le jour où il comprend le profit qu'on peut tirer du seul achat d'espace, il abandonne la création pour se consacrer à ce secteur. Le système de « monsieur Clément » est profitable, mais pourquoi voir petit? En quelques mois, il tisse des liens privilégiés avec *Paris-Match*, RTL, avec Europe 1 aussi, et se fait connaître en négociant l'achat des plages d'antenne désertées...

A peine engagé dans cette nouvelle voie commerciale, Gilbert Gross commet une bourde qui manque de stopper sa carrière. Fort des premiers annonceurs importants qu'il est parvenu à convaincre de lui confier leur budget « achat d'espace », il démarche les chaussures André. Ce budget « appartient » à Publicis, l'agence de Marcel Bleustein-Blanchet, qui pique une colère noire en apprenant la chose. Gilbert Gross est obligé de renoncer au budget André, mais la colère de « Marcel » ne se calme pas à si bon compte. Ce jeune idiot et son agence minable ont eu l'impudence de marcher sur les terres du lion Publicis; il doit payer. Et payer d'autant plus cher que le système que met en place « Gilbert » hérisse Marcel Bleustein-Blanchet. Il y voit un dévoiement de la profession. Lui, qui a pourtant innové toute sa vie, ne perçoit pas l'intérêt de se spécialiser dans l'achat d'espace. Ou alors, il ne perçoit que trop bien que cela risque de grignoter le prospère et silencieux business des agences...

Toujours est-il que, pour « casser les reins » de l'impudent, Marcel Bleustein-Blanchet fait appel à son ami et associé dans la régie publicitaire d'Europe 1, Jean Frydman. Pendant des mois, chaque fois que Gilbert Gross veut réserver de l'espace sur Europe 1, le gérant de la régie, Jean Frydman, exige qu'il paie comptant, contrairement aux pratiques commerciales habituelles. Si le jeune acheteur d'espace, qui dispose de peu de trésorerie, veut continuer à travailler, il doit en quelque sorte avancer l'argent de ses clients annonceurs. La passe est difficile, mais instructive. Gilbert Gross apprend à gérer.

Au bout d'un an, des amis communs provoquent une rencontre de conciliation. Gilbert Gross vient voir Jean Frydman, qui lui explique qu'il a seulement exécuté les « instructions » de Marcel Bleustein-Blanchet. « Vous avez été mis en pénitence, dit Jean Frydman, et je vous ai fait perdre de l'argent. Maintenant, si vous le voulez, nous pouvons repartir sur de nouvelles bases et vous gagnerez plus que vous n'en avez perdu... » Jean Frydman a tenu parole. Europe 1 est devenu l'un des meilleurs clients et alliés de Gilbert Gross. Et les deux hommes seront bientôt inséparables.

Son véritable envol, Gilbert Gross le prend au début des années 70. Il a rodé son système et laissé tomber la création. Sa force de conviction, ses talents de négociateur, le côté imparable de sa démonstration aux annonceurs, à qui il garantit, quoi qu'il arrive, « l'espace au meilleur prix », en font un interlocuteur qui pèse de plus en plus lourd. Aux bières et cafés s'ajoute l'immobilier de Guy Merlin... Avec un associé, Michel Doliner, il va créer la société GGMD (Gilbert Gross Michel Doliner) qui, après avoir conquis les budgets colossaux du groupe alimentaire BSN [2] ou des supermarchés Carrefour,

2. Groupe présidé par Antoine Riboud – le frère de Jean – et auquel appartiennent des marques telles que Danone, Evian...

va devenir, grâce à la force d'achat qu'il représente, le premier acteur de ce marché. Une place qu'il ne cessera de conforter, année après année.

Parti d'un chiffre d'affaires de quelques millions d'anciens francs, Gilbert Gross jongle bientôt avec des centaines de millions lourds, puis passe le cap du milliard, au nez et à la barbe des agences de publicité qui se sentent spoliées. De quoi donner des vapeurs à Marcel Bleustein-Blanchet, auquel le jeune Gilbert Gross avait proposé une association – repoussée avec mépris – lors de son démarrage dans les affaires. C'est vers lui que médias et annonceurs se tournent désormais pour discuter.

A l'approche des années 80, GGMD n'est plus une société mais un groupe à part entière, avec de nombreuses filiales. La plupart des grandes entreprises lui confient leurs budgets, dont l'accumulation fait de lui l'acheteur prioritaire. Avec un sens extraordinaire de l'opportunité stratégique, Gilbert Gross, que son frère Francis a rejoint à la direction du groupe, a perfectionné son activité dans un sens irréversible. Progressivement, il est devenu l'acheteur dont médias et annonceurs ne peuvent plus se passer. Comment? Par le plus banal des moyens, mais qui demandait une mise de fonds et la prise de risques que d'autres n'auraient peut-être pas consentis.

Explication.

Au lieu d'acheter de l'espace en gros mais en plusieurs fois au cours de l'année, il a mis au point une relation particulière avec les médias. Comme dans l'hôtellerie, ceux-ci souffrent de périodes creuses entre deux temps de forts investissements publicitaires... Cette irrégularité de ressources, Gilbert Gross a offert de l'effacer. Au début de l'année, il propose aux médias avec lesquels il traite de leur acheter un volume d'espace pour toute l'année. Il leur assure aussi une recette fixe. Il s'engage à payer le volume convenu même s'il ne trouve pas preneur pour l'espace en question. En contrepartie de cette assurance-recette, le support s'engage à consentir à Gilbert Gross, dans tous les cas de figures, les tarifs les plus bas, les meilleures conditions de vente.

C'est un système entièrement basé sur la confiance et la parole donnée. Les négociations se font d'homme à homme, en tête à tête. Peu doué pour les langues, pas physionomiste au point de vexer certaines de ses relations qu'il croise dans les aéroports sans les reconnaître, Gilbert Gross est imbattable pour ce qui est du sens de l'orientation, du calcul mental et de la mémoire des chiffres. Il ne se souviendra pas de cet industriel qu'on lui a présenté la veille et qu'il prendra pour le chauffeur d'un de ses amis, mais saura avec une infaillible exactitude se rappeler que tel petit magazine ou tel journal de province lui fait un abattement de 18 % ou 26 %.

Cet homme qui n'a ni la mémoire des visages ni celle des noms, au point qu'on prend pour de la grossièreté le fait qu'il renonce souvent, par crainte de se tromper, à faire des « présentations », cet homme a simplement besoin d'un minuscule calepin noir, au fond de sa poche, pour consigner les accords financiers les plus complexes. C'est un phénomène de discrétion. Les pages de son agenda miniature sont soigneusement raturées. Dès qu'un rendez-vous a eu lieu, heures et noms disparaissent sous un gribouillis artistique.

L'assurance-recettes a son envers. D'un côté, avec ce système, Gilbert Gross a aidé des dizaines de médias à vivre et dopé leur chiffre d'affaires. De l'autre, ces mêmes médias deviennent de plus en plus dépendants de la puissance financière qu'est la centrale d'achat d'espace. Pour les abattements tarifaires, le retour en arrière n'existe pas. C'est la loi du « toujours plus ».

C'est une particularité de l'audiovisuel et de la publicité qu'un grand nombre d'affaires y sont initiées, parfois traitées, voire conclues, sur... des terrains de golf. La marche, la longueur des parties, le côté bucolique du jeu incitent aux échanges d'idées. André Rousselet, qui joue régulièrement avec le Président, ne résiste pas au charme d'escapades ponctuelles avec Gilbert Gross sur les greens marocains ou écossais. C'est d'ailleurs à Marrakech qu'ils ont fait leur première partie de golf ensemble. Une relation commune, André Magnus, les avait mis en rapport au cours d'un déjeuner chez lui, à Paris.

C'est aussi André Magnus, ancien lieutenant du père de Gilbert Gross dans l'armée, qui lui a fait rencontrer les pontes de Havas, Jacques Douce et Georges Roquette, quand, au milieu des années 70, l'ascension et la fortune grandissante de « Gilbert » commençaient à faire de l'ombre au groupe publicitaire. Les relations avaient d'abord été conflictuelles, presque belliqueuses (Gross mordant sur le traditionnel gâteau des agences), avant de devenir professionnelles, cordiales, puis très amicales. Grâce à André Magnus, Gilbert Gross, Jacques Douce et Georges Roquette étaient devenus amis et partenaires.

C'est un état de choses que n'ont pas cessé de dénoncer depuis avec fracas les autres agences, en parlant d'« entente illicite », de « cartellisation ». Au premier rang des adversaires de Gilbert Gross, on trouve sa famille, à travers Publicis. Depuis quinze ans, Marcel Bleustein-Blanchet et Maurice Lévy tonnent et tempêtent contre le

« chancre » (le mot est fréquemment employé par Marcel Bleustein-Blanchet) que la profession du cousin « Gilbert » représente sur le corps de la profession publicitaire. Les deux hommes ont les relations les plus tumultueuses qu'on puisse imaginer. D'amour et de haine. D'attirance et de rejet. De séduction et de condamnation.

Toutes les deux ou trois semaines, Gilbert Gross joue au golf avec un autre impénitent du parcours, Robert Hersant. Le plus souvent, c'est sur le terrain que celui-ci a fait aménager dans sa propriété d'Ivry-la Bataille qu'ils se retrouvent. Un golf dont Hersant a conçu lui-même le relief et les circuits avec de la pâte à modeler, et qu'il fait entretenir avec un soin maniaque. Par ailleurs, Gilbert Gross joue chaque mercredi matin avec le responsable de la régie du groupe Hersant, Antoine Verdier, ou avec des amis comme le publicitaire et romancier Pierre de Plas. A en croire de perfides rumeurs, Robert Hersant n'est pas toujours bon perdant, il lui arriverait même, quand sa balle s'égare sur le rough, de donner un coup de pouce au destin pour qu'elle se retrouve sur le green...

Jusqu'à l'arrivée des télévisions commerciales, Gilbert Gross ne s'est pas intéressé à ce média qui n'offrait, en raison de la rigidité du monopole, aucune possibilité de négocier les tarifs. Dans son esprit, acheter l'espace de chaînes vivant sous le régime étatique, c'est à peu près comme faire la queue dans le désert devant un unique point d'eau. Aucun intérêt. La négation même du métier d'acheteur. S'il lui arrivait d'acheter de l'espace à la télévision, c'était pour faire plaisir à ses clients annonceurs qui en voulaient, mais il ne s'en occupait jamais lui-même, la tâche étant strictement administrative. Sur les quelque 5 milliards de francs de chiffre d'affaires réalisés en 1985 par GGMD, seuls quelques centaines de millions le sont avec la télévision.

Tout change en janvier 1986, où, coup sur coup, André Rousselet lui propose (sur le golf de Saint-Cloud) d'entrer dans Canal Plus, et Jean-Paul Baudecroux, le directeur de NRJ (au cours d'un déjeuner au Méridien) l'invite à prendre une part du capital de TV6. Gilbert Gross dit oui aux deux propositions. Intuitif, il prend ses décisions en deux minutes et ne s'interroge pas sur les détails. Les participations qu'il acquiert dans ces deux chaînes sont si petites qu'elles ne représentent pas un enjeu stratégique pour son groupe. Il en va différemment avec la révolution sur le marché publicitaire télévisé que doit provoquer la création de la Cinq. La télévision va enfin devenir un média comme les autres, avec lequel il pourra faire des affaires.

Mais, et on devine pourquoi, le lien ne s'établit pas avec les opérateurs de la première Cinq. Berlusconi, avec qui il déjeune à deux reprises rue de Tilsitt, dont une en compagnie de Jean Frydman, se montre réfractaire aux avances de la centrale d'achat d'espace. Sans le dire explicitement, « Sua Emittenza », qui débarque en France, campe sur ses positions : il préférerait se passer du volume d'affaires garanti par la centrale et démarcher directement les annonceurs... Berlusconi considère la centrale comme un intermédiaire inutile, dont la commission (qui peut aller de 3 % à 10 % du montant des transactions) est une perte sèche pour les médias.

Quant à la rencontre de Gilbert Gross avec le premier P-DG de la Cinq, Jérôme Seydoux, au printemps 1986, elle est franchement glaciale. Convié à déjeuner au siège de Chargeurs SA, le patron de la centrale se heurte de front à l'héritier de Schlumberger. Ces deux managers sont aux antipodes l'un de l'autre.

Gilbert Gross arrive au déjeuner à 13 heures avec un contrat en poche garantissant 120 millions de recettes à la Cinq naissante. Jérôme Seydoux, qui trouve complètement anormale l'existence de la centrale, refuse de se plier aux conditions qu'on lui propose. De glaciale, l'atmosphère devient orageuse quand Gilbert Gross dit à Seydoux : « Vous connaissez peut-être les avions et les bateaux, mais rien à la publicité ! » Le P-DG de la Cinq n'en démord pas. Sa conviction est que dans n'importe quel métier du commerce « il faut connaître ses clients ». Or il estime que la centrale dresse entre soi et les annonceurs un écran qui trouble la relation économique. Le repas tourne court. A 13 heures 50, Gilbert Gross s'en va. D'une cabine téléphonique sur le boulevard Malesherbes, face à la Madeleine, il appelle son chauffeur pour qu'il vienne le chercher et l'emporte au plus vite loin de cet endroit.

La Cinq est morte, vive la Cinq ! se dit Gilbert Gross un an plus tard, quand c'est Robert Hersant que la CNCL plébiscite pour reprendre la chaîne. Le groupe Hersant est un partenaire historique de sa centrale. Les deux patrons se connaissent depuis ce jour où, alors qu'il démarrait son affaire d'achat d'espace, qu'il n'était encore qu'un tout petit interlocuteur, Robert Hersant l'avait invité à un voyage professionnel en Martinique et en Guadeloupe. Le « papivore » s'était montré courtois et amical, et Gilbert Gross ne l'avait pas oublié. Lors du lancement du *Figaro-Magazine* et pour toutes les initiatives de presse du groupe Hersant, la centrale avait toujours su se montrer coopérative. Le groupe de presse le lui rend bien, en concédant des abattements substantiels sur ses tarifs.

En cet été 1987, Robert Hersant se fait du souci dans la solitude de son bureau, rue de Presbourg. Malgré ses efforts, les réservations publicitaires sur la Cinq ne sont pas proportionnées aux coûts de la grille généraliste qu'il va mettre à l'antenne en septembre prochain. Les publicitaires sont lents à la détente. Ils attendent de voir le résultat de l'arrivée des stars à l'écran. Sur les conseils de Berlusconi, Hersant veut faire de sa grille une machine de guerre contre TF1. Il faut prendre les points d'audience à la Une pour lui arracher la publicité, lui a-t-il dit. Et il faut le faire tout de suite, pendant que Bouygues est encore déstabilisé et que ses équipes ne maîtrisent pas complètement TF1. Après, il sera trop tard.

La panique de Bouygues est l'un des rares sujets de satisfaction de Robert Hersant, qui se délecte des cris d'orfraie que pousse le bâtisseur à longueur de colonnes. Depuis le MIP-TV, et plus encore depuis la mise en vente sans grand succès des actions TF1 pour le public, Francis Bouygues répète à qui veut l'entendre qu'il a été « volé » par l'État, que TF1 ne valait pas ce qu'il a payé pour l'obtenir, qu'on l'a « dépouillé » comme au coin d'un bois en lui prenant les vedettes. Il a même déclaré vouloir mener une « *guerre totale contre Hersant* » dans *Libération*, le 21 mai 1987. Le « papivore » a souri. Et quand ce n'est pas Bouygues qui monte au créneau pour exiger qu'on lui « rembourse » une partie de « son argent », Patrick Le Lay prend le relais. Le directeur général de TF1 tire à vue sur l'ensemble de l'audiovisuel et s'insurge contre l'idée qu'on puisse exiger des chaînes commerciales qu'elles passent des opéras à 20 heures 30. Ce serait un « *crime économique* » martèle-t-il. « *C'est quand même à l'État d'apporter la culture, pas aux industriels !* »

A l'époque, Hersant s'est amusé. On verrait bien à la rentrée qui ferait la guerre à qui... Mais en juillet, il n'est plus aussi sûr de lui. De toute évidence, le réseau de la Cinq est trop mité pour être efficace. La CNCL continue à ne pas faire grand-chose en faveur de son extension. Il en a assez de les voir et de leur expliquer, plans de fréquences à l'appui, ce qu'ils ne veulent pas comprendre. Il a décidé d'employer la manière forte. Il a envoyé une lettre [3] de mise en demeure à Gabriel de Broglie où il s'en prend aux « *pesanteurs administratives* », et propose que les techniciens de TDF et ceux de Silvio Berlusconi se réunissent pour « *établir* » un « *plan d'extension immédiat* ». La Cinq doit devenir une chaîne « *nationale* », conformément à sa « *vocation* ». Il se fait fort, si on lui en donne les moyens, de l'offrir à « *quarante millions de français* [au lieu de dix-huit] *d'ici le mois d'octobre 1987...* » Tout refus d'obtempérer de la part de la CNCL, écrit Robert Hersant, exposerait celle-ci à des poursuites

---

3. Dont la teneur sera révélée par *Le Point* du 27 juillet 1987.

devant les tribunaux. La CNCL, ce sont treize paires d'oreilles ensablées. Elle ne lance qu'au compte-gouttes les appels d'offres, juridiquement obligatoires, pour l'ouverture de nouvelles fréquences. Hersant s'énerve. On lui gâche son été.

Il trouve tout de même le temps à la fin juillet de passer un week-end en Sardaigne à l'invitation de Gilbert Gross. Il n'est pas le seul invité. Silvio Berlusconi les rejoint pour trente-six heures. Le soir, les trois hommes se retrouvent après le dîner pour discuter du prochain lancement de la Cinq et de ses finances. L'acheteur d'espace, en raison de ses relations d'amitié et d'affaires avec Robert Hersant, se dit prêt à aider au démarrage de la Cinq.

Bien qu'hostile à ce type de fonctionnement, Berlusconi s'est fait une raison. Comme il ne peut pas s'opposer aux pratiques de son associé, P-DG de la chaîne et maître de la régie, il s'efforce de jouer le jeu. Mais tant qu'à faire en prenant au mot la centrale et en plaçant au plus haut la barre de l'« aide » offerte. Berlusconi demande donc 1 milliard de francs de garantie de recettes à Gilbert Gross! C'est deux ou trois fois plus que ne veut proposer l'acheteur d'espace à une chaîne naissante dont on ne peut préjuger des résultats.

Berlusconi doit en rabattre.

Robert Hersant revient à Paris avec la même crainte à l'estomac : les recettes futures de la Cinq. Comme tous les publicitaires, Gilbert Gross n'est pas un mécène qui jette l'argent par la fenêtre de la télévision. Pour obtenir les réservations publicitaires, pour vendre l'espace, il faut être en mesure de garantir aux annonceurs et aux agences de publicité une audience minimum. Voulant forcer la nature des choses et croire en un sursaut de la CNCL, Robert Hersant adresse, en août 1987, une lettre aux agences et aux annonceurs dans laquelle il promet que la Cinq se sera taillé une part de 25 % dans le marché de la télévision avant la fin de l'année. C'est plus du double de ce que la chaîne pesait au printemps (environ 11 %) et près de la moitié de la part de marché de TF1 (42 %). Hersant a pris seul, sans consulter Berlusconi, la décision de donner une garantie aussi irréaliste aux annonceurs, auxquels il affirme qu'il les « remboursera si les 25 % ne sont pas atteints ».

C'est de la folie pure, compte tenu de l'état du réseau de la Cinq et de la faiblesse de son budget, qui ne dépasse pas 1,8 milliard. Une somme considérable pour ses actionnaires, mais un budget modeste en regard de ceux de A2 (2,5 milliards) ou de TF1 (3,8 milliards). Quand Berlusconi découvre l'engagement pris par le P-DG, son inquiétude pour l'avenir monte d'un cran. Il est mathématiquement impossible de multiplier par deux l'audience de la chaîne dans les six mois à venir. Mais il est trop tard pour faire machine arrière. La campagne de rentrée de la Cinq est lancée.

Sur les murs des grandes villes de France, y compris celles des régions où la Cinq ne dispose pas d'émetteurs, apparaissent de grandes affiches avec les visages de Collaro, Sabatier et Sébastien et le slogan de la chaîne, « *Thank you la Cinq* ». L'affiche est censée stimuler encore plus le ressentiment des élus locaux et des téléspectateurs qui, par la « faute » de la CNCL, seront privés des shows de Collaro...

Robert Hersant ne se rend compte de l'erreur commise auprès des annonceurs qu'à la fin du mois d'août, à quelques jours du lancement de la grille. Un doute tardif le saisit sur les scores d'audience qu'atteindra réellement la chaîne. De quoi aura-t-il l'air si la Cinq est au-dessous du seuil promis?... Avec Philippe Ramond, ils tournent et retournent la question dans tous les sens. Une solution jaillit, qui ne sera pas la bonne mais fera grand bruit. Au fond, se disent Hersant et Ramond, tout dépend du verdict que rendra le principal organisme qui, en France, mesure l'audience des chaînes de télévision, l'institut Médiamétrie. L'arbitre-roi de l'audiovisuel, et donc de la répartition de la manne publicitaire, c'est, en définitive, ce fameux indice Audimat. Un point d'audience Audimat en plus ou en moins, ce sont quelque 300 000 téléspectateurs et consommateurs qui viennent ou s'éloignent d'un programme. Ça pèse lourd.

Mais, au fait, cet instrument de mesure est-il bien fiable? s'interrogent Hersant et Ramond. Qu'est-ce qui prouve que ses installations, son « panel » de téléspectateurs représentent fidèlement l'audience des chaînes? Après tout, ce panel a-t-il même une signification dans le cas de la Cinq et de son réseau en peau de léopard? Il faudrait pouvoir examiner ce panel de téléspectateurs types chez qui Médiamétrie a installé ce boîtier noir (Audimat), relié par une ligne téléphonique à un ordinateur central qui enregistre si la télévision est allumée, et sur quelle chaîne.

Fin août, avec aplomb, habileté et les arguments d'une chaîne légitimement inquiète sur la manière dont on mesure son audience, Philippe Ramond obtient de la présidente de Médiamétrie, Jacqueline Aglietta, communication des détails du panel. Ce sont en principe des informations ultraconfidentielles, qui ne doivent pas être transmises aux médias. Ramond saura jouer de son astuce. Dans le doute quant aux résultats futurs de la Cinq, il s'arrange pour faire savoir à la presse et à TF1, qui monte immédiatement sur ses grands chevaux, qu'il connaît la répartition du panel et que celui-ci n'est peut-être pas fiable. Cela suffit à montrer que la confidentialité du panel n'est pas sûre à 100 %, et à introduire – c'est l'objectif recherché – le doute dans les esprits sur l'exactitude de la mesure de l'audience.

Ainsi, plutôt que de s'exposer demain à une médiocre poussée de fièvre en faveur des programmes de la Cinq, Hersant et Ramond ont choisi de discréditer, sinon de briser, le thermomètre des chaînes.

Virulente, la polémique qui s'engage à la rentrée 1987 sur l'affaire du « Panel Médiamétrie » ne suffira pas à sauver Hersant de la nasse dans laquelle il s'est pris vis-à-vis des annonceurs. Malmené pendant une quinzaine de jours, victime de suspicion de la part des autres chaînes, Médiamétrie ne tarde pas à retrouver son calme et à faire respecter les chiffres qu'il fournit.

D'abord, parce que ce sont pratiquement les seuls dont puissent se servir chaînes et annonceurs. Ensuite parce que, panel confidentiel ou pas, la Cinq s'enfonce d'elle-même dans une tragédie qui va durer quatre ans.

CHAPITRE IV

Petites étoiles et grand « trou noir »

« C'est un désastre. Et c'est de la merde! » La réaction de Robert Hersant aux premières émissions des stars qu'il a payées une fortune est sans ambiguïté. A la mi-septembre 1987, pendant quelques jours, il ne décolère pas. C'est pire encore quand Médiamétrie commence à égrener les scores de la Cinq. La grille généraliste qui veut tailler des croupières à TF1 ne dépasse pas les 4 % en moyenne nationale, et les 10 % si l'on ne tient compte que des zones où la Cinq est reçue. L'échec est cinglant. Et son coût terrifiant pour le patron du *Figaro*.

Quand ils visionnent une à une les émissions de Sébastien, Collaro et Sabatier, qui leur coûtent entre 2 millions et demi et 3 millions et demi pièce, Hersant et l'équipe italienne se sentent littéralement grugés. Hersant trouve l'émission de Sébastien « vulgaire », Sabatier est « insipide », et Collaro est « consternant » sur quatre-vingt-dix minutes... Ils se demandent où passe l'argent des budgets. Les stars, leurs maisons de production et leurs agents sont priés d'en mettre un peu plus à l'antenne et un peu moins « dans leurs poches ».

Chez les vedettes, c'est la panique. Sabatier est ébranlé. Dès la deuxième émission, il est comme transparent à l'écran. Il semble abattu. Il l'est. De même pour Collaro et Sébastien. Ils sont écrasés par la minceur de leurs audiences et le flot des critiques. En passant de TF1 à la Cinq ils ont perdu dix à quinze millions de téléspectateurs. Le stress plombe leurs visages sous les projecteurs.

Hersant râle un peu plus chaque semaine. Et on le comprend. Le reste de l'antenne ne tient pas debout. Le carosse de la Cinq dont il rêvait se transforme en citrouille farcie de séries américaines et entrelardée d'informations jetées aux téléspectateurs du fin fond d'un décor sinistre. Marie-France Cubbada, qu'il a fait des pieds et des mains pour débaucher de TF1, est inexistante. Guillaume Durand fait ce qu'il peut pour sauver les meubles, en vain. Ouvert aux premières mesures ringardes et tape-à-l'oreille de *Ainsi parlait Zarathoustra*, le journal de vingt heures se fait devant un rideau noir et sous une lumière lugubre, comme en direct et « par satellite » des Pompes funèbres générales. Avant le journal, sévit le grasseyant humour de Philippe Bouvard. La Cinq est mortelle. Seul la sauve de l'ennui l'enchevêtrement des séries américaines concocté par Carlo Freccero, distrayant et réussi, pour les amateurs.

L'atmosphère dans la chaîne se dégrade à grande vitesse. Par atavisme et facilité, les équipes française et italienne se renvoient mutuellement la responsabilité du « flop ». Philippe Ramond essaie d'asseoir son pouvoir sur la Cinq au détriment des hommes de Berlusconi, qui se sentent mal à l'aise. C'est bien Berlusconi, rappelle-t-on à l'envi, qui a encouragé Hersant à débaucher les stars. Et Berlusconi se lamente, à Paris comme à Milan : « On n'atteindra jamais les 25 % promis par Hersant. »

Le jour où on lui présente les premiers chiffres d'audience de Sébastien et de Sabatier, le visage de Francis Bouygues se décompose. Il se décompose *de joie*. Moins de 5 % d'audience nationale pour ceux qu'il a appelés, dans une conférence de presse au lendemain de leur départ, « les stars du passé ». Il y a une justice ! Dès le 15 septembre 1987, Bouygues sait que la Cinq n'a aucune, mais alors vraiment aucune chance d'atteindre les 25 % sur lesquels Hersant s'est engagé.

« Ça va lui coûter une fortune ! » rigole Bouygues. Après six mois de craintes et d'angoisses, le PDG de TF1 respire. Patrick Le Lay aussi. La pente n'a pas été facile à remonter depuis le printemps chaotique qui a suivi l'attribution. Mais tout s'est arrangé. Avec Etienne Mougeotte, ils avaient tout pour s'entre-déchirer : ils se sont entendus. Fin avril, en urgence, Le Lay et Mougeotte ont repris en mains les contrats des animateurs et journalistes pour parer à une nouvelle hémorragie. Ils ont signé Mourousi, Sinclair, Polac, Cotta [1], ils ont embauché Ockrent, Poivre d'Arvor, Foucault, pris Breugnot, Dechavanne et Cantien à A2...

Francis Bouygues a beau avoir déclaré dix fois qu'il refuserait les salaires aux « tarifs scandaleux et anarchiques », il n'en a pas moins cédé à la surenchère. En tant que directeur adjoint, Christine Ockrent décroche une rémunération mensuelle de 230 000 francs, Yves Mourousi dira la messe de 13 heures pour 200 000 francs,

1. L'ex-présidente de la Haute Autorité animait depuis décembre 1986 une émission consacrée à la presse sur TF1.

Poivre d'Arvor se contente de 120 000 comme salaire de débutant, et Anne Sinclair joue la modestie avec 110 000 francs. Beaucoup ont fait grimper les prix en invoquant leurs tractations avec la Cinq et Berlusconi.

Bouygues peut doublement se réjouir. A l'échec de la Cinq répond en écho le démarrage prometteur de la grille de TF1 concoctée par Etienne Mougeotte et un consultant dont la Une s'est attaché l'exclusivité, orfèvre de la programmation et le plus discret des hommes, Pierre Wiehn, qui avait été autrefois responsable des programmes de A2 avec Pierre Desgraupes. Wiehn a un sens inné de ce qui plaît ou ne plaît pas au public et ne s'embarrasse pas de théories fumeuses. C'est un sensitif qui raisonne en se disant que Molière a déjà tout inventé en matière de divertissement et d'édification du public. Il suffit de suivre la voie tracée par Jean-Baptiste Poquelin en respectant les goûts du téléspectateur sans l'assommer de prétendue culture. Quitte à se voir reprocher d'être démagogique.

Mais l'atmosphère sur TF1 n'est pas pour autant plus sereine que sur la Cinq. L'effervescence confine parfois au terrorisme. Le système Bouygues, la rugosité des rapports humains, l'individualisme exacerbé, la compétition érigée en mode de vie au quotidien, à l'antenne comme en coulisse, font de TF1 une entreprise difficile à vivre. La précarité du moindre poste est telle que certains hésitent à prendre leurs congés de crainte de se voir remplacés pendant leur absence. La propension de Bouygues et Le Lay à se montrer intraitable dans la conduite des affaires est, à TF1, sans doute accrue par la peur d'échouer dans un secteur nouveau.

Riche en symboles, cette rentrée est celle où la Une innove et surprend en faisant ce que toutes les chaînes commerciales finiront par faire : afficher l'indice Audimat de la veille dans les ascenseurs, en bonne place à côté du cours de l'action TF1 ! C'est aussi le moment où, presque « pour l'exemple », Bouygues montre sa poigne sur TF1 en virant du jour au lendemain l'animateur Michel Polac. Officiellement pour avoir, dans son émission du samedi 19 septembre 1987, consacrée au pont de l'île de Ré, laissé passer à l'antenne un dessin de Wiaz par trop ironique à l'égard de Bouygues, constructeur de cet ouvrage. On y voyait le bâtisseur en colère et la légende : « *Une maison de maçon. Un pont de maçon. Une télé de m...* ». Mais s'il est effectivement vexé par la caricature de Wiaz, Bouygues ne limoge pas Michel Polac pour ce seul motif.

Car au même moment une tout autre affaire prend son essor. Elle concerne la CNCL, et Polac a commis l'imprudence d'en faire mention dans sa précédente émission, le samedi 12 septembre 1987.

L'affaire en question a débuté avec le dépôt d'une plainte par une petite radio, Larsen-FM, à l'encontre d'une autre station, Radio-Courtoisie, pour « *corruption active, passive, ou trafic d'influence* ».

Le dossier met en cause la manière dont la CNCL autorise les radios à émettre sur la bande FM. Depuis, les rumeurs circulent. Les investigations du juge Grellier, chargé du dossier, se rapprochent de plus en plus du collège de la rue Jacob. En mettant cette information au sommaire de « Droit de réponse », Michel Polac s'est attiré les foudres de la Commission. Gabriel de Broglie a écrit à Francis Bouygues pour exiger un rectificatif.

Ce différend avec la CNCL ne peut plus mal tomber pour le PDG de TF1 qui essaie à ce moment de faire obstacle, auprès de cette Commission, aux exigences de Robert Hersant sur l'extension du réseau de la Cinq. Patiemment, Francis Bouygues s'emploie à faire admettre qu'il ne faut pas agrandir les réseaux de la Cinq et de M6, car cela reviendrait à faire perdre de la valeur à TF1, une chaîne qu'il a achetée 3 milliards à l'Etat, alors que la Cinq n'a pas coûté un centime à Hersant. Si on augmente le réseau, donc l'audience de la Cinq, on réduira du même coup les recettes de la Une. Dans la « guerre totale » qu'il mène contre le patron du *Figaro*, tous les moyens sont bons pour enrayer le développement de la Cinq. A plus forte raison quand celle-ci est déjà affaiblie par l'échec de sa rentrée.

Cela signifie qu'il y a une chance de l'étouffer.

A propos d'exécution capitale, celle de la CNCL par François Mitterrand dans les colonnes du *Point* est un modèle du genre. Dans une interview publiée le week-end du 19-20 septembre 1987, le chef de l'Etat tire à boulets rouges sur cette CNCL qu'il aime à appeler « Commission nationale de la communication et... de je ne sais plus quoi ». Cet organisme, dit-il, « *n'a rien fait jusqu'ici qui puisse inspirer ce sentiment qu'on appelle le respect...* » Se référant à la nomination des PDG de l'audiovisuel public en décembre 1986, un « *exemple* » parmi d'autres, il s'en prend avec ironie à « *l'intuition divinatoire qui a conduit la majorité des membres de la CNCL, dès le premier tour, à faire se rencontrer leurs votes sur les noms de nouveaux dirigeants qu'ils ne connaissaient pas la veille,* [intuition qui] *ferait croire au miracle, si le miracle hantait ces lieux* ».

La condamnation est sans appel. Cela fait des mois que le Président ne cache plus son irritation devant la conduite des affaires en matière de Communication par le gouvernement Chirac. Au fond de lui-même, François Mitterrand n'a jamais accepté le meurtre de la Haute Autorité par la loi Léotard, ni le fric-frac politico-industriel auquel ont ressemblé la réattribution de la Cinq, de la Six, et la privatisation de TF1. Il est ulcéré par la servilité de la CNCL dont Bertrand Labrusse et Catherine Tasca lui narrent périodiquement les épisodes les plus croustillants.

L'un de ces épisodes l'a mis, une nouvelle fois, hors de lui. Il s'agit de la bienveillante tolérance dont la CNCL a fait preuve, en Nouvelle-Calédonie, pour l'installation pirate (par TDF!) d'un émetteur très puissant pour une radio favorable au RPCR de Jacques Lafleur, Radio Rythme Bleu. Au détriment, bien sûr, des mouvements indépendantistes. Et ce à six mois de l'élection présidentielle...

Dévoilée début septembre par Catherine Tasca, Bertrand Labrusse et Roger Bouzinac, qui se sont rendus en mission sur place fin août, l'affaire n'a pas ému outre mesure la très collégiale CNCL, qui a décidé de ne pas réagir et de couvrir cette flagrante irrégularité. Il y a eu des séances plénières houleuses à ce propos rue Jacob, lorsque les trois enquêteurs ont soutenu qu'il fallait interrompre cela « tout de suite ». « Vous voulez faire interdire cette radio parce qu'elle est RPCR. Votre proposition est orientée », leur a répondu le président de Broglie. « Vous ne demandez pas l'arrêt des radios insurrectionnelles, celles du FLNKS! », ajoutait Michel Droit avec son sens coutumier de la nuance... Indignée par l'attitude de la Commission, Catherine Tasca a démissionné le 14 septembre de son groupe de travail « Information ».

C'était assez pour faire déborder la colère du Président sur les pages d'un hebdomadaire. Chaque mot de l'entretien est comme un bâton de dynamite glissé dans les fondations de l'organisme. François Mitterrand le tue net. Le lundi 21 septembre, la Commission, qui se veut « *sereine* », tente d'esquiver le coup par un communiqué filandreux, invoquant les grands « *principes* », le « *législateur* », et sa « *parfaite indépendance* »... C'est un communiqué qui ressemble au râle d'un agonisant.

A peine le numéro du *Point* est-il paru, la CNCL est déjà morte.

« Non mais, tu entends ça! Nous sommes des parrains, des mafieux. Mais c'est fou! On serait un oligopole à nous seuls... Ce n'est pas possible de lire autant de conneries. Tu te rends compte?

– Oui, Gilbert, répond Francis Gross à son frère. Laisse-les dire ce qu'ils veulent. On sait d'où ça vient, ce sont toujours les mêmes et on ne peut rien y faire. Quand « ils » verront ce qu'on prépare, ce sera bien pire que ça. »

Des éclats d'humeur de ce style, Gilbert Gross en a un par trimestre depuis deux ans. Depuis l'ouverture des chaînes privées, depuis que les professionnels de la publicité ont compris que l'élargissement de l'offre d'espace allait être un formidable filon financier. La chasse est ouverte. Son frère Francis, qui pourrait passer pour son jumeau tant il lui ressemble, l'approuve, tout en essayant de le calmer. Mais Gilbert Gross explose intérieurement en lisant ou en entendant dire que son groupe n'est qu'un parasite sur le dos des médias, une sangsue égoïste. Il hésite entre la riposte et le silence méprisant. Souvent, il s'insurge du fait que la plupart de ceux qui l'attaquent sont d'honorables confrères qui font exactement la même chose avec leurs agences de publicité...

Parfois, il laisse échapper la vapeur en donnant dans la provocation totale. On lui reproche de ne pas pratiquer la transparence des tarifs, de ne pas dire à combien s'élèvent les commissions qu'il prélève sur le budget des annonceurs? « Mais qui donne ses tarifs en France? Personne! Est-ce que les agences qui achètent de l'espace révèlent aux annonceurs le prix exact qu'elles payent? Jamais! Naturellement. Et en plus ces agences font produire à leurs clients des spots qui coûtent des millions de francs... » Elles cumulent comme autant de râteliers les activités de création publicitaire, de régie, et d'achat d'espace.

Evidemment, fulmine-t-il rue Jacques Dullud, au milieu de ses avions, ce sont ses « ennemis », les Publicis, les Séguéla, les agences FCA! et BDDP qui colportent ces bruits selon lesquels il serait une sorte de « parrain » de la pub. Mais qui sont-ils donc pour s'ériger en juges de ce qu'il convient de faire ou non? En vertu de quoi s'instituent-ils les moralisateurs d'une profession où, comme lui, ils ne rêvent que de croquer une plus belle part de marché et d'empocher de superprofits? Où est-elle donc, cette déontologie que tous ont à la bouche dans les tribunes mais qu'ils déchirent à coups de crocs dès qu'il s'agit de conquérir les millions des annonceurs et de pressurer les médias? Son ressentiment est encore monté d'un cran au début 1987, lors de la constitution du « front du refus » contre l'alliance Havas-Hachette. Un « front » à l'évidence tout autant dirigé contre sa centrale d'achat.

Cette fois, la coupe est pleine. Quand il a vu hurler contre lui, dans ce regroupement d'agences, certains de ceux qui, en sous-main, offraient de se marier avec son groupe pour accéder à un niveau d'affaires beaucoup plus élevé, Gilbert Gross n'y a plus tenu. Des agences qui dénoncent à qui mieux mieux le principe des centrales, mais en créent elles-mêmes, s'associant entre grandes agences... L'accusation d'entente illicite serait-elle à sens unique? Tant qu'à être le « vilain » de l'histoire autant être un « grand vilain ». Un géant. Il l'est déjà. Il peut le devenir plus encore.

C'est à cela que fait allusion Francis Gross en évoquant ce qu'ils « préparent ». Les deux frères en ont longuement parlé; avec la télévision, le métier va changer. Compte tenu des sommes colossales qui vont s'investir dans ce média au cours des prochaines années, on ne pourra plus se contenter d'acheter de l'espace en gros. Les clients, les annonceurs, voudront savoir de plus en plus précisément ce qu'ils paient. Demain, la sélection des emplacements, le tri des écrans publicitaires, la précision des mesures d'audience et de composition du public des émissions seront des éléments déterminants pour l'annonceur au même titre que le simple fait de payer l'espace au meilleur prix. L'avenir pour le groupe, se disent Gilbert et Francis Gross, c'est le passage du « quantitatif » au « qualitatif ». Il faut ajouter l'expertise la plus fine du média télévision à l'activité d'achat d'espace. Le premier qui se positionnera sur ce secteur emportera les marchés. L'éclatement et la diversification de l'audiovisuel obligent la centrale à mettre en place une structure d'analyse permanente des médias, de leur économie, et des audiences.

Début 1987, ils ont pris la décision de créer une société dont l'expertise sera la seule activité. Gilbert Gross a demandé à un cabinet de « chasseurs de têtes », la société Leaders Trust International, de lui proposer des noms de professionnels qui pourraient s'occuper de ce nouvel instrument et arme de guerre contre la concurrence. En mai, ce cabinet a pris contact avec le nom qui a été retenu. Il s'agit d'un jeune homme de trente-cinq ans qui a dirigé les programmes de TF1 : Pascal Josèphe. Depuis qu'il a été évincé par l'arrivée de Mougeotte et qu'Hervé Bourges a quitté la Une, Pascal Josèphe a accepté de rester pour quelques semaines encore le lointain conseiller de Patrick Le Lay, en attendant de trouver mieux.

C'est donc à la mi-septembre 1987 que naît Carat TV, société dont Josèphe est le directeur. Au-delà d'une simple création de filiale, c'est une complète révolution de l'empire Gilbert Gross que préfigure la dernière-née. Le nom lui-même, emprunté à une de ses filiales (Centrale d'achat de radio et télévision, Carat), va remplacer celui du groupe qui, de GGMD, devient Carat. La structure devait être « opérationnelle » cette rentrée même, prête à disséquer et accompagner la guerre des chaînes. Elle l'est. Aux côtés de Francis et Gilbert Gross, Pascal Josèphe disposera de tous les moyens humains, financiers et technologiques qu'il estimera nécessaires pour mettre sur pied le premier instrument d'études et de prévision d'audience en Europe.

Autrement dit, pour forger, avant les concurrents, qui eux aussi s'organisent, la clef de l'eldorado publicitaire de demain.

Loin de s'améliorer, la situation de la Cinq s'envenime en octobre. Malgré la campagne publicitaire, les stars piétinent. L'audience stagne. Hersant est un homme au visage creusé, nerveux. Aux abois. La Cinq dévore son temps et son argent. Jour et nuit, il ressasse les chiffres. C'est un peu plus de trois millions de francs *par jour* qu'il va falloir rembourser, comme promis, aux acheteurs d'écrans publicitaires. Il s'est passé la corde au cou avec cette garantie de 25 %. Ce qui devait être une arme marketing se retourne contre lui. Pour les seules quatre premières semaines de la nouvelle grille, l'ardoise pourrait atteindre 150 millions! A ce rythme, les quelque 400 millions de déficit prévus pour l'année 1987 vont au moins doubler. Il y a urgence à réagir.

Mais Hersant, qui a voulu que ce soit ainsi dès le premier jour, se sent bien seul. Seul et pauvre. Endetté, lesté des pertes de *France Soir*, son groupe aura du mal à supporter le quart du déficit qui s'annonce sur la Cinq...

Conformément à leur accord, Silvio Berlusconi se borne à vendre des programmes à la chaîne. Depuis l'attribution, Jérôme Seydoux est le modèle du « sleeping partner ». Pas un mot. Pas un geste. Le patron de Chargeurs SA ne se mêle pas de la Cinq. Ce qui n'empêche pas Hersant de se méfier constamment des deux anciens patrons de la chaîne. Il ne sait pas comment il doit prendre ce que lui répète « Sua Emittenza » chaque fois qu'ils abordent ensemble l'échec en cours. « Il faut persévérer, dit Berlusconi, attendre que le réseau se développe et alors l'audience viendra. Nous devons patienter et investir. La part de marché suivra... » Le président de la Socpresse voudrait y croire. Mais avec quoi, avec quel argent pourrait-il encore « investir »?

Le jeudi 8 octobre 1987, par courrier, Hersant prend la CNCL aux épaules et la secoue violemment. Les simagrées ont assez duré, dit-il en substance dans sa lettre, passons aux choses sérieuses. Ou bien la Commission se réveille et octroie à la Cinq une « *couverture nationale* », ou bien la Cinq mettra la clef sous la porte. « *Nous voici confrontés*, écrit le P-DG de la chaîne, *à l'inéluctable responsabilité d'assurer le service de la Cinq. Ou cesser d'émettre. La nation a confié à la CNCL le pouvoir de décider souverainement, et nul ne peut se substituer à vous. Le sort de la Cinq est entre vos seules mains.* »

C'est la menace d'un homme acculé, aigri par sa propre maladresse et son imprévoyance. Groupe de presse influent et relations politiques au plus haut niveau de la cohabitation ne peuvent rien pour lui. Désormais, après avoir rêvé la Cinq, Hersant la subit.

Le conseil d'administration de la Cinq qui se tient le mardi 13 octobre marque la fin de ses – grandes – illusions en télévision. Ce sera l'un des conseils les plus intenses et dramatiques de l'histoire de la chaîne. Les administrateurs sont priés de ne pas mettre un pied hors de la salle, l'immeuble est assiégé par les journalistes. On y dresse le constat d'échec et on enregistre avec un déplaisir imaginable le lourd déficit en perspective. C'est au cours de cette séance morose et tendue qu'on apporte une dépêche à Robert Hersant, qu'il fait circuler. L'AFP annonce le départ de Patrick Sabatier de la Cinq. Aux administrateurs surpris, Hersant explique et confirme; il a reçu la veille l'animateur et accepté sa démission. Sabatier quittera la chaîne en décembre prochain.

Au cours des semaines suivantes, Patrick Sébastien et Stéphane Collaro prendront le même chemin en négociant financièrement leur départ. Les stars s'en vont, au grand soulagement de Robert Hersant et de... Francis Bouygues. En dépit des propos acrimonieux et féroces à leur égard, le P-DG de TF1 et Patrick Le Lay se sont efforcés de maintenir le contact avec – et la pression sur – ces êtres fragiles et sensibles que sont les vedettes. Acceptant de jouer à l'extérieur leur rôle de dirigeants « trahis », ils ne se sont pas pour autant résignés à perdre. D'invitations en petits mots aimables, d'assurances d'amitié en offres de contrats au moins aussi mirifiques que ceux de Berlusconi et Hersant, Francis Bouygues a su renouer, depuis le mois de juin 1987 – soit avant même leurs premiers pas sur la Cinq – avec les stars...

A l'automne, c'est un jeu d'enfant pour TF1 que de convaincre ces vedettes déstabilisées, en manque d'audience et d'affection, de « rentrer à la maison ». Des délais de décence seront respectés et leur retour sur TF1 ne sera officialisé qu'au début de 1988.

Dans la foulée de ce conseil d'administration, Robert Hersant annonce qu'il « renonce » à la garantie d'audience. C'est la Berezina. Constatant l'étendue des dégâts, Silvio Berlusconi commence à plaider en faveur d'un format simplifié, avec des séries et, concède-t-il, un peu « d'informations » puisque « Robert » y tient et qu'il a embauché toute une rédaction que dirige Patrice Duhamel. Mais si cela ne dépendait que de lui, Berlusconi fermerait immédiatement ce poste qui coûte beaucoup et ne rapporte rien en publicité.

Fin 1987, Robert Hersant fait le point avec Silvio Berlusconi à Milan.

« Que faisons-nous l'an prochain? résume Hersant. On n'a toujours pas le réseau escompté, on n'a pas d'audience, la publicité ne rentre pas... Et la réalité est la suivante : nous en sommes à 880 millions de pertes pour 1987. Il faut une augmentation de capital d'un milliard pour continuer. Qu'en pensez-vous?

– Moi, dit Berlusconi, je suis à votre disposition pour continuer. Mais on ne peut pas s'obstiner à faire la même télévision. Et vous, que souhaitez-vous faire?

– Je n'ai pas beaucoup le choix, dit évasivement Hersant. Il faut continuer et redresser cette situation. »

« Alors, et Guilhaume, quand allez-vous le faire nommer? » José Frèches n'en croit pas ses yeux ni ses oreilles. De mémoire de conseiller à Matignon, on n'a jamais vu un tel concours de pressions auprès du Premier ministre pour caser un protégé dans un fauteuil vacant. L'heureux bénéficiaire de cette encombrante protection se nomme Philippe Guilhaume. Son mentor n'est autre que le président de l'Assemblée nationale, Jacques Chaban-Delmas, dont il est le neveu par alliance. Quant au fauteuil convoité, c'est celui de la SFP, une société plongée dans des difficultés financières sérieuses, accentuées par une loi Léotard qui, en dérégulant brutalement l'économie des chaînes, et en supprimant une bonne part des commandes obligatoires dont elle vivait, a fait chuter son chiffre d'affaires et lui a fait redécouvrir les joies du conflit social et des menaces de licenciements. Il y a beau temps que l'Etat se conduit en goujat à l'égard de la SFP, promettant une aide qui ne vient jamais, jurant ses grands dieux qu'il ne licenciera pas mais exigeant d'incohérentes restructurations des P-DG successifs de cet établissement.

Il y a beau temps, mais il faut dire que la cohabitation chiraquienne décroche la médaille du « je-m'en-foutisme » à l'égard de cette société qui joue un rôle considérable dans la confection d'une grande partie de ce que les téléspectateurs regardent chaque jour. C'est sur ses plateaux, dans ses studios, avec ses techniciens que sont réalisées nombre d'émissions de variétés, de jeux, de fictions. C'est la SFP qui assure la qualité des directs, des retransmissions sportives comme le Tour de France, Roland-Garros... A l'écart des chaînes, mais issue de l'ex-ORTF, la SFP est, encore en 1987, alors que commencent à se développer des sociétés de production indépendantes, la pierre angulaire de la production audiovisuelle. C'est cette compagnie que la cohabitation laisse vivre depuis des mois dans un flou qui n'a rien d'artistique, un no man's land décisionnel dangereux, « oubliant » de la doter d'un nouveau conseil d'administration, négligeant de confirmer ou de remplacer François Lemoine, qui fait fonction de président depuis la démission de Bertrand Labrusse en juillet 1986.

Non seulement le gouvernement Chirac s'en désintéresse, mais il n'a même pas le réflexe de charger quelqu'un de s'occuper de cette société. Plus grave, depuis l'été 1987, il s'est mis en situation de céder aux coups, d'abord de pouce, puis de boutoir, qu'exercent certains de ses alliés politiques. « Il faut nommer Guilhaume à la SFP. » Voilà le message que le cabinet de Jacques Chaban-Delmas serine aux oreilles de Matignon. Pourquoi? Parce que Philippe Guilhaume en a envie, et qu'il se verrait bien à ce poste. C'est un peu court, se dit-on à Matignon où, prudent, on cherche aussitôt à savoir qui est exactement ce Philippe Guilhaume.

On ne peut pas dire qu'au vu de son itinéraire professionnel, José Frèches, Maurice Ulrich et Denis Baudouin ont immédiatement senti qu'ils devaient le nommer à ce poste. Bien au contraire. Philippe Guilhaume n'a pas, estiment-ils, le profil du gestionnaire qu'il faudrait à la SFP. L'échec de la European Business School, qu'il a autrefois fondée, le déficit notoire de Téléfrance USA alors qu'il était dirigeant de la Sofirad et conseiller de son P-DG Gouyou-Beauchamps ne sont pas les titres de gloire requis pour redresser le secteur de la production.

Qu'à cela ne tienne. A quarante-cinq ans, Philippe Guilhaume croit qu'il a une chance de pénétrer en force dans l'audiovisuel. Et Jacques Chaban-Delmas, qui l'a pris comme conseiller depuis qu'il est président de l'Assemblée, revient régulièrement à la charge chez Chirac. Pendant tout l'automne 1987, Frèches et Baudouin freinent des quatre fers. « Ce serait une erreur, il n'est pas fait pour ce poste », disent-ils sans ambages. Philippe Guilhaume y tient d'autant plus qu'il l'attend depuis maintenant six mois, ce poste à la SFP. Il bénéficie d'attributions et d'un bureau à l'hôtel de Lassay auprès de Chaban, mais c'est des Buttes-Chaumont qu'il rêve. « Je vais avoir la SFP », avait-il confié en juin à Claude Lemoine, son partenaire de réflexion sur le satellite TDF1.

Apprenant qu'on songeait à Philippe Guilhaume pour la SFP, Bertrand Labrusse, son ancien P-DG, était allé voir sa consœur de la CNCL, Daisy de Galard, qui connaissait le président de l'Assemblée, pour lui demander si c'était exact. « Mais ce n'est pas possible, Chaban est devenu fou! », s'était-elle écriée, en ajoutant : « Si c'est vrai, je vais lui en parler. Guilhaume ne peut pas s'occuper de la SFP, c'est inconcevable... » La réaction de Daisy de Galard s'expliquait : femme de programmes au fait des mécanismes de la production, elle avait assisté chez Gaumont, à la fin des années 70, à la coûteuse expérience de Téléfrance USA.

Il n'empêche. A l'usure, Jacques Chaban-Delmas parvient à tirer son poulain vers la nomination. Au cours de l'hiver 1987, il fait même venir Bertrand Labrusse pour lui demander de cesser « sa campagne » contre Guilhaume. Dans un forcing de fin d'année, le cabinet de Chaban harcèle de plus belle José Frèches. De guerre lasse, Jacques Chirac cède. S'il n'a aucune envie particulière de voir Guilhaume à la tête de la SFP, il a suffisamment d' « emmerdements » par ailleurs avec les otages, une fin de cohabitation périlleuse et la préparation de la présidentielle pour ne pas y rajouter les réclamations de Chaban. La nomination de Guilhaume est inscrite à l'ordre du jour du conseil des ministres, fin décembre. Sur ordre du Premier ministre. Furieux et définitivement persuadé que c'est une « connerie », José Frèches profite d'un déplacement à l'étranger de Jacques Chirac pour retirer la nomination de Guilhaume de l'ordre du jour du conseil.

Baroud inutile. Au retour de Chirac, Chaban s'insurge et, le mardi 5 janvier 1988, Philippe Guilhaume est nommé P-DG de la SFP.

A partir de janvier 1988, la Cinq se replie sur une formule « fictions-infos ». Elle essaie d'assurer une transition en douceur, car, sur le fond, cela revient à renier l'engagement pris devant la CNCL de faire une chaîne « généraliste ». On supprime donc une à une les émissions de variétés et les magazines. Carlo Freccero est promu grand artificier d'un crypto-festival de séries américaines. Et en quelques semaines le « miracle » a lieu avec « Kojak », « Mike Hammer », « Lou Grant » et re-« Star-Trek-Supercopter », et re-vieux « Maigret » en noir et blanc... La courbe d'audience, qui avait flanché avec la grille de rentrée, s'inverse et commence à remonter vers les 8 %, 9 % et bientôt 10 % d'audience nationale.

La CNCL fait grise mine et engage des passes d'armes avec Philippe Ramond sur le respect des quotas, en particulier l'obligation faite à la chaîne (et volontairement consentie en audition publique un an plus tôt) de diffuser des programmes français et européens. Mais, pour le moment, la Commission de Gabriel de Broglie a d'autres chats à fouetter. L'un des siens, Michel Droit, a été inculpé de « forfaiture » par le juge Grellier dans le cadre de l'affaire des radios de la bande FM. L'académicien se voit reprocher d'avoir favorisé l'octroi d'une fréquence à Radio-Courtoisie dont l'un des responsables est un collaborateur du *Figaro-Magazine*. Déjà passablement écornée, la respectabilité de la CNCL n'en sort pas grandie. Droit a porté plainte à son tour, contre... le juge, et obtenu son désaisissement en décembre.

L'affaire devient un scandale dans lequel la Commission s'empêtre

470

sans qu'il soit possible, apparemment, d'établir la vérité sur les accusations portées contre elle [2]. Il n'est pas jusqu'au président de la CNCL lui-même, Gabriel de Broglie, qui ne soit entendu dans le cadre de l'information ouverte.

Hersant veut-il vraiment continuer sur la Cinq? Berlusconi n'en est pas si sûr. Depuis le conseil d'administration du 13 octobre 1987, l'équipe italienne ne peut s'empêcher de lire dans l'aveu d'échec et l'attitude du patron du *Figaro* l'annonce d'un retrait prochain. Hersant donne l'impression qu'il est, financièrement et psychologiquement, incapable de poursuivre l'aventure. Il y a de la démobilisation dans l'air. Au cours de l'automne, « Sua Emittenza » se convainc que Robert Hersant sortira de la Cinq à la première occasion, mais qu'il ne peut le faire maintenant pour des raisons politiques. Une nouvelle fois, l'audiovisuel vit exclusivement au rythme des prochaines élections, les présidentielles de mai 1988.

Dans le duel TF1-la Cinq, les jeux sont donc faits dès le départ. La défaite du groupe Hersant est la première illustration éclatante de l'impraticabilité du système audiovisuel dont le pays s'est doté. Couvé dans la sphère politique, mais livré à ces réalités que sont l'absence de réseaux, la minceur des investissements publicitaires et la surpuissance commerciale de TF1, le système bascule inéluctablement dans la seule sphère économique. Celle qui ne connaît ni répit ni sollicitude. Le vase clos des banquiers et des acheteurs d'espaces qui seront, bientôt, ensemble, les maîtres de la partie.

La cohabitation s'achève comme elle a commencé. En opérette au dénouement fatal. La droite n'a pas su accomplir la rénovation espérée. Elle claudique de privatisations en mouvements sociaux hostiles. Elle traîne la patte, et les grands chantiers du libéralisme semblent abandonnés à eux-mêmes. La fin de cet interlude voit remonter à la surface les rancunes et les divisions au sein de l'ex-coalition UDF-RPR. Pour François Mitterrand, l'aubaine est trop belle. Pénible à vivre en tant que fardeau constitutionnel, la cohabitation a été pour lui comme un bain de jouvence politique. Son image n'a pas été aussi positive depuis de longs mois.

Le Président s'est ménagé, et il peut tranquillement passer à l'attaque après avoir fait lanterner tout le monde dans un pseudo-suspense. Le mardi 22 mars 1988, répondant à Paul Amar sur A2, il annonce sa candidature à la prochaine élection. Deux semaines plus tard, le 7 avril, François Mitterrand publie sa *Lettre à tous les Français*, en guise de programme courrier-électoral.

2. Elle se concluera par un non-lieu.

En apéritif de la campagne, TF1 organise le retour du « Bêbête-show », que produit l'une des stars rentrées au bercail, Stéphane Collaro. C'est un triomphe instantané, qui cimente et solidifie l'audience de la chaîne juste avant le journal de vingt heures.

Le vendredi 22 avril, à quarante-huit heures du premier tour, l'opérette vire au drame avec le meurtre de trois gendarmes sur une des îles Loyauté, en Nouvelle-Calédonie. Les rumeurs enflent à Paris sur la libération prochaine des otages de Beyrouth.

Dimanche 24 avril 1988, François Mitterrand réalise 34,1 % au premier tour. Jacques Chirac 19,9 %. Dans l'enfilade des immenses salons du sous-sol de l'hôtel Méridien, où TF1 a invité plusieurs milliers de happy few pour une soirée électorale avec primeur des estimations à partir de 18 heures, un malaise parcourt une partie de l'assistance après que l'ampleur du score de Jean-Marie Le Pen, 14,8 %, a déclenché une salve d'applaudissements.

Sourires le jeudi 5 mai, avec le retour à Paris de Carton, Fontaine et Kauffmann. Et larmes le lendemain lorsqu'on apprend le massacre qui s'est produit au même moment en Nouvelle-Calédonie, dans une grotte de l'île d'Ouvéa, lors d'un assaut ordonné contre les indépendantistes qui retenaient des gendarmes en otages. Dix-sept morts.

Le dimanche 8 mai 1988, François Mitterrand est réélu avec 54,4 %. Applaudissements nourris dans les sous-sol du Méridien, où TF1 a convié les mêmes milliers de happy few que deux semaines plus tôt pour le second tour. Le Tout-Audiovisuel du pays est présent, pour la soirée, ou de passage avant de rejoindre la réception qu'organise de son côté A2, ou celle d'Europe 1, si ce n'est celle de RTL...

Coupe de champagne et assiette de hors-d'œuvre dans une même main, fourchette dans l'autre, des groupes se forment au hasard des buffets et des écrans de télévision qui diffusent les derniers résultats. Les mêmes questions sont sur toutes les lèvres. Qui sera ministre de la Communication ? Va-t-on « renationaliser » TF1 ? Redistribuer la Cinq et M6 ?

Que sera l'audiovisuel du second septennat ?

CHAPITRE V

Chaîne de trop

« La spirale du moins-disant culturel est suicidaire... »

Elle n'est pas grande. Elle est mince, presque frêle. Si le vent se levait, il l'emporterait. Mais sa voix est assurée. Elle se tient droite et regarde l'assistance au fond des yeux. Elle est ministre. Elle a un projet. Et elle le fait connaître.

C'est pour lui que Catherine Tasca est à Carcans-Maubuisson, ce mardi 30 août 1988. C'est pour ce projet qu'elle est venue jusqu'en cet endroit reculé des Landes où, chaque rentrée, se déroulent d'assommants débats regroupés sous un titre générique et pompeux : Université d'été de la communication. Le lieu est magnifique, mêlant dunes de sable fin, odeur de pin, forêts immenses et villages cachés, le tout superbement installé entre vastes étangs et rivages de l'Atlantique.

On ne peut pas en dire autant de l'« Université ». Deux ou trois chapiteaux chétifs dressés sur une esplanade pour abriter des défilés de lieux communs baptisés « colloques ». Une cantine. Quelques bungalows censés former un « Village intelligent », sous prétexte que certains sont dotés d'une antenne parabolique et que dans le bungalow-café on peut commander son thé en poudre en pianotant sur un clavier tout en vérifiant la position de son compte bancaire. Avec son côté boy-scout et ses baraquements pour week-ends audiovisuels, l'Université d'été de la communication fait immanquablement penser à un croisement entre le camp de base du *Pont de la rivière Kwaï* et une colonie de vacances pour orphelins de l'EDF en 1953.

En nouveau ministre-soldat de la République, Catherine Tasca ne s'arrête pas à ces détails. Inaugurer l'Université est une corvée parmi d'autres, mais plus importante que d'autres, car, malgré tout, ce lieu offre une caisse de résonance médiatique aux propos qu'elle est venue y tenir. C'est ce qu'elle recherche pour définir ce qui doit être, à ses yeux, la politique audiovisuelle du gouvernement de Michel Rocard [1]. Même si, et elle s'en rend compte depuis quarante-huit heures, ce ne sera pas chose simple que de faire passer ses convictions et ses objectifs à Matignon comme dans l'opinion publique. « *Il y a une chaîne de télévision généraliste en trop...* » dans le système français... L'interview très directe qu'elle a accordée à l'hebdomadaire *Télérama* qui paraît cette semaine de rentrée, et dont la teneur commence à faire grand bruit, lui a valu un premier accrochage avec son ministre de tutelle, l'impétueux Jack Lang.

Elle fait avec. François Mitterrand l'a prévenue que sa tâche de ministre délégué à la Communication ne serait pas une partie de plaisir.

C'est quelques jours avant la formation du gouvernement Rocard, en mai 1988, que le Président l'a appelée. « Je songe à vous... » Fidèle à lui-même, toujours aussi évasif et imprécis tout en disant ce qu'il a à dire. Elle n'avait été qu'à demi surprise. François Mitterrand apprécie depuis longtemps les capacités de Catherine Tasca, il aime son esprit pénétrant, sa rectitude intellectuelle et son désintéressement. C'est une femme à idéal. Avec ce revers qu'est une certaine rigidité pouvant aller jusqu'au dogmatisme cassant. Le Président, qui dit d'elle que c'est une « lame », et qui n'use jamais d'un mot par hasard encore moins lorsqu'il s'agit d'un terme de combat, la choisit non sans espérer qu'elle remplira, politiquement, sa fonction : trancher. Elaguer. Peut-être tuer.

Elle est prête. Elle pense avoir été aguerrie par ce qu'elle a enduré, comme Bertrand Labrusse, à la CNCL. D'ailleurs, il arrivait à François Mitterrand de les appeler, l'un et l'autre, pour les encourager à « tenir » dans cet organisme qu'il déteste mais qui fait encore partie des institutions. Ils se sont beaucoup vus au cours de la campagne présidentielle, et c'est dans les derniers jours que François Mitterrand a pris la décision de la nommer ministre. Au grand dam de Jack Lang, qui, sûr de retrouver son poste à la Culture, caressait le rêve de coiffer à lui seul Culture et Communication. Il en avait exprimé le souhait, sans être entendu. Il n'a pu s'opposer à ce que François Mitterrand mette deux ministres en compétition-collaboration sur ce même dossier.

Depuis des années, Jack Lang rêve de se colleter avec l'audiovisuel, dont il ne comprend pas qu'il ait été séparé par la gauche de l'univers de la création et des artistes. N'est-ce pas cette dichotomie

1. Nommé Premier ministre le mardi 10 mai 1988, deux heures après la démission de Jacques Chirac.

administrative qui a contribué à l'émergence sotte et coupable, dans les conditions que l'on sait, d'abominables chaînes commerciales. Jack Lang en est convaincu. Tout comme il l'est d'une autre chose. La réélection de François Mitterrand, le choix de Michel Rocard, la poussée populaire en faveur du Président, son score record, tout cela autorise une révision des erreurs commises par le passé. Aussi bien par les socialistes que pendant la cohabitation. Mais une révision en douceur. Le maître mot de la vie politique française, depuis mai 1988, c'est le « consensus ».

Pas de vagues. Pas de violences verbales. Pas de polémique. Il faut se couler dans le moule de la représentation nationale que les Français ont choisie lors des législatives qui ont suivi la réélection de François Mitterrand. N'accordant pas de majorité absolue à la gauche. Livrant le gouvernement à un jeu d'alliances et de séduction continuel. On n'est plus en 1981. La France a changé. Elle est fatiguée des grandes querelles qui ne débouchent sur rien, dans l'audiovisuel comme dans d'autres domaines. Voilà pourquoi, contrairement à ce qui avait été annoncé, le nouveau gouvernement n'inscrira pas dans son programme la « renationalisation » de TF1.

Ce n'est pas que Jack Lang ou Catherine Tasca ne la souhaitent pas. C'est qu'il y a urgence à respecter les termes les plus consensuels de la *Lettre à tous les Français*, le fameux « ni-ni » présidentiel. Ni nationalisation. Ni privatisation. Un moment, Jack Lang avait essayé de pousser une idée qui lui tenait à cœur : non pas de renationaliser directement TF1, mais de transférer, en inscrivant son principe juridique dans une prochaine réforme, une partie du capital de TF1 à une fondation d'économie mixte... Trop compliqué. Trop « sensible », avait considéré l'Elysée. Le Président ne pouvait pas risquer un conflit ouvert avec les dirigeants et propriétaires actuels de la Une (42 % de l'audience nationale, et les journaux télévisés les plus regardés). Alors, prudence et méthode. On ne défait pas la privatisation. On attend de voir comment se comportera la chaîne... L'idée d'une « Fondation TF1 », à laquelle avait aussi songé Xavier Gouyou Beauchamps en rédigeant la loi Léotard, est définitivement abandonnée.

Le choix de Catherine Tasca a surpris le cabinet de François Mitterrand [2]. On s'attendait plutôt, sachant l'estime que lui porte le chef de l'Etat, à la voir nommée à la tête d'une instance de régulation renouvelée. Cette instance que le Président appelle de tous ses vœux pour succéder à la CNCL. Il n'est en effet pas question, dans l'esprit de François Mitterrand, que la CNCL reste en place. Elle a démé-

---

2. Elle est entrée au gouvernement le jeudi 12 mai 1988.

rité et doit disparaître au plus tôt de la surface de l'audiovisuel. Si le Président choisit cette femme pour ministre, c'est précisément parce qu'il l'estime la mieux placée, ayant vu le pire fonctionner de l'intérieur, pour mener à bien la réforme de l'organisme de régulation, et mettre en place ce qu'il appelle un « conseil supérieur de la communication audiovisuelle ».

Dans la droite ligne du « parler-vrai » et de la concertation annoncée par Michel Rocard dès son arrivée, Jack Lang et Catherine Tasca se sont attelés, au printemps, à jeter les bases de la réforme qui doit conduire à l'installation d'un « conseil supérieur ». Comme rien ne change sous le soleil des réformes audiovisuelles, on a évidemment mis en place un nouveau groupe « de travail et de réflexion ».

Début juillet, le Premier ministre a donc installé sept experts désignés par Matignon, la Rue de Valois – réintégrée par Lang – et la Rue Saint-Dominique – où est revenue la Communication. Comme d'habitude, la mission de ces spécialistes [3] est d'écouter, de consulter et de proposer quelque chose de mieux que la CNCL. Pendant le mois de juillet, hébergés au premier étage du ministère de la rue Saint-Dominique, autour d'une grande table recouverte de feutrine (celle-là même sur laquelle, en novembre 1985, les partenaires de la Cinq avaient négocié la création de la chaîne), ils ont fait défiler devant eux une centaine d'autres professionnels. Anciens membres de la Haute Autorité. Membres de la CNCL. Réalisateurs. Producteurs. Les présidents de toutes les chaînes de télévision...

A tous, on pose les mêmes questions : comment faire un haut conseil de la communication, quelle composition, quels pouvoirs, combien de membres ? Jeu lassant pour beaucoup d'entre eux à qui c'est la troisième fois en l'espace de sept ans qu'on adresse ces questions qui, à l'évidence, n'ont jamais permis de déboucher sur l'organisme idéal. Mais chacun s'exécute. L'atmosphère est bon enfant. Pour un peu, quand les experts achèvent leurs travaux, dans la chaleur estivale de la fin juillet, on se laisserait aller à croire que l'audiovisuel va enfin connaître une période de réel repos, que les chaînes vont pouvoir travailler, les producteurs produire et les animateurs animer. Serait-ce enfin la paix ?

Il n'en est rien, évidemment. Les apparences sont trompeuses. Bien

3. Leur groupe est constitué de trois juristes, Pierre Avril, Jean Rivero et Jean Gicquel, et de quatre professionnels : deux de la production (Danièle Delorme et Claude Santelli), du journalisme (Françoise Giroud) et de la télévision (Pierre Desgraupes).

sûr, officiellement, il est juste question de substituer une clef de voûte (le CSA) à une autre clef de voûte (la CNCL). Bien sûr, il n'entre pas dans les intentions affichées du gouvernement de remettre la main sur les chaînes privées. On a complètement renoncé à l'idée, par exemple, de procéder à une troisième attribution de la Cinq et de M6. Mais qui serait assez naïf pour croire que le pouvoir renoncerait à réaffirmer sa présence dans ce secteur? Les *très grands* naïfs, peut-être...

Derrière sa carte de visite barrée d'un tricolore « Consensuel », le gouvernement n'a pas cessé de penser à la manière de « rééquilibrer » l'audiovisuel dans un sens plus favorable à la gauche. Ni le Président, ni Lang, et encore moins Tasca ne se résignent à la mainmise de Robert Hersant sur la Cinq, n'apprécient le mariage CLT-Lyonnaise des eaux sur M6, ni n'approuvent les méthodes de Bouygues sur TF1. Chaque fois qu'ils ont l'occasion d'en parler, ils tombent d'accord sur l'extraordinaire « médiocrité », la « vulgarité » des programmes de la Cinq, où « s'étalent », de plus en plus longuement, à toute heure du jour et de la nuit, séries américaines, téléfilms violents, jeux débilitants. Ces gens-là ne respectent rien des engagements qu'ils ont pris.

Plus que d'autres, Catherine Tasca est excédée par le non-respect des promesses. Elle était à la CNCL quand Berlusconi et Hersant sont venus jurer leurs grands dieux qu'ils allaient faire la plus belle chaîne « familiale », avec des « programmes éducatifs pour les enfants ». Elle les a entendus s'engager à tout pour aider la production. Et cette femme est allergique au mensonge. Intraitable sur la duperie. La Cinq a menti. La Six aussi. L'heure approche où, d'une manière ou d'une autre, il faudra remettre bon ordre dans cette jungle. Le tout est de savoir comment...

A l'Elysée, on ne se prononce pas sur ce sujet. Jean-Claude Colliard a quitté la direction du cabinet présidentiel après un échec personnel aux législatives de juin 1988. Il a été remplacé à ce poste par son adjoint, Gilles Ménage. Un homme qui entretient d'excellentes relations avec un autre ancien directeur de cabinet du président, André Rousselet. Mais la stratégie non écrite élaborée pendant la cohabitation reste plus valable que jamais. Jérôme Seydoux est dans la place et on attend de lui, comme de la Belle au bois dormant, qu'il se réveille de son sommeil de *sleeping partner* d'Hersant.

Il a d'ailleurs commencé à s'étirer, ouvrant un œil et donnant quelques interviews dès le mois d'avril, à la veille du premier tour. Le patron de Chargeurs SA, qu'on avait encouragé à demeurer dans le capital de la chaîne « au cas où », a entrepris une critique progressive, globale, de la gestion de la Cinq. Il n'est qu'un modeste actionnaire, sans rôle effectif. Mais il n'entend pas tout accepter sans rien dire et s'interroge. Pas dans les colonnes d'un journal français mais dans l'hebdomadaire fétiche du show-business, du cinéma et de la communication mondiale, *Variety*, pour donner un poids, et une envergure internationale à ses propos. « *L'heure des comptes va bientôt sonner*, y a-t-il déclaré. *Pourquoi continuer à verser de l'argent dans une affaire qui en perd?* » C'est une mécanique politique de grande précision qui se met en place dans l'ombre de la Cinq. Quand « l'heure » sera venue, celle de Robert Hersant...

Peu encline à se perdre en de machiavéliques combinaisons, et ne voyant rien venir de concret dans les débats du gouvernement sur l'audiovisuel privé, Catherine Tasca s'est décidée à prendre la parole. Après avoir constaté la dégradation économique des chaînes privées, le déficit de la Cinq, qui atteint 1,3 milliard de francs à l'été 1988, celui de M6, qui avoisine les 350 millions, les pertes de TF1, elle en a tiré sa propre conclusion : il y a une chaîne de trop. Les six antennes françaises ne pourront jamais vivre harmonieusement.

Le ministre ne fait que découvrir et partager, sans le savoir, l'analyse prophétique de Bernard Miyet quatre ans plus tôt, et celle, plus terre à terre, d'un Francis Bouygues qui, en 1987, a déclaré d'emblée qu'il finirait par y avoir « des morts » sur les trottoirs de la télévision. Catherine Tasca épouse aussi, parce qu'ils recoupent les siens, le bilan, l'analyse et le point de vue d'un homme qu'elle rencontre fréquemment, un patron de chaîne de plus en plus influent, André Rousselet. Le P-DG de Canal Plus a des idées très arrêtées, et argumentées, sur ce qu'il conviendrait de modifier dans le système ; et il ne tardera pas à les défendre auprès du ministre...

S'il y a une chaîne en « trop », autant le dire. C'est ce qu'a fait Catherine Tasca dans *Télérama*. Consciente des conséquences éventuelles de ses propos, elle a cherché à provoquer une prise de position du gouvernement qu'en fait elle n'obtiendra pas. C'est ce qui a mis Jack Lang en colère. Non qu'il ne partage pas le diagnostic... Au contraire, lorsqu'ils font le point ensemble sur la situation de l'audiovisuel, ils concluent l'un comme l'autre, en parfait accord, que ce n'est pas « une » mais peut-être *deux* chaînes généralistes qui sont en « trop » dans le système français. Ce qui irrite Lang, c'est que cette prise de position franche et nette brise l'image de consensus que s'efforce de préserver le gouvernement. C'est vrai qu'il y a des chaînes qui ne peuvent ou ne doivent pas vivre, mais elle aurait dû se taire.

« Le problème, Catherine, lui a-t-il dit après avoir lu l'interview, est que c'est une bêtise de le dire alors qu'on va nommer une instance chargée du rééquilibrage. Ce n'est pas au gouvernement de prendre ce type d'initiative. Maintenant, tout le monde va penser qu'on veut faire la peau à une chaîne... »

« Alors, madame le ministre, quelle est la chaîne en trop? la Cinq? M6? A qui pensez-vous...? »

A Carcans-Maubuisson, Catherine Tasca doit faire face à cette question qui la poursuivra longtemps. Elle esquive en invoquant « l'équilibre du marché », les lois de l'économie qui devront trancher d'elles-mêmes en désignant la chaîne surnuméraire... Il n'est pourtant pas bien difficile de voir que la Cinq, et vraisemblablement M6, sont déjà sous le coup d'un arrêt de mort inavoué. Ce n'est pas ainsi que raisonne le ministre. Mais c'est bel et bien l'effet que produit son intervention dans *Télérama*. A peine au pouvoir, la « lame » est soupçonnée de vouloir décapiter une antenne.

Dans le discours qu'elle prononce avant de regagner Paris, elle s'efforce d'allumer un contre-feu en mettant l'accent sur l'état de l'audiovisuel public. Comme ses prédécesseurs, elle souhaite l'« aider », le « développer », le « soutenir » dans sa « lutte inégale » avec les chaînes commerciales qui font du racolage. Il ne faudrait pas, comme on commence à le constater, que les chaînes du service public tombent à leur tour dans ce travers. La rengaine est jolie, mais usée. Le mal est fait depuis trop longtemps. L'orage gronde. Catherine Tasca ne peut pas encore l'entendre.

Quand il éclatera, il sera déjà trop tard.

Quant au privé, il s'organise. Comme tout le monde, les deux ministres sont alors loin de se douter de la manière dont TF1 et la Cinq, a priori ennemies l'une de l'autre, se rapprochent déjà pour s'entendre. Ou faire semblant. Avant de s'entre-dévorer.

« Angelo, qu'est-ce que tu fais ce soir? demande Patrick Le Lay à Codignoni, ce dimanche de septembre 1988. Si ça te dit, il y a la première de rentrée d'Anne Sinclair... Viens, après on peut dîner ensemble... »

Quelques heures plus tard, le directeur général de TF1 et le directeur adjoint de la Cinq, bras droit de Berlusconi à Paris, se retrouvent en tête à tête. Le premier depuis leurs retours respectifs de vacances. Ces deux hommes ont la particularité commune d'être les numéros deux de leur entreprise. Fort logiquement ce sont eux qui expérimentent les contacts, les théories et les stratégies avant qu'elles ne deviennent officiellement celles de leurs patrons. En clair, si Patrick

Le Lay appelle Codignoni, c'est qu'il a une idée derrière la tête et veut la tester. Si Codignoni accepte, c'est qu'il en a une aussi et qu'on ne perd jamais son temps à confronter les points de vue, surtout avec le directeur de la chaîne leader en France. En l'occurrence, sur le fond, c'est la même idée qu'ils partagent.

« Nos chaînes ne peuvent pas continuer cette guérilla, dit en résumé Le Lay. Pourquoi ne faisons-nous pas plutôt quelque chose ensemble?

— Pourquoi pas?... », répond Codignoni.

C'est une ouverture béante sur un autre audiovisuel, le croisement de deux stratégies qui peuvent s'associer ou se combatre plus durement. La démarche, du côté de TF1, résulte de raisonnements contradictoires et pourtant sensés. Depuis qu'il a vaincu, écrasé la grille généraliste de la Cinq, Francis Bouygues est à la fois satisfait et, paradoxalement, plus inquiet qu'avant. Car en faisant échouer Hersant, Bouygues a fait réussir Berlusconi! En effet, du jour où Hersant a dû sacrifier ses ambitions généralistes, c'est le format défendu par Berlusconi et Carlo Freccero qui s'est imposé à l'antenne. Et ce que n'avait pas prévu Bouygues, c'est qu'avec un torrent de séries au débit bien maîtrisé, la Cinq ferait un formidable bond d'audience. Le constructeur était persuadé qu'une fois les stars revenues sur TF1, la Cinq péricliterait rapidement, le patron du *Figaro* n'ayant certainement ni l'envie ni les moyens de continuer à engloutir des sommes folles dans la chaîne.

Pour parvenir à ses fins, en chasseur, Bouygues n'a pas relâché la pression. Depuis un an, depuis l'ouverture des hostilités à la rentrée 1987, Francis Bouygues dépose systématiquement un recours devant le Conseil d'Etat pour contester chaque décision de la CNCL visant à ouvrir de nouvelles fréquences pour la Cinq et M6. A ses yeux, il ne suffit pas que la Cinq échoue, il importe de paralyser le plus longtemps possible l'extension de son réseau. Pour cela, comme lors de la campagne contre Hachette, tous les moyens juridiques imaginables sont bons.

Mais cela n'a pas enrayé la progression de l'audience. Plus inquiétant pour Bouygues, depuis l'échec d'Hersant, la part de marché de la Cinq ne cesse de grandir. En un an, elle est passée de 7 % en moyenne à 14 %! Les séries trouvent leur public. Le soir, au « prime time », la Cinq mord à belles dents sur l'audience d'A2 et de TF1 là où elle est correctement reçue. Pragmatique, Bouygues se demande s'il ne vaudrait pas mieux s'entendre, ou tout au moins discuter, avec le « charmant » Berlusconi...

Ce n'est pas l'unique raison. A la rentrée 1988, le P-DG de TF1 est confronté à un autre problème qui couve et l'« enquiquine » : Maxwell.

Le magnat britannique est une épine dans le pied de TF1. Un rouspéteur continuel qui pleure parce qu'il n'est pas associé directement à la gestion de la chaîne. Il a beau avoir réussi à caser l'un de ses fils, Ian, à un poste de direction, il n'a pas plus d'influence sur la marche de la Une. Francis Bouygues ne supporte plus les remarques et les critiques de son associé anglais. Depuis la fin du printemps, il y a du clash dans l'air. La véritable raison des récriminations de Maxwell, Bouygues peut la comprendre. Il la partage : avec ses 42 % de part de marché, ses 4 milliards de chiffre d'affaires, TF1 ne fait pas de bénéfices ! Faire de la télévision coûte encore plus cher qu'il ne le pensait, même lorsqu'on est leader. Peut-être même plus cher dans ce cas, parce qu'il faut constamment investir pour conserver la position acquise. Et l'autorisation d'exploiter la Une n'est accordée que pour dix ans.

Chaque mois qui passe, chaque point d'audience conquis par la Cinq éloignent la rentabilité de l'investissement fait pour l'acquisition de la chaîne : trois milliards qui ne rapportent rien ! Cette somme, Maxwell y a contribué à hauteur de 750 millions et il aimerait bien que cet argent ne dorme pas. Que TF1 soit la première chaîne, c'est bien joli pour le patron de Pergamon Press, mais cela ne l'aide pas à rembourser ceux à qui il a emprunté pour s'offrir ses 12,5 %. C'est toute la différence entre Bouygues le milliardaire et Maxwell le magnat tigre de papier-monnaie. Le premier avait de quoi payer et attend que son placement rende. Le second n'avait pas et se demande comment il va payer les intérêts sur l'argent emprunté.

Les frictions entre les deux hommes sont telles, en cette rentrée, que Bouygues ne peut plus exclure un éclat de Maxwell. C'est aussi pourquoi il songe à un rapprochement avec Berlusconi. On ne sait jamais.

Au sein du groupe Berlusconi, les motifs d'engager une discussion avec TF1 ne manquent pas non plus. Le discours sur la chaîne « en trop » entonné par le gouvernement lui fait froid dans le dos. Pour « Sua Emittenza », qui vient moins souvent à Paris maintenant, il est évident que la Cinq de Robert Hersant est dans le collimateur du pouvoir. Tous les contacts que son groupe a eus après la réélection de François Mitterrand, que ce soit avec le nouveau directeur de cabinet à l'Elysée, Gilles Ménage, ou avec Catherine Tasca, l'ont convaincu qu'une offensive se prépare. La seule chose qui semblait intéresser Ménage était d'ailleurs de savoir « combien de temps Hersant pourrait tenir ». Quant au ministre délégué, elle s'en était tenue à sa position sur la « chaîne en trop ».

Pour Berlusconi, le gouvernement français se trompe complètement dans l'analyse de la situation. Ce n'est pas une chaîne qui est en trop, mais une « centrale d'achat d'espace ». Voilà ce que Jérôme Seydoux et lui, sans se concerter – ils n'ont presque plus de contacts – ont essayé de faire comprendre ces derniers mois. Le vrai problème du système audiovisuel français, c'est la publicité, la façon dont les flux financiers sont gérés par les centrales. Les médias sont à leur merci. S'il en fallait une illustration, estime Berlusconi, c'est bien l'évolution récente de la Cinq qui la donne de manière éclatante. Voilà une chaîne dont le réseau progresse doucement depuis un an, dont l'audience décolle sensiblement, mais dont les recettes, au lieu de suivre et d'accompagner cette évolution positive, stagnent ou régressent. Il y a quelque chose d'anormal dans le circuit.

Quelque chose de suffisamment anormal pour que Jérôme Seydoux, par exemple, préfère ne pas remettre d'argent dans la Cinq. Le patron de Chargeurs SA a refusé de « suivre » l'augmentation de capital ouverte au printemps 1988, ce qui a fait fondre sa participation de 10 % à 7,3 %. Jérôme Seydoux a estimé qu'il avait déjà assez perdu dans cette chaîne dont « les méthodes de gestion », comme il l'a confié lors d'une assemblée générale des actionnaires de Chargeurs SA en juin, ne correspondent pas à son « éthique ». Il y a, a-t-il déclaré, « un manque de transparence dans cette affaire » que conduit, seul, Robert Hersant.

Un point de vue que partage Berlusconi à 100 %. Lui a suivi l'augmentation de capital, mais ne s'est pas privé de donner son opinion sur la gestion de la Cinq dans les pages d'un magazine italien, *Epoca*. Là, « Sua Emittenza » a mis les pieds dans le plat. Si la Cinq ne vit pas bien, c'est parce que Robert Hersant s'acoquine avec les centrales d'achat d'espace qui se nourrissent grassement sur le dos de la chaîne. C'est parce que « *Hersant recueille la publicité de la Cinq de manière à ne pas nuire à son empire de presse* » que la chaîne bat de l'aile. Elle est saignée à blanc par les méthodes du « papivore ».

Berlusconi a compris qu'avec la régie de la Cinq Hersant brade l'espace de la chaîne et se rattrape avec ses journaux. Concrètement, il consent aux acheteurs d'espace, centrales ou grandes agences de publicité, d'énormes rabais de 40 %, 50 % ou parfois davantage. Ceux-ci s'offrent, avec la Cinq, de l'audience de masse pour presque rien. En échange, il peut pratiquer des rabais moins importants (et donc récupérer de ce côté ce qu'il perd de l'autre) sur ses titres de presse, où les mêmes acheteurs investissent généreusement...

Avantage de l'opération : il ne supporte que 25 % (sa quote-part d'actionnaire) du manque à gagner qu'il provoque ainsi dans les recettes de la Cinq, tandis qu'il bénéficie à 100 % du mieux financier de son groupe de presse.

Astucieux.

L'opacité qui entoure le dispositif commercial de la régie de la Cinq est le principal grief de Berlusconi et Seydoux à l'égard d'Hersant. Ils se sentent floués. Les notes que son équipe parisienne fait à Berlusconi sur la situation de Régie Cinq font apparaître une constatation alarmante. En gros, quand la régie de TF1 vend pour cent francs d'espace publicitaire, elle encaisse effectivement, après déduction des frais et commissions divers, environ 75 francs nets. En revanche, quand la Cinq de Robert Hersant vend pour 100 francs d'espace, il ne rentre dans la caisse, en net, que 40, 45 francs à peine. Dans quelles poches s'évanouit la différence? De ces comptes rendus parisiens, il ressort également que les « petits » actionnaires de la Cinq (Groupama, *Les Echos*...) sont de plus en plus mécontents et ne veulent pas remettre indéfiniment de l'argent dans le capital.

Désenchanté, rendu soucieux par les intentions du gouvernement français, inquiet de la mise en demeure que le Conseil d'Etat a adressée à la Cinq [4], Silvio Berlusconi ne voit pas d'issue à sa situation en France. Voilà bientôt trois ans qu'il s'y est installé et c'est toujours le même marasme. Avec en prime, cette fois, un gouvernement socialiste qui parle comme s'il voulait tout simplement supprimer cette Cinq qu'il a pourtant créée...

Berlusconi ne comprend plus. Il a le sentiment que la France aimerait se débarrasser d'Hersant sur la Cinq mais qu'on n'ose pas toucher à lui. Le pouvoir voudrait sans doute parvenir à l'éliminer de manière « naturelle ». Difficile d'y voir clair pour le groupe italien. Hersant le tient à l'écart des affaires. Alors Berlusconi est prêt à engager des discussions avec qui veut parler. Si TF1 se manifeste, va pour la Une. Il faut bien trouver une solution.

Peu après la première d'Anne Sinclair et le dîner avec Codignoni, Patrick Le Lay se rend à Milan pour discuter directement avec Berlusconi. Celui-ci accepterait-il d'explorer les voies d'une association avec TF1? Sans jeu de mots, c'est un discours que Silvio Berlusconi reçoit cinq sur cinq. Les rapprochements de réseaux, c'est le fondement de la stratégie qui lui a si bien réussi en Italie avec ses trois chaînes. Ce n'est pas *une* bonne idée, c'est la seule idée à suivre.

4. Saisi par la CNCL, le Conseil d'Etat a exigé de la Cinq, le 22 juin 1988, qu'elle respecte, sous peine d'amende, ses 45 % de quota d'œuvres françaises et européennes dans la programmation.

D'accord pour discuter. D'autant plus volontiers que Le Lay, sans le savoir, ne fait que reprendre une idée à laquelle Berlusconi a déjà songé en 1987. Mais on était alors en pleine guerre avec Bouygues, qu'il se réjouissait d'avoir dépouillé de ses stars, et Berlusconi avait plutôt pensé proposer à M6, la petite chaîne, de se rapprocher de la Cinq. C'était resté une suggestion, sans suite, à l'état-major de la Fininvest.

Là, c'est différent.

Patrick Le Lay et Silvio Berlusconi conviennent donc, en septembre 1988, d'examiner de quelle manière les actionnaires de la Cinq et ceux de TF1 pourraient combiner demain leurs intérêts. Il s'agit, plus précisément, de voir si par exemple Bouygues pourrait devenir actionnaire de la Cinq et Berlusconi de TF1... Ceci, naturellement, dans le plus grand secret et à l'abri du regard des pouvoirs publics. Un tel rapprochement aurait aussi l'avantage de neutraliser les discours « menaçants » tenus par Tasca et Lang.

Le secret sera bien gardé.

Quelques jours plus tard, à la mi-septembre, le processus s'enclenche. Berlusconi choisit de ne pas laisser Hersant dans l'ignorance de ce qui pourrait arriver. Mais, comme les rapports se dégradent à grande vitesse entre les équipes françaises et italiennes de la chaîne, on ne passe pas par les interlocuteurs habituels. Le contact s'établit au-dessus de la direction de la Cinq (Philippe Ramond), et se fait directement au niveau d'Hersant. Angelo Codignoni informe l'avocat qui, depuis deux ans, occupe une place de plus en plus importante à la Socpresse, Yves de Chaisemartin.

Discret, vivant comme dans l'ombre d'Hersant, Chaisemartin a la quarantaine au visage fermé, un peu triste, des éminences qui apparaissent rarement sur le devant de la scène. Derrière l'élégance provinciale, costume et manteau qui lui donnent l'air de sortir droit d'une scène des *Grandes Familles* pour tenir un rôle dans *La Banquière*, se cache un esprit clair associé à une longue expérience de dossiers qui ne le sont pas. Personnalité et matière grises. Cela plaît à Hersant. Yves de Chaisemartin est un réservoir d'intelligence juridique utile dans les situations délicates. Ce dont le groupe ne manque pas. C'est Yves de Chaisemartin qui a ficelé le rachat du *Dauphiné libéré*, c'est lui qui a bouclé les contrats de reprise des fréquences FM pour constituer le réseau radio du groupe. C'est lui qui a formalisé juridiquement le tour de table de la Cinq en février 1987, et lui encore qui a négocié, avec Codignoni, l'arrivée et les départs des stars.

Robert Hersant l'a placé au conseil d'administration de la chaîne, dont il est un des plus méticuleux observateurs. La télévision lui plaît, et il ne dédaignerait certainement pas d'y jouer un rôle un peu moins secondaire. En général, Chaisemartin et Codignoni se mettent d'accord avant les conseils d'administration sur ce qu'il faut dire et ne pas dire. Les relations entre les groupes Hersant et Berlusconi ne sont pas au beau fixe, mais il s'est créé une sorte de complicité intellectuelle entre Codignoni et Chaisemartin, comme entre le premier et Le Lay.

L'offre de TF1 à la Cinq tombe assez bien aussi pour Hersant. Elle lui donne un peu de répit et une vague ouverture sur l'extérieur. C'est que le « papivore » est mal en point dans ses affaires, qu'il essaie de redresser, comme il en a l'habitude, en jouant sur les lignes de crédit et en manœuvrant la barre politique. Bien souvent, les deux vont ensemble. Plus pragmatique que jamais, Hersant a compris, au soir du second tour de la présidentielle de 1988, que la droite était « dans les choux pour un bon bout de temps ». Exit la cohabitation. Ce n'était pas le moment de se fâcher gravement avec la gauche, en étant à la tête d'une chaîne qui brûle des millions à la pelle. Bien sûr, il se rattrape un peu sur la presse, mais il doit tout de même assumer 25 % des pertes de la Cinq, qui risquent de se monter à plus de 2 milliards de francs à la fin 1988.

Voilà pourquoi Robert Hersant cherche désespérément depuis le printemps le moyen de se refaire une santé financière pour aborder le second septennat de Mitterrand. Voilà pourquoi il fait mettre une sourdine aux dissertations de Louis Pauwels dans le *Figaro-Magazine*. Voilà pourquoi, comme par miracle, *Le Figaro* quotidien ne tape plus à bras raccourcis sur les socialistes. La gauche tient à nouveau le système bancaire. Hersant se met à l'heure du consensus et de « l'ouverture ». Voilà pourquoi, enfin, à la surprise des classes politique et journalistique, il débauche le directeur de la rédaction du *Nouvel Observateur*, Franz-Olivier Giesbert, pour lui confier la direction du *Figaro*. Habile, une fois de plus.

Quant à la Cinq, Hersant ne sait plus trop quoi en faire. Son jouet s'est brisé quand il le sortait du carton. Il n'a même pas eu le temps d'en profiter. Aujourd'hui, il l'ennuie. En septembre 1988, même son pré carré, la rédaction, où il se défend d'intervenir – mais il sait dire à Patrice Duhamel ce qu'il pense –, le déçoit. La Cinq est un boulet au pied d'Hersant. Et l'intuition de Berlusconi à l'automne 1987 était une prémonition : Hersant ne rejette pas l'idée de s'en retirer.

C'est en tenant compte de ces aspects qu'Angelo Codignoni et

Yves de Chaisemartin s'accordent sur le fait que le groupe Berlusconi peut engager des discussions avec TF1. Il le fera, conviennent-ils, en tenant le groupe Hersant régulièrement informé de leur progrès et en veillant à considérer comment Hersant pourrait se sortir du jeu dans le cadre d'un pacte éventuel. Pour être plus précis, il va de soi que si Hersant doit finalement se retirer de la télévision, il ne le fera que s'il existe une solution ne l'obligeant pas à faire un chèque correspondant à sa part de pertes. Pour qu'il sorte, il faut un accord financier avec un partenaire, nouveau ou déjà présent, qui lui « rachèterait », prix coûtant, ses 25 % dans la Cinq. Plus le temps passe, évidemment, plus ces 25 % « valent » cher...

Hersant donne un accord de principe à Chaisemartin pour ces discussions. Mais il ne croit guère au projet : « Codignoni se fait des illusions, il n'arrivera jamais à signer un accord avec Le Lay. Mais s'il veut essayer... » C'est en raison de ce scepticisme vis-à-vis de TF1 que Robert Hersant donne parallèlement, en septembre 1988, mission à Philippe Ramond d'explorer un rapprochement de la Cinq avec... M6 !

L'explosion de mécontentement dans le secteur public se produit le mercredi 21 septembre 1988. Ce jour-là, commence sur A2, FR3 et Radio France la plus longue et la plus dure grève de l'audiovisuel public depuis l'éclatement de l'ORTF en 1974. Elle durera onze jours, et sera très suivie.

C'est une lame de fond sociale, un courant de réprobation violent et global. Le secteur public est exsangue. Tout le monde le sait depuis des années, mais cette fois on voit les os. La révélation du salaire de Christine Ockrent, qui a quitté TF1 pour A2 en août, a servi d'étincelle dans la poudrière. Lasse d'être marginalisée et traitée sans considération ni élégance par le « système Bouygues », Christine Ockrent a préféré revenir aux sources de la télévision publique. Pour cela, elle a renoncé aux 230 000 francs mensuels de TF1. Sur A2, elle ne gagnera *que* 120 000 francs...

La personnalité et les compétences de la « reine Christine » ne sont pas en cause, mais ce salaire a provoqué l'indignation d'une partie de la rédaction d'A2. Puis la colère. Et enfin la grève générale dans tout le secteur public, où resurgissent des années d'insatisfaction et d'aigreur. Comment des journalistes et reporters qui gagnent à peine 12 000 ou 15 000 francs par mois pourraient-ils s'accommoder d'un tel écart de salaires ? La direction de la Deux a beau faire valoir qu'il faut « payer » le talent et la renommée, la pilule ne passe pas.

A2, FR3 et Radio France ont le sentiment qu'ils n'ont plus rien à perdre et poursuivent la grève. On les a trop souvent trahis. Ils en sont à quémander quelques pour cent d'augmentation, une prime par-ci, un jour de congé par-là, alors qu'en face, à travail égal, TF1 aligne des salaires doubles. La rancœur est d'autant plus vive que, la gauche revenue aux affaires, rien ne change. Le fossé se creuse encore plus entre les ressources de la télévision privée et celles du public. Le budget de A2 plafonne à 2,9 milliards de francs alors que celui de TF1 dépasse à présent 4 milliards et demi. Les PDG, Han à FR3 et Contamine à A2, sont impuissants. Ils sont impopulaires et trop marqués à droite pour avoir un poids. C'est si vrai qu'ils se montrent peu. Tout se passe comme si les chaînes publiques étaient livrées à elles-mêmes. A tel point que Catherine Tasca, offusquée par le décalage entre le salaire de Christine Ockrent et la moyenne de rémunération dans l'audiovisuel public, doit sommer Claude Contamine, pendant la grève, de rentrer des Etats-Unis, où il est en déplacement.

Ce que découvrent de jour en jour les quatorze mille salariés du secteur public, c'est que le cas de Christine Ockrent n'en est qu'un parmi d'autres, qu'une partie d'entre eux touchent des salaires bien plus élevés que ne le laissent croire les grilles indiciaires. Celui du présentateur du journal de treize heures, William Leymergie, qui touche 100 000 francs par mois, relance la polémique.

Ce sont là les effets de la guerre des chaînes. Il n'y a pas qu'à TF1 privatisée que ceux qui ont un peu de talent se sont efforcés de faire monter les prix. La même chose s'est produite plus discrètement sur A2 et FR3, où ceux qui avaient été contactés par Bouygues et Berlusconi, ou qui ont parfois simplement prétendu l'avoir été, ont obtenu de confortables augmentations pour simplement rester dans le secteur public. Comme il était évidemment délicat d'afficher ces rémunérations indécentes dans un système public, les dirigeants de A2 et FR3 ont procédé en multipliant, sur le modèle de TF1, les « contrats » comme des petits pains. Un même animateur ou journaliste vedette qui a une rémunération officielle de 25 000 ou 30 000 francs, double celle-ci en étant par ailleurs « conseiller » d'une autre émission, collaborateur occasionnel d'un magazine, associé à la production d'un jeu, etc. Dans leur volonté de riposter à l'offensive commerciale, les responsables de A2 et FR3 se sont servis des mêmes armes et ont contribué à diviser un peu plus les salariés de leurs entreprises.

L'argent n'est pas moins « roi » dans le public que dans le privé. Seulement le premier en a moins que le second et s'en désespère.

De mobilisation générale en service minimum, d'assemblées en querelles syndicales, lorsque le mouvement retombe, le 1er octobre 1988, les dégâts sont irréparables. Loin de sensibiliser l'opinion à la détresse des chaînes publiques, la grève a apporté l'éclatante démonstration de son propre archaïsme en tant qu'arme dans l'audiovisuel. Archaïque et peut-être suicidaire. Maintenant qu'il existe un secteur privé avec trois chaînes, personne ne souffre réellement d'une absence d'images pour cause de grève sur A2 ou FR3. En quelques jours de conflit, le secteur public a perdu plusieurs points d'audience qu'il ne récupérera pas de sitôt. TF1 et la Cinq ont ramassé la mise, et les recettes publicitaires qui vont avec.

La grève a conforté la position de leader de la Une. Elle a aussi fait découvrir à de nombreux téléspectateurs les programmes de la Cinq ou de M6. Elle a été, politiquement et financièrement, une opération infructueuse et dangereuse pour les syndicats. Et un revers pour le gouvernement Rocard, qui n'a pas les moyens de subvenir aux besoins effectifs des chaînes publiques.

Catherine Tasca et Jack Lang en sont conscients. Mais comment remédier aux maux d'un système qui, parce que A2 dépend maintenant à 62 % de la publicité pour ses ressources, oblige cette chaîne à calquer progressivement sa programmation sur celle de la Une? Antenne 2 s'est métamorphosée en une chaîne semi-publique et semi-commerciale. Pour enrayer cette dénaturation, il faudrait augmenter la redevance, redéfinir les objectifs publics, obtenir que l'Etat « rembourse » aux chaînes l'équivalent des ressources dont il les prive en multipliant à profusion les exonérations de redevance... Il faudrait tant de choses.

Début octobre 1988, Catherine Tasca décide donc d'engager une réflexion politique sur l'avenir du secteur public. Dès que le projet de loi qu'elle prépare pour la création du CSA aura pris forme, elle se penchera sur A2 et FR3. Jack Lang n'est pas enthousiaste, pas plus que l'Elysée; ils craignent «une réforme de plus».

D'abord, mettre au point le CSA. Mais aussi voir s'il est possible d'appliquer la théorie dont André Rousselet soutient qu'elle permettrait de rééquilibrer l'audiovisuel. Selon cette théorie il serait sage de faire se rapprocher, voire fusionner, la Cinq et M6. La chose semble tenir au cœur du PDG de Canal Plus, qui ne manque pas d'en détailler les innombrables « avantages » à Catherine Tasca.

Le ministre délégué à la Communication partage bientôt cette conviction. La Cinq et M6 devraient s'efforcer de faire vie commune au lieu de piétiner séparément.

Elle ignore qu'au même moment, c'est l'axe résolument inverse qui se dessine, entre la Une et la Cinq.

CHAPITRE VI

Protocole d'automne

« Bon anniversaire, Silvio!
– Merci, Francis. »
Le gâteau est splendide.

Jeudi 29 septembre 1988, Francis Bouygues a mis les petits plats dans les grands pour recevoir Silvio Berlusconi. Non seulement parce que « Sua Emittenza » fête ce jour-là ses cinquante-deux ans, mais aussi pour agrémenter la rencontre où doit se préciser l'accord entre les deux entreprises.

C'est dans une superbe salle à manger de « Challenger », son Versailles personnel, à Saint-Quentin-en-Yvelines, que Bouygues le reçoit. « Challenger », c'est le nom sidéral qu'il a donné au nouveau siège de sa société. Un étonnant château de verre réfléchissant, tout en longueur, aux ailes doucement recourbées, comme rabattues vers d'immenses jets d'eau. 140 000 mètres carrés de surface, trois coupoles gigantesques, restaurant d'entreprise, des commerces pour le personnel, et un parc d'hélicoptères pour épargner aux VIP les désagréments routiers de la banlieue parisienne.

La semaine est faste pour Silvio Berlusconi. Il arrive de Suisse où, la veille, sa femme a donné naissance à un fils. Il est d'excellente humeur et se félicite de l'accord auquel les réunions préparatoires entre lui et Bouygues (ils se sont vus à la mi-septembre) et les séances de travail entre Le Lay et Codignoni ont permis d'aboutir. Depuis que l'idée d'un rapprochement a été lancée, tout est allé très vite. Tenu ultraconfidentiel en ces temps de chasse à la « chaîne en trop », le schéma retenu par les deux groupes vise à croiser les capitaux. Bouygues et Berlusconi sont, en principe, d'accord pour organiser la parité capitalistique suivante : puisque la loi le permet, Bouygues conserverait ses 25 % dans TF1 et acquerrait 15 % dans la Cinq, tandis que Berlusconi garderait ses 25 % de la Cinq et acquerrait 15 % de TF1.

Au terme de ces réaménagements, les deux groupes contrôleront, conjointement, 40 % des deux réseaux. Ce montage permet d'atteindre plusieurs objectifs. Il permet à Bouygues, qui vitupère sans arrêt contre « cette stupide limitation à 25 % » pour un actionnaire dans une chaîne, de conforter son assise sur TF1 avec un partenaire qu'il a choisi et qui lui assure enfin (avec 40 %) une minorité de blocage. Il ouvre du même coup en grand l'horizon de la rentabilité, car ce qui est prévu est de faire de la Cinq le « réseau complémentaire » de la Une. Celui sur lequel pourront être rediffusées des productions de la Une. Au lieu d'être un concurrent, la Cinq deviendrait ce qu'on appelle une chaîne de « second marché ». Et, comme le savent tous les opérateurs, c'est en s'associant ou en contrôlant un réseau complémentaire, de « second marché », qu'une grande chaîne généraliste peut espérer gagner de l'argent. N'est-ce pas précisément ce que font les grands réseaux américains qui revendent leurs programmes aux réseaux régionaux, aux antennes locales?

Pour Berlusconi, les avantages d'une association avec TF1 sont tout aussi évidents. En se mariant au leader français, il participe à la constitution d'un pôle de télévision commerciale surpuissant. Il se garantit 55 % au minimum de l'audience nationale. Grâce au poids que représenterait l'alliance des deux réseaux, il pourrait enrayer l'inflation des tarifs sur les droits audiovisuels et les retransmissions sportives.

Une autre raison pousse « Sua Emittenza » vers cette alliance. C'est le « deal » prévu pour le règlement de l'achat de la part qu'il prendrait dans TF1. Telles que les choses se présentent, Berlusconi paierait en partie « en nature ». D'une part, il pourrait acheter des actions TF1, de l'autre il échangerait la valeur des droits audiovisuels du catalogue qu'il a constitué contre le reste de sa participation dans TF1. C'est une sorte de troc. Des programmes, des fictions, contre des actions de la Une... Enfin, le rapprochement de la Cinq et de TF1 permettrait encore – et surtout – d'organiser une force médiatique capable de faire plier les centrales d'achat d'espace. Ensemble, avec une politique commerciale concertée, TF1 et la Cinq seraient en mesure de refuser les rabais et les « surcommissions » demandées par les centrales [1]. Elles pourraient vendre leur espace au prix voulu et

1. En sus de la « commission » perçue sur le budget « achat d'espace » des annonceurs, les agences et centrales ont coutume d'obtenir, en fin d'année, une « surcommission » de la part des médias en fonction du volume d'argent qu'elles leur ont apporté dans l'année.

dégager enfin des profits qui, aujourd'hui, s'envolent en ristournes. L'opération, leur semble-t-il, ne peut qu'être positive.

Pour la petite histoire, il faut savoir que Francis Bouygues lui-même n'a jamais été favorable au système des centrales d'achat d'espace. Du temps où il était candidat à TF1, Patrick Le Lay n'avait pas eu besoin de lui faire un dessin pour lui expliquer qu'« en définitive », tout ça n'était qu'un moyen inventé pour « prendre du blé dans la caisse de la régie » du média. Bouygues l'a bien retenu. Avant même qu'il n'obtienne la Une, le groupe Berlusconi lui avait conseillé de « refuser les avances des centrales et des grandes agences », lui faisant valoir qu'il aurait tout à gagner en démarchant directement les annonceurs, comme en Italie... Mais, après avoir gagné TF1, aux prises avec la guerre des stars, face à une machinerie TF1 qu'il ne maîtrisait pas, paniqué à l'idée de perdre des recettes publicitaires, Bouygues avait accepté le système tel qu'il était, trop heureux de se voir garantir un volume d'affaires. A la fin 1988, en s'entendant avec Berlusconi, il pourrait effectivement remettre cette pendule-là à l'heure des bénéfices.

Au cours de la rencontre à « Challenger », Bouygues, Berlusconi, Confalonieri et Le Lay récapitulent ces éléments. « Sua Emittenza » trouve cela lassant. « Tout est OK », qu'attend-on pour finaliser un accord en bonne et due forme?

« Puisque nous sommes d'accord, dit Berlusconi, signons... »

Bouygues semble soudain embarrassé. Oui, tout est en ordre, mais, avoue-t-il, il a « toute une série » d'engagements à TF1, un « pacte d'actionnaires » qu'il doit respecter, et cela l'empêche de signer un accord officiel... » Berlusconi est étonné. Il était persuadé qu'ils étaient là pour signer. Bouygues le rassure. On se serre la main, et c'est comme si c'était signé. C'est un si bon accord, d'ailleurs, qu'il faut préparer dès maintenant sa mise en œuvre. Bouygues voit un moyen fort simple, dit-il, pour faire entrer Berlusconi dans TF1. Ce serait qu'il propose à Maxwell, qui n'arrête pas de gémir, de lui racheter ses actions. On ferait ainsi d'une pierre deux coups en se débarrassant de « l'insupportable Bob », dont Bouygues est persuadé qu'il ne demande qu'à sortir de TF1 pour récupérer sa mise.

Berlusconi va « examiner » cette « possibilité ». On se sépare.

Chacun repart avec sa copie d'un protocole d'accord en poche. Une simple feuille de papier blanc. Sans en-tête. Non signée. Où sont indiquées les grandes lignes du rapprochement. D'un côté Berlusconi s'engage à convaincre les autres actionnaires de la Cinq d'accepter l'association avec Bouygues. De l'autre, TF1 accueille Berlusconi, qui « met à la disposition » de la Une son catalogue audiovisuel.

« C'est drôle qu'il ne veuille pas signer... », dit Berlusconi en sortant de « Challenger ».

« Peut-on vraiment avoir confiance ? », se demande en écho Confalonieri.

Ils repartent en se disant que, « tout de même », c'est Bouygues en personne. Le numéro un mondial dans sa partie. Donc un homme de parole...

La suite montrera que ce n'est pas un argument. On hésite à employer le mot à propos de Berlusconi, mais, en l'occurrence, il fait preuve d'une bien grande naïveté. La stratégie de Bouygues est autrement complexe et retorse. Dans sa vision du monde, il ne connaît pas d'autre règle que l'absorption ou l'élimination de la concurrence.

Plus attentif, plus méfiant, Berlusconi l'aurait compris. Avant d'entrer dans le labyrinthe.

Deux jours plus tard, Berlusconi est à Londres pour sonder les intentions de « Captain Bob ». « Je sais que Bouygues veut que je parte, dit froidement Robert Maxwell, mais je n'ai pas l'intention de vendre. Cela étant, je ne vois pas d'inconvénient à ce que vous entriez dans TF1. » De retour à Paris, les Italiens expliquent à Bouygues et Le Lay que Maxwell s'accroche. Le P-DG de TF1 dit alors qu'il faut « patienter un peu » et étudier d'autres modalités d'entrée pour Berlusconi. Le temps « presse », mais il n'y a « pas d'urgence ». On verra tout cela après le prochain conseil d'administration de TF1.

Au même moment, le groupe Hersant est informé de l'état des négociations entre Bouygues et Berlusconi. Sans entrer dans les détails du protocole, Angelo Codignoni tient Yves de Chaisemartin au courant de la marche vers un accord. Hersant ne dit mot. Chaisemartin a pour mission implicite de voir comment le groupe peut s'extraire, juridiquement et financièrement, du guêpier de la Cinq. Il attend de savoir quelles propositions lui feront les Italiens, avec ou sans Bouygues, pour monnayer son éventuelle sortie de la chaîne...

Sur ce chapitre, il n'y a encore rien de concret. Mais Hersant ne s'inquiète pas outre mesure. Car un autre groupe intéressé à entrer dans la Cinq lui fait parvenir des marques d'attention par l'intermédiaire de Philippe Ramond et des dirigeants de la Socpresse. Ce groupe est prêt à l'aider, « s'il en a besoin ». Matra-Hachette, pour qui la Cinq reste l'unique opportunité envisageable dans l'audiovisuel français, approche ainsi, de manière informelle, Robert Hersant. Au cas où...

Le « papivore » en prend bonne note et s'amuse. Quand Philippe

Ramond lui rapporte une offre de service de tel ou tel proche de Jean-Luc Lagardère rencontré par « hasard » dans un grand restaurant parisien ou au théâtre, Hersant se contente de déclarer fermement : « Non. Soyez clair, Ramond, dites-leur que c'est non! »

Appâter est un art. Comme séduire. Il faut souvent commencer par feindre l'indifférence. Hersant a décidé de le pratiquer en finesse. Parce que, cette fois, pour se sortir de la Cinq, c'est à la pêche au gros qu'il faut aller.

Pendant ce temps, à Londres, le patron du *Mirror* est fou de rage. Il estime qu'on essaie à TF1 de le flanquer dehors. Il a vu Francis Bouygues et Patrick Le Lay à plusieurs reprises au cours des dernières semaines. Autant pour grogner une fois de plus contre la non-rentabilité de TF1 [2] que pour chercher un moyen de sortir de cette situation. Mais il n'est pas apparu de solution miracle. Pis encore, Maxwell a été informé que Bouygues, un peu fatigué à soixante-six ans, envisage de céder la présidence de TF1 à Patrick Le Lay lors du prochain conseil d'administration, qui se tiendra dans quelques jours. Maxwell n'aime pas Le Lay qui s'est montré intraitable avec son fils Ian. Et maintenant, il réalise qu'on veut le pousser vers la ligne de touche, lui le communicateur planétaire, le rival de Murdoch, et pour quoi? Pour mettre Berlusconi à sa place! Puisque c'est comme ça, Bouygues aura la guerre. Et tout de suite.

Depuis la fin septembre, il circule des rumeurs d'OPA sur le groupe Bouygues. Soudain, elles se précisent. Le cours de l'action Bouygues s'envole. Dans les premiers jours d'octobre 1988, Maxwell laisse se répandre le bruit qu'il est en train d'acquérir des actions Bouygues. Il agirait avec Bernard Tapie, autre actionnaire de TF1, aigri par la gestion de la Une et le rôle très mineur qu'on l'y laisse jouer. Francis Bouygues entre dans une colère noire en apprenant la manœuvre. Impossible de savoir si, oui ou non, Maxwell se « paie du Bouygues », et dans quelle quantité. Colère redoublée lorsqu'il lit dans la presse anglo-saxonne [3] les déclarations de Maxwell, qui assure agir pour le « bien » de son « ami » Francis Bouygues.

C'est dans cette atmosphère amicale que se tient le conseil d'administration de TF1, mardi 11 octobre 1988. Les actionnaires de la Une entérinent le changement de P-DG, sans bien comprendre, comme les journalistes, l'incroyable tension qui règne entre Maxwell et Bouygues. Plusieurs fois au cours de la séance, ceux-ci s'invectivent sérieusement, et vont même jusqu'à se traiter

2. En 1988, TF1 ne fera pas plus de 120 millions de francs de bénéfices.
3. *International Herald Tribune* du 2 octobre 1988.

mutuellement de « menteur ». Maxwell ne supporte pas la nomination de Le Lay à la présidence, et prétend ne pas en avoir été préalablement averti...

La querelle se poursuit et s'envenime dans la semaine, à Cannes, où se déroule le MIP-Com, pendant automnal du Marché international des programmes de télévision. La toile de fond, ignorée de tous sauf des protagonistes, ce sont les tractations secrètes entre Bouygues et Berlusconi. Ce sont elles qui expliquent, rétrospectivement, la virulence des propos publics des combattants.

Le samedi 15 octobre, au cours d'un déjeuner de presse, le nouveau P-DG de TF1, Patrick Le Lay, renvoie Maxwell et Tapie dans les cordes. Le premier, déclare-t-il, est un actionnaire dont TF1 pourrait finalement « très bien se passer ». Le second n'est qu'un « tout petit » actionnaire, microscopique. Le lendemain, Maxwell contre-attaque et lave le linge sale de la Une dans le port de Cannes. A bord du *Lady Ghislaine*, « Captain Bob » tient un point de presse impromptu pour y lire, avec son inimitable accent, la lettre ouverte qu'il a décidé d'adresser aux milliers d'actionnaires, grands et petits, de TF1.

C'est un texte acide, qui résume à lui seul la gravité des différends entre Bouygues et Maxwell, mais aussi le malaise profond que le système de gestion Bouygues a suscité à TF1. Une « Société pas comme les autres », annonce le titre. « *Il faut que vous sachiez que certaines décisions prises au cours du conseil d'administration du 11 octobre 1988 peuvent être de nature à menacer le maintien de l'autorisation d'émettre...* », écrit Maxwell, qui dénonce en vrac l'autoritarisme de Bouygues, sa mainmise sur l'antenne, son contrôle de toute l'économie de la chaîne, le fait que ce soit Bouygues SA qui ait obtenu la construction du nouveau siège de TF1 (« *1 milliard de francs de travaux* ») « *sans mise en concurrence* ». Et le tout à l'avenant. Pour finir, du haut d'un pont du *Lady Ghislaine* « Bob », qui se plaint de tout, y compris des programmes de la Une, confie aux journalistes qu'à la réflexion il n'est pas « certain de la légitimité de Patrick Le Lay comme président de TF1 » !

Si Francis Bouygues hésitait encore à se séparer de Maxwell, cette lettre suffirait à le convaincre une fois pour toutes.

La même semaine d'octobre, comme en marge de cet univers où les titans de la communication établissent eux-mêmes les règles de la partie, le gouvernement adopte en conseil des ministres le projet de loi créant un Conseil supérieur de l'audiovisuel qui remplacera bientôt la moribonde CNCL. Jack Lang et Catherine Tasca ont conçu un

CSA numériquement identique à la Haute Autorité, avec un même mode de désignation de ses membres [4] mais aux pouvoirs accrus.

Sans le dire ouvertement, les deux ministres, comme François Mitterrand, comptent sur cet organisme de régulation pour tirer ce que Jack Lang appelle les « leçons de la pédagogie des faits ». En langage moins codé, cela signifie que le CSA devra mettre de l'ordre dans les chaînes et mener à leur terme logique les conséquences du désordre actuel. Il n'y a pas assez d'argent pour faire vivre toutes ces télévisions. Deux d'entre elles, la Cinq et M6, respectent de moins en moins leurs engagements. Il est temps d'en finir. Soit en les mariant pour en faire une seule chaîne. Soit en les supprimant et en organisant une vaste redistribution. Ce n'est pas au gouvernement de plonger les mains « dans le cambouis », aime à dire Lang, mais à cette jeune institution qui, si elle fait correctement ses preuves, aura l'insigne honneur de voir son existence inscrite dans la Constitution de la République. Constitutionnaliser l'organe de régulation audiovisuel, le fondre dans un ordre inaltérable, au-dessus des querelles partisanes, c'est l'une des ambitions du Président énoncées dans sa *Lettre à tous les Français*.

En même temps, et c'est un paradoxe qui ne surprend qu'à moitié, le pouvoir trahit son habituelle défiance à l'égard de l'institution qu'il veut mettre en place. Tel que l'ont prévu Catherine Tasca et Jack Lang, le CSA sera davantage un « supergendarme » de l'audiovisuel qu'une tête pensante et décisionnaire. Il aura compétence sur le secteur privé mais bien peu sur le service public, sauf pour la désignation des P-DG. Abdiquer tout pouvoir en faveur du CSA reviendrait inévitablement à nier les fonctions mêmes de ministre, à part entière ou délégué, de la Communication.

Ce sacrifice, le pouvoir n'y est pas prêt.

Jusqu'à la veille de la présentation du projet de loi sur le CSA en conseil des ministres, un débat a agité les esprits au gouvernement et à l'Elysée, du côté de Gilles Ménage et du nouveau conseiller de François Mitterrand pour l'audiovisuel, Bruno Chetaille, jeune ex-directeur de Communication Développement [5]. Est-il indispensable de laisser au CSA le pouvoir de nommer les P-DG de chaînes

---

4. Le CSA comprendra neuf membres âgés de moins de soixante-cinq ans, désignés pour six ans. Trois le seront par le président de la République – dont le Président du CSA –, trois par le président du Sénat, trois par celui de l'Assemblée nationale. Leur mandat n'est ni renouvelable ni révocable. Le CSA excercera la plupart des pouvoirs qui sont déjà ceux de la CNCL : autorisations d'émettre en radio et télévision, contrôle du respect des cahiers des charges, possibilité de sanctions des infractions, nomination des P-DG de chaînes publiques...

5. Filiale audiovisuelle de la Caisse des dépôts et consignations, qui gère notamment les investissements de la Caisse dans les réseaux câblés.

publiques? Puisqu'on envisage – c'est l'effet de la grande grève de septembre sur A2 et FR3 – de mener une réflexion sur le secteur public, ne faudrait-il pas redonner au gouvernement l'autorité sur ces nominations?

Les services de Michel Rocard ont dit non. Et Catherine Tasca s'est farouchement opposée à cette idée, arguant que cela serait perçu comme un recul dans l'opinion par rapport à l'innovation qu'avait constituée, avec la Haute Autorité, la désignation des P-DG par une instance autonome. C'est l'un des rares points sur lesquels elle ne partage pas l'analyse d'André Rousselet qui, chaque fois qu'ils ont eu l'occasion d'en parler, lui a conseillé de ne pas laisser au CSA le pouvoir de nommer les P-DG... Maintenant qu'il existe un secteur privé, estime-t-il, c'est au principal actionnaire des chaînes publiques, l'Etat, d'en nommer les dirigeants.

Le consensus cher à Michel Rocard n'est pas au rendez-vous du projet de loi sur le CSA. Après une discussion au Sénat, début novembre, dont le texte sort défiguré par les tiraillements et les amendements, il faut tout reprendre à zéro à l'Assemblée en décembre. Pour finir, le Premier ministre n'a d'autre choix, au soir du jeudi 15 décembre 1988, que d'engager la responsabilité de son gouvernement, en vertu de l'article 49-3, pour faire adopter un projet qui ne satisfait pas grand monde. Pas même les députés socialistes.

Ce début d'hiver, les débats confus, ampoulés et mollement polémiques qui accompagnent la création du CSA marquent un changement notable dans l'attitude de la représentation nationale et du pouvoir à l'égard de l'audiovisuel. La gauche patine. L'opposition s' « oppose », mais elle est en panne d'idées. Commence à poindre, sans qu'il soit jamais formulé, le sentiment d'un immense échec général dans ce secteur. Il y a du désœuvrement dans les esprits. Au dynamisme éclectique et farouche de Catherine Tasca répond une culpabilité globale et indicible des pouvoirs publics. Qu'on l'admette ou non, les erreurs fatales sont commises depuis trop longtemps pour qu'il soit encore possible d'y remédier.

Depuis l'automne 1985, la gestion politique de l'audiovisuel n'est plus qu'un fatras de décisions incohérentes qui répondent à d'autres décisions incohérentes. La notion même de rationalité s'est évanouie. Tous les acteurs suivent des raisonnements et des rêves parallèles. Chaque chaîne, publique ou privée, ne pense plus qu'à sa propre survie ou à la mort lente et douloureuse du voisin. Aucun parti politique ne sait comment s'y prendre pour effacer la masse d'âneries indélébiles qu'il a pu prononcer depuis 1981.

Les ministres vivent enfermés dans un monde clos, muré de vieux fantasmes sur une télévision de qualité qui a d'ores et déjà disparu de la surface des écrans. Jack Lang est prisonnier de concepts qui glorifient le cinéma au détriment du petit écran. Il y a dans sa conduite un désir de vengeance inavouable et sincère contre l'homicide sur la personne de la Création qu'a constitué pour lui la confection de la Cinq. Une chaîne qu'il se délecterait de voir disparaître, même si, en privé, il lui arrive de confesser un faible pour quelques séries américaines qu'il y regarde tard le soir, après d'harassantes journées de travail en faveur du rayonnement de la culture.

Catherine Tasca n'est pas plus en contact avec la réalité du moment. Formée à l'école du théâtre et de la littérature, elle ne voit toujours pas comment la télévision pourrait être autre chose qu'une sorte de maison de la culture à domicile, une seconde école. Si louables qu'elles soient, ces ambitions n'ont plus que de lointains rapports avec la réalité économique des chaînes.

Le Premier ministre, c'est classique, n'a quant à lui aucun pouvoir effectif sur ce secteur.

Lorsque la loi instituant le CSA est finalement validée par le Conseil Constitutionnel, le mardi 17 janvier 1989, on se demande déjà comment cet organisme pourra s'y retrouver dans l'inextricable écheveau d'erreurs commises depuis huit ans. La dernière en date est un autre monument érigé à la gloire de l'incohérence par les socialistes. Elle est signée de Bernard Schreiner, député PS des Yvelines, qui est parvenu à faire voter, le 7 décembre 1988, à deux heures du matin, l'amendement le plus inconséquent de sa génération, puisqu'il impose désormais aux chaînes de télévision commerciales une coupure publicitaire unique dans les fictions et les films.

Objectivement, il n'y a pas l'ombre d'un raisonnement économique derrière cette mesure qui, du jour au lendemain, va condamner un peu plus les chaînes au déficit. En fait, il est la conséquence d'une espèce de troc politique entre partis à l'Assemblée. Dans le maelström des débats sur la loi créant le CSA, le PS a craint que les centristes ne votent pas la loi et que cela fasse une entorse au « consensus » en vogue. Pour s'attirer les bonnes grâces d'une partie de ces centristes qui ne cessent de se plaindre de la mauvaise qualité d'une télévision au déclin de laquelle ils ont eux-mêmes largement contribué sous la cohabitation, le PS leur a tendu en offrande la « coupure unique ».

L'amendement a été rédigé l'après-midi même, sur un coin de table, dans la salle des Colonnes. Il y avait là Schreiner, Tasca, et des membres du SJTI. Trop contents de donner un gage à la droite, et pas fâchés de savoir que cet amendement pénaliserait la Cinq et M6, ils ont été incapables de voir le somptueux cadeau qu'ils étaient en train de faire à Francis Bouygues. Ils n'ont pas vu qu'ils offraient à TF1, avec la coupure unique, une première garantie de mort de la Cinq. Comme M6, cette chaîne qui ne diffuse que des fictions et des films va en effet devoir réaménager ses coûts en fonction du manque à gagner, alors que TF1, qui s'est déjà engagée en 1987, lors de l'attribution, à ne pas faire plus d'une interruption publicitaire dans ses fictions, n'en souffrira pas.

Bien qu'il s'en défende, et avant même la mise en place du CSA, le pouvoir est ainsi déjà entré dans une logique d'étranglement économique des chaînes privées. Quand il ne le fait pas consciemment (en souhaitant que le bras armé du CSA frappe bientôt), ses actes, tel cet amendement Schreiner, parlent pour lui. Il s'agit bien de pratiquer une coupure unique sur la Cinq et M6.

Au niveau de l'aorte.

CHAPITRE VII

Ministre bis

Biarritz à la veille du Jour de l'An 1989. Biarritz la balnéaire. Sa douceur en décembre. Rochers et rouleaux feutrés d'écume. Son iode. Biarritz et son pâle soleil sur les pelouses. Ses pensions de famille de luxe. Son hôtel Miramar. Palace où séjourne un sexagénaire, champion tout terrain de la communication au milieu de la dévastation générale, André Rousselet.

Sa réussite donne au P-DG de Canal Plus une aura extraordinaire et mystérieuse qu'il entretient avec un sens entendu de la mise en scène. Celui qu'on donnait pour socialement mort en mai-juin 1985 n'est pas loin d'être considéré, même si un résidu de modestie l'incite encore à faire semblant de le nier, comme le ministre « bis » de la Communication. Ce même « résidu » lui déconseille de demander, à ceux qui abordent la question avec lui : « Pourquoi bis ? »

L'ancien directeur de cabinet de François Mitterrand n'est plus un néophyte de la télévision. Les épreuves l'ont aguerri. Son orgueil et sa vanité n'ont pas diminué pour autant. La chose peut paraître étrange pour un homme de soixante-six ans, mais c'est bien d'une nouvelle mue qu'il est sorti au printemps 1988, avec la fin de la cohabitation. Pendant les deux années qu'elle a duré, il n'a pas fait parler de lui. Il est resté dans l'ombre nourricière de Canal Plus en pleine croissance. Il a laissé agir les forces libérales qui ne pouvaient l'atteindre. Il a observé le noyautage d'Havas au cours de la privatisation du groupe et il a pu, dès la réélection de François Mitterrand, ne se sentant nullement concerné par un « ni-ni » à l'usage des benêts, entreprendre de « dénoyauter ».

Jouant de la puissance financière de Canal Plus et d'une stratégie de coins enfoncés dans les interstices du capital de Havas, André Rousselet est parvenu, entre l'été et l'automne 1988, à inverser les rapports de force dans le capital de Havas. Rachetant patiemment des actions de sa maison mère, avec les encouragements de la rue de Rivoli, il a réussi à constituer autour de Canal Plus un second noyau [1] d'actionnaires d'Havas contrebalançant celui, RPR monocolore, qu'avait organisé Edouard Balladur. Après de byzantines querelles de communiqués et des duels de pourcentages, l'ancien P-DG d'Havas a su rééquilibrer l'actionnariat d'un groupe dont il est devenu évident que plus rien d'important ne peut s'y décider sans son aval. En passant, il a également fait rendre gorge à un homme qu'il ne supporte pas et qui a cru pouvoir se mêler de « dénoyautage » avec lui, Robert Maxwell.

Se targuant de relations personnelles avec un ami commun nommé François Mitterrand, Maxwell a tenté, ou prétendu qu'il tentait de prêter main-forte à un rééquilibrage socialiste de l'actionnariat d'Havas; il avait même affirmé, comme il le ferait ensuite avec Bouygues, avoir acquis 5 % des actions du groupe. André Rousselet avait piqué une colère, puis mouché « Captain Bob », qu'il a toujours considéré comme un aventurier sans autre envergure que celle de son tour de taille, en l'écartant de « son » noyau. D'un point de vue esthétique, l'opération « Dénoyautage » ne manque pas d'allure dans la revanche politique. Canal Plus, la filiale, entre dans le capital de sa mère pour la « protéger ».

Quand il revient au grand jour du second septennat, André Rousselet est paré de l'habit de lumière des matadors de la finance, de la publicité et de l'audiovisuel.

Les invités d'André Rousselet arrivent à Biarritz en fin de matinée, jeudi 29 décembre 1988. Ils sont trois. Ils ont pris l'avion ensemble, le matin au Bourget.

Un avion Bouygues.

Francis Bouygues lui-même est là, avec Patrick Le Lay, P-DG de TF1, et, représentant Silvio Berlusconi qui n'a pu faire le déplacement, Angelo Codignoni.

Cette réunion officieuse au sommet entre les trois plus grands diffuseurs privés français a un objet bien précis dans l'esprit d'André Rousselet. Elle doit lui permettre de clarifier ses intentions. Et de neutraliser les gêneurs... Ce qu'il prépare, c'est l'envol de Canal Plus au-dessus de l'Europe, et l'essaimage en France des chaînes cryptées thématiques auxquelles il travaille depuis deux ans, avec Pierre Lescure et Michel Thoulouze. Maintenant, il est prêt. Ayant atteint le chiffre inespéré de deux millions six cent mille abonnés en novembre

1. En compagnie de groupes amis : GMF, BNP, BSN et Générale des eaux...

500

1988, Canal Plus enfonce tous les records connus dans ce registre. Ce n'est plus un succès. C'est un triomphe qui s'éternise, un raz de marée continuel qui fait enfler les profits de la chaîne. 400 millions net en 1987! Vingt fois plus que n'en a dégagé, péniblement, TF1 la même année. Plus de 650 millions de bénéfices prévus pour l'exercice 1988! A la tête d'une planche à billets qui s'emballe, André Rousselet veut faire fructifier son savoir-faire et son expérience.

Il apparaît comme le seul à pouvoir se poser des questions de développement, et à savoir y répondre avec des espèces sonnantes et trébuchantes. Son mot fétiche, « anticiper », est devenu une obligation. Il ne veut pas se limiter à un support unique, et la réflexion qu'il a engagée sur le satellite, en 1987, est mûre à présent. D'un côté, il part à la conquête des grands pays européens, cherchant des partenaires allemands et espagnols pour y lancer des versions nationales de Canal Plus. De l'autre, il veut fermement prendre pied sur le câble.

Pierre Lescure et lui en ont depuis longtemps la conviction : il ne faut pas se fier aux apparences du moment. Il est vrai que le plan câble français prend les proportions d'une catastrophe nationale, mais, à moyen et à long terme, il reste évident que le câble s'implantera et gagnera. Une entreprise comme Canal Plus ne doit pas s'arrêter aux chiffres ni à la honte hexagonale que sont, sept années après le lancement du « Plan câble », les 12 milliards de francs engloutis pour un peu moins de cent mille abonnés! Alors même que l'Allemagne, poursuivant la progression que l'on sait, atteint en 1988 près de quatre millions d'abonnés...

S'il ne veut pas s'y arrêter, c'est aussi parce qu'André Rousselet devine que Canal Plus a, par son existence et son succès, une part de responsabilité dans ce naufrage. Pas la sienne propre, mais celle des politiques décidées en 1982-1983. Le raisonnement stratégique tenu fin 1988 par André Rousselet est qu'il est aujourd'hui le seul partenaire à pouvoir venir en aide au câble. Situation paradoxale qui ne manque pas de piquant. C'est parce que Canal Plus a fait fortune avec une programmation qui aurait dû être le créneau du câble qu'elle peut, avec l'argent gagné, commencer à investir dans ce média qui piétine.

Canal Plus n'a pas le choix. La chaîne sait que, dans cinq, dix ou quinze ans, quand l'Etat et les câblo-distributeurs auront investi des dizaines de milliards de francs, le câble finira par exister. Il finira par devenir une réalité dans les foyers. Alors commencera l'inévitable déclin des grandes chaînes hertziennes, le grignotage des grands réseaux. Lescure et Rousselet, comme d'autres, ont compris que plus le câble avancera, plus les abonnements aux réseaux progresseront, moins il y aura de foyers qui continueront à regarder TF1, A2, FR3 et Canal Plus avec le piètre confort d'image que donne une antenne sur le toit. La qualité d'image du câble détrônera progressivement les vieux réseaux hertziens. Cela prendra du temps, mais c'est inéluctable. Comme l'est l'érosion de l'audience des grandes chaînes généralistes.

Le câble permettant d'acheminer des télévisions par dizaines, il y aura une segmentation progressive des programmes qui se déclineront en chaînes thématiques, de plus en plus spécialisées. Exactement comme dans un kiosque à journaux où se côtoient de grands hebdomadaires généralistes et des magazines sur la chasse, la voile, la Bourse, le cinéma, l'érotisme... En coproduction avec son partenaire et actionnaire de prédilection, la Générale des eaux, Canal Plus vient de lancer « Planète » sur le câble, une chaîne originale entièrement vouée aux documentaires, sous l'impulsion de Michel Thoulouze qui en est le directeur. C'est cette diversification dont Canal Plus a les moyens et qu'il doit « anticiper » avant que d'autres ne se positionnent. Trou noir financier aujourd'hui, le câble est l'eldorado audiovisuel de la fin du siècle.

Toute la réflexion d'André Rousselet tourne autour de ces deux axes : conquérir l'Europe, maîtriser le câble. Mais quel rapport peut avoir ceci avec les invités qu'il accueille à Biarritz ? Quelle place occupent Bouygues et Berlusconi dans les pensées du P-DG de Canal Plus ? Et pourquoi maintenant, pendant les fêtes ? Le rapport, c'est le facteur temps, le satellite TDF1, et la nécessité de bloquer les initiatives concurrentes.

La concurrence, d'abord. Le patron de Canal Plus ne déborde pas de chaleureuse amitié pour Bouygues mais, il doit en convenir, après des débuts dignes de Laurel et Hardy, Le Lay et Bouygues s'en sortent bien et savent faire tourner leur chaîne. Ils ont, eux aussi, des idées de développement international... Récemment, au printemps 1988, André Rousselet s'est même fait souffler par TF1 une participation à la création de la première chaîne de télévision cryptée du Maghreb. Faute de s'être bien préparé, et alors qu'il avait été le premier saisi, en 1985, d'une demande en ce sens du Maroc, André Rousselet a loupé le coche. 2M International, c'est le nom de la chaîne marocaine, se fera sans lui.

Au passage, il n'est pas indifférent de savoir que l'homme qui a monté le dossier, le concepteur et l'organisateur de 2M International, est Patrick Clément. Le grand reporter d'A2, passé par l'INA avec Jacques Pomonti, puis conseiller officieux de Berlusconi à Paris, a continué à s'occuper un moment de l'école de la rue du Dragon avant d'être, en 1987, contacté par Patrick Le Lay, TF1 souhaitant investir dans le projet marocain.

Cette mésaventure incite André Rousselet à la prudence. On ne peut pas négliger les avancées de Bouygues dans l'audiovisuel, ni ses velléités récentes de prendre pied dans la production européenne avec des partenaires comme Berlusconi et Kirch.

Quant au facteur temps, il est primordial et explique les mouvements d'André Rousselet. L'avenir appartient au câble, mais c'est maintenant qu'il faut s'installer, créer des chaînes thématiques, susciter de l'intérêt pour de nouveaux programmes. Il a en poche le projet bouclé d'une chaîne pour enfants. Mais comment faire, alors qu'il n'y a plus de fréquences disponibles pour diffuser des chaînes par voie hertzienne ? Cela fait deux ans qu'il cherche la solution à cette équation. L'idée, simple, abrupte et logique, s'est imposée à lui au cours de l'automne.

Il y a un satellite, TDF1, qui ne sert encore à rien. Il a été lancé dans une quasi-indifférence générale, le 27 octobre 1988, et s'est placé sur son orbite d'où il n'a toujours pas le quart d'une chaîne à diffuser. La CNCL avait bien lancé un appel d'offres en 1987, mais il n'en est rien sorti. Condamnée à disparaître depuis la réélection de Mitterrand, la Commission attend sagement le moment de repasser TDF1 au futur CSA, à qui il appartiendra, dès son installation, de se prononcer. Pratique courante depuis dix ans...

Pour respecter la tradition, quand Michel Rocard a été nommé Premier ministre, il s'est trouvé à son tour devant la même question que ses prédécesseurs, Mauroy, Fabius, et Chirac : « Pour TDF1, on arrête tout ou on continue ? » Pris dans la même rhétorique de l'« enjeu national », du « choix technologique », etc., et ignorant du progrès des satellites de moindre puissance tout aussi performants, Rocard a décidé, le 31 août 1988, de continuer l'expérience. Il a alors chargé alors Catherine Tasca de réfléchir à la confection d'un « bouquet de programmes » que TDF1 pourrait diffuser. Ce sera donc très bientôt au tour du Conseil supérieur de l'audiovisuel de jouer les apprentis fleuristes pour l'attribution des canaux.

En résumé, la France a sur les bras un objet dont elle ne sait plus quoi faire mais auquel il faut, coûte que coûte, pour sauver la face, trouver une utilité. C'est là qu'André Rousselet est intervenu, en se proposant pour ainsi dire de voler au secours de TDF1. Car si personne ne sauve TDF1, la France risque d'être « bientôt envahie » par les images anglo-saxonnes de son concurrent, le satellite luxembourgeois Astra, qui a été lancé par Ariane le 11 décembre 1988. Qu'on lui donne un ou plusieurs canaux, et Rousselet se fait fort, grâce aux

503

nouveaux programmes qu'il prépare, de sensibiliser les téléspectateurs à l'existence de ce satellite français. Quand ils apprendront que TDF1 diffuse des programmes pour enfants, du sport, du cinéma, de la culture [2], ils n'hésiteront pas à s'équiper d'antennes paraboliques et de décodeurs pour recevoir ces nouvelles chaînes.

André Rousselet a offert à Catherine Tasca d'ôter cette épine du pied du gouvernement. Avec son réservoir d'abonnés, il est certain de trouver les quelques centaines de milliers de clients nécessaires pour amorcer l'opération TDF1. Le seul problème, si l'on peut dire, c'est qu'au début personne ne pourra voir ces nouveaux programmes faute d'équipements de réception. A quoi bon investir des centaines de millions dans la diffusion d'une chaîne pour enfants que personne ne verra avant trois ou quatre ans? Sauf, bien sûr, si...

Sauf s'il est possible de diffuser cette chaîne à la fois par le satellite et par voie hertzienne. Ne pourrait-on pas, provisoirement, bénéficier à terre d'un petit réseau? Le temps que les téléspectateurs découvrent l'intérêt de la nouvelle chaîne, qu'ils y prennent goût et s'abonnent comme ils le font à Canal Plus? Ensuite, dans un proche avenir, ils achèteront l'antenne parabolique que les industriels mettront sur le marché pour recevoir tous les programmes de TDF1 (dont cette chaîne pour enfants qui aura servi de poisson-pilote). Oui, mais puisqu'il n'y a plus de réseaux... Est-ce bien vrai? se demande André Rousselet.

Selon ses informations, et contrairement à ce qu'on prétend, il resterait en France quelques fréquences qui permettraient de couvrir la région parisienne et une dizaine de grandes villes. Par ailleurs, ne dit-on pas au gouvernement même qu'il y a une chaîne de trop? Et n'encourage-t-il lui-même le gouvernement à penser ainsi? Si aujourd'hui une chaîne disparaissait, il resterait bien un réseau inutilisé...

Le trio parisien déjeune avec André Rousselet au Miramar. C'est Patrick Le Lay qui, au début de cette semaine de Noël, a prévenu le groupe Berlusconi qu'une réunion « importante » allait se tenir à Biarritz. Tout en négociant secrètement, comme on l'a vu, avec Berlusconi, Bouygues est aussi dans une phase de concertation avec Canal Plus. Sachant que TF1 menait un raisonnement parallèle au sien sur l'utilisation du satellite et le lancement de chaînes thématiques, André Rousselet a engagé avec Francis Bouygues, au cours de l'automne 1988, des discussions pour voir s'ils ne pourraient pas

2. Au fond d'un tiroir, l'Etat garde toujours l'intention de faire passer la SEPT par TDF1.

s'entendre, au lieu de se faire concurrence, et accéder à TDF1 avec des projets identiques.

L'une des hantises d'André Rousselet, c'est qu'un autre groupe parvienne à s'implanter sur le créneau de la télévision cryptée qu'il domine complètement aujourd'hui. Une sorte de « Yalta » non-écrit veut que, Canal Plus ne marchant pas sur les plates-bandes des chaînes en clair, aucune de ces chaînes n'empiète sur le domaine réservé d'André Rousselet : le péage. Il entend rester maître de la filière audiovisuelle qu'il a bâtie et qu'il contrôle entièrement. De la fabrication du programme à celle du décodeur, en passant par la gestion informatique et commerciale de son système.

De ce point de vue, Canal Plus est devenue une industrie à part entière dont Rousselet veut préserver les secrets. Personne ne doit pouvoir se lancer dans la télévision cryptée en France sans son consentement et sans recourir à son matériel, à son système de cryptage. Tout autre cas de figure serait un *casus belli*. Bien qu'il s'insurge si quiconque lui en fait la remarque, il est en position de monopole sur ce secteur et se bat pour le rester. Si Bouygues réussit, au Maroc puis ailleurs, à entrer dans l'univers du crypté, cela veut dire qu'il pourra, demain, attaquer le marché français de la télévision à péage et menacer Canal Plus. Il ne saurait en être question.

C'est toute cette stratégie qu'André Rousselet dessine, en termes voilés, à ses interlocuteurs. Le message qu'il adresse aux dirigeants de TF1 est simple : évitons la guerre sur TDF1. Si Bouygues veut faire des chaînes cryptées, parlons-en, ensemble, avant d'aller créer des consortiums avec des géants allemands ou italiens dont la seule ambition est d'inonder le territoire de productions américaines.

Quant au message à destination de la Cinq, Rousselet le délivre après le déjeuner, et il est encore plus clair. En homme qui sait ce qu'il veut et ne fait pas mystère de ses intentions, Rousselet s'enquiert de ce que va « devenir la Cinq » selon « M. Berlusconi ». Codignoni reste flou et, naturellement, ne parle pas des discussions qu'il mène en ce moment avec Bouygues pour entrer dans TF1 et réciproquement. Discussions dont le P-DG de Canal Plus paraît tout ignorer. L'émissaire italien se borne à évoquer les « espoirs » que Robert Hersant et Berlusconi placent dans le « redressement ». L'audience de la Cinq ne cesse de progresser et frise maintenant les 15 %. La situation financière est délicate, mais...

Décontracté, André Rousselet écoute un moment, fait état de son scepticisme, puis passe à l'attaque. Avec la manière et le sourire.

Il reprend les grandes lignes de sa stratégie et démontre que non, décidément non, il n'y a pas de place pour la Cinq *et* M6 dans le système français. Ces chaînes vont chacune au-devant de graves déficits. Pour toutes ces raisons, explique-t-il, il ne verrait que des avantages à ce que MM. Berlusconi et Hersant libèrent l'actuel réseau de la Cinq et se rabattent sur M6 pour faire une seule chaîne privée qui aura « peut-être » des chances de survivre sur le marché.

Codignoni accuse le coup et s'efforce de démontrer l'impossibilité financière de ce qui est préconisé. Ce que demande Rousselet revient à exiger de Berlusconi qu'il fasse une croix sur les 400 millions de francs qu'il a investis (25 % du 1,7 milliard de francs engloutis dans la Cinq Hersant à ce moment).

Bouygues lui-même est un peu abasourdi. La stratégie de Rousselet est en complète opposition avec celle qu'il a engagée pour marier TF1 avec la Cinq et Berlusconi. Bouygues et Le Lay sont d'autant plus embarrassés que c'est eux qui ont voulu faire venir le groupe Berlusconi à cette réunion, et qu'ils ne s'attendaient pas à cette offensive. Mal informés du détail des relations passées entre Rousselet et Hersant d'une part, et Rousselet et Berlusconi de l'autre, ils ont sous-estimé l'indéfectible hostilité que le patron de Canal Plus voue à la Cinq en tant que chaîne, et à ses actionnaires en tant qu'hommes.

Aussi extrême dans l'estime que dans la rancune, le P-DG de Canal n'a jamais accepté, au fond de lui-même, la création de la Cinq. Pas plus qu'à Laurent Fabius ou Bernard Miyet [3], il ne peut pardonner à Hersant et Berlusconi leurs attitudes passées. Pour lui, la Cinq, c'est une antenne médiocre et l'addition de deux groupes qu'il déteste. Il n'a jamais admis la « générosité » irréfléchie avec laquelle la France a ouvert grand les portes de sa télévision à un homme comme Berlusconi.

En 1985, il a tout essayé pour dissuader le Président de faire cette Cinq. Il a échoué. Comme il a échoué à faire éclater son actionnariat avant même sa naissance en proposant trois fois à Jérôme Seydoux, en novembre et en décembre 1985, de se tourner plutôt vers Canal Plus. C'était l'époque où André Rousselet cherchait à remodeler le capital de Canal pour faire, comme promis, baisser la part d'Havas. Il avait alors proposé 10 % ou 15 % au patron de Chargeurs SA qui était en pleines négociations pour créer France Cinq.

A la même période, une semaine avant la signature du contrat de la Cinq, le 13 novembre 1985, André Rousselet avait adressé une note personnelle en trois feuillets étrangement prophétiques à Fran-

---

3. Qui vient d'être chargé, en octobre 1988, d'une mission Eurêka Audiovisuel par François Mitterrand. Cette nomination a provoqué chez André Rousselet l'indignation et la rédaction d'une lettre au Président pour lui faire part de « *l'amertume* » qu'il a éprouvée à l'annonce du choix de Miyet, un homme qu'il avait autrefois « *charitablement recueilli* » et qui a joué contre lui.

çois Mitterrand, pour lui expliquer que la France en viendrait à regretter le choix de Berlusconi et que la Cinq ne trouverait jamais de quoi vivre sur le marché national.

Le retour à Paris de Bouygues, Le Lay et Codignoni se fait sous le signe d'une grande morosité. Les uns et les autres vont devoir composer avec la détermination de Rousselet. Francis Bouygues n'est plus trop sûr d'être intéressé par le satellite TDF1 sur lequel il est patent que Rousselet a déjà des garanties politiques d'obtenir ce qu'il veut. TF1 n'a pas vocation à jouer les roues de secours dans le coffre de Canal Plus. En attendant, il faut poursuivre, mais plus discrètement encore, le flirt entre la Une et Berlusconi. On ne change rien au dernier plan prévu pour le rapprochement capitalistique.

C'est un plan qui a été établi à la veille de Noël entre les groupes Bouygues et Berlusconi. La question à résoudre était : comment faire pour se marier puisque Maxwell ne veut pas vendre? La solution imaginée comporte deux volets. Tout d'abord, « Sua Emittenza » commencera à acheter les actions TF1 qu'il trouvera sur le marché. Ce ne sera pas facile, car la société est en bonne santé, l'action se porte bien et il y a peu de vendeurs. Mais on en trouve toujours et, petit à petit, cela finira bien par faire quelques pour cent d'acquis...

L'autre volet concerne le célèbre catalogue Berlusconi. L'Italien a fait valoir que, dans l'opération de croisement d'intérêts entre TF1 et la Cinq, il risque de perdre une bonne partie de l'argent qu'il a investi, à travers sa société Rete Italia, dans l'achat de droits audiovisuels américains destinés à la Cinq. Globalement, il évalue à 200 millions de dollars la valeur du portefeuille de droits en question. Une hypothèse de travail est alors apparue et est à l'étude. Au printemps prochain, en mai ou juin 1989, TF1 pourrait organiser une augmentation de capital pour une somme d'environ 1 milliard de francs (soit l'équivalent des 200 millions de dollars de droits). Cette augmentation serait, comme on dit, « réservée » à la Fininvest, qui ferait alors son entrée dans la chaîne avec environ 10 % du capital en échange du catalogue et du droit de puiser dedans pour alimenter les deux chaînes. 10 %, et davantage si Berlusconi arrive à acheter du TF1 sur le marché d'ici là.

Les grandes lignes de ce projet ont été jetées sur le papier fin décembre 1988. On y envisage ensuite la montée en puissance dans TF1 du groupe Berlusconi, qui serait appelé à jouer un rôle – restant à définir – dans le management. Des places lui seraient réservées au conseil d'administration de la chaîne. Une fois cette manœuvre accomplie, Bouygues et Berlusconi contrôleraient donc les capitaux

507

de la Cinq et de TF1 avec un poids suffisant pour dissuader les autres actionnaires de s'opposer à leur stratégie.

Ce n'est pas précisément ce dont rêve André Rousselet.

La nuit commence à tomber quand l'avion qui les ramène à Paris se pose en bout de piste au Bourget. Assez loin pour intriguer, ce 29 décembre, les caméramen et journalistes présents à l'aéroport pour une tout autre raison. Ils attendent le retour probable des enfants de la famille Valente, qui étaient retenus en otage depuis des mois.

Le zoom d'une caméra fond sur le petit avion qui vient d'atterrir et s'attarde sur ses passagers. L'équipe de la Cinq filme elle aussi, et elle croit bien reconnaître un visage familier, puis deux... Ce ne sont pas ceux des otages mais de Patrick Le Lay, qu'ils connaissent de vue, et d'Angelo Codignoni, qu'ils ont l'habitude de voir dans les locaux de la Cinq. TF1 et Berlusconi voyagent ensemble? Tiens donc!

Etonnement et colère, le soir même à la Cinq. Pour les équipes française et italienne qui vivent déjà dans la suspicion totale, c'est la cerise sur le gâteau. Le directeur, Philippe Ramond, visionne la cassette vidéo et y voit la preuve d'une collusion d'intérêts qu'il soupçonne depuis longtemps entre Berlusconi et Bouygues. Hersant est aussitôt prévenu et hausse les épaules. Il en faut davantage pour l'émouvoir. En fait, il connaît par l'intermédiaire de Chaisemartin, qui les tient du groupe Berlusconi, les grandes lignes – pas les détails – du protocole TF1-Fininvest en préparation.

Mais quand même. Cette vidéo ne contribue pas à détendre l'atmosphère dans une chaîne qui glisse vers les 2 milliards de francs de déficit cumulés. Une chaîne dont l'un des principaux actionnaires, Berlusconi, est persuadé de se faire rouler par Hersant au niveau de la régie publicitaire. Une chaîne dont l'opérateur, Hersant, est convaincu que son associé, Berlusconi, le gruge et l'escroque en lui vendant à prix d'or des programmes qu'il a déjà amortis en Italie ou ailleurs.

Une chaîne enfin dont un troisième actionnaire, Jérôme Seydoux, est assez riche et patient pour attendre son heure. Ce dont il ne se prive pas.

Cette heure approche.

CHAPITRE VIII

Un couvent, rue Jacob

Dehors, il tombe d'épaisses cordes liquides. Il fait nuit. Et froid. Les accès à la rue Jacob sont bloqués. Au 26, dans le hall de l'Hôtel d'York, les gardes du corps s'agitent comme des papillons, communiquent à coups de haussements de sourcils entendus. Sous leurs vestes, les talkies walkies fredonnent des « bip-bip » qui ponctuent le phrasé des discours. La cérémonie tient du patronage et du sommet international. On ne sait pas si François Mitterrand va remettre une médaille en chocolat à Jacques Boutet, président fraîchement nommé du Conseil supérieur de l'audiovisuel, ou annoncer un conflit nucléaire.

Lundi 13 février 1989. 19 heures. Inauguration du CSA. Troisième instance de régulation française. Troisième coupure officielle d'un cordon ombilical qui ne s'est jamais si bien porté entre pouvoir et médias. Troisième comédie surréaliste où de doctes fonctionnaires égrènent les propos les plus passe-partout, les compliments les plus poudrés. Tout sonne faux dans cette représentation de la liberté audiovisuelle que la République se donne à elle-même. La petite estrade provinciale fait toc, les rubans tricolores sortent des combles d'un mauvais théâtre, les personnages ont des teints et des coiffures de comédiens fatigués.

Pour commencer, Jacques Boutet marmonne un pensum bien balisé de « pluralismes » et de promesses d'« objectivité ». Le CSA, déclame-t-il, veillera à « *définir de nouveaux équilibres entre les contraintes économiques et les exigences culturelles* ». C'est à tomber raide mort d'ennui ou de stupéfaction en constatant la facilité avec laquelle il semble encore possible, en 1989, de débiter autant de mots depuis si longtemps vidés de leur sens. Il n'y a guère que le sympathique accent aveyronnais de l'ancien P-DG de TF1 pour donner une touche de chaleur à cette introduction.

Le visage cireux, immobile, François Mitterrand paraît s'ennuyer ferme. Que faire d'autre? Son discours est un peu plus gai, mais pas moins creux. « Réjouissez-vous, lance-t-il au Conseil supérieur, car vous ne me reverrez plus... » C'est autant une manière de les livrer à leur autonomie supposée que de dire qu'on ne l'y prendra pas une quatrième fois. Si cette nouvelle « clef de voûte », pour reprendre le cliché d'usage, s'écroule, il n'y en aura pas d'autre. Il est déjà bien assez ridicule pour un Président d'en avoir vu défiler trois en si peu de temps...

« Vous êtes un peu entrés au couvent... », annonce le Président aux neuf membres du CSA. Un « couvent » étrange, il en convient, où il leur recommande de ne pas « hésiter à se servir » des pouvoirs de « recommandation, de consultation et si nécessaire de sanction » qui sont les leurs. On est bien dans le droit-fil de ce qui se trame dans les coulisses du gouvernement depuis la fin de la cohabitation. Bras armé du pouvoir, le CSA frappera, espère-t-on, là où on lui indique une cible assez grosse pour ne pas échapper même aux membres myopes s'il y en a. Jamais en reste d'un couplet ironique, François Mitterrand soigne la diction de celui qu'il a préparé à l'intention de la défunte CNCL, qui avait « oublié » de l'inviter à son installation en novembre 1986 : « Vous bénéficiez de tous les atouts, dit-il au CSA. Indépendance, autorité, moyens et durée. Il devait sans doute manquer quelque chose de cela aux institutions précédentes... »

Pathétique cérémonie. A l'image de la pantomime qu'est devenue la politique audiovisuelle française. Un théâtre d'ombres lasses où une poignée d'acteurs se disputent quelques milliards de francs. La Communication française n'est plus qu'une interminable et brumeuse soirée mondaine. Un trop long métrage où les voix se perdent comme chez Jacques Tati. Où les décisions se télescopent comme les séquences d'un film d'Alain Resnais. La beauté plastique et l'intelligence du montage final en moins. Le cocktail qui suit l'inauguration fait immanquablement penser au *Temps retrouvé* de Proust, mais il manque le pavé de cour sur lequel buter pour capturer la cohérence d'ensemble.

Le Tout-Audiovisuel habituel est venu saluer la naissance du CSA. Il y a un Premier et des ex-Premiers ministres, Rocard, Fabius, des ministres, anciens et nouveaux, comme Fillioud, Tasca et Lang, une ancienne responsable d'instance, la première, Michèle Cotta, des présidents de chaînes, Drucker, Le Lay, Contamine, Rigaud, Desgraupes... Haute Autorité. CNCL. CSA. On sourit. On est poli. On n'y croit plus. On fait comme si...

Solitaire. Droit. Enveloppé dans un épais manteau sombre, les

510

mains dans les poches, Robert Hersant se tient à l'écart. Près de la porte de sortie. Impassible, son visage las ne traduit qu'une politesse de circonstance. On l'a invité. Il est venu. Rien de plus. Par un étrange positionnement des corps dans cette salle qui n'est pourtant pas grande, une sorte de cercle vide s'est formé autour de Robert Hersant. On ne l'approche pas.

Il reste immobile, spectateur des agapes de ceux qui le tiennent aujourd'hui à la gorge. La Cinq le mine de plus en plus. Il ne veut rien en laisser paraître mais son groupe est maintenant entré dans une spirale dangereuse, et il ne trouve pas d'issue. Depuis un an, la chaîne vit au rythme des mises en demeure de respecter ses quotas et des menaces d'amendes. Philippe Ramond et Carlo Freccero passent leur temps à essayer de contourner les écueils réglementaires. Ils ont été clairs avec lui dès le premier avertissement de la CNCL : « Respecter tous les engagements pris, c'est tuer la chaîne. La Cinq n'a pas les moyens d'être la grande chaîne généraliste annoncée. Le seul créneau, c'est celui de la fiction... »

En dix-huit mois, pour tenir le coup, la chaîne a dû réduire ses dépenses mensuelles de 150 à 80 millions. Même dans ces conditions, le déficit continue à se creuser gravement. La totalité du capital levé depuis le lancement a été consommée. Il faudra sûrement procéder à une nouvelle augmentation de capital avant l'été et serrer encore les dépenses. Si la chaîne s'en tenait au strict respect des obligations contractées, aveuglément, devant la CNCL en 1987, il faudrait qu'elle débourse pas loin de 250 millions par mois. Alors, la réglementation, dans les mois à venir...

Patient, mais rongé par l'anxiété, Robert Hersant guette une sortie qu'il devine mais ne voit pas encore distinctement. Et puis, maintenant, c'est avec ce CSA qu'il va falloir jouer à cache-cache. Cela, Robert Hersant ne songe pas à s'en plaindre. En dépit des apparences et des liens de proximité qui lui étaient prêtés avec la CNCL, le patron du *Figaro* ne supportait plus l'arrogante médiocrité de cette Commission et ne voulait même plus discuter avec son président, de Broglie, sur l'intelligence et le pouvoir duquel il considère s'être trompé.

C'est à bord du Concorde, entre Casablanca et Paris, à la mi-janvier 1989, qu'on a établi la première liste de noms des membres du Conseil supérieur de l'audiovisuel. Il y avait là, près de François Mitterrand, le ministre Roland Dumas, Thierry de Beaucé, et le nouveau directeur de RMC, depuis novembre 1988, Hervé Bourges. Après un creux dans sa carrière pour cause de cohabitation, l'ancien président de TF1 est revenu aux affaires, les grandes, et ne les quitte plus. L'œil noir et brillant, la faconde chaque fois plus enjouée, Bourges renaît à l'existence officielle dans le sillage du chef de l'Etat. Les temps ont été presque durs pour lui en 1987 et au début 1988. Après avoir décliné le confort d'un placard doré chez Bouygues-TF1, rendu la voiture et le chauffeur mis à sa disposition, il s'est plus ou moins intéressé au quotidien en détresse *Le Matin de Paris*, dont s'occupait alors Paul Quilès. Au printemps 1987, il a rencontré dans son appartement parisien le financier Giancarlo Parretti, qui s'intéressait également beaucoup au quotidien de gauche. Chez Parretti, Hervé Bourges a fait la connaissance d'un entrepreneur italien, Gianpaoli, qui lui-même voulait investir dans *Le Matin* et en confier la direction à Bourges...

L'accord ne s'est pas fait. Finalement, Gianpaoli, en association avec Robert Maxwell, a créé une petite société de financement dans la production audiovisuelle (la centrale de Gilbert Gross y prend une participation) dont Hervé Bourges est le consultant « professionnel ». Société sans grande activité. Pour Bourges, le purgatoire prend fin avec la réélection de François Mitterrand. Parallèlement, les liens de sympathie mutuelle se sont renforcés entre lui et André Rousselet qui, cherchant quelqu'un pour prendre la tête d'une structure de développement de Canal Plus en Afrique, l'avait contacté. Africain d'adoption, Bourges était l'homme de la situation, avait déduit André Rousselet.

C'est ainsi que Bourges s'est retrouvé président de Canal Plus Afrique, en octobre 1988, un mois avant d'être nommé directeur général de RMC, station contrôlée par la Sofirad. Ce sont Catherine Tasca et Jack Lang qui lui ont proposé ce poste à la rentrée 1988. François Mitterrand leur avait demandé de nommer à la direction de RMC Jean-Noël Tassez, un journaliste ami de son fils, Jean-Christophe. Tasca et Lang avaient tergiversé, ne voyant pas en Tassez le profil requis dans l'immédiat, et proposé Bourges. Ce dernier avait accepté mais en précisant que ce poste ne l'intéressait qu'à titre transitoire. Ce qu'il voulait, c'était la présidence de la Sofirad. « Vous l'aurez dès que le poste sera libre [1] », lui ont promis les ministres. Entre-temps, Hervé Bourges a continué à voir occasionnellement le Président et à l'accompagner dans ses déplacements au Maghreb, en Afrique, et dans les sommets franco-africains.

C'est donc dans le Concorde, retour du Maroc, que François Mitterrand a lancé une sonde avec ces mots : « A propos, qui verriez-vous

---

1. Antoine Schwarz, nommé P-DG de la Sofirad par le gouvernement Chirac en juillet 1986, sera bientôt remplacé...

à la présidence du CSA ? » Hervé Bourges a prononcé le nom le plus cité à ce moment, celui de Jean-Denis Bredin, auteur du rapport du même nom en 1985. L'écrivain et avocat, très estimé par François Mitterrand, semblait le mieux placé dans les cœurs, et était activement soutenu par Jack Lang, dont ce n'était pas le seul candidat. Juste derrière Bredin, le ministre de la Culture poussait un autre ami et avocat en la personne de Georges Kiejman. Mais Lang n'a pas été beaucoup consulté. Et Jean-Denis Bredin, que François Mitterrand recevra, ne se montrera pas désireux de présider le CSA.

C'est Roland Dumas qui, dans l'avion, et alors qu'on cherche partout des serviettes en papier pour essuyer l'encre qui fuit du stylo que le Président a sorti de sa poche, a avancé le nom d'un de ses amis, Jacques Boutet, ancien P-DG de TF1 ayant ensuite dirigé les relations culturelles au Quai d'Orsay. Celui-ci préside depuis 1986 la section des finances au Conseil d'Etat... Le Président a retenu la proposition sans en rien dire. Les années n'ont pas effacé le bon souvenir qu'il garde de l'intégrité de Jacques Boutet dans la campagne de 1981. Peu importe que son passage à la tête de TF1 se soit soldé par un échec...

Le mercredi 18 janvier 1989, le président de section Jacques Boutet, en séance au Conseil d'Etat, s'est vu apporter un petit mot par sa secrétaire : « Roland Dumas vous demande au téléphone. » Jacques Boutet a cru qu'il y avait un problème aux Relations culturelles, son ancien poste, et qu'on voulait son avis. Il n'y a plus pensé. Le lendemain, jeudi 19, la secrétaire de Roland Dumas l'a appelé pour lui dire que le ministre voulait le « voir absolument », sans attendre. « Le Président m'a chargé de vous voir pour vous poser cette question, lui dit Roland Dumas lorsqu'ils se rencontrent en fin de journée : acceptez-vous d'être président du CSA ?.. Réfléchissez. Il me faut une réponse demain... »

Comme toujours, il est difficile de refuser quelque chose que souhaite François Mitterrand. Réaliste, Jacques Boutet avertit Dumas qu'il ne s'est plus occupé d'audiovisuel depuis 1982 même si, de par ses fonctions, il connaît bien les textes qui réglementent ce secteur. C'est sans enthousiasme excessif que Boutet accepte le lendemain. En sachant qu'il perd une partie de sa liberté, une maison agréable qui est la sienne (le Conseil d'Etat) et les douces périodes de congés.

Jacques Boutet ne va pas non plus au CSA en traînant les pieds. C'est un poste qui a encore de quoi flatter l'orgueil de tout haut fonctionnaire. Mais il sous-estime la complexité de ses futures fonctions, comme il aura maintes fois l'occasion de se le dire plus tard. En outre, il a dit oui sans savoir qui seront ses huit collègues dans cette instance.

Et pour cause. Pratiquement jusqu'à la veille des nominations, le mardi 24 janvier 1989, les trois présidents, de la République, du Sénat et de l'Assemblée nationale, ont eu toutes les peines du monde à rassembler ces huit têtes. Pour ne pas être importuné par des candidats quémandeurs de sa génération, François Mitterrand avait personnellement insisté pour limiter à soixante-cinq ans l'âge des membres à leur entrée au CSA. Il voulait bien parrainer un « couvent », mais pas une maison de retraite.

Ce sera pourtant les deux.

Force est de constater que la perspective d'aller se cloîtrer dans un Conseil supérieur de l'audiovisuel, si elle tentait la colonie habituelle de « serviteurs de l'Etat » en quête de chaises vides où s'asseoir quelques années avant de passer à autre chose, séduisait bien peu les professionnels de la communication qui auraient pu muscler, crédibiliser, l'organisme. Trop de contraintes. Trop d'actes irréparables commis dans l'audiovisuel. Il n'y a que des coups à prendre et des catastrophes à gérer, se sont dit les pressentis qui, par ailleurs, ont été rebutés par les conditions matérielles offertes. Etre du CSA, cela signifie l'abandon de toute autre activité rémunérée et interdit tout contrat avec le secteur de la communication. Ceci pour 50 000 francs de « modestes » émoluments.

Au bout du compte, après bien des refus polis, la réforme qui devait régénérer l'instance de régulation débouche sur une assemblée falote, d'âge trop avancé pour être en prise sur la télévision de demain et, ce qui est plus grave, d'une sidérante inexpérience audiovisuelle, à deux ou trois exceptions près. Alain Poher, depuis la Haute assemblée, reconduit Daisy de Galard, choisit d'y envoyer un universitaire, Francis Balle, et l'ancien P-DG de Radio France, Roland Faure. Laurent Fabius, l'ancien Premier ministre devenu président de l'Assemblée nationale, a pour sa part reconduit Bertrand Labrusse, nommé le producteur Igor Barrère et un inspecteur général de l'Education nationale, Monique Augé-Lafon. Quant au chef de l'Etat, outre le président Boutet, il envoie au front la journaliste Geneviève Guicheney et le responsable de l'Union nationale des associations familiales, Roger Burnel. Au dernier moment, le Président hésitait encore à désigner comme troisième sur la liste Fabius une jeune journaliste recommandée par Hervé Bourges, Laure Adler.

Si l'Etat avait voulu signifier qu'il ne donnait pas une chance au nouveau collège, il ne s'y serait pas pris autrement. Catherine Tasca, qui prônait la nomination de Jean-Noël Jeanneney à la présidence du CSA [2], et Jack Lang, qui voulait Kiejman après le refus de Bredin,

2. L'ancien P-DG de Radio France est alors en charge d'une mission sur la préparation des festivités du Bicentenaire de la Révolution.

sont consternés par les choix. Michel Rocard, qui a compris comme ses prédécesseurs qu'il n'aura pas son mot à dire sur l'audiovisuel, est quand même choqué de n'avoir pas été consulté.

Le CSA nommé paraît d'une incroyable légèreté face au machiavélisme et à l'expérience juridique des grands groupes de communication. Il manque de stature, d'étoffe à côté des Hersant, Berlusconi, Bouygues, Rousselet... C'est un collège dont certains membres ignorent absolument tout du secteur qui leur est confié. La CNCL faisait dans l'obséquiosité politique. Le CSA est une formidable erreur de casting.

Son registre sera, tour à tour, celui de la bonne volonté dans l'impuissance et de l'obstination dans l'incompétence.

En ce début 1989, tandis que les pouvoirs publics tirent des plans sur les comètes privées, les chaînes commerciales essaient de contrer l'offensive. On sent bien, sur le terrain, dans les régies publicitaires et surtout chez les différents actionnaires privés, que le système se dirige vers un goulot d'étranglement. Depuis le temps qu'on l'énonce comme une évidence théorique, le manque de place pour autant de chaînes devient un fait mesurable, une démonstration comptable. La Cinq et M6 coulent à pic dans les déficits. TF1 surnage avec d'infimes bénéfices, qui ne compenseront jamais le prix payé par Bouygues sur la durée de l'autorisation [3].

Alors, par choix stratégique ou en désespoir de cause, tout le monde discute avec tout le monde. Chaque chaîne apprend à jouer double ou triple jeu, à mimer des alliances fictives pour mieux préparer l'affrontement final. Ainsi, parallèlement aux négociations entre TF1 et Berlusconi, la Cinq manœuvre depuis un an pour séduire celle qui ne fait jamais la une de l'actualité, celle qui a choisi de tirer profit de sa taille minuscule en se qualifiant elle-même de « petite chaîne » : M6. Petite chaîne, oui, mais « qui monte... »

C'est le positionnement le plus humble et le plus cohérent depuis la naissance de Canal Plus. La voie étroite choisie par son P-DG, Jean Drucker, celle de la « complémentarité », a mené en deux ans M6 au seuil d'une notoriété modeste mais certaine. Avec un géomètre à la gestion, Nicolas de Tavernost, et un programmateur chevronné des réseaux de RTL, Jean Stock, la chaîne à dominante musicale s'est taillé une part de marché bien à elle. Cela ne s'est pas fait sans mal et sans hésitation. Au début, sans expérience, de Tavernost n'a fait que regarder passer les trains et payer des factures.

3. Seulement 120 millions de francs en 1988 ; il en faudrait en moyenne quatre à cinq fois plus par an pour améliorer sur dix ans l'investissement dans TF1.

Avec ses clips, ses séries américaines et ses magazines littéraires ou de musique classique, M6 tenait au départ à la fois d'A2 en modèle réduit, de la fausse Cinq et de Channel 4... Cohabitation délicate entre Jean Drucker, ex-P-DG d'A2 soucieux de bâtir une image, et le réalisme de Jean Stock cherchant à consolider l'audience avec des recettes éprouvées...

A la rentrée 1987, le « plantage » de la Cinq généraliste a servi de démonstration et d'épouvantail à M6. Hersant et Berlusconi ont fait la preuve de ce qu'il ne fallait pas tenter : concurrencer TF1. *A contrario*, Jean Drucker y a vu un encouragement à persévérer dans la voie la plus modeste mais la plus sûre à ses yeux. Depuis, avec un format simple, un public précis (les jeunes de quinze à trente-cinq ans), M6 grimpe doucement la côte. En un an, sa part d'audience nationale a doublé, pour atteindre, au début 1989, presque 6 %. Mais cette progression coûte cher et rapporte encore peu. Pour ses deux premières années d'existence, M6 cumule 750 millions de déficit!

C'est le constat de la pauvreté du marché publicitaire et de l'accroissement des coûts de programmation qui a incité M6 et la Cinq à prendre langue. Chacune avec ses difficultés propres. Contrairement aux souhaits du pouvoir, personne ne songe à fusionner les deux entreprises, mais à les rapprocher.

Dès le 20 janvier 1988, c'est-à-dire au lendemain des déboires de la Cinq avec les stars, Philippe Ramond et Jean Drucker ont examiné leurs situations respectives au cours d'un déjeuner. D'une certaine façon, M6 pouvait craindre à ce moment le repositionnement « fictions » de la Cinq... Lorsqu'ils se sont revus pour prendre un petit déjeuner au Flore neuf mois plus tard (le 21 octobre 1988), Ramond et Drucker ont pu tirer les leçons de dix-huit mois d'autorisation. Leurs deux chaînes sont aux prises avec la même calamité financière, les mêmes gouffres, les mêmes difficultés à étendre leurs réseaux. Au fond, pourquoi ne pas essayer de remédier ensemble à ces fléaux? Au moment, donc, où l'autre actionnaire de la Cinq, Berlusconi, commençait sa liaison avec TF1, Hersant poussait Ramond à « voir ce qu'on pourrait bien tirer » d'une entente avec M6.

Inquiètes des menaces qu'elles pressentent dans les propos de Catherine Tasca et devinent dans les déclarations d'André Rousselet sur leur « fusion » nécessaire, les deux chaînes veulent faire front commun.

A la suite de ces contacts, des réunions de travail ont été organisées entre la Cinq et M6, les 26 et 27 octobre 1988. Il en est sorti la première mouture d'un protocole d'accord qui, au lendemain de l'installation du CSA, en avril 1989, se traduit par un texte commun (daté du 12 avril) où les deux chaînes font une projection concrète de leur rapprochement. Le principe de l'accord ne repose en aucun cas sur une fusion, même si on pense qu'à terme il faudra un échange de participations capitalistiques pour consolider l'entente. Il s'agit d'abord d'additionner des forces, des audiences, et de vendre ensemble l'espace publicitaire afin de réduire la pression des centrales : « *L'exploitation commune des deux antennes porterait sur la régie publicitaire, les achats de droits et de coproduction, la programmation harmonisée, la mise en pool des moyens techniques* », indique ce texte en principe destiné aux actionnaires de la Cinq et M6 mais qui ne sera finalement pas diffusé à ceux de la Cinq, hormis Hersant.

La Lyonnaise et la CLT suivent de très près pour M6, sans s'y impliquer directement, les réflexions de Drucker, Tavernost et Ramond. Par contre, Hersant reste en retrait, comme s'il n'y croyait pas. Il a rencontré Jérôme Monod une fois sur le sujet, sans plus, et il délègue Chaisemartin. Le groupe Berlusconi, lui, n'est jamais associé à ces démarches. Quant aux « petits » actionnaires de la Cinq, ils n'existent toujours pas dans l'esprit de son P-DG.

Dès son commencement, le pas de deux entre la Cinq et M6 est placé sous le signe de l'ambiguïté et d'une certaine défiance. Le plan ne tient d'un point de vue économique que si le rapport de forces entre les deux chaînes ne change pas. Autrement dit, le rapprochement est une belle théorie si la Cinq et M6 continuent à vivoter comme elles le font. Or, le but de la manœuvre est justement de les sortir de cet état. Qu'elles y parviennent, et la rivalité renaîtra d'elle-même, plus forte qu'avant, et chacun se dira alors qu'il a ses chances de s'en tirer seul. Jean Drucker a également le sentiment confus que toutes ces négociations sont un rideau de fumée tiré par un Hersant, qui semble au bout du rouleau. Où en sera-t-il, à quel niveau de pertes, d'ici la fin de l'exercice 1989? Combien de temps peut-il encore tenir?

Le pivot de la stratégie de Jean Drucker, c'est la stabilité du tour de table de M6. La petite chaîne perd de l'argent, certes. Mais à la différence de la Cinq, ses actionnaires sont riches, solidaires et patients. Pour la Lyonnaise ou la CLT, l'investissement dans M6 est raisonnable. Le temps ne joue pas en faveur de Robert Hersant... Jacques Rigaud partage plutôt ce sentiment. On ne fait pas confiance à la Cinq. On se méfie d'Hersant. Mais, en même temps, cela reste la seule opportunité pour déjouer l'offensive du gouvernement.

La seule depuis que Jean Drucker et Jacques Rigaud ont exploré, il y a quelques mois, en 1988, l'hypothèse d'une alliance avec... TF1.

Les mêmes éléments de rationalisation de coûts qu'avec la Cinq avaient été envisagés. Un duo TF1-M6... Cela leur semblait, et leur semble toujours, le rapprochement le plus bénéfique pour chacune des chaînes. Mais, très vite, les discussions avec Patrick Le Lay avaient pris le tour, inadmissible pour M6, d'une absorption déguisée. Ce que leur proposait le patron de TF1 revenait à laisser prendre M6 en « location-gérance » par Bouygues. Les deux parties n'étaient d'accord ni sur le principe, ni sur la somme. TF1 avait refusé de se plier au souhait de la « petite chaîne » de se voir garantir, les deux régies étant regroupées, une recette publicitaire de 600 millions pour 1989 [4]. Drucker et Rigaud avaient mis un point presque final aux contacts avec Patrick Le Lay, se refusant à l'arrimage de leur chaîne « comme une chaloupe au flan de TF1 ».

Ces tractations passent au-dessus des têtes du CSA nouvellement installé. Il ignore ce qui se passe à la surface des chaînes et ne soupçonne même pas l'intense activité des profondeurs. Il en est à décorer ses bureaux et à tailler ses crayons pour le lever de rideau de sa première apparition publique, début avril 1989.

La toute première tâche du CSA est en effet ce printemps de procéder à l'audition des opérateurs candidats aux canaux du satellite TDF1. Pendant une semaine, du 3 au 7 avril 1989, tous les groupes désireux de monter sur le satellite défilent devant les neuf membres.

Ces auditions sont la pièce de théâtre inaugurale du CSA. La bonne volonté du Conseil n'a d'égal que son enthousiasme de néophyte. Sous ses yeux, au milieu des habituels pots de fleurs et nappes rouges sur les tables, se déroule une fausse bataille organisée entre les deux pôles de prétendants au satellite. D'un côté l'entité Canal Plus, qui concourt pour l'obtention de trois canaux [5]. De l'autre un regroupement d'opérateurs conduit par TF1, avec les groupes Kirch et Berlusconi, qui concourt pour l'exploitation globale du satellite, soit cinq canaux [6].

Deux pôles auxquels s'ajoutent, outre la candidature officielle de la SEPT, morceau de chaîne culturelle publique accroché à FR3, une

4. Garantie jugée exhorbitante par TF1, M6 n'ayant encaissé que 300 millions de francs en 1988.
5. Un pour dupliquer son programme Canal Plus français, un second pour diffuser le programme Canal Plus Allemagne en préparation avec Bertelsmann, un troisième pour Canal Enfants.
6. Duplication du programme TF1. « Téléfan », un programme français consacré à la jeunesse, « Téléclub », une chaîne cinéma en allemand, une chaîne « Fiction », et une autre « Actualité-Sports ».

chaîne « Sports » dont le projet associe A2, FR3 et Jérôme Seydoux, une chaîne de télé achat, un projet musical, « Euromusique »... et quelques radios voulant couvrir l'Europe.

Pour un observateur non averti, la compétition semble se dérouler selon les règles de l'art. Il y a plus de candidats que de canaux à attribuer, les dossiers sont construits, les hommes se déplacent : André Rousselet, Patrick Le Lay, Etienne Mougeotte, Jérôme Seydoux, Angelo Codignoni, Ian Mojto (représentant de Leo Kirch)... En réalité, ce sont de belles et prometteuses auditions qui ne servent à rien. Tels des dés pipés elles vont tomber sur un numéro choisi d'avance, celui de Canal Plus.

De son côté, TF1 a peur... de l'emporter !

« Si on gagne, ce sera un désastre », a lancé Silvio Berlusconi, à la mi-mars 1989, quand Patrick Le Lay lui a dit qu'il fallait se porter candidat au satellite. Il y a longtemps que Berlusconi ne veut plus entendre parler de cet engin. Le P-DG de TF1 est d'accord. Mais c'est plus fort que lui, surtout depuis la réunion de Biarritz, il ne supporte pas l'idée que Canal Plus – et André Rousselet – puisse détenir demain le monopole du satellite TDF1... Même s'il sait bien que ce satellite est comme un astre mort, inutile, sans équipement de réception, et sans avenir commercial. Bouygues et Le Lay estiment qu'il est important pour TF1 de participer à ces auditions, quitte à n'en faire qu'une opération de façade. Ils ont convaincu leurs partenaires dans la production, Berlusconi et Leo Kirch, de les accompagner. Cette façade aura au moins l'intérêt de mettre des bâtons dans les roues de celui qui est sûr d'emporter TDF1, André Rousselet.

Patrick Le Lay se sent d'autant plus combatif dans cette guérilla qu'il a été ulcéré par sa rencontre en février avec le président du CSA, Jacques Boutet, au moment de l'appel de candidatures pour TDF1. Le président du CSA avait alors encouragé TF1 à concourir tout en lui faisant comprendre que les formats de chaîne auxquels songeait la Une – enfant, cinéma, sports... – étaient pour ainsi dire déjà réservés à Canal Plus...

En se présentant devant le CSA, TF1 sait qu'elle contribuera à faire monter les enchères sur les engagements que prendront les opérateurs. Ce sera toujours cela de gagné... André Rousselet, qui a compris la manœuvre, s'est fendu d'une lettre et de coups de téléphone vengeurs à Francis Bouygues et au groupe Berlusconi avant leur audition le lundi 3 avril.

Si TF1 se présente avec une candidature globale, un « tout ou rien » sur l'ensemble des canaux du satellite, c'est parce que c'est la meilleure façon d'être sûr de perdre. Son « bouquet » à cinq chaînes ne laisse même pas une place pour la SEPT, télévision culturelle dont l'ancien conseiller de Pierre Mauroy, Jérôme Clément, vient d'être nommé vice-président après un passage à la direction du CNC. C'est Jérôme Clément qui, dans les mois qui viennent, devra engager la négociation avec les chaînes publiques allemandes et la Bundespost pour faire de la SEPT une antenne franco-allemande.

La ligne « tout ou rien » de TF1 devant le CSA est mise au point autour des plateaux-repas du déjeuner que prennent ensemble, une heure avant l'audition, à ses bureaux des Champs-Elysées, Bouygues, Le Lay, Codignoni, Mougeotte et Mojto.

Francis Bouygues demande « ce qu'il faut répondre » si jamais le CSA offre de fragmenter et d'autoriser une seule ou deux chaînes de leur « package » pour TDF1. Face à une telle éventualité, les groupes Berlusconi et Kirch sont parfaitement en phase sur la conduite à tenir : « On ne transige pas, c'est tout ou rien. L'objectif, c'est de perdre, mais sans passer pour des imbéciles... » A Robert Hersant qui, quelques jours plus tôt, s'interrogeait aussi sur la tournure satellitaire du flirt TF1-Berlusconi, le groupe italien a répondu, par l'intermédiaire de Chaisemartin, qu'il s'agissait avant tout d'aller à la défaite au CSA.

« L'horreur », ce serait de se retrouver avec ce maudit satellite sur les bras.

Les vœux de « TF1 et Associés » sont exaucés au-delà de leurs espérances. Le 20 avril 1989, le Conseil supérieur confectionne son « bouquet [7] ». Non seulement le CSA balaie leur candidature d'un revers de manche mais, comme prévu, il accorde totale satisfaction à André Rousselet. Le seul, d'ailleurs, à avoir présenté avec brio un dossier précis, argumenté. Le seul aussi, paradoxalement, à manifester une foi inébranlable dans la possibilité de ressusciter TDF1 et d'en faire la pierre angulaire de la télévision européenne. Rousselet chante les louanges de la norme D2-MAC et de la future haute définition. Le pari semble fou, mais il le relève avec l'espoir que le vent tournera à son avantage, comme en 1985 avec Canal Plus. Ce qui ne l'empêche pas de redouter le peu d'empressement des industriels à fabriquer les équipements de réception.

Pour parer à ce handicap, les promoteurs de Canal Enfants et Euromusique ont demandé au CSA à bénéficier de fréquences hert-

7. Composé de Canal Plus, Canal Plus Allemagne, Canal Enfants, la SEPT, Euromusique, Sport 2/3. Soit six programmes, le CSA acceptant, comme proposé lors des auditions, que Canal Enfants et Euromusique partagent un même canal.

zienness « provisoires ». Le CSA enregistre et promet d'examiner la demande. Temps perdu, estime Rousselet, qui regrette depuis le début que cette instance qui a tout à apprendre soit chargée d'attribuer les canaux. Comme pour les présidents de chaînes publiques, il a toujours considéré que ce devrait être au gouvernement et à lui seul de décider. Catherine Tasca ne l'a pas suivi dans cette voie.

Le « bouquet » du CSA ne fleurira jamais. Les chaînes choisies par cet organisme doivent en principe démarrer avant janvier 1990. Mais il ne faut pas trois mois pour apprendre que des « difficultés techniques » se multiplient, sur la terre comme au ciel. Le satellite accumule les défaillances technologiques, les tubes électroniques des canaux grillent un à un. Tandis qu'à terre les opérateurs n'arriveront jamais à s'entendre pour convenir d'une exploitation commune de leurs programmes.

Toutes choses qui étaient prévisibles, mais qui ne pouvaient qu'échapper à la sagacité infantile du CSA qui, en trois semaines, avait cru maîtriser TDF1, un dossier gangrené depuis dix ans.

Ce n'est qu'un prélude aux dégâts que va provoquer l'inexpérience du CSA. A l'heure où il rend son verdict sur le satellite, un second dossier se profile qui va empoisonner longtemps son existence. Le mercredi 26 avril 1989, Catherine Tasca présente en conseil des ministres un projet de loi visant à doter le secteur public de la télévision, Antenne 2 et FR3, d'un président unique. C'est un projet qu'elle est seule, et sera de plus en plus seule, à soutenir. L'idée d'une présidence commune a jailli des tables rondes organisées après la grande grève de l'automne 1988. Elle a fait son chemin sans que l'on puisse en attribuer la paternité à personne. Aussi bien la commission Moinot en 1981 que la Haute Autorité en 1984, ou même Jacques Chirac en 1987 [8] ont apporté leur pierre au désir d'édification d'un secteur public rénové, recentré sur ses missions. L'ambition de Catherine Tasca est de mettre en place deux chaînes publiques capables de s'organiser dans la concurrence frontale qui les oppose aux télévisions commerciales. Cela lui paraît la seule solution pour tirer le secteur public d'un enlisement définitif.

Ce n'est pas l'avis général. La veille du conseil des ministres où elle doit défendre son idée, François Mitterrand hésite encore à la retenir. Ni le Président ni Michel Rocard ne sont désireux de voir « une réformette de plus » s'abattre sur l'audiovisuel. Rocard veut pourtant y croire et appuie son ministre. Il y a un risque de dérive « bureaucra-

8. Lors d'un forum organisé par *Télérama* le jeudi 2 décembre 1987, le Premier ministre avait suggéré de créer un holding « public » réunissant A2, FR3 et la SEPT.

tique » dans ce qu'on veut mettre en place, estime une partie du Gouvernement.

Le seul argument auquel est sensible le Président est celui qui consiste à dire que le pouvoir ne peut pas laisser grandir la puissance de TF1 sans essayer de lui fixer des limites. La présidence commune, affirme-t-on, permettra d'unifier le commandement d'A2 et FR3 et d'enrayer la progression de la Une. Les exemples pris à l'étranger, ceux de la RAI italienne et de la BBC, sont exemplaires. Les chaînes publiques y sont plus fortes lorsqu'elles sont unies.

Le Président donne donc son accord pour la réforme. Du bout des lèvres. Même le PS renâcle, mais pour d'autres raisons. Le pouvoir l'use et, à la longue, le Parti socialiste reproduit des schémas identiques, sous des couleurs plus modernistes, à ceux des gaullistes d'autrefois. Il a peur qu'en touchant à l'organisation d'A2 et de FR3 il en vienne à perdre ses positions acquises dans les journaux régionaux de FR3... Catherine Tasca en sera dix fois stupéfaite, mais c'est ainsi, la gauche s'est enrobée dans un conservatisme télévisuel. Le seul mot de présidence « unique » lui donne des migraines, elle se voit affrontant des accusations de « reconstitution larvée de l'ORTF ». Les socialistes contraignent le ministre à ne plus parler que de présidence « commune ». Cela ne fait aucune différence, mais les caciques du PS ont l'impression d'avoir fait avancer le débat...

De guerre lasse, personne ne croyant véritablement à sa nécessité, le projet de loi est adopté à la mi-juin 1989 au 49-3. C'est au CSA, lui aussi très réticent sur l'établissement d'une présidence commune [9], qu'il appartiendra de nommer, dans quelques semaines, le premier président de A2-FR3.

Sans trop s'exposer, Jack Lang a épaulé Catherine Tasca. Il fait siennes, comme d'habitude, les réserves du Président mais est convaincu que la réunion des deux entreprises est, sur le fond, une sage idée. Elle lui est d'ailleurs venue plusieurs fois à l'esprit. Notamment en écoutant... Patrick Le Lay.

C'est en effet le P-DG de TF1 qui, le premier, a semé cette notion dans les pensées du ministre de la Culture et de la Communication. Les deux hommes se voient de temps en temps, en général chaque fois que Patrick Le Lay, en lobbyiste consciencieux, a une idée à faire passer... Cet hiver donc, lors d'un de leurs entretiens où, une fois de plus, Jack Lang déplorait « une certaine médiocrité » des pro-

9. Le jour du vote de la loi, Jacques Boutet accorde une interview au *Monde* pour déplorer l'inutilité de cette réforme qui n'est pas précédée d'un réexamen des statuts et missions de A2 et de FR3.

grammes et demandait au P-DG : « Pourquoi TF1 ne réussit-elle pas à mieux faire? », Patrick Le Lay avait développé une théorie toute personnelle et nouvelle. « Ce qui nous oblige à tirer vers le bas, avait-il résumé au ministre, c'est la concurrence de la Cinq. Si nous pouvions avoir deux réseaux, la Une et la Cinq, avec une stratégie commune, nous pourrions harmoniser les programmations, jouer de la complémentarité, équilibrer les rediffusions... Nos grilles seraient moins soumises aux effets d'une compétition néfaste pour la qualité... »

En pleine discussion avec Berlusconi, Patrick Le Lay testait le plan de rapprochement TF1-Cinq en gestation. Mais sa démonstration avait surtout persuadé Jack Lang que ce qu'il serait dangereux de tolérer pour des chaînes commerciales pouvait être bénéfique à A2 et FR3.

Jamais le pouvoir ne laisserait s'esquisser un axe Bouygues-Berlusconi. En revanche, un front commun A2-FR3 contre l'« hégémonie » de TF1, voilà une excellente hypothèse de travail.

CHAPITRE IX

Dagues et décrets

« Dites-moi, Berlusconi serait-il content d'entrer dans mon conseil d'administration ? », demande Francis Bouygues aux collaborateurs de « Sua Emittenza » en marchant dans le jardin d'Arcore, un jour de la fin avril 1989. « Ce serait un cas unique, je n'ai pas d'industriel dans ce conseil... » La réponse est oui, certainement, M. Berlusconi serait très honoré d'entrer dans cette illustre société. L'ouverture est sympathique, et tranche avec les discussions sur TF1, qui, elles, traînent curieusement en longueur.

Depuis le mois de février, se conformant aux souhaits de Francis Bouygues, Berlusconi achète des actions de TF1 par petits paquets en recourant au courtier Cholet-Dupont, avec lequel le groupe Bouygues travaille régulièrement. Toutes les semaines, les équipes française et italienne font le point sur le progrès des acquisitions de Berlusconi. Francis Bouygues en surveille personnellement l'évolution. Les rencontres ont lieu soit à son bureau, aux Champs-Elysées, soit dans la nouvelle maison qu'il s'est fait aménager, avenue Gabriel, non loin du palais de l'Elysée. Le titre TF1 monte. Fin avril, Berlusconi en est à près de 400 millions de francs déboursés pour 4,1 % de TF1. C'est cher. Grâce à cette participation, Bouygues a convaincu Berlusconi qu'ils détiendraient, avec sa propre part et celle des groupes « amis », par opposition à Maxwell et Tapie qu'il met dans le même sac, les 67 % nécessaires pour que l'opération de rapprochement TF1-la Cinq ne soit pas bloquée en assemblée générale des actionnaires.

Malgré cette acquisition, l'alliance tarde à se concrétiser. Les Italiens constatent que les hypothèses de « reprise » de la Cinq sont systématiquement mises à l'étude, puis critiquées par Patrick Le Lay. Autant Francis Bouygues paraît persuadé de la nécessité du rapprochement, autant le nouveau P-DG, lui, semble réticent. Patrick

Le Lay gagne du temps en prétextant la prudence. Il dit qu'il est préférable d'attendre juin pour effectuer l'augmentation de capital qui verra les dizaines de millions de dollars du catalogue se convertir en parts de TF1. Il ajoute qu'il constate, chez les pouvoirs publics, une résistance certaine à l'évocation d'une alliance des deux réseaux... Au même moment, Bouygues a des difficultés à monter un dossier pour se porter candidat à l'obtention d'une des chaînes commerciales qui doivent se créer bientôt en Espagne. Un pays où Berlusconi a commencé à investir en 1985, et où il se prépare lui aussi à concourir.

C'est pour aborder toutes ces questions que « Sua Emittenza » a organisé, fin avril, une réunion à Milan avec Bouygues et Le Lay. L'hypothèse d'une alliance Bouygues-Berlusconi en Espagne est examinée mais pas retenue. Le tour de table de la Fininvest pour la chaîne espagnole est pratiquement bouclé. En revanche, Berlusconi n'exclut pas, si l'accord se fait en France, d'ouvrir son capital et la porte de l'Italie à Francis Bouygues, non seulement dans le domaine de la télévision, mais aussi dans celui qu'ils ont encore en commun, la construction et les travaux publics.

Tout paraît pour le mieux, et c'est dans cette ambiance idyllique que Francis Bouygues, retournant tant d'aimables attentions, s'enquiert de savoir s'il plairait à Berlusconi de devenir administrateur de Bouygues SA...

Quelques jours plus tard, début mai 1989, dans un charmant et discret hôtel de luxe de la rue Jean Goujon, à Paris. Le San Regis. C'est la nouvelle adresse du représentant de Berlusconi depuis qu'ils ont dû quitter la rue de Tilsitt, à l'automne 1988. Le légendaire appartement du producteur Lombardo était à vendre. Berlusconi était intéressé mais les prix montaient... A l'époque, devant les premières offres d'alliance de TF1, Angelo Codignoni avait dit à Berlusconi qu'il n'était pas utile d'acheter un appartement aussi cher et aussi vaste. En effet, si tout allait bien, d'ici peu Berlusconi n'aurait plus à se rendre à Paris que trois ou quatre fois par an pour assister aux conseils d'administration de TF1 et de la Cinq. « Sua Emittenza » avait donc laissé passer l'affaire et abandonné Tilsitt.

Depuis, il s'en mord les doigts chaque fois qu'il est de passage dans la capitale. En mai 1989, il n'y a toujours pas d'accord avec TF1, et il sait qu'il ne retrouvera jamais une résidence aussi magique.

Angelo Codignoni est attablé au restaurant du San Regis, aux premiers jours de mai, quand on le demande au téléphone. C'est Francis Bouygues. « Je suis en train de déjeuner avec mes collaborateurs, dit-il, et j'ai décidé. Je veux Silvio dans mon conseil d'administration.

Nous pouvons faire cela lors de la prochaine assemblée des action-naires, en juin. Mais, s'il vient dans mon conseil, il doit venir comme actionnaire... » Ce que Bouygues vient de décider, avec ses collabora-teurs, c'est que Berlusconi n'entrera chez lui que s'il achète 2 % de Bouygues SA dont il est en train de restructurer le capital depuis les attaques boursières de l'automne. « J'ai besoin d'une réponse immé-diate, ajoute Bouygues, comme ça j'en aurai terminé avec ce dossier à la fin de mon déjeuner... »

Un rapide calcul mental permet à Codignoni d'estimer que les 2 % de Bouygues devraient aller chercher dans les 250 millions de francs. Il appelle aussitôt Milan, où Berlusconi est chez son dentiste. On lui fait parvenir la proposition. Berlusconi dit « OK ». Il trouve normal que Bouygues le veuille comme actionnaire. Dix minutes plus tard, le directeur financier de la Fininvest rechigne un peu. Pourquoi 2 %? Est-ce que, symboliquement, 1 % ne suffirait pas? Codignoni rap-pelle Bouygues, suggère 1 %, et s'entend répondre, en langage moins fleuri que, quand Bouygues fait l'amour, ce n'est « jamais à moi-tié! » : 2 %, à prendre ou à laisser. Berlusconi prend. Dans la demi-heure les ordres sont donnés. L'addition est élevée, mais Berlusconi déduit de cette proposition que Francis Bouygues est résolu à procé-der au mariage TF1-la Cinq.

C'est rassurant, se dit-il.

Il a tort. Car à partir de ce printemps, tout s'accélère et l'audiovi-suel français est précipité dans le chaos. Chaînes publiques et privées confondues. La collision annoncée va se produire en quelques mois au cours desquels les événements s'enchaînent avec une rapidité diabo-lique. Et dans une logique de darwinisme télévisuel, amplement assis-tée par l'Etat, qui ne supporte plus sa progéniture, cette Cinq qu'il a engendrée.

Cette même première semaine de mai, Robert Hersant écrit à François Mitterrand. Par ce courrier, daté du 2 mai 1989, le P-DG de la Cinq veut alerter le président de la République de la teneur de pro-jets de décrets que préparent Catherine Tasca et Jack Lang. Il s'agit de nouvelles contraintes réglementaires devant venir s'ajouter à celles qui existent déjà. En l'occurrence, un système inédit de quotas obli-gerait les chaînes à diffuser davantage d'œuvres françaises et euro-péennes aux heures de grande écoute. Ces heures au cours desquelles la Cinq et M6 programment actuellement des films et des séries amé-ricaines qui les font vivre. D'autre part, on imposerait de nouveaux quotas de production, obligeant les chaînes à investir encore plus dans la production audiovisuelle.

L'objectif avoué des quotas en préparation est de promouvoir une programmation plus conforme aux ambitions et aux promesses faites par les chaînes commerciales lors de leur création. Il ne fait pas de doute que TF1, la Cinq et M6 font l'impasse sur leurs engagements, chacune à leur manière, pour asseoir leur audience et limiter leurs coûts d'exploitation.

Pendant des mois, TF1 a relégué aux heures de nuit, là où il n'y a plus qu'une audience infinitésimale, les émissions à caractère culturel, les fictions françaises en rediffusion, et les documentaires de création; affichant ainsi un souverain mépris pour ces catégories d'émission. La Cinq viole sans vergogne les promesses faites à la CNCL. Depuis l'échec des stars, le pouvoir voit en elle, non sans raison, la complaisante tête de pont de l'audiovisuel américain en France. C'est ce qui charpente son audience. M6 agit de même, mais avec moins de provocation, plus de diplomatie.

Epinglée par le Conseil d'Etat sur ses pratiques nocturnes, TF1 essaie de corriger le tir et adapte sa programmation. Mais la Cinq et M6 n'ont pas les moyens, dans l'immédiat, de cet ajustement. Déjà déficitaires, leurs difficultés aggravées par la concurrence entre elles et avec TF1, il est certain que si elles renoncent en prime time à leur fonds de commerce de fictions américaines, elles mourront en quelques mois. Elles mourront guéries par la culture. Pour deux raisons. La première est qu'il n'y a pas assez d'œuvres françaises et européennes sur le marché pour nourrir leurs antennes. La seconde est que ces œuvres coûtent si cher à l'achat, et rapportent si peu en termes d'audience, donc de recettes publicitaires, qu'elles entraîneront leur asphyxie financière.

Robert Hersant prend les devants et proteste. Il considère que, par ces décrets, on cherche insidieusement à provoquer la mort « naturelle » d'une ou deux chaîncs, dont, bien évidemment, la sienne. Le raisonnement n'a rien de paranoïaque. Jack Lang et Catherine Tasca savent fort bien ce que seront les effets commerciaux des nouveaux quotas sur la Cinq et M6, et ne peuvent pas non plus ignorer que cette mesure est un nouveau cadeau fait indirectement à TF1 [1].

Mais, objectent-ils, ce n'est pas le Gouvernement qui a voulu des quotas supplémentaires. C'est la droite, au Sénat, qui a fait adopter dans la loi des dispositions visant à relever le niveau et la qualité des programmes en contraignant les chaînes à davantage d'efforts. Cette idée de quota a effectivement été soutenue par le sénateur RPR

---

1. Recourant beaucoup moins que les autres à la fiction américaine dans ses programmes, du moins aux heures dites de « grande écoute », TF1 n'aura que peu à souffrir des décrets en question.

Adrien Gouteyron, le même qui avait préconisé que les chaînes commerciales ne puissent interrompre plus d'une fois leurs fictions par de la publicité. Proposition reprise ensuite par le député Bernard Schreiner... Les chaînes et la droite n'ont donc qu'à s'en prendre à elles-mêmes, disent Lang et Tasca, si la réglementation se corse.

La lettre de Robert Hersant est lue à l'Elysée. Mais cela ne change rien. La marche vers les quotas est entreprise par le Gouvernement. On veillera, assure-t-on, à prendre toutes les dispositions pour que les chaînes aient le temps de s'adapter aux nouvelles obligations qui ne seront pas immédiatement applicables.

En réalité, il est évident qu'un processus de « nettoyage » du terrain audiovisuel est enclenché. En effet, rien n'oblige le Gouvernement à procéder dès maintenant à la rédaction des décrets. Rien sinon le désir, conscient chez les rédacteurs des textes en question, d'en découdre avec ces chaînes que le « consensus » ambiant interdit de briser brutalement par réattribution. Politiquement, le seul fait de suspendre cette épée au-dessus des têtes de la Cinq et de M6 leur interdit des comptes d'exploitation prévisionnels fiables. Comment leurs dirigeants peuvent-ils mener commercialement leurs entreprises s'ils ne savent pas précisément quelles seront les règles du jeu dans six mois ou un an ? Après les restrictions qu'ont déjà représenté la suppression du droit de faire de la publicité pour les alcools titrant moins de 9 degrés (essentiellement les bières) et l'imposition de la « coupure unique » par l'amendement Schreiner, les décrets sur les quotas seront un garrot supplémentaire. La simple menace suffit à fragiliser un peu plus ces chaînes. Et en premier lieu la Cinq, dont le P-DG, sur le point de boucler une augmentation de capital lancée le 28 février 1989, doit déjà penser à en lancer une autre, avant l'été, pour faire face aux pertes croissantes.

Avec la Cinq, Hersant s'avance dans un marécage. Il n'est plus sûr d'en voir les rives et a perdu toute confiance dans le rameur Berlusconi qui, régulièrement, lui laisse entendre que l'affaire avec TF1 est sur le point d'aboutir. Si elle se fait dans de bonnes conditions, Hersant aura le choix entre rester dans une Cinq régénérée et conquérante, alliée au leader TF1, ou monnayer sa sortie...

Mais, il n'y a rien à faire, Hersant n'arrive pas à partager le doux rêve de Berlusconi. Hersant ne croit pas en Bouygues. Hersant est convaincu qu'au dernier moment Bouygues reculera et laissera Berlusconi pour mort sur la feutrine des tables de négociation. Bouygues est un fauve, et il se conduit comme un fauve. Il a autant de plaisir à hypnotiser sa proie qu'à la dévorer. Hersant le sait. Il se conduit de la même manière. Bouygues va s'amuser avec Berlusconi avant de le paralyser, pronostique Hersant.

C'est voir juste.

Le premier coup de poignard, c'est Angelo Codignoni qui le prend, à la mi-juin 1989, quelques jours avant le conseil d'administration du groupe Bouygues qui doit ratifier l'entrée de Berlusconi comme administrateur et actionnaire. Un soir, Francis Bouygues convie à sa table, avenue Gabriel, le représentant parisien de Berlusconi. Sont notamment présents Patrick Le Lay, Martin Bouygues, Mᵉ Bousquet... L'atmosphère est trompeusement détendue, avec langoustes au dîner. Bouygues commence par dire qu'il se « réjouit » ; maintenant que Berlusconi est actionnaire de Bouygues SA, ils sont « vraiment associés ». C'est avec joie que le conseil entérinera cette situation... C'est une si grande joie, ajoute-t-il, qu'il veut plus que jamais encourager Berlusconi à devenir, comme prévu, un important actionnaire de TF1.

Le coup arrive dans l'ombre de cette joie, quand, développant son idée, Francis Bouygues invite le groupe Berlusconi à continuer à « acheter » du TF1. « Vous pouvez même aller jusqu'à 15 %, puisque la loi le permet », dit-il au représentant de Berlusconi, pâle mais très maître de ses réactions quand la lame déchire en une seconde neuf mois de stratégie patiemment élaborée. Comment ? Continuer à acheter du TF1 en Bourse ? Mais ce n'est pas ce qui était prévu. Ne devait-on pas procéder à un échange de la valeur du catalogue Berlusconi contre l'équivalent en actions de la Une lors d'une augmentation de capital « réservée » ? N'étaient-ce pas les termes du protocole conclu ? Codignoni sort le texte d'une chemise et le lit à haute voix. Pour mémoire. Autour de la table, des têtes embarrassées piquent du nez dans la porcelaine.

Imperturbable et glacial, Francis Bouygues ne s'émeut pas. « Un protocole ? Quel protocole ? Je n'ai jamais rien signé... » Puis il hausse le ton, comme il sait le faire, impérial : « Oh... Mais je vois bien où vous voulez en venir. Vous voulez me vendre de la monnaie de singe avec votre catalogue ! »

Codignoni comprend alors, un peu tard, que la Fininvest est piégée. Deux fois, trois fois piégée. Il est clair que Francis Bouygues ne veut plus du catalogue, que Berlusconi a investi dans Bouygues et TF1 près de 650 millions en tout pour une opération qui ne se fait pas. Simplement pour initier un processus. C'est plus qu'il n'a dépensé en deux ans dans la Cinq ! Il comprend encore que Bouygues n'a peut-être aucune intention d'aller au bout du plan. Il a laissé Berlusconi entrer dans la Une par la petite porte, mais lui ne veut pas mettre un centime dans la Cinq déficitaire.

La Fininvest a foncé sur des leurres et cru à des chimères.

Patrick Le Lay n'est pas mécontent. Il a réussi son coup : neutraliser l'expansion française du groupe italien. Ce n'était pas l'objectif initial, mais les circonstances l'ont conduit à cette stratégie. Au départ, en 1988, après la guerre de la rentrée 1987, Bouygues et Le Lay ont d'abord été convaincus de la nécessité de rapprocher TF1 et la Cinq. La télévision est un métier où il y a peu d'opérateurs d'envergure, s'étaient-ils dit. Berlusconi en est un. Avec Hersant, même si la Cinq vit mal, il porte préjudice au succès de TF1. Par sa simple présence, le tandem « Hersant-Berlu » fait monter les prix... D'où l'offre d'alliance en septembre 1988.

Mais la situation a changé. La programmation de TF1 s'est stabilisée avec des formules triomphantes en termes d'audience [2]. Depuis l'automne 1988, Le Lay, effectivement, est convaincu, comme Catherine Tasca, qu'il y a une chaîne en trop. C'est peut-être la Cinq, ou M6. Ou les deux. Tant que ces chaînes sont encore là, elles paralysent la rentabilité de TF1. Il faut donc, logiquement, accompagner le mouvement vers la mort financière de l'une d'elles, si possible la plus forte des deux, la Cinq, car il peut ne pas être inutile, ensuite, de s'allier à l'autre pour en faire la chaîne de complément idéale. Toute la stratégie de Bouygues et Le Lay, depuis la fin 1988, ne repose plus en fait que sur ce postulat. Affaiblir et fractionner l'actionnariat de la Cinq. Mais ne rien précipiter. Il faut laisser le temps agir et accroître les difficultés de la Cinq. On aguiche Berlusconi, on fait miroiter par ricochet à Hersant la possibilité de tirer son épingle du jeu, et on laisse plonger.

La Cinq mourra, et il sera toujours bénéfique d'avoir Berlusconi comme actionnaire et allié, à condition qu'il ne joue aucun rôle dans le management de TF1...

Par son attitude, le gouvernement apporte un renfort inattendu à cette manœuvre. Quand Patrick Le Lay et Francis Bouygues ont commencé, comme Hersant, à entendre parler en mars-avril de prochains décrets sur les quotas d'œuvres françaises et européennes, il ne leur a pas fallu longtemps pour comprendre qu'ils commettraient une erreur en reprenant le catalogue Berlusconi. Un catalogue de produits américains qui, une fois les décrets pris, ne leur serait plus d'aucune utilité. Il devenait impossible de penser à l'échanger contre une portion de TF1.

Par contre, se sont-ils dit, avec semblables décrets en vue, il suffit de laisser la Cinq continuer à s'enfoncer dans le gouffre pour qu'elle disparaisse encore plus vite que prévu. Voilà pour quelles raisons,

2. Les soirées variétés avec Foucault, Sabatier, Sébastien...

530

tout en feignant la poursuite d'une liaison amoureuse avec « Sua Emittenza », Bouygues et Le Lay ont tout simplement, comme ils disent entre eux, « trimbalé » la Fininvest. Voilà pourquoi, de réunion en réunion avec le groupe Berlusconi, Le Lay critique de plus en plus durement le contenu du catalogue, contestant sa valeur. « Ils veulent nous fourguer ça pour 200 millions de dollars et ça n'en vaut pas la moitié... », se disent les dirigeants de TF1 qui essaient d'expertiser les droits audiovisuels en question. Etienne Mougeotte et Christian Dutoit (ce dernier est passé par l'ancienne Cinq et connaît le fonds du catalogue Berlusconi) disent tous les deux jours à Le Lay que ce catalogue est surévalué par la Fininvest, qu'il faut être prudent et ne pas acheter en bloc. Voilà pour quelle raison, aussi, ce printemps 1989, TF1 renoue discrètement le contact avec M6 pour parler affaires, complémentarité, garantie de recettes...

Le dîner chez Bouygues s'achève par une impasse. A aucun moment, bien sûr, le constructeur ne dit que l'alliance est rompue. Il ne se « rappelle pas », simplement, le protocole, et réitère sa satisfaction de s'associer avec le groupe italien. Angelo Codignoni invite le maître de maison à rencontrer Berlusconi pour éclaircir la situation...

Bouygues et Le Lay se disent qu'en s'y prenant bien ils arriveront encore à « balader » la Cinq pendant un moment. Les deux hommes sont déjà parvenus à la moitié de leurs fins. En intronisant bientôt Berlusconi à son conseil d'administration, Francis Bouygues va joliment mettre sur la place publique le fait que « Sua Emittenza » et lui convolent affectueusement. Déjà, pour ne pas s'exposer à des déboires juridiques, la Fininvest a dû rendre public le montant de ses prises de participation dans Bouygues SA et TF1. On imagine dans quelle humeur les autres actionnaires de la Cinq ont accueilli la nouvelle. Il n'en est plus un seul qui ne soit persuadé que Berlusconi va lâcher la Cinq d'Hersant pour TF1 demain. La zizanie est cette fois bien semée dans le tour de table de la Cinq. Elle l'est d'autant mieux que les esprits y sont amers.

Le trou n'en finit pas de s'agrandir.

Pour Silvio Berlusconi, qui suit les choses depuis Milan, c'est une période compliquée qui s'ouvre. Il veut faire confiance à Bouygues et croire que son entrée triomphale dans TF1 est une question de semaines, mais ne peut en être certain. Par ailleurs, Robert Hersant a convoqué un conseil d'administration de la Cinq pour cette semaine, le 22 juin, avec à l'ordre du jour le lancement d'une nouvelle augmentation de capital. Que faire? « Sua Emittenza » peut-il continuer indéfiniment à investir dans la Cinq tout en étant à la veille de conquérir la Une? S'il suit cette augmentation, il risque de déplaire à Bouygues qui lui a déjà reproché, comme un manque de confiance en TF1, d'avoir souscrit à la précédente augmentation de capital de la Cinq, en février 1989...

« Nous remplacerons la moindre défaillance... Mais ayez la loyauté de me prévenir pour ne pas mettre en péril cette entreprise », demande Robert Hersant à ses actionnaires en ouvrant le conseil d'administration de la Cinq, le jeudi 22 juin 1989. L'avertissement est clair. Au fond de lui-même, Hersant a vécu comme une trahison définitive l'entrée de Berlusconi chez Bouygues. Il est de plus en plus convaincu qu'au lieu de négocier comme il le prétend une solution d'alliance entre la Cinq et TF1, l'Italien est en train de le laisser choir avec le déficit colossal de la Cinq. Il y a maintenant plus que de la défiance entre la Socpresse et la Fininvest. Hersant est aux deux tiers certain que Silvio Berlusconi ne suivra pas l'augmentation de capital de 300 millions de francs qui va être lancée aujourd'hui.

Il l'est un peu plus quand, par l'intermédiaire d'Yves de Chaise-martin, le groupe Berlusconi fait savoir, peu après le conseil d'administration, que la date prévue pour la réalisation de cette augmentation (il faudrait la souscrire pour mi-juillet) est trop proche et ne laisse pas assez le temps de la réflexion aux actionnaires... Bon prince, mais aussi parce que cela peut lui donner le temps de rechercher des actionnaires de substitution en cas de « défaillance », Hersant propose un délai supplémentaire en laissant passer l'été. Il fixe au 11 septembre 1989 le dernier moment pour qu'ils lui disent s'ils « suivent » ou ne « suivent » pas l'augmentation.

S'il avait encore des doutes sur les intentions de Berlusconi à l'égard de la Cinq, Robert Hersant les perd le vendredi 30 juin 1989. Ce jour-là, à Bruxelles, où est scellée la naissance de l'ACT, un groupe de pression réunissant les télévisions commerciales européennes[3]. Silvio Berlusconi, dans une conférence de presse, tire au bazooka sur la Cinq et Robert Hersant. « C'est un désastre! Depuis sa naissance, la Cinq est pour nous un désastre financier. Avec 14 % de part de marché d'audience, la Cinq est une réussite, mais une très mauvaise affaire publicitaire. Les règles qui existent en France en matière de télévision rendent impossible la vie d'une chaîne commerciale de la taille de la Cinq... » Voilà pour Hersant et sa complicité

---

3. L'ACT est constitué notamment en réaction contre les mesures réglementaires qui, selon ses participants, paralysent le libre marché et l'exploitation des chaînes privées en Europe. Avec ses projets de quotas, la France est une cible privilégiée de l'ACT qui rassemble les sociétés fondatrices : Fininvest, CLT, ITV, Beta Taurus, TF1.

avec les centrales d'achat d'espace qui, aux yeux de Berlusconi, sont co-responsables de l'échec financier.

Mais, peut-être imprudemment, « Sua Emittenza » va plus loin encore, se fiant à la parole de Bouygues pour annoncer : « Nous réfléchissons en ce moment à ce que nous allons faire en France. J'espère être bientôt présent dans TF1 avec une participation plus importante... autour de 10 %. »

Au sortir de cette conférence, répondant à quelques journalistes qui lui demandent comment il peut continuer à être comme assis entre deux chaînes de télévision, la Cinq et TF1, Silvio Berlusconi résume les choses à sa manière et indique que le suspense ne durera plus longtemps : « On ne peut pas faire l'amour à deux femmes à la fois. Enfin, moi je suis trop vieux... »

Le 30 juin au soir, Hersant se sent bien seul. L'été sera long. Et la rentrée dangereuse.

En attendant, comme pour égayer l'audiovisuel d'un autre désastre, le CSA et le gouvernement se préparent à nommer un président commun pour A2 et FR3.

CHAPITRE X

Déficience commune

« Quand je pense qu'on prépare tout ça pour en faire cadeau à Bourges ! », avait soupiré Catherine Tasca quand le texte du projet de loi sur la présidence commune n'était encore qu'un brouillon jeté sur des feuilles volantes. C'était en mars 1989, alors que les conseillers respectifs de Catherine Tasca et de Jack Lang se réunissaient dans un endroit discret, sans téléphone, une salle de la Maison de l'Amérique latine, boulevard Saint-Germain...

C'est un fait, avant le vote de la réforme, un seul nom était sur toutes les lèvres, à l'Elysée comme dans les ministères : celui de l'ancien P-DG de TF1. Chacun savait, lui-même ne cachant pas ses ambitions pour la télévision publique [1], que l'actuel directeur de RMC ne rêve que d'effectuer un retour fracassant sur le devant de la scène télévisuelle. Si ce pouvait être aux commandes de A2 et FR3, pôle public constitué pour affronter la concurrence de TF1 dont Bouygues, Le Lay et Mougeotte l'ont évincé en mai 1987, cela prendrait les dimensions du *Retour de Monte Cristo*.

Mais, pour le ministre délégué à la Communication, Hervé Bourges ne correspond pas exactement au profil recherché à A2-FR3. Catherine Tasca ne voit en lui que l'homme de « Cocoricocoboy », du sponsoring Orangina, de « Dallas »... C'est la télévision qu'elle abhorre.

Jusqu'à l'adoption définitive de la réforme, à la mi-juin 1989, il ne se passe plus rien sur ce dossier. Les réticences de François Mitterrand sont toujours là. Il n'y a pas de recherche effective de candidats. Bourges est le seul en vue... Mais plus pour longtemps. Un premier outsider sort soudain d'une triple boîte à malice : élyséenne, ministé-

1. En février 1989 il a publié, avec son ami et ancien collaborateur Pascal Josèphe, *Un amour de télévision.*

534

rielle, et de la présidence du CSA. Il se nomme Georges Kiejman. Et pour cet avocat de cinquante-sept ans, la télévision, c'est un peu son *Moby Dick* personnel. Une vieille passion inassouvie qui tourne à l'idée fixe.

Célébrité du barreau parisien depuis 1953, talentueux et cabot, défenseur des grandes causes humanitaires comme des petites misères des grands du show-business, les nuits de Georges Kiejman sont hantées par le petit écran. Le front bombé d'intelligence, l'œil noir, la moustache sombre et une inimitable manière de se tenir debout, tête penchée vers l'argument suivant, une main dans la poche, l'autre tendue pour envelopper, comme au prétoire, une démonstration où le séducteur se fait aussi redoutable que le juriste, Kiejman est un spectacle à lui seul. Tour à tour serein et colérique, pédagogue et impatient, il est en représentation permanente d'un désir d'être compris, aimé, choyé, contesté puis approuvé. Il excelle à se dépeindre lui-même pour ce qu'il est ou voudrait être : le « deuxième meilleur avocat de France », ne se souvenant pas « du nom du premier ». Il chérit et cite à foison un modèle secret, son idole de cinéphile, maître en gravité désinvolte et conquêtes féminines : Woody Allen.

En mai 1981, au lendemain de la victoire de François Mitterrand, Georges Kiejman crut son heure de seconde gloire arrivée. « L'un de mes souhaits, avait-il alors confié à son maître et ami, Pierre Mendès France, tout à la joie de la victoire de la gauche, ce serait d'être le P-DG d'une grande chaîne de télévision, populaire, éducative... Un peu comme TF1... » « Quelle bonne idée ! » avait répondu Mendès France [2]. A cette réponse, Georges Kiejman avait compris que son ami parlerait sûrement de son cas à qui de droit du côté de l'Elysée ou de Matignon. En effet, quarante-huit heures plus tard, Mendès France était revenu sur le sujet pour lui dire : « Finalement, elle est complètement idiote, votre idée de télévision. Vous faites un métier merveilleux, vous devriez renoncer à cette lubie... » Deux mois plus tard, Jacques Boutet était nommé P-DG de TF1, chaîne dont Kiejman deviendra, dans certaines affaires, l'avocat...

Georges Kiejman n'a jamais su ce que renoncer veut dire. Il tenta sa chance sur A2, et Michèle Cotta se moqua de lui. Une amie, pourtant. Au sommet de son art, il a plaidé pour les plus grands et les plus puissants (dont François Mitterrand), mais, paradoxalement, il est fatigué de ce succès et las de son cabinet. Il a tout vu, tout vécu. Il a

---

2. Georges Kiejman a été dès 1962 le secrétaire et le confident de Mendès France, à qui il voue une admiration sans failles.

défendu Pierre Goldman, Truffaut et Godard, des prisonniers politiques marocains, des P-DG de chaîne, la famille de Malik Oussekine... Il veut changer de sphère, de rêves. Aussi, dès que se dessine, au printemps 1989, la silhouette appétissante de la double présidence, le regard de Georges Kiejman s'agite comme celui du loup de Tex Avery voyant monter sur scène la femme fatale du scénario.

Cette présidence, il la veut, et commence à le manifester. A en croire les rumeurs de palais, le poste serait réservé à Bourges. Qu'à cela ne tienne. Georges Kiejman sonde ici et là. A commencer par la Rue de Valois, où il est accueilli à bras ouverts par Jack Lang. Comme Catherine Tasca, le ministre de la Culture ne veut pas de Bourges à la tête d'A2-FR3. Georges Kiejman, en revanche, homme auquel il avait déjà songé pour la présidence du CSA, lui paraît le candidat idéal. Cultivé. Mondain et travailleur. Ami des artistes et créateurs du cinéma, de l'audiovisuel et du théâtre... Jack Lang et Georges Kiejman se connaissent et s'estiment depuis longtemps, depuis l'époque où Lang, directeur du Théâtre de Chaillot, voulait disposer des droits d'un texte appartenant aux Editions Gallimard dont Georges Kiejman était l'avocat.

Dès la mi-juin 1989, Jack Lang commence à faire discrètement campagne en faveur de son « ami » Georges, qui dispose également de soutiens immédiats, et d'encouragements, dans l'entourage familial de François Mitterrand. Productrice et belle-sœur du Président, Christine Gouze-Renal appuie la démarche de cet homme qui est par ailleurs administrateur de la Fondation France Libertés, créée par Danièle Mitterrand. Par contre, François Mitterrand, dont il est devenu ces derniers mois, grâce à Jack Lang, un proche, un compagnon de promenade, ne semble pas vouloir se prononcer.

A la même époque, il est un homme qui cherche des candidats pour la présidence commune : Jacques Boutet. Bien qu'en complet désaccord avec la réforme de Catherine Tasca, le président du CSA prend sa tâche très à cœur. Il aurait préféré que le Gouvernement se charge lui-même de trouver l'oiseau rare – ou le kamikaze – pour A2-FR3 mais... la loi est la loi. Il y met d'autant plus d'énergie que, pour dire les choses avec modération, Jacques Boutet n'a pas le moindre embryon de sympathie pour Hervé Bourges. Boutet conserve un médiocre souvenir de son passage à la présidence de TF1 et n'a jamais supporté la vantardise, les tartarinades de Bourges, qui fut l'un de ses successeurs à ce poste. Les premières rumeurs d'une candidature de Kiejman sont une aubaine pour Jacques Boutet, un drapeau dans le désert. Voilà son candidat.

Fin juin, le président du CSA et Georges Kiejman déjeunent en tête à tête. Ils se connaissent un peu. Parmi les dizaines de préstagiaires qui sont passés par le cabinet de Me Kiejman a figuré le fils de Jacques Boutet, Jean-François. Au moment où le président du CSA cherche par tous les moyens légaux à neutraliser la candidature virtuelle de Bourges, c'est le coup de foudre! Il faut dire que l'avocat sort le grand jeu. Plus brillant et prolixe encore qu'à l'ordinaire, Kiejman fait une impression extraordinaire sur Boutet, qui boit ses paroles et écoute le récit de sa biographie, digne d'un roman picaresque revu par Vladimir Nabokov ou Isaac B. Singer.

C'est la bouleversante et véridique histoire de Georges Kiejman l'autodidacte, enfant d'une famille modeste, élevé à l'école de la République qui lui a permis de devenir ce qu'il est et à laquelle, en retour de dette, il aimerait apporter ses connaissances et ses talents en prenant part à la renaissance de la télévision publique... Il est intarissable sur Claude Berri, Yves Montand, des « amis » sur lesquels il pourra compter demain pour faire une meilleure télévision...

Jacques Boutet est sincèrement ému. Il se dit qu'un homme qui part avec de si nobles sentiments est digne et capable d'exercer une telle fonction. Il apprécie que ce ne soit ni l'appât du gain (il gagne bien mieux sa vie avec son cabinet d'avocats qu'il ne le fera jamais en présidant une chaîne publique) ni le souci de se recaser qui motivent Georges Kiejman. C'est la passion. Jacques Boutet oublie seulement de se demander quelle est exactement l'expérience de Georges Kiejman en matière de télévision. Dans l'état de délabrement du secteur public, lui faut-il un brillant avocat ou un énergique professionnel de l'audiovisuel?

Par contre, c'est bien ce que se demande Catherine Tasca. Le ministre délégué à la Communication ne veut pas de Bourges, c'est un fait. Mais elle ne veut pas davantage de Georges Kiejman, dont elle ne voit pas en vertu de quoi il saurait redresser des chaînes en perdition. Il lui semble que sa réforme est menacée d'une application qui risque de tomber de Charybde en Scylla. Encore un mois, peut-elle se dire, et on parlera de nommer mère Teresa ou le commandant Cousteau...

« Alors, comme ça, tu ne me soutiens pas? », lui demande Georges Kiejman, qu'elle rencontre lors d'une réception à l'ambassade de Grande-Bretagne. Catherine Tasca ne se fait pas un ami. Non, elle ne le soutient pas. Point. « Personne ne m'a prévenue que tu as le label de candidat officiel », ironise-t-elle, tout en se disant qu'il est bien triste d'en arriver à des situations aussi ubuesques. Il paraît que Lang et Boutet se sont entichés de Kiejman au point de l'avoir assuré de sa victoire. C'est incroyable, estime Tasca, qui, au début juillet 1989, décide de contrer cette offensive dont elle n'a pas senti, en bavardant avec lui, qu'elle a la faveur du Président. Mieux, François Mitterrand affiche ne pas avoir de préférence. S'il indiquait l'homme à suivre, ce serait plus simple pour tout le monde. Mais non. Toutes les manœuvres sont donc permises pour déjouer la présente. En quelques jours, Catherine Tasca multiplie les interventions sur le thème « Au fond, c'est d'un grand gestionnaire que les chaînes ont besoin. Un entrepreneur, habitué aux grandes entreprises publiques et privées, un homme jeune, dynamique et peu marqué politiquement... » Ce n'est ni le portrait-robot de Kiejman, ni celui de Bourges.

Catherine Tasca cherche donc de son côté. Elle pousse à la candidature l'éditeur Christian Bourgois. Elle incite des hommes tels que Bernard Esambert, le président de la Compagnie financière, à y réfléchir; elle pense à Philippe Essig, Jacques Stern... Jacques Boutet, lui, va chercher un ancien président de la Sofirad, Michel Caste, pour étoffer sa liste. Tandis que, de son côté, pour essayer de conforter les chances de Kiejman, Jack Lang fait une cour assidue à Hervé Bourges en lui proposant un autre os à ronger : « Vous êtes un grand professionnel, lui dit-il, vous êtes un homme de culture. Laissez donc tomber cette télévision; je vous propose la direction des opéras, celle de l'Opéra-Bastille... » Bourges décline. Il n'a pas envie d'intégrer ce qu'il appelle le « clan des cultureux » qui gravite autour de Lang et Tasca. Pourtant, il montre moins d'ardeur à être candidat. Au fil des semaines, il semble se confirmer que Kiejman est le véritable favori du pouvoir. Quel drôle de jeu joue donc le Président, en ne choisissant personne? Du coup, Bourges se met peu à peu en retrait et observe plus qu'il ne parle. Pas question de se porter candidat dans une compétition aussi biaisée, où le président du CSA lui-même roule pour son favori.

Cette prise de distance réjouit Kiejman et lui donne le sentiment que la voie est libre vers la présidence d'A2-FR3. A la mi-juillet, il en est déjà à constituer les futures équipes de direction des deux chaînes. Il lui arrive même d'en parler au Président, qui opine, reste silencieux à l'énumération de noms, ou émet un point de vue contraire. Ce qui conduit à des scènes étranges, comme celle où, le 13 juillet 1989, au cocktail qu'on donne à l'Opéra-Bastille, Jean-Pierre Elkabbach tombe des nues en voyant Georges Kiejman s'approcher de lui pour lui dire : « Comme vous le savez, je pense me présenter pour la présidence de A2-FR3... François Mitterrand vous verrait bien en directeur général de A2 mais, personnellement, je préfère constituer moi-même les équipes de direction. Nous en reparlerons, si vous le voulez... »

Le journaliste en reste bouche bée. Il sait que son nom circule. Ce retour de célébrité ne lui déplaît pas, après de longues années de disgrâce et une carrière recommencée avec succès sur Europe 1, dont il est devenu le directeur général. Mais il n'a jamais rien demandé de tel. Lui qui est peu à peu devenu, avec Alain Duhamel, l'un des journalistes d'Europe 1 interlocuteurs privilégiés de François Mitterrand [3], met au contraire un soin jaloux à ne manifester aucune ambition avec le Président. Cela ne veut pas dire qu'il n'en ait point. Nuance. Mais avec prudence et discrétion. Il a payé trop cher en 1981 son image de carriériste compromis avec le pouvoir giscardien. Il ne voudrait à aucun prix se retrouver dans la même situation, cette fois en penchant à gauche. Jean-Pierre Elkabbach est donc sidéré par les propos de Georges Kiejman, qui, pourtant, ne fait que dire la vérité. François Mitterrand imagine effectivement le journaliste à la tête d'une des deux chaînes publiques. Il aura l'occasion de le lui faire bientôt savoir...

C'est dans ce climat étrange et orageux de juillet 1989, où se multiplient bruits et rumeurs sur les candidatures, que se prépare, avec méthode, celle d'un autre outsider qui ne se découvrira qu'au dernier moment : le président de la SFP, Philippe Guilhaume. Une candidature dont le maître d'œuvre et stratège n'est autre que le conseiller de ce P-DG, l'ancien directeur de FR3, joueur d'échecs émérite, autrefois chargé de mission au cabinet de Peyrefitte, puis à la direction de l'ORTF : Claude Lemoine. Ce qui ne signifie pas qu'il en a été l'initiateur. Il a même plutôt cherché, au début, à l'en dissuader...

C'est en avril-mai 1989, dès que se précisent les contours de la réforme sur la présidence commune, que Philippe Guilhaume commence à évoquer ce poste avec ses plus proches collaborateurs, dont Claude Lemoine, qu'il a pris avec lui à la SFP en mars 1988, peu après sa difficile nomination... La mission sur le satellite TDF1 les avait rapprochés. Philippe Guilhaume, arrivant à la SFP comme en terre inconnue, avait trouvé en Claude Lemoine un homme averti sur les questions de production audiovisuelle. Au printemps 1989, hélas, après un peu plus d'un an de gestion par Philippe Guilhaume, il n'est pas permis de dire que la SFP se porte mieux qu'avant. Au contraire, comme c'était à craindre avec un président sans expérience

---

3. Il n'est pas rare, lorsque le Président a envie de bavarder en se promenant, qu'ils l'accompagnent en hélicoptère jusqu'à quelque clairière de forêt bourguignonne ou terrain de golf landais pour une après-midi de conversation à bâtons rompus...

de cet ordre, le déficit et les difficultés de la maison se sont encore aggravés. La société roule vers les 400 millions de déficit... Armé d'une sorte de bonne volonté éclectique mais inefficace, Guilhaume n'a rien pu faire pour enrayer le mal.

Petit, les cheveux châtain blond plaqués sur le crâne, le sourire étiré sur de fines lèvres, un visage parcheminé, Philippe Guilhaume a la quarantaine du cadre supérieur qui n'a encore vraiment rien réussi ni raté. Un peu écrivain-historien, un peu économiste, journaliste touche-à-tout, homme de marketing ayant échoué à l'enseigner, il lui est arrivé de se voir en homme politique sous les couleurs de jeunes démocrates entreprenants. C'est un polyvalent, un parleur habile, infatigable dans les joutes oratoires qu'il aime provoquer. Un acharné du dialogue social et de la poignée de main au personnel érigée en système de gestion d'entreprise. Un stakhanoviste du séminaire, un inconditionnel du colloque vécu comme substitution à la prise de décision. Il organise des séminaires à tout va, sur tous les sujets, et souvent dans une propriété de Montevran gérée par une société dans laquelle, comme le révélera plus tard *Le Canard enchaîné*, le P-DG possède des intérêts. Séminaires par dizaines pour toutes les catégories de personnels de la SFP, aux anges d'être aussi flatteusement traitées. Philippe Guilhaume est un pâtissier de la paix sociale. Les syndicats en raffolent et crient au grand homme, au pédagogue hors pair...

Il parle. Il écoute. Il cite Chaucer, Montaigne, Shakespeare à tout propos. Mais il ne décide pas et ne semble pas savoir ce qu'il veut vraiment. Au début, son enjouement, ses sourires polis et son attention aux problèmes des salariés surprennent agréablement. A la longue, il fatigue parce que aucun dictionnaire de citations vivant n'a jamais redressé le compte d'exploitation d'une société. Philippe Guilhaume s'est vite lassé des impasses budgétaires de la SFP, maison qu'il aime par ailleurs, et ce printemps, ça commence franchement à sentir le roussi. Ses collaborateurs le préviennent que la maison se porte de plus en plus mal et que le déficit s'aggrave. « Ça risque de très mal se terminer », lui disent Claude Lemoine et Maxime Lefèvre. « Mais non, mais non, répond-il, il n'y a pas tant de déficit que ça... » Ce qu'il sait être inexact. Il a envie de « faire autre chose », de changer de maison.

C'est à la fin juin 1989 que l'idée se précise. Pourquoi ne pas se présenter à la présidence commune? se demande tout haut Philippe Guilhaume avec Claude Lemoine. Ne connaît-il pas quelques-uns des membres du CSA auxquels, en avril dernier, il a fait un très brillant exposé sur la production française?

Le lundi 26 juin, Francis Balle, l'un des membres du CSA désignés par Alain Poher, déjeune avec Philippe Guilhaume à la SFP. Il n'est pas question de présidence commune, mais Guilhaume fait assaut d'intelligence et de conviction quant à son intérêt pour l'audiovisuel public et la production en général. Fructueusement. Balle repart favorablement impressionné. Trois semaines passent et, dans la deuxième quinzaine de juillet, Philippe Guilhaume se décide à tâter le terrain. Daisy de Galard est « une amie », confie-t-il à Lemoine qui est bientôt chargé de sonder, confidentiellement, les reins et les cœurs du côté du CSA.

Le tour de piste avec les membres politiquement proches de lui, ceux nommés par le président du Sénat, n'est pas très concluant. Lorsque Daisy de Galard apprend par Lemoine que Philippe Guilhaume songe à A2-FR3, elle s'écrie, aussi fort que lorsqu'elle avait appris sa candidature à la SFP : « Mais ce n'est pas possible ! Ce n'est pas raisonnable ! » Roland Faure ne manifeste pas plus d'enthousiasme. Francis Balle n'est pas tout à fait convaincu... Il faut dire que les comptes de la SFP ne plaident pas en faveur de Guilhaume. Lemoine rend compte au P-DG : « Sincèrement, vous n'avez aucune chance d'être élu... Mais, au point où en sont les choses à la SFP, vous ne risquez rien à entrer dans cette compétition. Au contraire, vous vous ferez connaître, ça ne vous coûtera rien, et cela peut servir demain... »

En maître des cases noires et blanches, ès diagonales et marche de cavaliers, Lemoine joue deux ou trois coups d'avance. Il ne décourage pas Guilhaume parce qu'il a compris, derrière la réserve polie des membres du CSA, qu'il y avait une faille par où passer. Une faille politique. En bavardant avec les « trois du Sénat », il a perçu leur intense ressentiment à l'égard de ce qui est déjà présenté comme la victoire officielle prochaine de Georges Kiejman ou Hervé Bourges. La droite du CSA est ulcérée par l'attitude du président Boutet, qui leur donne l'impression de cajoler en Kiejman le candidat officiel du « Château », l'ami personnel de François Mitterrand. La chose peut leur devenir intolérable.

C'est ce qui se produit. De rendez-vous en rendez-vous, avec doigté, Lemoine fait passer l'idée d'une candidature Guilhaume contrepoids à un jeu « fait d'avance » par le clan socialiste du CSA... Et ce d'autant mieux que les candidats d'opposition auxquels ils ont songé, Yves Sabouret ou Xavier Gouyou Beauchamps leur font faux bond. La candidature et la conquête de A2-FR3 par Philippe Guilhaume, épaulé par la fraction sénatoriale du CSA, prennent corps à la fin du mois de juillet. Le jeudi 27, il déjeune avec Daisy de Galard. Le mercredi 2 août, c'est avec Roland Faure. Il est candidat, mais il veut qu'on garde le secret absolu sur la chose, pour le moment. De son côté, Claude Lemoine rencontre d'autres membres du CSA, dont l'un de ceux qui ont été le plus séduits, en avril, par le brio du P-DG de la SFP, Igor Barrère. Le conseiller sert de *go-between* infatigable. C'est lui qui commence à réunir la documentation nécessaire à la préparation de candidature.

« Il faut y aller, soyez candidat... », dit au même moment Catherine Tasca à Hervé Bourges. Constatant les défections successives des grands gestionnaires qu'elle avait souhaités pour A2-FR3 [4], le ministre délégué à la Communication s'est trouvé, fin juillet, devant une alternative simple : voir un Georges Kiejman sans expérience l'emporter grâce à Boutet et Lang, ou bien soutenir, comme le fait André Rousselet, l'ancien P-DG de TF1. Mais ce n'est pas simple. Bourges a son caractère, qui n'est pas toujours commode. Il est tenté, mais il ne veut pas s'engager dans une compétition truquée. Il le dit. Il faut à Tasca et Rousselet de longues et patientes argumentations pour le faire revenir sur sa décision...

Début août, Bourges hésite encore plus, car la procédure mise en place par Jacques Boutet pour organiser la compétition lui déplaît.

Il n'est pas le seul à la juger bêtement administrative et « casse-gueule ». Le CSA exige en effet que les candidats au poste de président de A2-FR3 se fassent connaître auprès de lui. Jacques Boutet trouve que trop de temps s'est déjà écoulé depuis l'adoption de la réforme. Si l'on veut que A2 et FR3 repartent du bon pied à la rentrée prochaine avec un nouveau président, il ne faut plus traîner. Le président commun, pour qu'il ait le temps de former ses équipes et de se familiariser avec les dossiers en cours, doit être nommé au plus tard à la mi-août. Une autre raison, plus terre à terre, est que la plupart des membres du CSA ont bloqué leurs congés à cette date et sont déjà pressés de quitter Paris. Début août, Jacques Boutet rend public un calendrier selon lequel les candidats ont jusqu'au mardi 8 août pour se déclarer. Ensuite auront lieu des auditions – privées – de leurs projets respectifs pour le secteur public. La nomination interviendra aussitôt après.

Il faut donc faire acte de candidature. Si la chose est aisée pour un haut fonctionnaire, elle est en revanche beaucoup plus délicate, voire suicidaire, pour un dirigeant de l'audiovisuel privé qui risque, dès qu'on saura ainsi qu'il songe à d'autres fonctions, de perdre son emploi du jour au lendemain en cas d'échec. Michèle Cotta, par

---

4. La plupart, engagés dans d'autres entreprises aux projets de longue haleine n'ont montré que peu d'intérêt pour cette présidence commune.

exemple, dont le nom est souvent prononcé et qui réfléchit un moment à l'hypothèse A2-FR3, est sommée par Patrick Le Lay de choisir entre sa place de directeur de l'information à TF1 et une candidature devant le CSA... Cette procédure, Jacques Boutet croit bon de la mettre en place pour clarifier les choix des uns et des autres. « Il faut savoir ce qu'on veut », résume-t-il à ceux qui ne veulent ou ne peuvent pas prendre le risque de se dévoiler.

Ce système, par contre, convient à merveille à Georges Kiejman, qui, sous l'aile protectrice de Jack Lang, se prépare à affronter le collège de la rue Jacob. Ce sont des conseillers du ministre de la Culture, Alain Le Diberder et Bernard Spitz, qui le briefent sur le dossier audiovisuel. Georges Kiejman prend son travail de recyclage très au sérieux, partant à Belle-Ile avec les dossiers sous le bras pour réviser, sacrifiant ses vacances. Son image de gagnant officiel par la « faveur du prince » l'irrite au plus haut point. Mais elle n'est pas complètement infondée puisque ce sont de proches relations du prince qui sponsorisent sa candidature...

A quelques jours de la compétition, tout est au mieux pour l'avocat. Il est le seul véritablement en lice. Bourges, par bonheur, traîne les pieds et ne se déclare pas. Michel Caste et Christian Bourgois feront de la figuration. On parle bien de Cotta, Jeanneney, Pomonti, Drucker, mais tout cela ne paraît pas sérieux... Personne n'a encore entendu parler de Philippe Guilhaume.

Le P-DG de la SFP gère l'annonce de sa candidature avec minutie. Il se prépare avec discrétion et méthode. Vient tout de même le moment où, selon les règles fixées par Jacques Boutet, il faut se présenter. Philippe Guilhaume hésite sur la manière de procéder. Il ne sait trop, dit-il à son conseiller, comment aborder le sujet avec Jacques Boutet, dont il connaît la préférence pour Kiejman. L'astuce, c'est Claude Lemoine qui la trouve le jeudi 3 août. Passant du bureau de Guilhaume au sien, Lemoine appelle le secrétariat du président du CSA et demande simplement « si le président Boutet peut rappeler le président Guilhaume à la SFP ».

« Jacques Boutet va vous appeler », dit immédiatement après Lemoine à Guilhaume, qui, d'un « Ah bon, très bien », trouve la chose toute naturelle. C'est ainsi que Philippe Guilhaume se déclare. Non en prétendant directement au poste de président de A2-FR3, mais, plus subtilement, en disant à Jacques Boutet qu'en homme du service public aujourd'hui à la tête de la SFP il est prêt à présenter sa candidature « si le CSA » en exprime le souhait... Légèrement surpris, Boutet lui dit qu'il « va réfléchir ». En fait, c'est une nouvelle aubaine pour le président du CSA, qui se dit qu'il tient le challenger parfait, l'apolitique de droite qui va contrebalancer l'image par trop socialisante des quelques candidats qu'il a sous la main, à une semaine de l'échéance. Dans la demi-heure, les trois membres « sénatoriaux » du CSA sont informés, depuis la SFP, que Guilhaume s'est déclaré. Ils peuvent feindre une légère surprise lorsque, dans la journée, Jacques Boutet informe le collège de cette nouvelle candidature, qui doit rester confidentielle.

Le lendemain Boutet et Guilhaume se rencontrent.

Il « est » candidat.

Pendant les cinq jours qui suivent, studieux, le P-DG de la SFP se plonge dans les dossiers que lui confectionne Claude Lemoine. Bachotage en règle. Comme Kiejman. Les textes officiels concernant la présidence commune bien sûr, mais aussi les dossiers et documents que Claude Lemoine se procure auprès de membres du CSA qui suivent maintenant de très près l'évolution de cette candidature qui n'a plus rien de farfelue. Trois voix « politiques » lui sont acquises. Celle d'un des autres membres du CSA est possible. Il en faut cinq pour l'emporter. Or, le pouvoir – l'Elysée et Lang – en poussant Kiejman, commet à l'évidence une lourde erreur psychologique vis-à-vis d'une jeune instance soucieuse, à défaut d'être compétente, d'apparaître comme indépendante... Dans son aveuglement, le pouvoir redouble les effets de cette erreur en poussant également Hervé Bourges.

Cédant à son immense désir de revenir à la télévision et aux pressions continuelles de Tasca et Rousselet, Bourges se déclare à la dernière minute, le mardi 8 août. Il le fait à la demande personnelle du président du CSA, qui, ce mardi, bat un ultime rappel auprès des candidats potentiels. Jacques Boutet a un besoin urgent d'étoffer sa liste de prétendants avec des vrais professionnels. Il ne peut se contenter d'un ex-P-DG de la Sofirad, d'un éditeur célèbre, d'un grand avocat, et de Philippe Guilhaume. Ça fait pauvre.

C'est pourquoi, inlassablement, mais avec maladresse, il insiste pour que le P-DG de M6, Jean Drucker, se porte candidat. Il le fait également sous la pression de quelques membres du CSA, dont Bertrand Labrusse, qui commencent à s'inquiéter du cas Guilhaume. Labrusse (ex-P-DG de la SFP) fait jouer toute sa force de conviction pour décider Jean Drucker. Les deux hommes se connaissent depuis longtemps. Depuis que l'ancien chargé de la Coopération Bertrand Labrusse avait envoyé le jeune coopérant Jean Drucker comme attaché culturel en ambassade à Téhéran. Avec ses tempes grises et ses costumes légers, Bertrand Labrusse impressionnait alors, à la manière d'un héros de Paul Morand. Passionné de très belles voitures, il avait coutume d'entrer dans la cour du Quai d'Orsay au volant d'une Austin-Healay bleu métallisé... Labrusse avait évité à Drucker les affres de la caserne d'Angers au profit des splendeurs iraniennes. Ça ne s'oublie pas.

Ancien P-DG d'A2, à la tête d'une chaîne privée qui progresse péniblement et dans le déficit, Drucker ne dédaignerait pas une nouvelle aventure publique. Mais, lorsqu'il a vu la procédure choisie, il a éclaté de rire : « C'est exactement ce qu'il faut pour que personne du privé ne vienne contrarier le plan Kiejman-Boutet », s'est-il dit. Et Drucker a laissé son nom être prononcé. Sans bouger. Jusqu'à ce que Labrusse, insistant, lui conseille de se présenter, « pour éviter le pire ». Non. C'est non. « J'ai passé l'âge de servir de lièvre », lui a dit Drucker.

Il est à nouveau tenté de rire quand, embarrassé, Jacques Boutet l'appelle ce mardi 8 août 1989 : « Nous nous apprêtons à boucler la liste des candidats, lui dit le président du CSA, à 9 heures et demie du matin. Il y a des membres qui pensent à vous et je crois que ce serait une bonne idée que de vous présenter... » Jean Drucker refuse : « Je suis sensible à votre appel, mais non, ça ne m'intéresse pas. Merci. » Deux heures plus tard, Jacques Boutet, qui entre-temps a eu les confirmations de Bourges – à l'arraché –, de Caste, Bourgois et Guilhaume, rappelle Jean Drucker. « Je n'ai pas changé d'avis depuis tout à l'heure », lui répond le P-DG de M6 avant de raccrocher.

Il y a donc, après élimination par le Conseil supérieur d'une dizaine de noms jugés inaptes ou fantaisistes, cinq candidats. Les auditions, décide le CSA, auront lieu demain mercredi, et jeudi.

« Votre candidature est retenue. Vous passez demain matin devant le Conseil pour exposer votre plan..., annonce Jacques Boutet à Philippe Guilhaume dans l'après-midi de ce mardi 8 août.

– C'est impossible, demain je suis à Londres pour une réunion que je ne peux reporter... »

Après une brève conversation, Boutet convient de modifier l'ordre de passage en procédant par ordre alphabétique. Bourges, Bourgois et Caste passeront demain mercredi. Guilhaume et Kiejman jeudi matin.

Lorsqu'il raccroche, Philippe Guilhaume sourit et dit à ses collaborateurs, médusés d'apprendre à l'instant qu'il se rend en Angleterre le lendemain : « L'important, c'est de passer en dernier. » Peu importe le prétexte. En bon tacticien, Philippe Guilhaume vient de gagner une journée de « révision-bachotage » sur trois de ses concurrents. Ce ne sera pas une perte de temps. Il a commencé à rédiger un texte-programme très soigné, il sait faire cela à merveille. Construit à partir des dossiers que lui ramène du CSA Claude Lemoine.

Médiocre gestionnaire, peut-être, Guilhaume a néanmoins une capacité de travail étonnante. Il assimile vite, bien, et reste imbattable pour faire une synthèse orale de ce qu'il étudie. Avec cette compétition pour la présidence commune que Jacques Boutet organise pratiquement comme un grand oral de Sciences-po, Guilhaume est comme un poisson dans l'eau. Il baigne dans son élément de prédilection : le discours.

Ses chances sont minces. Mais elles existent.

Au cours des quarante-huit heures qui précèdent son audition, il met les bouchées doubles. Travaillant soit chez lui, soit dans une brasserie qu'il affectionne, Le Dab, Porte Maillot. Lemoine est son répétiteur. La victoire est peut-être à portée de main.

Catherine Tasca est la première à voir grandir « le danger Guilhaume », mais il est trop tard. Au soir du mercredi 9 août, apprenant par des comptes rendus circonstanciés en provenance du CSA que les auditions de Bourges, Caste et Bourgois ont été très médiocres, elle voit se profiler une triangulaire dangereuse pour le pouvoir, entre Kiejman, Bourges et Guilhaume. Le nom, le caractère et ce que ses collaborateurs et elle-même considèrent comme l'incompétence de cet homme en matière de gestion l'inquiètent au plus haut point. L'alarmant dossier économique de la SFP est en haut de la pile sur les bureaux des ministères de la Culture et de la Communication. Tasca, qui a compris la manœuvre des membres nommés par le Sénat, redoute un affrontement politique à bulletins secrets au CSA entre Guilhaume et Bourges, ou entre Guilhaume et Kiejman. A l'Elysée, c'est le directeur de cabinet, Gilles Ménage, qui suit en direct la situation. Il est en liaison régulière avec Jacques Boutet, qui l'a persuadé que « tout se présente sans problème majeur ».

D'après le CSA, note-t-on à l'Elysée, l'affaire se jouera sans doute entre Bourges et Kiejman. Dans ces conditions, s'agissant de deux sympathisants et amis, François Mitterrand reste en retrait et ne veut pencher en faveur d'aucun. Au CSA de les départager.

En déplacement à Ramatuelle pour l'inauguration d'un centre culturel, Catherine Tasca téléphone le mercredi 9 au soir à Daisy de Galard. « Ecoutez, Daisy, lui dit-elle, nous avons toujours bien travaillé ensemble [5]. Guilhaume, ce n'est pas possible ! Vous savez par-

5. Au temps de la CNCL, Catherine Tasca et Daisy de Galard siégeaient côte à côte dans la Commission « programmes ».

faitement dans quel état il a mis la SFP... » La conversation dure près de trois quarts d'heure. Daisy de Galard sait à quoi s'en tenir sur les capacités de gestion de Philippe Guilhaume... Mais elle fait comprendre à Catherine Tasca que, « d'un autre côté », il est impossible de couronner la télévision commerciale que symbolise Bourges ou l'inexpérience flagrante d'un autre « favori » du pouvoir en la personne de Georges Kiejman. C'est un choix ouvertement politique que s'apprêtent à faire les membres nommés par le Sénat. Catherine Tasca revient dix fois à la charge. En vain. Guilhaume est en piste et le pouvoir n'a qu'à s'en prendre à lui-même.

Le jeudi 10 août au matin, les auditions se poursuivent comme prévu rue Jacob. Georges Kiejman ne fait pas la meilleure plaidoirie de sa carrière. Guilhaume est le bon élève qui affiche une connaissance parfaite des réponses aux questions qui lui sont posées.

A 13 heures, Georges Kiejman rentre déjeuner près de son bureau, rue de Tournon. Il est déprimé. Il sait qu'il a loupé sa prestation. Il a trop parlé de lui-même. Il s'est laissé emporter par son désir de convaincre de l'authenticité de sa passion alors qu'il aurait fallu rester froid, grave, devancer les questions et répondre en technicien... Mauvais présage.

A la même heure, Philippe Guilhaume déjeune Porte Maillot avec le journaliste Jean-Claude Héberlé, qui émarge dans un placard de la SFP, où on le voit peu, et Claude Lemoine. Guilhaume affiche une sereine insouciance. Il n'a rien à perdre.

Toujours à la même heure, l'Elysée vient aux nouvelles du côté du CSA. Pour le compte de François Mitterrand, parti passer quelques jours dans sa propriété de Latche, Gilles Ménage demande à Boutet son pronostic. Pas de problème, pas de surprise particulière, commente le président du CSA. Le Conseil délibérera dans l'après-midi. On s'oriente comme prévu, estime-t-il, vers un duel Bourges-Kiejman... Gilles Ménage répercute l'information dans les Landes. Tout va bien.

En milieu d'après-midi, déprimé comme peut l'être Woody Allen dans ses œuvres sombres, Kiejman rentre chez lui. Il se rase en prévision des flashes et des projecteurs qui l'attendent ce soir. Gagnant ou perdant, il faudra faire le tour des médias. Devant sa glace, rasoir en main, il perçoit soudain la vacuité de sa candidature. Il ne désire plus l'objet hier convoité. Il pressent l'échec et anticipe le choc en se disant qu'il ne veut plus de ce poste, qu'il n'en a peut-être jamais vraiment voulu...

Ce poste, tout l'après-midi, dans son bureau de RMC, Hervé Bourges veut croire qu'il va le décrocher. N'est-il pas le seul et unique professionnel de la télévision en lice? Peut-être l'a-t-il un peu trop fait comprendre hier dans son exposé où, comble de maladresse, il a fustigé ses prédécesseurs à TF1, qui de 1981 à 1983 avaient ruiné cette belle maison... Prédécesseurs dont était le président du CSA, Boutet. Mauvais point. Mais le handicap reste surmontable, se dit Bourges. Il est le meilleur. C'est une évidence et le CSA doit être en ce moment même en train de le réaliser.

Justement, le téléphone sonne. C'est Boutet. « C'est Guilhaume. C'est une catastrophe, dit le président du CSA d'une voix blanche. » Bourges sent sa gorge se serrer. Ne trouve pas ses mots. Le dépit l'emporte. Mélange de déception et de colère. Guilhaume! C'est invraisemblable. Bourges raccroche et lance à son collaborateur, Jean-Noël Tassez, qui attendait le verdict avec lui : « Une catastrophe... J'aurais dû lui dire : " Boutet, la catastrophe, c'est vous! " ».

Rue de Tournon, Georges Kiejman, informé dans les mêmes termes, éprouve comme un douloureux soulagement. Le cinéphile est partagé entre la nécessité de se conduire avec la classe d'un Cary Grant tombé à terre et la hargne meurtrière d'un James Cagney trahi. Il oscillera entre les deux. Se drapant à l'Elysée dans une dignité de recalé génial. Usant ailleurs d'imprécations violentes contre la presse, forcément responsable de son échec. Et déplorant, intérieurement, ce qu'il est bien forcé d'appeler l'imbécillité du CSA.

« C'est vous... », apprend Jacques Boutet d'une voix éteinte à Philippe Guilhaume peu après 18 heures 30, au moment même où l'information tombe sur Europe 1. Pour le P-DG de la SFP, c'est la gloire. Il est convié pour le vingt heures sur A2. Le personnage se métamorphose aussitôt en superprésident à qui vient d'échoir naturellement une mission, une de plus, pour sauver la télévision publique.

Rue Jacob, le vote s'est achevé par des regards en coin. C'est au troisième tour que Philippe Guilhaume a devancé Georges Kiejman par cinq voix contre quatre. Livide, Jacques Boutet voit s'effondrer l'échafaudage qui devait servir de piédestal à l'avocat. Il est furieux contre lui-même et ses troupes. En bon radical, il a toujours été persuadé, au-delà des mots creux qui veulent parer le CSA d'« indépendance », que les six voix nommées par la gauche (présidence de la République et Assemblée nationale) observeraient une sorte de « discipline républicaine ». En l'occurrence, la consigne implicite délivrée par les pouvoirs publics était qu'il fallait choisir entre Bourges et

Kiejman. Il y a donc, le mot sera employé, un ou des « traîtres ». Les prétendus sages du CSA passeront de longues heures à essayer de déterminer qui a « fauté » en votant Guilhaume. On désignera Igor Barrère et Geneviève Guicheney d'un doigt accusateur. N'ont-ils pas vanté en séance les mérites et talents du P-DG de la SFP? Le climat est exécrable au soir de ce 10 août. Tous les membres sont pressés de disparaître sur leurs lieux de vacances. On se regarde en chiens de faïence. La suspiscion règne.

A Ramatuelle, Catherine Tasca est effondrée. Au moins autant que Jack Lang, qui se trouve à ce moment en Sardaigne, mais a appris la nouvelle dans la résidence de vacances de Laurent Fabius, en Corse, où il est allé passer l'après-midi, d'un coup d'hélicoptère. Le président de l'Assemblée nationale est furieux, lui aussi. « Ses » membres au CSA ont cafouillé... Le soir, au téléphone, Lang et Tasca échangent leurs idées noires sur la « catastrophe ». Dans la soirée, Gilles Ménage les appelle et compatit. Le directeur de cabinet n'a pas le moral non plus. Lorsqu'il a téléphoné un peu plus tôt dans les Landes à François Mitterrand pour lui apprendre que, contrairement aux certitudes du matin, ce n'était « ni Bourges, ni Kiejman », le Président, mécontent et énervé devant une opération aussi mal conduite, lui a raccroché au nez sans un mot.

De son côté, Philippe Guilhaume est allé fêter sa victoire dans un endroit que lui a fait découvrir Claude Lemoine, place de la Madeleine. Chez Kaspia, restaurant de caviars. Avec quelques amis, dont Roland Faure. L'endroit lui plaît tant qu'il y donnera de nombreux rendez-vous dans les semaines qui viennent, à la recherche de professionnels pour les directions générales d'A2 et FR3.

Cerise sur le gâteau d'une réforme qui n'était pas désirée, l'élection de Philippe Guilhaume signe et clot, à l'été 1989, l'ultime étape qui précède la dislocation du système audiovisuel. Le CSA ne trompe que lui-même et une poignée d'observateurs inattentifs en essayant de faire passer cette nomination pour une manifestation d'indépendance à l'égard du pouvoir. C'est parce qu'il refusait de se plier à un choix préétabli depuis l'Elysée que le Conseil supérieur aurait élu Guilhaume... Il n'en est rien. Avant d'être une preuve de quelconque indépendance, c'en est surtout une d'aveuglement. Censé réguler, équilibrer l'audiovisuel, le CSA vient de faire la démonstration qu'il n'en a ni l'envie ni les moyens intellectuels.

Il a bâclé, en deux jours de palabres rebaptisées « auditions », la nomination d'un président pour deux chaînes de télévision. Contrairement à ce qu'auraient fait des institutions équivalentes en Grande-

Bretagne ou aux Etats-Unis, il n'a pas procédé à l'ombre d'une enquête sur la personnalité, l'expérience et les capacités des différents candidats. Il s'est contenté de quêter des candidatures. Là où d'autres auraient pris le temps d'éprouver, de tester et de vérifier les dires et la nature des projets des candidats, il s'est contenté, très administrativement, de faire passer un baccalauréat. Il s'est englué dans une procédure de sélection qui le coupait des professionnels.

S'il avait pris la peine de réfléchir au lieu de mimer l'équité d'un tribunal, il se serait aperçu que les trois quarts des candidatures déclarées, celles de Guilhaume autant que celles de Kiejman ou Bourgois, ne méritaient même pas d'être retenues, compte tenu de la gravité du problème posé par la situation des deux chaînes publiques. Il se serait honoré en effectuant une véritable sélection, en élisant un vrai projet, un plan économiquement viable plutôt qu'un parleur habile et fort bien renseigné par une partie du jury... Ce 10 août, le CSA ne prouve que son manque de clairvoyance et une forme de lâcheté collective qui consiste à prétendre avoir fait un choix quand la nomination ne résulte en fait que de l'incapacité des clans en présence à mesurer les conséquences de leurs raisonnements politiciens.

Un seul coup d'œil attentif sur la situation comptable de la SFP aurait permis au CSA d'éviter à A2-FR3 de glisser demain dans une crise plus grave encore. Cela aurait également épargné à Philippe Guilhaume une période de fausse gloire puis de vrais déboires. Après la confection surréaliste du bouquet de programmes du satellite TDF1, Jacques Boutet vient de discréditer une seconde fois la toute jeune institution. Le président du CSA perd en effet sur tous les tableaux. Le pouvoir se méfie désormais de lui car il a démontré qu'il ne sait pas, comme président, « tenir » son équipe. Ce serait une chose réconfortante si elle traduisait la volonté de cette équipe de s'affranchir effectivement des autorités politiques. Mais c'est l'inverse qui vient de se produire. Jacques Boutet a si mal manœuvré entre son poulain Kiejman et sa hantise de Bourges qu'il a permis à l'opposition sénatoriale, avec seulement trois voix, de le battre à plate couture.

Le pouvoir ne peut plus lui faire confiance. Catherine Tasca elle, voit sa réforme foulée aux pieds. Là où, en idéologue de gauche croyant aux vertus du service public, elle voulait un grand gestionnaire sympathisant, elle se retrouve avec un homme dont elle ne supporte pas jusqu'à la manière de parler. Les mines réjouies, le ton patelin, les accents matois de Philippe Guilhaume la hérissent... Mais elle sait qu'elle a aussi sa part de responsabilité, comme Jack Lang, dans ce qui conduira bientôt au plus grand déficit jamais connu par une chaîne de télévision publique en France. N'était-il pas évident qu'en poussant deux candidats le pouvoir favorisait, d'une part une réaction de rejet de la droite du CSA, et d'autre part fractionnait dangereusement les votes en faveur de l'un et de l'autre, ouvrant ainsi en grand la porte à un troisième candidat? Cela, il n'était pas nécessaire d'être un champion de l'échiquier comme Claude Lemoine pour le deviner. L'arithmétique électorale élémentaire fourmille d'exemples de ce type.

Ce 10 août 1989 au soir marque un autre évènement, invisible. C'est le lent, progressif et irréversible désintérêt de François Mitterrand pour la chose audiovisuelle. Ce n'est pas que le Président ne se souciera plus de ce qui se passe sur les antennes et derrière les écrans – impossible! –, mais il se refusera, de plus en plus souvent, à intervenir dans la gestion d'un système invivable et condamné. Il ne voulait pas de présidence commune. Il se serait résigné à y voir Bourges ou Kiejman, des hommes de confiance. Mais là, Guilhaume, c'en est trop! C'est comme si Jacques Boutet, la cohabitation à peine refermée, venait d'offrir deux chaînes publiques à la droite libérale. C'est trop gros. Trop stupide. L'énormité du cafouillage dépasse l'entendement et la patience présidentiels.

A partir de septembre 1989, François Mitterrand fera comprendre à ses interlocuteurs et conseillers qu'il ne veut plus s'occuper d'audiovisuel. Qu'on l'informe, bien sûr. En permanence. Mais qu'on n'attende plus de lui qu'il juge et tranche.

Il en a assez.

CHAPITRE XI

Putschistes

A la fin du mois d'août 1989, à deux mille kilomètres de distance, trois hommes ruminent les mêmes pensées. Les mêmes envies de donner un coup de pied dans la fourmilière dont ils sont prisonniers. Un coup de gong dans le ciel de la Cinq. Mais ils n'ont pas les mêmes objectifs. Pour le moment.

Le premier, le plus dépité peut-être, est en vacances dans sa propriété de Portofino. Il s'agit de Silvio Berlusconi. Depuis juin, le patron de la Fininvest se sent le dindon d'une farce française qui n'a que trop duré. Avec chaque semaine qui passe il ne comprend que mieux combien ses amours secrètes avec TF1 lui sont facturées au prix fort. L'augmentation de capital de la Une, qui devait lui être « réservée », lui est passée sous le nez avant l'été. Au dernier moment, Patrick Le Lay et Francis Bouygues ont fait comprendre au « cher Silvio » qu'il pouvait remballer son catalogue, l'Elysée s'opposant, lui disaient-ils, à la célébration d'un mariage Bouygues-Berlusconi dans TF1... Du coup, « Sua Emittenza » se retrouve dans une situation inextricable. Les 650 millions investis dans TF1 et Bouygues SA dorment inutilement et sont à la merci d'un affaissement des cours, tandis que, contrairement à ce qu'il avait espéré, il ne peut jouer aucun rôle sur la Une.

Mais Berlusconi pense qu'il subsiste un espoir de s'entendre tout de même avec Bouygues. Le mardi 5 septembre prochain, il assistera au conseil d'administration de Bouygues SA au cours duquel Francis doit céder les rênes de la société à son fils Martin. Berlusconi a l'intention d'en profiter pour clarifier l'histoire TF1 avec Bouygues et Le Lay. Il y a sûrement un moyen de s'arranger pour qu'il entre davantage dans le capital et le management de la Une...

552

Sa situation dans la Cinq n'est pas plus encourageante. La rupture avec Hersant est pour ainsi dire consommée depuis que le patron du *Figaro*, en représailles de ses infidélités avec Bouygues – mais surtout par mesure d'économie – a retiré à Berlusconi l'exclusivité des achats de programmes. « La Cinq ne doit plus être esclave des programmes de Berlusconi, avait déclaré Robert Hersant au cours d'une réunion en janvier 1989. Je ne veux plus entendre parler de ce catalogue. Je veux que la chaîne ait son propre service d'achat ! » Passant aux actes, il a mis en place une structure d'acquisition de programmes. Pour Berlusconi, c'est à la fois un manque à gagner et l'effondrement du *gentleman's agreement* initial. Dans le désaccord avec Hersant, un point de non-retour est atteint.

A Portofino, Berlusconi s'interroge sur l'augmentation de capital en cours à la Cinq. A quoi bon « suivre » et plonger dans de nouvelles dépenses avec Hersant aux commandes ?

En même temps, ne pas suivre signifie se marginaliser dans le capital et admettre que la partie et les investissements faits depuis 1986 en France sont perdus. Il est indécis... Hersant a prévenu qu'il saurait faire face s'il y avait des « défaillances » d'actionnaires, le 11 septembre prochain, à la clôture de l'augmentation de capital. Bluffe-t-il pour les inciter à remettre de l'argent dans le puits ? Ou bien est-il vraiment en mesure de faire entrer des nouveaux ? Et lesquels ? Un signe intrigue Berlusconi au plus haut point : Hersant convoque un conseil d'administration pour le lendemain de cette date, le mardi 12 septembre 1989. Cela peut vouloir dire qu'il y proposera une recomposition du capital avec de nouveaux partenaires si lui, Berlusconi, et d'autres actionnaires, refusent de souscrire...

Le deuxième homme, Robert Hersant, n'est pas moins perplexe cette fin d'été. Le P-DG de la Cinq sent la chaîne devenir de plus en plus une menace pour son groupe de presse. A la mi-juillet, elle a écopé d'une amende de 60 millions de francs décidée par le Conseil d'Etat pour non-respect du cahier des charges. A la fin de l'année, le déficit cumulé dépassera probablement les 2 milliards, et les actionnaires rechignent, manifestement, à miser davantage sur ce mauvais numéro. Des signes sans équivoque, des appels personnels ou des commentaires entendus lui ont fait comprendre que des actionnaires comme Seydoux, Groupama, Les Echos, Vidéotron... ne suivront pas l'augmentation de 300 millions. Ils n'y sont pas incités non plus par ce qu'ils lisent dans les journaux, qui laissent entendre qu'Hersant et Berlusconi, l'un avec la régie publicitaire, l'autre avec les programmes, se paient sur la bête à leur détriment. Quant à Berlusconi, impossible de savoir sur quel pied danser avec lui depuis qu'il courtise TF1.

Comme pour noircir le tableau, le Gouvernement persiste à vouloir renforcer la réglementation, par décret. Les rumeurs les plus alarmantes se sont confirmées en juillet. Catherine Tasca et Jack Lang vont imposer aux chaînes des quotas de diffusion irréalistes qui ne peuvent avoir que des effets meurtriers sur la gestion de la Cinq. Comme aux plus beaux jours de sa candidature à la Cinq, Robert Hersant s'est à nouveau lancé, mais avec l'énergie d'un homme aux abois, dans une campagne de lobbying intense. Il est même allé à l'Elysée, fin juillet, rencontrer le directeur de cabinet du Président. Pour rien. On l'écoute poliment. Point. Personne ne veut s'opposer aux décrets que prépare Tasca.

« Faites un coup de gueule ! », a-t-il alors demandé au directeur de la Cinq, Philippe Ramond, avec l'espoir que des déclarations tonitruantes pourraient émouvoir le Gouvernement. Ramond a « gueulé » fort dans les colonnes du *Monde* du 28 juillet 1989. Il y est allé au canon contre une réglementation qui relève de l'« *homicide involontaire* », tirée d'une politique audiovisuelle « *digne de Tintin* ». Il a dénoncé l'accumulation des contraintes, les errements gouvernementaux, parlant des quotas nouveaux comme d'une « *spécificité française (...) addition de tous les poujadismes* » en contradiction avec les législations européennes. Il a averti, avec hargne et grandiloquence, que la Cinq ne se laissera pas égorger comme au coin d'un bois, qu'elle « *vendra très cher sa peau. Elle se battra en plein champ, sabre au clair, casoar et gants blancs* ».

« Bon coup de gueule, Ramond », lui a dit le soir même Hersant. « Dommage que vous ayez dit, à la fin, qu'on allait vers l'équilibre financier... » L'éclat n'a pas fait bouger le Gouvernement d'un millimètre. Pas plus que ne l'avait fait, trois jours plus tôt, le coup de gueule sur le même thème, donné en duo par les deux principaux actionnaires de M6, Jacques Rigaud pour la CLT, Jérôme Monod pour la Lyonnaise, également dans *Le Monde*. Avec un sens non moins percutant de la formule, Rigaud s'était déchaîné contre un « homicide » volontaire par accumulation de règles, en comparant, esprit du Bicentenaire oblige, Catherine Tasca à Charlotte Corday...

Faute d'ouverture, la marge de manœuvre d'Hersant reste très étroite. Il se prend parfois à rêver encore de redressement. Sans cette maudite réglementation et ces Italiens ingérables... A la veille de la rentrée, il n'a d'autre choix que de continuer à exploiter la Cinq tout en se préparant au pire. Il en est de la chaîne comme de certains pays endettés du tiers-monde. Le dépôt de bilan coûterait bien plus cher que de continuer à jongler avec les livres de comptes et les agios. En cas de faillite, Hersant plongerait pour près de 500 millions (25 % du déficit à prévoir). C'est pourquoi, redoutant un lâchage d'une partie des actionnaires, il a passé l'été avec Ramond, Chaisemartin et Grimaldi à obtenir de groupes et d'entreprises amis quelques promesses d'entrées dans le capital de la chaîne après le 11 septembre, au cas où. On parle de Carrefour, du GAN, de la CGE, groupe que préside Pierre Suard. Ce qui n'empêche pas Hersant de garder à l'esprit, comme une lointaine et toujours présente issue de secours, la possibilité d'organiser une cession de la Cinq à sa manière...

Depuis février 1987, le troisième homme patiente. Jérôme Seydoux, puisque c'est de lui qu'il s'agit, sait ce que le mot veut dire. Il n'est resté dans la Cinq que pour en reprendre un jour les rênes. Il est, selon l'un des mots qu'il affectionne et prononce à l'anglaise, tout à fait « *reeelaxx* ». Le président de Chargeurs SA n'a pas eu le temps de trouver le temps long. Outre le textile, les croisières et les transports, il a diversifié ses activités en 1988 en s'associant au réalisateur Claude Berri dans la production cinématographique. Le satellite TDF1 ne l'a jamais intéressé autrement que comme une carte à jouer pour pénétrer dans la Cinq en 1985, mais en 1989, Jérôme Seydoux se passionne pour un satellite britannique (BSB) dans lequel il a décidé d'investir. Quant à la Cinq elle-même, avec un poste au conseil d'administration et quelques-uns de ses hommes au contrôle de gestion, Jérôme Seydoux est l'un des actionnaires les mieux informés sur l'ampleur des dégâts.

Pour marquer sa désapprobation, Chargeurs SA n'a pas suivi la dernière augmentation de capital. Et, chaque fois que possible, Seydoux critique amèrement la conduite de la maison par Hersant. La dernière fois, le 28 juillet 1989, dans le magazine *Le Nouvel Economiste*, il s'est fait plus dur encore et plus intrigant : « *Je suis prêt*, a-t-il dit à propos de la Cinq, *à remettre le pied à l'étrier, à condition que ce soit avec des partenaires qui s'entendent sur la stratégie, les investissements, et une équipe de direction compétente...* » Coup de semonce? Bien plus que cela. En fait, depuis le printemps, Jérôme Seydoux pense que l'heure de revenir aux affaires sur la Cinq est arrivée. Mais avec qui, comment, et pour quoi faire? Que décider pour la prochaine augmentation de capital?

Trois hommes. Trois groupes. Trois séries de questions identiques sur l'avenir d'une chaîne. C'est sur ce fond d'inquiétude, de méfiance et d'angoisses bancaires, que s'organise, fin août, un coup d'Etat.

C'est un « putsch », comme on l'appellera, qui se prépare. Un putsch qui va faire basculer, définitivement, le sort de la Cinq.

Les vendredi 25 et samedi 26 août, à Portofino, Silvio Berlusconi et son ambassadeur parisien, Codignoni, analysent la situation à la rentrée française du point de vue de la Fininvest. La veille, « Sua Emittenza » a eu confirmation officielle du gouvernement espagnol que son dossier de candidature pour créer une des premières chaînes commerciales en Espagne, Télécinco, est retenu, comme celui d'un futur Canal Plus Espagne. C'est le fruit d'une stratégie d'implantation espagnole engagée il y a quatre ans, en même temps qu'en France. Pour Berlusconi, le raisonnement d'alors sur un axe latin « Rome-Paris-Madrid » des télévisions privées tient toujours.

La bonne nouvelle espagnole tombe à pic dans le désenchantement de la situation française. Il ne faut pas lâcher ce que la Fininvest possède à Paris. Il faut continuer à investir et essayer d'inverser le rapport de forces. Dans l'expectative sur TF1, comment reprendre l'initiative avec la Cinq? Comment prendre Hersant à revers pour regagner le contrôle des programmes... Certainement pas, se disent Codignoni et Berlusconi, en refusant de suivre l'augmentation de capital, car alors la portion de la Fininvest irait en s'amenuisant... « Hersant est convaincu que nous n'allons pas suivre... laissons-le mariner dans ce doute. »

Non seulement il faut suivre, mais, pour interdire l'entrée d'actionnaires amis d'Hersant, il faut convaincre tous ceux qui ne veulent plus investir, Seydoux, Groupama, Les Echos, etc., qu'ils doivent souscrire cette augmentation. Même si c'est la dernière avant leur sortie de la chaîne. En effet, Berlusconi entrevoit, dans la déception des « petits » actionnaires, un moyen de contrer la toute-puissance d'Hersant sur la Cinq... D'abord, continuer à faire croire qu'il ne suivra pas, tout en faisant passer le message inverse à ce « cher Robert ».

Le dimanche 27 août 1989 au soir, Yves de Chaisemartin dîne au Plaza avec Angelo Codignoni. Le premier rentre d'un week-end à la campagne. Le second de Portofino. « Alors, que comptez-vous faire? » demande le bras droit de Robert Hersant à propos de l'augmentation. Derrière le jeu complexe qu'ils mènent chacun pour leur patron, la situation de rivalité et de frictions de leurs groupes respectifs est presque devenue un sujet de plaisanterie. « Eh bien, je crois que je vais aller à Milan début septembre et que j'en reviendrai avec mandat de souscrire... », répond Codignoni tout en laissant planer la dose de doute voulue.

Le lundi 4 septembre, à la veille du conseil d'administration de la société Bouygues, Berlusconi est à Paris. Il est descendu au Plaza.

C'est là, pendant une journée entière, qu'il rediscute point par point l'accord avec TF1 et Patrick Le Lay. Le P-DG de la Une se montre plus conciliant qu'en juin avec la Fininvest. Il poursuit en fait sa stratégie, soufflant le froid et le chaud. Le soir, vers 23 heures 30, un dernier entretien téléphonique avec Le Lay cadre les détails. « Sua Emittenza » consent une remise sur la valeur de son catalogue en contrepartie de son entrée dans la chaîne. Et on se donne rendez-vous pour le lendemain, à « Challenger », pour le conseil d'administration de Bouygues. « *Basta*, c'est réglé », dit Berlusconi en raccrochant, avant d'aller se détendre au Crazy Horse, à deux pas du Plaza.

Le lendemain, une réception fastueuse accompagne la passation de pouvoir père-fils et le conseil d'administration où Bouygues accueille chaleureusement Berlusconi. Egal à lui-même, l'Italien sort le grand jeu, avec accent, compliments, sourire et chansonnette au bord des lèvres. « Revoir Paris... » Tout est réglé, croient les Italiens à propos de TF1. Mais, à peine le conseil achevé, Le Lay prend à part Codignoni et fait état de « problèmes qui subsistent » en dépit de l'accord de la veille au soir. De nouveau le froid après le chaud. Il ne fallait pas de clash avec Berlusconi *avant* le conseil. Maintenant, c'est une autre histoire. « Non, décidément, laisse entendre Le Lay, TF1 ne peut pas céder ses parts contre un catalogue... »

« J'ai l'impression que nous n'arriverons pas à boucler l'opération TF1 », dit Angelo Codignoni à Berlusconi en le raccompagnant à l'aéroport. « Le Lay avance et recule sans arrêt, Bouygues ne sait pas ce qu'il veut...

– Vous êtes pessimiste, dit Berlusconi. Cette opération ne peut pas échouer. Nous avons des accords. Et c'est la meilleure solution, pour Bouygues comme pour nous. »

La meilleure, peut-être, mais bloquée, visiblement, et pas la seule en tout cas. Faute de la grive TF1 qui se dérobe constamment, Berlusconi peut essayer de manger le merle Hersant. Il y pense avec de plus en plus d'appétit. Cela devient même indispensable si TF1 joue à l'éconduire.

Le lendemain, mercredi 6 septembre, c'est Jérôme Seydoux qui reçoit Angelo Codignoni. Sans être froides, les relations entre Chargeurs SA et Fininvest se sont distendues. Mais là, cependant, elles retrouvent une certaine chaleur. Les deux groupes font une même analyse du dossier de la Cinq et parviennent à la même conclusion. Sans Hersant et son équipe, les choses iraient mieux. Quel dommage de ne pouvoir revenir au schéma originel, avec Chargeurs aux commandes et Fininvest aux programmes ! Blocs et crayons en main, ils font un premier tour d'horizon dont il ne résulte rien de concret. Sinon que les groupes Chargeurs et Berlusconi sont unanimes à penser que l'augmentation de capital qui se présente est l'occasion ou jamais de tenter « quelque chose ».

Le calcul de Berlusconi esquissé à Portofino est simple. En incluant la Fininvest, les « déçus » de la Cinq, ceux qui n'ont pas l'intention de suivre, représentent environ 52 % du capital de la chaîne... Ce qui signifie que s'ils changent tous d'avis et s'entendent sur un nouveau projet, il est mathématiquement possible d'obtenir la marginalisation, voire le départ d'Hersant!

Dans les heures qui suivent la rencontre avec Seydoux, le groupe Berlusconi multiplie les démarches auprès des actionnaires qui ne souhaitent pas « suivre ». Le discours tenu aux Mutuelles Groupama comme à Vidéotron consiste à dire que Berlusconi, écarté comme eux de la gestion par Hersant, est prêt à investir pour remettre la Cinq d'aplomb avec de vrais programmes... Discours accueilli avec un scepticisme attentif. C'est au cours de ces démarches que la Fininvest apprend que Groupama (16,8 % de la Cinq), non seulement ne souhaite pas suivre, mais désire « sortir » au plus vite de la chaîne en vendant ses parts... Ces Mutuelles agricoles, qui étaient entrées dans la Cinq en pensant faire un bon placement, sont affolées par le niveau des pertes. Elles sont en outre révulsées par la façon dont, depuis le premier jour, Hersant les ignore, comme tous les autres « petits » actionnaires. Au bout de deux ans de Cinq, elles se sentent dépouillés et vexées à chaque augmentation de capital. Dépouillées d'un argent qui est celui de leurs cotisants, qui sont en droit de se demander à quoi rime cet investissement.

Groupama vendeur. Intéressant...

Chargeurs et Fininvest décident de passer à l'action. Le plan d'ensemble est celui-ci. Ils vont suivre l'augmentation, mais pas seuls. Le coup d'Etat n'a de sens que si c'est un groupe majoritaire dans la chaîne qui, contre toute attente, annonce le lundi suivant, le 11 septembre, qu'il souscrit. Groupama est vendeur et veut récupérer son argent englouti dans la Cinq; il faut donc se porter acheteur tout de suite et donner à ces Mutuelles l'assurance que le rachat de leur part se fera après l'augmentation de capital. Pour le reste, avec un peu de persuasion auprès des plus petits actionnaires, il est possible de former une coalition détenant plus de 50 % du capital. Ensemble, Fininvest, Chargeurs, Les Echos, Groupama et les canadiens de Vidéotron représentent une majorité dans le capital et en sièges au conseil d'administration... Dans ces conditions, Hersant n'aura d'autre choix que d'accepter une renégociation des rôles dans la Cinq.

L'opération doit conduire ensuite au renversement du P-DG de la Cinq en conseil d'administration, par exemple lors de celui qui est prévu pour le 12 septembre, au lendemain de la clôture de l'augmentation. Mené avec intelligence et précision, ce plan conduira sans doute Hersant à céder ses parts dans la Cinq à ceux qui se proposeront de les lui racheter, comme pour Groupama, au prix des pertes. Ce peut être une excellente affaire pour tous. Pour Chargeurs, car Jérôme Seydoux s'imposerait comme le futur P-DG de la chaîne. Pour Berlusconi, qui redeviendrait un opérateur actif en télévision. Pour Hersant et Groupama, qui récupéreraient leurs mises.

« Je veux y réfléchir encore, dit Jérôme Seydoux. Je donne une réponse à Berlusconi demain matin. »

Le lendemain, jeudi 7, à 10 heures, c'est au téléphone que « Sua Emittenza », à Milan, et le P-DG de Chargeurs se mettent définitivement d'accord sur la marche à suivre. Il n'y a qu'un point sur lequel Jérôme Seydoux n'est pas en phase avec Berlusconi. Ce dernier souhaite que l'on ménage la susceptibilité de Robert Hersant en l'informant et en lui faisant une proposition de rachat dans les formes avant le conseil d'administration au cours duquel il sera démis. Jérôme Seydoux se dit que ce serait une erreur. Hersant est trop retors et malin. S'il apprend leur plan avant l'augmentation de capital, il est capable de tout enrayer. Par contre, une fois l'augmentation souscrite, il n'aura plus aucun recours. Les coups d'Etat, c'est un peu comme les dévaluations, ça ne s'annonce qu'après coup.

La minuterie est arrêtée sur lundi prochain, 11 septembre, 17 heures.

Pendant le week-end qui précède la date fatidique, Jérôme Seydoux ne chôme pas. Il met tout en œuvre pour qu'une opportunité aussi unique de reprise du pouvoir ne lui échappe pas. Il se charge, le vendredi 8 et le samedi 9 septembre, de négocier avec Groupama, qui, effectivement, ne demande qu'à vendre. Les Mutuelles ont même si peur de ne pas parvenir à se débarrasser de ce morceau de télévision déficitaire qu'elles accueillent Chargeurs comme le messie. Groupama suivra donc comme on le lui demande l'augmentation de lundi, et signe une promesse de vente à Jérôme Seydoux. Mais cela ne suffit encore pas à rassurer Groupama, qui insiste, en retour, pour obtenir une promesse d'achat signée par Chargeurs. Jérôme Seydoux y consent, ne se doutant pas de l'énormité de l'erreur qu'il commet là...

Tout aux détails techniques du « coup », le président de Chargeurs SA ne néglige cependant pas l'essentiel : le facteur politique. Une opération de cette envergure est inconcevable sans l'aval des pouvoirs publics. Toujours dans le courant du week-end, le directeur de cabinet du Président, Gilles Ménage, ainsi que le cabinet de Michel Rocard, sont informés de ce qui se prépare. Feu vert, pour ne pas dire émeraude, tant on se réjouit à l'Elysée de cette perspective de rééquilibrage à gauche dans la Cinq. Ce sera un peu de baume sur le cœur du pouvoir qui, avec la nomination de Philippe Guilhaume, le mois dernier, n'a pas su réaliser un tel rééquilibrage sur A2 et FR3 avec Bourges ou Kiejman. Il n'y a guère que Catherine Tasca, informée dans la journée de dimanche, pour ne pas applaudir. Elle ne voit pas en quoi les programmes de la Cinq seront meilleurs avec Seydoux-Berlusconi qu'avec Hersant-Berlusconi.

Il ne reste plus qu'à convaincre le CSA du bien-fondé de l'opération. C'est le seul organisme à pouvoir s'opposer aux changements qui surviendront cette semaine à la Cinq. Pour l'heure, tout se passe à merveille, dans une totale confidentialité, pense Jérôme Seydoux.

Bien à tort. Dans la soirée de dimanche, Robert Hersant, qui se trouve à la campagne, reçoit un appel de son directeur juridique, Bertrand Cousin. Celui-ci n'est sûr de rien, mais il entend dire que quelque chose se prépare du côté de Chargeurs. Il y aurait des actionnaires vendeurs de leurs parts et une intention de mettre le P-DG de la Cinq en minorité.

Il y a longtemps que Robert Hersant a des intuitions sur une manœuvre de ce genre. Celle-ci est plus précise. Il est à la fois sur le qui-vive et démobilisé.

Lundi 11 septembre 1989, 10 heures, à quelques heures de la clôture d'augmentation de capital, Jérôme Seydoux rencontre Jacques Boutet, en tête à tête. Il lui explique les tenants et les aboutissants de l'opération, sans toutefois mentionner la promesse de vente de Groupama. Le président du CSA, qui en l'occurrence n'éprouve pas l'élémentaire besoin de réunir le collège avant de donner son sentiment, ne trouve rien à redire à ce projet. Jérôme Seydoux s'enquiert de savoir si le CSA s'opposera on non à un changement d'actionnaires et de P-DG dans la Cinq. La réponse est non, sous réserve d'éléments nouveaux. Ce n'est pas une surprise pour le président de Chargeurs, qui se doute, à juste titre, que les téléphones ont fonctionné avant sa visite entre l'Elysée et la présidence du CSA...

En début d'après-midi, tout est prêt, et c'est dans l'effervescence « reeelaxx » des veilles d'assauts financiers que l'on met la dernière main au plan, au siège de Chargeurs, boulevard Malesherbes. Peu avant 16 heures, c'est le blitz. Tous les actionnaires dont on s'imagine encore dans Paris qu'ils ne suivront pas l'augmentation de capital

donnent les ordres nécessaires auprès de leurs banques pour sous
crire. Les fonds sont versés. C'est le chauffeur d'Angelo Codignoni
qui fait la tournée pour récupérer les récépissés. Le groupe Berlusconi a fait en sorte que les fonds couvrent 100 % de l'augmentation
de capital, de manière à interdire à Hersant toute manœuvre pour
faire entrer de nouveaux actionnaires. Verrouillage absolu. A
17 heures, tout est en ordre, il ne reste plus qu'à attendre la réaction
d'Hersant.

Ce qu'ignorent les « putschistes », c'est qu'au même moment les
hommes d'Hersant ont mis en place un dispositif de surveillance dans
les banques concernées. Ceci afin de savoir qui « suit » et qui ne
« suit » pas. Philippe Ramond a demandé au secrétaire général de la
Cinq de se faire prévenir par chacune des banques habituelles des
actionnaires s'il leur parvient un bordereau de souscription. A
17 heures 30, Ramond est informé que tous les actionnaires sous-
crivent en bloc, que les ordres sont tous arrivés en même temps dans
les banques. En même temps ! Une demi-heure plus tard, le directeur
de la Cinq a les bordereaux en main, les observe, les pose, tape sa
pipe sur le bord du cendrier, reprend les bordereaux, fronce les sourcils et décroche le téléphone pour appeler Robert Hersant, resté à
Ivry-la-Bataille.

« Tout le monde souscrit, lui apprend-il. Tout le monde, et je crois
bien que tous les bordereaux ont été dactylographiés sur la même
machine à écrire...

– Ne bougez pas, je vous rappelle », dit Hersant.

Dix minutes plus tard, le P-DG de la Cinq confirme à Ramond :
« C'est un coup tordu. On annule le conseil d'administration de
demain. »

Pour Hersant, c'est Trafalgar. Il est face à une coalition résolue.
Les responsables des Mutuelles agricoles lui ont confirmé leur intention de vendre. Les Echos veulent également sortir de la Cinq,
comme les canadiens de Vidéotron. Seydoux et Berlusconi ont bien
joué en s'alliant avec eux. Au prochain conseil, c'est la destitution. Le
moral à marée basse, Robert Hersant commence à se résigner à cette
idée en espérant parvenir à monnayer sa sortie. N'a-t-il pas déjà trop
attendu ? La Cinq pèse trop lourd sur ses épaules. Il est las et désabusé.

Dans la matinée du mardi 12 septembre, les insurgés de la Cinq se
réunissent à Chargeurs SA. La décision est arrêtée de prendre
contact avec Robert Hersant et de lui exposer « la nouvelle situation ». Ils adressent une lettre au président du CSA, Jacques Boutet,

pour l'informer de l'évolution des choses, et appellent Robert Hersant.

Le rendez-vous avec le P-DG de la Cinq a lieu rue de Presbourg, en début d'après-midi. Une délégation putschiste, composée de François Lagrange pour Chargeurs SA, d'un dirigeant de Groupama, de Confalonieri et Galliani pour Berlusconi, se rend au bureau d'Hersant. L'entrevue est de courte durée. En quelques mots, les visiteurs lui font comprendre que la chance a tourné, qu'ils vont prendre le pouvoir dans la chaîne mais ne veulent pas le mettre en mauvaise posture. Tout peut se passer dans le calme et dans les règles, disent-ils, laissant ouverte la porte d'une sortie financière honorable pour le « papivore ». Apparemment abattu, mais calme, Robert Hersant accepte sa défaite en se disant très surpris du procédé. Mais enfin... Il est convenu que le conseil d'administration annulé aujourd'hui se tiendra le vendredi 15 septembre.

Les auteurs du « coup » repartent confiants. Hersant est fini sur la Cinq, croient-ils. C'est à la fois vrai et faux. A peine ont-ils quitté la rue de Presbourg qu'un conseil de guerre se réunit autour d'Hersant. Le patron a mordu la poussière mais n'a pas encore signé l'armistice. Hersant est accablé. C'est Yves de Chaisemartin qui use de toute sa force de persuasion pour le convaincre de se battre encore, de ne pas céder. Depuis la veille, comme Ramond et Grimaldi, l'avocat administrateur du groupe Hersant ne ménage pas ses efforts pour trouver la faille dans le dispositif de Seydoux. En juriste habitué aux dossiers les plus complexes, il en voit une, peut-être deux...

D'après les informations recueillies, essentiellement grâce à des indiscrétions émanant de Groupama, qui ne retient plus sa joie d'avoir trouvé un acheteur, il existe une promesse de vente et une promesse d'achat écrites. Et alors? Eh bien, si cela est vrai, la transaction s'est faite en violation flagrante des statuts de la Cinq. Ceux-ci prévoient que, lorsqu'un actionnaire veut quitter la chaîne, il doit proposer sa part à l'ensemble des actionnaires. C'est ce qu'on appelle le droit de préemption. Que Groupama ait signé une promesse de vente, passe encore... Mais si Seydoux a effectivement été assez négligent pour signer une promesse d'achat, ce qui habituellement ne se fait pas [1], cela veut dire que la vente est définitive et irrévocable. Or, les autres actionnaires de la Cinq ne s'étant à aucun moment vu offrir d'acquérir la part de Groupama, cette transaction n'est pas licite, car le droit de préemption a été ignoré. C'est plaidable et cela peut paralyser l'opération...

D'autre part, il semble que Les Echos, qui ont eux aussi plus ou

_____

1. On se contente de celle de vente.

moins promis à Seydoux de vendre, accepteraient de revoir leur posi-tion. Jean-Marc Vernes, le banquier, ami d'Hersant et modeste actionnaire de la Cinq, envisagerait même de leur faire une meilleure offre. Si Les Echos lâchent la conjuration, celle-ci ne détiendra plus 52 % du capital, mais à peine 49 %. Ce qui change tout...

Hersant écoute. Hoche la tête. Il est indécis. Mais Chaisemartin est si déterminé... Pourquoi pas ? La stratégie adoptée, en attendant d'en savoir plus sur les failles juridiques, consiste à faire semblant de reculer et céder. Pour gagner du temps, d'ici à vendredi. C'est dans cet esprit qu'Yves de Chaisemartin demande à rencontrer Jérôme Seydoux, ce même mardi, en fin de journée. « Robert Hersant accepte la nouvelle situation », dit en substance Chaisemartin au patron de Chargeurs, qui respire, soulagé. « Pour que la transition se passe au mieux », ils conviennent de préparer ensemble le conseil d'administration de vendredi. En accord avec Robert Hersant, le changement de P-DG sera inscrit à l'ordre du jour.

Le soir même, l'Elysée et Matignon sont informés de la prochaine étape.

Leur méfiance endormie, Seydoux et Berlusconi, qui arrive à Paris pour le prochain conseil, attendent le vendredi comme un jour de délivrance. Ils sont d'autant plus sûrs d'eux-mêmes qu'ils ont l'impression qu'Hersant, de son côté, n'a pas suivi l'augmentation de capital selon les règles...

C'est le vendredi 15 septembre au matin que s'effondre le beau rêve de reconquête. Alors que Silvio Berlusconi se prépare en vue du conseil qui doit se tenir l'après-midi, Jérôme Seydoux l'appelle et l'informe, à 10 heures, que Les Echos changent de cheval et ne sont plus de leur côté. Jean-Marc Vernes est passé par là. La coalition descend au-dessous de la barre des 50 %. Dans le quart d'heure qui suit, Berlusconi, Seydoux et tous les administrateurs reçoivent une lettre de Robert Hersant. Le P-DG leur fait part de sa décision d'annuler à nouveau le conseil d'administration.

C'est le début de la riposte d'Hersant. Epaulé par Yves de Chaise-martin, le P-DG de la Cinq contre-attaque sur tous les fronts. Depuis deux jours, il a joué l'agonisant sur le point d'être lâchement évincé de son poste. L'avant-veille même, le mercredi 13 septembre, au cours d'un petit déjeuner chez Michel d'Ornano en compagnie d'André Rousselet, il a paru complètement groggy... Il ne l'est pas. Les failles devinées dans le plan Seydoux se sont avérées béantes. Il peut déterrer la hache de guerre.

Ce vendredi matin, à 9 heures précises, Yves de Chaisemartin a rencontré Jacques Boutet pour le prévenir d'« anomalies » dans le déroulement de l'augmentation de capital. Embarrassé, ne pouvant évidemment dire qu'il cautionne ce putsch depuis lundi matin, le président du CSA a dû se rendre aux arguments d'Yves de Chaisemartin. L'avocat a fait valoir que la ou les cessions de parts qui se trament, et seront accompagnées d'un changement de P-DG, ne peuvent en principe se faire sans l'aval du CSA. Celui-ci ne devrait-il pas se réunir et trancher la question, avant que ne se tienne le conseil de la Cinq? Jacques Boutet est à son tour piégé. Naturellement, il ne peut prétendre que ce qui se passe sur la Cinq est sans importance. Il tergiverse. Il est contraint d'admettre la décision de Robert Hersant d'annuler le conseil d'administration dont lui fait part Chaisemartin. Hersant gagne du temps. Jacques Boutet a compris que le coup Seydoux-Berlusconi se présente bien mal.

Le président du CSA est mortifié. Jusque-là, il a mis un soin exprès à tenir les autres membres du Conseil à l'écart de l'opération, qui devait se jouer, officiellement, dans le huis clos du conseil de la Cinq. Maintenant, il va bien falloir aborder le sujet publiquement. Or, depuis l'affaire Guilhaume, Jacques Boutet n'a plus aucune confiance dans ce collège où il est clair qu'il ne dispose pas, politiquement, d'une majorité stable. Par réaction, il est lui-même engagé dans un processus de « présidentialisation » extrême. Dépourvu de soutiens, il concentre l'information, délègue peu, et « bavarde » avec ses collègues plus qu'il ne les consulte. Cette tendance va rapidement s'accentuer, produire des erreurs et des malentendus irréversibles dans un CSA dépassé par les événements audiovisuels. Un CSA incapable aussi bien de les réguler que de les prévoir. Boutet préside et joue en solitaire.

Avec le conseil d'administration annulé, Jérôme Seydoux trouve que la situation sent assez le roussi pour justifier les grands moyens. Lui et Berlusconi exigent et obtiennent la convocation d'un autre conseil pour le lundi 18 septembre. Il faut en finir, et vite. Le pouvoir s'inquiète de la résistance d'Hersant. Le P-DG a joué finement en renvoyant la balle du côté de la rue Jacob. Mais Jérôme Seydoux n'est pas en reste sur ce terrain et demande ce vendredi au CSA de dire si, oui ou non, un changement de président peut être considéré comme une « modification substantielle » du tour de table [2]. Au Conseil supérieur, donc, de venir maintenant en renfort du putsch en déclarant clairement que rien n'empêche un changement de pré-

2. La loi permet au CSA, s'il considère qu'une situation offre les aspects d'une « modification substantielle du tour de table » d'une chaîne privée, de reconsidérer son autorisation d'émettre.

sident à la Cinq. C'est ce que fait Jacques Boutet, le dimanche 17 en fin de matinée.

Répondant à l'AFP, il déclare que le CSA « en a délibéré » et qu'il « a répondu non » à la question de savoir s'il devait s'opposer à la désignation d'un nouveau président à la Cinq. Plusieurs membres du CSA sont indignés par cette déclaration. Il n'y a pas eu de « délibération », disent-ils en privé. Il n'y a pas eu de vote sur cette question. Jacques Boutet n'a abordé ce sujet avec les autres membres qu'en fin de séance plénière, le vendredi, apparemment de manière assez vague pour que plusieurs d'entre eux aient cru qu'il s'agissait d'une discussion informelle et non d'une procédure de consultation.

Par cette déclaration, le président du CSA vole au secours de Jérôme Seydoux qu'il a eu très longuement au téléphone pendant le week-end et qui l'a convaincu de faire un geste en faveur d'une « renaissance » de la Cinq.

Geste inutile. Robert Hersant a repris l'initiative et ne la lâchera plus. Le lundi 18, jouant sur le non-respect du droit de préemption et les promesses d'achat et de vente de Groupama et Chargeurs, le P-DG de la Cinq assigne en référé les instigateurs du « putsch ». A nouveau, le conseil prévu ne pourra se tenir. Hersant prend Seydoux et Berlusconi dans le filet qu'ils ont eux-mêmes tissé par maladresse et les entraîne sur son terrain de prédilection : le tribunal de commerce.

Non seulement le coup d'Etat échoue, mais il se retourne en faveur du P-DG de la Cinq, qui fait soudain figure d'« innocente » victime de deux mercenaires assoiffés de pouvoir. C'est clan contre clan. Privé d'une majorité, Seydoux réalise amèrement l'erreur qu'il a commise en ne suivant pas les précédentes augmentations de capital. Sa part dans la Cinq a fondu de 10 % à 7,3 %. Les 3 % manquants auraient peut-être suffi à faire la différence aujourd'hui. Grâce à quoi ce sont les autres petits actionnaires qui vont faire la différence dans un duel qui se joue à 48 % contre 52 %. Au premier rang d'entre eux le Crédit Lyonnais, avec ses 5 %. Selon le côté duquel il penchera, il décidera du résultat. Hersant, dont c'est la banque « amie » depuis longtemps, y a déjà pensé.

Le lundi 18 au soir, le Crédit Lyonnais publie un communiqué dans lequel il se déclare « *pour l'avenir de la Cinq* » et, au nom de la « *déontologie bancaire* », d'une neutralité totale dans la « *bataille* » qui s'ouvre. Neutralité et déontologie de façade, puisqu'en l'occurrence s'abstenir revient pour le Lyonnais à prendre le parti de Robert Hersant. Il en est l'allié objectif.

A partir du mercredi 20 septembre 1989, la Cinq est une chaîne de télévision déchirée, impuissante, dont les actionnaires vont s'affronter au tribunal de commerce de Paris dans une Guerre de cent ans juridique. Robert Hersant assiste en personne aux trois heures que dure la première audience. Impassible. Yves de Chaisemartin va démontrer sa maîtrise du dossier [3]. Bien mieux que les avocats de Seydoux et Berlusconi qui, pourtant, ne manquent pas de munitions. Sans doute leurs clients ont-ils signé un peu précipitamment avec Groupama, mais tout est loin d'être clair dans la gestion de la Cinq et dans la façon dont Hersant a suivi l'augmentation de capital. Ce sont des sommes préalablement versées sur le compte courant de la chaîne que Robert Hersant aurait fait considérer par la suite comme sa quote-part dans l'augmentation de capital faute de trésorerie fraîche et abondante en septembre... L'affaire s'embrouille. Les deux parties se tiennent l'une l'autre, pendant des mois. C'est le blocage. Hersant se bat avec l'énergie et l'orgueil d'un patron humilié.

Cependant, dans le doute sur l'issue de la bataille, tandis que les deux groupes s'étripent au Tribunal sous les yeux de la presse, Robert Hersant multiplie les initiatives pour se rabibocher avec Seydoux et Berlusconi. C'est Yves de Chaisemartin en personne qui sert de « petit télégraphiste » pour proposer au patron de Chargeurs SA, avant la décision du tribunal, plusieurs protocoles d'accord secrets pour arrêter le conflit. Le mercredi 29 novembre 1989, il remettra ainsi à Jérôme Seydoux un document dessinant une nouvelle répartition du capital de la Cinq [4]. Le P-DG de Chargeurs n'en veut pas. Il s'accroche à l'espoir d'obtenir gain de cause au tribunal.

C'est une branche morte. Et le mercredi 4 décembre 1989, elle casse : le tribunal de commerce conforte la position de Robert Hersant en déclarant que les lettres entre Chargeurs et Groupama constituent « une promesse de vente ferme et irrévocable ». Le droit de préemption n'a pas été respecté. Il doit l'être et les Mutuelles doivent vendre. Chaque actionnaire pouvant en acheter l'équivalent de sa quote-part dans le capital, cela signifie que le rapport de forces dans la chaîne restera inchangé. Le P-DG de la Cinq sort victorieux du ring.

Obstiné, Jérôme Seydoux veut poursuivre le combat et faire appel. Berlusconi aussi, sur le coup. Mais il change rapidement d'avis, pré-

3. Le 27 septembre, le tribunal ordonne la mise sous séquestre des actions Groupama dans la Cinq. Le processus de vente est arrêté.
4. Ce document, que Seydoux refuse de signer, présente la répartition suivante : 25 % pour Hersant, 25 % pour Berlusconi, 19,5 % pour Seydoux – au lieu de 7,3 % – 19,5 pour Jean-Marc Vernes, 3 % pour Expar, autant pour SMA. Au total, Hersant resterait maître de la majorité.

férant une mauvaise paix à une trop longue guerre. Comme Hersant et Chaisemartin continuent à faire des offres de nouvelle entente, Berlusconi accepte d'engager des pourparlers. L'intermédiaire sera Jean-Marc Vernes. C'est avec lui, début décembre 1989, que « Sua Emittenza » reprend le chemin de la table de négociation.

Un table où s'assied une Cinq épuisée.

Un fantôme de télévision aux deux milliards de déficit bien réels, eux. Une chaîne sur laquelle Robert Hersant ébauche déjà, dans l'ombre, un signe de croix.

CHAPITRE XII

Dingologie

Pendant les travaux putschistes sur la Cinq, le triomphe de TF1 continue tandis que les déboires des chaînes publiques se poursuivent allègrement, cette fois sous la baguette de Philippe Guilhaume. Un mois après sa nomination, le 10 août, le « super président » n'a toujours pas nommé de directeurs généraux pour A2 et FR3. Instant stratégique de la vie d'une chaîne, période déterminante pour la saison qui commence, la rentrée 1989 de A2 et FR3 se fait avec des équipes totalement démobilisées et un super président qui use jusqu'à la corde son bref état de grâce. Depuis son intronisation surprise par le CSA, Philippe Guilhaume fait ce qu'il sait faire le mieux, des séminaires, encore des séminaires, toujours des séminaires. A Paris, à Montevran, à Orléans... Il n'arrête pas de réunir cadres, journalistes, consultants, etc. De discourir, demander des rapports, des notes. Même les mieux disposés à son égard commencent à s'interroger sur cette dispersion continuelle. Les autres s'énervent.

Catherine Tasca, elle, est révoltée par cette colloquite permanente qui masque ce qu'elle estime être une incapacité de Philippe Guilhaume à diriger les entreprises qui lui sont confiées. En sa qualité de ministre de tutelle du secteur public et de représentant de l'Etat, premier actionnaire des deux chaînes, elle s'insurge contre la stratégie qu'on n'ose même plus dire à géométrie variable du président commun. Après avoir affirmé en août devant le CSA qu'il nommerait des directeurs généraux choisis parmi des professionnels de la télévision, ce qui semble souhaitable, il déclare en septembre qu'en fin de compte de grands « gestionnaires » feraient aussi bien l'affaire. Le ministre délégué à la Communication ne comprend pas comment on peut être aussi inconséquent avec autant d'aplomb. Elle presse Guilhaume de se réveiller et d'agir.

Il est vrai que le spectacle de Philippe Guilhaume cherchant des directeurs est à soi seul un monument du vaudeville. C'est par dizaines qu'il fait convoquer, depuis le 15 août, les noms les plus reconnus de l'audiovisuel français. Ce n'est plus une consultation, c'est l'énumération du *Who's Who* de la radio-télévision. Michel Thoulouze, Eve Ruggieri, Christine Ockrent, Jean-Marie Cavada, Albert Mathieu, Marcel Jullian, Claude Contamine, Jean-Pierre Elkabbach, Pascal Josèphe... Ils défilent tous dans le bureau qu'il a conservé à la SFP. Les plus en vue sont conviés à dîner chez Kaspia, où il aime à donner ses rendez-vous le soir. La liste donne le tournis. Comme les propos que leur tient Philippe Guilhaume. La plupart ont droit à une demi-heure de discours brillamment flou dont ils ressortent sans trop savoir si on leur a proposé de diriger une chaîne ou si on cherchait simplement à obtenir des noms d'autres professionnels que le super président commun envisage de convoquer à leur tour.

Le président de A2-FR3 impressionne ses interlocuteurs par son aisance verbale et sa force de conviction dès qu'il aborde les « grands sujets » : le secteur public, la création, la production... Le défilé dure des jours et des jours. En règle générale, c'est son conseiller Claude Lemoine qui bat le rappel. Mais il arrive que l'ancien P-DG d'A2, Marcel Jullian, ami de Philippe Guilhaume, et qui l'assiste désormais, s'en occupe lui-même, ajoutant à la confusion générale. Cette boulimie d'entretiens débouche en septembre sur une ridicule comédie de mœurs parisienne.

Les jours passant, il y a des dizaines de personnes dans la capitale qui croient avoir été choisies pour diriger A2 ou FR3. Cela, elles l'ont déduit de leur rencontre avec Guilhaume et elles se mettent à leur tour en chasse pour trouver leur directeur adjoint, leur directeur de l'information ou leur responsable des variétés. C'est un méli-mélo à cent noms. Aggravé par le fait que Guilhaume, lorsque Untel décline la chaîne qu'on lui « offre », lui « propose » aussitôt l'autre, comme si cela allait faire changer d'avis son interlocuteur, et comme si les entreprises étaient interchangeables. Philippe Gildas, Pierre Wiehn, Jean-Pierre Elkabbach, Albert Mathieu, Pascal Josèphe et bien d'autres se voient ainsi offrir successivement de diriger A2, de prendre en charge les programmes de FR3, ou encore de « coiffer » l'information ou le commercial des deux chaînes, le tout en même temps! Plus personne ne s'y retrouve.

Guilhaume est un cas. Insupportable pour les uns, sympathique mais fatigant pour d'autres. A l'entendre, ce sont là des démarches naturelles : recherche de dialogue et large prise de contact avec un milieu professionnel. Une sorte d'exploration légitime pour président néophyte plein de bonne volonté. Il ne paraît pas mesurer ce que son retard à mettre en place des équipes dirigeantes compétentes peut avoir comme effets. Sa propension à croire que les choses sont comme il les imagine et les décrit en a sidéré plus d'un, y compris le président de la République.

Peu après sa nomination, Claude Lemoine lui a en effet conseillé de demander à être reçu par François Mitterrand. Philippe Guilhaume a écrit au Président et l'a rencontré, le mercredi 23 août. Entretien sans chaleur. Le chef de l'Etat accédait à une demande naturelle, mais il ne s'attendait pas, comme il le confiera ensuite à ses ministres Catherine Tasca et Jack Lang, à ce que « M. Guilhaume » lui tienne des propos aussi passionnés sur sa vocation à sauver la télévision publique. Informé du soutien actif que lui ont apporté les membres « sénatoriaux » du CSA, avec lequel sa candidature a été préparée, François Mitterrand n'a que très modérément apprécié la version que lui en a donnée Philippe Guilhaume, reprise plus tard dans le livre qu'il consacrera à cette période [1]. Selon celle-ci, c'est pour ainsi dire la veille de la désignation du président commun, au début août, que l'idée lui est venue de se porter candidat auprès du CSA... « Il me prend peut-être pour un imbécile... », avait conclu François Mitterrand.

A la décharge de cet homme qui, pendant plus d'un mois, ne semble pas savoir par quel bout prendre sa présidence, il faut dire que Philippe Guilhaume a des raisons de se méfier et de vouloir brouiller les pistes. Sa présence à la tête de A2-FR3 est vécue comme un affront. La thèse officielle est qu'il faut « aider le nouveau président ». La vérité, c'est qu'on estime très vite qu'il y a urgence à l'« encadrer » de directeurs généraux fiables et compétents. D'où l'irritation croissante de Catherine Tasca, lorsqu'à l'approche de la mi-septembre les deux chaînes n'ont toujours pas leurs nouveaux dirigeants. « Ces directeurs, l'a-t-elle prévenu à plusieurs reprises, doivent être choisis en concertation avec nous. Si vous avez des idées de noms, proposez-les... » A chaque fois, Philippe Guilhaume s'est borné à énumérer et comparer les mérites de vingt ou trente personnes en précisant qu'il allait « très prochainement » arrêter son choix... « Je vous tiendrai au courant de tout... », ajoutait-il pour conclure.

Ce ne sera pas vraiment le cas.

Là encore, deux membres du CSA, Roland Faure et Daisy de Galard, n'ont pas ménagé leur peine pour soutenir et guider Philippe Guilhaume dans son choix. Ils y ont même sacrifié une partie de

---

1. *Un président à abattre*, éditions Albin Michel.

leurs vacances. Fin août et début septembre, tantôt à Grimaud, dans le Var, où Daisy de Galard réside l'été, tantôt du côté de Nice, où séjourne Roland Faure, on se réunit pour dresser des listes, voire convaincre des professionnels de rejoindre Guilhaume. Ces membres lui soufflent des noms et lui suggèrent la tactique à suivre pour engager sa présidence. Jean-Pierre Elkabbach est même convié à venir passer une journée à Nice pour s'entendre dire, par la bouche de Roland Faure, que « Guilhaume pense à lui » pour FR3, que ce serait une « bonne chose » qu'il accepte...

Les 13 et 14 septembre, alors que l'on est en plein coup d'Etat manqué sur la Cinq, Philippe Guilhaume tire finalement de sa manche deux directeurs généraux pour A2 et FR3 : Jean-Michel Gaillard et Dominique Alduy. Ce sont deux technocrates qui, comme lui, n'ont jamais dirigé une chaîne de télévision nationale. Deux hauts fonctionnaires sans charisme pour remobiliser les employés des chaînes. Deux jokers sympathisants socialistes qui permettent à Philippe Guilhaume de faire un pied de nez au pouvoir. Avant de payer ces choix par l'effondrement général d'A2 et de la stagnation de FR3. Ces directeurs seront assistés, pour les programmes, d'Eve Ruggieri sur A2 et de Jean-Marie Cavada sur FR3.

A aucun moment Philippe Guilhaume n'a cru bon de consulter ses ministres de tutelle. C'est par la presse ou des indiscrétions que Tasca et Lang ont appris la nouvelle, le jeudi 14 septembre, à la veille de l'annonce des nominations. Pour en avoir le cœur net, Catherine Tasca a convoqué Philippe Guilhaume jeudi après-midi. « Mais c'est invraisemblable, vous vous fichez de nous ! » a-t-elle explosé en recevant confirmation des choix d'Alduy et de Gaillard. Auteur de la réforme, chérissant cette télévision publique malade, Catherine Tasca se sent dupée et s'interroge sur ce qui attend les chaînes avec ce trio Guilhaume-Gaillard-Alduy sans expérience des programmes et de la gestion.

Dans l'opinion, ces nominations passent pour une nouvelle manifestation d'indépendance et d'intelligence politique. C'est aller vite en besogne. Aux premiers jours de septembre, Guilhaume n'avait toujours pas trouvé de directeurs. Bon nombre des personnalités contactées préféraient décliner plutôt que de s'engager dans une structure et un environnement aussi brouillons. Certaines d'entre elles ont aussi été soigneusement découragées par les pouvoirs publics de rejoindre Guilhaume. A court d'idées, Claude Lemoine en était venu à faire appel au P-DG de Canal Plus, André Rousselet. « On ne trouve personne, on cherche des gens », lui avait-il dit, avec l'espoir qu'André

Rousselet pourrait « détacher » un moment quelques-uns de ses collaborateurs de Canal Plus à A2-FR3. Philippe Guilhaume rencontrera bien Rousselet, le lundi 11 septembre. Cela ne donnera rien.

Entre-temps, les noms d'Alduy et Gaillard sont arrivés aux oreilles, non de Philippe Guilhaume, mais d'abord de Claude Lemoine. « Connaissez-vous Jean-Michel Gaillard ? Vous devriez le rencontrer... » C'est par un appel d'une relation de longue date, Georgette Elgey, l'historienne chargée des archives de l'Elysée, que Claude Lemoine a entendu parler de cet énarque de quarante-trois ans, agrégé d'histoire qui a travaillé à l'Elysée comme conseiller auprès de François Mitterrand, au cours du premier septennat. Le lendemain de cet appel, le jeudi 7 septembre, Gaillard rencontrait Lemoine, puis Guilhaume à la SFP. Pétillant, malin, rieur, Jean-Michel Gaillard a plu au président de A2-FR3, qui lui proposera A2. L'histoire officielle voudra que Gaillard et Guilhaume se soient rencontrés par le hasard de leur passion commune pour Jules Ferry dont ils ont chacun rédigé une biographie.

Quant à Dominique Alduy, c'est Daisy de Galard qui, le 6 septembre, a soufflé à Claude Lemoine le nom de cette femme de quarante-cinq ans qui, collaboratrice de Robert Lion (ancien directeur de cabinet de Pierre Mauroy à Matignon), l'a suivi à la Caisse des dépôts et consignation, qu'il préside. Elle y est responsable de la diversification de la Caisse dans les nouvelles technologies, notamment le câble. Dominique Alduy a rencontré Philippe Guilhaume le surlendemain, 8 septembre.

Au fait des coutumes administratives, ni Gaillard ni Alduy n'ont pris la peine de faire connaître aux ministres Lang et Tasca les propositions de postes qui leur sont faites et qu'ils acceptent. Au contraire, ils conviennent avec Philippe Guilhaume de garder la chose secrète. C'est par un appel de courtoisie du président de la Caisse des dépôts, Robert Lion, que Catherine Tasca a appris, le mercredi 13, que Dominique Alduy dirigerait FR3 ! Dans la soirée, le ministre a pris son téléphone et appelé Alduy pour lui faire comprendre qu'elle ne devait pas accepter ce poste, qu'elle n'avait pas les épaules et l'expérience requises. A bout d'arguments, Catherine Tasca s'est entendu répondre par Alduy : « Je ne peux pas refuser une opportunité pareille, c'est bon pour ma carrière ! » Pour Jean-Michel Gaillard, le secret était si bien gardé que, la veille de ce mercredi, il était encore prévu à l'Elysée de le nommer officiellement à la Datar au prochain conseil des ministres...

Plus rocambolesque encore est la nomination de Jean-Marie Cavada à la direction des programmes de FR3. Quelques heures avant la publication, vendredi 15 septembre au matin, du communiqué révélant les noms des dirigeants choisis, c'était encore Jean-Pierre Elkabbach qui devait occuper ce poste. Sollicité maintes fois par Guilhaume, Elkabbach a longuement hésité. Ecarté de la télévision en 1981, son désir d'y revenir n'a fait que croître avec la popularité de sa seconde carrière sur Europe 1. Ces dernières semaines, à plusieurs reprises, l'Elysée lui a fait comprendre que l'on ne verrait pas d'un mauvais œil qu'il accepte de prendre FR3 tandis que le même Elysée poussait Hervé Bourges pour A2. Le Président l'y a encouragé personnellement à l'occasion.

Après une valse hésitation, Jean-Pierre Elkabbach dit un oui sans conviction à Philippe Guilhaume et demande A2. « Non, vous connaissez trop bien cette chaîne (!) lui répond le superprésident, prenez donc FR3. »

Nouvelle hésitation d'Elkabbach. Nouveaux encouragements de Roland Faure. L'avant-veille des nominations, Elkabbach dîne chez Kaspia avec Philippe Guilhaume et apprend avec stupéfaction qu'il ne serait pas directeur général sur FR3, mais directeur adjoint d'une femme qu'il ne connaît pas et qui connaît peu la télévision, Dominique Alduy. Encourageant! Il est minuit. Elkabbach en a par-dessus la tête. C'est la dixième fois qu'il entend Guilhaume brasser quinze noms à la fois pour constituer des équipes qui changeront encore sûrement d'ici à demain. Il rentre chez lui avec l'intention de décliner. Le lendemain, jeudi matin, il dit non et confie sa décision à son entourage. Roland Faure revient à la charge. Un autre personnage aussi.

Jean-Pierre Elkabbach est à son bureau d'Europe 1, en fin de matinée lorsque le téléphone sonne. C'est Jacques Attali, un ami de quinze ans, qui lui dit : « Jean-Pierre, j'apprends que tu refuses. C'est une erreur. Vas-y, c'est un beau pari... Le Président le souhaite vraiment... » Jean-Pierre Elkabbach hésite. « Et d'ailleurs attends, poursuit Attali, je te le passe... » Au cours de la conversation, qui dure une dizaine de minutes, François Mitterrand « demande » à Elkabbach de rendre ce service au secteur public, qui a « besoin de professionnels comme vous », d'accepter de codiriger une chaîne.

Certains s'étonneront peut-être de ce qu'un Président qui, apparemment, ne veut plus se mêler des questions audiovisuelles, s'implique aussi personnellement. C'est avoir mal compris les relations de François Mitterrand avec la télévision. Il ne veut plus entendre parler de réforme, c'est un fait. Il a refusé de prendre position dans le putsch en cours sur la Cinq. (« Laissez faire, ce sont des batailles d'actionnaires privés. C'est au CSA de juger... », dit-il à Catherine Tasca lorsqu'elle s'enquiert de son point de vue sur l'opération Seydoux-Berlusconi.) Mais il ne se désintéresse pas pour autant du contenu, des programmes et de l'information. Les constructions théoriques sur un audiovisuel meilleur et mieux équilibré ne l'amusent plus. Le seul sujet de ce genre qui le passionne encore, c'est l'avenir technologique de la télévision, les enjeux industriels de la haute définition. Cependant, dès qu'il s'agit de concret, de nominations, de choix d'hommes, François Mitterrand retrouve toute sa vigueur. C'est aux hommes qu'il croit, à leur valeur, à leurs actes, bien plus qu'en l'accumulation des projets de réformes qui ne font qu'envenimer la situation de ce secteur.

Ebranlé, Jean-Pierre Elkabbach accepte. Il prévient ensuite Jacques Lehn, le directeur général d'Europe 1, puis Jean-Luc Lagardère, que cette décision irrite parce qu'il veut conserver Elkabbach au sein du groupe Hachette, mais qui s'incline en apprenant que c'est à la demande expresse du Président. Dans l'après-midi de ce jeudi 14 septembre, à l'heure où Philippe Guilhaume prend un savon par Catherine Tasca, Jean-Pierre Elkabbach tourne en rond. Sa résolution fond à vue d'œil. Cette présidence commune est trop mal partie, trop mal conduite. Guilhaume est trop inconstant. L'équipe qui l'entoure avec Marcel Jullian et Lemoine a des accents de « déjà vu ». Ça ne peut pas être la télévision de l'avenir. Ça ne peut pas marcher. Tout le monde sait que Philippe Guilhaume n'a rien pu faire pour éviter au déficit de la SFP de grandir encore. Au nom de quoi sera-ce différent avec A2 et FR3?

Le soir, Elkabbach n'arrive pas à fermer l'œil. Il est persuadé de commettre une erreur. Cette histoire est comme un champ de mines politiques. Rien n'est limpide dans les attitudes des ministères et de Guilhaume. Au milieu de la nuit, alors que depuis la veille les journaux et l'AFP annoncent sa venue sur FR3, Jean-Pierre Elkabbach cherche à joindre Guilhaume. Il n'y parvient pas et appelle Claude Lemoine. C'est non, « définitivement », dit-il, soulagé.

A 7 heures du matin, en accord avec Guilhaume, Claude Lemoine appelle l'un des innombrables « auditionnés » par le président de A2-FR3, Jean-Marie Cavada, l'ancien directeur de l'information sur TF1, collaborateur d'Hersant dans TVES puis éphémère directeur de A2 [2].

2. Lorsqu'il a été appelé par Claude Contamine en décembre 1986, Jean-Marie Cavada n'est resté que quelques mois à la direction, ingérable, de A2. Il s'est ensuite consacré sur cette antenne à la création d'une émission nouvelle : « La Marche du siècle ».

Nommé, Philippe Guilhaume avait souhaité le rencontrer mais ne lui avait rien proposé. Le 29 août dernier, dans l'avion qui les ramenait de la cuvée 1989 de l'Université de la communication à Carcans-Maubuisson, Philippe Guilhaume avait même affirmé à Catherine Tasca, parlant de Jean-Marie Cavada, qu'il n'envisageait pas de le prendre comme directeur.

« Peux-tu être à mon bureau à 8 heures à la SFP? », demande Lemoine à Cavada, qui commet l'erreur de pouvoir et s'embarque dans un wagon de ce train fantôme qu'est la présidence commune. A la même heure, le journal d'Europe 1 annonce le désistement surprise de Jean-Pierre Elkabbach dans la tête de qui résonne encore une remarque de Jacques Attali, la veille.

« Il faut que tu y ailles, Jean-Pierre, lui avait-il répété. C'est le conseiller du Président qui te le dit...

— Très bien, avait répondu Elkabbach, j'entends ce que dit le conseiller... Mais l'ami, qu'est-ce qu'il me dit?

— N'y va pas! »

Le conseil était d'or. En quelques mois, dirigeants et personnels des deux chaînes vont observer leur propre déclin à la loupe. Enserrées dans d'inextricables consultations, séminaires, comités stratégiques divers... A2 et FR3 basculent un peu plus dans l'inconnu, la dépression et le déficit. Après d'irréalistes objectifs visant à hisser en dix-huit mois l'audience globale du secteur public de 35 % à 45 %, Philippe Guilhaume devra s'estimer satisfait qu'elle ne dégringole pas au-dessous de 35 %. Les programmes s'effritent et vieillissent. Les quelques stars restées fidèles au secteur public sont déçues par des discours chargés de promesses de redressement qui ne se réalisent pas.

Souhaitant rénover sa vie professionnelle et passer à autre chose, Bernard Pivot a annoncé avec panache, dès le 1er septembre 1989, qu'il n'irait pas au-delà de juin 1990 avec « Apostrophes ». Au printemps 1990, lassé des guerres intestines, du manque d'idées originales et des stratégies contradictoires de A2, Michel Drucker claquera la porte de la maison, écœuré par le gâchis de compétences et d'énergies. Il rejoindra TF1.

Le budget d'A2 est mal maîtrisé par Jean-Michel Gaillard. La chaîne, qui frôlait les 100 millions de francs de déficit en 1988, en atteint près de 300 fin 1989 et roule au moins vers le double pour 1990. FR3 s'enlise dans une programmation toujours aussi éclatée, avec cinéma, régions et bientôt les émissions de la SEPT pour faire plonger l'audience toute la journée du samedi... Les relations avec

Catherine Tasca deviennent exécrables. Elle est horrifiée par ce qu'elle appelle, en privé, la « dingologie » qui règne dans les chaînes publiques.

Les mois passant, le déficit se creusant, l'audience et le moral stagnant, le ministre ne pourra que constater avec quelle inconscience ou lâcheté collective le CSA laisse la situation empirer.

CHAPITRE XIII

La pêche au gros

« Alors, c'est foutu. Il faut partir. On ne s'en sortira pas. » Dans l'après-midi du 21 décembre 1989, dans son bureau de la rue de Presbourg, Robert Hersant tire pour la première fois, à haute voix, la conclusion de son aventure dans la Cinq. Il fait sombre et froid. Le directeur général de la chaîne, Philippe Ramond, vient de lui présenter les dernières projections budgétaires pour les exercices 1990 et 1991. Ces notes en main, Robert Hersant paraît triste, fatigué, mais résolu à en finir.

Depuis trois mois il mène plusieurs combats à la fois sans plus savoir si l'objectif en vaut la peine. Maintenant, il sait. Ça ne la vaut pas. Pourtant, il a presque gagné l'une de ces batailles. Celle qui l'oppose depuis le 11 septembre à Silvio Berlusconi et Jérôme Seydoux. Sa victoire en première instance au tribunal de commerce de Paris, le 4 décembre dernier, l'a rasséréné. Mais pas comblé. Jérôme Seydoux, qui se montre pugnace et acharné, a aussitôt fait appel; et l'on ne peut jamais être certain de ce qui en sortira. Yves de Chaisemartin a rondement mené l'affrontement au tribunal, mais il a prévenu Hersant que la partie ne serait pas facile en appel. Cette affaire a donné lieu à un déballage public trop important des pratiques et des conflits entre actionnaires de la Cinq.

Déjà écornée, l'image de la chaîne est profondément atteinte. Mais ce n'est pas ce combat juridique, même périlleux, un de plus dans sa longue carrière, qui fait reculer Hersant. C'est le grave danger que la Cinq fait maintenant courir un peu plus, chaque semaine qui passe, à l'empire de presse qu'il a mis quarante années à bâtir. Tant qu'il a vu les chiffres d'audience croître en douceur et le réseau de la chaîne atteindre une couverture honorable (70 % du territoire), Hersant a accepté d'attendre encore un peu avant de prendre une décision irrévocable. Mais, depuis septembre, l'audience ne monte plus. Elle s'effrite. La publicité ne rentre pas.

S'il n'en veut rien montrer, le « papivore » a souffert de l'attaque Berlusconi-Seydoux. Il s'est vu vaciller et tomber dans la fosse du déficit creusé par la Cinq. Il s'est vu P-DG destitué, perdant le précieux privilège d'engager des démarches pour sortir du bourbier. Il a vu venir sa mort d'entrepreneur, condamné – si Seydoux l'avait emporté – à se plier aux conditions du nouveau P-DG pour vendre sa part, ou à supporter seul les quelque 500 millions de francs que représente sa quote-part des pertes de la société. Hersant a eu très peur. Peur de sombrer dans et avec la Cinq, une chaîne dont les abîmes financiers donnent le vertige. Et Robert Hersant redoute le vertige. D'une certaine manière, l'humiliation du putsch lui a ouvert les yeux. Il faut partir.

Mais de lui-même. Et à son heure.

Pour le moment, sa victoire au tribunal lui permet de rester P-DG avec les pleins pouvoirs. Pour éviter d'avoir à faire face à une nouvelle coalition Berlusconi-Seydoux en appel, son ami Jean-Marc Vernes s'efforce de trouver un compromis avec les Italiens. En même temps, Yves de Chaisemartin présente plan de conciliation sur plan de conciliation au patron de Chargeurs, qui ne veut rien entendre. De son côté, Hersant gère, avec Ramond, une autre bataille. Celle qu'il mène contre les quotas toujours suspendus au-dessus de la tête des chaînes par Jack Lang et Catherine Tasca.

C'est cette bataille qu'il est en train de perdre et dont les conséquences l'incitent à jeter l'éponge. Pendant tout le mois de novembre, avec Philippe Ramond, ils se sont employés à essayer de convaincre Lang, Tasca et Matignon de l'absurdité de ces nouvelles mesures réglementaires qui doivent entrer en vigueur en janvier 1991, dans un peu plus d'un an. Même le CSA, pourtant peu suspect d'excès de sympathie à l'égard des chaînes privées, s'est aperçu de l'incohérence économique de ces quotas et a demandé au gouvernement (dans un avis rendu le 31 octobre 1989) d'en reporter la mise en application à janvier 1992. Ce qui ne changera rien sur le fond. Ils se sont heurtés à des murs courtois. Mais de hauts murs.

Depuis la fin novembre, Ramond fait établir des prévisions budgétaires dans lesquelles il doit tenir compte d'une érosion des recettes si l'audience continue à flancher. Il lui faut également y intégrer les amendes encourues pour non-respect des engagements initiaux, en se disant, piètre consolation, qu'il vaut mieux payer quelques dizaines de millions de francs d'amende que dépenser les centaines de millions supplémentaires par an qu'il faudrait pour être « en règle ». Et maintenant, si les décrets passent, il va falloir y ajouter les surcoûts à prévoir pour les achats et la production d'œuvres françaises et européennes. C'est l'ensemble de ces facteurs qui, dans la projection la plus optimiste qu'il a sous les yeux ce jeudi 21 décembre, indique à Robert Hersant qu'un nouveau déficit de 450 ou 500 millions est inévitable en 1990. Hersant se résigne, constate que « c'est foutu », et qu'« il faut partir ». La pêche au gros peut commencer. Il est temps de relever les lignes de fond.

Et de ferrer, à la prochaine touche.

Le plan qu'il va mettre au point dans les semaines suivantes restera comme un modèle d'agilité financière, de perspicacité meurtrière, et de rouerie à ciel ouvert.

C'est une étrange et fascinante année 1989 qui s'achève, tant pour l'audiovisuel que pour le monde, dont les télévisions reflètent, accompagnent, et parfois modifient les bouleversements. L'imbrication, l'osmose entre l'évènement et le média qui n'en est plus seulement le miroir ont donné, dans l'espace de ces douze mois, le coup d'envoi d'une ère nouvelle pour la télévision. Celle d'un mouvement de concentration gigantesque dans les entreprises de communication mondiales. Aux Etats-Unis, le mariage des groupes Time et Warner, au début de l'année, correspond à l'entrée en scène pour la première fois d'un géant pesant quelque 110 milliards de dollars, à côté desquels même les plus grands groupes européens, comme Bertelsmann ou Hachette, font modeste figure.

Mais, surtout, l'année écoulée aura été celle de l'extraordinaire montée en puissance d'une chaîne, CNN (Cable News Network), dont le sigle franchit les frontières. Une chaîne qui ouvre une voie originale en montrant que, contrairement aux idées reçues, fictions, jeux, films et variétés ne sont pas la seule et unique matière première d'une antenne. La première, CNN révèle au public et aux professionnels de la télévision que l'actualité, l'information constituent un programme à part entière qui peut nourrir une antenne nuit et jour, des semaines durant si l'évènement est fort. Diffuser simultanément l'actualité, le réel d'un point du globe à des centaines de millions de téléviseurs éparpillés sur les cinq continents, voilà qui peut changer radicalement l'usage que l'on fait d'un petit écran. Et voilà qui fait de la télévision un acteur nouveau. Un partenaire – ou adversaire – instantané d'une politique, d'un conflit.

La chaîne américaine d'information s'est hissée au premier rang des médias planétaires lors des manifestations étudiantes, en Chine, en mai 1989. Avec le massacre de la place Tian Anmen les 4 et 5 juin. Le « spectacle » de l'exercice du pouvoir, de la répression ou de la fête est à la fois dans la rue et dans tous les foyers du monde. Un nouveau coup de boutoir est donné à l'ordre ancien des hiérarchies médiatiques par CNN, en novembre 1989, avec les nombreuses manifestations dans les pays de l'Est, qui culminent avec la mise à bas du mur de Berlin.

Ces dates ne sont pas sans incidence sur la marche de l'audiovisuel français. Elles marquent le début d'une sorte de démission des chaînes françaises habillée en mobilisation générale. Chaînes qui se « branchent » littéralement sur CNN pour obtenir la ration d'images que leurs moyens trop limités ne leur permettent pas de rechercher par elles-mêmes. Ces dates correspondent aussi, par contre-coup, au renouveau encore ténu de la défiance du pouvoir à l'égard de la télé-vision. Une défiance qui n'est plus de même nature qu'en 1981. Cette fois, le pouvoir commence à s'inquiéter, non plus de la présence de tel ou tel « mal-pensant » dans une rédaction, mais, plus globalement, de la puissance et de l'impact d'une chaîne sur l'opinion.

Au cours de la décennie écoulée, le rapport de forces qui prévalait depuis cent ans s'est inversé. Ce n'est plus la presse, l'écrit, qui est le média dominant, c'est l'audiovisuel. La radio prévaut deux heures par jour, de 7 heures à 9 heures du matin. Le reste du temps, la télé-vision est reine. Omnipotente. La chose est alarmante pour le pouvoir français, qui constate que le système audiovisuel qu'il a engendré, fait d'une seule et unique chaîne de télévision, TF1, le maître absolu du marché de l'audience, avec près d'un téléspectateur sur deux en prise sur l'information qu'elle délivre. Il y a là, en germe, un ressenti-ment contre la « surpuissance » prêtée à l'antenne de TF1 qui va se conjuguer progressivement avec la situation de la Cinq. Cette der-nière connaît la tentation d'imiter CNN en s'y abreuvant comme à un robinet audiovisuel; ce qui va à la fois asseoir et altérer un peu plus son image.

Au lendemain du jour où Robert Hersant s'est résolu à « sortir », le vendredi 22 décembre 1989, c'est la chute d'un dictateur roumain, Ceausescu, qui transforme la Cinq en un relais continu et imprudent de CNN et de la télévision roumaine. La première, la chaîne de Robert Hersant s'engouffre dans ce qui apparaît un peu vite comme la voie royale de l'information, le direct permanent avec traduction simultanée. Comme CNN, avec CNN, elle joue de la dramaturgie sanglante d'un conflit pour alimenter son antenne. On « découvre » un charnier à Timisoara et, sans avertissement, brut de « satellite », pourrait-on dire, c'est le déferlement de corps mutilés, de com-mentaires, de rappels, de gros plans morbides. On ne sait bientôt plus où est l'information, où est le spectacle rediffusé en boucle d'une révolution énigmatique.

Dans un mouvement de panurgisme audiovisuel, toutes les autres chaînes se lancent sur ce nouveau créneau à chairs mortes et bande-son peuplée de rafales d'automitrailleurs. Un créneau qui semble si bien convenir au redressement de l'audience.

La Cinq ne s'arrête plus. Elle est sous perfusion roumaine du matin au soir pendant une semaine. Jusqu'à ce que l'on commence à émettre des doutes sur la réalité des « milliers de morts » de Timisoara. Jusqu'à ce qu'on découvre l'incroyable opération de manipulation des images et des sons. Prise à son propre piège d'innovatrice dans le « tout-info permanent », la Cinq paye du prix de la crédibilité de sa rédaction l'affaire du charnier de Timisoara. Elle la paie d'autant plus cher que c'est comme une répétition, à l'échelle d'un massacre, de l'affaire Pauline Lafont à l'automne 1988 [1].

Ceux qui regardent la Cinq ne peuvent qu'être partagés entre l'admiration pour la ténacité, le courage des équipes envoyées sur place qui font leur travail de journalistes dans des conditions difficiles [2], et un malaise grandissant devant une chaîne qui donne l'impression d'aguicher, de racoler dans ses programmes comme dans son information. Sur la Roumanie, les chaînes ont commis des dérapages, comme les journaux et les radios. Mais c'est la Cinq qui, dès janvier 1990, catalyse critiques et rejets. Sur sa lancée roumaine, elle décide d'engager ce qu'elle appelle le « Turbo sur l'info » qui fera long feu. Une session élargie d'information en début de soirée qui ne rapportera rien et coûtera une fortune au budget de la chaîne.

Robert Hersant ne s'y intéresse déjà plus.

Le jour qui se lève a encore du mal à dessiner les contours de l'Arc de Triomphe en ce froid et brumeux mercredi 10 janvier 1990. Matinal comme il sait l'être et imposer à ses collaborateurs de l'être, Jean-Luc Lagardère travaille depuis déjà un moment à son bureau, rue de Presbourg, lorsque sa secrétaire le prévient que Robert Hersant « souhaite » lui parler au téléphone. Lagardère prend la communication avec le pressentiment qu'il s'agit d'un instant décisif.

« Ecoutez, dit un Hersant lointain, après l'avoir salué, j'aimerai vous voir et bavarder un peu...

1. L'actrice et fille de l'actrice Bernadette Lafont avait disparu depuis plusieurs jours de son domicile lorsqu'un soir, en ouverture du journal de vingt heures, la Cinq avait annoncé « savoir avec certitude » que Pauline était « vivante » et se reposait en un lieu que la chaîne ne pouvait « encore dévoiler ». Quelque temps plus tard, on découvrait le corps de l'actrice, morte, victime d'un accident non loin de chez elle, le jour de sa disparition.
2. Le grand reporter Jean-Louis Calderon y trouve la mort.

– Volontiers, quand vous voudrez. Aujourd'hui, je suis à mon bureau...

– Si vous n'y voyez pas d'inconvénient, j'aimerai autant un autre endroit, plus tranquille...

– Voulez-vous à mon domicile, ce soir?

– Entendu. »

Le Jean-Luc Lagardère qui raccroche en osant à peine se douter de la raison pour laquelle Hersant demande à le rencontrer n'est plus tout à fait le même que celui de 1987. Le patron de Matra-Hachette, candidat malheureux sur TF1, a cédé la place au président du quatrième groupe mondial de communication[3]. Passé l'humiliation de l'échec, Lagardère a rebondi sur le domaine de prédilection du groupe, la presse écrite et la distribution. Mettant à profit le « trésor de guerre » constitué pour s'offrir 25 % de TF1, Hachette a voulu se donner les moyens d'une percée sur le continent nord-américain. Au printemps 1988, il a lancé, et emporté, une OPA sur le géant de l'édition Grolier pour 2,4 milliards de francs. Peu après, il a acquis le groupe Diamandis, qui publie une dizaine de magazines, dont *Woman's Day*. Le rachat de la société Salvat, en Espagne, a fait de Hachette le numéro un mondial des encyclopédies... En trois ans, le chiffre d'affaires du groupe est ainsi grimpé à près de 20 milliards de francs. Cette revanche sur le revers télévisuel, Hachette se l'est offerte en grande partie à crédit. L'endettement avoisine les 8 milliards de francs mais n'inquiète pas Jean-Luc Lagardère, qui éprouve à nouveau le sentiment d'avoir le vent en poupe, comme dans ses glorieuses années 60 et 70.

A soixante et un ans, « Jean-Luc » n'a qu'un regret et un rêve, qui se rejoignent : entrer enfin dans la télévision. Du jour où il s'est fait battre par Bouygues, le patron de Hachette n'a eu de cesse de dire qu'« un jour » on verrait son groupe remonter ce handicap et devenir enfin le grand « diffuseur en télévision » qu'il doit être. Les lois éternelles de la synergie l'imposent. Hachette, il en est convaincu, ne peut exister ni même entrer dans le prochain millénaire sans être opérateur d'une chaîne. Ce vide, cette cicatrice, n'ont déjà que trop coûté au développement du groupe.

Il est le quatrième aujourd'hui mais, s'il avait eu une chaîne de télévision nationale dans son giron, il serait aujourd'hui associé au plus grand, Time Inc. Avant la fusion Time-Warner, Jean-Luc Lagardère, en qualité de premier éditeur européen de magazines, a eu des conversations avec les dirigeants de Time, qui étaient ouverts à un

3. Derrière Time-Warner, Bertelsmann et Capital Cities.

partenariat. Mais les discussions avaient échoué, Time ne comprenant notamment pas pourquoi un groupe comme Hachette ne disposait pas d'un réseau national de télévision. Vu de New York, où il se rend souvent, un groupe de presse sans sa chaîne, ça ne fait pas sérieux. Ça fait « cheap », provincial.

Sans forcer la note, comme un couple qui se désespère de ne pas avoir d'enfant, Hachette et Lagardère vivent avec une image obsessionnelle et mythique de la télévision. Le sujet est à la fois permanent et tabou dans les réunions stratégiques où se retrouvent, autour de « Jean-Luc », Yves Sabouret, Daniel Filipacchi, Jacques Lehn, Jean-Pierre Elkabbach... Le désir de chaîne est si fort qu'il interdit une perception froide et clinique du marché. Pour ce collectif que constitue l'équipe dirigeante du groupe, les trois années écoulées depuis la privatisation de TF1 ont cristallisé une approche du petit écran qui est de l'ordre du quasi religieux, de la justice.

Au fond de lui-même, tout comme son P-DG, le groupe Hachette se sent orphelin et trahi par la CNCL, Bouygues, Havas et le pouvoir. Il ne demande pas, mais *veut* s'accorder réparation. La première année, c'est tout juste si ses collaborateurs ne prenaient pas soin de ne plus prononcer le douloureux mot de « télévision » pour ménager les nerfs et la sensibilité à vif de Lagardère. Il a fallu des mois de patience et les escapades conquérantes en Amérique avant de pouvoir commencer à reconstruire une stratégie « TV » en France. Stratégie du silence. D'abord, Hachette regarde, écoute, attend de voir comment évoluent les chaînes en présence. Puis, petit à petit, le désir se pose sur l'« hôtel de luxe » au bord de la faillite qu'est la Cinq de Robert Hersant.

Depuis l'échec du « papivore », Hachette attend, espère secrètement. Lagardère ne se manifeste pas mais, autour de lui, quelques collaborateurs sont toujours plus ou moins amenés à croiser leurs homologues chez Hersant. C'est la Cinq qu'il faut prendre. Brefs coups de sonde. Offres de soutien discrètes, à peine formulées. Hersant n'a jamais donné suite, sachant se faire désirer et travaillant à l'être plus encore par la proie qu'il choisit.

Concurrents et confrères dans la presse, Hersant et Lagardère ne se connaissent pour ainsi dire pas. En dix ans, ils se sont à peine rencontrés. Ils ont parlé « boutique ». L'un comme éditeur de journaux et de magazines, l'autre comme éditeur et distributeur, avec les NMPP, de tous les journaux français. Ces deux hommes n'ont aucun point commun autre que professionnel; sauf, peut-être, l'absence de goût pour la vie mondaine et les soirées officielles.

Ils vont faire connaissance. L'un pour le meilleur. L'autre pour le pire.

C'est en fin de journée, après son appel, que Robert Hersant et Jean-Luc Largardère se retrouvent chez ce dernier, avenue Hoche.

« Je vais vous étonner, dit Hersant, à peine assis et sans préambule, mais voilà, j'ai envie de m'alléger de la Cinq... Seriez-vous intéressé, au cas où Silvio Berlusconi et Jérôme Seydoux voudraient sortir? »

S'il était moins sportif, le cœur de Lagardère se mettrait à cogner dangereusement dans sa poitrine. Le président de Hachette en reste sidéré. Le détachement, la sincérité lasse de son interlocuteur l'épatent. En une fraction de seconde l'objet du désir est comme à portée de main. Comme si la Cinq était entrée dans la pièce et s'offrait... pour se dérober aussitôt. Car maintenant qu'il a ferré, que Lagardère mord la Cinq des yeux, Hersant donne du mou et abandonne son fil dans le courant. Il en a assez, explique-t-il, mais il n'a encore rien décidé. Il n'a rien de concret à proposer. Il réfléchit aux opportunités. Il explore « diverses » possibilités. Il est venu pour prendre contact. Voir si, éventuellement, lui, Jean-Luc Lagardère, accepterait d'en reparler un jour prochain avec lui. En tête à tête. Sans collaborateurs. Entre patrons. Entre hommes. En entrepreneurs.

C'est une rencontre dont rien ne sort et qui, pourtant, conditionne tout ce qui va suivre. Dans l'imagerie chevaleresque et mousquetairienne de Jean-Luc Lagardère, rien n'est placé au-dessus du rapport « homme à homme », de la parole donnée et reçue. Toute l'habileté de la manœuvre d'Hersant réside dans la franchise avec laquelle il se sert de la Cinq pour aguicher Lagardère tout en l'avertissant qu'il n'y aura peut-être jamais de passage à l'acte. C'est le principe de l'amour fou appliqué aux affaires. A compter de cette minute, seul et en secret, Jean-Luc Lagardère attend sa belle; sans savoir quand et si le magicien qui la lui a fait entrevoir se représentera.

Après ce premier contact, Hersant laisse Hachette tranquille un long moment, et s'occupe des autres fers qu'il a au feu. Il tente à la fois d'amadouer Jérôme Seydoux et d'empêcher un recours commun en appel avec Berlusconi. C'est pourquoi, le lundi 15 janvier, une nouvelle fois, Yves de Chaisemartin se rend à Chargeurs SA pour soumettre à Seydoux un autre protocole d'accord. Dans celui-ci, où Hersant paraît faire des concessions de taille, il garantit au P-DG de Chargeurs la possibilité de faire procéder à un audit régulier des comptes de la Cinq. Il lui accorde des postes dans le management, accepte une concertation sur le fonctionnement de la régie, lui offre deux fauteuils au lieu d'un au conseil d'administration... Mais Seydoux refuse encore, car la répartition du capital esquissée [4] donne toujours la majorité au camp Hersant.

Les Italiens sont plus « compréhensifs et réalistes », explique Vernes à Hersant. Ils l'ont convaincu que si le putsch a mal tourné, c'est un peu « la faute à Seydoux ». En septembre 1989, rapporte Vernes, Berlusconi souhaitait que l'on se contente d'offrir à Hersant de lui racheter sa part avant de faire un coup d'Etat... Vrai ou faux, cela ne change rien pour le patron du *Figaro,* qui a besoin d'aller vite vers un accord. Le jeudi 18 janvier, les décrets « Tasca-Lang » sur les quotas ont été publiés au *Journal officiel*...

Dans la dernière semaine de janvier 1990, un dîner rassemble Hersant, Berlusconi, Chaisemartin et Confalonieri chez Jean-Marc Vernes. « Si vous voulez partir, commence par dire Hersant à la Fininvest, dites-le-moi, j'ai des actionnaires prêts à entrer dans la Cinq... » Le ton résolu d'Hersant incite Berlusconi à réfléchir à deux fois. Partir de la Cinq... pour aller où? Faire de la figuration sur TF1? Non, Berlusconi ne veut pas sortir et dit qu'il préfère parvenir à un compromis acceptable par tous, y compris Seydoux. Au fond, raisonne-t-il, il n'est peut-être pas nécessaire d'aller s'écharper encore en appel... A la fin du dîner, il est convenu que le groupe Berlusconi essaiera, à son tour, de convaincre Seydoux d'accepter un compromis.

Mais le P-DG de Chargeurs refuse à nouveau. Il estime qu'il n'y a plus rien à négocier avec Hersant. Il ira en appel. C'est la rupture entre Seydoux et Berlusconi qui, lui, opte pour la proposition d'Hersant.

Le mardi 30 janvier 1990, la Cinq rend public un accord « armistice » entre Hersant et Berlusconi qui, vis-à-vis de l'opinion, semblent décidés à reprendre ensemble et en bonne entente l'exploitation de la chaîne. Dans *Le Monde* du 1er février, Berlusconi croit pouvoir parler de « succès bon pour tous », tandis que dans la même page Seydoux crie à la trahison et dénonce un « accord de dupes ».

Philippe Ramond, directeur de la Cinq, est sacrifié sur l'autel du compromis avec Berlusconi. Depuis des mois les relations entre le groupe italien et lui se résument à une guerre de tranchées sans avenir. Hersant prend Ramond comme directeur à la Socpresse dans les nouveaux locaux du groupe, avenue du Général-Mangin. A l'intérieur de la Cinq, la conciliation se traduit par la nomination de deux directeurs généraux, Yves de Chaisemartin d'une part, et Angelo Codignoni de l'autre. L'accord stipule que, pour la première fois, les

4. Hersant 25 %, Berlusconi 25 %, Chargeurs 20 %, Vernes 20 %, Crédit Lyonnais 4 %, plus les petits actionnaires...

Italiens auront accès aux chiffres du saint des saints, la régie publicitaire. Ils connaîtront enfin les vrais comptes et les accords passés avec les centrales d'achat d'espace. Tout comme devra s'engager une négociation entre Hersant et la Fininvest afin que la Cinq, au lieu de puiser au coup par coup dans le catalogue de Rete Italia, rachète en bloc le catalogue de Berlusconi (celui qu'il n'a pu échanger contre une plus grande part dans TF1).

Hersant a échoué à mettre en place son propre système d'achat de droits audiovisuels. Cela n'a conduit qu'à une situation grotesque où, sur les marchés internationaux, deux acheteurs prétendaient souvent acheter un lot de séries ou téléfilms pour la même chaîne française! Ceci a de plus conduit à l'acquisition coûteuse de programmes choisis dans la précipitation, parfois non visionnés, et dont on découvre trop tard que leur nullité, leur violence ou leur érotisme – ou les trois à la fois – les rendent indignes d'une programmation aux heures de grande écoute. Sur ce chapitre, arrêter la guerre, c'est arrêter les frais.

Voilà donc la Cinq, début février 1990, déguisée pour le public en chaîne qui renaît de ses cendres. En réalité, c'est une télévision qui est déjà en train de changer de mains et d'opérateurs. Toujours aussi prudent, Hersant ne s'est pas contenté d'aller vers Hachette. Il entretient et fait entretenir la rumeur d'une candidature de la CGE (Compagnie générale d'électricité) à entrer dans la Cinq. Tout comme il a fait renouer les contacts avec la « petite » qui est encore « montée » ces derniers mois, M6.

Depuis la fin janvier ont repris entre Chaisemartin, Tavernost et Jean Drucker les discussions engagées un an plus tôt sur le rapprochement éventuel des deux chaînes. A l'été 1989, la Cinq et M6 en avaient été au point de se mettre en chasse pour un responsable de la régie commune que le protocole d'accord envisageait de mettre en place. C'est souvent Michel d'Ornano, et député maire de Deauville et vice-président de la Socpresse, qui s'est occupé de favoriser les contacts. Il a rencontré Jérôme Monod pour la Lyonnaise et Jacques Rigaud pour la CLT. Au début juillet 1989, alors qu'Hersant était dans le doute sur l'avenir du capital de la Cinq, Michel d'Ornano était chargé de faire à Monod et Rigaud des offres de participations croisées Cinq-M6. L'idéologie du moment, sur ce que deviendrait la présidence commune A2-FR3, facilitait un discours de jumelage des réseaux...

Discours et négociation couvés en solitaire, comme à son habitude, par Jacques Boutet au CSA, qui encourageait ce mouvement. Mais, de son côté, M6 n'a jamais accepté d'aller sur ce terrain. Rapprochement, oui. Fusion, non. Puis les conversations s'étaient arrêtées net pour cause de « putsch » dans l'une des deux maisons.

Elles reprennent cette fois avec l'apparent souci d'aboutir. M6, comme la Cinq, a tout à craindre des quotas. On reparle structure commune d'achat de droits, informatisation, démarches commerciales coordonnées... On s'organise en groupe de travail, Chaisemartin d'un côté, avocat découvrant sur le tas les mécanismes de la télévision, Rémy Sautter (vice-P-DG de RTL et adjoint de Jacques Rigaud) pour la CLT, Guy de Panafieu pour la Lyonnaise. L'autre directeur général de la Cinq, Codignoni, n'est pas associé par Hersant à ces négociations. On se promet de reprendre l'ensemble du chantier, de mettre loyalement à plat les points forts et les points faibles de chaque chaîne, on se jure de se montrer les livres de comptes. Ensuite, trois grandes réunions dans les locaux Hersant, avenue Matignon, tenteront de dégager un accord de partenariat. En réalité, deux réunions : les lundi 19 et vendredi 23 mars 1990; car à la troisième, le jeudi 29 mars... le groupe Hersant oubliera poliment de venir.

Ce matin-là, à 8 heures 30, Rémy Sautter, Guy de Panafieu et Jean Drucker, le P-DG de M6, se présenteront avenue Matignon. Ils verront arriver un maître d'hôtel qui les conduira dans la grande salle à manger où, jusqu'à 9 heures 45, ils attendront en buvant du café et du jus d'orange qu'Yves de Chaisemartin, qui les avait conviés, daigne les rejoindre ou seulement les faire prévenir de son retard. Il ne fera ni l'un ni l'autre. A 10 heures, excédée par la goujaterie du groupe Hersant, la délégation de M6 quittera l'avenue Matignon après avoir une nouvelle fois demandé à une secrétaire de vérifier qu'il n'y a pas d'erreur sur le jour du rendez-vous. Il n'y a pas d'erreur.

Pas d'erreur et une explication simple, que ne peuvent deviner les actionnaires de M6 : ils ne sont plus d'aucune utilité au groupe Hersant. On peut donc se conduire avec eux sans égards... Entre-temps, en effet, le cours de l'histoire de la Cinq a fait un coude. Tout est allé très vite, et très secrètement.

Le mercredi 14 mars 1990, la cour d'appel de Paris a débouté Jérôme Seydoux et confirmé le jugement du 4 décembre 1989. Le P-DG de Chargeurs a perdu son recours sur tous les tableaux. Il contestait la régularité de l'augmentation de capital souscrite par Hersant : elle est validée. Il soutenait que son accord avec Groupama ne constituait pas une cession de fait des parts des Mutuelles agricoles : la cour d'appel le contredit et déclare que l'échange de lettres de septembre 1989 constitue bien un « projet de cession ». En ce sens, les Mutuelles n'ont plus d'autre choix que de vendre leur part de la Cinq, mais en faisant jouer le droit de préemption.

Au soir de ce jugement, Hersant peut passer à l'étape suivante. Finie la paralysie du capital imposée par la procédure juridique. Le jugement rendu, il devient possible de remodeler l'actionnariat et de commencer à sortir. Mais sans en avoir l'air. En considérant les 16,8 % de Groupama, les 4,4 % des Echos et les 3,4 % de Vidéotron, Hersant est en mesure de proposer une part conséquente de la Cinq à un candidat actionnaire tel que le groupe Hachette.

Le surlendemain matin, vendredi 16 mars, à 9 heures, Jérôme Seydoux rencontre Robert Hersant, rue de Presbourg. « Je veux sortir de la chaîne », lui dit-il, car il estime n'avoir plus aucun rôle à jouer dans cette télévision à la dérive. Il veut vendre sa part. « Il n'y a pas de problème, résume Hersant, Hachette frappe à la porte, je m'en occupe. » Lorsqu'il sort du bureau, Jérôme Seydoux n'est plus qu'un actionnaire de façade de la Cinq. Il a l'accord de rachat de ses 7,3 % au prix de ce qu'ils lui ont coûté depuis son entrée dans la chaîne plus un léger bénéfice pour compenser l'inflation sur la période. Financièrement, le passage de Chargeurs dans la Cinq deuxième formule aura été une opération blanche. Quant à celui dans la première Cinq, ce sera peut-être, un jour, une des meilleures affaires de sa vie [5]...

Ceci réglé, Robert Hersant peut prendre son téléphone et demande à rencontrer à nouveau Jean-Luc Lagardère.

Ils prennent le petit déjeuner ensemble le mercredi 28 mars, à 8 heures 30. Là, le P-DG de la Cinq prononce les mots qu'attend celui d'Hachette depuis des mois. En gros : « J'ai réussi à faire sortir Seydoux et il faut que je le remplace... Il y a aussi les Mutuelles qui partent... » Hersant propose à Lagardère d'entrer dans la chaîne comme actionnaire minoritaire, avec « 15 % ou 20 % ». Il lui demande d'y réfléchir. Cette entrée ne peut se faire qu'en rachetant les parts au prix des sommes qui ont été investies par les actionnaires sortants... Pour l'heure, lui, Hersant, reste actionnaire et P-DG mais, laisse-t-il entendre, son désir de « s'alléger » est toujours là, et il n'exclut pas de céder la main un jour ou l'autre.

A ce point de la discussion commence à se refermer sur lui ce que Jean-Luc Lagardère ne voit pas comme un piège et dont il n'est pas

5. Le 27 juin 1989, le tribunal administratif de Paris a reconnu un droit à l'indemnisation aux actionnaires de la Cinq pour rupture de concession. Même décision pour les actionnaires de TV6 en septembre 1989. Des experts sont chargés d'évaluer les montants, qui pourraient atteindre plusieurs milliards de francs.

sûr que Robert Hersant le perçoive lui-même comme tel. D'un côté, un homme harassé, endetté, pressé de vendre mais sans faire de bruit; de l'autre un homme pétulant, impatient, amoureux et pressé d'acheter. Il en oublie de se pencher avec rigueur sur le prix. Il accepte toutes les conditions que pose Hersant. Conditions qui, pour le moment, sont les suivantes. Leurs entretiens doivent rester secrets. Hersant va faire tout son « possible » pour accélérer l'entrée d'Hachette. Il est implicite qu'à terme il s'en ira. Il ne le fera que dans un cas de figure financier lui permettant de récupérer les quelque 500 millions que lui ont jusqu'à présent coûté ses 25 %... Si Hachette est alors intéressé, le groupe de Lagardère aura la priorité pour acheter et devenir l'opérateur... Mais c'est Hersant et lui seul qui fixera ce « jour du départ ».

En attendant, il est clair qu'il demeure le patron et l'opérateur de la chaîne. Lagardère doit comprendre que cela peut durer encore six moix ou trois ans. On ne peut pas savoir.

Le P-DG d'Hachette ne peut se l'avouer, mais il est fasciné par la maîtrise avec laquelle Hersant gère sa propre énigme et sait se conduire en homme mystérieux. Le pacte qu'il lui propose est à la fois lumineux et incertain. Lagardère l'accepte. Oui, il est prêt à entrer dans la Cinq aux conditions établies. Il y a entre eux un jeu fait de méfiance et de séduction. Chacun croit amadouer l'autre.

Le rite accompli, Hersant propose « 22 % de la Cinq » à Hachette ce mercredi 28 mars. Lagardère acquiesce pour ce ticket d'entrée à environ 500 millions de francs dans une chaîne qui n'a connu que les déficits et dont l'audience baisse [6]. Il le fait avec la conviction de rendre un précieux service à son groupe en même temps qu'à son interlocuteur. Il voit en Hersant un patron coincé qui ne cherche pas à lui cacher les règles d'un jeu qu'il est libre d'accepter ou refuser. Hersant joue cartes sur table en quelque sorte, en invitant Hachette à le suivre presque aveuglément.

« Je connais votre réputation de loyauté, le remercie Hersant, **il n'y a pas beaucoup d'hommes sur la place de Paris qui donnent leur parole sans la reprendre un mois plus tard...** »

C'est une question de tempérament : on a le goût du risque et de la loyauté dans les engagements ou on ne l'a pas.

Lagardère en a pour mille. C'est son engouement qui explique que le groupe Hersant ne trouve pas utile d'honorer le rendez-vous pris avec les actionnaires de M6 pour le lendemain, jeudi 29 mars.

---

6. Alors que son réseau couvre 70 % du territoire, l'audience est descendue au-dessous de 12 %.

Au cours des jours suivants, les deux nouveaux associés règlent la mécanique de l'entrée d'Hachette. Hersant fait demander à la Fininvest, sans donner de détails, si elle s'opposerait au principe de l'entrée d'Hachette en minoritaire d'appoint... Le groupe Berlusconi répond non, dans la mesure où « les équilibres du compromis de janvier ne sont pas remis en question ». Parmi ces équilibres, le rôle dans le management, la régie, et la poursuite de la négociation, que mènent Chaisemartin et Codignoni, sur le rachat du catalogue italien, évalué à une centaine de millions de dollars. Entre Hersant et Lagardère, il est implicitement convenu que les Italiens doivent rester à l'écart de la négociation entre la Cinq et Hachette. Un prochain conseil d'administration de la Cinq entérinera le fait.

Auparavant, il est indispensable de mettre le CSA dans la confidence. C'est Jean-Luc Lagardère qui prend contact avec Jacques Boutet, auquel il explique la prochaine révolution de la Cinq. Peu après, c'est Yves de Chaisemartin qui apportera à Boutet la bonne nouvelle d'une « restructuration en douceur » de la Cinq avec Hachette. Le président du CSA, qui négligera d'en informer ses collègues avant plusieurs semaines, applaudit des deux mains à cette initiative. Il ne peut qu'encourager Hachette, groupe à l'image culturelle prestigieuse, à redresser celle d'une Cinq dont les dirigeants et les programmes actuels lui sont insupportables. La nouvelle tombe à pic pour Jacques Boutet, qui y voit une belle opportunité de redorer le blason du Conseil. La Cinq est financièrement si mal partie, avec ses 2 milliards de déficit, qu'une des hantises du président du CSA est de se trouver avec la faillite retentissante d'une chaîne commerciale sur les bras. Qu'un groupe comme celui de Lagardère se propose d'entrer dans les lieux pour, peut-être, plus tard, les rénover en investissant... Que demander de plus?

Jacques Boutet rayonne et pousse les feux pour Hachette. Pour se couvrir, il en parle avec Gilles Ménage, du cabinet de François Mitterrand. Le Président ne veut pas « s'en mêler », mais n'allume pas de feu rouge. C'est suffisant pour Boutet qui va, dans une totale discrétion, accompagner le déroulement de l'opération. Pour leur part, Jean-Luc Lagardère et le vice-président d'Hachette, Yves Sabouret, préviennent l'Elysée et Matignon de leurs intentions. A savoir : simplement « entrer » dans la Cinq et « attendre ».

Ni l'Elysée ni Jacques Boutet, encore moins Catherine Tasca, informée par Jean-Luc Lagardère, ne sont dupes de l'opération qui s'enclenche. Le P-DG d'Hachette a toujours dit que son groupe « reviendrait » dans la télévision et que ce serait pour être « opérateur ». On couve donc cette perspective d'entrée d'un doux regard.

590

Pour deux raisons : la première, c'est qu'elle préfigure sans doute un retrait de Robert Hersant dans les mois à venir. La seconde, c'est qu'on espère que la relance de la Cinq pourra enrayer, à tout le moins limiter, la puissance grandissante de TF1, dont les journaux et la tonalité générale irritent le pouvoir. Il n'y a que Catherine Tasca et, plus modérément, Jack Lang, pour émettre des réserves. Puisqu'il semble que Robert Hersant soit à bout de souffle, pourquoi ne pas en profiter pour attendre encore un peu qu'il jette complètement l'éponge? On pourrait ensuite procéder à un réexamen global de l'audiovisuel avant de réattribuer le réseau... Mais ils ne sont ni consultés ni écoutés. La consigne est « laissez faire ». Un point c'est tout. Traduction : on sauve la mise à Hersant car on sait qu'il n'en sortira qu'en récupérant son argent, et on compte sur Hachette pour en remonter bientôt à TF1.

Bonne affaire politique. Rien ne change. A la veille d'une redistribution de l'audiovisuel, le pouvoir n'a toujours aucune analyse économique. Les conseillers de Matignon comme de l'Elysée sont toujours aussi sourds et aveugles à ce qu'est un compte d'exploitation. Ils n'ont que des urnes dans les pupilles et des journaux de vingt heures dans les oreilles. Leur effarante indifférence à ce que sont les marchés de la télévision et de la publicité les conduit, en ce printemps 1990, à laisser Hachette se précipiter dans la joie vers un abîme écrit et dessiné d'avance. Plus que jamais, au-dessus de la Cinq, l'irresponsabilité devient générale et sereine.

Cette démission tranquille prend des proportions tragiques et guignolesques au CSA, qui va laisser béatement s'accomplir l'opération audiovisuelle économiquement la plus insensée de la décennie. Il y a plus grave. Derrière un machiavélisme de pacotille, cet organisme dit de régulation s'apprête à couvrir et à participer, en toute « indépendance » avalisée par le gouvernement, au viol de l'esprit de la loi.

Le déroulement des faits est accablant.

Le lundi 28 mai 1990, à 11 heures, Yves de Chaisemartin et Yves Sabouret se présentent au CSA et exposent les grandes lignes de la restructuration du capital de la Cinq. Restructuration soumise à l'approbation du Conseil supérieur, mais c'est une démarche de pure forme, puisque l'opération a déjà été cadrée entre les groupes et le président du CSA. Ce n'est qu'au cours des derniers jours que le collège du CSA a été averti par Jacques Boutet. Mais les apparences sont sauves. Officiellement, il ne s'agit que d'un aménagement de capital consécutif au départ de quelques actionnaires, dont Jérôme Seydoux, Les Echos, les Mutuelles... Aménagement sans conséquence, laisse-t-on entendre de tous côtés. Hachette prend 22 % de la

Cinq et ne jouera aucun rôle! Un communiqué du CSA donne son agrément à cette nouvelle répartition du capital[7].

Ainsi, en dix minutes (!) seulement de délibération, le Conseil supérieur de l'audiovisuel entérine l'entrée du quatrième groupe mondial de communication à près de 25 % dans une chaîne de télévision nationale! Sans la moindre audition. Sans la plus petite enquête préalable sur les questions qui peuvent éventuellement se poser en matière de concentration. A nouveau, là où n'importe quel organisme de régulation britannique ou américain aurait passé des semaines à examiner ce dossier à la loupe, le CSA bâcle et bénit en moins d'un quart d'heure. Il installe côte à côte, dans un même média, trois des plus grands groupes de communication européens (Hachette, Hersant, Berlusconi). Il tolère sans sourciller que les deux plus grands groupes français, qui contrôlent près de 45 % du marché de la presse, se marient et arrangent leurs affaires en sous-main. Pas l'ombre d'un rapport demandé! Pas une demi-journée d'enquête pour savoir quel type de négociations mènent ensemble depuis trois mois Robert Hersant et Jean-Luc Lagardère!

Et ce n'est que la première scène du dernier acte.

Le mercredi 30 mai 1990, à l'Assemblée nationale, Catherine Tasca répond à une question sur la nouvelle donne de la Cinq et fait part de ses réserves sur ce que vient d'accepter le CSA. « Hachette n'est pas titulaire de l'autorisation et n'exercera pas de contrôle effectif sur la chaîne, dit-elle aux députés. Si à l'avenir le groupe venait à exercer un contrôle de fait, il appartiendrait au CSA de faire jouer le dispositif anticoncentration. » C'est le pieux rêve d'une femme à qui Jean-Luc Lagardère n'a dissimulé ni ses intentions ni les moyens par lesquels il compte y parvenir. Soucieux d'une certaine clarté, le patron d'Hachette a fait comprendre au ministre, comme au président du CSA, qu'à terme il contrôlerait la chaîne.

« Laissez-moi faire, je n'entre pas pour dormir à 22 %... » Début juin, Jean-Luc Lagardère rassure le comité stratégique d'Hachette qui se tient à Europe 1, dans la salle Espace. Ces comités réunissent notamment Jacques Lehn, Jacques Abergel, Yves Sabouret, Jean-Pierre Elkabbach... Le P-DG dit avoir une stratégie bien arrêtée et veut s'y tenir. Quelques-uns s'interrogent bien sur la nécessité d'entrer dans la Cinq mais n'insistent pas. « Jean-Luc », qui entretient le mystère sur ses relations « personnelles » avec « Robert », ne supporte pas l'hésitation et les doutes. A partir de ce moment, sa

---

7. Hersant 25 %, Berlusconi 25 %, Hachette 22 %, Vernes 22 %, Crédit Lyonnais 2 %, Expar 3 %.

phrase fétiche devient « Je sais où nous allons, j'ai la situation sous contrôle ! » Le seul homme à faire clairement état de son scepticisme sur l'opération Cinq dans laquelle s'engage le groupe, c'est l'ancien directeur de la régie d'Europe 1, conseiller de Lagardère, Jacques Abergel. Depuis le début, il parle d'« imprudence ».

« Faites ce que vous voulez, Jean-Luc, dit-il, mais je crois que le moment est mal choisi...

– Ce n'est pas mon avis, répond Lagardère. La Cinq est une excellente affaire. Le seul problème, c'est celui du réseau qui à 70 % est encore faible. Mais j'ai demandé une note à Gouyou Beauchamps [8]. Il estime qu'on peut arriver très vite à 85 % ou 90 % de couverture. A partir de là, l'audience peut monter mécaniquement de plusieurs points... »

Il n'y a rien à faire. Le P-DG de Matra-Hachette se prend au jeu de la télévision et n'en démord plus. Il tient ce que son éthique personnelle lui interdit d'appeler – mais qui y ressemble beaucoup – « sa revanche » sur TF1. Il est même aiguillonné par le fait que l'entrée d'Hachette dans la Cinq agace déjà l'actionnaire principal de la Une. Dès qu'il a eu vent qu'un accord se nouait entre Hersant et Lagardère, Francis Bouygues a appelé le « cher Jean-Luc » pour lui proposer immédiatement de venir sur TF1 où, subitement, il se disait prêt à lui faire une place honorable avec quelque 5 % ou 10 % qu'on trouverait bien pour lui. Le seul but de Bouygues était de paralyser une manœuvre qu'il voit d'un mauvais œil. Quelle mouche pique donc Lagardère de voler au secours d'Hersant ? La Cinq est en train de « crever toute seule », laissons-la périr... Ça fera de l'oxygène publicitaire pour les autres. Depuis le temps qu'on dit qu'il y a une chaîne de trop ! Le P-DG d'Hachette a refusé. Il n'allait pas lâcher la proie où il sera un jour opérateur pour un misérable *sleeping*-partenariat chez « Francis ». Un peu de sérieux, que diable !

« C'est clair, conclut Lagardère en comité stratégique. D'ici trois ou quatre ans, la Cinq sera notre meilleur investissement. OK ? », lance-t-il à son état-major, puis, se tournant vers Sabouret : « Yves, c'est toi que je vais nommer à la direction générale de la chaîne. Tu t'installes là-bas et tu attends. Pas de précipitation. Et je vous annonce que c'est Jacques [Lehn] qui va prendre la direction d'Hachette. Je vous préviens tous : il faut réussir ! C'est un aller sans retour. »

Deux semaines plus tard, le mardi 19 juin, au cours d'une assemblée générale du groupe Matra-Hachette, Jean-Luc Lagardère

8. Président de TDF nommé sous la cohabitation, et qui l'est resté après avoir joué un rôle de conciliateur dans la grève du secteur public à l'automne 1988.

annonce la nomination d'Yves Sabouret comme codirecteur général de la Cinq aux côtés de Chaisemartin et Codignoni. Avec cette propension à vouloir marquer l'histoire des médias de son temps au fer rouge, Lagardère proclame avec grandiloquence : « Nous sommes entrés dans la Cinq pour l'éternité et non pour en sortir dans huit jours... » Il fait état des armes financières qu'il a rassemblées pour faire face au nouveau challenge. Il peut investir les 2 milliards de francs de plus-value réalisés sur la vente, l'an dernier, du siège parisien des NMPP. Il a de quoi voir venir.

Il dit qu'il a, « avec une totale loyauté », conclu un « accord d'airain » avec Robert Hersant.

Fin juin, Robert Hersant et Jean-Marc Vernes font un saut amical à Milan, chez Berlusconi. « Vous voyez, disent-ils à « Sua Emittenza », on a fini par trouver une solution. Bien sûr, avec Lagardère c'est un peu compliqué, il a fallu accepter un homme à lui dans la Cinq... » Visite creuse et sans objet. Visite de politesse dont Berlusconi déduit qu'Hersant est venu lui dire, sans le lui dire, qu'il partira bientôt. Le type de visite qu'il n'avait pas su convaincre Jérôme Seydoux de faire à Hersant avant de se lancer dans un putsch.

C'est un triumvirat surréaliste qui tient désormais les rênes d'une Cinq ingérable. Le CSA ne pipe mot. Tout est bien. Dans le secteur public, à la même période, le désastre prévisible d'un autre triumvirat Guilhaume-Alduy-Gaillard se déroule sans que le même CSA y trouve à redire. A2 et FR3 s'enfoncent l'une dans un déficit, l'autre dans un marasme records. Au début de 1990, Philippe Guilhaume a évincé Cavada de la direction de FR3. En avril, c'est Gaillard qui s'est galamment débarrassé d'Eve Ruggiéri à la direction d'A2. Le trio de la présidence commune avait annoncé une renaissance... Cela n'en prend pas le chemin. Michel Drucker est parti en résumant la situation à merveille. « Je ne pars pas. C'est le secteur public qui me quitte », a-t-il dit. Il est devenu patent que les objectifs annoncés de reconquête de l'audience ne seront pas tenus. Pas plus que ceux concernant les recettes publicitaires.

Par ailleurs, tout au long du printemps, Philippe Guilhaume a été victime d'une campagne de déstabilisation recourant à d'infamantes rumeurs. Comme si l'évidence de son échec strictement professionnel en cours sur A2-FR3 ne suffisait pas, certains, qui l'avaient acclamé en sauveur en août 1989, ont entrepris de s'interroger sur sa vie privée. En y ajoutant la calomnie graveleuse. Avec son audace habituelle dans l'adversité, le CSA n'a pas levé le petit doigt pour défendre celui qu'il a choisi et élu.

En juin, le Conseil ne pense qu'à ses chères vacances. La présidence commune lui a déjà gâché celles de l'an dernier... Cette fois, il s'enfonce les boules Quiès jusqu'aux tympans pour ne pas entendre la plainte aiguë du secteur public. Le CSA aborde l'été la tête dans le sable alors même qu'à Matignon Michel Rocard s'alarme de ce qui ressemble à la noyade de la télévision publique. Le CSA, lui, est fatigué et aspire au repos. C'est si harassant de veiller sur les « grands » déséquilibres et de les entretenir.

Fin juin, la SFP plonge dans une des plus longues grèves de son histoire [9]. Philippe Guilhaume ne trouve pas mieux, confraternellement, que de soutenir à sa manière les grévistes de son ancienne maison. Le CSA ne bouge pas. Catherine Tasca doit rappeler Guilhaume à l'ordre en lui envoyant, le 23 juin, une lettre-réquisitoire critiquant sa gestion de A2-FR3, comme son attitude et son implication dans le conflit d'une société, la SFP, qu'il ne préside plus.

Vos récentes prises de position dérogent une nouvelle fois aux principes élémentaires de gestion d'une entreprise publique. Ces principes vous ont été rappelés, à plusieurs reprises, par le Premier ministre et par moi-même. L'absence de concertation avec l'Etat (...) pour l'avenir des sociétés dont vous exercez la présidence, le manque d'information de leurs conseils d'administration, l'expression publique de positions différentes, voire contraires, à celles de votre actionnaire ne sont pas admissibles.

Il faut que Catherine Tasca adresse copie de cette lettre à Jacques Boutet pour que le CSA se résigne à convoquer le P-DG de A2-FR3, le jeudi 5 juillet 1990, et l'écoute sans s'alarmer outre mesure de la situation du secteur public.

Une semaine plus tôt, le jeudi 28 juin, le même CSA a convoqué en audition publique les groupes qui avaient répondu à un appel d'offres lancé en février. Il s'agissait d'une mascarade organisée pour accorder au projet Canal Enfants, activement soutenu par Canal Plus et André Rousselet, la jouissance du dernier morceau de réseau hertzien déniché par les ingénieurs de TDF. Un réseau dit « multiville » parce qu'il ne touchera que les habitants d'une vingtaine de grandes agglomérations, soit 6 ou 7 millions de personnes.

Cette procédure est la suite logique et tardive des auditions d'avril 1989 pour l'attribution des canaux de TDF1. Elle consiste à répondre favorablement à l'exigence d'une « façade hertzienne » alors formu-

9. Jean-Pierre Hoss, le successeur de Philippe Guilhaume, a dû se résoudre, vu l'ampleur du déficit, à faire un plan de restructuration qui passe par 500 licenciements.

lée par Canal Enfants et Euromusique pour monter sur le satellite. En toute équité, l'appel d'offres pour ce réseau « multiville » était libellé de telle sorte qu'il ne puisse concerner qu'une chaîne de télévision cryptée, destinée au satellite puis aux réseaux câblés et n'ayant l'intention d'utiliser ce « multiville » que de manière provisoire. Mot pour mot ce que demandait la chaîne pour enfants ! Sur les traces de la CNCL, on ne saurait être plus serviable que le CSA.

Ni plus inconséquent. Car, au cours de cette audition, il n'est pas un membre de l'auguste collège pour s'étonner ou s'enquérir des raisons de l'incurie du dossier TDF1. Voilà plus d'un an qu'il a délivré des autorisations. Plus d'un an que ces chaînes, dont Canal Enfants, avaient promis de diffuser sur le satellite avant janvier 1990. Plus d'un an qu'il n'y a strictement rien sur TDF1 à l'exception des lambeaux de programmes culturels en boucles invisibles de la SEPT. Autant dire rien.

Le CSA fait donc – comme prévu – cadeau du « multiville » à Canal Enfants, dont les actionnaires ont gémi, pleuré, fait des pieds et des mains pour l'obtenir et... qu'ils n'utiliseront jamais ! A peine leur est-il attribué que les partenaires de la chaîne réalisent qu'ils ont couru après une ineptie économique. Outre qu'il dissuadera un peu plus les foyers de s'abonner au câble [10], le coût de ce réseau hertzien condamne toute perspective d'équilibre budgétaire. Cela, personne n'y avait songé avant même d'exiger des fréquences. Ni la chaîne candidate, ni les jurés du CSA qui n'ont pas pris la peine d'examiner la viabilité économique du dossier qu'on leur présentait.

A l'automne, c'est une autre audition-mascarade qui se reproduira devant le CSA, mais à grande échelle.

Cette fois, elle fera un mort.

Bonnes vacances.

---

10. Ce qui est un comble dont prend seulement maintenant conscience le câblodistributeur qu'est la Caisse des dépôts, actionnaire de la chaîne.

CHAPITRE XIV

La grande évasion

« Je suis prêt à sortir complètement, êtes-vous toujours intéressé? »,
annonce Robert Hersant à Jean-Luc Lagardère, le mardi 11 septembre
1990, au cours d'un nouveau petit déjeuner. Les deux hommes ne se
sont vus que deux fois depuis l'entrée du groupe Hachette dans la Cinq.
Une en juin. L'autre le 14 août. Lors de cette dernière rencontre, Hersant a laissé entendre à Lagardère qu'il pourrait devenir opérateur plus
tôt que prévu. Sans fournir de précisions, comme d'habitude. Mais,
dans les jours qui ont suivi, Lagardère a vu Michel d'Ornano à Deauville, qui lui a également fait comprendre que l'échéance se rappro-
chait. «Tiens-toi prêt... », avait ensuite recommandé le P-DG
d'Hachette à son directeur de la Cinq, Yves Sabouret, avant d'aller
tâter le terrain du côté de Matignon où les feux sont toujours au vert.

Il n'y a pas d'obstacle et il ne peut y en avoir, toujours par la grâce
du raisonnement politique en vigueur. Raisonnement qu'un événement mondial vient de conforter.

Le jeudi 2 août 1990, les troupes irakiennes ont envahi le Koweït. Le
conflit entraîne d'autres pays, dont la France, dans ce que François Mitterrand appelle, le 21 août, une « logique de guerre ». Une logique dans
laquelle les médias, et au premier rang d'entre eux les chaînes de télévision, sont immédiatement placés sous surveillances militaire et déon-
tologique permanentes. Les milliers de civils étrangers retenus en Irak,
le chantage au bouclier humain sont des sujets classés hypersensibles,
et il ne faut pas trois semaines après l'ouverture de ce qui n'est encore
que la « crise » du Golfe pour que TF1 soit dans le collimateur du Gouvernement et de l'Élysée. Les commentaires, l'attitude, les initiatives
d'un Patrick Poivre d'Arvor [1] mettent le pouvoir dans tous ses états.

---

1. Qui rentre de Bagdad, le 21 août 1990, après avoir interviewé Saddam Hus-
sein, en ramenant dans ses bagages le bébé d'une famille retenue en otage.

On suspecte Bouygues d'avoir, ou d'avoir eu, de trop grands intérêts dans des chantiers de cette région du monde pour que TF1 reste un média objectif. Le procès d'intention réciproque entre médias redoutant des actes de censure et Gouvernement craignant de ne pas maîtriser l'information sur la situation militaire est patent. La crise du Golfe se double, en France, d'une crise des rapports entre l'Etat et la télévision. Le tout sur fond de nouvelle extension du royaume de CNN.

Dans ces circonstances, toute initiative qui permettra à Hachette de s'affirmer sur la Cinq et de contrebalancer ce qu'on commence à appeler l' « hégémonie de TF1 » sera accueillie à bras ouverts par Matignon et l'Elysée. Le climat de crise s'orientant à la rentrée vers la situation de guerre, cet argument pèsera lourd dans la manière dont Hachette va prendre le contrôle de la Cinq.

Depuis juin, Hachette joue avec une constance et une discrétion exemplaires le jeu que lui impose Hersant. La Cinq a adopté le principe d'une augmentation de capital de 500 millions. Cette augmentation devra être réalisée avant septembre. C'est la somme à injecter pour assurer la continuité de l'antenne à la rentrée. Elle portera le capital, ou le déficit cumulé, selon la terminologie des acteurs, à 2,7 milliards de francs.

Devenu directeur, Yves Sabouret connaît et accepte le ridicule d'une situation où il lui faut tout découvrir. Angelo Codignoni étant tenu à l'écart de l'accord Hersant-Hachette, Sabouret s'est placé comme en apprentissage sous l'aile d'Yves de Chaisemartin, dont il ignore que Robert Hersant ne l'a nommé à ce poste que pour mettre en œuvre son plan de sortie-sauvetage de la Cinq. Chaisemartin a des consignes très strictes à ce sujet et les observe. Il n'est là que pour opérer la chirurgie juridique et financière du retrait. Moins Hachette en saura sur la situation économique de la chaîne, mieux la sortie se passera. Ensuite, chacun pour soi.

C'est ainsi qu'est évincé, début juillet 1990, par l'équipe de direction Hersant, le directeur financier de la Cinq, Jean-Philippe Sarraut. Remercié, il quitte la chaîne sans qu'Yves Sabouret puisse le rencontrer. L'homme d'Hachette n'insiste pas. Pas plus qu'il ne se vexe lorsqu'il constate qu'on ne lui permet pas d'aller où il veut et d'ouvrir les dossiers qu'il souhaite, qu'il s'agisse de la régie ou des coûts de programmes. Sabouret obtempère. Son naturel de diplomate s'accommode de ces bizarreries qui font partie de l'accord de base négocié entre Hersant et Lagardère. « On est là, et on patiente, lui dit encore Lagardère lorsqu'il lui fait part de ses difficultés à s'informer.

Hersant est un type très, très difficile. J'ai mis des mois à être en confiance avec lui. Ne brusquons rien. Si on le vexe ou si on le bloque, c'est l'impasse... » Sabouret s'incline et marche sur des œufs, tout l'été.

C'est ainsi encore qu'il ne peut prendre connaissance du contenu édifiant de la dernière note, rédigée le jeudi 5 juillet 1990, du directeur financier de la Cinq. Dans ce courrier, qui fait référence à un ensemble de notes précédentes sur le même sujet, Jean-Philippe Sarraut avertissait scrupuleusement Yves de Chaisemartin et Angelo Codignoni que la Cinq est au bord de la « *cessation de paiement* », qu'il manquera au moins « *200 millions de francs* », même « *après l'augmentation de capital* » de 500 millions prévue à la rentrée. La chaîne est en train de couler à pic, écrivait en substance le directeur, qui concluait en demandant quelles étaient les « *instructions* » à suivre dans cette situation. C'est le chemin de la porte qu'on lui a fait suivre. Il ne fallait surtout pas d'esprits alarmistes qui auraient pu décourager Hachette.

C'est l'un des sommets dans l'absurdité de cette incroyable négociation. Hachette est entrée dans la Cinq sans disposer des comptes et perspectives de la chaîne et ne fait rien pour les obtenir, au nom du pacte moral scellé entre deux hommes, en tête à tête. Deux hommes qui engagent leurs entreprises. Seul problème, l'un, Hersant, possède la sienne en propre et n'a de comptes à rendre à personne. L'autre a des actionnaires.

La question de savoir si Lagardère est « toujours intéressé » par le retrait d'Hersant ne se pose même pas. Ce mardi 11 septembre débute le processus de réunions, de consultations d'avocats et de consignes bancaires par lesquelles Hachette va prendre le contrôle, non de 25 % de la Cinq, mais de près des trois quarts ! Et s'y ruiner. Ce sera le plus beau coup financier de la carrière d'Hersant : vendre 25 % d'un déficit irrécupérable pour environ 500 millions ! Les négociations se déroulent rue de Presbourg et durent une huitaine de jours. C'est Yves de Chaisemartin pour Hersant, et Philippe Camus, directeur financier de Matra, pour Hachette, qui peaufinent le montage et la rédaction des accords.

La délicate opération repose sur la confidentialité absolue. En droit, la loi interdit à Hachette, qui détient déjà 22 %, d'aller au-delà de 25 % dans la chaîne. En principe donc, Hersant devrait se débrouiller pour trouver un acheteur assez aventurier pour reprendre sa part. Mais, de son côté, Jean-Luc Lagardère tient expressément à contrôler de façon majoritaire la chaîne. Comme entrepreneur, il ne comprend pas « l'imbécillité » de la limitation à 25 %. Dans son esprit, c'est cette clause, entre autres, qui crée l'instabilité des tours de table dans l'audiovisuel. Si un groupe pouvait être le patron dans sa chaîne, il y aurait peut-être moins de « putsch » ou de conflits, comme entre Bouygues et Maxwell. Au passage, la conviction d'Hachette, comme celle des pouvoirs publics, est que s'il n'y a pas eu de « putsch » sur TF1, et ce malgré les relations épouvantables entre actionnaires, c'est que Bouygues a dû être assez « malin » pour s'assurer, par alliances, au minimum le contrôle d'une minorité de blocage...

Pour être un opérateur à part entière, « charbonnier maître chez soi », il faut bousculer la loi tout en paraissant la respecter. C'est ce que mettent au point Hersant et Lagardère. L'accord prend la forme d'un « engagement de liquidité ». En clair, c'est une lettre par laquelle Hachette garantit à Robert Hersant de lui racheter ses 25 % de la Cinq pour une somme convenue. C'est une assurance-sortie par étapes. Hersant ne vend pas directement à Hachette. Il est libre de rester dans la chaîne et de sortir par morceaux ou de tout vendre. L'accord stipule que le « papivore » pourra proposer sa part à qui il voudra mais, s'il ne trouve pas preneur, il est assuré qu'Hachette la lui paiera. Officiellement, Hachette ne détiendra jamais plus de 25 %, il lui suffit de faire honorer le marché avec Hersant par une banque ou société amie.

Toujours maîtres de la partie, Hersant et Chaisemartin font en sorte que l'accord ne mentionne pas de date-butoir. Ce qui place Hachette en situation d'anxiété financière permanente. C'est à tout moment que le « cher Robert » peut exiger son dû. Avec les 450 millions déjà investis dans les 22 % initiaux, Hachette en est donc à près d'un milliard de francs engagés pour le ticket d'entrée dans la Cinq! Et ce n'est pas fini. La même semaine, avec la même gourmandise de contrôle, Hachette et Jean-Luc Lagardère acceptent de se plier à un accord sensiblement identique vis-à-vis de l'ami fidèle de Robert Hersant, Jean-Marc Vernes. Hachette se met donc un second « engagement de liquidité » sur les épaules, correspondant aux 22 % de Vernes. Environ 450 millions de plus. Hachette se dit que cet accord est un peu moins contraignant que celui avec Hersant, dans la mesure où Vernes est un banquier fortuné qui n'attend pas après quelques centaines de millions, tandis qu'avec l'endettement d'Hersant il faut craindre d'avoir à payer rapidement...

Mais ce jeu d'obscurs glissements capitalistiques doit passer, vis-à-vis du CSA et de l'opinion, par le maintien d'un tour de table conforme à la loi. Il est indispensable que le changement d'opérateur s'effectue en souplesse. Un faux mouvement, un juriste ou des journalistes un peu trop vigilants pourraient dénoncer une vaste opération de portage dissimulée. Toutes les précautions sont donc prises pour remodeler le capital. Les accords resteront secrets. La prise de contrôle doit se faire en concertation avec le président du CSA, Jacques Boutet, assez fin pour se douter de ce qui se passe, mais à qui on ne donnera pas les détails financiers. Officiellement, Hersant se présentera dans quelques jours au CSA pour proposer un nouveau tour de table de la Cinq faisant d'Hachette l'opérateur. En façade, la continuité sera assurée.

Dans la répartition proposée, Hersant affichera « descendre » à 10 %, Hachette fera un saut apparemment modeste de 22 % à 25 %, Berlusconi ne bougera pas de ses 25 %, Vernes descendra à un peu plus de 4 % (au lieu de 22 %) tandis qu'entreront une pléiade de banques alliées du groupe Hachette [2]. Pour sceller définitivement son contrôle de la chaîne, Hachette signera avec ces banques, dont certaines restent sceptiques sur l'intérêt d'investir dans la Cinq, ce qu'on appelle des « lettres de confort ». Tel qu'il est façonné, le tour de table de la future Cinq qui doit être soumis à l'approbation du CSA, met entre les mains du groupe de Jean-Luc Lagardère environ 65 % du capital !

A ce moment, au début de la troisième semaine de septembre 1990, tout est prêt pour que la pièce se donne dans le huis clos tranquille du CSA, entre gens de bonne compagnie. La campagne électorale est déjà engagée. Ayant tiré les leçons de l'échec de 1987, le groupe Hachette fait comme Bouygues et se met en frais de représentation. Yves Sabouret se dévoue midi et soir, déjeune en tête à tête avec tous les membres du CSA. Pour sa part, Jean-Luc Lagardère informe les étages clés du pouvoir, sans dissimuler qu'il « tiendra » plus de 50 % du capital. Matignon, qui rage à longueur de semaine contre le traitement de la crise du Golfe par TF1, l'encourage. On va enfin rééquilibrer. On est si content qu'on écoute attentivement Lagardère quand celui-ci évoque la réglementation audiovisuelle si contraignante. Il est prêt à relancer la Cinq, à « injecter » beaucoup d'argent dans les programmes, mais un assouplissement serait bienvenu, ne serait-ce que le retour d'une deuxième coupure publicitaire... On ne lui promet rien formellement, mais il entend que ce n'est « pas exclu ».

Il ne reste plus qu'à jouer la divine comédie au CSA. Par ordre d'apparition, c'est Robert Hersant qui tient le premier rôle.

2. Crédit Lyonnais pour 10 %, CCF 8 %, Société générale 4,9 % et Kleinwort Benson 7 %.

La scène est brève. Efficacité mystérieuse garantie, Hersant se présente au CSA le vendredi 21 septembre en posant de romanesques conditions à son intervention. Il vient incognito. Dans les nouveaux locaux qu'occupent les services du Conseil supérieur depuis le printemps. Les dix-septième et dix-huitième lugubres étages d'une tour hideuse du front de Seine au joli nom de Mirabeau. Après le magnifique hôtel d'York de la rue Jacob, c'est un peu le campement aux Minguettes.

Avant de s'adresser aux neuf membres réunis dans une salle genre hall d'accueil Sécurité sociale, Hersant demande que personne ne se tienne derrière lui dans les couloirs. Puis il exige que tous les stores des baies vitrées soient tirés. Quelques membres se disent que le tycoon veut préserver ses yeux du soleil d'automne, les autres pensent que c'est pour éviter les photographies qui pourraient être prises depuis un hélicoptère ou par un laveur de carreaux. C'est en fait, tout simplement, que les parois vitrées de cette pièce du dix-septième étage, avec une vue plongeante sur Paris, lui donnent le vertige.

« Il n'y a que deux choses qui comptent dans la vie quand on vieillit, résume en philosophe Hersant pour son public, c'est d'avoir du temps et de l'argent. Vous avez devant vous un homme brisé qui n'a plus ni l'un ni l'autre... Il y a trois ans, j'avais dit que je ferais une télévision dont mes petits-enfants seraient fiers. Aujourd'hui, je l'admets, avec mon concours, nous faisons une chaîne qui recourt au sexe et à la violence. J'ai perdu mon temps et mon argent... » Pour un peu, l'assistance sortirait un mouchoir de sa poche ou mettrait 10 francs dans la sébile qu'Hersant ne lui tend pas. Un peu plus tôt, dans le bureau de Jacques Boutet, il a confié au président du CSA : « La télévision, c'est comme les bateaux, il n'y a que deux jours où on est content. Celui où on les achète, et celui où on arrive à les revendre... » Hersant, qui a ses accords secrets en poche et qui se sort admirablement bien de la plus mauvaise affaire de sa vie, peut battre sa coulpe pour cette poignée de fonctionnaires que la rumeur publique appelle « sages » de l'audiovisuel...

Un grand groupe est prêt à redresser la chaîne et améliorer les programmes, Hachette. Hersant compte d'ailleurs soumettre à ce collège un plan de passation de pouvoir et de recomposition du capital en ce sens.

Dans la tour Mirabeau, le tour est joué.

Enfin presque, car tout à leur ivresse de conclure une si bonne affaire, Hersant et Lagardère ont négligé un minuscule détail qui se nomme Berlusconi. Depuis février, Hachette se conduit comme si, littéralement, la Fininvest n'existait pas dans la Cinq, dont elle détient quand même 25 %. Cette mise à l'écart était, elle aussi, implicitement contenue dans le pacte moral entre « Robert » et « Jean-Luc ». Si le second s'était aventuré à prendre langue avec le traître et putschiste Berlusconi, le premier aurait pu craindre d'avoir à affronter une nouvelle coalition l'empêchant de récupérer sa mise. Dans l'esprit de Lagardère, la loyauté vis-à-vis d'Hersant consiste à ignorer « Sua Emittenza » au moins jusqu'à la prise de contrôle de la chaîne. Le P-DG d'Hachette s'est coulé dans la logique Hersant, négligeant d'anticiper ce que pourra être la réaction de Berlusconi mis devant le fait accompli.

Il n'a pas compris le pouvoir explosif que possède la Fininvest sur la chaîne. Et quand Lagardère devine son erreur, il est déjà trop tard.

Elle lui coûtera plus de 1 milliard d'engagements supplémentaires.

C'est seulement ce vendredi 21 septembre en fin d'après-midi, alors que Robert Hersant vient de siffler dans son appeau « spécial CSA », que le groupe Berlusconi est informé de l'opération avec Hachette. Yves de Chaisemartin joint Angelo Codignoni à Milan et lui apprend qu'Hersant passe la main à Hachette. Codignoni explose et insulte Chaisemartin. La veille encore, se doutant d'un coup de ce genre, Codignoni a téléphoné à Chaisemartin avant de prendre l'avion pour Milan et lui a demandé s'il fallait s'attendre à du nouveau côté Cinq... Non il ne devait rien « se passer ».

Immédiatement prévenu, Berlusconi comprend que c'est Hersant qui a gagné en vendant ses parts. Cela signifie qu'Hachette a tout racheté. Tout, sauf ses 25 % à lui, Berlusconi. Ces 25 % de 2,2 milliards de francs qui lui restent sur les bras. Tous ont récupéré leurs fonds sauf lui. Il s'est fait avoir comme un enfant de chœur par Hersant et Lagardère. Est-ce possible ? Telle qu'est enclenchée la mécanique de cession, la Fininvest va se retrouver en partenaire impuissant sur une Cinq entièrement aux mains d'Hachette. Et personne ne voudra jamais lui racheter ces 25 % à 550 millions qui, ce soir, ne valent plus un clou ! Quel idiot il a été !

L'amertume de Berlusconi est d'autant plus vive qu'il a passé l'été 1990 à revivre le film de 1989 avec TF1. Hachette n'était pas dans la Cinq depuis deux jours, en juin dernier, que Patrick Le Lay et Francis Bouygues reprenaient leur danse du ventre devant « Sua Emittenza ». Laissez tomber ces clowns qui ne sauront jamais faire de la télévision, lui disaient-ils en parlant d'Hersant et de Lagardère, venez plutôt avec nous. Voyez le triomphe de la Une. C'est vrai, nous avons eu des différends par le passé, mais enfin quoi, entre professionnels, nous nous comprenons. Vous avez déjà plus de 4 % de TF1, et Maxwell va bien finir par nous quitter; vous pourrez acheter ses actions. A moins que vous ne préfériez prendre une partie des actions qui étaient réservées au personnel et qui vont être disponibles [3]... Marginalisé sur la Cinq, Berlusconi a donc renoué avec TF1. Discussions ambivalentes entretenues par Patrick Le Lay. Assez concrètes pour maintenir l'intérêt de la Fininvest en lui parlant à nouveau de prise de participation, de « nouveau regard » sur le catalogue, et de rôle « à étudier » dans la direction de TF1... Assez vagues en même temps pour ne prendre aucun engagement et laisser « mariner » Berlusconi.

La stratégie de Bouygues sur TF1 n'a pas varié d'un millimètre depuis la privatisation. Il faut qu'une chaîne ou deux meurent pour que la Une vive et fasse des profits. Point final. « Chaque fois qu'on fait ami-ami avec Berlusconi, a coutume de développer Patrick Le Lay en petit comité, ça déstabilise l'actionnariat de la Cinq. Notre but, c'est de faire gagner de l'argent à TF1; celui de Berlusconi, c'est de fourguer son catalogue. Le reste est littérature. » Le jeu de Le Lay consiste à être constamment en position de signer un accord définitif avec Berlusconi sans jamais avoir à sortir le stylo. Plus Berlusconi hésite entre deux chaînes, plus il donne l'impression d'une continuelle valse d'entrepreneur, plus la Cinq s'affaiblit. Au besoin, quand le suspense pâlit un peu, TF1 relance vivement les actionnaires de M6, façon de réintroduire de l'affectif, un peu de jalousie dans le scénario. Berlusconi ne peut que se sentir mal de voir que TF1 fraie avec la CLT.

La politique audiovisuelle de TF1, c'est Marivaux corrigé par James Hadley Chase.

La mouture de l'été 1990 ne déshonore pas les œuvres complètes de la Une. Mission accomplie : en septembre, le microcosme est convaincu que Berlusconi va passer avec armes et bagages sur TF1 alors qu'il n'en est rien. La vérité du moment, c'est que « Sua Emittenza » est coincé, perdant sur tous les tableaux. Hachette seul maître à bord, c'est la fin de ses espoirs de redevenir opérateur en France. C'est la ruine des négociations engagées, depuis le « compromis » de janvier, avec Chaisemartin pour vendre à la Cinq le catalogue de Rete Italia. Outre les 25 % de capital sans valeur, ce sont des dizaines de millions de dollars de droits achetés pour la Cinq qui

---

3. Les 10 % d'actions TF1 que la loi Léotard avait réservées au personnel ont été bloquées sur une société. Elles n'ont pas toutes trouvé acquéreur et doivent être remises sur le marché en août 1990.

peuvent s'évanouir en fumée. Les droits audiovisuels sont une denrée périssable.

Au plus noir de leurs cogitations, Berlusconi et Codignoni entrevoient cependant un moyen de refaire surface. Il est gros. Il est énorme. Il est épouvantablement dangereux pour tout le monde. Mais c'est le seul. Et ils vont s'en servir. Oui, la Fininvest est apparemment en position de faiblesse extrême face à Hachette, mais la force d'Hachette n'est-elle pas son maillon faible?

Le lundi 24 septembre, c'est au tour de Jean-Luc Lagardère de faire son entrée en scène au CSA. En audition privée. Le ton vainqueur et sûr de lui, il vient annoncer son intention de reprendre effectivement la Cinq et d'en faire une très grande « chaîne généraliste », « haut de gamme et familiale » destinée à « devenir la première des chaînes ». C'est insensé, mais il y croit. Le CSA boit ses paroles. Jacques Boutet est aux anges. Il a le sentiment de tenir enfin le moyen de rééquilibrer le système audiovisuel. Royalement, le Conseil se donne une dizaine de jours de réflexion avant d'annoncer une décision qui ne fait pas l'ombre d'un doute. Pour la forme.

A Paris, fin septembre, tout se passe comme s'il allait de soi que le groupe de Jean-Luc Lagardère reprenne du jour au lendemain le volant de la Cinq. A aucun moment, jusque-là, le CSA ne s'est posé la question de savoir si cette transaction était normale. On se prépare à offrir à huis clos le réseau de la Cinq au groupe Hachette. Il n'est pas même fait mention de l'hypothèse d'une audition publique. Et il n'est naturellement pas question de lancer un appel d'offres afin de voir si d'autres groupes, d'autres projets de télévision se présenteraient. Jacques Boutet, qui sait par Hachette et Catherine Tasca que le seuil des 25 % est dépassé en coulisse, fait comme si cela ne posait pas de problème.

Le ministre délégué à la Communication ne comprend pas que le Conseil supérieur s'accommode de ce qu'elle estime au fond d'elle-même être une « malhonnêteté » au regard de la loi. Jacques Boutet, lui, est pressé d'octroyer la Cinq à Hachette. Il considère et dit autour de lui que « ce n'est pas au CSA de se pencher sur les accords qui peuvent avoir été conclus » entre actionnaires privés. Le montage théâtral qu'on lui présente est entièrement conçu par Hersant et Lagardère pour ne pas justifier de remise en question de l'autorisation d'émettre, pour éviter une audition publique, un lancement d'appel d'offres.

Catherine Tasca et Jack Lang sont outrés de la « combine » que le

CSA est en train de couvrir. Une petite partie de la presse française, celle qui n'est contrôlée ni par Hersant ni par Hachette, commence à s'émouvoir de la parodie de régulation où s'agite le CSA. Cela fait trois ans qu'il est patent que cette chaîne ne peut pas vivre dans ce système. Cela fait trois ans que le pouvoir attend de voir tomber Hersant. Voilà soudain que celui-ci se présente au CSA pour dire : « Je n'y arrive plus », et le CSA ne bronche pas. Il gobe comme un seul homme un plan de sauvetage qui n'en est pas un.

Qu'attend-on, s'élèvent quelques voix, pour profiter de ce « jet d'éponge » par Hersant pour remettre à plat un système audiovisuel qui se porte aussi mal? N'est-ce pas l'occasion ou jamais de revoir les équilibres? De redéfinir ce à quoi peut servir le réseau de la Cinq? Il semble évident qu'une des plus graves erreurs commises a été de vouloir que cette chaîne soit « généraliste » alors que ce créneau est largement couvert par TF1, A2 et FR3.

Il y a mille questions qui se posent à ce moment et que le CSA ne veut pas voir. L'entrée d'Hachette dans la Cinq est la conjugaison de trois inconsciences hautaines : celle d'Hachette, du pouvoir, et celle du CSA, alors que ce serait à lui de crier immédiatement « casse-cou » et « stop ». L'incapacité des neuf membres à comprendre qu'ils sont en train de faire basculer Hachette dans un abîme et d'enrichir Hersant est telle qu'ils préfèrent se dire que les récriminations de Tasca sont le fruit d'un dogmatisme réglementaire, et que celles de Lang sont sans fondement. Quant à celles de la presse, elles ne peuvent évidemment relever que d'une campagne souterraine anti-Cinq menée par Bouygues et TF1... Au besoin, ce CSA qui n'a que la « déontologie » et la « justice administrative » en bouche préfère accorder foi, comme Hachette, aux rumeurs qui insinuent que la presse est corrompue par les concurrents de la Cinq plutôt que d'admettre la simple réalité des perspectives financières de la chaîne. Si on la maintient avec un format généraliste qui nécessite au moins 2 milliards de budget annuel, la faillite de cette chaîne est inscrite sur son front.

Il faut être Hachette, membre du CSA ou conseiller à Matignon pour ne pas voir cette évidence.

Les déclarations triomphales de Lagardère à sa sortie de l'audition privée, le lundi 24 septembre, décident Berlusconi à passer à l'action. A la vitesse où la *combinazione* parisienne se déroule, Lagardère sera P-DG de la Cinq dans une semaine ou deux. Il faut absolument casser ce processus tant que la Fininvest n'a pas, comme les autres, récupéré les billes placées dans la Cinq. Le terrain que choisit Berlusconi ne manque pas de sel, c'est celui de la transparence et du pluralisme. Il emboîte soudain le pas à la presse et aux ministres, Lang et Tasca, en faisant savoir qu'il s'étonne qu'on puisse à nouveau faire changer la Cinq d'opérateur sans procéder à une remise en compétition du réseau.

Angelo Codignoni fait le tour des membres du CSA pour expliquer que la Fininvest n'a pas été une seule fois consultée par Hachette sur ses intentions. Le paradoxe veut ainsi que ce soit celui – Berlusconi – qui a le plus bénéficié en France de l'opacité et des privilèges du Prince pour faire de la télévision en 1985 qui, en 1990, gémit contre l'irrégularité de la procédure qui mène Hachette à l'acquisition de la Cinq ! Mais le CSA s'en moque. Il n'écoute déjà pas Lang, Tasca ou la presse, ce n'est pas pour faire attention à ce que raconte le groupe Berlusconi. Quelques membres concèdent que ce qui se passe entre Hersant et Lagardère est « scandaleux », qu'il y a modification substantielle du tour de table, mais pas question de s'y opposer. Pas question de faire une audition publique. Trouvant portes closes de ce côté, Berlusconi, en colère, décide de recourir à l'arme atomique.

Le seul moyen de pression dont il dispose, sur Hachette et Hersant, c'est de menacer de claquer la porte de la Cinq. En annonçant publiquement qu'il se retire de la chaîne, Berlusconi ferait voler en poussière leur montage. Berlusconi sortant, cela signifie qu'il ne resterait dans la Cinq aucun des actionnaires initiaux de la chaîne autorisée en 1987 par la CNCL. Le CSA ne pourrait plus oser prétendre qu'il n'y a pas lieu de procéder à un nouvel appel d'offres et remettre le réseau en compétition. Mais surtout, si Berlusconi se retire, Hachette plonge pour quelques centaines de millions de francs, Hersant reste juridiquement avec la Cinq et son déficit sur les bras. Les protocoles secrets s'effondrent. Comme Hersant ne peut plus investir un centime dans la chaîne, il sera contraint de déposer le bilan et il aura tout perdu. Hachette avec.

Dans les derniers jours de septembre, alors que la pression et l'hostilité à la reprise de la Cinq montent chez Catherine Tasca, comme à TF1 et M6, Angelo Codignoni prévient Yves de Chaisemartin et Yves Sabouret que Berlusconi songe à « sortir », qu'il en a assez d'être traité en minorité négligeable. Ils n'y prêtent d'abord pas grande attention. Ils sont sûrs d'eux, du CSA, et du pouvoir. Il n'y aura ni audition publique ni appel d'offres. Berlusconi « bluffe », pensent-ils, il est amer parce qu'il a perdu. Pour calmer Codignoni, Sabouret promet, pour la vingtième fois depuis juin, que Lagardère donnera un coup de fil d'amitié à Berlusconi... Coup de fil qu'il n'a pas encore donné.

« Sua Emittenza » bluffe peut-être mais, c'est le principe même de cette activité, il est impossible de savoir s'il ira jusqu'à faire exploser la Cinq au risque de se saborder... Au même moment, il est servi dans son jeu par Patrick Le Lay et Jean Drucker. Les présidents de TF1 et de M6 se disent publiquement écœurés par les manœuvres du pouvoir et du CSA pour « refiler » la Cinq à Hachette. Ils ont fait les comptes. Ils savent que c'est une nouvelle absurdité sur le marché audiovisuel. Non seulement le droit le plus élémentaire n'est pas respecté, mais la Cinq, publicitairement, ne peut pas vivre. Le mercredi 26 septembre, Patrick Le Lay a dénoncé sur France Inter « l'acharnement thérapeutique » du CSA auprès de la Cinq, « les risques de graves déséquilibres » et « l'inutilité économique de l'opération ».

Ce n'est pas par charité à l'égard d'Hachette que Le Lay et Drucker partent en campagne. C'est qu'ils craignent pour leur propre maison. Hachette n'a aucune chance de s'en sortir, c'est une certitude, mais les deux ou trois années qu'il lui faudra pour le constater seront autant d'années et de bénéfices perdus pour TF1, M6 et même A2-FR3 [4]. Avec Hachette qui annonce vouloir faire une grande chaîne généraliste – comme Hersant en 1987 – sur la Cinq, les prix vont encore monter sous l'effet de la compétition. La publicité va se répartir, les centrales d'achat continueront à faire la loi des tarifs. La venue d'Hachette limite encore les espoirs de rentabilité sur TF1 et recule ceux de M6. Il faudra continuer à partager en cinq des recettes publicitaires que l'on pourrait se découper en quatre.

Vient le début octobre, où le CSA ne peut plus feindre d'ignorer les critiques. Il annonce alors, pour calmer les esprits, qu'il « entendra » en privé, avant de prendre une décision sur Hachette, les autres actionnaires de la Cinq que sont le groupe Berlusconi et les banques du tour de table. Par ailleurs, il se montre magnanime en invitant les responsables des autres chaînes qui ont des avis sur la question à lui en faire part.

C'est à ce moment qu'Hersant et Lagardère commencent à prendre peur que l'opération ne leur claque entre les doigts. C'est là, seulement, qu'ils observent avec angoisse le suspense qu'entretient Berlusconi en laissant dire, dans la presse, qu'il va partir sur TF1. Rumeur renforcée, au début de ce mois, par Robert Maxwell qui claque spectaculairement la porte de TF1, annonce vouloir vendre ses actions. Le magnat britannique, qui a pratiquement tout raté de ce

---

4. Philippe Guilhaume a commencé par se « féliciter » de l'arrivée d'Hachette sur la Cinq avant de se raviser, comprenant le manque à gagner publicitaire pour le secteur public, et de s'inquiéter à son tour publiquement.

qu'il a prétendu entreprendre en France [5] veut quitter l'Hexagone. Il a besoin d'argent frais pour financer son OPA réussie sur l'un des plus grands éditeurs américains, Macmillan. Si les autres actionnaires de TF1 ne préemptent pas les 12,5 % de Maxwell, comme ils en ont la possibilité, on peut imaginer que Berlusconi se portera acquéreur... A cette pensée, un vent de panique souffle sur Hersant et Lagardère.

Le jeudi 4 octobre dans l'après-midi, le CSA auditionne Jean Drucker. Le P-DG de M6, que le CSA s'efforce d'entraîner dans un rapprochement avec la Cinq, fait un exposé imparable pour démontrer, chiffres et courbes à l'appui, la monumentale ânerie qui consisterait à donner la Cinq à Hachette. Quant à la rapprocher de M6, ce serait pire encore, explique-t-il, puisque cela reviendrait à « additionner des déficits ». Le matin même, les banques du tour de table Hachette sont venues jurer, devant le CSA, la main sur le portefeuille, qu'elles ne faisaient pas de « portage » pour Hachette.

L'audition privée la plus attendue, celle de Berlusconi, aura lieu le lundi 8 octobre à 17 heures, annonce le Conseil supérieur, immédiatement après celle du P-DG de TF1, Patrick Le Lay.

Pendant que le CSA fait semblant d'investiguer, la plus belle partie de poker audiovisuel de la décennie a commencé. Elle va durer quatre jours et quatre nuits.

Avec un peu plus de 2 milliards sur le tapis.

De retour des Etats-Unis ce jeudi 4 octobre, Silvio Berlusconi fait secrètement escale à Paris. C'est ce jour-là, et non le lundi suivant, qu'il aurait dû être entendu par le CSA. Mais, afin d'accroître un peu l'incertitude et le suspense sur sa décision, il a fait demander le report de son audition. Une manière de paraître accorder à Hersant et Lagardère une dernière chance de se montrer « raisonnables ». Ce P-DG d'Hachette qui ne s'est pas une seule fois manifesté auprès de lui en sept mois de présence officielle sur la Cinq ! La veille, mercredi, alors que le secrétariat du président du CSA lui confirmait la date de lundi prochain, Angelo Codignoni a fait monter un peu plus la pression en répondant, en écho au mépris récent du CSA pour la

5. Il avait annoncé la création de journaux quotidiens populaires, la construction d'imprimeries ultramodernes, la relance de l'ACP... Ce n'était que du vent qui impressionnait favorablement l'Elysée, en admiration devant « Captain Bob ».

Fininvest [6], et sachant que le propos serait connu d'Hersant et Lagardère dans les heures suivantes : « Dites à M. Boutet que je ne sais pas si nous allons venir à ce rendez-vous... »

Berlusconi vient à Paris pour montrer, avant lundi, sa détermination souriante à tout faire sauter si un accord financier « honorable » ne le dédommage pas de sa marginalisation dans la Cinq. Son premier rendez-vous en fin de matinée est avec Codignoni pour faire le point.

Pour une fois, constatent-ils, les rapports avec TF1 se sont inversés ; la situation présente fait de Bouygues et Le Lay des alliés objectifs de la Fininvest contre Hachette. La grande peur de Bouygues est la même que celle d'Hersant trois ans plus tôt : avoir en face de TF1 le propriétaire de *Télé 7 Jours*, le plus influent des hebdos TV, avec plus de 3 millions d'acheteurs et 10 millions de lecteurs. Il faut coûte que coûte empêcher Lagardère de gagner la chaîne. L'unique moyen, un classique de la maison Bouygues, c'est de fracasser l'actionnariat de la Cinq en constitution, de faire imploser à la fois le tour de table et la chaîne. S'ils implosent, c'est le « jackpot » pour la Une car Hersant sera « lessivé », Hachette « coincé » et le CSA « obligé » soit de laisser Hersant mourir à petit feu dans son déficit, soit de prononcer un retrait d'autorisation tout aussi fatal.

Du coup, c'est deux fois par jour depuis une semaine que TF1 relance la Fininvest pour lui faire une place sur TF1. Ce n'est plus la danse du ventre, c'est un strip-tease torride. A force d'avoir été éconduit au dernier moment par Bouygues, le groupe Berlusconi prend un malin plaisir à tergiverser.

A 13 heures, ce jeudi, « Sua Emittenza » déjeune en compagnie de Robert Hersant chez Jean-Marc Vernes, pendant que leurs « bras droits » respectifs, Chaisemartin et Codignoni, vont prendre un plat non loin de là, au Royal Monceau. C'est un repas presque convivial. Berlusconi écoute Vernes et Hersant déployer des trésors de persuasion pour qu'il ne commette pas « l'erreur » de quitter la Cinq (alors qu'eux-mêmes la quittent à toute vitesse avant d'y laisser 500 millions chacun). Il faut faire confiance à Lagardère, lui expliquent-ils. On ne l'aidera pas à redresser la chaîne en lui mettant le couteau sous la gorge... « A d'autres », dirait Berlusconi, s'il était moins poli. La vérité, c'est que Vernes est inquiet et Hersant terrorisé à l'idée que tout ce qu'il a méticuleusement construit en six mois pour sauver sa

6. Jacques Boutet a commis une maladresse en déclarant au *Monde* le 12 septembre 1990, alors qu'on commençait à se demander si Berlusconi resterait sur la Cinq ou non : *« Je ne crois pas que l'éventuel départ de M. Berlusconi serait à lui seul de nature à émouvoir le Conseil. »* Ceci sans que le Conseil ait jamais été consulté sur ce point.

peau sur la Cinq s'écroule à cause de Berlusconi. On se parle. On se sourit. A couteaux mentalement tirés. On n'arrête pas de se dire qu'il faut dialoguer, que c'est trop bête... Et puisque Berlusconi ne semble pas convaincu des bonnes intentions de Lagardère, Hersant et Vernes lui ont ménagé un rendez vous cette après-midi même avec le patron d'Hachette.

A 17 heures, « Sua Emittenza », rencontre donc « Jean-Luc ». Les managers se connaissent sans s'apprécier outre mesure, tout en jouant aux rapports d'amitié distants, depuis une dizaine d'années. La première fois, à la fin des années 70, le modeste entrepreneur de Milan était venu proposer au PDG de Matra et Europe 1 de s'associer avec lui pour relancer TMC Italie. On avait écouté d'une oreille distraite ce constructeur mal dégrossi qui se prenait pour un futur champion de l'audiovisuel. Et on n'avait pas donné suite. Négligeant même d'appeler un taxi pour faire raccompagner ce visiteur insignifiant à son hôtel. Vexation qu'il n'oubliera pas. Il avait fallu, ensuite, qu'un ami de Jean-Luc Lagardère, qui n'est autre que le légendaire Agnelli, lui parle favorablement de Berlusconi pour qu'on accorde quelque considération à ce monsieur qui semblait, en effet, réussir à faire un peu de télévision commerciale en Italie...

Dans le bureau de Jean-Luc Lagardère, rue de Presbourg, Berlusconi confirme son intention de « partir » de la Cinq. Il dit en avoir assez des querelles intestines et de l'image de traître qu'on lui colle sur le dos tout simplement parce qu'il a voulu, à son tour, tenter de redresser la chaîne en 1989... Lagardère ne veut pas céder à l'anxiété qui monte en lui et prend les choses calmement. Il souhaite que Berlusconi « reste » et participe à la « relance » de la Cinq, mais ne fait aucune des propositions concrètes qu'attend « Sua Emittenza ».

Le soir, avant de regagner Milan, Berlusconi téléphone à Jean-Marc Vernes, lui dit qu'il a le sentiment d'avoir perdu sa journée, qu'il est « inacceptable » pour lui de rester « dans ces conditions » sur la Cinq et que, par conséquent, il annoncera probablement lundi son retrait au CSA.

Pour Hachette et Hersant, c'est un remake de *Sueurs froides*. Il reste trois jours pour trouver une solution. De son côté, TF1 attise le feu et dit ouvrir grandes ses portes à Berlusconi. Soudain, tout est négociable chez Bouygues. Les téléphones fonctionnent jour et nuit. Patrick Le Lay presse la Fininvest de ne pas se rendre au CSA lundi prochain et de conclure un accord avec Bouygues.

TF1 connaît une excitation inverse à celle d'Hersant. Débarrassée de la Cinq, forte d'une part de marché de 42 %, flanquée d'un secteur public moribond, la Une de Bouygues sait qu'elle pourrait enfin faire des bénéfices. Elle pourrait mettre fin à la stratégie commerciale coûteuse qu'elle a employée jusqu'à présent, pour maintenir la tête de la Cinq sous l'eau. Cette stratégie a consisté, pour la chaîne leader, à vendre l'espace publicitaire à un tarif certes élevé, mais relativement modéré par rapport à ce que pourrait pratiquer un média de masse aussi puissant et dominant sur le marché. TF1 l'a fait à la fois volontairement et par nécessité.

Volontairement, de manière à interdire aux autres chaînes d'augmenter leurs tarifs publicitaires pour vivre mieux [7]. De cette manière, alors même que son réseau et son audience s'agrandissaient, la Cinq n'a jamais pu avoir la politique commerciale de ses ambitions, paralysée qu'elle est par le surplace calculé des tarifs de TF1.

Elle l'a aussi fait par nécessité, car les centrales d'achat d'espace, qui « gèrent » plus de 80 % des investissements publicitaires, ont toujours joué de l'existence de la Cinq auprès de TF1 pour l'empêcher d'augmenter ses tarifs. En gros, les centrales ont implicitement fait comprendre au leader TF1 que si la chaîne relevait trop ses prix, elles feraient tout naturellement glisser les budgets des annonceurs vers les écrans publicitaires d'une Cinq moins gourmande et maintenant dotée d'un réseau presque national.

Une fois la Cinq hors de combat, TF1 récupérerait audience et budgets publicitaires, et pourrait, c'est le fond de son problème, imposer ses tarifs et tenir enfin la dragée haute aux centrales d'achat d'espace. La Fininvest, qui connaît ce raisonnement par cœur et le partage, peut faire valoir cette semaine « l'erreur historique » commise par Bouygues et Le Lay en ne faisant pas aboutir leurs accords précédents. Si TF1 et la Cinq s'étaient associées comme elles en avaient l'intention en 1988 et 1989, alors que cela était possible [8], elles domineraient aujourd'hui le marché et ne seraient pas sous la coupe des centrales. Tandis que maintenant...

Mais le passé est le passé, ironise Codignoni auprès de son « ami » Le Lay. Aujourd'hui, il y a encore une solution. Si Bouygues tient tant que ça à voir disparaître la Cinq, il n'a qu'à traverser la rue pour offrir aux Italiens un chèque du montant de ce qu'ils perdraient en quittant la Cinq, soit aujourd'hui, fin 1990, 25 % de 2,7 milliards de francs : 650 millions de francs! Cette somme, la Fininvest se déclare

7. Si les autres chaînes s'étaient entêtées à monter leurs tarifs, elles auraient perdu les annonceurs qui, en raison de son audience supérieure et de ses tarifs proportionnellement plus avantageux, se seraient précipités vers TF1.
8. A l'heure où ils réunissaient A2 et FR3, les pouvoirs publics auraient hurlé, bien sûr, mais n'auraient pas pu empêcher l'alliance de la Une et de la Cinq qui se serait faite dans le respect des participations imposées par la loi.

prête à la réinvestir aussitôt dans l'achat d'actions TF1 (celles de Maxwell ou de la GMF, qui elle aussi veut vendre) afin d'atteindre 12 % ou 15 % de participation dans la Une. Naturellement, cette démarche devrait s'accompagner d'un accord en règle, et cette fois signé, sur l'utilisation du catalogue Berlusconi, et de quelques postes dans le management. Patrick Le Lay « enregistre » la proposition et « l'examine ». Ne commettons rien d'irréparable avant lundi.

On en est là dans ce poker triangulaire dont le CSA aurait connaissance s'il lui prenait seulement l'envie de chercher à quoi ressemble vraiment l'audiovisuel français. Le vendredi 5 octobre est celui de la fébrilité panique chez Hachette. Tout comme chez les pouvoirs publics, où Catherine Tasca et Jack Lang se disent maintenant révoltés par l'inconscience du CSA dans cette affaire. Le ministre délégué parle ouvertement avec ses collaborateurs et Lang de l'« attitude suicidaire » du Conseil supérieur qui s'apprête à reconduire la Cinq en aggravant les difficultés générales du système audiovisuel.

Mais Matignon et les conseillers de l'Elysée persistent dans une approche exclusivement politique du dossier. On va vers la guerre dans le Golfe, et l'« hégémonie » de TF1 n'a que trop duré.

L'intransigeance de Berlusconi porte ses fruits dans la journée du samedi 6 octobre 1990. Devant le silence persistant de la Fininvest qui a laissé son ogive nucléaire sur le coin de la table, Jean-Luc Lagardère se résigne à appeler Berlusconi à Milan. Il a beaucoup « réfléchi », dit-il (Hersant et Vernes l'y ont encouragé). Au fond il pourrait envisager un nouveau partenariat avec la Fininvest sur la Cinq. Lagardère est ouvert à une discussion franche sur ces questions. Il suffirait de s'entendre sur les « modalités ». Berlusconi entre dans ce jeu et informe Lagardère qu'il pourrait, en effet, se mettre en retrait de la Cinq tout en restant dans le capital et en aidant Hachette de ses « conseils » et de ses « programmes ». Ce sont des questions complexes... Si Lagardère veut être seul maître à bord, Berlusconi comprend... On peut en parler.

Sans perdre de temps, en fin d'après-midi ce samedi, Yves Sabouret et Angelo Codignoni se rencontrent pour aborder ces « questions complexes ». « Nous sommes prêts à étudier notre maintien dans la Cinq à 25 %. Qu'est-ce que vous nous proposez en échange ? », demande le groupe Berlusconi. Hachette « offre » la vice-présidence de la chaîne à Silvio Berlusconi, des accords de coproduction internationale, un intérêt marqué pour le catalogue Rete Italia, et trois sièges au conseil d'administration. C'est une avancée, mais insuffisante aux yeux de « Sua Emittenza », qui suit la chose par téléphone à Milan. Cela ne fait que détendre légèrement l'atmosphère. Samedi soir, pour maintenir à bon niveau l'angoisse d'Hachette, le groupe Berlusconi dit qu'il va « réfléchir » à son tour. Sa réflexion, une bonne partie de la soirée, sera perturbée par les appels stridents en provenance de TF1. Toujours la même chanson : venez sur la Une. Toujours la même réponse : c'est 650 millions. Plus le catalogue.

Toute la journée du dimanche 7 octobre les négociations Hachette-Fininvest se poursuivent, suivies avec l'anxiété qu'on devine par Yves de Chaisemartin pour Hersant. Au soir, un compromis se dessine qu'il appartiendra à Jean-Luc Lagardère et Silvio Berlusconi de sceller ensemble, demain lundi, avant l'audition de la Fininvest au CSA. Les discussions ont lieu rue de Presbourg. Dimanche soir, les avocats des différents groupes relisent les textes des contrats en préparation.

Hachette a fini par céder. Encore faut-il conclure. Demain.

Lundi 8 octobre 1990, le jet de Berlusconi se pose au Bourget vers 11 heures 30. Il se rend directement chez Jean-Luc Lagardère. Deux heures avant, Patrick Le Lay, sur les charbons ardents à quelques heures des auditions – la sienne et celle de Berlusconi – au CSA cet après-midi, a relancé une nouvelle fois la Fininvest. En accord avec Berlusconi, Codignoni a réitéré le marché proposé. En gros, dans la situation actuelle, la Fininvest n'a pas d'états d'âme. Si Bouygues veut faire mourir la Cinq, il le peut encore ce matin. Il lui suffit de faire le chèque et ce soir, au CSA, Berlusconi annoncera son retrait. Sinon, la Fininvest, qui ne veut pas se retrouver sans rien, accepte tout à l'heure un accord avec Lagardère et reste sur la Cinq. A Bouygues de voir où est son intérêt. Berlusconi sera « joignable » à tout instant chez Lagardère, prévient-on Le Lay. A bon entendeur...

Aussi volubiles et expansifs l'un que l'autre, c'est tout juste si Berlusconi et Lagardère ne se racontent pas leurs souvenirs d'enfance. « Sua Emittenza », qui a remarquablement joué ce coup-ci, emporte la partie au-delà de ses espérances. Une semaine plus tôt, il avait tout perdu sur la Cinq. Aujourd'hui, la dissuasion nucléaire, l'équilibre de la terreur, font sa fortune. Il reste et va souscrire la prochaine augmentation de capital. Il va laisser Hachette piloter la Cinq. En échange...

L'accord qu'ils concluent ce lundi est l'équivalent d'une assurance tous risques pour Berlusconi, qui fixe un seuil aux pertes qu'il acceptera de couvrir sur la Cinq. En d'autres termes, Hachette s'engage, si le déficit de la Cinq est supérieur à 400 millions de francs à la clôture de l'exercice 1991, à couvrir en lieu et place de la Fininvest tout ce qui dépassera. Ce qui revient à dire que, au pire, le prochain exercice ne coûtera pas plus de 100 millions à la Fininvest, quelles que soient les sommes englouties par Lagardère pour relancer la Cinq. Berlusconi est assez bien placé pour savoir l'absurdité du projet « généraliste haut de gamme »; il en a déjà fait les frais. Il en avertit Lagardère qui n'en démord pas, comme Hersant trois ans plus tôt. Même obsession, même conviction irrationnelle qu'il est possible de battre le paquebot TF1 avec une coquille de noix percée...

Prudent et prévoyant, Berlusconi ne se contente pas de cette garantie. Il obtient une clause selon laquelle, si le déficit de la Cinq dépasse 400 millions lors de la présentation des comptes de 1991 en avril 1992, Hachette s'engage à le laisser sortir de la Cinq en trouvant acquéreur pour ses 25 % ou en les reprenant à son compte. C'est une sorte d'« engagement de liquidité » différé. Mais ce n'est pas tout. Contrairement à ses objectifs initiaux, qui étaient de relancer la Cinq par ses propres moyens, en constituant son catalogue par des achats sur les marchés, Hachette accepte de reprendre à son compte et de clore la négociation qui traîne depuis février 1990 entre Hersant et la Fininvest sur le catalogue « Rete Italia ». Ce lundi 8 octobre, Jean-Luc Lagardère et Berlusconi signent un accord commercial très précis : la Cinq, dont Hachette sera l'opérateur, acquiert une grande partie de ce catalogue de droits audiovisuels.

Financièrement, cela se traduit par l'engagement d'Hachette à payer ces programmes à Berlusconi en vingt-sept mensualités de 3 millions de dollars chacune. Il est prévu dix mensualités par an, compte tenu que tous les titres du catalogue ne sont pas forcément utilisables à l'antenne et que les recettes publicitaires fléchissent pendant les mois de juillet et août. Cela fait 81 millions de dollars auxquels s'ajoutent une dizaine de millions de dollars en règlement d'un contentieux sur les droits audiovisuels entre l'ancienne Cinq et Rete Italia. Les paiements seront échelonnés jusqu'en mars 1993. Cet accord est finalisé par Yves de Chaisemartin et Angelo Codignoni. Hachette a fait procéder à des évaluations de tarifs et considère que les prix Berlusconi sont « corrects ».

La Cinq aura la priorité sur ce catalogue, mais pas l'exclusivité. Elle prendra ce qu'elle voudra, mais si elle ne veut pas d'un produit, Berlusconi pourra le proposer à d'autres chaînes. L'exclusivité, c'est plus cher. Le contrat est signé par les trois directeurs généraux : Sabouret, Chaisemartin, Codignoni.

TF1 ne se manifeste pas.

Ainsi donc, avant même de devenir opérateur de la Cinq, le groupe Hachette a déjà, sans tenir compte des accords avec les banques amies, dépensé virtuellement plus de 2 milliards de francs par engagements divers. Aux 450 millions pour entrer à 22 % s'ajoutent en effet les presque 900 millions que représentent les 25 % et 22 % de Hersant et de Vernes, auxquels il convient maintenant d'additionner la valeur minimale de la part Berlusconi dans un an (750 millions), sans oublier les quelque 500 millions – selon le cours du dollar – du catalogue à 90 millions de dollars. Ces 2 milliards de francs équivalent déjà au montant de la plus-value réalisée sur la vente de l'immeuble des NMPP que le groupe Hachette comptait mettre dans la télévision.

Jean-Luc Lagardère et Yves Sabouret sont convaincus de tenir près de 100 % de la réussite d'une chaîne qui stupéfiera l'audiovisuel français par son prochain succès. Alors que tous ceux avec qui ils viennent de traiter se doutent qu'Hachette contrôle désormais 100 % d'une faillite qui n'aura rien de virtuelle.

La négociation achevée, le cœur léger, Berlusconi reste à déjeuner rue de Presbourg, invité par Lagardère. Avant d'aller faire un époustouflant numéro de charme latin à « L'Alcazar » de la tour Mirabeau. Au CSA, dont les membres, président en tête, poussent un soupir de soulagement quand Berlusconi les informe de sa décision de « suivre ce grand industriel qu'est Jean-Luc Lagardère », qu'il fera bénéficier de son « savoir-faire ». Ils sont « amis » depuis si longtemps...

Le CSA rappelle que la Cinq n'a pas toujours été un modèle de programmation familiale; on espère qu'à l'avenir... Mais « bien sûr », accorde Berlusconi, « c'est vrai que dans les programmes, parfois, il y a du sexe, de la violence. Mais ça, c'est M. Carlo Freccero qui s'en est occupé sous les ordres de M. Ramond », qui lui-même dépendait de Hersant. Maintenant, tout va changer. On peut lui faire confiance, il sait ce qu'est une chaîne vraiment familiale, et Lagardère est prêt à investir beaucoup... C'est la rédemption par Hachette. Le CSA sourit jusqu'aux oreilles. Ce « Silvio », quel charme, quel talent! Quelle différence avec ce « Le Lay » qui, plus tôt dans l'après-midi, a eu la prétention de leur expliquer en long et en large que la Cinq court droit à l'échec commercial et à la faillite. Comment peut-on être aussi grossier, sûr de soi et arrogant? S'imagine-t-il que le CSA ne voit pas où sont le bien et le mal de l'audiovisuel?

« Moi, je suis un homme romantique et fidèle », déclare « Sua Emittenza » à la nuée de journalistes, de caméras et de projecteurs qui l'assaillent à sa sortie du CSA, vers 19 heures 30. « J'ai participé depuis le début à l'aventure de la Cinq... Ma volonté est d'assurer la continuité... »

Dans les heures qui suivront, à ses amis parisiens ou milanais, Berlusconi résumera son sentiment sur le surréalisme de ces auditions privées qui ne servent à rien : « Il faut éviter qu'en Italie on nous impose un jour d'avoir ces carcans, ces commissions où des gens qui ne connaissent rien à la télévision ne sont là que pour empêcher les entrepreneurs de travailler... »

Devant la mollesse complice du CSA vis-à-vis du trio Hersant-Hachette-Berlusconi, les ministres Catherine Tasca et Jack Lang font un baroud d'honneur en inaugurant, jeudi 11 octobre, le MIP-Com à Cannes. « Je ne suis pas bégueule... », commente Jack Lang avant de tirer à boulets rouges sur la « vulgarité » de cette chaîne dont il n'a jamais, jamais accepté la création et l'existence. Catherine Tasca, elle, n'hésite pas à rappeler le CSA à l'ordre sur les chapitres de la « transparence et du pluralisme ».

Ce sont deux ministres à qui le pouvoir échappe. Cet automne, par exemple, alors que Matignon et CSA multiplient en désordre les prises de position maladroites sur la déontologie que doivent observer les médias dans leur traitement de la crise du Golfe, Catherine Tasca n'est pas même consultée. Les ministres de la Culture et de la Communication sont tenus à l'écart des réunions qui ont lieu en permanence à l'Elysée sur l'évolution du conflit et la « gestion » des informations en provenance du Golfe.

A Paris, aussi clairvoyant que lors de l'élection de Philippe Guilhaume, le CSA préfère s'entêter dans l'erreur que de paraître céder aux pressions de ministres. La seule concession que fait le Conseil supérieur est de se résigner à une audition publique du groupe Hachette. Seul candidat déclaré à la reprise d'une chaîne pour laquelle on a pris soin de ne pas lancer d'appel d'offres.

A Cannes, le dimanche 14 octobre 1990, Patrick Le Lay fait circuler, au cours d'un déjeuner de presse au Gray d'Albion, une feuille de papier. En quelques chiffres précis sont résumés les déboires « inévitables » qui attendent Hachette avec la Cinq. Au minimum, la chaîne vole vers un déficit d'un milliard de francs en 1991, pronostique le PDG de TF1. Ce sont les mêmes chiffres, les mêmes analyses que font les services de Lang et Tasca. Les mêmes pronostics qui figurent dans quelques journaux indépendants.

« Pressions inadmissibles », rétorque à Paris le CSA, qui n'a pas pris l'initiative de faire lui-même ces comptes et s'enferre dans des convictions erronées.

L'audition d'Hachette est fixée au lundi 22 octobre. Dans la semaine qui précède, Jacques Boutet prend l'initiative de compliquer davantage les choses sous prétexte de les simplifier. Il demande, il souhaite – une fois de plus sans concertation avec les autres membres – que la future Cinq d'Hachette opère un « rapprochement » avec M6. L'autre face de cette initiative appartient, non à François Mitterrand, qui ne s'implique pas dans ce dossier, mais à ses conseillers. La nouvelle théorie en vigueur à ce moment est qu'il faut fiancer la Cinq et M6 avant, un jour, de les marier. A elles deux, ces chaînes seront un contrepoids encore plus efficace à TF1.

L'Etat se mêle donc encore et toujours, fin 1990, de la stratégie d'entreprises qui ne relèvent que du droit privé. Comment peut-on vouloir associer une télévision qui cumule 2,7 milliards de pertes à une autre qui en additionne 1,2 milliard en pensant qu'elles vont faire des bénéfices? Qu'ont-elles à gagner dans ce marché de dupes politicien?

Quoi qu'il en soit, bon élève et conciliant, Jean-Luc Lagardère va sonner à la porte de M6 pour exposer le « plan Boutet », qui consiste à favoriser « la constitution d'un pôle privé Cinq-M6... » Il rencontre Jérôme Monod, qui, à la veille d'un voyage en Chine, dit ne pas être opposé à l'examen de l'idée... Par politesse, ni la CLT ni la Lyonnaise n'éclatent de rire, mais c'est tout comme. Si le CSA se lance dans la géostratégie audiovisuelle, tout est perdu. Mais bon, si cette comédie peut rendre service, M6 veut bien perdre un peu de temps et remettre sur le phono le vieux disque de la complémentarité, de la régie commune, des achats de droits groupés, etc. Toutes choses qui avaient un sens quand la Cinq avait un avenir, mais qui ne peuvent plus en avoir aujourd'hui, où M6 sait que, si elle manœuvre bien et reste fidèle à son format de départ, elle s'en sortira bien mieux que la Cinq.

Pour convaincre Hachette et M6 de se rapprocher, Jacques Boutet les reçoit, séparément et en privé, dans les jours qui précèdent l'audition publique. Il sent bien que ça renâcle un peu partout sur le changement d'opérateur à la Cinq. Il est dans le « pétrin » et ne veut pas d'histoires. Alors voilà, que la Cinq et M6 aient la gentillesse et la sagesse de s'organiser en « pôle », et il se fait fort d'améliorer leurs conditions de vie sur le marché. Toutes deux veulent des fréquences pour accroître leurs réseaux et audiences? Elles en auront. Toutes deux se plaignent des contraintes de la réglementation? Il y aura de l'assouplissement. Il faudra être patient, mais, leur assure-t-il, il demandera le rétablissement de la seconde coupure. Promesses, au passage, que Jacques Boutet n'a jamais faites à Hersant quand il piétinait sur la Cinq...

Jean-Luc Lagardère a envie de se lester d'une « petite » chaîne sans avenir comme de se jeter à l'eau. Et réciproquement. Mais les deux télévisions n'ont rien à perdre à donner la réplique. A la veille de l'audition publique, donc, Hachette et M6 s'envoient des courriers qui n'engagent à rien mais qui font plaisir à Boutet, pour s'assurer qu'elles vont envisager de réfléchir à l'examen d'un rapprochement de leurs structures...

C'est dans ce climat de tromperie à tous les étages et d'obscurité financière magistralement entretenue que le CSA et Hachette se livrent, le lundi 22 octobre, à la plus affligeante parodie d'audition publique jamais organisée en matière de télévision. Sous les yeux du public, Jean-Luc Lagardère, aveuglé par sa conviction de réussir et n'écoutant aucun de ceux qui émettent des réserves, vient tout promettre au CSA. Il va « sauver » la Cinq et montrer ce que « cent soixante années » d'expérience culturelle d'Hachette peuvent apporter à la télévision. Il y aura de l'information, des films, des variétés, des émissions pour les enfants, des jeux... Tout. Absolument tout.

Il accepte de reprendre « toutes » les obligations du cahier des charges de l'ancienne Cinq. Il en rajoute en promettant des efforts sur la production audiovisuelle. A ses côtés, face aux membres du CSA qui expriment tour à tour, à la perfection, le scepticisme, l'enjouement, la moquerie, la sympathie, Berlusconi, Sabouret, Chaisemartin, Lehn et Filipacchi tiennent leur rôle avec brio. Berlusconi rappelle son amour inchangé de la France et sa « confiance » en Hachette. Chaisemartin se dit convaincu du renouveau de la chaîne sous de meilleurs auspices. Filipacchi fait semblant d'être heureux d'entrer dans une affaire qui n'a jamais connu que des comptes dans le rouge.

Les bonnes questions convenues d'avance de Jacques Boutet appellent les « bonnes » réponses. C'est ainsi que le public apprend incidemment, et le CSA affecte de découvrir la chose et de s'en réjouir, que Jean-Luc Lagardère a eu l'heureuse « idée » d'engager des « conversations exploratoires » en vue d'un rapprochement avec M6. On applaudit bien fort. Le comble est atteint lorsque le président du CSA s'adresse aux banquiers et aux actionnaires de la chaîne pour demander s'il existe ou non des conventions de « prête-nom » entre eux et Hachette. En effet, fait mine de s'étonner Jacques Boutet, des rumeurs en font état et il veut en avoir le cœur net.

Tout le monde jure alors qu'il n'en est rien. Pas de conventions de « prête-nom » dans le capital de la Cinq. Pardi! Le président du CSA et les banquiers actionnaires en ont discuté avant l'audition. Officiellement, tout est en ordre, en effet. Les accords secrets passés par Hachette qui lui donnent le contrôle absolu de la chaîne tiennent compte de cet aspect des choses. En droit français, a judicieusement raisonné Hachette, la notion de portage n'existe pas vraiment. Ce qui est interdit, c'est le recours à des conventions de prête-nom par lesquelles un actionnaire abdique officieusement ses pouvoirs dans une entreprise au profit d'un autre actionnaire. En l'occurrence, ce n'est pas le cas. Tous les actionnaires de la Cinq le sont de plein droit. Hachette ne leur a pas confisqué leurs droit de vote et privilèges. La quasi-totalité du montage de reprise de la Cinq par Hachette s'apparente à du portage – mot que Jacques Boutet prend soin de ne pas prononcer – mais n'en est pas. Il est inattaquable. Pas de convention de prête-nom. Pas d'infraction.

Le lendemain soir, mardi 23 octobre 1990, le CSA, par huit voix favorables et une contre – celle de Bertrand Labrusse – bénit ces tours de passe-passe et entérine la recomposition du capital de la Cinq. Hachette est opérateur. Le texte du Conseil supérieur officialisant ce changement comprend un paragraphe où il est demandé à la Cinq de rechercher des « accords de coopération » avec M6.

La grille de programmes, les ambitions et les engagements derrière lesquels Hachette s'est emprisonné ne peuvent se réaliser à moins de 2 milliards de francs de budget annuel. Où le groupe les trouvera-t-il? Il ne lui reste pas 1 milliard en poche pour commencer à faire de la télévision.

Robert Hersant respire. Il se sent beaucoup mieux ce soir où Hachette reprend officiellement le flambeau de la Cinq. Il est sauvé. Son groupe de presse est sauvé. Sa santé que la Cinq minait va se rétablir.

Hersant est sauf. La Cinq est condamnée. Hachette, son concurrent de toujours, va plonger ou périr. La vie est belle.

Hier, le « papivore » a préféré ne pas regarder l'audition publique à la télévision [9]. Aucune chaîne ne la diffusait en direct mais Philippe Ramond avait fait tirer un câble à partir d'un réseau interne de la Cinq qui recevait les images depuis le CSA et les regardait en compagnie de quelques cadres.

Le touchant numéro de duettistes entre le CSA et Hachette les a bien amusés. Ils ont beaucoup ri en entendant Jean-Luc Lagardère et

9. TF1 l'a enregistré et diffusé intégralement en fin de soirée lundi.

Yves Sabouret promettre les monts et merveilles d'une chaîne « généraliste, familiale et haut de gamme ». A chaque nouvel engagement entendu, la petite assemblée mimait en chœur le geste auguste du joueur qui met des pièces dans une machine à sous, lève le bras, attrape le manche, l'abaisse en regardant tourner les dessins magiques, et guette le jackpot.

Hachette peut glisser des milliards dans la Cinq. Le « bandit manchot » ne lui rendra rien.

Et qui sait s'il ne lui volera pas sa chemise ?

CHAPITRE XV

Monte-Cristo, « Le Retour »

« Faites ce qu'il y a à faire. » C'est par ces mots que François Mitterrand, fin novembre 1990, donne son accord à Catherine Tasca et à son directeur de cabinet, Gilles Ménage, pour l'éviction de Philippe Guilhaume.

Le Président, qui s'est gardé d'intervenir dans ce dossier depuis la mauvaise surprise de la nomination du patron d'A2-FR3, en sait assez sur l'ampleur du désastre dans les chaînes publiques pour prendre cette décision. Présenté comme un génie de la gestion dix-huit mois plus tôt, Philippe Guilhaume a échoué. Si la situation financière de FR3 reste proche de l'équilibre, la chaîne des régions est néanmoins à la veille d'une explosion sociale qui couve depuis des mois. Et l'état général d'A2 est dramatique. A la fin de l'année 1990, Philippe Guilhaume et son directeur, Jean-Michel Gaillard, pourtant magistrat de la Cour des comptes, s'aperçoivent d'un dérapage budgétaire d'environ 250 millions de francs qui, ajouté aux 400 millions de manque à gagner publicitaire prévus, mène la chaîne droit à un déficit record.

Depuis des mois le président commun n'a cessé de promettre remontées d'audience et embellies publicitaires. Au printemps 1990, voyant les chiffres stagner, il a mis un bémol à ses chants de victoire. A l'automne, il laisse entendre que c'est le directeur général d'A2 qui a été négligent en ne l'informant pas des dérapages.

En deux ans, sous l'effet combiné de la conquête du terrain par les chaînes commerciales, surtout TF1, et de sa mauvaise gestion des programmes, A2 a perdu la moitié de sa part de marché au carrefour horaire stratégique 19 heures-20 heures. Tout n'est pas le fait de la nouvelle équipe. La situation dont a hérité Philippe Guilhaume était déjà critique. Le défilé continuel de directeurs de programmes et de directeurs de l'information depuis des années – en moyenne un par an! –, puis l'inexpérience notoire de Jean-Michel Gaillard, sa propension à vouloir s'occuper de tout sans décider de rien au moment requis ont déprimé A2. Au-dessus et autour de Philippe Guilhaume évolue un essaim d'« éminences » sur lequel règne Marcel Jullian. Ce ne sont que comités, réunions, séminaires qui ne servent presque à rien. On brasse du vent, des idées, des projets qui n'aboutissent pas. On se félicite de se retrouver, on déjeune au Fouquet's ou Chez Edgar, cantines pour jet-set télévisuel fatigué. On se gargarise de la « renaissance » en cours du secteur public. On dit pis que pendre des ennemis du grand Guilhaume : Tasca, Lang, Mitterrand... On perd son temps à se faire croire que A2 et FR3 vont de mieux en mieux. Jusqu'en novembre 1990 où, la pugnacité cruelle des comptes aidant, il faut bien admettre que la situation est tragique. Même Marcel Jullian, l'ami fidèle et complice de Philippe Guilhaume, comprend que « tout est fichu » et commence à expliquer que le superprésident devrait « voir les choses en face ».

Il le lui dit. Mais Guilhaume n'écoute pas.

Il n'écoute plus grand monde, d'ailleurs. Il a mis sur la touche celui qui l'a aidé à monter sur le trône, Claude Lemoine. Il s'est senti trahi par Jean-Michel Gaillard, oubliant que s'il avait été lui-même plus vigilant sur les dépenses et les promesses insensées faites à quelques demi-stars avant de leur donner émissions et budgets, il n'en serait pas là. Ainsi, sur une chaîne qui en fin d'après-midi perd son audience comme son sang, le tandem Guilhaume-Gaillard n'a pas trouvé plus judicieux que de confier à Claude Sérillon cette tranche horaire clef. Le journaliste y a conçu une émission originale et haut de gamme qui serait plus à sa place en deuxième partie de soirée mais s'avère une erreur de programmation avant 20 heures. Résultat, nouvel effondrement de l'audience avec cette émission, qui coûte la bagatelle de 550 000 francs par jour. Dix millions de francs par mois qui partent en fumée.

Le vendredi 23 novembre 1990, au cours d'un conseil d'administration d'A2, les représentants de l'Etat ont fait comprendre que la comédie avait assez duré et qu'ils ne couvriraient pas plus longtemps une gestion aussi hasardeuse. Tasca et Lang leur ont donné des consignes de fermeté. Encore sous le coup de l'indignation qu'a suscitée chez eux l'attitude du CSA dans la reprise de la Cinq par Hachette, les ministres ne sont pas avares de critiques à l'égard du Conseil supérieur, qui, depuis maintenant seize mois, tolère avec une « bienveillance » bonhomme les non-résultats des équipes Guilhaume. Tolère, s'inquiète, mais n'intervient pas.

Même ceux qui, au CSA, ont poussé à sa candidature puis voté pour lui sentent qu'ils ne peuvent plus cautionner leur élu. Mais de là à reconnaître leur erreur, il y a un monde. Le CSA se morfond et craint de se déjuger publiquement s'il sermonne Guilhaume et de se renier s'il le révoque. Alors il fait traîner, il évite d'en parler. Il préfère continuer à se prendre pour Montgomery ou Patton en suivant, sur une carte, l'avance de son chimérique pôle privé Cinq-M6 qui écrasera bientôt les divisions Bouygues. L'atmosphère de veillée d'armes dans le Golfe déteint sur les esprits d'un CSA qui mène sa guerre personnelle contre la Une. Ce qui permet d'éviter de penser au reste.

Malheureusement, Catherine Tasca est têtue, et le Président s'en mêle. Quand, fin novembre, l'Elysée lui fait savoir qu'on « souhaite » un « changement », il devient difficile à Jacques Boutet de rester bras croisés au QG Mirabeau. Il faut faire quelque chose. Mais quoi donc? Réponse : faites partir Guilhaume, et vite!

Mais, pour le CSA, reconnaître qu'il porte la responsabilité du choix de Guilhaume et en tirer les conséquences est une chose nettement au-dessus de ses forces. Que les ministres se débrouillent. Il faudra plusieurs coups de semonce et avertissements en provenance de Matignon et de l'Elysée pour que Jacques Boutet commence à inscrire à l'ordre du jour des réunions du Conseil le « cas » de la présidence de A2-FR3.

Des coups de semonce, et une grève. Celle qui démarre le 28 novembre à FR3 dans les régions, et qui va durer plus de trois semaines. Un mouvement social qui cristallise le mécontentement sur les salaires, les programmes, les relations entre la capitale et la province... Les dimensions de cette grève laissent Dominique Alduy impuissante. Guilhaume préfère y voir un complot fomenté par le pouvoir. Il est vrai que cette explosion de colère soulage Catherine Tasca et Jack Lang en portant le malaise sur la place publique. Le CSA ne peut plus rester la tête dans ses sacs de sable. Et François Mitterrand, lecteur friand de la presse, voit monter le flot des critiques et des interrogations sur l'avenir d'A2-FR3.

C'est un sujet auquel il est sensible. Il n'est pas agréable pour le Président, après dix ans de pouvoir, de voir la presse souligner ce paradoxe : en matière de télévision, la gauche n'a réalisé que le négatif de ses ambitions. La commercialisation de la télévision et l'écrasement du service public.

Vers la mi-décembre, l'air de rien, le CSA en est à supplier le gouvernement de trouver « quelqu'un » pour remplacer Philippe Guilhaume. Jacques Boutet, de plus, est limité par son éternel problème :

sa confiance très réduite en sa propre maison. Il se sent incompris et lâché par les membres du CSA qui, effectivement, supportent mal ce qu'ils appellent son « présidentialisme », sa manie de les tenir à l'écart des négociations importantes. Mais Tasca et Boutet sont au moins d'accord sur ce point : Guilhaume doit partir.

La grève à FR3 s'envenime. Sur A2, les choses empirent à grande vitesse. Comprenant qu'ils se sont lancés dans une grille de programmes trop coûteuse et mal conçue, Philippe Guilhaume et Jean-Michel Gaillard décident, du jour au lendemain, la suppression des émissions de Claude Sérillon, Thierry Ardisson et Frédéric Mitterrand, qui sont remerciés – et indemnisés lorsque l'animateur est aussi le producteur de l'émission.

Ajoutés à la grève qui dure, ces arrêts d'émissions présentées par des personnalités populaires du petit écran achèvent de donner l'impulsion nécessaire au mécanisme de renvoi de Guilhaume. « Il faut qu'il parte le plus vite possible », confie Daisy de Galard à Catherine Tasca. En un sens, le pouvoir se réjouit que le président de A2-FR3 ait commis ou laissé commettre d'aussi lourdes erreurs. Il lui tend sur un plateau des motifs clairs et strictement professionnels pour le révoquer.

Smokings, souliers vernis, magnums de champagne sur les tables, projecteurs bicolores, doux murmure de l'auto-célébration audiovisuelle, la soirée des « 7 d'Or » du lundi 17 décembre 1990 fait apparaître le malaise sous les projecteurs. Tout est pourtant en place pour une de ces jolies et inutiles séances de congratulations dans la grande salle du Lido, mais la chaleur n'y est pas.

Frédéric Mitterrand met crânement les points sur les « i ». « Ce 7 d'Or, dit-il en prenant l'horreur métallique qu'on lui remet pour ses qualités d'animateur, je le prends et je le pose là où se trouve aujourd'hui le service public : à terre ! » Et, joignant le geste à la parole, l'animateur qui vient d'être remercié par la direction d'A2 se débarrasse de l'objet. Silence glacial dans l'assistance. Grincements de dents et froncements de sourcils à la table des ministres. Jack Lang a le sourire figé. Catherine Tasca l'air pincé. Jacques Boutet a dû remarquer une poussière au plafond qui fait désordre. Les uns comptent les paillettes sur la robe de leur voisine, les autres scrutent intensément les miettes sur la nappe. On entendrait un CSA penser. La cérémonie est retransmise en direct par l'ennemi, sur TF1. Des millions de téléspectateurs viennent d'entendre, sur cette chaîne commerciale, que le service public est « à terre ». Lang et Tasca se regardent et se comprennent. Un coup d'œil à Boutet. C'est fini.

Les heures de Guilhaume sont comptées.

Depuis trois ou quatre jours déjà, le président du CSA se démène pour trouver une solution. Les membres du Conseil supérieur sont enfin mis à contribution pour essayer de trouver un remplaçant. On ne sait trop comment s'y prendre, tour Mirabeau, pour le faire partir, et on a résolu de ne rien faire avant d'avoir trouvé un successeur. En fait, Jacques Boutet vit un nouveau et cruel dilemme. Il s'est progressivement résigné à sortir Philippe Guilhaume, mais il répugne à se renier une deuxième fois en cédant aux exigences de Catherine Tasca et de l'Elysée, qui ont déjà choisi le successeur : Hervé Bourges. Pour le président du CSA, évincer l'un pour nommer l'autre, c'est manger deux fois son chapeau. Un cauchemar !

Dès le début du mois de décembre, Hervé Bourges a été prévenu par André Rousselet puis Catherine Tasca de se « tenir prêt ». Quand François Mitterrand avait demandé au ministre délégué à la Communication si elle « voyait » qui pourrait remplacer Guilhaume, ils s'étaient entendus, avec Gilles Ménage, sur le nom de l'ancien P-DG de TF1, le candidat malheureux d'août 1989 qui est entretemps devenu, comme on le lui avait promis, P-DG de la Sofirad. Poste où il n'oserait pas dire qu'il s'ennuie, mais quiconque bavarde dix minutes avec lui comprend aussitôt que sa vie intérieure est entièrement tournée vers la télévision et le fauteuil de double P-DG qui lui a échappé.

Mais, « chat échaudé... » Quand Catherine Tasca et Gilles Ménage ont commencé à lui parler de l'éventualité d'un renvoi de Guilhaume, Hervé Bourges s'est montré méfiant. Même s'il en meurt d'envie, il a fallu le convaincre, lui donner des garanties que cela se ferait et qu'il n'y aurait aucune fuite dans la presse. Bourges, redoutant de nouvelles « imbécillités » du côté du CSA, ne voulait pas vivre un second calvaire, une seconde humiliation comme candidat battu. Tasca n'estime pas follement Bourges, mais ils ont un point commun : le qualificatif le plus poli qui leur vient à l'esprit lorsqu'ils pensent aux membres du Conseil supérieur est celui de « pleutres ».

« Allez-y... », a dit François Mitterrand à Lang et Tasca, peu avant la soirée des « 7 d'Or ». Le mardi 18 décembre, en séance plénière, le CSA se résout à convoquer Philippe Guilhaume pour le lendemain et à envisager de le démettre. Devant la tournure radicale que prennent les choses, un membre du CSA, Roland Faure, suggère qu'il serait plus convenable de persuader Philippe Guilhaume de démissionner afin d'éviter une révocation qui serait « pénible » pour tous. Pour le révoqué autant que pour le CSA. Personne n'est mandaté en ce sens mais, au fond de lui-même, Jacques Boutet espère que l'un des membres proches de Guilhaume libérera le Conseil de cette corvée.

Ce mardi, Jacques Boutet passe le reste de la journée et de la soirée à essayer de contrer l'offensive en faveur de Bourges. Il aimerait proposer d'autres noms. Il en a en tête et les teste ici et là autour de lui. Pourquoi pas Pierre Eelsen, ou bien Christian Blanc, le P-DG de la RATP [1], ou encore Xavier Gouyou Beauchamps ? Mais le président du CSA n'aboutit à rien. Les consignes divines le décrètent : ce sera Bourges. Un point, c'est tout.

Le lendemain matin, mercredi 19 décembre 1990, à 8 heures 30, Roland Faure et Philippe Guilhaume prennent ensemble un petit déjeuner au bar du Hilton Suffren. Pendant une heure, l'ancien P-DG de Radio France s'efforce de faire entendre raison au président de A2-FR3, qui ne semble pas avoir pris la mesure de la situation. Il lui fait comprendre que son intérêt professionnel est de démissionner plutôt que d'encourir le risque d'un désaveu inévitable. Moment difficile. Philippe Guilhaume se rend à l'évidence, convaincu que c'est l'aboutissement d'une longue cabale acharnée montée par le pouvoir pour « abattre » un président de chaîne indésirable.

A 13 heures, il téléphone à Jacques Boutet pour l'informer de sa décision de démissionner et convoque la presse pour 15 heures, au Plaza. Soulagement du CSA, qui n'aura pas eu à se renier, ni à faire face à ses responsabilités.

Les premiers flocons de neige tombent sur les sapins de Noël qui ornent l'avenue Montaigne. Vers 15 heures 40, Philippe Guilhaume arrive au Plaza. Livide et défait, il franchit la haie de protestation qu'ont formée, dans le hall qu'ils ont investi en brisant les vitres de la porte-tambour, une centaine de journalistes grévistes de FR3. Brandissant leur carte de presse, ils clament leur mécontentement au président de A2-FR3. Celui-ci donne lecture de la lettre qu'il vient d'adresser à chacun des membres du CSA :

Je constate que ma désignation comme président de A2 et FR3 par le CSA n'a jamais été acceptée par une partie des pouvoirs politiques qui, depuis quinze mois, ont multiplié sur ma route les obstacles de toute nature, avouables et inavouables. J'ai accepté avec sérénité cette étrange règle du jeu aussi longtemps que j'ai cru pouvoir disposer des moyens nécessaires pour remplir les engagements pris devant le CSA, aussi bien à l'égard des deux entreprises que de

1. Auquel Michel Rocard avait pensé pour A2-FR3, en 1989, avant de comprendre qu'il n'avait pas le pouvoir de songer à qui que ce soit en matière de nomination dans l'audiovisuel.

leurs personnels. Je constate aujourd'hui que cela m'est impossible. L'intérêt supérieur du service public, l'idée que je m'en fais, me conduit à tirer les conséquences de cette situation, c'est-à-dire à donner ma démission...

Lecture faite, Philippe Guilhaume se retire sans commentaire.

Au même moment, ce mercredi après-midi, Jacques Boutet téléphone à Hervé Bourges, qui se trouve dans son bureau, à RMC. « Cher ami, lui dit-il, je dois vous rencontrer d'urgence. Philippe Guilhaume démissionne. Nous sommes d'accord pour vous nommer président mais je dois m'assurer que vous ne direz pas non.

— Vous voulez dire qu'il faut que je repasse devant le CSA? s'alarme Bourges.

— Non, ce n'est pas nécessaire. »

Voilà comment l'organisme de régulation le plus indépendant, après avoir mis en place une procédure ingérable en août 1989 pour nommer un président à A2-FR3, se contente, en décembre 1990, d'obtempérer aux ordres du pouvoir pour désigner son successeur. Le CSA passe par pertes et profits l'équité administrative dont il se réclamait pour choisir et entendre des candidats. Jacques Boutet organise les choses de telle manière que, cette fois, le futur président n'aura aucune audition à subir, aucun projet à présenter, aucune rencontre avec le CSA à supporter. Dans l'état de délabrement où se trouve le secteur public, le pouvoir presse Bourges d'accepter la « mission impossible ». Jacques Boutet s'exécute. Discipline républicaine oblige.

Vers 18 heures, Hervé Bourges arrive tour Mirabeau, ne sachant trop ce qui l'attend. Faut-il préparer un discours, un projet de relance des chaînes, rester vague? C'est le directeur de cabinet de Boutet, Jean-Claude Moyret, qui le reçoit et lui demande d'attendre dans un petit bureau attenant. « Le président Boutet est à l'Assemblée nationale, il ne va pas tarder... » Bourges s'enquiert des autres membres du CSA, qu'il aimerait saluer. « Il n'est pas utile de les voir, dit Moyret, le président va arriver... » Effectivement, une demi-heure plus tard, Boutet parvient à s'extirper des embouteillages parisiens et arrive. Il reçoit Bourges en tête à tête dans son bureau. Dialogue de fous à la Raymond Devos.

« Alors, dit le président du CSA, vous êtes d'accord pour être président?

— Je ne suis pas candidat, annonce le PDG de la Sofirad.

— Mais enfin, si on vous élit, vous êtes d'accord?

— Je suis d'accord. Mais que les choses soient claires : je ne vous ai rien demandé. »

Un quart d'heure plus tard, Hervé Bourges quitte le CSA, sans avoir eu le moindre contact avec le reste du collège (qui ignore sa présence dans les lieux), en empruntant le même chemin discret qu'à l'aller : un monte-charge qui le conduit directement à sa voiture au sous-sol. Cela permet d'éviter les journalistes qui font le pied de grue devant la tour depuis l'annonce de la démission de Guilhaume. A son tour, il se retrouve coincé dans des embouteillages près de la place de l'Etoile, lorsque sa femme lui téléphone : « Cachotier », dit-elle au P-DG de la Sofirad, qui ne comprend pas. La radio vient d'annoncer sa nomination à la présidence de A2-FR3. En effet, il n'a pas fallu dix minutes au CSA, réuni par Jacques Boutet aussitôt après son départ, pour élire, au premier tour, le non-candidat unique. Six voix pour. Trois abstentions.

Signe du désarroi général, Hervé Bourges a carte blanche. Le système de désignation des responsables de l'audiovisuel public a montré ses limites. Il sait qu'il est le dernier recours et peut en jouer. C'est un combattant qui a mille revanches à prendre sur TF1, la chaîne dont Bouygues et la privatisation l'ont fait sortir. Bourges constituera ses équipes comme il l'entend. Il commencera par se séparer de Jean-Michel Gaillard sur A2, tout en conservant Dominique Alduy sur FR3. Non pour le plaisir d'emprunter à l'héritage Guilhaume, mais pour avoir la paix. Le premier front qu'il veut ouvrir, c'est sur A2. C'est en s'appuyant sur cette chaîne qu'il espère repartir à la conquête du terrain et de l'audience empochés par la Une depuis trois ans.

Sitôt nommé, Hervé Bourges doit pourtant freiner ses ardeurs rénovatrices et revoir ses plans. Une déplorable coïncidence de calendrier l'a privé de l'homme et d'une partie de l'équipe qu'il aurait voulus avoir sur A2-FR3. L'homme, c'est son ami et ex-bras droit sur TF1, le directeur de Carat Télévision devenu la coqueluche du Tout-Média, Pascal Josèphe. L'ancien étudiant de l'école de journalisme de Lille vient d'accepter, après de longues hésitations, de prendre la direction générale de la Cinq. Le plus rageant pour Hervé Bourges, c'est qu'en novembre, ne voyant rien venir vers lui en matière de télévision, il s'est résigné à laisser « Pascal », qui lui demandait conseil, partir vers la Cinq. S'il avait su que trois semaines plus tard on lui demanderait de se tenir « prêt » à remplacer Guilhaume...

L'itinéraire de Pascal Josèphe depuis sa sortie de TF1 ne l'a jamais éloigné de Bourges. Leurs rapports sont presque d'ordre filial. Il y a trois ans que l'un et l'autre caressent le rêve de revenir à la télévision, ensemble ou séparément. Bourges est animé par le désir incontrôlé, ravageur, mégalomaniaque selon ses détracteurs, de montrer sa capacité à redresser une grande chaîne, voire deux. Josèphe ne pense qu'à mettre en œuvre sur une antenne tout ce qu'il a autrefois appris sur TF1, et à expérimenter sur le terrain les études qu'il a réalisées à Carat.

Entré dans le groupe de Gilbert et Francis Gross au moment où celui-ci prenait, en tant que centrale d'achat d'espace, le virage de la télévision commerciale, Pascal Josèphe en est devenu la figure de proue médiatique. La puissance des moyens mis à sa disposition, les innombrables enquêtes permanentes sur l'audience, la programmation, le public, les investissements des annonceurs ont fait de lui l'expert qu'on s'arrache.

Certains hurlent à l'esbroufe devant l'accumulation de courbes, de plannings, les listings qui vont de la constatation des effets d'un spot sur une catégorie particulière de foyers au test d'émissions nouvelles en laboratoire audiovisuel, en passant par la prévision « scientifique » des audiences de divers programmes. Carat est devenu la pierre philosophale du marché. Il suffit d'acheter les études et de se les faire commenter par ce brillant jeune homme. C'est sur lui que le groupe Hachette, dès avant son entrée dans la Cinq en mai 1990, avait jeté son dévolu.

C'est l'impossibilité du pari qui, d'une certaine manière, a conduit Josèphe à accepter la direction de la Cinq. L'envie d'en découdre avec le réel, de surmonter le pessimisme des projections. Mieux que personne, Pascal Josèphe a vu, sur ses écrans d'ordinateurs et dans les analyses informatiques, le déclin d'audience de la Cinq, sa paralysie fonctionnelle, son audience fuyante. Au dernier moment, pendant le week-end de la Toussaint 1990, il a préféré refuser, après avoir promis à Jean-Luc Lagardère de venir relancer la chaîne. Mais la crainte de se couper définitivement d'un média qu'il aime, la télévision, en restant dans l'abstraction, l'a fait à nouveau changer d'avis et dire « O.K ». Tout en prévenant que ce serait difficile, compte tenu des lourds engagements pris par Hachette lors de l'audition publique.

Il a dit « oui », puis « non », puis « peut-être », puis « jamais ». Et enfin « d'accord », le 6 novembre. Il dirigera l'antenne et la régie publicitaire de la Cinq sous la présidence d'Yves Sabouret.

Quelques semaines plus tard, fin décembre, Hervé Bourges, nouveau P-DG de A2-FR3, l'appelle. Ils se rencontrent à son bureau de la Sofirad.

« Pascal, dit Bourges, votre place est avec moi sur le secteur public. Venez.

– Je ne peux pas, je viens d'engager dix professionnels pour faire une équipe. Je suis avec la Cinq...

– Venez avec tout le monde, Pascal. Je prends toute l'équipe. Je ne crois pas à l'avenir de la Cinq...

– Si je faisais cela, on m'accuserait de l'avoir tuée. Je sais que ce sera dur, mais je veux essayer.

– Très bien. Nous en reparlerons, si vous voulez... »

Les voici concurrents. En attendant de pouvoir reconstituer une équipe dont il aime à dire qu'elle n'est que « momentanément » dispersée, Bourges décidera de conserver Dominique Alduy sur FR3 et se tournera vers Eric Giuily, un gestionnaire à poigne débauché de Chargeurs SA, où il était directeur.

Peu après sa nomination, Hervé Bourges aura successivement deux déjeuners dont le contenu, rétrospectivement, paraît prémonitoire. Deux propositions de rejoindre un clan. Le premier est celui de Jean-Luc Lagardère. Le P-DG d'Hachette vient proposer au service public un pacte de non-agression avec la Cinq, qui a besoin de « calme et de temps » pour renaître. Il compte sur les liens qui unissent Josèphe et Bourges pour éviter une guérilla de programmation qui serait coûteuse pour tout le monde. Mais il attend surtout du président de A2-FR3 qu'il accepte d'entrer dans une alliance destinée à contrer TF1.

Jean-Luc Lagardère est convaincu que si la Cinq et le secteur public s'unissent, la Une descendra au-dessous du seuil fatidique de 40 % de part de marché. A partir de là, lui a expliqué Pascal Josèphe, TF1 ne bénéficiera plus de son actuelle « prime au leader » en matière d'investissements publicitaires. TF1 est bien plus fragile qu'on ne le croit. C'est une chaîne qui fait des bénéfices dérisoires. Le moindre affaissement de son audience peut être fatal, non à son existence, mais à l'équilibre de ses comptes. Avec TF1 sous la barre des 40 %, ce sont les autres chaînes qui ramasseront le « différentiel » publicitaire. Argent avec lequel elles pourront investir encore davantage dans leurs programmes et pousser plus loin l'érosion de la Une...

Séduisante théorie, qui n'emballe pourtant pas Hervé Bourges. Ce que le P-DG de A2-FR3 veut, c'est tracer sa propre voie. Il ne veut pas prendre parti dans ce conflit. Tout comme il refusera de rester neutre dans la polémique sur la réglementation. La Cinq et M6 réclament à cor et à cri le retour de la seconde coupure publicitaire. Bourges est contre et le fera savoir. Une deuxième coupure sur les chaînes commerciales ne pourra qu'inciter les annonceurs à déplacer leurs budgets vers la Cinq et M6, au détriment des chaînes publiques.

L'autre déjeuner d'Hervé Bourges, fin 1990, a lieu en compagnie de Francis Bouygues et Patrick Le Lay. Le principal actionnaire et le P-DG de TF1 affirment vouloir continuer à entretenir d'excellentes relations avec un secteur public qui ne leur fait pas d'ombre. C'est une reprise de contact diplomatique avec cet ex-P-DG de TF1 qui connaît si bien la Une, ses forces, ses faiblesses, et dont ils préfèrent se méfier et l'amadouer plutôt que de l'avoir comme adversaire acharné. Avec conviction et chaleur, Bouygues et Le Lay offrent à leur tour à Bourges une sorte de pacte de non-agression. Ils n'ont rien contre A2 et FR3. Tout le monde doit vivre.

Tout le monde, sauf la Cinq.

Les dirigeants de TF1 ne s'en cachent pas. L'attribution à Hachette n'est qu'une « connerie » de plus dans la longue liste du CSA. Mais celle-ci coûte trop cher à TF1. La Cinq va disparaître de la carte audiovisuelle, c'est certain. Mais tant qu'elle est là, elle oblige TF1 à la vigilance, à maintenir un niveau de dépenses élevé. Ce grand blessé qui n'en finit pas de mourir gêne la rentabilité de la Une. L'ennemi, « c'est la Cinq », disent Bouygues et Le Lay. Il faut en finir. La tuer pour de bon. L'achever. Si seulement TF1 et le secteur public pouvaient se donner la main, ça irait plus vite.

Bourges décline toute alliance de cet ordre. Mais il a compris le message. La Cinq ne passera pas la saison 91. TF1 va organiser un tel festival permanent de spectacles à grande audience que la Cinq n'aura pas grand-chose à se mettre sous la dent. Comme Bourges a l'intention de dépoussiérer le secteur public de la même manière, cela signifie qu'il ne restera rien du tout.

Hachette n'a pas une chance de s'en tirer. Même en obtenant un allègement de la réglementation.

Hachette fonce dans un mur.

CHAPITRE XVI

Naufrage sous contrôle

Ces fauteuils d'un bois blond dur et sec sont un cauchemar pour les reins, les coudes et le postérieur, mais on ne peut pas s'en servir pour un feu de cheminée. Ils sont signés d'une styliste réputée et Georges Kiejman les a trouvés en arrivant. Dans ce bureau qu'occupait Catherine Tasca, rue Saint-Dominique, avant qu'il ne la remplace en tant que ministre délégué chargé de la Communication. C'est Catherine Tasca qui avait commandé ce mobilier dont l'inconfort austère devait sans doute convenir à son image de femme à principes, rigoureuse.

Prévenant, Georges Kiejman prend soin d'avertir ses visiteurs d'un : « Attention, c'est un peu dur... », comme pour se le rappeler à lui-même. Mais l'homme qu'il reçoit, ce samedi 7 septembre 1991 au matin, ne craint pas de vivre « à la dure », et, à côté de ce qu'il connaît sur la Cinq depuis six mois, les fauteuils de Georges Kiejman sont des coussins orientaux.

« Alors, demande le ministre inquiet des rumeurs sur la Cinq, où en êtes-vous ?

– Quoi qu'il arrive, répond Jean-Luc Lagardère, j'ai tout prévu. La situation est sous contrôle. J'ai provisionné. Je peux tenir au moins deux ans ! »

Georges Kiejman observe Lagardère et se dit que ce chef d'entreprise est décidément très serein. Voilà un homme d'affaires international avec une chaîne de télévision qui ne décolle pas sur les bras et qui est sûr de lui. Cette confiance en soi fait plaisir à voir. Elle fait mentir ces bruits qui courent à Paris sur l'échec patent et définitif de la Cinq. Le ministre en est réconforté. La résolution combative du P-DG d'Hachette, son ton offensif et déterminé, tout cela montre que la Cinq a un vrai capitaine d'industrie à sa tête et un grand avenir devant elle, n'en déplaise à « Jack »...

C'est pour « faire le point » que Jean-Luc Lagardère et Georges Kiejman se rencontrent début septembre 1991. Faire le point, et envisager des solutions à une crise audiovisuelle aiguë. Depuis le début de l'année, la tension est encore montée de quelques crans sur la question de la réglementation. Mais l'approche de la date à laquelle entreront en application les décrets « Lang-Tasca » sur les quotas n'explique pas à elle seule la rébellion qui gronde dans toutes les chaînes. Ce qui, de longues années durant, est resté un malaise prend l'allure d'un drame. Le système ne fonctionne plus. Il étouffe. Il râle. Il se traîne. Il cale.

Ce ne sont plus des avertissements, mais une réalité multiple et sinistre. A l'exception de Canal Plus, qui avec ses plus de trois millions d'abonnés, son chiffre d'affaires de 7 milliards de francs et son bénéfice net de 1 milliard de francs, poursuit sa brillante carrière française et européenne, l'audiovisuel français tient de la cour des miracles à paillettes. Côté pile, TF1 chante et rit en se maintenant à 42 % de part de marché mais, côté face, c'est une chaîne qui dégage à peine 300 millions de francs de profit, en dépit de ses 6 milliards de chiffre d'affaires. A mi-parcours des dix ans d'autorisation d'exploiter TF1 qui leur ont été accordés c'est là, pour ses actionnaires, un résultat ridiculement mince.

Le secteur public ne se porte pas mieux. A peine installé, Hervé Bourges a dû se battre pour obtenir de Michel Charasse, ministre du Budget, la rallonge budgétaire de 1 milliard indispensable pour éviter l'effondrement de A2. Il ne l'a obtenue qu'en s'engageant à appliquer un plan de restructuration draconien. Mis au point au printemps 1991, ce plan prévoit près de neuf cents suppressions de postes en tout sur les deux chaînes, dont il projette également de rénover les noms et les logos [1]. Une saignée qui, cette rentrée, vaut à Bourges et aux directeurs généraux des deux chaînes, Eric Giuily et Dominique Alduy, leurs premiers préavis de grève. M6 n'est plus exactement une « petite » chaîne mais, malgré ses 8 % de part de marché, elle continue à perdre de l'argent et cumule depuis sa création un déficit de plus de 1 milliard et demi de francs. Quant à la Cinq... Le temps n'est plus aux incantations, mais aux constats.

Sitôt après être devenu l'opérateur officiel de la Cinq, Jean-Luc Lagardère a décidé de procéder comme il le fait toujours. Il a nommé des dirigeants et leur a donné un an pour obtenir les résultats escomptés. Une fois leurs équipes constituées, Yves Sabouret et Pascal Josèphe se sont donc attelés à la tâche. Mais la grille généraliste

1. Ce sera France 2 pour A2; France 3 pour FR3.

qui, à partir d'avril 1991, devait tailler des croupières à TF1 s'est avérée un échec. La plupart des émissions n'ont pas trouvé leur public, elles ont déconcerté l'audience traditionnelle de la Cinq « tout séries ». Sabouret et Josèphe ont dû revoir leurs plans, alors que de nouvelles difficultés se greffaient sur ce premier échec.

Dès mai 1991, la presse écrite et audiovisuelle a constaté et subi le fait que la « relance » économique espérée au lendemain de la guerre du Golfe n'était pas au rendez-vous. Les annonceurs qui avaient gelé leurs budgets pendant les hostilités ne les ont pas décongelés après la défaite irakienne. La guerre a enrayé le mécanisme des investissements publicitaires. La paix, contrairement à la logique habituelle du marché, n'a pas rétabli la confiance. Dommageable pour tous les secteurs, cette stagnation publicitaire l'est doublement pour les chaînes de télévision qui ont dû faire face à d'importantes dépenses pour « couvrir » cette crise-conflit du Golfe qui a duré près de huit mois.

L'effort budgétaire de la Cinq au cours de cette période ne lui a rien rapporté. Globalement, l'audience et la part de marché de la chaîne s'érodent avec constance depuis le printemps 1989... Sans reprise des recettes publicitaires, sans succès de la grille, sans remontée de l'audience, Yves Sabouret et Pascal Josèphe ont décidé de poursuivre les efforts pendant l'été 1991 et de « mettre le paquet » sur la rentrée. Fondant tous leurs espoirs sur une grille rénovée, une relance publicitaire et un sursaut du public en faveur de ce qui serait une alternative à l'« hégémonie » de la Une.

Au cours de ce printemps d'après guerre le gouvernement a changé. En mai 1991 Edith Cresson a succédé à Michel Rocard. Le changement de Premier ministre a mis fin aux espoirs de Catherine Tasca de redresser son domaine. Elle quitte la Communication pour la Francophonie sans avoir vu aboutir ses timides tentatives d'assouplissement de la réglementation. Si timides qu'elles sont presque passées inaperçues. Mais, c'est un fait, Catherine Tasca a essayé, sur le tard, de mettre un peu d'eau dans le vin des quotas et de la coupure publicitaire unique.

Pendant l'hiver, et jusqu'en avril 1991, elle a multiplié les rencontres avec quelques dirigeants de chaînes, dont Albert Mathieu pour Canal Plus et Pascal Josèphe à la Cinq, mais ausi des producteurs... Ceux-ci l'avaient progressivement convaincue que les règles françaises étaient intenables, car elles interdisaient totalement à la télévision commerciale française d'être rentable. Parce que le *statu quo* était impossible, et pour tendre vers une harmonisation avec la législation audiovisuelle européenne, Catherine Tasca avait commencé à travailler sur une amorce d'aménagement des contraintes... Ses chances d'y parvenir étaient minces, compte tenu, entre autres, de l'opposition irréductible de Jack Lang à tout assouplissement. « On ne touchera à rien », lui a dit cent fois le ministre de la Culture et de la Communication, allergique aux récriminations des chaînes et craignant par-dessus tout de se fâcher avec les auteurs et créateurs qui militent pour un durcissement des règles... Puis le remaniement ministériel est intervenu, accordant pleins pouvoirs sur la Communication à Jack Lang et substituant Kiejman à Tasca.

Le meilleur « second » avocat de France n'avait pas davantage de titres à devenir ministre de la Communication qu'à présider A2-FR3, mais François Mitterrand est ainsi, il n'abandonne pas ceux qui croient en lui et leur trouve toujours un lot de consolation s'ils ont échoué sur un projet. Quitte à placer un néophyte irrésistible et cultivé là où il faudrait un chirurgien audacieux ou un proconsul. Trois jours après avoir été recalé à l'oral du CSA en août 1989, son téléphone avait sonné. « Bonjour, ici le président de la République... », avait fait une voix bien connue, ou trop bien imitée, s'était dit Georges Kiejman en s'écriant : « Arrête tes conneries Jean-Denis ! », persuadé que son confrère et ami Jean-Denis Bredin lui faisait une blague devenue traditionnelle entre eux. Erreur... C'était bien François Mitterrand, qui invitait Georges Kiejman à passer le week-end du 15 août à Latche, histoire d'oublier les désagréments de cette maudite semaine et la victoire de Philippe Guilhaume.
Depuis, Mᵉ Kiejman est devenu plus proche encore de ce Président compatissant qui panse les plaies de ceux qui souffrent auprès de lui. Avec son numéro de charme woody-allenien, la manière dont il s'est pris les pieds dans le tapis de la présidence commune et ce côté « Casanova raté » qu'il revendique, Georges Kiejman amuse et fait sourire François Mitterrand. De promenade parisienne en pèlerinage de Pentecôte à Solutré, il est devenu ministrable. Il entre d'abord au gouvernement dans le sillage d'un garde des Sceaux, Henri Nallet, avec lequel il ne s'entend pas, et en mai 1991 on lui avance le siège de Catherine Tasca aux côtés de Jack Lang. Georges Kiejman a accepté, déçu cependant de n'avoir pas obtenu, comme il l'espérait, le seul ministère qu'il serait heureux de diriger, celui de la Culture. « Si jamais Jack Lang souhaite changer de portefeuille, et seulement à cette condition », avait-il dit au Président à la veille du remaniement, il « prendrait bien » la Rue de Valois. Mais Jack Lang n'a pas bougé. Kiejman s'est donc contenté de la Rue Saint-Dominique, où, pendant trois bons mois, il lui a d'abord fallu se plonger dans les

dossiers pour prendre connaissance, superficiellement, car le temps lui manque, d'un secteur en chantier depuis dix ans.

Comme toute personne sensée découvrant le régime kafkaïen et l'histoire abracadabrante de la non-politique audiovisuelle du pays, Georges Kiejman a jugé bon de se déclarer favorable à un « certain assouplissement » des règles. Ceci dans un discours prononcé à Carcans-Maubuisson en août 1991. Mal lui en a pris. Cette ouverture, du bout des lèvres d'un ministre *délégué,* a plongé Jack Lang dans une colère sans nom. Pendant une semaine, il a reproché à Georges Kiejman cette initiative hasardeuse sur laquelle l'avocat avait commis l'insigne impair de ne pas le consulter auparavant. Les deux hommes sont pourtant amis mais, là, le ministre délégué a outrepassé ses droits et ses devoirs. Il a marché sur les plates-bandes sacrées d'un Jack Lang pour qui il n'y aura lieu de se réjouir que lorsque la Cinq et M6 se marieront ou disparaîtront faute d'avoir respecté la réglementation. Depuis quatre ans, Jack Lang attend que justice soit rendue à la Culture et à la Musique. Qu'une des deux chaînes meure et un réseau sera enfin disponible pour faire renaître la chaîne musicale pour les jeunes. La Cinq et M6 sont au bout du rouleau, ce n'est vraiment pas le moment de faire du secourisme...

La profondeur du ressentiment de Lang, Georges Kiejman l'a mesurée peu après son retour de Carcans. En apprenant qu'un Jack Lang furieux avait écrit à François Mitterrand pour se plaindre du manque de loyauté de Georges Kiejman à son égard et demander au Président de l'informer au cas où la ligne du Gouvernement aurait « changé » en matière d'audiovisuel... Puis, abandonnant le langage diplomatique, Lang a passé un savon à Kiejman et l'a prié de le laisser définir les orientations « nécessaires ».

Celles-ci se réduisent à deux principes : pas un geste sur la réglementation, pas un assouplissement des quotas, pas de seconde coupure publicitaire tant que la Cinq et M6 ne seront pas mariées. Rien.

C'est aussi pour parler de cette réglementation et de la situation de la Cinq que Jean-Luc Lagardère et Georges Kiejman se rencontrent ce samedi 7 septembre. Le ministre sonde les intentions du P-DG de Matra-Hachette. Ne lit-on pas dans la presse que la Cinq connaîtrait en 1991 un déficit supérieur à 800 millions de francs, soit le double de ce que les projections les plus pessimistes prévoyaient en octobre dernier? Si ce chiffre est exact, c'est un déficit cumulé de plus de 3 milliards de francs qu'aura atteint la chaîne à la fin de l'année. Le groupe opérateur, Hachette, pourra-t-il faire face? Très ferme, sans l'ombre d'une hésitation, Jean-Luc Lagardère précise à Georges Kiejman qu'il ne faut pas accorder foi aux élu-cubrations de la presse. « Hachette va réussir son pari sur la Cinq. C'est moins facile que je l'espérais parce que, en effet, la conjoncture générale est mauvaise. Mais j'ai tout prévu, réaffirme-t-il... Et si ça ne marche pas, eh bien dans deux ans on renoncera au format généra-liste et on se tournera vers une programmation type M6... » Lagar-dère est si convaincant. Il semble si fort. Hachette n'est-il pas l'un des premiers groupes mondiaux de la communication ? Si Lagardère dit qu'il ne peut échouer, pourquoi forcer le destin par une associa-tion avec M6 que « Georges », à la différence de « Jack », ne sent pas indispensable ? Du coup, Georges Kiejman reste avec son incitation à un mariage Cinq-M6 au fond de sa poche.

L'assurance de Jean-Luc Lagardère frise l'aveuglement. Plus d'un an après les premiers pas de son groupe dans la Cinq, le patron d'Hachette n'a toujours pas pris la mesure du fardeau dont il a déchargé Robert Hersant. Il a vu le ratage de la nouvelle grille d'avril, il a lu les notes inquiétantes que lui ont adressées certains des cadres du groupes, dont Jacques Lehn, attirant son attention sur les risques de dérapage du déficit mais, confiant, optimiste, il veut croire en sa chance. Il croit en Yves Sabouret et en Pascal Josèphe pour déjouer le sort et vaincre ce qu'il faut bien appeler les réticences du public à se tourner massivement vers les programmes de la Cinq.

Par contre, ce que Jean-Luc Lagardère n'admet pas, c'est que Matignon lui ait fait comprendre à l'automne 1990, sans rien pro-mettre cependant, que la réglementation évoluerait favorablement, et qu'il ne se passe rien. Il l'admet d'autant moins que le nouveau Pre-mier ministre, Edith Cresson, une amie, et son conseiller spécial, Abel Farnoux, sont favorables à l'allègement des contraintes. Alors, qu'attend-on pour desserrer l'étau ? Qu'attend Jack Lang, ce ministre dont il n'arrive pas à savoir quand il dit vrai et quand il joue la comé-die, qui l'a assuré en tête à tête de sa sympathie pour l'entreprise de redressement de la Cinq et proclame à la ronde que cette chaîne lui sort par les yeux ? On voit bien qu'en esprit politique Lang gère sa carrière et non des affaires économiques, s'irrite Lagardère. Ces gens-là sont fascinants de culture, de politesse, débordent de bonnes intentions, mais pour diriger des entreprises... « c'est autre chose ! ».

Comme Jacques Chirac, tiens, avec lequel il a bien failli se fâcher en reprenant la Cinq. « Attention, a dit le maire de Paris à Jean-Luc Lagardère qu'il croisait dans un cocktail chez Lenôtre au moment de l'audition au CSA, si tu as la Cinq, tant mieux pour toi. Mais c'est un cadeau des socialistes, tu fais le jeu de Mitterrand, alors, quand on reviendra... » Chirac était en colère. Lagardère aussi, qui avait rétorqué : « C'est bien que tu me dises cela, je comprends maintenant que si je n'ai pas eu TF1, c'est que tu avais décidé de préférer Bouygues... » Aigreurs et excès de paroles oubliés par l'un et l'autre deux jours plus tard. Mais symptomatiques de cette appropriation perpétuelle de la télévision par le politique.

La volonté de damer le pion à TF1 et de taquiner Bouygues place Lagardère dans un cocon d'irréalité. Yves Sabouret et Pascal Josèphe ont, eux aussi, leurs raisons de vouloir en remontrer à TF1. Mais, en septembre 1991, les résultats ne sont toujours pas au rendez-vous. Après deux semaines de frémissement d'audience à la rentrée, la Cinq est revenue à un encéphalogramme plat, autour d'un maigre 11,5 %. Les efforts financiers consentis pour la grille d'automne risquent de l'avoir été pour rien.

Plus préoccupantes sont les premières révélations qui paraissant dans la presse sur le fait qu'Hachette pourrait devoir supporter bien davantage que sa quote-part de 25 % du déficit de la Cinq. C'est peut-être le double, voire davantage, qu'il lui faudra « couvrir ».

Soulagés, mais pas surpris, les dirigeants des autres chaînes constatent le naufrage de la Cinq généraliste. A TF1, la jubilation est de mise. « Jean-Luc, on va le ruiner ! », arrive-t-il à Francis Bouygues de « plaisanter » bruyamment lorsque ses interlocuteurs évoquent la bataille frontale engagée par Lagardère contre la Une. « Ils vont se casser la gueule avant la fin de l'hiver, pronostique Hervé Bourges ; c'est triste et dommage pour Pascal ; ils sont foutus. » Mais c'est à M6 qu'on se « félicite » le plus de ne pas avoir commis « l'erreur fatale » de s'associer avec une Cinq « en route pour la faillite ».

Ce ne sont pourtant pas les pousse-au-crime qui ont manqué, avec, au premier rang d'entre eux, le président du CSA, Jacques Boutet, qui n'a eu de cesse, depuis l'attribution de la Cinq au groupe Hachette, de contraindre M6 à se fiancer avec elle. Usant à l'occasion de moyens de pression qui font s'interroger sur l'étendue du concept de « libre entreprise » dans les murs du CSA, s'agissant de chaînes commerciales. Ainsi, ironique coïncidence de calendrier, au jour et à l'heure même où Philippe Guilhaume démissionnait (le mercredi 19 décembre 1990), Jacques Boutet avait convoqué dans son bureau les dirigeants de la Cinq et de M6 pour leur demander expressément de ne plus se contenter de vains mots mais de s'engager « par écrit » à se rapprocher.

Il ne suffisait pas au président du CSA d'avoir confié la Cinq aux bons soins d'Hachette, sauvant par là le CSA d'un examen de conscience sur l'état de l'audiovisuel en général et de la hantise d'un écran noir en particulier. Il lui fallait absolument faire la preuve, fût-ce par l'absurde addition de deux déficits, que le CSA était parvenu à constituer ce fameux « pôle » face à TF1. Raisonnement politique dans lequel il était soutenu par le pouvoir qui, au nom sans doute de la même « liberté » des entreprises, souhaitait et souhaite encore l'accouplement des deux chaînes. Comme la Cinq et M6 traînaient les pieds, leurs patrons (Sabouret, Josèphe, Drucker, Tavernost) s'étaient donc vus sommés, l'après-midi de ce mercredi agité, de déclarer leur flamme fictive « sur du papier ». Ce chiffon en main, le président du CSA aurait eu le sentiment d'avoir contribué à l'édification d'un monde meilleur. Pour cause de démission « surprise » de Guilhaume, la réunion avait tourné court...

Quelques jours plus tard, fin décembre, furieux de voir que ce rapprochement ne s'opérait toujours pas, Jacques Boutet avait employé un autre langage. La Cinq et M6 sollicitant des émetteurs pour augmenter la couverture de leurs réseaux respectifs, le CSA adoptait au cours de sa dernière séance plénière de l'année 1990 le principe du lancement d'appel d'offres pour l'ouverture de nouveaux émetteurs... Mais dans des conditions d'inéquité flagrante.

Jusqu'alors, toute ouverture de nouveau site d'émission profitait aussi bien à la Cinq qu'à M6, leurs réseaux progressant un peu en parrallèle. Cette fois, seule la Cinq bénéficierait de cette extension de réseau. Jacques Boutet avait fait comprendre aux dirigeants de M6 qu'ils n'obtiendraient des émetteurs qu'après avoir « écrit et signé » un engagement de rapprochement avec la Cinq ! « C'est nouveau, ça vient de sortir du CSA, c'est le chantage aux émetteurs ! », s'étaient insurgés Jean Drucker et Nicolas de Tavernost. Contraints finalement de signer le 12 janvier 1991 un « Protocole pour un développement concerté de la Cinq et de M6 ». Protocole sans la moindre valeur, mais qui permettait au CSA de se poser en artisan d'un rapprochement qui n'aurait jamais lieu. Mais on se reverrait. Le « rapprochement » n'était-il pas un des engagements pris par Jean-Luc Lagardère à la demande de Jacques Boutet ?

Engagement de pure forme, comme tant d'autres. Deux heures après avoir empoché son diplôme d'opérateur, Hachette l'avait déjà oublié, et M6 aussi, reprenant chacune le jeu de la concurrence. Et, plus fort encore que le CSA ne pouvait l'imaginer, se disputant hommes et programmes avec rage. Mais aussi avec ingéniosité mercantile. Le cas de Jean Mino, responsable de la programmation de M6, en atteste. Une semaine après l'audition d'Hachette, M6 avait découvert que la Cinq lui offrait double salaire.

« Mino a un contrat et il comporte une clause de non-concurrence », avait invoqué M6. Hachette l'avait relancé. M6 avait alors imposé à la Cinq un troc inédit à la télévision française. Jean Drucker et Nicolas de Tavernost avaient remarqué dans le catalogue Berlusconi deux séries qui conviendraient au public de M6. Si la Cinq voulait Mino, elle n'avait qu'à céder les droits de diffusion de ces séries à M6.

D'abord surpris, Sabouret et Josèphe avaient fini par accepter. C'est ainsi que la clause de non-concurrence a été levée en échange de quelques dizaines d'épisodes de « Supercopter » et de « Mission Impossible [2] ».

Concurrence ou pas, harmonie financière ou non, quelle importance? Le pouvoir se moque de ces détails. Il veut ce rapprochement et il tentera de l'imposer. C'est ce qu'il fait aux derniers jours du mois de septembre 1991 en convoquant un matin chez Jack Lang, rue de Valois, les principaux actionnaires de la Cinq et de M6. L'initiative de cette réunion revient au ministre de la Culture et de la Communication. Outre Jack Lang, il y a là Georges Kiejman, Abel Farnoux pour le Gouvernement et, côté chaînes, Jean-Luc Lagardère, Jérôme Monod et Gaston Thorn.

Le souhait, l'exigence polie formulée par les membres du Gouvernement est que les deux chaînes s'associent. Au cours de cette réunion, Georges Kiejman et Jack Lang ne reconnaissent plus Lagardère. Ce n'est plus le même homme. Les mauvais résultats de la rentrée sont passés par là et le patron d'Hachette, à la surprise du gouvernement, plaide avec chaleur pour un accord avec M6. Jean-Luc Lagardère est inquiet, fébrile, il donne l'impression d'être en très mauvaise posture. Il l'est. Car il commence seulement à voir le « mur » sur lequel fonce la chaîne et le caractère irréversible des engagements pris. L'année-laboratoire de répit qu'il a donnée à Sabouret et Josèphe touche à sa fin. Non seulement les objectifs ne sont pas atteints, mais les dépenses sont beaucoup plus élevées que prévu, et les recettes beaucoup plus faibles qu'envisagé. La Cinq ne pourra plus continuer longtemps. Il faut faire quelque chose, maintenant, vite. Pourquoi pas une entente avec M6?

Comme le gouvernement, Jean-Luc Lagardère est maintenant demandeur. Il se dit prêt à une association capitalistique, il veut bien étudier, comme le souhaite Lang, la création d'une structure juridique commune aux deux chaînes... Mais ses propos tombent à plat. En face, la Lyonnaise des eaux et la CLT, que représentent Monod et

2. La transaction a fait l'objet d'un courrier la régularisant, le 10 décembre 1990, sur la base d'un tarif de 63 000 francs l'épisode.

Thorn, ne veulent pas de ce mariage et le font savoir. Gaston Thorn, ancien chef du gouvernement luxembourgeois, s'étonne légitimement de la hardiesse avec laquelle le gouvernement français se mêle de dire à des entrepreneurs privés ce qu'ils doivent faire ou ne pas faire.

En tant qu'actionnaires de M6, chaîne qui voit enfin le bout de son tunnel, la Lyonnaise et la CLT n'ont évidemment aucun intérêt à épouser, simplement pour faire plaisir à deux ou trois ministres de passage, une télévision qui traîne un boulet de 3 milliards de déficit. Pour M6, le temps a fait son œuvre et le public a tranché. La Cinq décline. La Six tient la route ; elle a tout à perdre en s'encombrant d'Hachette. Au contraire, sa stratégie ne peut plus être, cyniquement, que de miser à son tour sur la disparition de la Cinq. C'est ce qu'elle fait. Au fil des ans, le rapport de forces entre la Cinq et M6 s'est modifié. Il pourrait bien s'inverser. A deux points d'audience près, la « petite » dernière fait jeu égal avec la chaîne d'Hachette. Non au mariage, disent donc Monod et Thorn.

Le Gouvernement reste avec son exigence sur les bras. Lagardère voit les portes de la CLT et de la Lyonnaise se fermer à double tour. « C'est du temps perdu », dit Abel Farnoux à Georges Kiejman en sortant de cette réunion. Le conseiller spécial d'Edith Cresson ne se fait pas d'illusions sur l'avenir de la Cinq.

Le compte à rebours a commencé.

Une semaine plus tard, le 1ᵉʳ octobre 1991, une ultime entrevue entre la Cinq et M6 a lieu rue de Presbourg, dans le bureau du directeur général d'Hachette, Jacques Lehn. L'atmosphère est tendue. Depuis l'échec de la rencontre rue de Valois, les banques qui aident Hachette en avançant l'argent pour le fonctionnement de la Cinq ont manifesté leurs craintes. Elles souhaitent une initiative, un sursaut, un accord. Mais le P-DG de M6, Jean Drucker, tout comme le directeur de la Lyonnaise des eaux, Guy de Panafieu, restent sur la ligne adoptée par Thorn et Monod : non à une une prise de participation dans le capital de la Cinq.

« Prenez vos responsabilités, dit Jacques Lehn, pour ce qui nous concerne vous comprendrez que je ne peux pas continuer à laisser dire, sans rien faire, que nous allons vers 1 milliard de déficit cette année. Nous devons réagir... »

Faute d'accord avec M6, la « réaction » d'Hachette consiste à envisager de renoncer au format généraliste. La concurrence frontale avec TF1 a été une erreur stratégique majeure, admet le groupe de Jean-Luc Lagardère. C'est M6 qu'il faut attaquer sur son terrain, celui des fictions américaines et de la musique. Le message qu'Hachette fait passer à la Six au cours de cette réunion est dépourvu d'ambiguïté : la Cinq va se repositionner en « M5 ». C'est une déclaration de guerre.

Peu après, dans une lettre confidentielle adressée aux actionnaires de M6, datée du 16 octobre 1991, Hachette confirme ses intentions :

L'absence d'engagements concrets de la part du gouvernement [sur l'assouplissement des règles] *et les incertitudes du marché publicitaire pour 1992 ont convaincu le groupe Hachette que face à cette situation il fallait mettre en place une stratégie dynamique et offensive. C'est pourquoi nous vous avons proposé de mettre en œuvre un dispositif de rapprochement structurel de la Cinq et de M6, en vue d'aboutir très rapidement à une gestion commune ainsi qu'à la mise en place d'une régie commerciale unique... Au cours des récentes conversations, vous nous avez fait connaître que tel n'était pas votre point de vue... Le groupe Hachette va donc réfléchir à une stratégie alternative qui conduira, inévitablement, à des risques de confrontation... 1992 risque d'être une année sévère pour les chaînes qui représenteront moins de 10 % du marché et dont la viabilité économique sera difficile...*

C'est un ultimatum sans frais à la « petite », qui ne « pèse » que 8 % du marché. Il est reçu avec l'humeur qu'on imagine à la Lyonnaise comme à la CLT, et la réponse ne se fait pas attendre.

La politique du tout ou rien que vous préconisez, écrivent-elles en retour à Hachette, *ne nous semble ni réaliste ni possible. Pas réaliste parce qu'elle ne prend pas en compte les orientations des actionnaires de M6 en matière d'investissement. Pas possible parce que l'agrément donné au groupe Hachette par le CSA, en octobre 1990, précisait que devait intervenir un accord portant notamment sur la complémentarité de programmation entre la cinquième et la sixième chaîne.*

En clair, M6 botte en touche et prend Hachette, le CSA et le Gouvernement à leur propre piège. Ils ont soumis l'octroi de la Cinq « généraliste-familiale-haut de gamme » à Lagardère à cette histoire d'harmonisation du pôle privé. Voilà qui interdit aujourd'hui à la Cinq de renoncer à ses engagements « généralistes », sauf à voir CSA et Gouvernement se déjuger une nouvelle fois. Et alors la preuve serait faite qu'on a voulu tuer M6 !

En attendant, on commence à avoir la preuve de l'ineptie des raisonnements qui ont conduit les mêmes, CSA et Gouvernement, à laisser Hachette reprendre la Cinq. C'est ce que Jack Lang pourrait appeler la « pédagogie des incohérences ».

Le jeudi 31 octobre 1991 se tient un conseil d'administration de la Cinq. Les comptes arrêtés pour le premier semestre font apparaître un déficit de 495 millions de francs. En toute logique, c'est bien vers le milliard de pertes que s'achemine la chaîne cette année. Au cours de ce conseil, le représentant du Crédit Lyonnais s'interroge sur les prévisions de pertes globales pour la fin 1991. En mettant bout à bout le déficit des années précédentes, les dernières augmentations de capital et les avances faites sur compte courant, le trou financier ne sera pas inférieur à 3,5 milliards de francs!

Ce sont des mesures d'extrême urgence qui s'imposent.

S'il en est encore temps.

CHAPITRE XVII

Tombent les masques

Vient la Toussaint. Le temps est aux chrysanthèmes, à la buée sur les vitres et à la dépression. A la Cinq aussi. A son bureau, Yves Sabouret rédige une note de synthèse à l'attention de Jean-Luc Lagardère. Une note sur l'engrenage impitoyable où s'est enfermé Hachette et qui propose trois scénarios de sortie de crise. L'engrenage, c'est que la relance économique ne s'« est pas produite, que les investissements publicitaires restent à marée basse, que l'audience n'est définitivement pas au rendez-vous de la Cinq. On pourrait spéculer longuement sur le point de savoir qui est responsable, les mauvais programmes, les erreurs de grille, la grosse artillerie des émissions de TF1, ou les téléspectateurs ? Mais cela ne serait plus d'aucune utilité... L'année 1991 est fichue. Et il est maintenant clair, c'est cela le plus angoissant, que la suivante, 1992, ne sera pas la meilleure.

La Cinq est dans un cul-de-sac audiovisuel.

Son P-DG, Yves Sabouret, ne voit donc que trois solutions. Hachette ne peut plus continuer seul dans cette aventure sans mettre en péril le reste du groupe, dont les affaires ne sont pas toutes florissantes. La première des solutions consiste à rechercher à tout prix une alliance avec des partenaires solides, financièrement armés pour aider la Cinq à passer le cap de cette crise. La seconde, indique le P-DG dans sa note, doit être jumelée avec la première : il s'agit de concevoir un plan d'économies drastiques pour la chaîne. Ce plan ne peut passer que par une réduction sensible des effectifs et des dépenses en matière d'information.

La troisième hypothèse mentionne, pour la première fois, la possibilité d'un retrait d'Hachette de la Cinq. Raisonnement : mieux vaudrait se couper le bras que mettre en danger la maison mère. Sans la réalisation effective des *deux* premiers points, il est « inutile » d'aller affronter l'année 1992.

Début novembre 1991, Jean-Luc Lagardère reçoit cette note. Dans les jours qui suivent, deux contacts se nouent. L'un avec Canal Plus, l'autre avec TF1.

Jean-Luc Lagardère rencontre André Rousselet le 8 novembre. Sabouret voit Lescure. C'est une nouvelle impasse. Mais qui pourrait ne pas en être une, leur fait-on comprendre en langage crypté, si Hachette y mettait du sien... La situation de la Cinq est trop noire pour que Canal Plus investisse. Ce serait à fonds perdus. En revanche, croient décoder Lagardère et Sabouret, la chaîne à péage serait prête à prendre 15 % ou 20 % de la Cinq et à lui donner un coup de main en échange d'une place dans le groupe Hachette. Rien n'est aussi concrètement formulé, mais c'est l'esprit du dialogue entre Rousselet et Lagardère. Dialogue sans suite. Canal Plus prétendant n'être intéressé à rien de l'empire Hachette qui lui-même se défend de vouloir vendre Europe 1 ou ses magazines les plus convoités, comme *Télé 7 Jours.*

Mais, entre-temps, des discussions beaucoup plus approfondies et confidentielles sont engagées, le 6 novembre, avec le P-DG de TF1, Patrick Le Lay. Comme le reste des médias, TF1 est alors sous le choc de la mort mystérieuse de Robert Maxwell. Le corps de « Captain Bob » a été retrouvé en mer, le 5 novembre 1991, non loin de son yacht. Sa mort déclenche une série d'enquêtes dont il ne tardera pas à ressortir que les affaires de Maxwell, qu'on savait quelque peu opaques, sont à la limite de l'escroquerie internationale.

En patron d'un groupe qui ignore ce qu'ont été l'histoire et la stratégie souterraines de TF1 et de Bouygues, Jean-Luc Lagardère met sa tête dans la gueule d'un nouveau loup. Ne sachant rien de ce qu'a été la longue valse-négociation de TF1 avec Berlusconi pendant tant d'années, dont le seul but était de casser l'actionnariat de la Cinq ou d'en faire une colonie exploitable à merci en « second marché », le patron d'Hachette accueille presque avec joie l'ouverture de conversations avec la Une. « Presque », car il n'est pas simple pour l'orgueil de Jean-Luc Lagardère de se résigner à solliciter, ou à accepter, l'aide d'un groupe qui lui a valu sa plus douloureuse défaite, celle de 1987. Hachette et la Cinq voulaient contrer Bouygues, mais les voilà en situation d'être secourus par l'ennemi. Ou de recevoir de nouveaux coups de sa part...

Commence alors une étonnante période de négociations et de faux espoirs, entretenus avec un art consommé de la feinte par TF1. Bien évidemment, Patrick Le Lay ne refuse pas de discuter avec Hachette, il en est même d'une certaine manière demandeur. Comment ne le serait-il pas ? Cela fait maintenant cinq longues années qu'il attend cette heure. Cinq ans à espérer neutraliser ou absorber la concurrence. Et la voici qui s'offre à lui. C'est la plus belle fin de partie qu'on puisse imaginer. Dans quelques semaines, Hachette suppliera qu'on lui achète la Cinq pour une bouchée de pain, ou qu'on l'achève.

N'ayant d'autre recours, Lagardère mise sur TF1 et délègue deux hommes, Jacques Lehn et Philippe Camus, pour négocier avec Patrick Le Lay et Etienne Mougeotte. De ces rencontres qui se tiennent au rythme d'au moins une par semaine, dans les bureaux de Bouygues, sur les Champs-Elysées, un projet d'accord va naître et réconforter le P-DG d'Hachette. Tout espoir n'est donc pas perdu, même si Le Lay se montre retors et exigeant. A la fin du mois de novembre, Hachette et TF1 en sont ainsi à explorer secrètement le partenariat suivant : TF1 entrerait à hauteur de 15 % dans la Cinq et en ferait, avec l'aval d'Hachette, une chaîne d'un format très différent.

Les discussions butent sur deux points. D'une part, Hachette souhaite que l'entrée de TF1 dans la Cinq se traduise par un apport substantiel d'argent frais, entre 500 et 700 millions. D'autre part, il faut voir quelles sont les modalités du plan de restructuration à concevoir. Patrick Le Lay et Etienne Mougeotte ne le disent pas aussi brutalement, mais il va de soi qu'ils ne mettront jamais 500 millions dans une chaîne qui se porte aussi mal. A la rigueur, une centaine... Et encore. La banque traditionnelle et l'alliée des groupes Bouygues et Hachette, le Crédit Lyonnais, suit ces tractations d'un œil attentif, informé et favorable.

De son côté Yves Sabouret, qui n'est pas associé aux discussions avec TF1, prépare le plan « social » qui doit purger la Cinq. Il le fait en concertation avec Lagardère, mais aussi avec Lehn et Camus, et ces derniers en discutent à leur tour avec Le Lay et Mougeotte. Comment faire autrement, le profil de la future Cinq étant au cœur des négociations ? Celle-ci deviendrait une chaîne de complément, second marché rêvé pour les productions de TF1 et programmant très peu d'information. Ce qui resterait d'information, Jean-Luc Lagardère insiste sur ce point, ne pourrait en aucun cas relever d'une rédaction constituée par TF1-Bouygues. Le projet d'accord prévoit que c'est la rédaction d'Europe 1 (groupe Hachette) et elle seule qui se chargerait des news.

En d'autres termes, c'est autant sous la houlette d'Hachette que sous celle de TF1 qu'on détermine, au jour le jour, les postes des économies à prévoir, les coupes budgétaires, le nombre des licenciements et dans quels secteurs. Livres de comptes ouverts, bilans de la Cinq disséqués sur la table de Bouygues; c'est ainsi que des informations vitales sur l'état de la Cinq sont fournies à TF1...

Au début décembre 1991, les grandes lignes du plan « Sabouret » sont fixées. Il prévoit plus de cinq cents licenciements sur huit cents salariés de la Cinq, et la « transition » vers une télévision au format sensiblement modifié, qui ne coûtera plus que 800 ou 900 millions par an au lieu de 1,4 milliard. Ce plan est prêt mais la révélation en est chaque jour retardée, car Hachette aimerait pouvoir compenser sa sécheresse et sa dureté sociales par l'annonce d'un accord ferme de relance de la Cinq avec TF1. Accord qui tarde...

Et pour cause... Grâce à la vue plongeante qui leur a été offerte sur les blessures de la Cinq, les dirigeants de TF1 ont compris le caractère désespéré du cas. Tant que la Cinq semblait pouvoir tenir encore des mois, et continuer à faire, si peu que ce soit, de l'ombre à l'audience et aux bénéfices de TF1, la Une a pensé qu'il ne fallait pas refuser de la prendre, au moindre coût, en une sorte de « location-gérance » améliorée. Mais, du jour où il est patent, aux yeux de Le Lay et Mougeotte, que la Cinq est réellement menacée de mort, la question de savoir s'il faut l'aider ne se pose même plus.

Oui, il faut l'aider. A disparaître.

A Milan, Silvio Berlusconi s'étonne de ce qu'il lit dans la presse et interroge son correspondant parisien. « Sua Emittenza » commence même à se vexer. Hachette chercherait dans tout Paris des partenaires de secours pour la Cinq... alors que la Fininvest est là, dans le capital de la chaîne, et qu'on ne l'informe d'aucune de ces démarches! Est-ce possible? Certes, depuis la reprise de la Cinq par Lagardère il y a un an, le partage des rôles a été respecté. Berlusconi a retiré tous ses hommes et fait place nette à l'équipe Hachette. Carlo Freccero est rentré à Milan où il lui a confié la direction et le redressement de Italia Uno. Angelo Codignoni est à Paris mais ne se mêle plus de la gestion de la Cinq. Il observe.

Le pacte conclu en octobre 1990 avec Lagardère prévoyait que la Fininvest aurait, chaque trimestre, droit de regard sur l'état des comptes de la société. C'est naturellement sans surprise – et sans anxiété financière – que « Sua Emittenza » a vu s'enfler le déficit. Il en avait prévenu « Jean-Luc » au premier jour. Il n'a rien voulu entendre... Il a averti Yves Sabouret et Pascal Josèphe à chacune de leurs visites à Milan, en janvier et juin 1991... même surdité. Berlusconi en avait pris son parti, persuadé qu'avant longtemps Lagardère comprendrait son erreur, constaterait la gravité des dégâts et l'appellerait à la rescousse. La Fininvest n'a jamais autant cru à sa chance de reprendre un jour le contrôle de la Cinq qu'en voyant comment s'y prenait Hachette. Depuis la rentrée 1991, au vu des chiffres, le groupe Berlusconi a pu se convaincre que l'échéance était proche. Ce ne serait qu'une question de mois avant qu'Hachette vienne frapper à la porte milanaise...

L'échéance survient plus tôt encore que prévu. Mais ce n'est pas le scénario rêvé qui se réalise. On dit qu'Hachette discute avec Canal Plus... Berlusconi ne comprend pas que Lagardère ne se tourne pas vers lui. Il comprend encore moins, et prend même assez mal, la surprenante question que Patrick Le Lay pose, vers le 10 décembre, au groupe Berlusconi, en résumé : « Quelle serait la position du groupe Fininvest dans l'hypothèse d'un accord entre TF1 et la Cinq ? »

Quoi! Lagardère est-il devenu inconscient ? Négocier avec Bouygues... C'est de la folie. Patrick Le Lay va les mener en bateau jusqu'au bord du précipice et les laisser choir. C'est un expert. La Fininvest l'a appris à ses dépens. Le Lay ne signera jamais un accord. Jamais.

Le vendredi 13 décembre 1991, le groupe Berlusconi fait savoir à Jean-Luc Lagardère que « dans ce contexte », il préférera se retirer de la Cinq plutôt que de devenir actionnaire de la chaîne croupion d'autres groupes de communication. La Fininvest avertit qu'elle ne jouera dans la Cinq les *sleeping partner* ni de Canal Plus ni de TF1. A l'évocation des conversations avec TF1, censées rester secrètes, Lagardère bondit :

« Avec TF1 ? Nous ? c'est impossible, personne ne peut prétendre cela...

— Ecoutez, lui dit Angelo Codignoni, vous savez sûrement ce que vous faites. Mais nous, nous connaissons bien le groupe Bouygues et sa tactique dans l'audiovisuel... Attention, au dernier moment, vous verrez, il n'y aura plus personne...

— Vous faites erreur, vous vous inquiétez trop... », tranche un Lagardère incrédule.

Berlusconi est bien aimable, mais à qui croit-il apprendre la réalité des affaires ? Qu'on laisse donc discuter en paix les vrais entrepreneurs et la Cinq sera sauvée. D'ailleurs ce n'est plus qu'une question d'heures. Après deux semaines d'atermoiements, Hachette fixe au mardi 17 décembre la présentation devant le comité d'entreprise de la Cinq du « plan Sabouret ».

Est-ce le cliché du chiffre ? Ce vendredi 13 décembre résonne lugubrement pour Jean-Luc Lagardère. Ces derniers jours, quelques-unes des « petites » banques du pool bancaire qui avance la trésorerie de la Cinq au groupe Hachette ont fait connaître leur intention d'arrêter les frais. Rien de grave, mais le présage n'est pas fameux. Par ailleurs, ce matin, Canal Plus a publié un communiqué indiquant qu'il n'est pas dans les objectifs de la chaîne cryptée, contrairement aux rumeurs, d'investir dans la Cinq.

Dans son immense bureau donnant sur l'Etoile, Jean-Luc Lagardère a le sentiment que le vide se fait autour de lui. Les journaux redoublent de pronostics alarmistes. Il sent les « grandes » banques devenir rétives. Les ministres se taisent. Il y a bien Georges Kiejman qui se manifeste, de temps en temps, qui lui reproche de ne pas venir se battre à l'Assemblée nationale, où les députés semblent d'accord pour ne pas vouloir modifier la réglementation. La gauche pour ne pas paraître reculer. La droite en prétendant que ce n'est pas seulement la réglementation qui est à revoir, mais l'ensemble du système audiovisuel, et qu'il faudra s'en occuper après les législatives de 1993...

C'est donc reparti pour un tour. Mais d'ici là, qu'en sera-t-il de la Cinq ? « Vous devriez venir, vous montrer, exposer vos difficultés aux groupes parlementaires... », a dit Kiejman à Lagardère. Comme si cela pouvait changer quoi que ce soit d'aller faire du lobbying, façon Bouygues, au Palais Bourbon ou au Sénat. Et puis, Kiejman est le premier à l'admettre, il n'est au gouvernement que pour faire de la figuration. Il n'a aucun pouvoir. Il regarde passer les trains sous la férule de Jack Lang. Il s'est cru ministre de plein droit pendant deux semaines, en été. C'est tout. C'est court.

Seule éclaircie de la journée pour le patron d'Hachette, le coup de fil amical que lui a passé ce matin Robert Hersant. C'est vrai, avec la Cinq Hersant lui a vendu un enfer en pièces détachées ; mais il était libre de ne pas accepter la règle du jeu fixée par le « papivore ». La situation a beau être noire, Lagardère n'en veut pas à Hersant. Il a été correct, estime-t-il. Il l'a été bien plus que d'autres qui sont au pouvoir ou dans un Conseil supérieur, et qui n'ont ni parole d'homme ni conscience des enjeux économiques.

Vers 16 heures, sa secrétaire apporte à Jean-Luc Lagardère, comme chaque fois qu'il n'a pas eu le temps de déjeuner, du fromage blanc, des biscuits secs et une théière sur un plateau qu'elle pose sur son bureau. Il déplie une grande serviette de coton blanc. Se verse du thé. Croque un biscuit et mange avec lenteur. Lagardère a les yeux qui brillent. Le geste précis. Concentré sur cette télévision qui menace aujourd'hui jusqu'aux fondations d'Hachette.

Vendredi 13 décembre, le capitaine d'industrie Lagardère n'a pas besoin de sortir de son bureau pour compter les rapaces qui tournent au-dessus de l'Arc de Triomphe et le guettent. S'il grimace, c'est que le thé est brûlant. Pour le reste, il veut se persuader que, d'ici le 17 décembre, l'accord sera conclu avec TF1 comme prévu. Ce n'est pas la panacée, mais on sauvera les meubles. Hachette n'a pas l'intention de baisser les bras. Qu'on se le dise...

Il n'y aura ni panacée ni meubles sauvés.

Le lundi 16 décembre 1991 dans l'après-midi, la veille du jour où Yves Sabouret doit révéler à la Cinq la gravité du plan de restructuration, Jacques Lehn et Philippe Camus ont rendez-vous avec Patrick Le Lay et Etienne Mougeotte, chez Bouygues, sur les Champs-Elysées. Au cours de cette réunion doit en principe être signé le protocole pour l'entrée de TF1 dans la Cinq. Les représentants d'Hachette s'y rendent confiants... Ils en reviennent la mine sinistre. Abattus. La réunion a été conforme au schéma classique où excelle TF1. Une voie sans issue non formulée : rien n'est signé.

La Une, qui sait que demain doit être annoncé le plan social, qui en connaît chaque volet pour en avoir parfois discuté des aspects avec Hachette, sait également qu'il ne passera jamais la rampe du personnel de la chaîne, du CSA et du gouvernement. Dans son obstination combative, l'équipe Lagardère a négligé les facteurs temps et psychologie. Il ne fallait pas attendre un an. Dès l'été 1991, il fallait couper les branches et proposer une association à TF1. Alors cela aurait encore eu un sens. Mais aujourd'hui, à deux semaines des fêtes de fin d'année, alors que manifestement tous les dirigeants politiques et le CSA ont une peur bleue de la bombe qu'est devenu le dossier audiovisuel, il est dix fois trop tard.

Patrick Le Lay ne signe pas parce qu'il sait qu'il n'y a plus d'espoir pour Hachette. En discutant avec TF1, la Cinq a perdu six semaines et s'est fait « trimbaler » jusqu'à l'échafaud. Comment le groupe Hachette a-t-il pu croire, non seulement que la Une signerait, mais qu'il serait ensuite possible de se présenter devant le CSA et de défendre ce nouveau partenariat ? Imagine-t-on un instant la tête ahurie des membres du Conseil supérieur qui ont cru, un an plus tôt, sauver le monde libre de la dictature TF1 grâce à Hachette, à qui l'on viendrait demain dire que le mieux pour la Cinq est encore de se marier avec Bouygues ? Alors qu'Etienne Mougeotte et Patrick Le Lay sont les bêtes noires du président du CSA, Jacques Boutet. Alors que toutes les fois qu'ils se rencontrent, que ce soit pour parler réglementation, quotas, publicité, ils en viennent à l'altercation et que, la dernière de ces fois, à l'automne, Boutet a carrément flanqué Le Lay à la porte de son bureau...

Ces considérations, Mougeotte et Le Lay les ont toujours eues en tête. C'est ce qui leur a permis, au cours de cette dernière réunion avec Hachette, de faire comprendre à de mi-mots que les négociations sur la Cinq n'avaient plus lieu d'être. Plus cruellement : la Cinq ne vaut plus un clou. TF1 ne se dévouerait pour la sauver que si on la lui cédait pour un franc symbolique. Et encore.

Le lundi 16 décembre au soir, Hachette se retrouve complètement nu : cinq cent soixante-seize licenciements, une réduction du budget, une révision du format de la Cinq à présenter demain aux personnels de la chaîne, puis à faire accepter par le CSA. Et au bas mot 3 milliards de déficit sur les reins!

Mardi 17 décembre 1991, le P-DG Yves Sabouret annonce un plan social qui ne s'appuie plus sur aucun projet de partenariat. Le matin aux cadres de la chaîne. L'après-midi au comité d'entreprise. Avec les réactions de rejet, de colère et d'indignation que l'on devine. La Cinq explose dans les soutes de l'audiovisuel. Elle apparaît aux yeux du public pour ce qu'elle est, une chaîne malade et artificiellement maintenue en vie.

Elle éclate au visage de ses géniteurs.

A 20 heures, en direct, le journal de la chaîne se transforme en happening et va devenir le lieu défouloir quotidien de journalistes, de techniciens et d'employés administratifs qui se sentent trahis. Hachette avait « tout promis ». Hachette a failli.

A 20 h 16, une dépêche annonce que le CSA a décidé « d'entendre très prochainement » Yves Sabouret.

Dans la soirée, le P-DG de la Cinq rencontre Jack Lang. Le ministre de la Culture et de la Communication se dit très surpris par l'annonce du plan de restructuration. « Surpris » est un euphémisme. Le gouvernement oscille ce soir entre tétanie et panique à l'idée qu'une chaîne de télévision nationale puisse imploser en direct. Depuis le temps que la chose menaçait, on avait fini par croire qu'elle ne se produirait jamais tout en l'espérant.

« Mais, comment est-ce possible? demande fébrilement Jack Lang à Sabouret.

– Nous vous avons prévenu dix fois, vingt fois, dit le P-DG, que nous n'étions pas en train de crier au loup pour le plaisir. »

Lang dit vouloir trouver des « solutions ». En quelques minutes il inventorie des possibilités telles que la création d'une société d'économie mixte. On évoque, puisque la Cinq ne peut plus faire face aux coûts d'une diffusion 24 heures/24 heures, un partage de l'antenne avec la SEPT, chaîne qui diffuse par satellite des programmes que personne ne peut recevoir à l'exception de rares foyers câblés. Ou bien un partage avec une « chaîne musicale ». La Cinq garderait les après-midi et soirées... Ceci pour alléger provisoirement les charges, les frais de diffusion. Au point où il en est, Yves Sabouret se dit « ouvert » à toutes ces possibilités, mais « il faut faire très vite »; il faut régler cela « dans les jours qui viennent ».

Jack Lang tergiverse. Yves Sabouret comprend que cette notion d'urgence échappe au Gouvernement et, plus grave, que derrière les discours et proclamations enflammés du ministère de la Culture depuis des mois sur le thème de la « nécessaire » chaîne musicale, ou de « l'indispensable » chaîne culturelle, il n'y a pas grand-chose d'autre que des mots. Il n'existe pas de projet viable de chaîne musicale hertzienne dans les tiroirs du ministère. Quant à la « chaîne » culturelle, vu la complexité juridique de ce qui n'est, en fait, qu'un agrégat de quelques heures de programmes bientôt sous régime franco-allemand, il faudrait des mois, fait-on comprendre à Sabouret, avant de déterminer si elle peut ou non être diffusée sur le réseau de la Cinq.

Le lendemain, dans un bel ensemble de déclarations où l'hypocrisie ministérielle le dispute à la culpabilité gouvernementale, Hachette est mis au pilori par l'Etat. Dans la cour de Matignon, à la sortie du conseil, on verra tous les ministres, à l'exception symbolique de Bernard Kouchner, se dérober aux questions, esquiver les caméras de la Cinq, sourire en coin, bredouiller des « regrets » et s'engouffrer dans leur voiture de fonction. Le groupe de Jean-Luc Lagardère, entend-on, ne doit s'en prendre qu'à lui-même. Il connaissait les règles du jeu. Il connaissait la réglementation. Il savait les coûts de la télévision, les risques et aléas du marché... Toutes choses exactes, mais on oublie que c'est précisément pour ces raisons aussi qu'un gouvernement et un CSA responsables auraient dû s'abstenir de prolonger le coma de la Cinq en octobre 1990.

Le pouvoir ne voit dans le plan Hachette que ce qu'il a de plus inquiétant à ses yeux, la réduction de la place accordée à l'information. Il n'y a que cela qui l'intéresse, les trois minutes de passage dans un journal de treize heures ou vingt heures qui risquent de disparaître. Georges Kiejman se dit « profondément troublé par l'atteinte au pluralisme » que serait la suppression de tranches d'information. Petit bout de lorgnette alors qu'il s'agit bien, maintenant, de la disparition possible de toute une chaîne. Premier ministre, Edith Cresson lave les mains de son gouvernement par anticipation : « Ce n'est pas la fonction du Gouvernement d'intervenir » dans ce dossier... « Il n'appartient pas, dit-elle, aux pouvoirs publics de se mêler de cette affaire – totalement privée – et c'est au CSA de régler le problème... »

L'audiovisuel sent trop mauvais. La Cinq inspire au Gouvernement craintes et remords. La Cinq étale au grand jour l'accumulation des erreurs faites. Une télévision repoussoir. Que le CSA se débrouille. N'est-il pas le seul et unique responsable? Qu'il agisse.

Du jour où est annoncée la teneur du plan Hachette, le Conseil supérieur ne vit plus, à nouveau, comme à l'automne 1990, que dans la terreur d'un écroulement complet de la chaîne et du système. La belle unanimité de façades des membres pour glorifier Hachette un an plus tôt se transforme en un bloc de peur solidaire. Une angoisse compacte, collective. Pas un mot. Pas un geste. Un strident silence suinte des murs de la tour Mirabeau. Le Conseil supérieur n'y est pour personne. Sauf pour « entendre » Hachette.

L'entendre sans écouter. Compatir et laisser mourir. C'est le sentiment qu'éprouvent Jean-Luc Lagardère et Yves Sabouret, le vendredi 20 décembre 1991, en sortant de trois heures d'audition privée avec le CSA. Les dirigeants d'Hachette venaient, combatifs, avec le frêle espoir d'obtenir un accord, ou un refus clairement exprimé, à leur plan. Ils se sont trouvés face à neuf visages fermés. Neuf « régulateurs » pétrifiés. Neuf masques de juristes drapés dans les replis de la loi, se contentant de rappeler qu'Hachette a pris des engagements et doit s'y tenir. Mais sans se prononcer sur le plan lui-même, qui implique nécessairement le non-respect d'une grande partie de ces engagements. Le CSA récite son code pénal intime. Il ne veut rien entendre des aménagements et des délais que sollicite Hachette.

Entré résolu au CSA, Jean-Luc Lagardère en sort consterné. Pas la moindre ouverture. Pas de réponse précise. Aucune concession. Rien.

Ce vendredi soir, invité chahuté du journal de vingt heures sur la Cinq, Yves Sabouret rend compte de la situation aux téléspectateurs. Le spectacle offert tient de la tragi-comédie. Excédés, des dizaines de journalistes et techniciens de la rédaction sifflent et conspuent en direct le PDG qui s'exprime. La Cinq est en perdition et son journal résonne soudain d'une haine extraordinaire à l'égard d'Hachette. Un groupe que la même rédaction encensait douze mois plus tôt car il allait les délivrer des « erreurs » d'Hersant. Le « vingt heures » prend une troublante dimension de tribunal populaire improvisé.

« La Cinq est en danger de mort », confirme Yves Sabouret à Jean-Claude Bourret, sous les huées. La piètre consolation du PDG sera d'apprendre qu'il a battu ce soir-là les records d'audience du journal de sa chaîne. Il s'en serait volontiers passé.

Comme de l'engrenage des jours suivants.

Lundi 23 décembre. Yves Sabouret soumet son plan au conseil d'administration de la Cinq. Les trois administrateurs du groupe Berlusconi s'abstiennent de l'approuver. En sortie de conseil, Angelo Codignoni fait une déclaration très ferme à la presse pour indiquer que la Fininvest ne veut pas cautionner un plan à l'établissement duquel elle n'a pas participé; et pour lequel elle n'a pas même été consultée.

A Milan, « Sua Emittenza » ne décolère pas contre la façon de manœuvrer d'Hachette, qui, comme prévu, s'est fait « promener » par TF1 et qui n'aurait jamais dû annoncer un plan social aussi lourd sans l'avoir préalablement soumis aux administrateurs de la Cinq. Il est certain que sans partenariat et renflouement, ces licenciements, ces budgets comprimés n'ont aucune chance de tirer la Cinq de l'ornière. C'est reculer une faillite de six mois ou un an.

Lagardère fait tout à l'envers. Et de travers.

Ce même lundi, à 19 heures, Jean-Luc Lagardère reçoit les trois administrateurs italiens de la Cinq. Confalonieri, Codignoni et Galliani.

« Qu'allez-vous faire? leur demande-t-il.

– Cela dépend de vous, dit en résumé la Fininvest, qui envisage de faire jouer sa garantie de sortie de chaîne, obtenue en octobre 1990 dans ce même bureau.

– Ecoutez, je n'en sais plus rien, dit un Lagardère désabusé. Faites ce que vous voulez. Dans la vie comme dans les affaires, il y a un moment où celui qui sort un pistolet attend que l'autre lui dise de tirer parce qu'il n'a pas le courage d'appuyer seul sur la détente. Moi, je veux voir s'ils auront le courage de tirer sur la Cinq.

– Dans ces moments-là, répond avec humour Fedele Confalonieri, à la télévision commerciale, il y a toujours un spot de publicité... »

Manière italienne d'indiquer qu'on pourrait profiter de la pause publicitaire pour discuter de la suite du film et s'entendre. Avant que le coup de feu soit tiré.

Mais, pour Hachette, il n'y a plus rien à discuter. Ce sont maintenant les banques et le CSA qui tiennent le pistolet. Et les états d'âme de banquiers, ça n'existe qu'au cinéma. Pas à la télévision.

Le lendemain matin, mardi 24 décembre, au cours d'un conseil d'administration du groupe Hachette, auquel participe le président du Crédit Lyonnais, Jean-Yves Haberer, un double constat s'impose. D'une part, le CSA fait le mort et ne s'est toujours pas prononcé sur le plan social. D'autre part, le pool bancaire n'a pas encore répondu aux demandes de renouvellement, pour 1992, des lignes de crédits qui ont été accordées à la Cinq pour l'année 1991. Lignes qui arrivent à échéance le 31 décembre 1991. Ce sont les banques actionnaires de la Cinq et du groupe Hachette qui ont assuré cette année l'avance d'un milliard de francs pour faire vivre la chaîne, Hachette ne disposant pas des liquidités nécessaires. C'est ce milliard de francs qui, frais financiers aidant, devient en décembre environ 1,2 milliard de déficit. Impossible de continuer si ces banques ne réinjectent pas d'argent dans la Cinq en 1992... Or, ce matin, la tendance des banques est au « non ».

En fin de journée, à l'heure où se prépare le réveillon de Noël, Hachette diffuse un communiqué faisant état de « *la situation tragique* » de la Cinq et de l'impossibilité pour le groupe de l'assumer plus longtemps sans ces conditions : « *L'exploitation de la Cinq ne pourrait continuer qu'au prix d'engagements supplémentaires extrêmement lourds qu'Hachette tiendrait seul...* », ce que Jean-Luc Lagardère rejette « *catégoriquement* ». L'hypothèse du dépôt de bilan est inscrite en lettres de feu entre les lignes du communiqué. Le refus de nouveaux concours financiers implique la fermeture. L'argument qui a conduit dans la journée le groupe de Lagardère à cette position extrémiste est celui de ses avocats et conseils financiers. Ils ont détaillé l'ampleur des risques pris si Hachette voulait continuer à alimenter la Cinq. Le groupe pourrait être poursuivi, ultérieurement, pour « soutien abusif » d'une société qu'il savait perdue. En cas de dépôt de bilan d'une société ayant été ainsi « abusivement » soutenue, Hachette, principal actionnaire et opérateur de la Cinq, se verrait contraint de supporter l'intégralité des pertes... Avec ce communiqué, Hachette prend date. Le soir, Jean-Luc Lagardère quitte Paris pour Courchevel où il passera les fêtes, comme chaque année. Il n'y aura pourtant pas de trêve des confiseurs.

Au lendemain de Noël, le CSA convoque les actionnaires de la Cinq, hors Hachette, c'est-à-dire Berlusconi, Hersant qui détient toujours 7,5 % et les banques [1] pour le vendredi 27 décembre au matin.

« Je me dois de vous prévenir, dit Yves Sabouret aux banquiers de la Cinq qu'il réunit ce vendredi-là à 9 heures 30, à la Cinq. Si vous confirmez votre option négative et ne renouvelez pas les lignes de cré-

---

1. Crédit Lyonnais, CCF, Kleinwort Benson, Société générale...

dit, je suis virtuellement en état de cessation de paiement et nous allons au dépôt de bilan...

– Est-ce que vous mesurez la gravité de votre propos? demandent les banques.

– Oui, bien sûr. »

Deux heures plus tard, au CSA, les actionnaires de la Cinq déclarent unanimement ne pas souhaiter « recapitaliser » la chaîne. Ils n'y croient plus. Le Conseil supérieur prend acte de ce refus et maintient dans un communiqué son rappel des « engagements souscrits ». Au même moment, les téléphones fonctionnent entre le siège d'Hachette et Courchevel. La pièce est jouée. On ne se dit même pas vers quoi l'on va tant la chose est devenue inévitable. Lagardère Lehn et Sabouret savent ce qu'il leur reste à faire.

Non des banques. Silences du CSA. Globalité du déficit. Epuise ment du groupe. Disparition soudaine des hommes politiques... Le mardi 31 décembre, Yves Sabouret convoque un conseil d'administration de la Cinq et déclare la chaîne en état de cessation de paiement.

Il engage la procédure de dépôt de bilan.

Courageusement, c'est-à-dire une fois faite l'annonce de ce dépôt de bilan par Hachette, le CSA se décide, dans l'après-midi du 31 décembre 1991, à émettre un avis négatif sur le plan qui lui a été soumis dix jours plus tôt.

La Cinq décapitée entre Noël et le Jour de l'An.

La nouvelle laisse la concurrence abasourdie et joyeuse. Elles avaient beau s'y attendre, c'est un grand moment d'allégresse qui fait chaud au cœur de TF1, Canal Plus, M6, comme à celui des chaînes publiques. Bien sûr, chacun y va de son couplet et verse des larmes de saurien sur la « regrettable » disparition d'une chaîne. Comme c'est triste... On n'ose pas dire « injuste », un soupçon de pudeur interdit d'aller aussi loin. Mais c'est tout juste. Il y a de l'ivresse dans l'air. De l'oxygène retrouvé.

Dès que la Cinq aura définitivement disparu, le commerce reprendra enfin sous de meilleurs auspices. La Cinq, c'est avant tout 11 % de part de marché à ramasser, et environ 1,5 milliard de recettes publicitaires à se redistribuer entre survivants. Dès qu'elle sera « définitivement » enterrée, car ce n'est encore pas le cas. Business oblige : le dépôt de bilan, c'est bien. L'écran noir, c'est mieux. Or, pour le moment, la Cinq continue à émettre. Sa mort en direct lui procure même un léger surcroît d'audience préjudiciable à TF1 et à M6. Son journal de vingt heures, métamorphosé en forum permanent du Tout-audiovisuel et politique venant pleurer sur le sort de la chaîne, fait parfois un tabac.

Un administrateur judiciaire, Hubert Lafont, a été désigné le 3 janvier pour veiller aux dernières heures de la Cinq. La mise en liquidation prochaine semble, ce début d'année 1992, inéluctable. On imagine déjà les affres d'Hachette empêtré dans des accords aussi compliqués que secrets avec les divers actionnaires de la Cinq. On prévoit que Lagardère va se retrouver avec une addition de 2,5 ou 3 milliards de francs. On spécule sur le démantèlement du groupe et son rachat possible par les banques qui le tiennent à la gorge.

C'est la fête.

Se pose aux pouvoirs publics la question du réseau. Que faire de ses fréquences quand la Cinq aura rendu l'âme et l'antenne? On parle d'y mettre la SEPT en attendant, comme pour boucher un trou dans un mur hertzien. Après tout, se dit le Gouvernement, il y a presque trois ans que ce moignon de chaîne culturelle coûte 400 millions de francs par an pour moins de 50 000 téléspectateurs en semaine et un peu plus le samedi sur FR3, donnons-lui donc un réseau national. Ceci semble aller de soi puisque, en principe, à partir de mai 1992, devenue franco-allemande et bilingue, la SEPT doit être diffusée par voie hertzienne sur le septième et dernier réseau. Ce réseau dit « multiville », qu'on avait conçu pour Canal Enfants en 1990, et dont la chaîne pour enfants n'avait plus voulu.

Jack Lang est aux anges et pousse de toutes ses forces l'idée de la SEPT sur le réseau de la Cinq. Cela permettrait au ministre de la Culture de faire d'une pierre deux bons coups politiques. La vulgaire Cinq morte, quel symbole pour les valeurs de gauche que d'y substituer l'emblème de la télévision culturelle européenne! Deuxième coup, puisque la SEPT prendrait ce réseau national, le « multiville » se retrouverait libre et il serait enfin envisageable d'y mettre la chaîne musicale que Jack Lang promet en toutes occasions à la jeunesse.

Décidément, la mort de la Cinq est un bonheur dont on ne se lasse pas. Le meilleur des mondes. Les « grands » équilibres rétablis comme par enchantement. Pas plus au Gouvernement qu'au CSA on ne se demande s'il serait effectivement judicieux, ou seulement sensé, d'immobiliser un réseau national comme celui de la Cinq pour diffuser les émissions d'une SEPT qui concernera, au mieux, péniblement, 3 % à 4 % de la population. Il n'y a personne pour crier à la nouvelle absurdité de cette entreprise; on est trop occupé à se réjouir de la suppression de la Cinq.

Enfin presque, parce que, mi-janvier 1992, alors que l'enterrement-mise en liquidation semble pour le lendemain, le cadavre de la Cinq s'anime. Comme dans la séquence finale de « Terminator ». Le squelette ne bouge plus lorsque, soudain, un œil s'allume, des phalanges s'agrippent au bord du trottoir, un cubitus prend appui sur la chaussée, une cage thoracique d'actionnaire se redresse, et une voix sépulcrale à l'accent italien jette son défi d'outre-tombe : Berlusconi est candidat à la reprise et à la relance de la Cinq!

C'est la dernière séance qui s'ouvre. Le rebondissement ultime qui commence est à lui seul comme un condensé de la décennie audiovisuelle. Il en est l'épilogue et la tombée de masques où se retrouvent côte à côte tous les personnages. La télévision y apparaît pour ce qu'elle est devenue : un tas d'or que convoitent et se disputent une poignée de groupes dit « de communication ». Une cassette harpagonesque. Un filon de métal jaune au nom duquel tous les coups sont permis.

Un butin.

CHAPITRE XVIII

Moisson rouge

Avant de contre-attaquer, Silvio Berlusconi est resté un moment sous le choc, à Saint-Moritz où il passait le Jour de l'An. La Cinq en dépôt de bilan? Il ne pouvait y croire. Il y croyait si peu que les administrateurs représentant la Fininvest s'étaient rendus au conseil d'administration du mardi 31 décembre 1991 avec la conviction que le groupe Hachette y appellerait officiellement Berlusconi en renfort.

Il s'était préparé à cette éventualité. Il serait alors accouru en sauveur « romantique » et généreux de la Cinq au patronyme porte-bonheur... Au lieu de cela, c'est un sinistre dépôt de bilan. La faillite! Cette maladie honteuse du manager qui mène devant les tribunaux. Faire une chose pareille à « Sua Emittenza », sans lui en avoir seulement touché deux mots... L'inconscience d'Hachette devrait avoir des limites.

De retour à Milan, début janvier 1992, il apprend la nomination d'un administrateur judiciaire et comprend qu'on s'oriente vers la liquidation pure et simple d'une chaîne qui représente déjà sept années de sa vie. Silvio Berlusconi rumine. Il a investi dans la Cinq, il y a placé des centaines de millions, il a des contrats en cours, des accords sur des droits audiovisuels, des projets de production, que va devenir tout cela dans une semaine ou dans un mois? Comment va s'organiser la liquidation, si liquidation il doit y avoir? Les pactes officieux entre Hachette et les actionnaires seront-ils honorés et dans quelles proportions...? En un mot : qui va payer?

Prompt, perspicace dans ce type d'analyse, parce qu'il a fait vivre ce genre de situation à certains de ses concurrents en Italie, « Sua Emittenza » devine la satisfaction, le bonheur que doivent irradier les dirigeants de TF1 aujourd'hui. La mort de la Cinq, c'est le rêve à peine confidentiel de Francis Bouygues et Patrick Le Lay qui se réalise. Sans la Cinq, la Une sera plus encore leader demain; elle va sans doute récupérer quelques points d'audience, comme M6 et A2... Mais ce n'est pas cela le plus important. Non. Le plus réjouissant pour TF1 c'est que demain, dans six mois, dans un an, la Cinq ayant disparu, TF1 va pouvoir dicter ses conditions au marché publicitaire et engranger par centaines de millions les bénéfices dont elle a été privée jusque-là.

Sans la Cinq, les centrales d'achat d'espace devront en rabattre sur leurs prétentions. Elles ne pourront plus jouer de la compétition entre deux chaînes privées nationales pour imposer leurs conditions commerciales. La situation va au contraire s'inverser. TF1 pourra augmenter ses tarifs publicitaires. Les centrales devront payer, car elles ne pourraient en aucun cas justifier d'un boycott de TF1, la plus grande chaîne commerciale française et européenne, auprès de leurs clients annonceurs fascinés par la puissance de ce média. La disparition de la Cinq peut faire tourner la « Roue de la Fortune » dans les caisses de TF1. C'est trop rageant. Comme le sont les dizaines d'appels et de messages qui arrivent de Paris, en provenance de la rédaction et des équipes de la Cinq qui l'implorent d'intervenir, de « faire quelque chose », qui veulent croire en un sursaut, un plan de sauvetage.

Voilà pourquoi Berlusconi a pris la résolution d'agir. Il a demandé à Galliani et Codignoni, qui sont à Paris, d'étudier quelles sont les possibilités « sérieuses » d'intervenir. Ce n'est pas par amour « romantique » d'un déficit à combler, mais pour sauver ce qui peut encore l'être, limiter les pertes, continuer à faire des affaires et à exister, même en étant un nain sur le marché français, face à TF1.

Pendant une dizaine de jours, début janvier, le groupe Berlusconi effectue démarche sur démarche auprès des actionnaires de la Cinq, d'Hachette, du CSA, du tribunal de commerce et d'investisseurs éventuels. Il sonde. Il redoute une précipitation des évènements qui verrait déclarer la fermeture définitive de la société, puis la mise en compétition du réseau et, sans doute, la préemption d'office de ce réseau par l'Etat pour y installer la SEPT. Il interroge sur l'accueil qu'on réserverait à une proposition de reprise de la Cinq par la Fininvest. On l'écoute avec scepticisme. Le CSA dit qu'il « verra ». L'administrateur judiciaire demande un dossier avant de se prononcer. Hachette, qui commence à craindre d'avoir effectivement à supporter seul au moins deux milliards de pertes dans l'affaire, se dit favorable à la recherche d'une « solution » par Berlusconi.

Les dirigeants de la Fininvest vont également rendre visite à cet ancien partenaire et complice de putsch, Jérôme Seydoux, qui ne dit

« pas non » à un retour dans la Cinq, mais demande à prendre le temps de la réflexion. « Qui dirigerait? », demande le patron de Chargeurs SA. « Nous », répondent les Italiens, qui préfèrent essuyer un refus que de retomber dans d'inextricables conflits de pouvoir. Seydoux ne refuse pas. Il veut du temps. La situation ne manque pas d'ironie pour lui que la justice a indirectement chassé de la Cinq. Il n'y a pas deux semaines, à la veille du Jour de l'An, c'était Georges Kiejman, membre d'un gouvernement Cresson qui ne se « mêle » pas d'intervenir dans l'audiovisuel privé, qui demandait à Jérôme Seydoux s'il ne voulait pas venir en renfort d'Hachette dans la Cinq. Là, sa réponse avait été « Non. Pour occuper un strapontin? J'ai déjà donné, merci! »

La Fininvest en est là de ses investigations quand, dans la deuxième semaine de janvier 1992, le sénateur RPR et sympathisant historique de la chaîne, Charles Pasqua, se manifeste en soutien amical auprès du groupe. Selon ses « informations », qui recoupent sensiblement celle des Italiens, faute de repreneur le tribunal pourrait décider dans les tout prochains jours la fermeture de l'antenne. « On ne peut pas laisser faire cela, dit Pasqua. Que comptez-vous faire? Avez-vous un projet? » Oui, la Fininvest y travaille, mais ce n'est « pas prêt ». Charles Pasqua lui aussi a une idée, encore confidentielle...
On convient de se tenir au courant de « l'évolution ».

Au cours de la même semaine, chacun de leur côté, les P-DG et directeurs de TF1, Canal Plus, A2-FR3 et M6 regardent pensivement se prolonger l'agonie hyperréaliste de la Cinq. Le « cirque Barnum » du journal de vingt heures n'a que trop duré, se disent-ils. Les appels à la mobilisation générale du public par le journaliste Jean-Claude Bourret sont déplacés. Ce côté « radio libre » qu'on égorge que se donne la Cinq a des accents grotesques. Ce sont là des enfantillages de mourants, s'agace la concurrence, c'est la queue de la comète Cinq disparaissant à tout jamais... mais qui en met un temps! Le Lay, Rousselet, Drucker, Bourges... chacun de ces présidents, pour des raisons communes ou distinctes, est pressé de voir la Cinq s'éteindre.
Le plus impatient des quatre est le P-DG de TF1. Suivi de très près par le président de Canal Plus. Aussi sont-ils les plus résolus à agir lorsque commence à se répandre, à partir du 6 janvier, le bruit que Berlusconi envisage de se porter candidat à la reprise de la chaîne pour éviter « l'écran noir », l'extinction du feu cathodique

sacré en même temps que du business non moins sacré. TF1 réagit la première, en pensant décourager les intentions milanaises. C'est l'annonce le 13 janvier par Etienne Mougeotte, vice-président de TF1, d'un projet de chaîne d'information, une « sorte de CNN à la française », que la Une suggère de créer demain sur le réseau de la Cinq. Il n'y a, en gros, que deux solutions sérieuses pour occuper ce réseau, soutient Mougeotte : la SEPT, qui ne risquera jamais de faire de l'ombre aux chaînes commerciales, et l'information continue...

L'habileté de la démarche ne réside pas dans le projet lui-même. Une chaîne d'information, cela fait des mois que TF1 et Canal Plus ont en commun ce dossier qui dort sur leurs étagères « Développement thématique ». Il a toujours été admis entre eux que ce type de chaîne ne peut se monter que dans le cadre d'une diffusion sur le câble, peut-être cryptée. Jamais il n'a été question d'utiliser un réseau hertzien national pour un programme aussi « pointu » et ciblé. Les seuls frais de diffusion condamneraient au déficit ce type de chaîne qui, l'information n'étant pas « vendeuse », n'aurait que bien peu de recettes publicitaires à espérer. En soi, donc, et sauf à être subventionnée par l'Etat ou de généreux mécènes, une chaîne strictement d'information sur le réseau de la Cinq est un non-sens économique aussi peu viable que la SEPT.

Le Lay et Mougeotte le savent. Le but de la manœuvre n'est autre que d'occuper le terrain et – c'est ici que le coup porte – de proposer de reprendre dans ce projet « Tout Info » une partie de l'actuelle rédaction de la Cinq. Suggestion qui a le double avantage de passer pour charitable et de gêner Berlusconi aux entournures. Car, si « Sua Emittenza » veut reprendre la Cinq, ce n'est pas pour y faire de l'information, dont il a toujours condamné le caractère dispendieux. Tout compte fait, le tribunal préférerait sûrement un projet « *all news* » limitant les licenciements de journalistes à un retour du robinet à séries américaines... Bien joué.

La riposte fuse le mercredi 15 janvier. En deux temps soigneusement calibrés. Le choix du jour et des heures d'annonce est conditionné à la fois par l'initiative « Info » et le fait que ce mercredi soir, à 22 h 30, un débat doit opposer sur TF1 le P-DG de la chaîne, Patrick Le Lay, au ministre délégué à la Communication, Georges Kiejman. Personne n'attend rien de ce débat, mais on se doute qu'il aura, d'une certaine manière, valeur de *de profundis* pour la Cinq. Le Lay y condamnera une fois de plus l'arbitraire des réglementations, et Kiejman reformulera les inusables vœux des gouvernements successifs pour une « cohabitation harmonieuse » des chaînes et une amélioration de la qualité dans le respect du pluralisme... Ce sera poncif contre poncif. Mais il n'empêche, ce peut être l'occasion de troubler la cérémonie d'enterrement de la Cinq si bien ordonnée.

Dans la matinée de ce mercredi, vers 10 heures, Charles Pasqua diffuse un communiqué surprise à l'AFP. Le président du conseil général des Hauts-de-Seine s'élève contre l'éventuelle disparition de la Cinq. Il s'insurge contre un gouvernement qui « *joue les Ponce Pilate* », et affirme avoir des solutions pour éviter le pire et reprendre le réseau. Il propose la création d'une société d'économie mixte, où les collectivités territoriales s'associeraient à « *un plan de reprise de la Cinq* » émanant de partenaires « *publics ou privés* ». Charles Pasqua dit avoir déjà pris contact avec les présidents des conseils régionaux et des maires de grandes villes qui sont prêts à investir dans la Cinq. Ils ne revendiqueront « *aucune responsabilité dans la ligne éditoriale* », ils laisseront « opérer » un ou des professionnels de la télévision...

C'est du grand art tactique. A aucun moment n'est mentionné le nom de Berlusconi. Charles Pasqua se contentant de se poser en sauveur potentiel. Il réalise un excellent coup politique – qui énervera Jacques Chirac – vis-à-vis des électeurs, ces téléspectateurs de toutes les régions de France qui ont pris goût aux programmes de la Cinq et qui en seront privés demain. Il maintient l'idée d'une continuation qui vient contrecarrer celle du « tout-info », et il se défend, en homme politique, de vouloir intervenir dans le futur contenu de la chaîne. Comment refuserait-on l'examen d'une aussi angélique proposition? C'est une opération totalement désintéressée... qui ouvre une brèche par où Berlusconi va pouvoir s'engouffrer quelques heures plus tard.

Pour le moment, l'initiative de Pasqua a pour première fonction de paralyser le processus de mise en liquidation immédiate. Des ébauches de projets surgissant ici et là, pouvoirs publics et tribunal de commerce vont devoir les examiner avant de fermer la boutique. C'est toujours cela de gagné.

A 16 h 57, le même jour, une dépêche AFP reprend et développe les termes d'un communiqué qui lui est adressé par la Fininvest. « *Le groupe Berlusconi*, indique ce texte, *est disposé, dans le respect de la réglementation en vigueur (...), à constituer un nouveau tour de table pour la Cinq (...), en assumant le rôle d'opérateur.* » Il affirme vouloir « *poursuivre l'exploitation de la chaîne en respectant le rôle de l'information* », en « *apurant une partie du passif* », et en reprenant « *un nombre important de salariés* ». Six heures après Pasqua, qui suggère de faire financer le réseau par les régions, Berlusconi se présente en opérateur providentiel. Ceux qui ne voudront pas penser que cette articulation a été conçue délibérément se diront que c'est bien imité. Pourtant, ce n'était pas exactement le timing prévu. Le communiqué du groupe Berlusconi ne devait tomber que le lendemain, jeudi 16.

« Attendons de voir ce que diront Le Lay et Kiejman ce soir à la télé », avaient prévu le matin même, en préparant ce communiqué, l'état-major de la Fininvest, installé à l'hôtel San Regis, où réside Angelo Codignoni, et où vont se jouer les ultimes scènes de la vie de la Cinq. « On écoute, et puis on voit. » Tel était le plan jusqu'en début d'après-midi. Jusqu'à ce que, en visite chez Bernard Tapie, avec lequel ils négocient le transfert du footballeur Jean-Pierre Papin de l'OM au Milan AC, club de Berlusconi, Galliani et Codignoni apprennent incidemment que le débat de ce soir sur TF1 ne sera pas, contrairement à ce qu'ils pensaient, en direct. Le face-à-face Le Lay-Kiejman doit être enregistré en fin d'après-midi, vers 18 heures. Enregistré...

En sortant de chez Bernard Tapie, les Italiens se regardent et devinent le bon tour à jouer à celui qui les a si souvent fait mariner dans de labyrinthiques négociations et qui, aujourd'hui, parle d'une chaîne d'information « bidon » simplement pour les empêcher de reprendre la Cinq. En diffusant le communiqué de « candidature Berlusconi » juste avant qu'ils n'entrent en studio pour enregistrer, Le Lay et Kiejman n'auront pas la possibilité de prendre connaissance des détails, ni de réagir dans l'émission et de commenter une initiative qui, à 20 heures, en revanche fera la une des journaux télévisés ce soir. Le ministre et le P-DG auront l'air fin, en faux direct à 22 heures 30, en paraissant ignorer le dernier rebondissement du feuilleton de la Cinq... Tant qu'à aller vers l'affrontement avec TF1, autant s'amuser un peu.

A 16 heures 30, depuis sa voiture, Angelo Codignoni fait parvenir par téléphone le communiqué Fininvest à l'AFP. Trois quarts d'heure plus tard, sa secrétaire l'informe que Patrick Le Lay cherche à le joindre « d'urgence ». Codignoni sourit et se fait déclarer absent, « injoignable ». C'est un moment à savourer.

Il est 21 heures 30, Adriano Galliani et Angelo Codignoni dînent au restaurant du San Regis en attendant impatiemment l'heure de regarder le débat sur TF1 lorsqu'on demande l'un d'eux au téléphone. C'est Patrick Le Lay, voix tendue. « Je suis dans ma voiture, dit-il. J'arrive au San Regis. Nous avons à parler... »

Dix minutes plus tard, le P-DG de TF1 s'assied à leur table et explose d'une colère difficilement contenue depuis l'heure où est tombée la dépêche. Ce que le groupe Berlusconi vient de faire est inadmissible, c'est une absurdité uniquement destinée à nuire à TF1. C'est un coup bas, une tricherie. La Cinq est morte et bien morte. Personne ne la ressuscitera, et sûrement pas Berlusconi. Usant d'autres termes que la rage lui souffle, Patrick Le Lay s'emporte violemment contre ce qu'il considère être une remise en cause de son travail et de sa stratégie sur TF1 depuis cinq ans. La candidature de Berlusconi est une agression caractérisée, un acte de belligérance indigne. Ce ne peuvent être que les méthodes d'une voyoucratie audiovisuelle.

Blêmes, à la fois intrigués, amusés et fatigués, Galliani et Codignoni écoutent ce déferlement orageux en se demandant, comme le barman et le maître d'hôtel, si la rencontre ne va pas se terminer en pugilat. Mais non, on est entre gentlemen. Les Italiens ont à peine le temps de dire trois mots que le P-DG de TF1 tire sa propre conclusion de l'épisode : Berlusconi veut la guerre, alors ce sera la guerre ! La vraie. Sans règles ni frontières. Coup pour coup. TF1, annonce-t-il à la Fininvest, fera tout ce qui est en son pouvoir, utilisera toutes les armes, pour empêcher Berlusconi de reprendre la Cinq.

Sur ce, Patrick Le Lay quitte le San Regis, peu avant que ne commence la diffusion de son débat avec Georges Kiejman qui, comme on pouvait le craindre, n'enrichit pas fondamentalement l'audiovisuel français.

La fureur de Patrick Le Lay est partagée par André Rousselet et, dans une moindre mesure, par Jean Drucker. Dès le lendemain, jeudi 16 janvier, les téléphones relient en permanence TF1, Canal Plus et M6. Quelles qu'aient été leurs divergences de vue passées, si conflictuelles que puissent être parfois leurs stratégies respectives, les trois P-DG ont un désir en commun, presque une obsession : Berlusconi doit quitter la France. Il ne faut à aucun prix qu'il reste sur la Cinq.

Pour TF1, on l'a vu, c'est une question de gros intérêts financiers à moyen terme. Si jamais « Sua Emittenza » obtient l'accord du tribunal pour relancer la chaîne, c'en est terminé des espoirs de profit pour TF1. Une fois opérateur, avec ses programmes et la connaissance qu'il a maintenant du marché français, Berlusconi est sûr de hisser la Cinq à 15 % de part de marché, assez haut pour faire rentrer la publicité en neutralisant TF1. Il conservera et fera fructifier le milliard et demi de francs que libérerait la Cinq en s'effaçant. Et il y a fort à parier qu'il s'entendra avec les centrales d'achat d'espace pour faire glisser des budgets publicitaires de TF1 vers une Cinq à l'espace meilleur marché...

Rien de tel dans les préoccupations d'André Rousselet. L'homme qui a le privilège de présider la seule chaîne d'Europe milliardaire en termes de bénéfices place son combat contre Berlusconi sur un tout autre terrain. Mais où il n'est pas moins intransigeant que Le Lay. Rousselet en fait une double question. Personnelle. Et d'« éthique ». Pour l'ancien directeur de cabinet de François Mitterrand, la Fininvest et son président sont le Mal audiovisuel incarné, la compétition sauvage, la médiocrité des programmes, l'affairisme voilé. Berlusconi représente une réussite aux aspects troubles. Personne ne connaît exactement les comptes de la Fininvest. Personne ne s'y retrouve dans la myriade de sociétés qui constituent le groupe. Depuis les origines de Canal Plus, pour André Rousselet, Berlusconi est un ennemi, un de ces hommes qui, avec Fabius et Miyet, ont voulu l'abattre, lui prendre son bien, son réseau.

André Rousselet a la mémoire et la rancune longues et inusables. La rage est froide, comme au premier jour. Berlusconi doit quitter le pays, la tête basse, comme le perdant qu'il est. Un point c'est tout. C'est le combat de la lumière contre l'ombre, de la transparence contre l'obscurantisme comptable et les catalogues bas de gamme. Mais, même situé sur un plan « moral » et « esthétique », le combat de Rousselet n'est pas dénué d'arrière-pensées stratégiques. En sept ans, Canal Plus est devenu un groupe européen qui a enfanté des télévisions dans les grands pays de la Communauté et compte se développer encore. La chaîne cryptée est en passe de devenir le leader de demain en Europe, en hertzien comme sur le câble. Faire perdre à Berlusconi, en le sortant de France, l'élément clé de sa stratégie européenne pour la Fininvest, voilà qui ne peut pas nuire à Canal Plus. Au contraire. Le règne de Berlusconi, et de ce soi-disant seul grand groupe européen de télévision commerciale, touche à sa fin.

Quant au P-DG de M6, Jean Drucker, comment ne s'alarmerait-il pas à l'idée que Berlusconi reprenne la Cinq? Celle-ci morte, M6 pourra enfin atteindre l'équilibre financier grâce aux points d'audience et aux recettes publicitaires qui se transféreront sur son antenne. Berlusconi de retour aux affaires sur la Cinq, c'est la certitude de se faire laminer en six mois à coups de séries et de téléfilms.

Il ne faut pas longtemps pour que se dessine l'axe d'une coalition TF1-Canal Plus-M6 contre Berlusconi. Objectif : bouter l'Italien hors du beau pays de France. Programme auquel les pouvoirs publics adhèrent discrètement. L'Elysée ne bouge pas. Matignon est en alerte et, depuis début janvier, Jack Lang ne passe pas trois jours sans téléphoner à André Rousselet pour lui demander ce qu'il « faut faire ». Le ministre de la Culture est ravi de la chute finale de la Cinq mais s'inquiète de l'avenir. Il demande conseils et idées à « André ». Rentré dans le rang, Georges Kiejman suit les consignes de la Rue de Valois.

Quant au CSA, dont la crédibilité et l'utilité sont, d'une certaine façon, mortes en même temps que la Cinq, il dort du sommeil des justes sur la liquidation dont se chargera le tribunal.

C'est ce jeudi 16 janvier qu'un autre acteur se réveille : le groupe Hersant. Toujours actionnaire de la Cinq, le « papivore » se fait du souci. Non pour la chaîne, mais pour le solde qu'Hachette doit lui verser afin d'honorer « l'engagement de liquidité » conclu en septembre 1990. Des millions de francs dont Robert Hersant craint de ne jamais voir la couleur si les choses s'enveniment entre Hachette et le tribunal de commerce. Voilà pourquoi le groupe Hersant accueille favorablement la double initiative de Charles Pasqua et de Berlusconi. Mais il trouve que ce n'est pas assez. Il faut que Berlusconi clame encore plus haut et plus fort son intention de sauver la Cinq et de ré-investir dans la chaîne. Il faudrait une déclation publique solennelle... Une interview dans les colonnes du *Figaro*, par exemple.

Yves de Chaisemartin prend donc contact avec la Fininvest et suggère que Berlusconi « confirme » sa candidature avec éclat dans le *Figaro* du samedi suivant. Chaisemartin se charge de faire parvenir les « questions » à Codignoni, qui les fait passer à Berlusconi à Milan. Dans la journée du vendredi 17, la Fininvest retourne au *Figaro* le texte des réponses, de cette interview dont les lecteurs les plus attentifs pourront s'épuiser à chercher la signature de l'auteur. Il n'y en a pas. Et s'il devait y en avoir une, ce serait celle du P-DG du journal, Robert Hersant lui-même! Car c'est Hersant en personne qui, au *Figaro*, réécrit certains paragraphes, remet d'aplomb questions et réponse. C'est lui qui rappelle le groupe Berlusconi pour corriger ici une expression, rajouter là une question. Lui qui s'occupe de tout et en impose la publication.

La parution, samedi 18 janvier 1992, de ce « *Pourquoi je veux sauver la Cinq* » de Berlusconi, avec la mention « Exclusif » en première page, achève de sceller la coalition anti-Fininvest que rejoint peu à peu Hervé Bourges. Proche d'André Rousselet, familier du pouvoir, confronté au difficile redressement du service public, Hervé Bourges accueille d'abord avec compréhension la constitution d'une force commune. En même temps, il n'est pas un ennemi acharné de la Cinq, il aurait même une sorte de sympathie pour Berlusconi qu'il vaut mieux ne pas afficher ces jours-ci...

Le lundi 20 janvier, dans le bureau d'André Rousselet, au splendide nouveau siège de Canal Plus sur le front de Seine, dans le 15ᵉ arrondissement, se réunissent les têtes de la coalition. On se met d'accord sur une attitude et une stratégie communes qui consistent à promouvoir, ensemble, la création d'une chaîne d'information en lieu et place de la Cinq. On convient de diffuser un communiqué annonçant l'association de Canal Plus, TF1, A2-FR3 et M6 pour concevoir le dossier de cette télévision dont on évalue le budget aux alentours de 600 millions de francs. Chacun y contribuera selon ses possibilités, et l'Etat pourrait aider à financer la diffusion. L'Etat actionnaire d'une chaîne d'information *privée indépendante...* C'est une idée pour le moins étrange. Sauf pour un projet fantoche.

Il s'agit en réalité de ce qu'en d'autres lieux on appellerait une « entente », habillée en projet d'entreprise, pour liquider un concurrent. Pas un des participants, à l'exception peut-être de Canal Plus, qui rêve depuis longtemps d'une telle chaîne (mais sur le câble), ne croit à l'authenticité et à la viabilité de ce projet. L'opération a pour seul but d'encercler et d'étouffer Berlusconi. Il n'y aura que le gouvernement Cresson, qui ne se « mêle » jamais de télévision privée, et le CSA pour faire semblant de prendre au sérieux cette chaîne d'information.

Les conjurés se quittent en se promettant d'étudier la rédaction d'un protocole d'accord pour la création du « CNN français » qui devra être signé par chacun des P-DG.

De son côté, le tribunal fixe au 3 février 1992 la date limite pour le dépôt des dossiers de reprise. Pouvoirs publics et tribunal commencent à s'inquiéter de l'importance du mouvement des téléspectateurs en faveur de la Cinq. C'est par milliers que les lettres de soutien et les cotisations sollicitées chaque soir à l'antenne affluent boulevard Pereire. A trop laisser la situation pourrir, le gouvernement risque d'avoir sur les bras une manifestation du type « NRJ décembre 1984 » pour le maintien de la chaîne...

Le cessez-le-feu n'étant – comme la paix – que la continuation de la guerre par d'autres moyens, TF1 et Berlusconi ont vite repris langue. Quelques jours après l'éclat du 15 janvier au San Regis, Patrick Le Lay et Angelo Codignoni se revoient. Le P-DG de TF1 a retourné la situation dans tous les sens et s'est dit qu'elle est dangereuse pour tout le monde. Il a rappelé la Fininvest. « Nous devrions parler calmement et voir ce qu'on peut faire... » Cette fois, la rencontre entre Codignoni et Le Lay prend une autre tournure. TF1 souhaite avoir le champ libre et plus de Cinq en face...? C'est bien joli, répond la Fininvest, mais cela revient à demander au groupe italien de faire une croix sur tous ses investissements depuis 1987. Ce n'est pas pour enquiquiner Bouygues, dit-elle, qu'elle postule à l'exploitation de la Cinq, c'est d'abord pour maintenir une activité commerciale sur une chaîne qui sera un jour rentable, si on n'impose pas au repreneur de prendre en charge la totalité du passif, bien sûr.

Le P-DG de TF1 écoute Angelo Codignoni faire l'inventaire de ce que Berlusconi perdrait en renonçant à la Cinq : près de 800 millions de francs de participation au capital depuis cinq ans, 300 millions évanouis en créances diverses, auxquels il ajoute 500 millions de droits sur son catalogue en suspens... Au total, 1,6 milliard de francs immobilisés ou perdus. Comment TF1 peut-elle imaginer que Berlusconi accepterait de se retirer ? A la rigueur, s'il avait réalisé une opération financièrement « blanche », Berlusconi pourrait quitter le pays. Mais on est loin du compte, et il préfère rester et rejouer le « 5 ».

On parle, on s'observe, mais on ne s'écoute pas. C'est une conversation entre chien et chat. Le groupe italien dit une chose. Le groupe français en entend une autre. Et réciproquement. Codignoni explique qu'il a une ardoise au bistrot de la Cinq. Le Lay se convainc qu'on lui demande de la payer... S'il s'agit seulement d'argent on pourrait peut-être s'entendre ? suggère la Une. Comment ? rétorque la Fininvest. Il faut voir, réfléchir, c'est trop idiot de se faire la guerre entre géants de la communication. Demain, l'Europe ne sera qu'un vaste supermarché de l'audiovisuel... Justement, embraye le groupe italien, demain, la France sera un maillon indispensable de la stratégie européenne de Berlusconi. Sans Paris, il n'est qu'un modeste groupe italo-espagnol. On doit pouvoir s'arranger, poursuit TF1, l'intérêt des chaînes françaises c'est que Berlusconi se retire. Facile à dire, observe la Fininvest, mais comment régler un problème qui mesure 1,6 milliard ?

Dialogue de demi-sourds. Echange florentin, vague et précis, neutre et offensif. Qui s'achève sans se conclure. TF1 explique qu'il est lancé dans un projet de chaîne d'info dont Canal Plus est le « leader ». La Fininvest entend dans cette remarque que le seul interlocuteur décisionnaire de l'audiovisuel français est donc André Rousselet. Ce dont elle se doutait déjà...

Le lundi 27 janvier 1992, Angelo Codignoni sollicite un rendez-vous avec le P-DG de Canal Plus.

André Rousselet ne veut pas discuter avec l'ambassadeur parisien de Berlusconi. Prétextant une absence, il délègue le directeur des affaires internationales de Canal Plus, fondateur et directeur de

« Planète » et de « Canal Jimmy » [1], ancien adjoint de Pierre Lescure sur A2, Michel Thoulouze. C'est lui qui coordonne la chaîne « information » des coalisés, et c'est l'un des rares à y croire. La quarantaine trapue, le parler jovial et pointu, Thoulouze a la gouaille du reporter et l'audace tranquille du baroudeur devenu créateur de chaîne. C'est un mélange d'autodidacte facétieux et charmeur, et de mercenaire audiovisuel dévoué corps et âme à ses deux « patrons », André Rousselet et Pierre Lescure.

Michel Thoulouze n'a pas souhaité que la rencontre ait lieu à Canal Plus, où Angelo Codignoni lui a proposé de se rendre. Il préfère se déplacer jusqu'au San Regis, pour un petit déjeuner, mardi 28 janvier à 9 heures 30. Les deux hommes ne sont pas des inconnus l'un pour l'autre. Ils ne sont pas amis non plus. En 1985, alors qu'il travaillait à A2, Michel Thoulouze a brièvement servi de mentor et de guide parisien à Carlo Freccero, qui débarquait de Milan pour la création de la Cinq et ne parlait presque pas français.

Pendant une heure, ils se disent qu'il est vraiment dommage que les groupes Berlusconi et Canal Plus ne soient jamais parvenus à collaborer dans l'audiovisuel... On parle peu de la Cinq, Codignoni affirmant cependant que le groupe a l'intention de s'y maintenir, et davantage de l'étranger, de la production. On se tourne autour. La Fininvest veut faire passer un message à André Rousselet : elle ne souhaite pas la guerre. Au contraire, elle aimerait pouvoir enfin « travailler » avec cette télévision cryptée leader sur son marché. Berlusconi lui-même se passionne pour le péage en Italie. C'est vrai qu'il n'y croyait pas il y a sept ans, mais aujourd'hui « c'est différent »... Thoulouze transmettra, et « rappellera ».

Il rappelle l'après-midi même et un nouveau rendez-vous est pris pour le lendemain, mercredi 29 janvier. La rencontre, qui va donner lieu à un incident comme l'audiovisuel français n'en a jamais connu, se déroule à nouveau dans l'appartement d'Angelo Codignoni, au San Regis, à 12 heures 30. Michel Thoulouze, qui a discuté de la situation avec Lescure et Rousselet, développe une argumentation en plusieurs points qui sont, comprend l'Italien, autant de messages du P-DG de Canal Plus. Comme il a coutume de le faire en conversant, Codignoni prend des notes sur une feuille de papier posée devant lui. Pour résumer, les points-messages de Canal Plus sont les suivants. 1 : le « président Rousselet » considère que s'il n'y a jamais eu de collaboration entre les groupes, la faute en revient à Berlusconi. 2 : le « président Rousselet » est disposé à rencontrer Silvio Berlusconi.

1. Deux nouvelles chaînes françaises sur les réseaux câblés.

Pour ne pas troubler l'harmonie du front uni français contre la Fininvest, on pourrait prendre prétexte du souhait de « Sua Emittenza » de visiter les magnifiques nouvelles installations de Canal Plus. 3 : Canal Plus accepte d'envisager de nombreuses collaborations dans la production européenne, dans le cinéma aux Etats-Unis... 4 : Canal Plus aimerait prendre pied dans la télévision cryptée en Italie...

« Tout est ouvert, il faut en parler avec Berlusconi, dit Codignoni qui récapitule sur sa feuille les différents points... Et la Cinq?

– La Cinq, c'est simple. Vous devez y renoncer...

– Impossible, Michel, tu ne te rends pas compte de ce que nous avons dépensé ici... »

Et il reprend sa démonstration, stylo en main, sur le papier, des différents postes d'investissement et de ce qu'ils ont « coûté » au groupe Berlusconi depuis 1987. Frais, déficit, catalogues... Codignoni aligne les chiffres, souligne ce qui lui semble être évident : à moins qu'on ne donne à la Fininvest une lettre de crédit pour un montant de 1,6 milliard de francs, il est impensable qu'elle quitte la France.

C'est l'impasse. Michel Thoulouze doit partir, il a un déjeuner qui ne peut attendre. Codignoni réaffirme l'intention du groupe italien de rester en France. Ils se lèvent tout en continuant à bavarder. « Si vous restez, ce sera sûrement la guerre avec le président Rousselet », résume Thoulouze devant l'ascenseur où Codignoni le raccompagne. « Que veux-tu que je te dise? commente l'Italien, vous ne me parlez que d'accords de collaboration alors que moi, j'ai 1,6 milliard de francs sur la table à récupérer... »

Dans la pièce qu'ils viennent de quitter, la feuille de papier sur laquelle Angelo Codignoni a pris des notes a disparu.

Très vite, le document est entre les mains de certains coalisés. L'équipe Rousselet se dit scandalisée par ce qu'elle appelle les exigences de **Berlusconi**. Patrick Le Lay réfléchit avec Etienne Mougeotte aux moyens pour contrer la Fininvest. Dans quelques jours devront être déposées les candidatures au tribunal de commerce. Il semble que le groupe italien a quelques difficultés à réunir un tour de table. Hachette hésite... Mais, s'il y parvient, il sera peut-être trop tard. Alors Patrick Le Lay prend les choses en main. Si Berlusconi veut de l'argent pour partir, on peut peut-être lui en offrir, sûrement pas 1,6 milliard mais au moins une partie, en lui achetant par exemple un morceau de son catalogue. On doit pouvoir négocier. « S'il faut faire un chèque à Berlusconi pour qu'il parte, est-ce que vous êtes prêts à participer? », demande-t-il aux autres membres de la coalition. Hervé Bourges n'est pas emballé par ce procédé, Canal

Plus s'indigne mais réfléchit, Jean Drucker refuse net. Les discussions du club « chaîne d'information » se poursuivent sur ce ton.

Troublé par la tournure que prennent les évènements, Hervé Bourges demande à rencontrer Angelo Codignoni ce mercredi 29 janvier, en fin de journée. Celui-ci se rend au siège de la présidence commune, avenue d'Iéna. L'entretien dure deux heures. « Cher ami, dit Hervé Bourges, ça fait longtemps qu'on ne se voit plus. Moi je n'ai rien contre Berlusconi, mais je voudrais savoir ce qu'il en est. On dit que vous réclamez plus d'un milliard pour partir... » Codignoni dément que la Fininvest veuille partir. Au contraire. Hervé Bourges s'en réjouit. Il ne se sent pas à l'aise dans le « Front anti-Cinq », ni dans ce projet de chaîne d'information qu'il sait irréaliste.

Il a d'abord cru que l'intérêt du secteur public lui commandait d'y être. Mais l'acharnement de TF1 contre Berlusconi a fini par le faire changer d'avis. Il en est venu à penser que c'est une erreur pour A2-FR3 de frayer avec la Une, son principal concurrent. Au fond, si les dirigeants de TF1 ont une si grande peur d'avoir la Fininvest en face d'eux sur la Cinq, c'est qu'ils sont sûrs d'en pâtir... Le meilleur service à rendre au secteur public ne serait-il pas de laisser vivre la Cinq pour affaiblir TF1 ? « Silvio a raison de vouloir rester, confie Hervé Bourges, et moi aussi, je préfère que vous soyez là. On peut s'entendre et travailler ensemble, tandis que pour moi, avec Le Lay, ce sera toujours conflictuel... »

Le lendemain, jeudi 30 janvier, Patrick Le Lay appelle le San Regis où sont maintenant « basés » une vingtaine de cadres de la Fininvest qui travaillent à la préparation du dossier de reprise, aux contacts prévisionnels avec les annonceurs, les publicitaires, les producteurs audiovisuels, et à l'examen à la loupe des comptes de la Cinq. Pour parvenir à rester en France, Berlusconi a décrété une mobilisation générale de la Fininvest sur Paris. L'hôtel vit au rythme continuel des allées et venues d'hommes chargés de dossiers, de rendez-vous, de coups de téléphone...

C'est une effervescence qui est loin de correspondre à la conviction que se font les coalisés que Berlusconi veut avant tout monnayer sa sortie de l'Hexagone. Ce que veut « Sua Emittenza », c'est devenir, pour un prix financièrement acceptable, l'unique et véritable opérateur de la chaîne. Il est hors de question de reprendre le passif de la chaîne qui, après exploration des comptes, avoisine les 4 milliards de francs ! Le projet qu'il peaufine prévoit un investissement de 1,5 milliard de francs, sous forme d'une augmentation de capital ouverte, naturellement, aux actionnaires actuels s'ils souhaitent se maintenir, ou à de nouveaux partenaires. Le tout en conservant une partie des effectifs... « Dis-moi, plaisante Le Lay lorsqu'il a Codignoni au téléphone ce jeudi matin, ton 1,6 milliard, c'est avec ou sans la TVA?

– Ecoute Patrick, tu me fatigues, j'ai du travail, je ne veux plus te prendre au téléphone...

– Ne raccroche pas, j'ai une proposition à te faire, je passe au San Regis dans l'après-midi avec Mougeotte.

– Je te dis qu'on travaille, que je n'ai pas le temps.

– Je viens vous parler. »

Au même moment, ce matin, des appels en provenance et à l'initiative d'une partie des coalisés « informent » généreusement quelques rédactions de journaux que le groupe Berlusconi n'a « aucune intention » de sauver la Cinq. Tout ce qu'il veut, c'est se faire payer « plus d'un milliard et demi » pour sortir. C'est une forme de racket, proche des méthodes mafieuses, prévient-on. Il y aurait des preuves, des documents. Les journalistes, qui cherchent aussitôt à obtenir confirmation ou démenti de l'information, appellent les présidences ou les directions générales de TF1, Canal Plus, A2-FR3 et M6, où on leur confirme, à demi-mots lourds de sous-entendus, que Berlusconi « réclame » « son » milliard.

Des âmes charitables, notamment à TF1, ont fait parvenir à la rédaction de la Cinq, en ébullition constante depuis le dépôt de bilan, le fax des notes de Codignoni dont on espère que la nature ambiguë démobilisera les troupes de Pereire. Il est surprenant, au vu de ce carré de papier où sont gribouillés une poignée de chiffres, de petites flèches, de tirets et d'abréviations, qu'on puisse songer à vouloir faire croire qu'il s'agit d'une demande de rançon italienne, rédigée à l'intention de présidents de chaînes.

Mais la coalition joue sur du velours. En diffusant la « note », et en la présentant comme un ultimatum financier, on fusille d'avance l'honorabilité de tout projet déposé par Berlusconi. On joue sur le préjugé, objectivement xénophobe, que les Italiens sont des tricheurs et les Français des modèles de vertu. Que la Fininvest ne soit pas une institution de charité et Milan le Vatican de la transparence financière audiovisuelle, c'est certain. Mais de là à ce que les chaînes françaises veuillent se faire passer pour la Sainte Eglise de l'honnêteté cathodique...

Tous les coups sont permis, dans un camp comme dans l'autre. Ethique, morale et déontologie ne servent qu'à masquer ce qui est une guerre des gangs en cols blancs.

Vers 15 heures 30, Patrick Le Lay arrive seul à l'hôtel, s'installe à une table où Codignoni et Galliani étudient un dossier. Etienne Mougeotte ne va pas tarder, prévient-il, avant d'expliquer que TF1 a discuté avec les autres chaînes, avec Canal, M6... Qu'elles n'arriveront jamais à 1,6 milliard, mais qu'elles peuvent réunir environ 600 millions de francs. Au maximum... A ce moment, Galliani prend la parole et dit : « Mais on ne vous a rien demandé du tout. Monsieur Codignoni vous a expliqué ce que nous avons investi en France. Nous ne demandons ni 600 millions, ni 800, ni un milliard... » La discussion tourne court alors qu'arrive Etienne Mougeotte. Comme il ne semble rien y avoir à négocier, elle s'achève en moins d'un quart d'heure, sur un ton presque badin.

Codignoni raccompagne Le Lay qui, changeant son fusil d'épaule, déclare qu'après tout TF1 et la Fininvest ont tout intérêt à rester partenaires. Berlusconi n'est-il pas un actionnaire de la Une? Mieux, si Berlusconi conserve la Cinq, suggère le P-DG de la Une, on pourrait envisager une alliance afin d'arracher les droits de diffusion du Tour de France à A2-FR3...

Trois heures plus tard, à 19 heures 20, de nouvelles fuites organisées conduisent à la divulgation par l'AFP d'un « marchandage » qui a eu lieu, ce jeudi même au San Regis, sur le dos de la Cinq. Selon des sources présentées comme « sûres », le groupe Berlusconi aurait proposé à l'ensemble des autres télévisions françaises de se retirer du pays en échange d'un pactole... Les émissaires du magnat italien auraient fait cette offre à TF1...

La réplique italienne tombe une heure plus tard sur les téléscripteurs. La Fininvest affirme « *que deux personnes indiquant parler au nom des chaînes de télévision françaises* » sont venues lui proposer froidement d'acheter son retrait de la scène française contre une somme de « *600 millions de francs* ». Le groupe Berlusconi indique qu'il a « *catégoriquement rejeté cette proposition* » et réaffirme son ambition de « *sauver la Cinq* ».

Il y a maintenant deux versions de la même affaire sur la place publique. Mais les dégâts sont irréparables. Quoi qu'il fasse et dise, le groupe italien est pris dans un filet de connotations déplaisantes et d'interprétations polémiques de ses intentions. Les coalisés répètent à l'envi, en privé, que les Italiens ne sont que des menteurs, des « magouilleurs », que ça fait « des années que ça dure », qu'ils trichent sur la valeur de leur catalogue, qu'ils ne font pas de la télévision mais des affaires, rien que des affaires et que seul l'argent les intéresse.

La campagne s'amplifie violemment le mardi 4 février 1992 lorsque, au micro de France Inter, André Rousselet charge et dénonce ce qui est à ses yeux le scandale de la présence du groupe

Berlusconi en France. Contrairement à ce qu'on entend, affirme le P-DG de Canal Plus, tout le monde n'a pas perdu d'argent avec la Cinq, et sûrement pas le patron de la Fininvest, qui est largement rentré dans ses frais en ayant vendu à la chaîne, depuis 1986, plus « de 14 500 heures de programmes, fournies pour un montant de 2 milliards de francs, presque trois... » Il ressort de la déclaration tonitruante d'André Rousselet que le groupe italien s'est conduit et enrichi en parasite sur la chaîne. Et qu'il entend exploiter le filon jusqu'au bout en vendant son retrait du marché français aux autres chaînes. A l'appui de ces assertions, le P-DG de Canal Plus déclare détenir l'original d'un document – le feuillet annoté d'Angelo Codignoni – qui détaille les sommes exigées...

C'est un coup spectaculaire et fatal porté à Berlusconi. Qui se double le surlendemain, sur la même antenne, d'un bombardement en règle des projets et des méthodes « amorales » de la Fininvest par Patrick Le Lay. Ces assauts surviennent, ce n'est pas une coïncidence, au lendemain du dépôt par la Fininvest au tribunal de son projet de reprise de la Cinq. Projet qui a déjà du plomb dans l'aile. La plupart des actionnaires de la chaîne ne veulent plus y remettre un centime. Hachette recule. Le Crédit Lyonnais prend ses distances. Le tribunal retient le dossier mais souhaite des propositions plus fermes sur la reprise du passif, et un tour de table complet.

Souhaits qui ne se réaliseront jamais.

La coalition a pratiquement gagné la partie. Elle n'a donc plus lieu d'exister dans la stratégie de TF1, qui n'a plus besoin du projet-paravent de chaîne d'information. Patrick Le Lay peut à nouveau pratiquer son sport favori, le « lancer » de protocole dont on diffère interminablement la signature. Il a manœuvré, « promené » à son tour le PDG de Canal Plus, qui s'est convaincu de la validité de ce projet pour le réseau de la Cinq, et comprend peu à peu que TF1 ne veut pas y participer. « J'ai passé l'âge de me faire manipuler », explose André Rousselet, au cours du week-end du 8 février 1992, en constatant que Le Lay traîne les pieds pour signer l'accord sur la création du CNN français. Vaine colère. Le protocole finira par être signé mais restera lettre morte.

TF1 sort, au printemps 1992, grand vainqueur du champ de bataille.

Après ce déballage des mœurs audiovisuelles, en effet, et compte tenu de l'ampleur du passif dont le tribunal maintient qu'il doit être épongé, la Cinq n'a plus aucun espoir de ressusciter, avec ou sans Berlusconi. Avec ou sans le million d'adhérents de son « Association de défense ». Le « Front uni » a réussi à bloquer « Sua Emittenza »

676

dans un angle de l'échiquier d'où il ne parviendra pas à sortir. Où qu'il aille, il trouvera sur son chemin la coalition, épaulée par la bienveillance d'un pouvoir qui ne se « mêle » pas de télévision privée mais qui n'attend plus que la Cinq rende l'antenne pour neutraliser le réseau en y diffusant la SEPT. La mobilisation des leaders politiques italiens, traditionnels soutiens de la Fininvest, n'y change rien.

Autour de la Fininvest, l'alliance objective des pouvoirs publics et de l'axe TF1-Canal Plus contribue à brûler ce qui reste de terre. Alors que le tribunal exige de plus en plus de garanties pour la reprise, Berlusconi trouve de moins en moins d'appuis. La plupart des établissements bancaires qu'il contacte pour composer son tour de table sont l'objet, dans les heures qui suivent, d'amicales pressions pour ne pas investir à ses côtés. La Fininvest fait également les frais des turpitudes financières de Robert Maxwell et du financier Giancarlo Parretti. La Direction du Trésor ne se sent pas encline à recommander aux banques de renflouer la Cinq dans le sillage d'une Fininvest dont la totalité des comptes d'exploitation n'est pas accessible. On ne sait jamais...

L'hypothèse Pasqua périclite en février.

Lorsque le groupe italien retourne solliciter Jérôme Seydoux, le P-DG de Chargeurs décline. L'opération ne le séduit plus, et les bons conseils de Canal Plus et TF1 sont passés par là. Difficile pour l'important producteur de films qu'il est, à travers la société Renn Production, de se fâcher en même temps avec la chaîne à péage qui est devenue le premier financier du cinéma français, et avec la chaîne leader en audience, indispensable coproducteur.

Berlusconi cherche alors des partenaires en Europe. Il a toutes les peines du monde à convaincre le groupe Kirch, une banque italienne et des financiers espagnols de le suivre, mais y parvient tout de même. Il rencontre personnellement de grands annonceurs et le numéro un de ces centrales d'achat d'espace qu'il n'affectionne pourtant pas, Gilbert Gross. Les uns et les autres ne comprennent pas comment le gouvernement peut accepter de voir disparaître la Cinq, qui est à leur yeux le seul rempart privé à une domination accrue, demain, du marché de la télévision commerciale par TF1. Ils encouragent « Sua Emittenza » à se battre.

Mais, début mars, les espoirs italiens fondent avec les conditions draconiennes imposées par le tribunal de commerce. C'est plus de 4 milliards de francs qu'il faudrait mettre sur la table pour relancer la chaîne. Autant dire qu'il n'y aurait aucune perspective de rentabilité.

Le mardi 24 mars au soir, Berlusconi, qui n'est pas parvenu à fédérer un tour de table complet et solidaire, renonce définitivement à présenter un nouveau dossier de reprise.

Faute de repreneur, le vendredi 3 avril 1992, la Cinq est mise en situation de liquidation judiciaire par le tribunal qui évoque la « totale déconfiture » de cette entreprise. La faillite déclarée d'une chaîne de télévision nationale, c'est une première mondiale. Une innovation française.

Du fond de cette autre « déconfiture » qui se nomme depuis dix ans « politique audiovisuelle française » remontent, comme des bulles du fond d'un étang vaseux, les grands discours rédempteurs de la culture et de l'éducation. Dans les semaines suivantes, on lavera le réseau de la Cinq au jet de la « création » comme on « passe » une pierre d'évier à l'eau de Javel. Pour désinfecter. La SEPT franco-allemande cultu-relle et bilingue, que l'on rebaptise ARTE et que préside Jérôme Clé-ment, viendra réparer les outrages perpétrés par Berlusconi, Hersant et Lagardère.

Ainsi le pouvoir s'offre à crédit une troisième chaîne publique avec ARTE et l'impose au pays, avec la complicité du CSA, sur un réseau national où elle ne peut que nuire aux deux chaînes publiques, A2-FR3, et conforter la domination de TF1.

Exit Edith Cresson. Pierre Bérégovoy entre.

Un ministre chasse l'autre. Le rythme de leur « rotation », comme on dit pour les produits frais avec date de péremption, s'accélère. En avril 1992, Georges Kiejman, qui commençait seulement à se fami-liariser avec cet étrange univers, a cédé les tentures moutarde et les fauteuils raides de son ministère à Jean-Noël Jeanneney. Celui-ci a aussi peu de pouvoir que son prédécesseur, et, à peine arrivé, pontifie sereinement sur la nécessité d'installer une chaîne « éducative » dans la journée sur le réseau de la Cinq, en béquilles des programmes d'ARTE le soir. Jean-Noël Jeanneney, qui hérite à son tour du hochet audiovisuel, doit se contenter d'un ministère rétrogradé au rang de secrétariat d'Etat. Un strapontin sous l'aile tutélaire et possessive de Jack Lang à la Culture et à l'Education.

Il y a beau temps que le pouvoir ne sait plus comment se dépêtrer de son audiovisuel et ne compte plus ni sur ses ministres ni sur ses organes de régulation pour y remédier. Il gère au coup par coup. Il légifère au petit bonheur. Il réforme sans traiter. Il se mêle de tout et ne règle rien. Il interdit à la télévision publique de vivre la tête haute. Il craint d'augmenter la redevance. Il redoute la puissance de TF1 mais s'en fait le protecteur objectif. Il édifie des chaînes privées qu'il renie. Il ne se résout pas à accepter ce qu'est une télévision commer-ciale. Il en maudit l'argent mais vénère l'audience de ses journaux.

Il impose des réglementations qui protègent le fantôme d'une télévision qui n'existe plus que dans son souvenir.

Dimanche 12 avril 1992. Minuit. La Cinq s'éteint et bascule dans un trou noir neigeux. Autour de sa tombe électronique, une poignée de concurrents avides, un CSA en coma intermittent et des gouvernants qui s'en sont lavé les mains à se les faire saigner.

Remerciements

Ce récit n'aurait jamais pris forme sans l'impulsion initiale, puis la patience et les conseils délivrés par Françoise Verny, Monique Nemer, Abel Gerschenfeld et Maurice Szafran. A chacun nous exprimons notre gratitude pour les encouragements chaleureux et la confiance qu'ils nous ont manifestés.

Merci également, pour leur précieux concours, aux services de *Libération* : à Pascale Perrier, documentaliste de la rubrique Communication; Alain Brillon et Maurice Berblock aux Archives; Claude Tsao, Christian Poulin et Bernard Tort à l'Informatique.

INDEX

Baudis, Dominique : 33.
Baudouin, Denis : 164, 258, 261, 308, 311, 353, 412, 437.
Baudrier, Jacqueline : 39, 48, 351, 400.
Baudrillard, Jean : 249.
Baylet, Evelyne : 311.
BBC : 66, 73, 186, 522.
BDDP : 372, 464.
Beaucé, Thierry de : 511.
Beaux, Gilberte : 330, 348, 372.
Beck, Francis : 42.
BÉGHIN-SAY : 436.
Bellemare, Pierre : 108.
Belmondo, Jean-Paul : 169.
Benoist, Michel : 351, 352.
Bérard-Quelin, Georges : 333.
Bercoff, André : 165, 189.
Bérégovoy, Pierre : 26, 27, 44, 88, 201, 214, 218, 223.
Berlusconi, Silvio : 12, 49, 195-199, 209-248, 258-277, 281-289, 293-303, 325-330, 345-348, 359-365, 370, 371, 372, 377, 378, 380, 382, 383, 384, 393, 417-429, 439, 443-447, 453, 454, 455, 456, 461, 466, 467, 468, 471, 477, 479-494, 500-508, 515-533, 552, 553, 556-566, 574, 577, 578, 584, 585, 592, 594, 603-619, 646, 648, 649, 656-678.
Bernard, Maurice : 74.
Berri, Claude : 537, 555.
Bertelsmann, : 204, 211, 579, 582, 384.
Berthod, Michel : 42.
Besse, Georges : 326.
Bessis, Jean-Louis : 165, 189.
Beta Taurus : 302, 532.
Bianco, Jean-Louis : 42, 71, 72, 88, 140, 162, 189, 257, 328, 351.
Bille, Jacques : 373.
Blanc, Christian : 627.
Blanc-Francard, Patrice : 345, 387.
Bleustein-Blanchet, Marcel : 59, 64, 65, 66, 151, 204, 250, 251, 277, 278, 279, 280, 290, 291, 344, 345, 387, 447, 450, 451, 452, 453.
BLIC : 68, 150, 281.
Blier, Bertrand : 323.
Bloch, Robert : 66, 109, 110, 151, 155.
BNP : 20, 403, 404, 405, 406, 407, 500.
Boissonnat, Jean : 50.
Bonnell, René : 124, 199, 150, 155.
Bourges, Hervé : 134, 135, 136, 139, 140, 143, 166, 255, 314, 315, 322, 348, 353, 356, 366, 382, 409, 411, 418, 421-425, 432, 434, 465, 511-514, 534-538, 541-551, 560, 573, 626-634, 639, 662, 668, 672, 673.

Bourgois, Christian : 538, 543, 545, 546, 550.
Bourret, Jean-Claude : 315, 423, 654, 662.
Bouriez, Philippe : 376.
Bousquet, Louis : 406, 429, 529.
Boutet, Jacques : 52, 53, 82, 117, 136, 509, 513, 514, 519, 522, 535, 536, 537, 538, 541, 543, 544, 545, 546, 547, 548, 550, 551, 560, 561, 564, 565, 586, 590, 591, 595, 601, 602 610, 618, 619, 620, 624, 625, 626, 627, 628, 629, 639, 640, 651.
Boutet, Jean-François : 537.
Bouvard, Philippe : 293, 460.
Bouygues, Corinne : 386.
Bouygues, Francis : 12, 305, 317-323, 347, 361, 364, 365, 367, 381-386, 396-413, 417, 421-442, 455, 460, 461, 462, 467, 480, 481, 484, 487, 489, 490-494, 498-508, 515, 519-534, 552-557, 582, 593, 600-614, 624, 629, 632, 639, 646-651, 660, 670.
Bouygues, Martin : 529.
BOUYGUES SA : 267, 319, 320, 335, 343, 345, 347, 358, 365, 381, 406, 411, 494, 525, 526, 529, 53.
Bouyssonnie, Jean-Pierre : 352.
Bouzinac, Roger : 352, 401, 463.
Boyon, Michel : 310, 333.
Bredin, Frédérique : 246.
Bredin, Jean-Denis : 74, 167, 194, 200, 204, 208, 213, 215, 221, 222, 228, 246, 513, 514, 636.
Breugnot, Pascale : 460.
Brière, Marie-France : 417, 422, 426, 427.
BRITISH AEROSPACE : 100.
BRITISH PRINTING AND COMMUNICATION CORPORATION : 185.
Brochand, Bernard : 19, 111, 113, 123, 145, 146, 147, 123.
Broglie, Gabriel de : 88, 139, 168, 351, 352, 356, 388, 390, 392, 400-411, 421, 437, 444, 455, 462, 463, 470.
Brun-Buisson, Francis : 71, 309.
Bruxelles, Lambert : 37, 94, 95, 103, 104, 127, 128, 174, 179, 236.
BSB : 555.
BSN : 450, 500.
BUNDESPOST : 339.
Burnel, Roger : 514.

CAISSE DES DÉPÔTS : 20, 341, 495, 572, 596.
Calderon, Gérald : 68.

687

BIBLIOGRAPHIE SOMMAIRE

Luc Bernard, *Europe 1, La grande histoire dans une grande radio*, Centurion, 1990.

René Bonnell, *La vingt-cinquième image*, Gallimard, 1989.

Hervé Bourges, *Une chaîne sur les bras*, Seuil, 1987.

Denis Boutelier et Dilip Subramanian, *Le grand bluff*, Denoël, 1990.

Tom Bower, *Maxwell*, Plon, 1989.

Jean-Marie Cavada, *En toute liberté*, Grasset, 1986.

Elisabeth Champagnac et Vincent Nouzille, *Citizen Bouygues*, Belfond, 1988.

Annick Cojean et Frank Eskénazi, *FM, la folle histoire des radios libres*, Grasset, 1986.

Sophie Coignard et Jean-François Lacan, *La république bananière*, Belfond, 1989.

Michèle Cotta, *Les miroirs de Jupiter*, Fayard, 1986.

Monique Dagnaud et Dominique Mehl, *Patrons de chaîne*, CNET, 1990.

Catherine Demangeat et Florence Muracciole, *« Dieu » et les siens*, Belfond, 1990.

Claude Estier et Véronique Néiertz, *Véridique histoire d'un septennat peu ordinaire*, Grasset, 1987.

Pierre Favier et Michel Martin-Roland, *La décennie Mitterrand*, Tomes I et II, Seuil, 1990, 1991.

José Frèches, *Voyage au centre du pouvoir,* Odile Jacob, 1989.

Philippe Guilhaume, *Un président à abattre*, Albin Michel, 1991.

Franz-Olivier Giesbert, *Le Président*, Seuil, 1990.

Serge July, *Les années Mitterrand*, Grasset, 1986.

Alain Le Diberder et Nathalie Coste-Cerdan, *Briser les chaînes*, La Découverte, 1988.

Thierry Pfister, *La vie quotidienne à Matignon au temps de l'union de la gauche*, Hachette, 1985.

Thierry Pfister, *Dans les coulisses du pouvoir*, Albin Michel, 1986.

Jean-Michel Quatrepoint, *Histoire secrète des dossiers noirs de la gauche*, Alain Moreau, 1986.

Airy Routier, *La république des loups*, Calmann-Lévy, 1989.

Jeremy Tunstall et Michael Palmer, *Media moguls*, Routledge, London, 1991.

697

TABLE DES MATIÈRES

TROISIÈME PARTIE : PRÉDATEURS

Cet ouvrage a été réalisé par la
SOCIÉTÉ   NOUVELLE   FIRMIN-DIDOT
Mesnil-sur-l'Estrée
pour le compte des Éditions Flammarion
en décembre 1992

Imprimé en France
Dépôt légal : octobre 1992
N° d'édition : 14199 - N° d'impression : 22378